二訂版

Looking from Trial Example

裁判例からみる
所得税法

一般財団法人 大蔵財務協会

二訂版はしがき

本書を初版として世に投じたのは平成28年９月であるから、既に４年が経過した。

その間、租税法を巡る社会は大きく変容している。

なによりも、新型コロナウイルスの蔓延は私たちを取り巻く社会、経済に大きなショックをもたらし、私たちの生活もニューノーマルという呼称の下、大きく様変わりをした。例えば、新型コロナウイルスによる社会的・経済的ショックは、給与所得者の働き方を大きく変え、リモートワークやジョブ型雇用がもはや珍しいものではなくなっている。そのことは、ひとり給与所得者のみならず、いわゆるギグワーカーなどのフリーランスが大きく活躍する社会を招来した。働き方に対する改革的な潮流や雇用の流動化は、所得税法にいう給与所得や事業所得のあり方や、退職所得の存在自体にも疑問を投げかけている。平成30年度税制改正では、正規雇用と非正規雇用との間にある所得税法上の「垣根」でもあった給与所得控除が改正され、その一部が基礎控除へと振り替えられた（令和２年分所得税より適用）。また、令和３年度税制改正では退職所得控除が改正されるなど、税制も着実に変わりつつある。

家族の形態はさらに核家族化が進み、老後資金を自らが用意しなければならない高齢者にとって厳しい社会が到来しつつある。シングルマザーが抱える貧困なども格差社会の進展と相俟って大きな問題となっている。令和２年度税制改正により、ひとり親控除が創設され、寡婦控除が改正された。そのほかにも、ここ数年来の人的所得控除の改正は目まぐるしい。ここでは、国外扶養親族に係る扶養控除の範囲の見直しもなされるなど、外国人労働者や国際結婚の増加といった国際化の潮流も反映されている。また、平成30年には相続法が改正された。昭和55年に改正されて以降大きな改正がなかった中において、約40年振りに高齢化の進展や社会環境の変化に対応するための民法改正が行われたのである。そこでは、例えば、配偶者居住権などの法律上の手当てがなされたが、かかる権利に関する所得税法の対応にも注目が集まった。

事業承継も今日的には大きな関心事項の一つである。いわゆる事業承継税制への期待も高まる中、個人版事業承継税制が導入されるなど拡大をみせている。また、いわゆる分散型社会への変革の一端に暗号資産（仮想通貨）の登場を数えることができるかもしれない。仮想通貨を巡っては、いわゆる「億り人」という言葉が一時期流行したように、一夜にして高額所得者となる投資家が登場するなどして注目を集めた。所得税法も改正がなされているが、依然として暗号資産に対する課税実務の取扱いは解釈論に委ねられているところも多く、不安定な面も残る。

納税環境整備についても注目すべき動きがある。そのキーワードは、「デジタル化」である。平成28年１月１日からマイナンバー制度が本格運営され、平成29年には、国税庁が電子的な税務行政の青写真を示し、平成30年には、政府税制調査会がe-JAPAN構想を下地にした納税環境整備を提言した。このような状況下、累次の税制改正において資料情報制度の拡充が図られるとともに、令和３年度税制改正では、電子帳簿保存法の大幅な改正がなされ、国税庁等の当該職員の質問検査権がダウンロード共有にまで拡張されるなど、実務的には大きなインパクトを与える改正がなされている。

このように、所得税法では、同法を取り巻く大きな環境変化を受けて、注目すべき重要な改正が続いている。同法は、社会に生起する問題に直結した問題関心を共有しており、常に、社会の変容に合わせた軌道修正を行うことが求められている税制であるといっても過言ではなかろう。

二訂版では、初版後になされた上記の事項をはじめとする税制改正の内容を盛り込むだけではなく、その間に提起された重要な租税事件に係る裁判例を多数収録し解説を加えている。

本書の改訂に当たっては、大蔵財務協会の編集者にご尽力を賜った。また、校正作業等では一般社団法人ファルクラム事務局長の佐藤総一郎氏、同上席主任研究員の臼倉真純氏に大変お世話になった。秘書の手代木しのぶさんには、この度も表紙に使用するデザイン画を提供いただいた。

ここに、上記諸氏に対して心よりの感謝を申し上げたい。

令和３年７月

酒　井　克　彦

はしがき

租税負担は、公平になされるべきという際に、いかなる公平性が担保されるべきかという永年の課題を私たち国民は突きつけられている。論者の多くは、水平的公平よりも垂直的公平により比重を置くべきとする。ここにいう水平的公平とは、同じ状況にあるものには同程度の租税負担を求めるべきとする考え方で、垂直的公平とは異なる状況にあるものに対して異なる租税負担を求めるという考え方である。消費税が実現しようとする水平的公平よりも、所得税が実現しようとする垂直的公平の方が、実質的な担税力に応じた課税という見地からは望ましいと考えるからであろう。

所得税法は、累進課税の制度を内包しており、各種の所得区分に応じた課税計算を行い、また、個々の納税者の実情に応じた所得課税を実現するために各種の所得控除を設けている。これは、個々の納税者の直面する事情や個々の所得源泉の持つ担税力の違いに着目をして、それを考慮するという制度設計であり、その建付けは極めて肌理の細かいものである。そうであるが故に、これまで全ての税目の中でも所得税は中心的な位置を占めてきたのであり、基幹税として位置付けられてきたのである。

他方、肌理の細かいものであるが故に複雑な制度となり、その解釈適用を巡っての論点も膨大なものとなっている。かくして、所得税法の解釈適用に係る租税争訟の数も群を抜いている。基幹税である所得税法を理解することなくして、租税法を理解することは不可能であるといっても過言ではあるまい。

本書は、所得税法の体系的理解と各論における個別論点を、出来るだけ多くの裁判例等を素材に解説を試みようとするものである。その体系はオーソドックスに法律の条文の流れに沿った構成とし、筆者の尊敬する池本征男先生の『所得税法　理論と計算』（税務経理協会）を多くの部分で参考にさせていただいた（池本先生とは、この「裁判例からみる」シリーズの『相続税・贈与税』を共に著し、また、植松守雄先生の『注解所得税法〔５訂版〕』（注解所得税法研究会編）の改訂作業でも大いにお世話になった。所得税法の真の理解者である。）。この場を借りて御礼を申し上げたい。

法制度の理解に当たっては、具体的な論点研究が有益であることは言を俟たないが、ケーススタディは初学者のみならず、実務家にとっても極めて有益であると考える。本書が、所得税法を巡る具体の問題解決や学習・研究に資するものとなれば幸いである。

最後になったが、本書の刊行に当たり、ご尽力を頂いた大蔵財務協会出版編集部の諸氏、一般社団法人ファルクラム事務局長佐藤総一郎氏、臼倉真純氏、中央大学大学院福田智子氏には心より御礼申し上げたい。また、このたびも私の書籍の表紙デザインを考えてくれた秘書の手代木しのぶさんにはこの場を借りて御礼を申し上げたい。

平成28年７月

酒　井　克　彦

《凡　　例》

本書では、本文中は原則として正式名称を用い、主に（　）内において下記の略語を使用している。
また、読者の便宜を考慮し、判決・条文や文献の引用において、漢数字等を算用数字に変え、必要に応じて3桁ごとにカンマ（,）を入れるとともに、「つ」等の促音は「っ」等と小書きしている。

その他、引用文献や判決文等の網掛け、下線ないし傍点は、特に断りのない限り筆者が付したものである。裁判例の紹介の表題部分の審級名は第一法規D1-Law.com『判例体系』を参考とした。なお、上告不受理とされた事例についても、本書においては便宜的に申立人を「上告人」、その相手方を「被上告人」と表記し、「上告審」と表記している。

〔法令・通達等〕

憲………………日本国憲法
民………………民法
刑………………刑法
商………………商法
会社……………会社法
通法……………国税通則法
通令……………国税通則法施行令
所法……………所得税法
所令……………所得税法施行令
所規……………所得税法施行規則
法法……………法人税法
相法……………相続税法
措法……………租税特別措置法
措令……………租税特別措置法施行令
措規……………租税特別措置法施行規則
地法……………地方税法
金商……………金融商品取引法
厚年……………厚生年金保険法
災免法………災害被害者に対する租税の減免、徴収猶予等に関する法律
資金決済………資金決済に関する法律
所基通…………所得税基本通達
相基通…………相続税法基本通達
措通……………租税特別措置法に係る所得税の取扱いについて、租税特別措置法に係る所得税の取扱い《源泉所得税関係》について、租税特別措置法（山林所得・譲渡所得関係）の取扱いについて、租税特別措置法（株式等に係る譲渡所得等関係）の取扱いについて

〔判例集・雑誌〕

民集……………最高裁判所民事判例集
刑集……………最高裁判所刑事判例集
集民……………最高裁判所裁判集民事
行集……………行政事件裁判例集
高民……………高等裁判所民事判例集
訟月……………訟務月報
税資……………税務訴訟資料
金判……………金融商事判例
金法……………金融法務事情
判時……………判例時報
判タ……………判例タイムズ
シュト…………シュトイエル
ジュリ…………ジュリスト
自研……………自治研究
自正……………自由と正義
時法……………時の法令
商事……………旬刊商事法務
税弘……………税務弘報
税大論叢………税務大学校論叢
税通……………税経通信
税法……………税法学
曹時……………法曹時報
判評……………判例評論
法協……………法学協会雑誌
法教……………法学教室
法時……………法律時報
法セ……………法学セミナー
ひろば…………法律のひろば
民研……………民事研修
民商……………民商法雑誌
民情……………民事法情報

〔文献〕

荒井・精解………………………………荒井勇代表編『国税通則法精解〔第16版〕』(大蔵財務協会2019)
池本・所得税法…………………………池本征男『所得税法　理論と計算〔14訂版〕』(税務経理協会2020)
池本＝酒井・裁判例〔相続税法〕…池本征男＝酒井克彦『裁判例からみる相続税法〔4訂版〕』(大蔵財務協会2021)
金子・租税法……………………………金子宏『租税法〔第23版〕』(弘文堂2019)
清永・税法………………………………清永敬次『税法〔新装版〕』(ミネルヴァ書房2013)
高橋ほか・小辞典………………………高橋和之ほか『法律学小辞典〔第5版〕』(有斐閣2016)
谷口・講義………………………………谷口勢津夫『税法基本講義〔第6版〕』(弘文堂2018)
注解所得税法研究会・注解…………注解所得税法研究会『注解所得税法〔6訂版〕』

（大蔵財務協会2019）

水野・大系……………………………水野忠恒『大系租税法〔第３版〕』（中央経済社2021）

酒井・課税要件………………………酒井克彦『クローズアップ課税要件事実論〔第４版改訂増補版〕』（財経詳報社2017）

酒井・キャッチアップ相続法………酒井克彦『キャッチアップ改正相続法の税務』（財経詳報社2019）

酒井・裁判例〔法人税法〕…………酒井克彦『裁判例からみる法人税法〔３訂版〕』（大蔵財務協会2019）

酒井・ステップアップ………………酒井克彦『ステップアップ租税法』（財経詳報社2010）

酒井・相当性…………………………酒井克彦『「相当性」をめぐる認定判断と税務解釈』（清文社2013）

酒井・租税法と私法…………………酒井克彦『ステップアップ租税法と私法』（財経詳報社2019）

酒井・フォローアップ………………酒井克彦『フォローアップ租税法』（財経詳報社2010）

酒井・ブラッシュアップ……………酒井克彦『ブラッシュアップ租税法』（財経詳報社2011）

酒井・レクチャー……………………酒井克彦『レクチャー租税法解釈入門』（弘文堂2015）

酒井・論点研究………………………酒井克彦『所得税法の論点研究』（財経詳報社2011）

行政百選Ⅰ・Ⅱ………………………別冊ジュリスト『行政判例百選Ⅰ・Ⅱ』（有斐閣）

憲法百選Ⅰ・Ⅱ………………………別冊ジュリスト『憲法判例百選Ⅰ・Ⅱ』（有斐閣）

社会保障百選…………………………別冊ジュリスト『社会保障判例百選』（有斐閣）

宗教百選………………………………別冊ジュリスト『宗教判例百選』（有斐閣）

租税百選………………………………別冊ジュリスト『租税判例百選』（有斐閣）

（判例百選シリーズの〔　〕付き数字は版数を示している。）

なお、本書は令和３年６月１日現在の法令等によっている。

〔目　　次〕

第１章　所得税の課税対象

第2章 所得区分

第3章　収入金額・必要経費

第4章　損益通算

第5章　所得控除

第6章　税額計算・税額控除

第7章　申告

〔裁判例・裁決例目次〕

2

2

2

3

第１章　所得税の課税対象

Ⅰ　納税義務者

1　納税義務者の分類

原則として個人に課される所得税においては、その納税義務の負担者を国税通則法と同様「納税者」ということもできるところ、所得税法は、法人や人格のない社団等の受ける利子や配当等の特定の所得に対しても源泉徴収制度に基づく課税ルールを規定していることから、所得税の負担者を、源泉徴収義務者（所法６）とは別に「納税義務者」として規定している（所法４、５）。この所得税法上の「納税義務者」は、居住者（所法５①）、非居住者（所法５②）、内国法人（所法５③）、外国法人（所法５④）に区分されており、それぞれの区分に応じた課税所得の範囲、課税方式等を規定している。なお、本書においては「納税者」という表現と併用している。

【納税義務者の区分と課税所得の範囲・課税方法の概要】

納税義務者の区分＼項目			課税所得の範囲	課税方法
個人	居住者	非永住者以外の居住者（所法２①三）	国の内外で生じた全ての所得（所法５①、７①一）	申告納税又は源泉徴収
		非永住者（所法２①四）	国外源泉所得（国外にある有価証券の譲渡により生ずる所得として一定のものを含みます。）以外の所得及び国外源泉所得で国内において支払われ、又は国外から送金された所得（所法５①、７①二）	申告納税又は源泉徴収

	非居住者 （所法２①五）	国内源泉所得（所法５②、７①三）	申告納税又は源泉徴収
法人	内国法人 （所法２①六）	国内において支払われる利子等、配当等、定期積金の給付補塡金等、匿名組合契約等に基づく利益の分配及び賞金（所法５③、７①四）	源泉徴収
	外国法人 （所法２①七）	国内源泉所得のうち特定のもの（所法５④、７①五）	源泉徴収
	人格のない社団等 （所法２①八）	内国法人又は外国法人に同じ（所法４）	源泉徴収

（出所）国税庁「源泉徴収のあらまし〔令和３年版〕」より

⑴　個人

所得税法は、対象とする個人を「居住者」と「非居住者」に分類し、その分類に応じて課税対象を異にする仕組みを構築している。ここに、「居住者」とは、国内に住所を有し、又は現在まで引き続いて１年以上居所を有する個人をいい（所法２①三）、「非居住者」とは居住者以外の個人をいう（所法２①五）。なお、租税条約では、日本と異なる規定を置いている国との二重課税等を防止するため、個人及び法人がいずれの国の居住者になるかの判定方法を定めている。例えば、我が国が締結している租税条約には、個人について、①恒久的住居の場所、②利害関係の中心がある場所、③常用の住居の場所、④国籍の順で判定し、どちらの国の「居住者」となるかを決めているものなどがある。

所得税法は、居住者以外の個人を非居住者としていることから分かるとおり、居住者の決定を優先させている。結果的に、居住者と非居住者の区分は、その者が国内に住所を有するか否かによって決まることになるが、この「住所」については、所得税法上に定義がなく、また法令の文脈からも必ずしも明らかであるとはいえない。そうであるからといって、その者が「居住者」に該当するか「非居住者」に該当するかの判断をしないわけにはいかないので、結局は解釈によってこれを解決するほかないのである。

そこで、学説上は、この「住所」概念を、民法から借用したものと解しており、かような概念（借用概念）の理解については、民法にいうところと同様の意味として理解すべきとする見解が通説であるとされているから（統一説）、ここでもこの見解に従い、民法22条《住所》の定義に従って解釈するのが妥当であると考えられている。同条は、「各人の生活の本拠をその者の住所とする。」と規定するので、課税実務もこれに従い、所得税法２条《定義》１項３号にいう「住所」についても、同様に解して、「生活の本拠」と解している（所基通２－１参照）。もっとも、何をもって民法22条にいう「生活」というのか、何をもって「本拠」というのかという点では議論の余地があろう。

贈与税の事件ではあるが、改正前相続税法においては国内に住所を有している受贈者にのみ贈与税が課されていたところ、租税を回避する目的で香港に生活の拠点を移していた受贈者の住所が国内にあるか否かが争われた事例として、いわゆる武富士事件最高裁平成23年２月18日第二小法廷判決（集民236号71頁）がある（酒井・ブラッシュアップ272頁、酒井・課税要件98頁）。同最高裁は、「一定の場所が住所に当たるか否かは、客観的に生活の本拠たる実体を具備しているか否かによって決すべきものであり、主観的に贈与税回避の目的があったとしても、客観的な生活の実体が消滅するものではないから、上記の目的の下に各滞在日数を調整していたことをもって、現に香港での滞在日数が本件期間中の約３分の２（国内での滞在日数の約2.5倍）に及んでいる上告人〔筆者注：行政処分を受けた原告〕について前記事実関係等の下で本件香港居宅に生活の本拠たる実体があることを否定する理由とすることはできない。」として、滞在日数を重視する判断を示している。ここでは、従前から、民法上の論点となっていた主観説か客観説か、あるいは複数説か単数説かという論点を含む議論が展開されている（なお、最近の民法学では、主観説と客観説の対立は相対的なものとなっており、両者の見解は近似しているが、本件最高裁判決は、客観的な徴表をもってして判断される主観をも排除しているという点で注目される。また、民法上は１人の個人に対して種々の法律関係に結び付きの強い複数の住所があり得るとする複数説―つまり1人につき、民法では民法上の住所、学校教育法では学校教育法上の別の住所というように1人に複数の住所が認められるべきとする見解（複数説）―が通説であるが（我妻栄ほか『民法Ⅰ総則・物権法〔第2版〕』57頁（勁草書房2005)、我妻栄『民法Ⅰ総則・物権法〔第4版（新版)〕』52頁（一粒社1992)、内田貴『民法Ⅰ〔第4版〕』130頁（東京大学出版会2008))、本件判決は相続税法上は1人に1つの住所のみが認められるべきであるという意味において、通説の採用する複数説に必ずしも抵触する見地に立っているわけではなさそうである。)。

なお、外国で勤務する国家公務員等は、日本に国籍を有しない者や現に国外に居住し、その地に永住すると認められる者を除き、国内に住所を有しない期間についても、国内に住所を有するものとみなされる（所法3①、所令13)。また、国の内外に居住地が異動する者（次のＡ又はＢ）の住所の判定については、①又は②によることが所得税法施行令に規定されている（所令14、15)。

① 国内に居住することとなった者Ａが次のいずれかに該当するときは、Ａの住所は国内にあるものと推定する。Ａと生計を一にする配偶者や扶養親族も国内に住所を有するものと推定される。

(i) Ａが国内において継続して1年以上居住することを通常必要とする職業を有すること

(ii) Ａが日本国籍を有し、かつ、Ａが国内において生計を一にする配偶者その他の親族を有することその他国内におけるＡの職業、資産の有無等の状況に照らし、Ａが国内において継続して1年以上居住するものと推測するに足りる事実があること

② 国外に居住することとなった者Ｂが次のいずれかに該当するときは、Ｂの住所は国内にないものと推定する。Ｂと生計を一にする配偶者や扶養親族も国内に住所を有しないものと推定される。

(i) Ｂが国外において継続して1年以上居住することを通常必要とする職業を有すること

(ii) Ｂが外国の国籍を有し、又は外国の法令によりその外国に永住する許

可を受けており、かつ、Bが国内において生計を一にする配偶者その他の親族を有していないことその他国内におけるBの職業、資産の有無等の状況に照らし、Bが再び国内に帰り、主として国内に居住するものと推測するに足りる事実がないこと

裁判例の紹介

ユニマット事件

海外での株式譲渡時に国内に住所を有していたとは認められないとされた事例

（**1**第一審東京地裁平成19年9月14日判決・判タ1277号173頁）
（**2**控訴審東京高裁平成20年2月28日判決・判タ1278号163頁）[1]

〔事案の概要〕

本件は、処分行政庁が、平成13年分の所得税に係る確定申告書を提出しなかったX（原告・被控訴人）に対し、同年に株式を譲渡した譲渡所得があるとして、決定処分及び無申告加算税賦課決定処分をしたところ、Xは上記株式の譲渡時には日本国内に住所を有していなかったので納税義務を負う居住者ではないと主張し、国Y（被告・控訴人）に対し、本件決定処分等の取消しを求めた事案である。

1　Yの主張

所得税法における「住所」たる生活の本拠を認定するについては、客観的な事実、すなわち住居、職業、国内において生計を一にする配偶者その他の親族を有するか否か、資産の所在等の客観的事実に加え、本人の居住意思及び目的をも補充的に考慮して、総合的に認定すべきである。

本件では、Xの住居、職業、親族及び資産の所在等の客観的事実に加え、その居住意思及び目的をも補充的に考慮して総合的に認定すれば、Xの「住所」すなわち生活の本拠は、Xがシンガポールへ渡航した後もシンガポールに移転したことはなく、依然として日本国内にあったものと認められ、仮にそうでなくとも、少なくとも本件譲渡期日の時点におけるXの「住所」は日本にあったものと認められる。

主に職業及び資産の所在等の点から認められる経済活動の実態という面においては、シンガポールよりもはるかに日本の方がXの生活に最も関係の深い一

1）判例評釈として、川田剛・税研148号24頁（2009)、中西良彦・税理51巻13号122頁（2008)。

般的生活又は全生活の中心であるというべきであり、さらに、Xの居住意思及び目的を補充的に考慮すれば、Xの住所が日本国内にあったことは優に認められる。

2　Xの主張

Xは、平成12年11月までは、東京都のDカーサ803号室を生活の本拠としていたが、同年12月4日にシンガポールに転居してからは、生活の本拠はAアパートにあった。

Xは、平成12年12月1日から1年間、その後、契約の更新をして、同14年11月30日までの間、継続してAアパートを賃借し、その期間は継続してシンガポールに居住していた。Xは、平成12年12月4日から少なくとも2年間はシンガポールに居住しつつ、①本件特別顧問契約に基づき、Nのシンガポールにおける事務所で助言等の役務を提供する業務を行うとともに、②本件投資顧問契約に基づき、Nのシンガポールにおける事務所で日本株のトレーダーから専門的な助言が受けられる環境の下、職業に従事していたのであるから、Xは日本国内に住所がなかったものである。

Yは、Xが日本国内のいずれの場所に住所を有していたかまで厳密に特定することは、本件決定処分等の適法性を判断する上で必要不可欠とは思われない旨主張するが、そのように住所を特定できないということは、Xが日本国内に住所を有していなかったことの証左である。

〔争点〕

本件株式譲渡契約の実行日（本件譲渡期日）とされ、Xが株式の譲渡代金を受領した当時において、Xが日本国内に住所を有していたと認められるか否か。

〔判決の要旨〕

1　東京地裁平成19年9月14日判決

「所得税法2条1項3号は、『居住者』を『国内に住所を有する個人』等と定義するところ、法令において人の住所につき法律上の効果を規定している場合、反対の解釈をすべき特段の事由のない限り、住所とは、各人の生活の本拠を指すものと解するのが相当であり（最高裁昭和29年（オ）第412号同29年10月20日大法廷判決・民集8巻10号1907頁参照）、生活の本拠とは、その者の生活に最も関係の深い一般的生活、全生活の中心を指すものである（最高裁昭和35年（オ）第84号同35年3月22日第三小法廷判決・民集14巻4号551頁参照）。そして、一定の場所がその者の住所であるか否かは、租税法が多数人を相手方として課税を行う関係上、客観的な表象に着目して画一的に規律せざるを得ないところからして、一般的には、住居、職業、生計を一にする配偶者その他の親族の居所、資産の所在等の客観的事実に基づき、総合的に判定するのが相当である。これに対し、主観的な居住意思は、通常は、客観的な居住の事実に具体化されているであろうから、住所の判定に無関係であるとはいえないが、このような居住意思は必ずしも常に存在するものではなく、外部から認識し難い場合が多いため、補充的な考慮要素にとどまるものと解される。」

「Xが我が国における課税を回避するためにその住所をシンガポールに移転させたものとうかがう余地もあり得るが、他方において、住居、職業、生計を一にする配偶者その他の親族の居所、資産の所在等の客観的事実に基づき総合的に判定した結果、本件譲渡期日当時、Xが日本国内に住所を有していたと認めることができないことは上記…のとおりであり、そうである以上、Xが日本国内に真実の住所を有していたにもかかわらず、シンガポールに住所があるように偽装したと認めることはできず、この限りにおいて、Xが租税回避を目的としていたか否かによってその住所の認定が左右されるものではない。」

「以上検討の結果からすると、本件譲渡期日当時において、Xが日本国内に住所を有していたと認めることはできず、したがって、本件譲渡期日当時においてXが日本国内に住所を有していたことを前提としてされた本件決定処分等は、その前提が認められないから違法である。」

2　東京高裁平成20年2月28日判決

「本件譲渡期日当時におけるXの住居が国内になく、むしろシンガポールにあったものと認められること、Xの職業についても、シンガポールにおいて株式取引を開始した時点でその生活の本拠がシンガポールに移転したものと見ることができること、国内において生計を一にするXの家族又は親族は存在せず、かつ、Xが継続して居住するに適する場所を有していなかったこと、国内に所在する資産についても、シンガポールに居住しながら管理することが困難とまではいえないと認められることなどを総合的に考慮すると、本件譲渡期日当時、Xが国内に住所を有していたと認めることはできない。」

〔コメント〕

所得税法には、「住所」の定義規定がなく、また、民法にいう「住所」と異なる解釈をすべきと考える理由もないから、基本的には民法上の「住所」と同義に理解をするという考え方が通説・判例の立場である。本件判決も、民法にいう「住所」と同義に解するとした上で、所得税法上の「住所」の判定に当たって、民法22条がいうように「生活の本拠」がどこであるかという観点から検討を加えている。

このような判断枠組みは、これまでの多くの裁判例にもみられるところである（その他、所得税基本通達3－1《船舶、航空機の乗組員の住所の判定》にいう判断枠組みによるべきとして、外国人漁船員らが「非居住者」に当たるとされた事例として、東京地裁平成22年2月12日判決（税資260号順号11378）などもある。）。

ここで注目すべきは、本件地裁判決が、「一般的には、住居、職業、生計を一にする配偶者その他の親族の居所、資産の所在等の客観的事実に基づき、総合的に判定するのが相当である。」とし、客観的事実に基づく判断を述べた上で、「主観的な居住意思は、通常は、客観的な居住の事実に具体化されているであろうから、住所の判定に無関係であるとはいえないが、このような居住意思は必ずしも常に存在するものではなく、外部から認識し難い場合が多いため、補充的な考慮要素にとどまるものと解される。」としている点である。

本件高裁判決は、居住意思が、客観的な居住の事実に具体化されているとして、客観的に表象される主観のみを「住所」の判断要素として取り込むとしているのではなく、そのような客観的な徴表によって明らかにされようとも、それはあくまでも考慮要素にとどまるとしている。客観的に明らかであれば、外部から認識し難い場合ではないのであるから、外部から認識し難い場合が多いかどうかということで補充的な考慮要素にとどまらせるか否かを議論することは論理的に問題があるとの指摘もあり得よう。

そのことを措くとすれば、住居、職業、生計を一にする配偶者その他の親族の居所、資産の所在等の客観的事実に基づき総合的に「住所」を判断する点については、これまでの判断構造と異なるところではないといえよう。

裁判例の紹介

アメリカ人非居住者事件

取引先が非居住者であることについて、確認すべき注意義務を尽くしたとはいえないとして、源泉徴収義務は否定されないとされた事例

（**3**第一審東京地裁平成28年5月19日判決・税資266号順号12856）[2)]
（**4**控訴審東京高裁平成28年12月1日判決・税資266号順号12942）[3)]

〔事案の概要〕

1　概観

本件は、株式会社であるX社（原告・控訴人）が、Gとの間において、本件土地及び本件建物（以下、本件土地と併せて「本件不動産」という。）に係る売

2）判例評釈として、南繁樹・ジュリ1498号10頁（2016）、平川英子・速報判例解説21号〔法セ増刊〕223頁（2017）、堀招子・税通73巻6号165頁（2018）、木村浩之・税弘66巻13号154頁（2018）、長島弘・税務事例50巻12号35頁（2018）など参照。
3）西山由美・ジュリ1522号140頁（2018）、木山泰嗣・アコード・タックス・レビュー9＝10号13頁（2018）など参照。

買契約（以下「本件売買契約」という。）を締結し、本件不動産の売買代金7億6,000万円（以下「本件代金」という。）並びに固定資産税及び都市計画税（以下「固定資産税等」という。）相当額の精算金215万9,273円（以下「本件精算金」という。）の合計額である7億6,215万9,273円（以下「本件譲渡対価」という。）をGに支払ったところ、処分行政庁から、Gが所得税法2条1項5号にいう「非居住者」に該当し、X社は同法212条《源泉徴収義務》1項（以下「本件条項」という。）に基づく源泉徴収義務を負うとして、源泉徴収税の納税告知処分（以下「本件告知処分」という。）を受けたことに対し、Gは所得税法上の「非居住者」には該当せず、仮に該当するとしても、X社は源泉徴収義務を負わない旨主張して、本件告知処分の取消しを求めた事案である。

2　具体的事実

(1)　当事者等

ア　X社は、不動産の取得、処分、賃貸借、管理、利用、開発等を目的とする株式会社であり、東京証券取引所市場第一部に株式を上場している。

イ(ア)　G（昭和2年生）は、X社に対し、本件不動産を譲り渡した者である。

(イ)　Gは、米国籍を取得しており、米国が発給した「G'」又は「G"」名義のパスポートで米国籍の者として日本に入出国していた。Gが日本国内にいる間は、本件建物で生活していた。

(ウ) a　Gは、国籍喪失の届出（戸籍法103）をしておらず、本件売買契約の当時、亡父（H）の戸籍に登録されていた。なお、同戸籍については、平成23年3月27日、職権により消除された。

b　Gは、住民基本台帳に記録されており、平成7年12月22日、「東京都I区」（以下「本件旧住所」という。）から「東京都J区」に転居した旨の届出を東京都J区長に対して行い、本件売買契約の当時における住民票上の住所地は、本件建物所在地であった。なお、Gの住民票については、平成23年3月7日、職権により消除された。

c　Gは、東京都J区において、印鑑登録をしており、印鑑登録証明書には、Gの住所として、本件建物所在地が記録されている。

(エ) a　Gは、東京都J区の介護保険の被保険者として取り扱われており、平成12年4月1日及び平成18年3月14日、介護保険被保険者証の交付を受けて、平成16年度ないし平成19年度において、介護保険料を納付していた。

b　Gは、平成20年4月当時において、後期高齢者医療制度被保険者証の交付を受けていた。

(オ)　Gは、本件譲渡対価の支払を受けた平成20年3月14日（以下「本件支払日」という。）の時点において、日本国内の金融機関に少なくとも1,500万円の預金を有していた。

(カ)　G'は、2000年（平成12年）11月30日、米国K州の近郊にある本件米国住所に、土地（0.18エーカー（約728.46㎡）及びプール付き一戸建ての住居（以下、併せて「本件米国住居」という。）を取得していた。

⑵　本件不動産の状況等

ア　Gは、亡父からの相続により本件土地を取得した。

イ　Gは、平成7年以降、本件土地の一部を月極め駐車場として、賃貸の用に供していた（以下、この駐車場を「本件駐車場」という。）。

ウ　Gは、本件駐車場の賃貸から得た不動産所得について、平成17年分ないし平成19年分の所得税の確定申告書を提出して、所得税を納付しており、その際、介護保険料の所得控除を受けていた。なお、Gは、平成20年分の所得税について確定申告を行っていない。

⑶　本件売買契約の締結等

Xは、平成19年12月8日、Gとの間において、X社がGから本件不動産を代金7億6,000万円で買い受ける旨の本件売買契約を締結した。なお、本件売買契約に係る契約書（以下「本件売買契約書」という。）において、Gは、Gの住所を本件建物所在地として、記名押印していた。

⑷　本件譲渡対価の支払

X社は、平成20年3月14日（本件支払日）、本件売買契約に基づき、本件代金（7億6,000万円）について、Gから指定された「米国送金先金融機関一覧」の「送金先金融機関」欄記載の各口座（以下「本件米国口座」という。）に分けて振込送金する方法により支払った（以下「本件振込送金」という。）。本件振込送金について作成された外国送金依頼書兼告知書（以下「本件送金依頼書」という。）は、本件振込送金の「受取人名」欄に「G’」と記入され、「受取人住所」欄には本件米国住所が記入されていた。

〔争点〕

Gの非居住者（所法2①五）該当性如何。具体的には下記のとおり。

①　Gは、本件支払日において、国内に住所を有していなかったのか否か。

②　Gは、本件支払日まで引き続いて1年以上居所を有していなかったのか否か。

〔判決の要旨〕

1　東京地裁平成28年6月19日判決

⑴　争点①について

「所得税法は、『非居住者』に対して日本国内の不動産の譲渡による対価（国内源泉所得）を支払う者は、その支払の際、当該国内源泉所得に係る源泉徴収義務を負う旨を規定しているところ（同法161条1号の3、212条1項)、同法2条1項5号は、『非居住者』とは、『居住者以外の個人をいう。』と規定し…ている。そして、同法は、日本国内の居住者を判定する際の要件となる上記『住所』の意義について明文の規定を置いていないが、『住所』とは、反対の解釈をすべき特段の事由がない以上、生活の本拠、すなわち、その者の生活に最も関係の深い一般的生活、全生活の中心を指し、一定の場所がその者の住所に当たるか否かは、客観的に生活の本拠たる実体を具備しているか否かにより決すべきである。」

「Gは、米国において、米国籍及び社会保障番号を取得しており…、日本国内には米国発給の旅券を用いて入国している…。また、Gは、平成10年以降、多くて年4回日本に入国しているものの、その滞在期間は、1年の半分にも満たない…。そして、Gが、2000年（平成12年）11月に本件米国住居を購入し、2001年（平成13年）以降は本件米国住居において長男と同居して生活していたこと…に鑑みれば、本件支払日の当時において、Gの生活の本拠は、本件米国住居にあったというべきである。

…この点、X社は、Gが、日本を出国している間、本件米国住居に滞在していたかは明らかではない旨主張している。しかしながら、Gが本件支払日の当時において80歳の高齢であったことに照らせば、Gは、日本を出国している間、その所有する本件米国住居で生活していたと考えるのが合理的であり、本件全証拠を精査しても、Gが本件米国住居で生活していた旨の推認…を覆すに足りる事実ないし証拠はない…。」

「Gは、本件売買契約書や本件境界確認書等において、Gの住所として本件建物所在地を記載しているところ…、Gの住民票のほか、本件登記書類や本件固定資産評価書類等の公的書類において、Gの住所が本件旧住所ないし本件建物所在地であると記載されていること…等に鑑みれば、Gは、日本国内に滞在している間は、自らの住所が本件建物所在地であるとして各種届出を行っていたものと推認することができる。しかしながら、Gは、前記認定のとおり、本件支払日の当時において、本件米国住居において、長男と同居して生活し…、Gが本件建物に滞在していたのは、本件駐車場の管理事務を処理するためであって…、日本国内における滞在は1年の過半に満たなかったこと…に鑑みれば、Gが各種届出や書類作成において本件建物所在地を住所として取り扱っていたことをもって、本件建物所在地が、本件支払日の当時において、所得税法2条1項3号にいう『住所』であるということはできない…。また、本件全証拠を精査しても、本件支払日におけるGの生活の本拠（住所）が本件米国住居である旨の前記認定及び判断を覆すに足りる事実ないし証拠はない。」

⑵　争点②について

「⑴　所得税法2条1項3号は、『国内に住所を有し、又は現在まで引き続いて1年以上居所を有する個人』を『居住者』とする旨定めているところ、同号にいう『居所』とは、人が多少の期間継続的に居住するが、その生活との関係の度合いが住所ほど密着ではない場所をいうものと解される。そして、同号が『現在まで引き続いて1年以上居所を有する個人』と規定していることに鑑みれば、『居所』とは、特段の事情がない限り、国内において、1年以上継続的に居住している場合における、当該生活の場所をいうものと解される。他方において、当該者が一時的に日本国外に出国したことにより、現実に当該生活の場所で生活していた期間が継続して1年に満たないからといって、そのことのみをもって『居所』該当性を否定するのは相当ではなく、飽くまでも一時的な目的で国外に出国することが明らかであるような場合においては、当該在外期間についても、『現在まで引き続いて1年以上居所を有する』か否かの判定において、日本国内に居所を有するものと同視することができるというべきである（所得税基本通達2－2参照）。

⑵ア　以上を踏まえて検討するに、Gは、日本国内に滞在している間は、本件建物を生活の場所としているものの、Gが本件建物に滞在していたのは、平成10年以降多くとも年4回程度にすぎず、日本国内における滞在期間も1年の過半には満たない…。そして、Gが本件支払日以前の1年間において本邦に滞在した日数は156日であるから…、Gが本件支払日時点において日本国内に1年以上居所を有していなかったことは明らかである。

イ　この点、X社は、本件支払日から1年前までの期間において、米国に滞在した期間があるとしても、日本国内に生活する予定の居住場所（本件建物）を保有し、再入国後直ちに従前と同様の生活をすることができる状態にあったことに鑑みれば、Gの米国への出国は、一時的な出国であって、1年以上居所（本件建物）を有していたというべきである旨主張する。

しかしながら、…、Gは、本件米国住居を生活の本拠としており、日本に入国して本件建物に滞在していたのは、本件駐車場の管理事務を処理するためであったこと…に鑑みれば、Gの本件建物における滞在は、飽くまで一時的なものであったということができる。Gは、1年の半分以上を本件米国住居において生活しているのであり…、本件建物における生活自体が一時的なものである以上、Gが生活の本拠である本件米国住居に戻るため、米国に帰国することをもって、一時的な出国と評価することができないことは明らかである。そうである以上、X社の上記主張を採用することはできず、本件全証拠を精査しても、Gが本件支払日時点において、日本国内に1年以上居所を有していなかった旨の認定及び判断を覆すに足りる事実ないし証拠はない。

⑶　以上のとおり、Gは、本件支払日まで引き続いて1年以上居所を有していなかったものと認められるところ、Gは、本件支払日において、〈1〉日本国

内に住所を有しておらず…、〈2〉 本件支払日まで引き続いて1年以上日本国内に居所を有していなかったのであるから、Gは、本件支払日において、所得税法上の『非居住者』であったというべきである。」

2　東京高裁平成28年12月1日判決

「所得税法161条1号の3、212条1項（本件条項）は、『非居住者』に対して日本国内の不動産の譲渡による対価（国内源泉所得）を支払う者は、その支払の際、当該国内源泉所得に係る源泉徴収義務を負う旨規定しているのであり、これらの規定は、上記支払者に支払の相手が『非居住者』であるか否かを確認すべき義務を負わせているものと解するのが相当であり、本件に関して、X社が本件譲渡対価を支払う際にGが『非居住者』であるか否かを確認すべき義務（本件注意義務）を負っていたことについては、両当事者とも自認しているところである。そして、同争点におけるX社の主張は、X社が本件注意義務を尽くしても、Gが『非居住者』であることを確認できない場合、あるいはGが『非居住者』であるかそうでないかを判別することが不可能又は困難な場合には、X社は本件条項に基づく源泉徴収義務を負わないと解する限定解釈ないし本件条項の限定的適用をすべきであるというものであるところ、X社の主張によっても、X社の主張する本件条項の限定解釈ないし限定的適用の前提問題として、X社において本件注意義務を尽くしてもGが『非居住者』であると確認ないし判別することができないかどうかが問題となる。

…X社（その担当者であるM及びP）は、Gが『非居住者』であることについて確認すべき本件注意義務を尽くしたということはできず、同事実関係に照らすと、その確認のためにGに対してその生活状況等を質問することが不動産の売買取引をする当事者間において取引通念上不可能又は困難であったということも、当該質問等をしても確認できない結果に終わったということもできないというべきであるから、X社の本件譲渡対価に係る源泉徴収義務を否定すべき理由はない。」

〔コメント〕

本件では、源泉徴収義務者の注意義務のレベルで十分に把握することができていたはずであるとして、非居住者判定を怠った旨が判示されている。

一般に源泉徴収義務者と対価の受給者との間には「密接な関係」があることから、源泉徴収義務者に源泉徴収義務を課しても酷ではないと理解されている。すなわち、最高裁昭和37年2月28日大法廷判決（刑集16巻2号212頁）は、「支払をなす者が給与を受ける者と特に密接な関係にあって、徴税上特別の便宜を有し、能率を挙げ得る点を考慮して、これを徴税義務者としているのである。」と説示している。このような「密接な関係」における注意義務とはいっても、不動産の売却者に対して、微妙な居住者判定が期待されている点からこのような判断には疑問視する向きもある[4]。

裁判例の紹介

シンガポールを活動拠点としている者の居住者性

資産の所在はそれだけで居住者判定に大きな影響力を与える要素ではないとして、納税者の主張する非居住者該当性が認められた事例

（5第一審東京地裁令和元年5月30日判決・金判1574号16頁）
（6控訴審東京高裁令和元年11月27日判決・金判1587号14頁）

〔事案の概要〕

1　概観

X（原告・被控訴人）は、自らが所得税法（平成25年法律第5号による改正前のもの。以下同じ。）2条1項5号の「非居住者」に該当するとの認識のもと、平成21年分から平成24年分（以下「本件各年分」という。）について、いずれも確定申告期限までに所得税の申告をしなかったところ、同項3号の「居住者」に該当するとして所轄税務署長から期限後申告を勧奨されたため、本件各年分の所得税について期限後申告を行った上で、平成23年及び平成24年分の所得税について更正の請求をしたのであるが、所轄税務署長から、いずれも更正をすべき理由がない旨の通知（以下「本件各通知処分」という。）を受けた。また、Xが代表取締役を務めるX_1社（原告・被控訴人）及びX_3社（原告・被控訴人）は、Xに対して支払った役員報酬について、Xが同項5号の「非居住者」に該当するとの前提で所得税を源泉徴収して納付していたところ、所轄税務署長から、Xが同項3号の「居住者」に該当するとして、平成21年11月から平成24年12月までの各月分（以下「本件各月分」という。）の源泉所得税の納税告知処分（以下「本件各納税告知処分」という。）及び不納付加算税の各賦課決定処分（以下「第1・3事件各賦課決定処分」という。）を受けた（以下、本件各通知処分及び第2事件各賦課決定処分と併せて「本件各処分」という。）。これらの処分を不服として、Xらは国Y（被告・控訴人）を相手取り提訴した。

2　具体的事実関係

(1)　当事者等

ア　Xは、昭和30年、三重県において出生した日本国籍を有する男性である。

4）木山・前掲注3）20頁。

イ　X_1社及びX_3社（以下、併せて「X各社」という。）は、各種ラジエーターの製造、販売、修理、自動車部品販売等を行う株式会社である。

ウ　X各社の関連会社としては、日本に本店が所在するA社、B社のほか、インドネシア共和国に本店が所在する法人であるC社、アメリカ合衆国に本店が所在する法人であるD社、シンガポール共和国に本店が所在する法人であるE社及び中華人民共和国に本店が所在する法人であるF社がある。

なお、以下においては、上記の各海外法人を総称して「本件各海外法人」といい、X各社、A社、B社と併せて「本件各社」又は「本件グループ法人」という。

(2)　Xの各国における滞在日数及び滞在状況等

ア　Xは、平成21年から平成24年まで（以下「本件各年」という。）を通じて、日本のほか、アメリカ、シンガポール、インドネシア、中国及びその他の国（以下、これらの国を併せて「本件諸外国」という。）に滞在していた。

イ　Xは、本件各年を通じて、日本滞在時には、K市α区内に所在する住宅（以下「本件日本居宅」といい、同居宅の所在地を「本件日本住所地」ということがある。）において、アメリカ滞在時には、同国L州に所在するコンドミニアム（以下「本件アメリカ居宅」という。）において、シンガポール滞在時には、同国に所在するEが借り上げた賃貸住宅（以下「本件シンガポール居宅」という。）において、それぞれ生活していた。

(3)　XのX_1社及びX_3社等における役職等

Xは、本件各年を通じて、内国法人であるX_1社、X_3社及びA社のほか、本件各海外法人の代表者を務めていた。

【Xの滞在日数】

	平成21年	平成22年	平成23年	平成24年
日本	93	105	83	128
アメリカ	97	87	104	75
シンガポール	82	70	80	68
インドネシア	30	32	30	36
中国	56	43	40	33
その他	7	28	28	26
合計	365	365	365	365

〔争点〕

Xの非居住者（所法2①五）該当性如何。

〔判決の要旨〕

1　東京地裁令和元年5月30日判決

「Xは、本件各年を通じて、本件各海外法人の業務に従事し、そのために相応の日数においてシンガポールに滞在し、またシンガポールを主な拠点としてインドネシアや中国その他の国への渡航を繰り返しており、これらの滞在日数を合わせると年間の約４割に上っていたことなどからすれば、Ｘの職業活動はシンガポールを本拠として行われていたものと認められ、他方、日本国内における滞在日数とシンガポールにおける滞在日数とに有意な差を認めることはできず、Ｘと生計を一にする家族の居所、資産の所在及びその他の事情についても、Ｘの生活の本拠が日本にあったことを積極的に基礎付けるものとはいえない。これらを総合すると、本件各年のいずれにおいても、Ｘの生活の本拠が日本にあったと認めることはできないから、Ｘは所得税法２条１項３号に定める『居住者』に該当するとは認められないというべきである。」

「したがって、Ｘが居住者に該当することを前提としてされた本件各処分は、その前提を欠くものとしていずれも違法である。」

2　東京高裁令和元年11月27日判決

「⑴　Ｙは、従前のＸの生活の本拠は日本にあったところ、精緻に時系列的に検討しても、過去にあった生活の本拠たる実体が日本から移転したと認めるべき事情は存しないと主張する。

Ｘは、経営する会社の活動を日本から海外に広げ、日本と海外に複数の居所を有し、海外滞在日数が徐々に増加していったのであるから、通常の引越しのように、特定の日又は期間に目に見える形で生活の本拠が日本から海外に移転するというイベント的なものが存在しないのは当たり前のことである。このような者に対して、過去に日本にあった生活の本拠たる実体が時系列的にみて日本から海外に移転したかどうかを精緻に時系列的に検討することは、検討手法として時代遅れである。Ｙの主張を採用するには無理がある。

⑵　Ｙは、シンガポールの滞在日数にインドネシア等の滞在日数を合算して、日本の滞在日数と比較するのは誤りであると主張する。

しかし、Ｘは、インドネシア等への渡航の利便性をも考慮して、定住できる態勢の整った居宅をシンガポールに構えていたから、シンガポールをハブ（拠点）とする他国への短期渡航はシンガポール滞在と実質的に同一視する方が経済社会の実態に適合する。Ｙの主張を採用するには無理がある。

⑶　Ｙは、金額だけでなく、その質からも、Ｘは資産の多くを日本国内に保有しており、本件各年に日本国内の資産を増加させ、シンガポール国内の資産を減少させていたと主張する。

Ｘは日本国籍を有し、生計を一にする妻らの生活の本拠も日本であったから、金額及びその質の面から日本国内の保有資産が大きくなるのは自然なことである。しかし、資産の所在は、それだけで居住者判定に大きな影響力を与える要素ではない。資産の大半をカリブ海の国又は地域で保有していても、主に日本に滞在し、主に日本で経済活動をしている者は、居住者である。本件各海外法人の業務への従事状況、シンガポールを中心とする日本国外滞在日数を考慮するとき、資産の所在を理由に日本国内の居住者と判定するには無理がある。」

〔コメント〕

1　武富士事件最高裁判決

相続税法の事案であるが、いわゆる武富士事件最高裁平成23年2月18日第二小法廷判決（集民236号71頁。池本＝酒井・裁判例〔相続税法〕37頁）は、「法〔筆者注：所得税法〕1条の2によれば、贈与により取得した財産が国外にあるものである場合には、受贈者が当該贈与を受けた時において国内に住所を有することが、当該贈与についての贈与税の課税要件とされている（同条1号）ところ、ここにいう住所とは、反対の解釈をすべき特段の事由はない以上、生活の本拠、すなわち、その者の生活に最も関係の深い一般的生活、全生活の中心を指すものであり、一定の場所がある者の住所であるか否かは、客観的に生活の本拠たる実体を具備しているか否かにより決すべきものと解するのが相当である（最高裁昭和29年(オ)第412号同年10月20日大法廷判決・民集8巻10号1907頁、最高裁昭和32年(オ)第552号同年9月13日第二小法廷判決・裁判集民事27号801頁、最高裁昭和35年(オ)第84号同年3月22日第三小法廷判決・民集14巻4号551頁参照）。

…これを本件についてみるに、前記事実関係等によれば、上告人〔筆者注：納税者〕は、本件贈与を受けた当時、本件会社の香港駐在役員及び本件各現地法人の役員として香港に赴任しつつ国内にも相応の日数滞在していたところ、本件贈与を受けたのは上記赴任の開始から約2年半後のことであり、香港に出国するに当たり住民登録につき香港への転出の届出をするなどした上、通算約3年半にわたる赴任期間である本件期間中、その約3分の2の日数を2年単位（合計4年）で賃借した本件香港居宅に滞在して過ごし、その間に現地において本件会社又は本件各現地法人の業務として関係者との面談等の業務に従事しており、これが贈与税回避の目的で仮装された実体のないものとはうかがわれないのに対して、国内においては、本件期間中の約4分の1の日数を本件杉並居宅に滞在して過ごし、その間に本件会社の業務に従事していたにとどまるというのであるから、本件贈与を受けた時において、本件香港居宅は生活の本拠たる実体を有していたものというべきであり、本件杉並居宅が生活の本拠たる実体を有していたということはできない。」として、原則的に滞在日数基準を採用した上で判断を下した。

2　「生活」概念

いわゆるサラリーマン・マイカー訴訟控訴審**39** **326**大阪高裁昭和63年9月27日判決（88頁、680頁参照）は、「自動車をレジャーの用に供することが生活に通常必要なものと言うことができないことは多言を要しないところである」とする。この考え方は、上告審**40** **327**最高裁平成2年3月23日第二小法廷判決（88頁、680頁参照）においても維持されている。

この点、本件東京地裁は、「本件各年を通じて、Xと生計を一にする妻や二女は、本件日本居宅において居住を続けていたことが認められる。これについて、Xは、インドネシアにC社を設立した平成6年頃から、インドネシアの工場で生産した製品をアメリカの市場で販売するため海外の各地に滞在して業務を行うことが必要となり、妻らがXとともに海外に転居したとしても、Xが不在となることが多々あるため、妻らの生活の便宜や子らの教育上の配慮から、妻らについては従前と同様に日本における居住を継続していたと説明するところ（X本人）、かかる説明は合理的なものである。そうすると、Xとその妻は、年間の大部分を海外の各地で過ごすことになるXの職業活動に適応した生活の在り方として、妻らの生活の本拠は海外に移さず、本件日本居宅のままとし、Xが帰国したときに休暇も兼ねて妻らと会うという方法を選択したものということができるから、生計を一にする妻らが国内に居住していたことは、Xの生活の本拠が日本国内にあったことを積極的に基礎付けるものとはいえない。」とした。

このように、心の「しとね」という観念を「生活」概念の解釈に持ち込む必要があるとすれば、日本に住所があったと認定され得る余地がなかったとはいえない。しかしながら、本件東京高裁が「資産の大半をカリブ海の国又は地域で保有していても、主に日本に滞在し、主に日本で経済活動をしている者は、居住者である。本件各海外法人の業務への従事状況、シンガポールを中心とする日本国外滞在日数を考慮するとき、資産の所在を理由に日本国内の居住者と判定するには無理がある。」とするように、本件事案においても、武富士事件最高裁判決が示すようなより客観的な判断要素である滞在日数基準がベースになっているとみることができそうである。もっとも、本件判決は、武富士事件最高裁判決に比してより精緻に他の考慮要素も検討を加えていると評価することができよう。

⑵　法人

法人も源泉徴収義務が課される場合があることからすれば、所得税法上の納税義務者となる。すなわち、所得税法は、給与等の支払をする者その他源泉徴収の対象となる金員等の支払をする者は、この法律により、その支払に係る金額につき源泉徴収をする義務があるとされており（所法6）、ここには、法人も当然含まれる。

ところで、所得税法は、同法2条《定義》1項6号が、内国法人を「国内に本店又は主たる事務所を有する法人をいう。」とし、同条項7号において、外国法人を「内国法人以外の法人をいう。」と規定するのみで、法人そのものの定義規定は同法上には存在しない。それにもかかわらず、所得税法５条《納税義務者》３項及び４項において、内国法人及び外国法人には次のような納税義務が生ずると規定しているのである。これらの規定によると、内国法人は、国内において内国法人課税所得の支払を受けるとき又はその引受けを行う法人課税信託の信託財産に帰せられる外国法人課税所得の支払を受けるときは、この法律により、所得税を納める義務があるとし（所法５③）、外国法人は、外国法人課税所得の支払を受けるとき又はその引受けを行う法人課税信託の信託財産に帰せられる内国法人課税所得の支払を国内において受けるときは、この法律により、所得税を納める義務があるとされる（所法５④）。

そこで、この「法人」の意義をいかに理解すべきかについては議論のあるところであるが、我が国の私法上、法人の概念は、「法人とは、自然人以外のもので、法律上、権利・義務の主体たりうるものをいう。法人は、一定の組織を有する人の集団、または一定の目的のために捧げられた財産の集合に対して、法が権利能力（法主体性）を付与した」ものであり、「法人も自然人と同じく権利能力を享有する」と解されている（遠藤浩ほか編『民法⑴総則〔第４版増補補訂３版〕』63頁以下（有斐閣2004）、山田卓生ほか編『民法Ⅰ〔第３版補訂〕』62頁以下（有斐閣2007））。また、「法人は、その構成員とは別個独立の法的人格を有する。したがって、法人の取引により生じる権利義務は法人そのものに帰属し構成員には帰属しない」とされており（石田穣『民法総則』145頁（悠々社1992））、民法上は、法人を権利能力の帰属主体として捉えるのが一般的解釈であろう。

租税法の通説的な見解は、租税法規の中に用いられている概念（用語）の意味について、定義がなくかつ条文の文脈からその意味するところが明らかでなく、かかる概念が私法から借用されたものと解される場合には（借用概念である場合には）、私法における意味と同義のものと理解することが、法的安定性や予測可能性に資するとされ、一般的にこのような見解は「統一説」と呼ばれている。この考え方に従えば、ここでも、法人の概念を上記のように私法における概念と同じ意義に解することになろう（もっとも、この点については、見解が分かれている。)。

(3) 人格のない社団等

所得税法は、人格のない社団等について、これを法人とみなして同法の規定を適用するとしている（所法４）。したがって、所得税法の規定の適用に当たっては、人格のない社団等は法人として扱うことになるのであるが、ここに「人格のない社団等」とは何を指すのであろうか。

所得税法は、人格のない社団等について、「法人でない社団又は財団で代表者又は管理人の定めがあるものをいう。」と定義している（所法２①八)。

なお、課税実務上では、「法人でない社団」とは、多数の者が一定の目的を達成するために結合した団体のうち法人格を有しないもので、単なる個人の集合体でなく、団体としての組織を有し統一された意思の下にその構成員の個性を超越して活動を行うものをいい、次に掲げるようなものは、これに含まれないとしている（所基通２－５)。

① 民法667条《組合契約》の規定による組合

② 商法535条《匿名組合契約》の規定による匿名組合

また、「法人でない財団」とは、一定の目的を達成するために出捐された財産の集合体のうち法人格を有しないもので、特定の個人又は法人の所有に属さないで一定の組織による統一された意思の下にその出捐者の意図を実現するために独立して活動を行うものをいうとして取り扱われている（所基通２－６)。

「法人でない社団又は財団について代表者又は管理人の定めがある」とは、その社団又は財団の定款、寄附行為、規則、規約等によって代表者又は管理人が定められている場合のほか、その社団又は財団の業務に係る契約を締結し、その金銭、物品等を管理するなどの業務を主宰する者が事実上あることをいうものとされている（所基通２－７)。このように理解していることから、課税実務上、法人でない社団又は財団で代表者又は管理人の定めのないものは通常あり得ないことになる。

裁判例の紹介

熊本ねずみ講事件

いわゆる熊本ねずみ講の「天下一家の会」に課税処分取消訴訟の原告適格を認めなかった事例

（**7** 第一審熊本地裁昭和59年２月27日判決・税資135号157頁）[5)]
（**8** 控訴審福岡高裁平成２年７月18日判決・税資180号97頁）[6)]

〔事案の概要〕

税務署長Ｙ（被告・被控訴人）は、Ｕが主宰するねずみ講Ｘ（原告・控訴人。「天下一家の会」。以下「本会」ともいう。）の事業について、Ｘの業務は入会希望者と先輩会員との間の金銭の授受の媒介を行うものであり、Ｘが入会希望者から収受する金員は、この媒介に対する費用及び報酬の性格を有し、その媒介の行為を反覆継続して行っているから、Ｘの事業活動は法人税法２条《定義》13号に定める収益事業のうち、同法施行令５条《収益事業の範囲》１項17号の周旋業に該当するとして、法人税の各更正処分（以下「本件各更正処分」という。）をした。

これに対して、Ｘは、おおむね次のように主張して本件各更正処分の取消しを求めた。

すなわち、Ｘは肩書地に本部を置き、①天下一家の思想を普及するための活動、②助合いの精神に基づき相互扶助の実を挙げるための組織の立案並びにその育成、③広く社会福祉を実現するための諸施策の実施、④会員相互の友愛と信頼を深めるための保養施設の運営を事業目的とする人格なき社団である。Ｘに入会するためには、Ｘの運営する相互扶助の組織に加入することを要し、Ｘへの入会希望者は所定の会員に一定金額を送金し、その証を添えてＸに対し入会金を支払って加入手続をする。Ｘの行っている事業は世界平和を祈念する天下一

5）判例評釈として、中里実・ジュリ852号230頁（1986）、浦野正幸・税弘33巻３号173頁（1985）、岡光民雄・民研345号55頁（1985）など参照。なお、同日付けの関連訴訟である熊本地裁昭和59年２月27日判決（訟月30巻７号1270頁。贈与税、所得税課税処分取消請求事件）に係る判例評釈として、碓井光明・ジュリ814号54頁（1984）、荻野豊・税務事例17巻４号２頁（1985）など参照。

6）同日付けの関連訴訟である熊本高裁平成２年７月18日判決（訟月37巻６号1092頁。贈与税、所得税課税処分取消請求事件）に係る判例評釈として、藤原淳一郎・ジュリ988号103頁（1991）、渋谷雅弘・ジュリ1023号128頁（1993）、佐藤孝一・租税百選〔４〕42頁、青山慶二・租税百選〔５〕42頁、同・TKC税研情報22巻１号61頁（2013）など参照。

家の思想に基づく物心両面の奉仕活動、助合い運動であって、Ｙの主張するような周旋業ではない。

〔争点〕

Ｘは人格のない社団に該当するか否か。

〔判決の要旨〕

１　第一審**熊本地裁昭和59年２月27日判決**は、Ｘに、課税処分取消訴訟の原告適格を認めなかった。

２　福岡高裁平成２年７月18日判決

「いわゆる一人会社やワンマン会社等において、その社団性が形骸化され、その個人との区別のつかない実体を有する法人も多く実在し、Ｕも右と同様に実質自分のみの形骸化したいわば一人団体ないしはワンマン団体とすべき意図はあったとしても、社会的には社団として一応認知され得るとの判断のもとに、発起人会、本件総会を開催し、定款の可決をしたのであった。従って、法人格のある社団、財団の形態をとって団体化を企図し、右のとおりに実行したのならば、当然社団性、財団性は肯認されたはずであるし、単に、右鼠講事業の違法性とＵの仮装の意図の故をもって、直ちに本会の社団性自体を対外的にも否定し、Ｕと本会即ちＸを同一のものと即断することは相当でない。

また、Ｙは、この点につき、社団性の存否の判断は課税制度の趣旨、目的等、その特殊性に照らし、その観点から独自に判断されるべき旨の主張もする。

たしかに、公平課税、実質課税を本旨とする課税制度のもとにおいて、社会的に実在し、活動して事業利益を上げ担税力を有しながら、私人でもなく法人でもないゆえに課税対象から外れ、徴税を免れるとするのは不公平であり、かかる社会的実在の事業主体を課税制度の本旨に則って捕捉するという機能的側面から第三の納税主体概念を定立することも一理がないわけではなく、所得税法４条、法人税法３条、相続税法66条等は、右の趣旨による規定と解される。

しかし、右税法にいう『人格なき社団』なる概念は、もともと『権利能力なき社団』として認知された民事実体法上の概念を借用したもので、納税主体をこのような社団概念に準拠してこれを捕捉する以上は、民事実体法上の社団性概念にある程度拘束されるのもやむを得ないことである。他方、ある事業主体の社団性の存否は、優れて実体法上の問題であり、社会的に事業主体、活動主体として実体法上その実在が肯認されることを基礎として、そこに取引主体等が形成され、訴訟当事者としての適格、強制執行の対象となる財産の区別等がされるに至るのである。もっとも、税法上、人格なき社団として課税の客体となり得るか否かも実体法上の問題ではあるが、その社団性が肯認されることが前提であり、その判断においては、法的安定性の点からも社団性の概念は民事実体法と一義的に解釈されるのが相当である。

そこで、この点の判断につき、権利能力なき社団の実体法的要件について判断をした最一小判昭和39年10月15日（民集18巻8号1671頁）に示された要件を前提に、本会名をもってされた鼠講事業が社団性区別の基準となる要件を充足させるものであったか否かにつき個々に検討する。」

「個人を離れて社団が実在するものとして法律的、社会的、経済的に認識されるには、個人の意思と離れた別個独自の団体意思の存在が客観的に認識され、その事実活動等に要する団体固有の資産が個人と峻別されて存在することが、最低限不可欠のことであると思われる。

本件においては、Uは、本来、自己の個人事業に対するその反社会性の隠蔽、世論対策、特に課税対策を主目的として本会の設立を意図したものである。従って、定款等によって、社団としての基礎的組織を具備し、団体意思形成の機関、方法を外形的には定めているものの、Uとしては、右の意図に従って組織するものであるから、自己の意のままに本会の意思を形成し、組織を動かす腹心算で右定款等の作成、準備にかかったし、前記認定、判断のとおり、現実の運営も、まさにその意のとおりに行ってきたものである。殊に、会員総会での会員意思の決定の方法や運用の杜撰さ、出席会員の選出のいい加減さ、Uの同総会や理事会の軽視、無視の各行動、さらには、会員らの会への積極的参加の意図は本来殆どなく、講加入とこれによる経済的利益追及が主目的で、これに付随して会に参加しているに止まるものであり、本会の趣旨、目的に殆ど関心はなく、本会の団体構成員たる認識や会員相互の横の連絡も極めて稀薄であり、団体意思形成やそれへの参加意識も殆どないに等しく、Uを除き、本会の中核的存在となる会員は全く存在しないに等しい実情にあること、従って、社団としての不可欠の要素である対等の複数構成員の実質的存在を発見し難いこと等に照らすとき、そこにU個人と離れた人の集まりといえる一個独立の社団が形成され、実在したものとは到底解し難く、本会はU個人の隠れ蓑、替え玉ないしはその別称というべきものと解される。」

〔コメント〕

本件福岡高裁は、上記のとおり判示して、Xは人格のない社団として本訴請求を提起したものであるが、その社団性は否定されるから、本訴は当事者能力ひいては訴訟要件を欠く不適法な訴えとして却下すべきものであり、これと同旨の原判決は相当であるとしたのである。すなわち、Xは、人格のない社団には該当せず、その社団性が否定される限りにおいて、訴訟における当事者能力を有しないとしたのである。

本件福岡高裁は、最高裁昭和39年10月15日第一小法廷判決（民集18巻8号1671頁）が示した権利能力のない社団の判断メルクマールを使って、本件ねずみ講の社団性を判断した。すなわち、同最高裁は、「法人格を有しない社団すなわち権利能力のない社団については、民訴46条がこれについて規定するほか実定法上何ら明文がないけれども、権利能力のない社団といいうるためには、団体としての組織をそなえ、そこには多数決の原則が行なわれ、構成員の変更にもかかわらず団体そのものが存続し、しかしてその組織によって代表の方法、総会の運営、財産の管理その他団体としての主要な点が確定しているものでなければならないのである。しかして、このような権利能力のない社団の資産は構成員に総有的に帰属する。そして権利能力のない社団は『権利能力のない』社団でありながら、その代表者によってその社団の名において構成員全体のため権利を取得し、義務を負担するのであるが、社団の名において行なわれるのは、一々すべての構成員の氏名を列挙することの煩を避けるために外ならない（従って登記の場合、権利者自体の名を登記することを要し、権利能力なき社団においては、その実質的権利者たる構成員全部の名を登記できない結果として、その代表者名義をもって不動産登記簿に登記するよりほかに方法がないのである。）。」としている。同最高裁は、権利能力のない社団といい得るためには、①団体としての組織の存続（組織性要件）、②多数決の原則の実施（多数決原則要件）、③構成員の変更と団体の存続との遮断性（存続性要件）、④代表の選出方法、総会の運営、財産の管理その他団体としての主要な点の確定（団体内容確定性要件）を要件としているのである。

具体的に、本件福岡高裁は、本件において上記の判断基準を次のように当てはめて判断している。

① 定款作成上の瑕疵

「Uは、単に鼠講事業への批判回避及び課税対策の一環として、定款作成の外観を作ることを企図し、有力会員に会員代表の割当てをして、本件総会を開催したにすぎず、本来、Uに定款作成につき会員の総意を反映させるとの意思はなかったと推認される。従って、本件総会での前記会員代表による議決等は、団体形成意思の表現と評価するに価せず、本件定款はその作成につき重大な瑕疵があるというべきである。」

② 構成員の団体意思形成の稀薄性

「もともと会員には、加入口数に相当の差があるのに表決権等での考慮はされていない不合理性があるうえ、会員総会が前記のとおり総会員の意思を結集する組織となっていないことは、場当たり的な支部設置や恣意的な総代割当及び後記認定の支部地区大会の状況…等の事実に照らして明らかであり、本会における団体意思形成の問題は、単に内部的自治の問題に留まるものではなく、右形成の基礎を欠くものとして、社団性の要件それ自体を否定的に解すべき状況にあったというべきである。」

③ 支部と会員総会の実体

「支部等の実体は…、単に会員勧誘の拠点とのみ評価するのが相当で、会員総意を集約し、これを支部等の運営や会員総会に反映させるだけの組織性のあるものではなく、このような支部等の総代の参加によって、多数決の原則を前提とした会員総会による団体意思の形成は望むべきもなく、同総会での意思形成は形骸にすぎなかったというのが相当である。」

④　理事会による業務運営状況

「Uは終身の会長であり（定款20条）、これを更迭できず、かつ、3分の1の理事は会長指名であり、会の資産は会長であるUが管理することとされ（同10条）、定款上も絶対的権限を有しており、V、N以外は非常勤で、他の理事や監事等がこれを抑制できる状況にはなく、理事会の決議なくして重要事項が決められ、Uが実際には右査定や購入等をしていたこと、D〔筆者注：U設立の宗教法人〕への基本財産の譲渡という重要事項についても同様であった…。また、会長報酬等についてみても…、引き上げについては理事会に報告さえされることがなく、他の理事も知らないままであるから、理事会の付議事項も適当になされ、その議事録も形式的に記帳がされていたというほかはない。」

「Uの理事会無視の行動は枚挙にいとまがなく、理事会は名のみであり、その真に重要な業務決定に関与することなく、U個人から独立した社団の業務決定機関として機能しておらず、また、他の理事からも、その資格において、これら業務に関与する余地がなかったというほかはない。」

⑤　経理及び財産管理等

「資産、経理面から本会の社団性、独立性を考慮するに、まず、その出発点たる本件総会前後において、U個人の資産との峻別がなされず、その後もこれを行った形跡はないうえ、会計処理も同総会即ち社団性を取得したと主張する時点をもって峻別処理されていないこと…、…形骸的な理事会の存在とUの重要事項の独断的処理及びU及びその実子のみによる経理関係の専断的処理と相まって、U個人と本会との資産や経理の著しい混同の事実…からすると、資産、経理関係において、U個人と峻別された独自の資産を有し、経理処理されるなど、社団としての基本的実態を有していたものとは到底考え難いところである。」

これらの判断を示した上で、本件福岡高裁は、社団性の欠如について、最終的には次のように論じている。すなわち、「本会の創設は、Uにおいて…違法性、反社会性の高い鼠講事業を進めるうえで、その本質を糊塗し、多額に及ぶ課税対策を主目的とし、人格なき社団の形態を利用する意図のもとになされたのであるから、本会は、一応、定款等団体の基本的組織を定める規約や、財産管理等の規約等を有し、これにより団体意思の決定機関とその機能、業務遂行や対外的代表機関等を明確に定めており、その団体意思形成方法をも一応多数決原則によることとするなど、社団としての一応の外形を有し、その着衣をまとっていることは否定し難い。」というのである。

なお、無限連鎖講を行う団体が人格のない社団等に該当するか否かが争われた事例であるいわゆる熊本ねずみ講事件としては、上記事件以外にも、福岡高裁平成11年4月27日判決（訟月46巻12号4319頁）[7] があるが、そこでも、人格のない社団等に当たらないと判断されている。なお、この事例の上告審最高裁平成16年7月13日第三小法廷判決（集民214号751頁）[8] は、「外形的事実に着目する限りにおいては、C研究所は、意思決定機関としての会員総会、業務執行機関ないし代表機関としての理事会ないし会長が置かれるなど団体としての組織を備え、会員総会の決議が支部において選出された会員代表の多数決によって行われるなど多数決の原則が行われ、定款の規定上は構成員である会員の変更にかかわらず団体として存続するとされ、代表の方法、総会の運営、財産の管理その他団体としての主要な点が確定しているようにみえるというべきである。」などとして、社団性を有しないものに対しなされた課税処分は、そもそも存在しない虚無人を名宛人としたものであり、処分の存否それ自体に関わる重大な瑕疵があるものとして無効とされた原審福岡高裁判決を覆し、当然無効とはいえないとした（この事例については、酒井・裁判例〔法人税法〕57頁参照）。

(4) 信託

所得税法は、信託の受益者（受益者としての権利を有するもの）を、当該信託の信託財産に属する資産及び負債を有するものとみなすこととしている（所法13①）。なお、信託の変更をする権限を現に有し、かつ、当該信託の信託財産の給付を受けることとされている者（受益者を除く。）は、受益者とみなされる（所法13②）。これが、いわゆる信託課税の原則的な取扱いである（「本文信託」という。）。実質的にみると、信託契約によって、受託者は信託報酬を受けることはあっても、信託利益を直接享受する者ではないのに対して、受益者は信託利益を享受する者であるから、経済的には受益者に対する課税がなされるべきとなろう。しかしながら、実質所得者課税の原則の下、法律的帰属主義が支配する中においては、いかに経済的に受益者に信託利益が帰属するとしても、法の根拠なくして経済的実質の観点から受益者に課税を行うことは認められないことから、所得税法や法人税法は、立法をもって、受益者が信託財産を有する

7）判例評釈として、石倉文雄・ジュリ1180号96頁（2000）参照。

8）判例評釈として、図子善信・税務事例37巻4号1頁（2005）、石島弘・民商132巻1号92頁、大淵博義・ジュリ1295号234頁（2005）、深澤龍一郎・法学論叢159巻4号103頁（2006）、芳賀真一・税研148号42頁（2009）など参照。

ものとして課税することとしているのである（少なくとも、法律的帰属主義の立場からはこのように理解をしている。）。

信託に関する所得の帰属については、このような原則的な取扱いのほか、ただし書信託として、「集団投資信託」、「法人課税信託」、「退職年金等信託」というものがある。

「集団投資信託」には、①合同運用信託、②証券投資信託、国内公募型投資信託、外国投資信託、③特定受益証券発行信託がある（所法13③一、法法2二十九）。集団投資信託は、その収益の分配を受ける際に受益者の所得として課税することとされている（所法23、24）。

「法人課税信託」には、①受益証券発行信託（特定受益証券発行信託を除く。）、②受益者（受益者とみなされる者を含む。）が存しない信託、③法人が委託者となる信託、④投資信託（集団投資信託及び退職年金等信託を除く。）、⑤特定目的信託がある（所法2①八の三、法法2二十九の二）。法人課税信託の場合、受託段階において受託者を納税義務者として法人税が課税される（法法4の6①）。なお、この信託財産に係る収入及び支出の帰属は、信託法の改正を受けて、平成19年度税制改正で整備されたものであり、改正信託法の施行日（平成19年9月1日）以後に効力を生ずる信託について適用され、施行日前については、①その信託の受益者が特定している場合には受益者が、②受益者が特定していない場合又は存在していない場合には委託者が、それぞれ信託財産を有するものとみなして所得税が課税される。なお、公益信託で信託終了のときにおける信託財産が信託の委託者に帰属しないこと等一定の要件を満たすものを「特定公益信託」という。平成12年度税制改正によって、特定信託の収益は法人税の課税対象とされたが、平成19年度税制改正によって、前述の法人課税信託に吸収されている。

また、「退職年金等信託」とは、確定給付年金資産管理運用契約、確定給付年金基金資産運用契約、確定拠出年金資産管理契約、勤労者財産形成給付契約若しくは勤労者財産形成基金給付契約、国民年金基金若しくは国民年金基金連合会の締結した契約又はこれらに類する退職年金に関する契約で一定のものに係る信託をいう（所法13③二）。退職年金等信託は、その年金等を受給する際に受益者等の所得として課税することとしているため（所法31、35）、信託課税の原則が排除される（ペイ・スルー課税：所法13①③）。

(5)　組合

イ　任意組合

民法上の組合（任意組合）は、法人格がなく人格のない社団等にも該当しないので、組合事業から生ずる所得は組合員の共同事業として各組合員に分配され、各組合員が納税義務を負うことになり、組合員が受ける分配金は、組合事業と同じ所得区分に該当する（いわゆるパス・スルー課税）。所得税法では、民法上の組合についての所得計算や組合員に対する課税方法を明記していないが、実務上、例えば、ネットネット方式の場合、組合事業から得る組合員の所得は、組合の主たる事業の内容に従って不動産所得、事業所得、山林所得又は雑所得のいずれかに分類することとされている（所基通36・37共－20）。

所得税基本通達36・37共－19《任意組合等の組合員の組合事業に係る利益等の帰属》

任意組合等の組合員の当該任意組合等において営まれる事業（以下36・37共－20までにおいて「組合事業」という。）に係る利益の額又は損失の額は、当該任意組合等の利益の額又は損失の額のうち分配割合に応じて利益の分配を受けるべき金額又は損失を負担すべき金額とする。

ただし、当該分配割合が各組合員の出資の状況、組合事業への寄与の状況などからみて経済的合理性を有していないと認められる場合には、この限りではない。

(注)1　任意組合等とは、民法第667条第１項《組合契約》に規定する組合契約、投資事業有限責任組合契約に関する法律第３条第１項《投資事業有限責任組合契約》に規定する投資事業有限責任組合契約及び有限責任事業組合契約に関する法律第３条第１項《有限責任事業組合契約》に規定する有限責任事業組合契約により成立する組合並びに外国におけるこれらに類するものをいう。以下36・37共－20までにおいて同じ。

2　分配割合とは、組合契約に定める損益分配の割合又は民法第674条《組合員の損益分配の割合》、投資事業有限責任組合契約に関する法律第16条《民法の準用》及び有限責任事業組合契約に関する法律第33条《組合員の損益分配の割合》の規定による損益分配の割合をいう。以下36・37共－20までにおいて同じ。

所得税基本通達36・37共－19の2《任意組合等の組合員の組合事業に係る利益等の帰属の時期》

任意組合等の組合員の組合事業に係る利益の額又は損失の額は、その年分の各種所得の金額の計算上総収入金額又は必要経費に算入する。

ただし、組合事業に係る損益を毎年1回以上一定の時期において計算し、かつ、当該組合員への個々の損益の帰属が当該損益発生後1年以内である場合には、当該任意組合等の計算期間を基として計算し、当該計算期間の終了する日の属する年分の各種所得の金額の計算上総収入金額又は必要経費に算入するものとする。

所得税基本通達36・37共－20《任意組合等の組合員の組合事業に係る利益等の額の計算等》

36・37共－19及び36・37共－19の2により任意組合等の組合員の各種所得の金額の計算上総収入金額又は必要経費に算入する利益の額又は損失の額は、次の⑴の方法により計算する。ただし、その者が⑴の方法により計算することが困難と認められる場合で、かつ、継続して次の⑵又は⑶の方法により計算している場合には、その計算を認めるものとする。

⑴　当該組合事業に係る収入金額、支出金額、資産、負債等を、その分配割合に応じて各組合員のこれらの金額として計算する方法

⑵　当該組合事業に係る収入金額、その収入金額に係る原価の額及び費用の額並びに損失の額をその分配割合に応じて各組合員のこれらの金額として計算する方法

この方法による場合には、各組合員は、当該組合事業に係る取引等について非課税所得、配当控除、確定申告による源泉徴収税額の控除等に関する規定の適用はあるが、引当金、準備金等に関する規定の適用はない。

⑶　当該組合事業について計算される利益の額又は損失の額をその分配割合に応じて各組合員にあん分する方法

この方法による場合には、各組合員は、当該組合事業に係る取引等について、非課税所得、引当金、準備金、配当控除、確定申告による源泉徴収税額の控除等に関する規定の適用はなく、各組合員にあん分される利益の額又は損失の額は、当該組合事業の主たる事業の内容に従い、不動産所得、事業所得、山林所得又は雑所得のいずれか一の所得に係る収入金額又は必要経費とする。

㈱　組合事業について計算される利益の額又は損失の額のその者への報告等

の状況、その者の当該組合事業への関与の状況その他の状況からみて、その者において当該組合事業に係る収入金額、支出金額、資産、負債等を明らかにできない場合は、「(1)の方法により計算することが困難と認められる場合」に当たることに留意する。

上記の所得税基本通達36・37共－20の組合所得の計算ルールは、(1)の方法（グロスグロス方式あるいは総額方式）を原則としつつも、継続的適用を条件に、(2)の方法（グロスネット方式あるいは中間方式）又は(3)の方法（ネットネット方式あるいは純額方式）によることもできるとされている。ところで、(2)の方式によった場合には、各組合員は、当該組合事業に係る取引等について非課税所得、配当控除、確定申告による源泉徴収税額の控除等に関する規定の適用はあるが、引当金、準備金等に関する規定の適用はないとされ、(3)の方法によった場合には、各組合員は、当該組合事業に係る取引等について、非課税所得、引当金、準備金、配当控除、確定申告による源泉徴収税額の控除等に関する規定の適用はなく、各組合員にあん分される利益の額又は損失の額は、当該組合事業の主たる事業の内容に従い、不動産所得、事業所得、山林所得又は雑所得のいずれか一の所得に係る収入金額又は必要経費とするとされているが、源泉徴収税額の控除さえも受けることができないということが疑問視されることもある。かような取扱いの法的根拠をどこに見出すのかについては様々な立論があり得るところ、この点が必ずしも明確ではないことは、租税法律主義の見地から疑問が指摘されているところでもある。

裁判例の紹介

りんご生産事業組合事件

民法上の組合の組合員が、組合から委嘱された作業に従事したことの対価として得た収入について、所得税法上の給与所得に当たるとされた事例

（9 第一審盛岡地裁平成11年4月16日判決・訟月46巻9号3713頁）[9]

9）判例評釈として、森富義明・判タ1065号320頁（2001）参照。

（**10**控訴審仙台高裁平成11年10月27日判決・訟月46巻9号3700頁）[10]
（**11**上告審最高裁平成13年7月13日第二小法廷判決・訟月48巻7号1831頁）[11]

〔事案の概要〕

本件は、りんご生産事業を行う任意組合の組合員X（原告・被控訴人・上告人）が、当該組合の事業活動に労務を提供し、その対価として支払われた「給与」を当該年分の給与所得として所得税の計算をしていたところ、税務署長Y（被告・控訴人・被上告人）がこの「給与」を労務出資に対して支払われた「利益の分配」であり、事業所得に該当するとして更正処分を行ったため、これを不服としてXが提訴した事案である。

〔争点〕

民法上の組合の組合員が組合から委嘱された作業に従事したことの対価として得た「給与」なるものが、所得税法上の給与所得に当たるか否か。

〔判決の要旨〕

1　Xが組合から受けた金員につき、第一審**盛岡地裁平成11年4月16日判決**は給与所得に当たるとしたところ、控訴審**仙台高裁平成11年10月27日判決**は事業所得に当たると判断していた。

2　最高裁平成13年7月13日第二小法廷判決

「民法上の組合の組合員が組合の事業に従事したことにつき組合から金員の支払を受けた場合、当該支払が組合の事業から生じた利益の分配に該当するのか、所得税法28条1項の給与所得に係る給与等の支払に該当するのかは、当該支払の原因となった法律関係についての組合及び組合員の意思ないし認識、当該労務の提供や支払の具体的態様等を考察して客観的、実質的に判断すべきものであって、組合員に対する金員の支払であるからといって当該支払が当然に利益の分配に該当することになるものではない。また、当該支払に係る組合員の収入が給与等に該当するとすることが直ちに組合と組合員との間に矛盾した法律関係の成立を認めることになるものでもない。

これを本件についてみると、本件組合からXら専従者に支払われた労務費は、雇用関係にあることが明らかな一般作業員に対する労務費と同じく、作業時間を基礎として日給制でその金額が決定されており、一般作業員との日給の額の

10）判例評釈として、佐藤英明・ジュリ1189号123頁（2000）、同・租税29号155頁（2001）参照。

11）判例評釈として、岡村忠生・民商126巻6号182頁（2002）、水野忠恒・税研106号69頁（2002）、渕圭吾・租税百選〔4〕64頁（2005）、髙橋祐介・租税百選〔7〕44頁（2021）、高須要子・判タ1096号234頁（2002）、山田二郎・ジュリ1250号233頁（2003）、酒井・ブラッシュアップ168頁など参照。

差も作業量、熟練度の違い等を考慮したものであり、その支払の方法も、一般作業員に対するのと同じく、原則として毎月所定の給料日に現金を手渡す方法が採られていたというのである。…これらのことからすれば、本件組合及びその組合員は、専従者に対する上記労務費の支払を雇用関係に基づくものと認識していたことがうかがわれ、専従者に対する労務費は、本件組合の利益の有無ないしその多寡とは無関係に決定され、支払われていたとみるのが相当である。」

「Ｘら専従者は、一般作業員と同じ立場で、本件組合の管理者の指揮命令に服して労務を提供していたとみることができる。」

「Ｘら専従者が一般作業員とは異なり組合員の中から本件組合の総会において選任され、りんご生産作業においては管理者と一般作業員との間にあって管理者を補助する立場にあったことや、本件組合の設立当初においては責任出役義務制が採られていたことなどを考慮しても、Ｘが本件組合から労務費として支払を受けた本件収入をもって労務出資をした組合員に対する組合の利益の分配であるとみるのは困難というほかなく、本件収入に係る所得は給与所得に該当すると解するのが相当である。」

〔コメント〕

本件において、Ｙは、Ｘの給与所得該当性について、給与所得が雇用契約関係を前提とされる所得区分であることからすると法的に矛盾が生ずると主張した。すなわち、任意組合契約を認めれば、「Ｘ＝組合の構成員」であることから、Ｘを組合と雇用契約を締結する立場にある者と観念することは困難であるとのＹの主張に対し、本件最高裁は、組合契約を前提としながらも、Ｘの勤務態様などの観点から給与所得該当性を認めたのである。判決においては、雇用契約が存在しているとまでは認定していないため、本件最高裁が雇用契約を前提とした判断を展開したとまではいえない。判例・学説に従えば、給与所得とは、雇用契約のみを前提とするものではなく、それに類する関係をも前提とされることからすれば、必ずしも積極的な雇用契約の存在を認定せずとも給与所得該当性を判断することは理論的に可能であったと思われる。

裁判例の紹介

航空機リース事件

航空機リース事業を行う組合の構成員に係る所得が不動産所得に当たるとされた事例

（**12** 第一審名古屋地裁平成16年10月28日判決・判タ1204号224頁）[12]
（**13** 控訴審名古屋高裁平成17年10月27日判決・税資255号順号10180）[13]

〔事案の概要〕

Ｘら（原告・被控訴人）は、航空機リース事業を目的とする各組合契約（本件各組合契約）を締結し、同事業による所得を不動産所得（所法26①）として、その減価償却費等を必要経費に算入した上で所得税の確定申告を行った。これに対して、課税庁Ｙら（被告・控訴人）は、この各組合契約は利益配当契約であり、これによる所得は、雑所得（所法35①）であるから損益通算は許されないなどとして、Ｘらに対し、更正処分及び過少申告加算税賦課決定処分（本件各更正処分等）を行った。また、Ｙらは、ＸらのうちＢに対して、青色申告承認取消処分（本件承認取消処分）を行った。本件は、これについて、Ｘらが本件各更正処分等の、Ｂが本件承認取消処分の各取消しを求めたところ、Ｙらがこれを争った抗告訴訟である。

なお、本件の航空機リース事業とは、組合員の出資金と金融機関からの借入金を用いて航空機を購入し、これを航空会社にリースしてリース料収入を上記借入金の元本・利子の返済に充てるとともに、残余を本件各組合員に分配し、リース期間終了後、航空機を売却してその代金を上記借入金残金の返済に充て、なお余剰が生じたときは組合員に分配するという仕組みであるが、これを図示すると次のようになる。

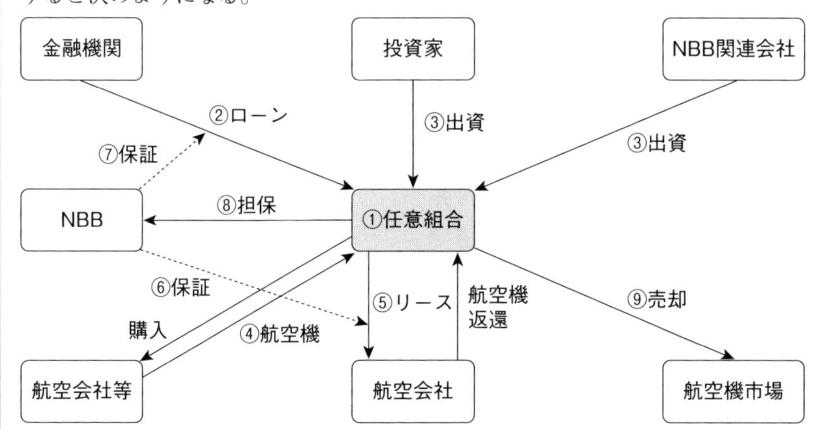

12）判例評釈として、品川芳宣・TKC税研情報14巻2号76頁（2005）、大淵博義・税務事例37巻7号1頁、同8号10頁（2005）、川田剛・税通60巻3号35頁（2005）、宇田高志・税研119号96頁（2005）、酒井克彦・税務事例37巻5号1頁、同6号8頁（2005）など参照。

13）判例評釈として、増田晋・税理49巻4号18頁（2006）、酒井・ブラッシュアップ109頁など参照。

① 航空機賃貸事業の主体として、個人投資家及びNBB関連会社１～２社を組合員とする日本の民法上の任意組合を組成する。なお、NBB関連会社１～２社のうち、１社は任意組合の業務執行者となる。
② 任意組合は、金融機関より航空機の物件金額の約70～80％を借り入れる。NBBは借入れの斡旋手数料を取る。
③ 個人組合員及びNBB関連会社は、航空機の物件金額の約20～30％及び②の斡旋手数料を出資する。
④ 任意組合は②の借入金及び③の出資金で航空会社やリース会社から航空機を購入する。
⑤ 任意組合はこの航空機を別の航空会社にリースする。
⑥ NBBはリース契約上の任意組合の義務（例えば、賃借人が航空機を使用する権利を妨げないこと）の履行を保証する。
⑦ NBBは金融機関に対して借入れの返済を保証する。
⑧ NBBは⑦の保証に関する任意組合に対する求償権を担保するため、任意組合が所有する航空機及びリース料受取債権その他の任意組合の財産に担保権を設定する。NBBはリース期間中一定の保証料を受け取る。
⑨ リース終了時に航空機は賃借人から任意組合に返還され、任意組合は航空機を売却する。

〔争点〕

Ｘらが組合員となっている任意組合の行った航空機リース事業による所得は不動産所得に該当するか。

〔判決の要旨〕

１　名古屋地裁平成16年10月28日判決

「国民が一定の経済的目的を達成しようとする場合、私法上は複数の手段、形式が考えられる場合があるが、私的自治の原則ないし契約自由の原則が存在する以上、当該国民は、どのような法的手段、法的形式を用いるかについて、選択の自由を有するというべきである。このことは、他の法的手段、形式を選択すれば税負担を求められるのに、選択の結果、これを免れる場合であっても基本的には同様というべきである。もっとも、特段の合理的理由がないのに、通常は用いられることのない法的手段、形式を選択することによって、所期の経済的効果を達成しつつ、通常用いられる法律行為に対応する課税要件の充足を免れ、税負担を減少させあるいは排除する場合には、租税回避行為としてその有効性が問題となり得るが、…租税法律主義の観点からは、このような場合であっても、当該法的手段、形式が私法上は有効であることを前提としつつ、租税法上はこれを有効と扱わず、同一の経済目的を達成するために通常用いられる法的手段、形式に対応する課税要件が充足したものとして扱うためには、これを許容する法律上の根拠を要すると解すべきである。」

「Ｙらは、事業を行うに当たり、他の所得の存在による課税額の減少効果を織り込むことが当該事業の経済的合理性を損なうかのごとく主張する。しかしながら、まず、減価償却の点については、そもそも、本件各航空機のような航空機は、航空会社にリース・賃貸され、継続的に使用されることによって、その資産価値が次第に減少していく性質を有しているから、その所有者としては、将来の転売の際に現実化する損失を見込んで、所有する期間に対応した各年度に費用としての減価償却を行う必要があることは会計理論に照らしても疑いを容れない。実際にも、本件各航空機は、１機十数億円から数十億円という高額の代金で購入されているところ、その市場価格は、世界情勢などの要因によって大きく影響を受け、想定価格以上の価格で売却できるか否かは不透明であることから、航空機の所有者が減価償却費を経費として計上し、それによる税額の減少を見込むことが許されないのであれば、世界における航空機の主要な供給源の一つであるリース事業を展開することは著しく困難になることが容易に予想される。もっとも，…航空機については、我が国における法定耐用年数が経済的なそれと比較してかなり短期間に定められているため、各年度の償却金額が経済的な資産価値の減少を上回ることが常態となっているが、その差額は、所有者に確定的に帰属するものではなく、最終的な処分時において譲渡所得という形で清算され得ることが明らかである…。また、他の所得との損益通算の点について、所得税法69条は、ある所得…の金額の計算上生じた損失を、他の所得の金額から控除する旨定めているところ、これは、所得の性質上不相当と考えられるもの（雑所得）を除き、総合所得税の建前を具体化したものと考えられ、税制の在り方として何ら不当なものとはいえない。そうすると、合理的経済人が、減価償却費と損益通算による所得の減少を考慮して、事業計画を策定することは、ごく自然なことと考えられる上、…いったんは課税の対象から外れた経済的利益も、最終的には課税の対象となるものであり、ただ、現実の納税額の総額が減少するのは、前記の所得税法が採っている累進課税制度、長期譲渡所得の優遇措置などを適用した結果にすぎないというべきである。したがって、本件各事業が経済的合理性を欠く旨のＹらの主張は、採用できない。」

「一定の経済的目的を達成する上で、複数の法形式が考えられる場合に、税制上のメリットを考慮してその選択を行うこと自体は、何ら異常、不当なことではないというべきである。加えて、単なる利益配当契約にあっては、その内容にもよるが、一般には出資者に対する事業者の善管注意義務を肯認することは困難であるから、事業者の判断に軽率な点があったとしても、出資者は、これによって生じた損失について、事業者の責任を問うことはできず、まして、本件各組合契約のように、重要事項の決定に出資者の意見を反映させる手続を設けることは、通常は考えられないというべきである。そうすると、民法上の組合契約の形式を採ることによって、単なる利益配当契約よりも出資者の利益に配慮することが可能となり、事業者側としても、出資者を募ることが容易となることが考えられるから、このような効果上の相違点に鑑みれば、多少の迂遠さ、複雑さを考慮したとしても、民法上の組合契約が、通常は用いられることのない法形式であるということはできない。」

「民法667条１項は、『組合契約ハ各当事者カ出資ヲ為シテ共同ノ事業ヲ営ムコトヲ約スルニ因リテ其効力ヲ生ス』と定め、組合契約が有効に成立するためには、〔1〕２人以上の当事者の存在、〔2〕各当事者が出資をすることを合意したこと、〔3〕各当事者が共同の事業を営むことについて合意したことの各要件が必要であることを明らかにしている。…ところで、〔3〕の合意が認められるためには、ａ共同で営む事業の内容（組合の目的）についての合意と、ｂその事業を共同で営むことについての合意とを要する」とする。そして、「本件各組合契約が民法上の組合契約の性質を有するかは、Ｘらを含む一般組合員らが上記の検査権及び解任権を有するか否か並びに事業の成功に利害関係を有するか否かにかかるというべき」として、これらの点について検討を行い、共同事業性を肯定した。

2　名古屋高裁平成17年10月27日判決

Ｙらは、課税要件における事実認定のあり方について、原判決の考えを採ることは、Ｘらが「民法上の組合契約」の契約類型を選択したことを所与の前提とした上で、その真意を探求しており、Ｘらが締結した契約がいかなるものであったかという通常の課税要件事実の認定場面において当然行われるべき実体ないし実質による判断を放棄しており、当事者の締結した契約の認定のあり方を誤ったと主張した。名古屋高裁は、この点について、「法律行為の解釈は、当事者の意思を探求するものではあるが、その意思表示は専ら表示行為を介してなされるのであるから、Ｘらが締結した契約がいかなるものであったかを判断するに当たり、まず『民法上の契約類型を選択したこと』を前提として表示行為の解釈を行うのは当然というべきである。そして、その結果、仮に、Ｘらの達成しようとする法的ないしは経済的目的に照らして、上記契約類型の選択が著しく不合理である場合には、真実は民法上の組合契約を締結する意思ではなく、同契約は不成立であると判断される余地があるにすぎない。したがって、上記したところを前提に表示行為の解釈をしたとしても、外形的資料のみに拘泥し、実体ないし実質による判断を放棄するものではない。」とした。

また、Ｙらは、契約の締結に当たって、税負担を伴わないあるいは税負担が軽減されることを目的として、実体ないし実質と異なる外観ないし形式を採った場合には、当該実体ないし実質に従って課税されるべきであるのは当然であり、租税負担の有無を法律行為の解釈をする際にまったく考慮すべきでないという趣旨であれば、これもまた誤りであると主張した。しかしながら、この点については、「いかなる法律効果を発生させるかとの効果意思と、契約締結の動機、意図などの主観的要素とは理論的には別であり…、Ｙらの上記主張は、これらを混同するものである。現代社会における合理的経済人の通常の行動として、仮に、租税負担を伴わないかあるいはそれが軽減されることなどを動機ないしは目的（又は、動機等の一部）として、何らかの契約を締結する場合には、その目的等がより達成可能な私法上の契約類型を選択し、その効果意思を持つことは、ごく自然なことであり、かつ、合理的なことであるといえる。そうすると、当該当事者が作出した契約等の形式について、これと異なる効果意思の存在を推認することは、上記したところと整合せず、そのように推認するとすれば、当事者の意思（私法上選択された契約類型）を離れて、その動機等の主観的要素のみに着目して課税することになり、当事者が行った法律行為を法的根拠なく否定する結果になる。」と説示している。

一方で、Ｙらが、本件各事業の当事者がキャッシュ・フロー・ベースで利益を上げられないことを前提に、本件各事業は、課税減少効果がなければ成り立ち得ず、課税額の減少それ自体を取引の手段として本件各事業の当事者の利益を図るもので、投資による経済的利益獲得を主目的とし、それに付随して法形式の選択による租税法上のメリットを検討する場合とは異なるにもかかわらず、原判決は、これらを混同すると主張したのであるが、この点についても、名古屋高裁は排斥した。すなわち、同高裁は、「本件各事業の当事者は、キャッシュ・フロー・ベースで利益を得る可能性はあるから、本件各事業は、課税減少効果がなければ成り立ち得ないとまではいえないし、課税額の減少それ自体を取引の手段として本件各事業の当事者の利益を図るものであるとの点は、前記のとおり、契約締結の動機、意図などの主観的要素と効果意思とを混同するものであり、このことを言葉を変えて述べているにすぎず、上記で判断（原判決）したところに対する反論とはなり得ないというべきである。」とした。

さらに、Ｙらは、本件各事業は、我が国の租税歳入それ自体を取引対象とし、本件各事業の当事者の利益を図る事業であり、本件各組合契約は、契約当事者の認識や実体と法形式とが大きく齟齬する異常な法形式であるかのように主張する。しかし、名古屋高裁は、「動機等の主観的要素と効果意思とを混同し、本件各組合契約は、課税減少効果を目的とする契約であるとして、当事者の認識等をその動機等や経済的側面のみに着目してこれを理解し、動機等とは別の効果意思の検討を放棄するものである。」とした。

〔コメント〕

本件は、いわゆる租税回避事例としてつとに有名な事例であるが、Ｘが締結したとされる租税回避のための組合契約が有効に成立していたか否かも、不動産所得該当性の議論の前提としてなされている。

民法667条《組合契約》
組合契約は、各当事者が出資をして共同の事業を営むことを約することによって、その効力を生ずる。

上記のように、民法は「共同の事業を営むこと」を組合契約の要件にしていると解されているところであるが、本件名古屋高裁判決は、この点につき、一般組合員らが検査権及び解任権を有するか否かという点と、組合員が事業の成功に利害関係を有するか否かという点の二つの観点から、「共同の事業を営むこと」の認定につなげて、組合契約の存在を肯定している。

また、任意組合契約による法律効果を発生させるための効果意思は、契約締結の際の動機には左右されないと判示している。同判決は、このような立場から、租税回避否認論においてしばしば論じられる私法上の法律構成による否認論を否定したものとして注目される事案であるといえよう（私法上の法律構成による否認論については、酒井・ステップアップ租税法と私法201頁参照）。

ロ　匿名組合

匿名組合契約とは、匿名組合員と営業者との二者間の契約であり、組合自体が権利・義務の主体とはなり得ない（商535、536）。また、匿名組合契約においては、匿名組合員は営業者の営業から生じる利益の分配を受ける権利（利益配当請求権）を有し（商538）、営業者は組合員に対して利益の分配をする義務を負うことになる（商535）。

このことから、匿名組合契約に基づいて営まれる組合事業に係る所得は、任意組合等の場合と異なり、匿名組合員に直接帰属せず、いったんは営業者に帰属することとなり、匿名組合員に対しては、営業者から分配される利益について課税されることになる。

なお、匿名組合員が得る所得の所得区分については、上記匿名組合の性質及び当該所得は組合員が行う出資・投資の対価であるという側面から判断し、原則として、雑所得となる（所基通36·37共－21）（平成17年改正前の通達では、原則は組合の事業内容によるとしていたが、この点につき、かつて筆者は、通達の改正を提案した（酒井克彦「匿名組合契約に基づく分配金に係る所得区分―いわゆる航空機リース事件の検討を契機として」税大ジャーナル２号96頁（2005））。その後、現在のように原則は雑所得に改正された。なお、同通達改正への批判として、金子宏「匿名組合に対する所得課税の検討」同編『租税法の基本問題』150頁（有斐閣2007）を参照）。

ただし、匿名組合員が当該匿名組合契約に基づいて営業者の営む事業に係る重要な業務執行の決定を行っているなど、組合事業を営業者とともに経営していると認められる場合には、当該匿名組合員が当該営業者から受ける利益の分配は、当該営業者の営業の内容に従い、事業所得又はその他の各種所得とする（所基通36·37共－21ただし書）。

法人税については匿名組合契約も損失制限の対象とされているが、所得税についてはこの特例の対象から除かれている。これは、匿名組合の組合員は任意組合の組合員と異なり組合の財産に対する共有概念がなく、商法上、匿名組合の営業者の単独事業とされ、組合の財産や収益は営業者に帰属し、組合員は営業者から利益の配当を受ける権利を有することとされていること等により、個人の組合員が営業者から分配される利益については基本的には雑所得とされ、その損失については損益通算が認められていないことから、あえて損失制限の対象とする必要性が乏しいことによるものと説明されることがある（平成17年度「税制改正の解説」（財務省広報）（措法41の４の２関係））。

なお、匿名組合契約に基づいて営まれる組合事業から生じた利益について、当該組合に留保することとした場合の、当該匿名組合の組合員の課税関係が問題となる。所得税法36条《収入金額》は、所得金額の計算の基礎となる収入金額又は総収入金額を「その年において収入すべき…金額」と規定しており、「収入した…金額」とはしていないことから、現実の収入がなくても、「収入すべき金額」が確定していれば、当該金額は収入金額に算入されると解される。したがって、匿名組合契約の組合事業の損益計算上利益が生じた場合には、匿名組合員は利益配当請求権による利益の分配を請求することができるから、現実に利益の分配がなされておらず、それを当該組合が留保することとした場合であっても、「収入すべき金額」は確定しているものであり、当該金額が総収入金額に算入されることになるとみるべきであろう。

所得税基本通達36・37共－21《匿名組合契約による組合員の所得》

匿名組合契約（商法第535条《匿名組合契約》の規定による契約をいう。以下この項及び36・37共－21の2において同じ。）を締結する者で当該匿名組合契約に基づいて出資をする者（匿名組合契約に基づいて出資をする者のその匿名組合契約に係る地位の承継をする者を含む。以下この項及び36・37共－21の2において「匿名組合員」という。）が当該匿名組合契約に基づく営業者から受ける利益の分配は雑所得とする。

ただし、匿名組合員が当該匿名組合契約に基づいて営業者の営む事業（以下この項及び36・37共－21の2において「組合事業」という。）に係る重要な業務執行の決定を行っているなど組合事業を営業者と共に経営していると認められる場合には、当該匿名組合員が当該営業者から受ける利益の分配は、当該営業者の営業の内容に従い、事業所得又はその他の各種所得とする。

㊟1　匿名組合契約に基づく営業者から受ける利益の分配とは、匿名組合員が当該営業者から支払を受けるものをいう（出資の払戻しとして支払を受けるものを除く。）。以下36・37共－21の2において同じ。

2　営業者から受ける利益の分配が、当該営業の利益の有無にかかわらず一定額又は出資額に対する一定割合によるものである場合には、その分配は金銭の貸付けから生じる所得となる。

なお、当該所得が事業所得であるかどうかの判定については、27－6参照。

所得税基本通達36・37共－21の2《匿名組合契約による営業者の所得》

36・37共－21により営業者が匿名組合員に分配する利益の額は、当該営業者の当該組合事業に係る所得の金額の計算上必要経費に算入する。

匿名組合契約に基づき営業者の営む事業において損失が生じた場合の課税についてはどのように取り扱われるのであろうか。匿名組合契約においては、匿名組合員に損失が分担されるのが通常であるが、ここでいう損失とは、当該匿名組合契約の各計算期間における財産の減少額のことであり、損失の分担があるときは、その分だけ出資が減少するにとどまり、現実の支払によってこれをてん補するものではない。かように損失の分担は、現実の負担ではなく、計算上の分担にすぎない。この点、当該匿名組合契約の各計算期間に損失の負担を求めず、当該匿名組合契約の終了時に損失分担義務を負うこととした場合、計算上各期間において出資の価額が減少することになるとはいえ、課税上は、匿名組合員が負担する損失の価額は各計算期間においていまだ確定しているとはいえないから（当該匿名組合契約の終了時に確定する。）、当該損失の分担額を当該計算期間の各種所得の計算上必要経費に算入することはできないということになる。これが課税実務の考え方であるといえよう。

なお、出資の価額が損失の分担により減少した場合は、後の営業年度に利益が生じても、当該利益で出資の欠損額をてん補し、なお余りがあるのでなければ、匿名組合員は、利益の分配を請求することはできない（商538）。

したがって、翌営業年度以降に当該匿名組合事業に利益が生じた場合については、利益配当請求権を有する部分、すなわち、出資の欠損額をてん補した後の残りとして分配を受ける利益が、各種所得の金額の計算上総収入金額に算入されることになる。

（例）

第１期（損失の分担 200、損失の負担は求めない。）

出資の価額（1,000）→出資の価額（800）

㈲　当該出資の減額分については、各種所得の金額の計算上必要経費に算入されない。

第２期（利益 500、当該利益で第１期の出資の欠損額をてん補する。）

㈲　匿名組合員は利益500のうち200の損失をてん補した後の300につき利益配当請求権を有することになる。したがって、300が各種所得の計算上総収入金額に算入されることになる。

ハ　その他の類似事業体

米国のLLC（Limited Liability Company：リミテッド・ライアビリティ・カンパニー）やLPS（Limited Partnership：リミテッド・パートナーシップ）に類似する我が国の組織形態として、いわゆる「日本版LLC」や「日本版LPS」がある

（なお、米国のLLCやLPSの我が国における「法人」該当性を巡る議論については、酒井・概念論6参照）。一般的に、「日本版LLC」とは、我が国の会社法に基づく合同会社のことをいい、「日本版LPS」とは、投資事業有限責任組合契約に関する法律に基づく投資事業有限責任組合のことをいうと理解されている。

また、有限責任事業組合契約に関する法律に基づく有限責任事業組合は、「日本版LLP（リミテッド・ライアビリティ・パートナーシップ）」と呼ばれている。

裁判例の紹介

LPS事件

米国LPSの法人該当性が争点とされた事例

（14第一審名古屋地裁平成23年12月14日判決・民集69巻5号1297頁）[14]
（15控訴審名古屋高裁平成25年1月24日判決・民集69巻5号1462頁）
（16上告審最高裁平成27年7月17日第二小法廷判決・民集69巻5号1253頁）[15]

〔事案の概要〕

X_1、X_2及びX_3（いずれも原告・被控訴人・被上告人）は、外国信託銀行を受託者とする信託契約を介して出資したLPS（米国デラウェア州改正統一リミテッド・パートナーシップ法に準拠して組成されるリミテッド・パートナーシップ。以下「本件各LPS」という。）が行った米国所在の中古住宅の貸付（本件各不動産投資事業）に係る所得が、所得税法26条1項所定の不動産所得に該当するとして、その減価償却等による損金と他の所得との損益通算をして所得税の申告又は更正の請求をした。

これに対し、当該所得は不動産所得に該当せず、損益通算を行うことはできないとして、所轄税務署長は、Xらの所得税の更正処分及び過少申告加算税賦

14）判例評釈として、渕圭吾・ジュリ1439号8頁（2012）、品川芳宣・税研164号82頁（2012）、吉村政穂・平成24年度重要判例解説〔ジュリ臨増〕204頁（2013）など参照。

15）判例評釈として、葭田英人・税務事例47巻11号25頁（2015）、吉村政穂・税弘63巻12号100頁（2015）、岡村忠生・ジュリ1486号10頁（2015）、今村隆・税理58巻15号70頁（2015）、衣斐瑞穂・曹時68巻6号156頁（2016）、伊藤公哉・大阪経大論集66巻6号227頁（2016）、兼平裕子・愛媛法学会雑誌42巻2号127頁（2016）、加藤友佳・ジュリ1496号111頁（2016）、長戸貴之・法協133巻10号1685頁（2016）、田中啓之・租税百選〔7〕48頁（2021）、木村弘之亮・税弘65巻10号78頁（2017）、酒井克彦・判評696号153頁（2017）など参照。

課決定処分を行った。
　本件は、これらの処分を不服として、Xらが国Y（被告・控訴人・上告人）を相手取り提訴した事案である。

〔**争点**〕
　本件各 LPS の外国法人該当性如何。

〔**判決の要旨**〕
1　第一審**名古屋地裁平成23年12月14日判決**及び控訴審**名古屋高裁平成25年1月24日判決**は、本件各 LPS が法人に該当しないとした上で、構成員であるXらが不動産所得を有するとしてされた所得税の申告又は更正の請求を妥当とした。

2　最高裁平成27年7月17日第二小法廷判決
「(1)ア　本件においては、本件各 LPS が行う本件各不動産賃貸事業により生じた所得が本件各 LPS 又は本件出資者らのいずれに帰属するかが争われているところ、複数の者が出資をすることにより構成された組織体が事業を行う場合において、その事業により生じた利益又は損失は、別異に解すべき特段の事情がない限り、当該組織体が我が国の租税法上の法人に該当するときは当該組織体に帰属するものとして課税上取り扱われる一方で、当該組織体が我が国の租税法上の法人に該当しないときはその構成員に帰属するものとして課税上取り扱われることになるから、本件における上記の所得の帰属を判断するに当たっては、本件各 LPS が所得税法2条1項7号及び法人税法2条4号（以下『所得税法2条1項7号等』という。）に共通の概念として定められている外国法人として我が国の租税法上の法人に該当するか否かが問題となる。
　イ　我が国の租税法は組織体のうちその構成員とは別個に租税債務を負担させることが相当であると認められるものを納税義務者としてその所得に課税するものとしているところ、ある組織体が法人として納税義務者に該当するか否かの問題は我が国の課税権が及ぶ範囲を決する問題であることや、所得税法2条1項7号等が法人に係る諸外国の立法政策の相違を踏まえた上で外国法人につき『内国法人以外の法人』とのみ定義するにとどめていることなどを併せ考慮すると、我が国の租税法は、外国法に基づいて設立された組織体のうち内国法人に相当するものとしてその構成員とは別個に租税債務を負担させることが相当であると認められるものを外国法人と定め、これを内国法人等とともに自然人以外の納税義務者の一類型としているものと解される。このような組織体の納税義務に係る制度の仕組みに照らすと、外国法に基づいて設立された組織体が所得税法2条1項7号等に定める外国法人に該当するか否かは、当該組織体が日本法上の法人との対比において我が国の租税法上の納税義務者としての適格性を基礎付ける属性を備えているか否かとの観点から判断することが予定されているものということができる。そして、我が国においては、ある組織体が権利義務の帰属主体とされることが法人の最も本質的な属性であり、そのような属性を有することは我が国の租税法において法人が独立して事業を行い得るものとしてその構成員とは別個に納税義務者とされていることの主たる根拠であると考えられる上、納税義務者とされる者の範囲は客観的に明確な基準により決せられるべきであること等を考慮すると、外国法に基づいて設立された組織体が所得税法2条1項7号等に定める外国法人に該当するか否かについては、上記の属性の有無に即して、当該組織体が権利義務の帰属主体とされているか否かを基準として判断することが相当であると解される。

その一方で、諸外国の多くにおいても、その制度の内容の詳細には相違があるにせよ、一定の範囲の組織体にその構成員とは別個の人格を承認し、これを権利義務の帰属主体とするという我が国の法人制度と同様の機能を有する制度が存在することや、国際的な法制の調和の要請等を踏まえると、外国法に基づいて設立された組織体につき、設立根拠法令の規定の文言や法制の仕組みから、日本法上の法人に相当する法的地位が付与されていること又は付与されていないことが疑義のない程度に明白である場合には、そのことをもって当該組織体が所得税法2条1項7号等に定める外国法人に該当する旨又は該当しない旨の判断をすることが相当であると解される。

以上に鑑みると、外国法に基づいて設立された組織体が所得税法2条1項7号等に定める外国法人に該当するか否かを判断するに当たっては、まず、より客観的かつ一義的な判定が可能である後者の観点として、〈1〉当該組織体に係る設立根拠法令の規定の文言や法制の仕組みから、当該組織体が当該外国の法令において日本法上の法人に相当する法的地位を付与されていること又は付与されていないことが疑義のない程度に明白であるか否かを検討することとなり、これができない場合には、次に、当該組織体の属性に係る前者の観点として、〈2〉当該組織体が権利義務の帰属主体であると認められるか否かを検討して判断すべきものであり、具体的には、当該組織体の設立根拠法令の規定の内容や趣旨等から、当該組織体が自ら法律行為の当事者となることができ、かつ、その法律効果が当該組織体に帰属すると認められるか否かという点を検討することとなるものと解される。

⑵ア　これを本件についてみるに、州LPS法は、同法に基づいて設立されるリミテッド・パートナーシップがその設立により『separate legal entity』となるものと定めているところ（201条⒝項）、デラウェア州法を含む米国の法令において『legal entity』が日本法上の法人に相当する法的地位を指すものであるか否かは明確でなく、また、『separate legal entity』であるとされる組織体が日本法上の法人に相当する法的地位を有すると評価することができるか否かについても明確ではないといわざるを得ない。そして、デラウェア州一般会社法（General

Corporation Law of the State of Delaware）における株式会社（corporation）については、『a body corporate』という文言が用いられ（同法106条）、『separate legal entity』との文言は用いられていないことなども併せ考慮すると、上記のとおり州LPS法において同法に基づいて設立されるリミテッド・パートナーシップが『separate legal entity』となるものと定められていることをもって、本件各LPSに日本法上の法人に相当する法的地位が付与されているか否かを疑義のない程度に明白であるとすることは困難であり、州LPS法や関連法令の他の規定の文言等を参照しても本件各LPSがデラウェア州法において日本法上の法人に相当する法的地位を付与されていること又は付与されていないことが疑義のない程度に明白であるとはいい難い。

イ　そこで、本件各LPSが法人該当性の実質的根拠となる権利義務の帰属主体とされているか否かについて検討するに、州LPS法は、リミテッド・パートナーシップにつき、営利目的か否かを問わず、一定の例外を除き、いかなる合法的な事業、目的又は活動をも実施することができる旨を定めるとともに（106条(a)項）、同法若しくはその他の法律又は当該リミテッド・パートナーシップのパートナーシップ契約により付与された全ての権限及び特権並びにこれらに付随するあらゆる権限を保有し、それを行使することができる旨を定めている（同条(b)項）。このような州LPS法の定めに照らせば、同法は、リミテッド・パートナーシップにその名義で法律行為をする権利又は権限を付与するとともに、リミテッド・パートナーシップ名義でされた法律行為の効果がリミテッド・パートナーシップ自身に帰属することを前提とするものと解され、このことは、同法において、パートナーシップ持分（partnership interest）がそれ自体として人的財産（personal property）と称される財産権の一類型であるとされ、かつ、構成員であるパートナーが特定のリミテッド・パートナーシップ財産（以下『LPS財産』という。）について持分を有しない（A partner has no interest in specific limited partnership property.）とされていること（701条）とも整合するものと解される。なお、本件各LPS契約において、本件各LPSが本件各建物及びその敷地の購入、取得、開発、保有、賃貸、管理、売却その他の処分の目的のみのために設立され、当該目的を実施するために必要又は有益な範囲で上記の処分の権限を有すると定められていること（1．3条）は、上記のような州LPS法の規律に沿うものということができ、構成員である各パートナーが本件各LPSのLPS財産につき各自の出資割合に相当する不可分の持分を有すると定められていること（4．5条）についても、LPS財産の全体に係る抽象的な権利を有する旨をいうものにとどまり、本件各LPSのLPS財産を構成する個々の物や権利について具体的な持分を有する旨を定めたものとは解されず、パートナーが特定のLPS財産について持分を有しないとする州LPS法の上記規定の定めとそごするものではないということができる。

上記のような州LPS法の定め等に鑑みると、本件各LPSは、自ら法律行為の当事者となることができ、かつ、その法律効果が本件各LPSに帰属するものということができるから、権利義務の帰属主体であると認められる。

(3)　そうすると、本件各LPSは、上記のとおり権利義務の帰属主体であると認められるのであるから、所得税法２条１項７号等に定める外国法人に該当するものというべきであり、前記２(1)のとおり、本件各不動産賃貸事業は本件各LPSが行うものであり、前記(1)アの特段の事情の存在もうかがわれないことなどからすると、本件各不動産賃貸事業により生じた所得は、本件各LPSに帰属するものと認められ、本件出資者らの課税所得の範囲には含まれないものと解するのが相当である。」

〔コメント〕

本件最高裁判決は、本件各LPSの法人該当性を肯定し、課税処分を適法なものと判断した。

そこでは、組織体が「権利義務の帰属主体」であると認められるか否かを検討して判断すべきとした。これは、「当該組織体が日本法上の法人との対比において我が国の租税法上の納税義務者としての適格性を基礎付ける属性を備えているか否かとの観点から判断」した場合の判断基準であるというのである。我が国の租税法上の納税義務者としての適格性は、果たして「権利義務の帰属主体」で判断されるべきなのであろうか。なるほど、権利義務とは離れた経済的な観点から所得を認識するということではあっても、その課税物件の帰属は、権利義務の主体のみを対象としているという点は頷ける。すなわち、課税物件（所得など）自体は必ずしも法的な根拠を有しないとしても、結局、その課税物件の帰属自体は法律上の権利義務の帰属主体に応じて考えていることは間違いがなさそうである。これは、租税法が課税単位を法的基準に従って整理していることからくる帰結であろう。

そして、具体的には、①当該組織体が自ら法律行為の当事者となることができ、かつ、②その法律効果が当該組織体に帰属すると認められるか否かという点を検討することとなるとし、これらの点につき設立根拠法令の規定の内容や趣旨等から判断したのが本件最高裁判決である。

裁判例の紹介

LLC 事件

米国ニューヨーク州のLLCが所得税法上の法人に該当するとされた事例
(17第一審さいたま地裁平成19年5月16日判決・訟月54巻10号2537頁) [16]
(18控訴審東京高裁平成19年10月10日判決・訟月54巻10号2516頁) [17]

〔事案の概要〕

X（原告・控訴人）は、米国ニューヨーク州法に基づき組成されたA・Limited Liability Company（以下「本件LLC」という。）の行った不動産賃貸業に係る収支及び本件LLC名義の預金利息収入をXの不動産所得及び雑所得として、平成10年分ないし同12年分の所得税の各確定申告をした。これに対し、税務署長Y（被告・被控訴人）は、本件LLCが行う不動産賃貸業により生じた損益は法人としての本件LLCに帰属するもので、Xの課税所得の範囲に含まれないとしてこれを是正し、また、本件LLCが平成10年ないし同12年にXに対して送金した分配金（以下「本件分配金」という。）はXの配当所得に該当する等として、Xに対し、上記各年分の所得税に係る更正処分（以下「本件各更正処分」という。）及び過少申告加算税賦課決定処分（以下「本件各加算税賦課決定処分」といい、本件各更正処分と併せて「本件各更正処分等」という。）をした。

本件は、Xが、本件LLCは我が国の租税法上の法人に該当せず、また、本件分配金の一部は出資金の払戻しであり配当所得には当たらないから、本件各更正処分等は違法である等と主張して、その取消しを求めた事案である。

〔争点〕

① 本件LLCは、我が国租税法上の「法人」に該当するか。
② 本件分配金は、Xの「配当所得」に該当するか。

---

16) 判例評釈として、岸田貞夫＝井上立子・TKC税研情報17巻4号140頁（2008）など参照。

17) 判例評釈として、品川芳宣・TKC税研情報17巻2号54頁（2008）、横溝大・ジュリ1361号196頁（2008）、望月文夫・国税速報6073号24頁（2009）、宮崎裕子・税研148号87頁（2009）。酒井克彦「所得税法上の『外国法人』の意義（上）（中）（下）―米国Limited Liability Companyの法人該当性―」税通63巻7号50頁、9号55頁、10号52頁（2008）など参照。

〔判決の要旨〕

1　さいたま地裁平成19年５月16日判決

「所得税法２条及び法人税法２条は、内国法人を国内に本店又は主たる事務所を有する法人と定義し、外国法人を内国法人以外の法人と定義しているが、我が国の租税法上、法人そのものについて定義した規定はない。

納税義務は、各種の経済活動ないし経済現象から生じてくるのであるが、それらの活動ないし現象は、第一次的には私法によって規律されている。したがって、租税法がそれらを課税要件規定の中に取り込むにあたって、私法上におけるものと同じ概念を用いている場合には、別の意義に解すべきことが租税法規の明文又はその趣旨から明らかな場合は別として、それを私法上におけるものと同じ意義に解するのが、法的安定に資する。そうすると、租税法上の法人は、民法、会社法といった私法上の概念を借用し、これと同義に解するのが相当である。したがって、例えば、会社法上すべての『会社』が法人である以上（会社法３条、旧商法54条１項）、そのすべてが法人税の納税義務を負うことと考えられ、その中には、持分会社である合名会社、合資会社や合同会社も含まれる（会社法２条１号、旧商法53条）し、その他、個別の立法において法人格を与えられているあらゆる法人（公共法人を除く）が何らかの形で法人税の納税義務を負うことになる。つまり、我が国の租税法上、『法人』に該当するかどうかは、私法上、法人格を有するか否かによって基本的に決定されていると解するのが相当である。」

「そして、外国の法令に準拠して設立された社団や財団の法人格の有無の判定に当たっては、基本的に当該外国の法令の内容と団体の実質に従って判断するのが相当であり、本件 LLC は、米国のニューヨーク州法（NYLLC 法）に準拠して設立され、その事業の本拠を同州に置いているのであるから、本件 LLC が法人格を有するか否かについては、米国ニューヨーク州法の内容と本件 LLC の実質に基づき判断するのが相当である（民法36条、会社法933条、旧商法479条、法の適用に関する通則法等参照）。」

「そこで、これを検討すると、次のとおりである。

ア　…によれば、英米法における法人格を有する団体の要素には、(a)訴訟当事者になること、(b)法人の名において財産を取得し処分すること、(c)法人の名において契約を締結すること、(d)法人印（corporate seal）を使用することなどが含まれることが認められる。

イ　NYLLC 法の関係規定をみるに、同法に基づき設立された LLC は、その名において訴訟手続等の当事者となることができる（202条ａ項）し、また、不動産や動産を取得したり（同条ｂ項）、その財産又は資産の全部又は一部を処分したりすること（同条ｃ項）ができることが認められる。さらに、当該 LLC は、証券に係る取引、種々の契約の締結（同条ｄ、ｅ項）に加えて、同条ｆ項ないしｑ項に規定される行為を行う広範な権能を有していることが認められる（…）。

ウ　次に、本件LLCについてみるに、NYLLC法に基づき設立された本件LLCは、同法202条a項の規定に従い、その名において訴訟手続等の当事者となることができると考えられ、また、本件オペレーティング契約5条、6条（…）にも、本件LLCが訴訟当事者となり、訴状等の送達を受けることを前提とした規定が置かれていることが認められる。

また、…によれば、本件LLCは、本件オペレーティング契約7条において、本件賃貸ビルを所有することを前提とした規定をした上で、NYLLC法1006条及び1007条の規定に基づき、X及びBの共同事業用の資産であった本件賃貸ビルを引き継ぎ、所有していることが認められる。さらに、…によれば、本件LLCは、その名において、Fから本件借入金の融資を受ける際に、抵当権を設定し、抵当証券を発行していること、また、その名において、不動産管理会社であるBPCマネジメント・コーポレーションに本件賃貸ビルの管理を委託する契約を締結していることが認められる。

エ　そうすると、本件LLCは、NYLLC法に基づき、その名において、(a)訴訟当事者になること、(b)財産を取得し、処分すること、(c)契約を締結する権能を有し、実際に、訴訟手続の当事者となることや財産を所有することを前提とした規定を本件オペレーティング契約に置いた上で、その名において、財産を所有・管理し、契約を締結していることが認められる。

ところで、上記法人の要素(d)（法人印）については、NYLLC法上も、本件オペレーティング契約上も、明文の規定はなく、本件LLCの作成した契約書等を見ても、本件LLCが会社印を使用している状況は窺われない。しかし、法人印は、米国においても、当該印を使用する法人が、その名において行為をする際、その同一性を示し、対外的な信用性を高めるために用いられるものであると思われ、本件LLCは、前記のとおり、契約書等において、A・LLCの名で行為をしているのであるから、本件LLCがLLC印を設けること自体に不都合があるとは考えがたい。そうすると、本件LLCがLLC印を使用している状況が窺われないとしても、そのことは本件LLCの法人性を否定する事情とはならないというべきである。」

2　控訴審**東京高裁平成19年10月10日判決**は原審判断をおおむね維持した。

〔コメント〕

1　借用概念論における「外国法人」概念

本件では、米国LLCが所得税法24条《配当所得》における法人に該当するならば、法人からの配当金は配当所得となり、損失を観念することができないことになるのに対して、法人に該当しないと解されれば、パススルー課税の対象として不動産の貸付けによる損失すなわち不動産所得の赤字に該当することになるという点において、法人該当性が争点とされている。
そこで問題となるのが、所得税法あるいは法人税法には、「法人」の定義規定が存在しないということである。
借用概念論の通説である統一説に立つと、租税法上不明確な概念理解のよりどころを私法に求めることになる。具体的には、会社法933条《外国会社の登記》の「外国会社」や民法35条《外国法人》１項の「外国法人」の概念理解を前提に考えるということになろう。そこで、これら条項の解釈論を確認しておくことが必要となる。
民法35条１項は、「外国法人は、国、国の行政区画及び商事会社を除き、その成立を認許しない。ただし、法律又は条約の規定により認許された外国法人は、この限りでない。」と規定しており、外国の法律によって設立され当該外国の法律のもとで法人格が与えられた商事会社は、我が国の私法上、外国法人として認許されるとして規定している。かかる場合において、外国法人として認許されるということは、外国の法律で認められた法人格を我が国においても承認するということである。この条文の規定振りからすれば、認許されない外国法人（国、国の行政区画及び商事会社以外の外国法人）が存在することを前提としていることが分かる。民法にいう外国法人とは、同法の認許の有無にかかわらず、外国において法人格を有する組織体をいうと理解すべきであり、認許されないということは国内において法人としての活動が認められるか否かの問題である。この際、外国法人が外国法上有効に成立したか否かの問題と、外国法上有効に成立した外国法人が内国において法人として活動することを認められるか否かの問題は、明確に区別されなければならない。
そして、外国法上有効に成立した法人は、民法にいう「外国法人」であり、かような組織体は統一説のもとでは租税法上「外国法人」と整理されることになると思われる。
法人の設立は法人格の取得の問題に関するから法人の従属法による。つまり、法人が法人格を取得するかどうか、いついかなる範囲で法人格を取得するかについては法人の従属法による。かような観念は、従属法で付与された法人の法人格が他の全ての国で承認されるべきとの考え方が前提とされている。従属法の決定については、我が国に規定がないので学説の分説がみられる。法人の本質について法人擬制説を採るも法人実在説を採るも、法人の一般的権利能力が一定の国の法律により付与されるということについては変わりはないから、法人の実在はその社会学的実在を離れては考察し得ないが、法人の本質はあくまでも法技術的手段たることに存し、法人に人格を付与するものはやはり一定の国の法律である。したがって、法人の従属法は設立に際して準拠した法律であるといわなければならないという考え方が設立準拠法主義であり、通説である（山田鐐一『国際私法〔第３版〕』227頁（有斐閣2004）、實方正雄『国際私法概論』146頁（有斐閣1942）、久保岩太郎『国際私法概論』131頁（巌松堂1946）、早田芳郎「外国会社の意義」『国際私法の争点』〔ジュリ別冊〕78頁（1980）、溜池良夫『国際家族法研究』283

頁（有斐閣1985））。

なお、必ずしも会社法821条《擬似外国会社》あるいは旧商法482条との関係に言及しなくとも、法人の従属法は法人の内部組織や行為能力などの問題に適用されることから、固定的であることが望ましく、かような意味からも、設立準拠法主義によるとする見解が通説とされている。

そこで、設立準拠法主義を前提に考えるとすると、民法は外国法に準拠して適法に設立した外国法人を対象として、そのうち一定の要件に該当しないものを認許しないとしているだけであるから、外国法人として認許されるか否かは別として、いずれにしても民法が対象とするのは外国法に準拠して適正に設立された外国法人であると理解するのが相当であろう。

かように考えた場合には、租税法上の「法人」概念の理解に当たっては、当該事業体が外国法の下で法人格が付与されたとみることができるかどうかによって判断すべきことになる。すなわち、米国において、ニューヨーク州LLCが法人と判断されているか否かを考察する必要があろう。

この点については、中里実教授も、「日本においては、第一に国際私法により、外国組織の日本の私法上の扱いを決定し、しかる後に、第二に、このような私法上の扱いを前提として日本の国内租税法上の扱いが決定されるということになる。そして、国際私法においては、基本的に外国の組織や契約を尊重するようであるから、エンティティーの分類については、基本的には、外国の私法における分類が前提となると考えられる。」とされているところである（中里「パートナーシップ課税の国際的側面」日税研論集44号202頁（2000））。

その際、留意しなければならないのは、外国法が準拠法になるということの意義である。すなわち、外国法が準拠法になるということはその外国法が当該外国において現実に適用されている意味内容において適用されるということである（澤木敬郎＝道垣内正人『国際私法入門〔第５版〕』53頁（有斐閣2004））。このことは、外国法の解釈は当該外国裁判所の立場で、その国の裁判官がなすようにするという意味を包摂する。外国法の規定の解釈は、当該外国法秩序の構成部分として、その法秩序全体との関連においてなされるべきであり、個々の規定だけを切り離して、内国法上の解釈方法を採るべきでない（山田・前掲書133頁、欧龍雲『国際私法講義』58頁（文化書房博文社1989））。したがって、当然に外国法の条文のみを翻訳し、本法の観念に従って解釈することは許されるものではないと考えられる。

かように、外国裁判所の立場でその国の裁判官がなすように解釈すべきということを考慮に入れると、当該外国法の下においてかかる事業体が法人格を付与されたと解釈することができるかどうかについては、外国法上の解釈に委ねるということになりそうである。その際、例えば、ニューヨーク州法を設立準拠法として設立されたLLCが、米国において法人格を付与されたと理解すべきか否かについて、仮に米国裁判所裁判官の立場において判断をするとしても、二つの立場での判断があり得る。すなわち、米国連邦所得税法の適用を前提として法人格を有すると解されるか否かという判断と、米国私法上の判断として法人格が付与されると解されるか否かという判断である。

この点に関しては、後者の立場での判断が要請されるといわざるを得ない。

統一説に立って私法準拠によって法人該当性を判断するということは私法上の概念に理解を合わせるということであるから、米国連邦所得税法上の解釈論としての法人該当性ではないはずである。したがって、米国連邦所得税法上の判断における法人格の判断ということではない。中里実教授は、「外国の私法上は法人ではないが、外国の租税法上は法人課税を受けるようなものについては、租税条約の修正がない限り、日本の私法上、『外国法人』ではないから、法人税法上も、『法人』には該当しないということになろう。逆に、外国の私法上は法人だが、外国の租税法上は法人課税を受けないもの（たとえば、アメリカのリミテッド・ライアビリティ・カンパニーのようなもの）については、租税条約の修正がない限り、日本の私法上、『外国法人』となり、法人税法上も法人課税を受けることになろう。」と論じられているのである（中里『金融取引と課税』432頁（有斐閣1998））。また、増井良啓教授も、「外国法令の上で権利義務の主体とされていた場合には、その判断を実態面の審査によって覆すことは原則としてありえない」と述べられている（増井「投資ファンド税制の国際的側面―外国パートナーシップの性質決定を中心として」日税研論集55号88頁（2004））。

2　米国におけるLLCの「法人」該当性

では、米国においてLLCは法人として扱われると理解すべきであろうか。

この点を考えるに当たっては、米国における法人概念についての確認がまず前提とされなければなるまい。しかしながら、米国においても、そもそも法人についての明確な定義は存在しない。

そこで、英米法における法人格の性質からのアプローチが考えられる。英米法において法人格の性質としては、①訴訟当事者になること、②法人の名において財産を取得し処分すること、③法人の名において契約を締結すること、④法人印影（corporate seal）を使用することなどを挙げることができよう（林良平＝前田達朗『新版注釈民法(2)総則(2)』63頁以下（有斐閣2001））。

ここでは、これらの観点から、ニューヨーク州LLCの法人該当性を考察することとしよう。まず、①訴訟当事者となり得るかどうか、②法人の名において財産を取得し処分することが可能かどうか、③法人の名において契約を締結することが可能かどうかについては、本件事実認定に異論はない。なお、②及び③の要件は、「法人の名において」とされているが、ここで法人が掲名されるのであれば、法人該当性の議論自体が循環論に陥ることにもなることを考えると、ここにいう「法人の名において」とは「構成員個人の名においてではなく」あるいは「事業体の名において」という意味を示すにとどまると理解すべきであろう。

これらのことを前提として、ニューヨーク州LLC法を確認しながら、ニューヨーク州 LLC の法人格について検討を加えることとしよう。

第一の点として、①訴訟当事者になることが可能であるかどうかについては、ニューヨーク州 LLC 法202条には、「その名義で告訴したり、告訴されたり、司法、行政、仲裁あるいはそれ以外の性質の訴訟であろうと関わりなく、いかなる訴訟をも提起したり、いかなる訴訟手続にも参加したり、いかなる訴訟手続においても抗弁すること」が、LLC の権限として認められている。第二の点として、②自己の名において財産を取得し処分することについてはどうであろうか。ニューヨーク州 LLC 法202条(b)には、「どこに所在するものであろうと、不動産や動産又は不動産や動産における権利を買い受け、占取し、受け取り、賃貸しあるいはそれ以外のかたちで取得し、保有し、改良し、使用しあるいはそれ以外のかたちで取引すること」、同法202条(c)には、「その財産又は資産の全部又は一部を売却し、譲渡し、抵当や担保に入れ、賃貸し、交換し、担保権を設定しあるいはそれ以外のかたちで処分すること」の権限が定められていることを確認することができる。このような規定振りからは、ニューヨーク州 LLC が法人の名において財産を取得し処分する権限を有していることを確認することができるのである。

第三の点である③自己の名において契約を締結することが可能かどうかについては、ニューヨーク州 LLC 法202条(d)ないし(n)において確認することができる。すなわち、株式などの証券の買受け、占取、受取り、引受け、売却、担保設定、貸出などの取引を行うことや（202条(d)）、保証契約等の締結、負債の負担、資金の借入れ、手形、債券の発行、営業特許や利益を抵当に入れることや質入れなども可能である（202条(e)）。また、いかなる合法的な目的のためにも資金を貸し出し、LLC が保有する資金を投資し、投資した資金の支払の担保として不動産や動産を占有し、保有することもできる（202条(f)）。LLC の事業及びその業務実施に関してその基本定款やオペレーティング契約の締結変更ができることとされている（202条(j)）反面、活動停止、基本定款の破棄、解散も予定されている（202条(p)）。また、LLC のマネージャー、従業員、代理人の選任、任命をし、彼らの職務の確定と報酬の決定を行い（202条(h)）、彼らを手助けし、資金を貸し出すことができる（202条(i)）。そして、場合によっては彼らを免責することができ（202条(k)）、彼らへの年金を支払うことができるほか、年金制度、年金信託、利益分配制度、利益分配信託、株式ボーナス制度、ストック・オプション制度その他の報酬制度を構築することができる（202条(l)。加えて、LLC 自身がいかなる協会、会社、パートナーシップ、リミテッドパートナーシップ、LLC、合弁企業、信託又はその他の主体・企業の設立発起人、株主、ジェネラルパートナー、リミテッドパートナー、構成員、準構成員又はマネージャーになることもできる（202条(o)）。その他、厚生文化事業のために、慈善、科学、宗教、市民生活、教育などの目的のための寄附（202条(m)）、政府の政策支援のための合法的取引を行うことができるが（202条(n)）、法律に相反しなければ、必要とされる全ての権限の行使がかかる権限を基本定款に示すことを条件とせずに許されている（202条(q)）。

このような規定からすれば、ニューヨーク州LLCは、自己の名において契約を締結することが可能であるということができよう。

では、第四の点、④法人印影を使用するかどうかについてはどうであろうか。

ニューヨーク州LLC法204条(d)においては、「corporation」又は「corporated」や「partnership」を使用することが許容されていない。しかしながら、LLCという印影を使うことが法人印影を意味するかどうかはここでは以前として判然としない。この点は、LLCに法人という意味が含意されているのであれば、LLCの印影を用いることが法人印影を使用することを意味するということになるであろう。

このようにみると、ニューヨーク州LLCは、英米法における法人格を有する団体の要素のいずれをも充足すると解するのが相当であると思われる。

法人格要件を充足すると思われるLLCは、一般的にも法人該当性があると理解されているようである。例えば、著名な『West's Encyclopedia of American Law』の“Limited Liability Company”においては‘There are considered public documents and are similar to articles of incorporation, which establish a corporation as a legal entity.”とされており、法的主体としての会社であることを説明しているし、我が国における英米法の代表的な辞典である『英米商事法辞典』では、「会社形態でありなから、二重課税を回避しうるという点では、連邦税法上の小規模会社（small business corporation）と共通するが、より弾力的な会社構成・運営が可能」なものとしており、米国においては法人該当性を有すると解するのが相当であろう。

もっとも、米国におけるLLCの法人該当性については、LLC自体が専ら租税上の利点の強調により誕生したものであることから、米国私法における法人該当性の議論が租税上の議論に牽引されているようにもうかがわれる。実際、法人格の認定が争われた私法上の裁判例においても、その判断において課税上の取扱いが大きく影響を与えているものがあるのも事実であるが、この点は、本判決には何らの影響を及ぼすところではないといえよう。

2　所得の帰属者

(1)　実質所得者課税の原則

租税法上、最も重要な課税要件の一つとして、課税物件の帰属がある。所得税が所得を担税力の指標として課税することを建前としていることから、その所得が誰に帰属するかという点は、納税義務の確定において極めて重要な問題となる。所得税法12条《実質所得者課税の原則》では、資産又は事業から生ずる収益について名義上又は形式上の収益の帰属者と実質的な収益の帰属者とが異なる場合は、実質的に収益が帰属する者に対して所得税を課税する旨の「実質所得者課税の原則」を表明している。この条文の解釈については、従来法律的帰属説と経済的帰属説の二つの見解に分かれている。法律的帰属説は、法律上収益が帰属すると外形的に認められる者と法律上の権利者とがある場合には、名義の如何にかかわらず法律上の権利者に収益が帰属するということを宣明した規定であるとして、この条文を解釈する見解である。これは、とりわけ租税法にのみ要請される事実認定上の考え方ではなく、およそ法律領域に共通の一般的な考え方である。したがって、この考え方によれば、所得税法12条の規定は創設的なものというよりは、むしろ、確認的な規定であると捉えることになろう。ここでは、「法的形式　vs.　法的実質」という観点から、法的実質に基礎を置き、その考えの下で収益の帰属者を認定しようとしている。これに対して、後者の経済的帰属説というのは、法律上収益が帰属すると認められる者と経済上の帰属者とが異なっている場合には、私法上の法律関係を離れて、実際に経済的効果を享受している者（経済上の帰属者）に収益が帰属するということを宣明した規定であるとして、この条文を解釈する見解である。すなわち、ここでは、「法的形式　vs.　経済的実質」という観点から、経済的実質に基礎を置き、その考え方の下で収益の帰属者を認定しようとする考え方である。法律的な観点で収益の帰属者を判定するというものではないため、もし、このような考え方が認められるとすれば、他の法領域とは異なり、租税法に独自の構成であるということになろう。そうであるとするならば、その法的根拠はどこにあるのかが問題となるが、所得税法12条を創設的な規定であると捉えることにその論拠を求めるものであるといえよう。私法上の法律関係を離れた事実認定が許容されるとするこの見解は、所得税法12条（そのほか同じく実質所得者課税の原則について定める法人税法11条なども含めて）の収益の帰属の問題に限らず、広く経済的な実質主義の考え方で事実認定を行おうとする「経済的観察法」の考え方（いわゆる実質課税）と近接する。しかしながら、法的安定性の観点から、現在、このような経済的観察法を許容する実質課税を主張する学説は少数であると思われる。これら両説については見解の対立があるが、学説の多数は法的実質主義の立場を採用する。

課税実務においては、「資産から生ずる収益」と「事業から生ずる収益」に区分した上で、次のとおり、所得の帰属者を判定することとされている。

① 資産から生ずる収益……その収益の基因となる資産の真実の権利者が誰であるかによって判定すべきであるが、それが明らかでない場合には、所有権その他の財産権の名義者が真実の権利者であるものと推定する（所基通12－1）。

② 事業から生ずる収益……事業の用に供する資産の所有権若しくは賃借権、事業の免許可の名義者若しくは取引名義者などの外形にとらわれることなく、実質的にその事業を経営していると認められる者が誰であるかによって判定する（所基通12－2）。このような判断基準は、「事業主基準」とも呼ばれている。次の親族間における事業の場合の判定においても、同様の考え方が採用されている。

③ 親族間における事業……生計を一にする親族のうち誰が事業主であるかについては、その事業の経営方針の決定について支配的影響力を持っている者が誰であるかにより判定し、これが明らかでない場合には、原則的には生計主宰者がこれに当たるものと推定する。ただし、生計主宰者以外の者が医師、薬剤師等の自由職業者として生計主宰者とともに事業に従事している場合には、それぞれの収支が区分されており、かつ、その親族の従事の状態が、生計主宰者に従属していると認められない限り、その親族の収支に係る部分については、その親族が事業主に該当するものと推定することとしている（所基通12－5）。ここでは、「事業主基準」の判断を行うに当たって、経営方針の決定についての支配力の所在する者でこれを判定しようとする考え方が示されている。このように、事業主を判断基準とするにしても、経営方針の支配者によってその事業主を模索するにしても、いずれも、そのような考え方が一応は妥当するというだけであって、経験則に基づいた判定であるから、個別具体的な事情を排除する趣旨のものでないのは当然である。

裁判例の紹介

経済的帰属説と法律的帰属説

青色申告に係る法人税更正処分についての理由附記の程度が争われた事例において、理由附記は必ずしも適切ではないが違法とまではいえないとされた事例

（19第一審東京地裁平成８年11月29日判決・判時1602号56頁）[18]
（20控訴審東京高裁平成10年４月28日判決・税資231号866頁）
（21上告審最高裁平成11年１月29日第三小法廷判決・税資240号407頁）

〔事案の概要〕

本件は、X_1社（原告・控訴人・上告人）が、同社の代表取締役であったX_2（原告・控訴人・上告人）の就学中の未成年の子女で、同社の取締役ないし監査役として選任されていたZ_1、Z_2及びZ_3に対して支払ったという役員報酬を損金に算入して法人税の申告をしたことを契機として行われたＸ社の法人税の申告に対する税務署長Y_1（被告・被控訴人・被上告人）の更正及び過少申告加算税賦課決定、X_2の所得税の申告に対する税務署長Y_2（被告・被控訴人・被上告人）の更正処分の当否を巡って争われた事案である。なお、Y_1の行った更正処分に附されていた理由は以下のとおりである。

「下記の取締役３名に対する役員報酬は、次の理由から実質的に代表取締役X_2の報酬と認められ、また当該金額は、取締役会で決議された支給限度額を超えていますので、全額が過大な役員報酬となり損金の額に算入されませんので所得金額に加算しました。

⑴　３名はいずれも勉学中であり、取締役として貴社の経営に参画していないこと。

⑵　役員報酬の振込口座である３名名義の普通預金はX_2が支配管理していること。

⑶　取締役会で各人ごとの『報酬限度額』及び『当面の支給額』を決議しているが、『当面の支給額』を法人税法上の『支給限度額』とみるのが相当であること。

記

18)　判例評釈として、武田昌輔・判時1618号185頁（1998）、松澤智・ジュリ1131号134頁（1998）、増田稔・平成９年度主要民事判例解説〔判タ臨増〕234頁（1998）、大淵博義・税通64巻10号56頁（2009）など参照。

氏　名	続柄	年　月　日	学　年	報　酬　額
Z_1	三男	昭44・12・17	米国高校３年	2,400,000円
Z_2	四男	昭45・10・24	米国高校２年	2,400,000円
Z_3	長女	昭47・11・７	日本中学３年	2,400,000円
	合　計			7,200,000円　」

〔争点〕

更正の理由附記の適法性如何。

〔判決の要旨〕

1　東京地裁平成８年11月29日判決

「本件更正理由…の骨子は、本件X_1社役員報酬はX_2に実質的に帰属する、取締役会で決議されている役員報酬に係る『当面の支給額』が法人税法施行令69条２号所定の支給限度額に当たるとし、よってX_1社役員報酬の全額をX_2に対する過大な役員報酬と認定する、というものである。そして、X_1社役員報酬のX_2への実質的帰属の理由として、〈1〉Z_1ら３名は就学中であり、取締役として経営に参画していないこと、〈2〉役員報酬の振込口座であるZ_1らの普通預金はX_2が支配管理していることが掲げられ、〈3〉Z_1らのX_2との続柄、生年月日、就学中の学年次、役員報酬額が摘示されている。

右記載によれば、『実質的に』との表現がいかなる内容を含むものであるかは必ずしも明確とはいい難いが、本件更正理由は、X_1社役員報酬が法律的にみてX_2に帰属しているとするものではなく、X_2がZ_1らの父でありX_1の代表取締役であることを前提に、右〈1〉及び〈2〉の事実を総合すると、法律形式に関わらず経済的な利益の支配という点ではX_2がX_1社役員報酬による利益を享受しているとするものである。そして、ある会社の代表取締役が、生計を一にしている子女を当該会社の役員に選任したうえ、子女の役員報酬として実質的には自ら役員報酬を受領して所得分割を図るということは一般的な経験則としては充分に想定できることを考慮すれば、〈1〉ないし〈3〉の事実関係が仮に真実であるとした場合、Z_1らの親権者でありX_1社の代表取締役でもあるX_2が、X_1社役員報酬に係る経済的利益を事実上享受しているものと帰結することも不合理とはいえないものと解される。そうすると、右のような経済的な利益の支配を重視する立場の当否は別として、右理由の記載は、合理的判断過程を示しているものということができる。

利益又は収益の法律的帰属ではなく、具体的事実関係における経済的実質的観点を重視するこのような立場は、本件更正理由を評価否認であって帳簿否認ではないとするY_1の主張の前提となっているものであり、また、Y_2が63年所得税処分の適法性に関して、実質課税の原則として主張するところと同一であるということができ、この立場の当否については異論があるとしても、かかる立場は課税実務上もしばしば主張される一応の根拠を有する見解であると認めることができる。ところで、理由附記の趣旨は更正処分庁の判断の恣意の排除等に加え、不服申立ての便宜にあるのであって、理由附記の程度が右の趣旨に沿うものであれば、附記された理由の内容自体が不当、違法であると解されるとしても、理由附記に違法があることにはならない。したがって、実質課税の原則に関する右の立場が不当であるとしても、右のような解釈上の立場が一応の根拠を有する見解として存在する以上、理由附記の程度については、この立場において、理由附記の趣旨に適合しているか否かを判断すべきことになる。」

「そこで、本件更正理由を検討すると、X_2がX_1社の代表取締役でありZ_1らの父親であることは、法人登記簿又は戸籍謄本等により確認可能な事実であるから、この点について資料を摘示する必要はなく、Z_1らが就学中であることも容易に確認可能な事実であって、Z_1らの生年月日及び学年次が具体的に記載されていることからも、この事実について資料を摘示しないことを不当とすることはできない。また、就学中の未成年者が営利法人の取締役として事務を遂行することは一般に考え難いことからすると、Z_1らが取締役として経営に参画しないとの事実については推論の基礎となる事実の摘示があるものというべきである。また、Z_1らの普通預金口座についてはその口座元帳等の資料が参照されるべきことが予想されるところ、『取締役報酬の振込口座である３名名義の普通預金』との記載で特定は足りているものと認められ、X_2のX_1社における地位、Z_1らとの身分関係も摘示されていることからすると、当該預金をX_2が支配管理しているとの事実についても推論の基礎となる事実の摘示があるものというべきである…。そうすると、課税要件事実等を経済的実質的に解釈する立場の当否は格別、本件更正理由は、推論の過程と事実的根拠を明らかにしたものとして、理由附記の程度において違法ということはできないものと解される。」

「もっとも、右のような経済的実質を重視する立場は定説として確立しているものではなく、実質課税の原則に基づくものと解される法人税法における実質帰属者課税の原則（11条）は、収益の表見的帰属者が単なる名義人であり、その収益を享受しない場合に、その収益を享受している法人をもって収益の帰属者とするものであって、収益を享受するとは、法律形式の外観（表見的法律関係）にかかわらず真実の法律関係に従うとするものであるとの見解（法律的帰属説）も有力である。加えて、右条文は法人税課税の前提となる損金に係る取締役報酬の帰属について規定するものではないのであって、経済合理的観点から事実を擬制する制度としては本件否認規定等が存在することをも考慮すれば、法人税の計算における取締役報酬の帰属について、『経済的』あるいは『実質的』といった曖昧な判断基準を持込むことが相当であるとは認められない。そうであるとすれば、本件否認規定のように経済合理性に基づいて事実を擬制する場合を除けば、実質課税原則の趣旨とするところは、表見的法形式にとらわれずに、真実の法的帰属に従うべきものとすることにあるというべきである。したがって、

X_1社役員報酬がX_2に法律的に帰属しないとしながら、実質的に帰属するとの本件更正は、理由附記として違法はないとしても、その内容においては違法と考えられる。

そこで、右立場による場合の理由附記について付言するに、X_1社役員報酬が法律的にX_2に帰属することの理由としては、本件更正理由が掲げる前記〈1〉（Z_1らは就学中であり、取締役として経営に参加しないこと）、〈2〉（Z_1らの振込口座をX_2が支配管理していること）及び〈3〉（X_2との続柄、生年月日、就学中の学年次、役員報酬額）のうち、〈1〉及び〈3〉については特段の資料の摘示を要しない（該当資料は記載内容から当然に特定・推認することができる）ということができるが、〈2〉の趣旨は、経済実質的に支配管理しているとの意味ではなく、Z_1らの振込口座に入金されている取締役報酬が真実はX_2に帰属しているとの意味になるから、この点については、〈1〉及び〈2〉の事実を総合しても、かかる認定をすることが当然に合理的とはいえないのであって、X_2が当該預金口座から自己の費用を支出した事実又はX_2の出納が右口座を介して行われている等の事実、あるいは、他の事実及び資料をもって、当該預金口座がZ_1らの名義によるX_2の口座（他人名義口座）である事実を明らかにする必要があるものというべきである。」

「…以上によれば、本件更正理由の記載は、法人税法130条2項の要求する更正理由の附記として適切とは解し難いが、なお適法なものというべきである。」

2　控訴審**東京高裁平成10年4月28日判決**及び上告審**最高裁平成11年1月29日第三小法廷判決**においても、第一審判断は維持されている。

〔コメント〕

上記のとおり、本件地裁判決は、経済的帰属説に対して、「課税実務上もしばしば主張される一応の根拠を有する見解であると認めることができる。」とした上で、「収益を享受するとは、法律形式の外観（表見的法律関係）にかかわらず真実の法律関係に従うとするものであるとの見解（法律的帰属説）も有力である」とする。同判決は、経済的帰属説に立って記載された「理由の記載」が違法とまではいえないと判示するにとどまり、経済的帰属説と法律的帰属説との対立的見解に対する結論を先送りしているとみるべきであろうか。

本件地裁判決は、「本件否認規定のように経済合理性に基づいて事実を擬制する場合を除けば、実質課税原則の趣旨とするところは、表見的法形式にとらわれずに、真実の法律的帰属に従うべきものとすることにあるというべきである。」としているし、また、「X_1社役員報酬がX_2に法律的に帰属しないとしながら、実質的に帰属するとの本件更正は、理由附記として違法はないとしても、その内容においては違法と考えられる。」としているので、理由附記における違法性のレベルと、事実認定上の違法性のレベルとで、その判断における違法性のレベルに差異を設けているとみるべきであろう。すなわち、課税の基礎とすべき事実認定の上では、法律的帰属説によるべきであるとするのが、同判決の態度であると考えるべきである。

判決によっては、経済的帰属説を明確に論じるものもある。例えば、長野地裁昭和27年10月21日判決（行集３巻10号1967頁）は、「所得は納税義務者の担税力…を測定し得べき経済的事実として定められた課税物件の一種である。」と論じており、ドイツにおける経済的観察法によって所得を把握しようとする見解にも通じる判断を行っている（吉良実・租税百選27頁）。しかしながら、このような判断に対しては、学説上も批判が多いところである。法的安定性や予測可能性という点からみれば、法律的な視角で所得の帰属を考えるべきとの法律的帰属説が説得的であるということであろう。

裁判例の紹介

医院経営における所得帰属者の認定

親子が協力して一つの事業を営んでいる場合には、その収入が何人の勤労によるかではなく、何人の収入に帰するかによって判断されるべきとされた事例

（22第一審千葉地裁平成２年10月31日判決・税資181号206頁）
（23控訴審東京高裁平成３年６月６日判決・訟月38巻５号878頁）19）

〔事案の概要〕

Ｘ（原告・控訴人）は、歯科医で肩書住所地においてＴ歯科医院を営む事業者である。Ｘの息子であるＫは、昭和56年５月15日、歯科医師国家試験に合格した後、Ｘとともに、医院において診療に従事しており、昭和57年３月11日、Ｋ名義の個人事業の開業届出書が、当時の所轄署であるＭ税務署に提出されていた。

Ｘは、昭和57年分及び同58年分の所得税について、医院の総収入及び総費用をＫと折半して、Ｘの所得分につき、税務署長Ｙ（被告・被控訴人）に対して確定申告をしたところ、Ｙは、Ｋを独立の事業者と認めずＸの事業専従者とし、医院の事業所得がＸに帰属するものとして、更正処分及び加算税賦課決定処分を行った。Ｘはこれを不服として提訴した。

〔争点〕

Ｔ歯科医院経営の事業主はＸのみか、又はＸとＫの両者であるか。Ｘのみを

19）判例評釈として、髙橋祐介・租税百選〔７〕58頁（2021）、高野幸大・租税21号240頁（1993）など参照。

事業主と認定した本件各処分は違法であるか。

〔判決の要旨〕

1　千葉地裁平成２年10月31日判決

「実質所得者課税原則を定める所得税法12条における『事業』とは、『自己の危険と計算において独立的に営まれる業務』（最高裁昭和56年４月24日判決、民集35巻３号672頁）と解するべきところ、Ｘ夫婦とＫ夫婦及びその子は、同一建物の１階と２階に住み分けていること、右建物の２階には台所、バス、トイレはあるが、独立の出入口はないこと、家事はＫの妻とＸの妻が相互に助けあい行っていること、Ｋは結婚した昭和56年９月からＸと同居したが、昭和57年の３、４月ころＸが借り入れをして、前記のように住み分けるため家を改築したこと、昭和56年10月から同年12月の間は、Ｍ税務署にＸからＫが月25万円の給与を受けている旨の届出がなされていたけれども、実際は、医院の収入から借入金を返済したのちＫとＸで按分しており、按分割合は明確には決められていなかったこと、その状態はＫの開業届出書が提出された昭和57年３月11日以降も同様であったことが認められるから、そもそも、ＸとＫは全く別個の世帯とは認められず、更に、Ｘは前記住所地において昭和35年から現在まで医院を経営していること、Ｋが開業にあたり必要とした医療器具、医院改装の費用は、Ｘ名義で借り入れられ、右医療器具等の売買契約等における当事者はＸであり、返済は前記のとおりＸ名義の預金口座からなされていること、右借入れにあたり、Ｘ所有の土地建物（医院の敷地及び建物）に根抵当権が設定されていること、本件各処分以前、医院の経理上ＫとＸの収支が区分されていなかったことが認められ、…Ｘが昭和35年から20数年来医院を経営してきたものであって、子のＫが同56年から医師として同医院の診療に従事することになり、それに応じて患者数が増え、Ｋの固有の患者が来院するようになったこと、同医院の収入が昭和56年から飛躍的に増大していることが認められるとはいえ、本件で問題になっている昭和56年から同58年にかけての医院の実態は、Ｋの医師としての経験が新しく、かつ短いことから言っても、Ｘの長年の医師としての経験に対する信用力のもとで経営されていたとみるのが相当であり、したがって、医院の経営に支配的影響力を有しているのはＸであると認定するのが相当である。

なお右認定のとおりＸとＫの診療方法及び患者が別であり、いずれの診療による収入か区分することも可能であるとしても、収入が何人の所得に属するかは、何人の勤労によるかではなく、何人の収入に帰したかによって判断されるものである（最高裁昭和37年３月16日判決、税務資料〔ママ〕36号220頁）から、Ｘが医院の経営主体である以上、医院経営による収入は、Ｘに帰するものというべきであって、右事実によって、前記認定が覆るものではない〔。〕」

2　控訴審**東京高裁平成３年６月６日判決**は原審判断を維持した。

〔コメント〕

本件地裁判決は、「収入が何人の所得に属するかは、何人の勤労によるかではなく、何人の収入に帰したかによって判断されるものである」とする。すなわち、本件地裁判決は、事業主に事業の所得が帰属するという、いわゆる「事業主基準」の採用事例であるといえよう。収入の基礎となる法律上の権利は、診療者にこそ帰属するのであるから、法律的帰属説の立場からすれば、本件地裁判決と同様の結論を導出し得るかどうかは疑問でもある。本件地裁判決は、所得の帰属について、法律的視角から判断すべきであるとする法律的帰属説を直接に否定するものではないが、上記のように考えると、経済的に誰の支配に入ったかを考えるべきとする経済的帰属説に立った判断なのではないかとも思われる。必ずしも所得に係る権利の帰属者のみを所得帰属者と考えるべきではないとする考え方は、違法支出に対する課税上の取扱いと整合するが、あくまでも違法支出に対する課税は、例外的なものであって全ての課税ルールを全面的に規律する場面で持ち出すような理論ではないとの反論もあり得る。経済的実質主義は、多数説を構成するものではないことからすれば、本件地裁判決の判断については、疑問も寄せられるところであろう。

もっとも、本件地裁判決が示すような「事業主基準」は、これまでも多くの判決において肯定されてきた考え方である（東京高裁昭和35年９月28日判決・訟月６巻11号2191頁、名古屋高裁昭和35年４月15日判決・税資33号548頁など）。本件地裁判決は、この事業主基準について、最高裁昭和37年３月16日第二小法廷判決を参照しながら論じているものであるから、次に同最高裁判決を参照しておこう。

裁判例の紹介

農業経営における所得の帰属

収入が何人の所得に属するかは、その収入が何人の勤労によるかではなく、何人の収入に帰するかによって判断されるべきとされた事例

（24第一審岐阜地裁昭和34年11月30日判決・行集10巻11号2206頁）
（25控訴審名古屋高裁昭和35年４月15日判決・税資33号548頁）
（26上告審最高裁昭和37年３月16日第二小法廷判決・集民59号393頁）

〔事案の概要〕

農業を営むＸ（原告・控訴人・上告人）方は水田６反歩、畑２反６畝、養蚕繭11貫、役牛１頭の農業を経営し、かかる経営により生じた所得につき、Ｘの長男Ｔにおいて従事された農業であり、Ｘ及びその他の家族はすべて補助的に従事していたにすぎないとして、納税義務者をＴとして確定申告したところ、税務署長Ｙ（被告・被控訴人・被上告人）は、これをＸに帰属する所得であるとして決定し、また、無申告加算税の賦課決定を行った。これに対し、ＸはＩ郵便局に外務員として勤務していたことなどから、Ｘは、決定処分の取消しを求めて提訴した。

〔争点〕

本件農業所得はＸに帰属するとする課税処分は適法であるか否か。

〔判決の要旨〕

１　岐阜地裁昭和34年11月30日判決

「Ｘ方における農業の全般につき、名実共にこれを主宰しその収益を享受しうる権利を有したことはもちろん、現実に農業に関する収支計算の主体としてその経営を担当していたものと認められるから、当該所得はＸに帰属するものといわねばならない。」

２　名古屋高裁昭和35年４月15日判決

「Ｘは右所得は…Ｘ方の家族に夫々帰属し、その中所得の最も多い長男Ｔが納税義務者であるから同人に課税せらるべきであると主張するから案ずるに、…Ｘ方は祖父の代から農業を生業とし昭和22年Ｘの父死亡後はＸが世帯主となり家族を統轄して家政の処理、生計の維持に当っていること、及びＫ町のＩ町農業委員会委員選挙人名簿にＸが登載せられていることが認められ、この事実に、当事者間に争いのない、ＸがＩ農業協同組合の組合員であってその名義で組合から肥料を購入している事実、及びＸの長男Ｔは昭和13年生れで昭和31年当時は数え年で19歳の若年であった事実を合せ考えると、Ｘ方の農業は昭和31年度もＸがこれを司って同人がその経営主体であったことが推認できる。

もっともＸはＩ郵便局に外務員として勤務しているため農作に従事することが少いことは当事者間に争いがなく…Ｔは昭和27年３月中学校を卒業しその後夜間の高等学校を卒業したが中学卒業後自家の農業に従事し、農業生産組合の組合員であり又農業協同組合の産米売渡申込人となっていること、及びその代金受取人は昭和30年度はＸ名義であったが昭和31年度はＴ名義になり同組合の普通預金者の名義もＸからＴに変更せられていることが認められるが、これらの事実を以ってするも未だＴがＸ方の農業の経営主体であること、すなわち同人の業としてＸ方の農業が営まれているとは認めることができず、他に前段確認をくつがえしてＴがＸの方の農業主体であることを認めるに足る証拠がない。」

３　最高裁昭和37年３月16日第二小法廷判決

「論旨は、原判決は憲法及び所得税法に違背するというのであるが、要するに、

Xの長男は職業選択の自由を有し農業に従事しており、本件所得はその勤労による所得であるから右長男の所得であってXの所得ではないというのである。

しかし、収入が何人の所得に属するかは、何人の勤労によるかではなく、何人の収入に帰したかで判断される問題である。原判決の認定するところによれば、Xの長男TがX方の農業の経営主体で同人の業として農業が営まれているとは認められず、Xが経営主体であったと推認できるというのであるから、本件農業による収入はXに帰したものとすべきである。かく解したからといって、Xの長男が所論のように奴隷的存在になるというわけではなく、Xが長男に賃金を支払ったと仮定しても、所得税法11条の2によりXの所得とは関係がない。」

〔コメント〕

本件最高裁判決は、Yの主張を採用し「事業主基準」を示した最高裁判断として重要なものである。「事業主基準」とは、事業主に事業の所得が帰属するという考え方であるが、本件最高裁判決の考え方は後の裁判例に大きく影響を及ぼしている。

裁判例の紹介

生計主宰者以外の者への農業所得の帰属

郵便局長として勤務している夫の所有に係る農地を妻が耕作している場合に、その収益が妻に帰属するとされた事例

（27第一審鳥取地裁昭和32年7月25日判決・行集8巻7号1247頁）

（28控訴審広島高裁松江支部昭和34年3月20日判決・行集10巻3号427頁）

〔事案の概要〕

税務署長Y（被告・控訴人）は、X（原告・被控訴人）に対して、昭和28年度所得金額を金36万6,925円と更正して、その旨通知した。

Yが更正した金額のうち、農業所得金11万6,500円があるが、この農業所得は、Xに帰属するものではないとしてXが提訴したのが本件である。

Xの主張は次のとおりである。すなわち、

① Xは、かつて23年間教職にあり、昭和18年4月退職し、同年9月、鳥取県N郵便局（無集配特定局）長に就任し、国家公務員の身分を有するため、兼職を禁止されており、事実上も余事を顧みるいとまなく、自ら農業を経営することができなかったのである。

② 元々、Xの父が農業を経営し、Xの妻Oがその手伝をしていたが、父が

老齢に達した昭和14、５年頃から10数年来（その間、父は、昭和23年頃79歳で死亡）、Ｏが主体となって現実に農耕に従事しており、自らＳ農業協同組合の組合員となり、生産物を供出し、その代金を受領して同組合に有する自己名義の貯金口座に振替預入をし、その預金又は借入金によって経営上の資金を調達し、飯米以外の農業所得を独占して長女に分配するほか、その経営方針を決定するなど、その経験と技量はＸの及ばぬところであり、Ｏが、Ｘからは全く独立して、農業経営の一切について、支配的影響力をもって主宰しているのである。そして、Ｏは、農業委員の選挙権を有している。郵政省は、Ｘに対して妻Ｏの扶養家族手当の給与、並びに所得税の扶養控除を認めておらず、Ｙも、また、昭和25年の所得税法改正以来、Ｏに対しては農業所得につき、Ｘに対してはその他の所得につき、それぞれ各別に賦課してきたものである。

したがって、農業所得は、Ｘの妻Ｏに帰属するものであって、Ｘに帰属するものでないことが明白である。

それにもかかわらず、農業所得がＸに帰属することを前提としてＹのなした所得金額の更正は、その部分について違法であるといわなければならない。

〔争点〕

農業所得はＸと妻Ｏのいずれに帰属するか。

〔判決の要旨〕

１　鳥取地裁昭和32年７月25日判決

「昭和25年改正の所得税法によれば、一方において家族制度の変革に伴い、他方において国民の租税負担の公平を図るため、在来の同居家族の所得合算制を原則として廃止した。更に、昭和28年改正の同法によれば、いわゆる実質課税の原則が明確にされた。これらの趣旨によれば、所得の帰属は、各個具体的な事実に即して実質的に判定しなければならないことであって、例えば、夫であるとか、世帯主であるとか、資産の所有者であるからといって、その者に所得が帰属するときまったものではないから、これにとらわれてはならないのである。所得税に関する基本通達である昭和26年１月１日直所１－１国税庁長官通達第159号は、同居親族間の事業による所得の帰属を判定するための基準を示した訓令に過ぎないが、改正所得税法の右のような趣旨に従って運用されるべきものであることはいうまでもない。右の通達においても、前記のような所得の帰属が不明である場合には、第一に、その事業に要する資金を調達し、その他その事業の経営方針の決定について支配的影響力を有すると認められる者に帰属するものと判定し、その者が不明な場合、第二に、生計を主宰していると認められる者に帰属するものと判定することになっているのである。

それでは、実質的に本件の農業を経営してその収益を享受する者が何人であるかを判定する目的で、先ず、右の農業の経営に支配的影響力を有すると認められる者が何人であるか、この点についてしらべてみることにする。ところで、この判定にあたっては、いやしくも旧家族制度における家長中心乃至男性優越の観念にとらわれるようなことがあってはならないことは勿論であるが、所謂社会の通念というものも、其が右の観念を払拭し切れていない限りにおいては無批判に之を受け容れるべきではないこと、そして農業殊に米麦の生産を主とする農業においては、その経営は飽くまで耕作に関する技術と労働を中核として決定せられることに留意することが必要である。

そこで諸々の事情を検討してみるのに、…Xの妻Oが現実に農耕に専従し、村、農業委員会、農業協同組合との対外関係においてOが農業に関する権利義務の主体となっているばかりでなく、Xとしても、農業に関する限り、その経営をOに全く一任していることがうかがわれる以上、右の農業に要する資金を調達し、その他その事業の経営方針の決定について支配的影響力を有するのはOであって、同女こそ右の農業から生ずる収益を直接享受するものであり、Xは、ただ生計主宰者として、妻が一旦享受した収益について、更に、間接にその一部を取得するに過ぎないことを認定でき、Yが提出援用したすべての証拠によっても右の認定を動かすに足らず、他に格別反対の証拠は存在しない。かような場合には、たとい、Xが、夫であり、世帯主であり、前記田畑の所有者であるからといって、必ずしもその農業所得を原告に帰属するものとみなければならないものではなく、むしろ、Oの所得に属するものとみるのが相当である。」

2　広島高裁松江支部昭和34年3月20日判決

「本件農業所得の源泉はX所有の農地であるけれども、これを現実に耕作し収益をあげているのはその妻Oであって、収益の帰属も所有者であるXの承諾の上でOに帰属しているのであるから、時にXが自ら勤務の余暇に耕作しまたは雇人の指図をすることがあったとしてもそれはXが世帯主としてこれを支配するというよりも妻Oの補助者としてするものと解するのを相当とすべく他方この農業による収入は一家総収入の3分の1に達しているので、夫が俸給によって一家の生活を維持し妻が家事とともに農耕に従事する場合とその趣きを異にしているのであるから、X方の農業の主宰者は妻Oであると認めるのが相当である。

そして事業所得はその事業の主宰者に帰属すると解すべきであるから、X方における昭和28年度農業所得は農業の主宰者と認められる妻Oに帰属するものといわねばならない。」

〔コメント〕

本件では、第一審と控訴審のいずれも、農業所得は妻Oに帰属する旨を判示している。この点、たとえ農業所得の源泉たる農地の法律上の所有者がＸであっても、現実に農耕に従事し、農業委員会等対外的にもその農業に関する権利義務の主体が妻Ｏである以上、農業所得は妻Ｏに帰属するものとみるのが相当とされているとおり、Ｘが生計主宰者であってかつ田畑の所有者であるからといって、必ずしも農業所得がＸに帰属するとは限らないと説示されている点に着目すべきであろう。

裁判例の紹介

夫婦財産契約と所得の帰属

婚姻後に取得する財産を持分２分の１ずつの共有とする旨の夫婦財産契約が所得税法上所得の帰属を夫婦に二分する効力までは有しないとされた事例

（29第一審東京地裁昭和63年５月16日判決・判時1281号87頁）[20]
（30控訴審東京高裁平成２年12月12日判決・税資181号867頁）
（31上告審最高裁平成３年12月３日第三小法廷判決・税資187号231頁）

〔事案の概要〕

弁護士であるＸ（原告・控訴人・上告人）は、昭和58年に訴外Ｏと婚姻したが、その３日前に夫婦財産契約を締結し、登記を経ている。Ｘが締結した夫婦財産契約には、「夫及び妻がその婚姻届出の日以後に得る財産は、…夫及び妻の共有持分を２分の１宛とする共有財産とする。」という条項があった。Ｏは、昭和58年分ないし60年分の所得税の申告につき、２分の１をＯの所得として申告した。税務署長Ｙ（被告・被控訴人・被上告人）が、これをすべてＸの所得として更正処分及び加算税賦課決定を行ったため、Ｘはこれを不服として提訴した。

〔争点〕

婚姻後に取得する財産を持分２分の１ずつの共有とする旨の夫婦財産契約は、所得税法上所得の帰属を夫婦に２分する効力を有するか。

〔判決の要旨〕

1　東京地裁昭和63年５月16日判決

Ｘが締結した夫婦財産契約「夫及び妻がその婚姻届出の日以後に得る財産は、…夫及び妻の共有持分を２分の１宛とする共有財産とする。」という条項がある

20）判例評釈として、山田二郎・判時1297号183頁（1989）、西山由美・租税百選〔５〕57頁（2011）、倉見智亮・租税百選〔６〕59頁（2016）、田口紀子・税理32巻10号287頁（1989）など参照。

ことが認められるが、この「条項はその文言によって明らかなとおり、『夫及び妻がその婚姻届出の日以後に得る財産』について、これを『夫及び妻の共有持分を２分の１宛とする共有財産とする』ものであって、夫又は妻が一旦得た財産を夫婦間において共有財産とするもの、換言すれば、夫又は妻が一担取得した財産の夫婦間における帰属形態をあらかじめ包括的に取り決めたものと解される。

そうすると、右条項は、ある財産が夫又は妻が一旦得た財産であることまで変更するものではないというべきであるから、Ｘが弁護士としての業務（事業）を行って得た報酬である事業所得に係る収入金額、Ｘが使用者との雇用契約に基づき労務を提供した対価として支給された給与等である給与所得に係る収入金額及びＸが請負契約に基づき仕事（原稿書き）を完成した対価として支給された原稿料である雑所得に係る収入金額等の各全額を、いずれもＸの所得に係る収入金額であるとしたＹの本件各更正にＸ主張の違法性はないものといわなければならない。」

「この点について、Ｘは、Ｘの締結した夫婦財産契約の右条項により、Ｘらは、夫又は妻の一方が得る所得そのものが原始的に夫婦の共有に属することを意図したものであって、私的自治の原則により、当事者の意図したとおりの効果が発生せしめられるべきであり、かつ、これが登記されていることにより、国及び第三者に対抗しうるものであると主張する。

しかしながら、ある収入が誰に帰属するかという問題は、単に夫及び妻の合意のみによって決定されるものではなく、例えば雇用契約に基づく給料収入であれば、その雇用契約の相手方との関係において決定されるものである。雇用契約において、労務を提供するのは被用者たる夫婦の一方であって、夫婦の双方ではなく、したがって、労務の対価である給料等を受け取る権利を有する者も被用者たる夫婦の一方であって、夫婦の双方ではないのであり、仮に夫婦間において夫婦の双方が右給料等を受け取る権利を有するものと合意したとしても、それだけでは、その合意は、雇用契約の相手方たる使用者に対しては何らの効力を生ずるものではないといわなければならない。けだし、右給料等を受け取る権利を夫婦双方の共有とすることは、雇用契約の内容を変更することにほかならないのであるから、雇用契約の相手方たる使用者との合意によるのでなければ、同人に対してその効力を生ずるによしないものといわなければならないからである。そして、ある収入が所得税法上誰の所得に属するかは、このように、当該収入に係る権利が発生した段階において、その権利が相手方との関係で誰に帰属するかということによって決定されるものというべきであるから、夫又は妻の一方が得る所得そのものを原始的に夫及び妻の共有とする夫婦間の合意はその意図した効果を生ずることができないものというべきである。なお、このように、夫婦間の右合意がその意図した効果を生じないものである以上、夫婦財産契約が登記されているかどうかによって右結論が左右されるものでないことは明らかである。」

2　控訴審**東京高裁平成２年12月12日判決**及び上告審**最高裁平成３年12月３日第三小法廷判決**においても、この判断が維持された。

〔コメント〕
所得税法12条は実質所得者課税の原則を規定しているが、そこでは、所得の帰属を利益の享受者として位置付けているように思われる。しかしながら、所得課税が標榜する担税力に基づく課税は、所得稼得活動との関係で規律されることが多く、「稼得者課税の原則」の考え方がその背後にあると思われる。かように考えると、この判決の結論が妥当ということになるが、ここでは、給与所得や弁護士に係る事業所得といういわば個人的能力や対外的契約関係が色濃く所得区分の判定に影響を及ぼす所得が前提とされた判断であり、夫婦で事業を経営しているような場合における事例にそのまま適用できるかどうかは議論のあるところであろう。この論点は、課税単位の問題と密接な関係にあるといい得る。

⑵　無記名公社債等の利子等の帰属

公社債等の場合は元本と利札が切り離されて、元本の所有者が利払期前にその利札を売却すると、元本の所有者は、経過利子に相当する金額を得るにもかかわらず、キャピタル・ゲインとして課税の対象とならないことから（措法37の15）、このような課税の不合理性などを考慮して、元本の所有者が利子等の支払を受けたものとみなして課税する制度が設けられていた。具体的には、無記名の公社債、無記名株式等（無記名の公募公社債等運用投資信託以外の公社債等運用投資信託の受益証券及び無記名の社債的受益権に係る受益証券を含む。）又は無記名の貸付信託、投資信託若しくは特定受益証券発行信託の受益証券について、その元本の所有者以外の者が利子、剰余金の配当又は収益の分配の支払を受ける場合には、それらについては、その元本の所有者が支払を受けるものとみなすこととされていた（旧所法14①）。利子等の生ずる期間中に元本の所有者に異動があった場合には、最後の所有者がその利子等の支払を受ける者とみなされるものであった（旧所法14②）。

なお、上記の取扱いは平成28年３月31日法律第51号により廃止された。

Ⅱ　法施行地・納税地

1　施行地

法令には、施行され適用の及ぶ地理的な範囲があるが、それを地域的効力という。そのことから、所得税法も、それを制定する国の権限の及ぶ全地域に効力を有し、他方、その地域が効力の限界となる。したがって、所得税法は、日本の領土全体にわたって効力を有することになるが、例外もある。すなわち、外国又は国際機関が公の目的のために管理する施設・区域に対して、所得税法は効力を有しない（外交関係に関するウィーン条約23、国際連合の特権及び免除に関する条約2⑦。この点については、酒井・フォローアップ110頁も参照されたい。）。

2　納税地

納税地とは、国税に関する法律に基づく納税者の申告、申請、請求、届出、納付その他の行為の相手方となるべき税務官庁及び国税に関する法律に基づく承認、更正、決定、徴収その他納税者に対する諸行為の行為主体となる権限を有する税務官庁を決定する場合の基準となる地域的概念である（荒井・精解337頁）。

国税通則法21条《納税申告書の提出先等》1項は、「納税申告書は、その提出の際におけるその国税の納税地（以下この条において『現在の納税地』という。）を所轄する税務署長に提出しなければならない。」と規定する。

所得税法上の納税地は、原則として住所地とされるが、国内に住所を有しない場合には、居所、事務所、事業所又は資産を有するかどうかなどの態様に応じて、それぞれ納税地が定められている（所法15）。また、源泉徴収に係る所得税の納税地は、源泉徴収義務者の事務所等の所在地とされる（所法17）。

なお、所得税の納税地に異動があった場合には、納税者は、遅滞なくその異動前の納税地の所轄税務署長にその旨を届け出なければならない（所法20）。

3　納税地の指定等

①国内に住所のほか居所を有する者、②国内に住所又は居所を有し、かつ、事業所等を有する者にあっては、税務署長に届け出ることにより居所地又は事業所等の所在地を納税地とすることもできるほか（所法16)、納税地が不適当と認められる場合には、国税局長等は納税地の指定をすることができる（所法18)。

Ⅲ　納税期間

所得税の納税義務は暦年終了の時であり、源泉徴収に係る所得税は支払の時に成立する（通法15②一、二)。所得税法は、各種所得の金額の計算を規定する23条《利子所得》ないし35条《雑所得》において、各種所得の金額は、「その年中の総収入金額から必要経費を控除した金額とする。」旨の定めがされているところから、同法が、暦年（１月１日～12月31日）を１事業年度とする課税年度を採用していることが明らかである。

ただし、その例外として、納税者が年の中途で死亡したり出国した場合には、年の初めから死亡又は出国の時点までを課税年度とする申告（準確定申告という。）をすることとされている（所法125、127ほか)。

また、純損失や雑損失の繰越控除（所法70、71)、純損失の繰戻し（所法140～142）などの制度が所得税法には設けられているが、これは、暦年による単年度課税の弊害を乗り越えるための措置である。

所得税は、相続税や贈与税といった随時税とは異なり、期間税と説明されることもあり（金子・租税法22頁、水野・大系12頁)、期間税であることが租税法律主義（憲84）が禁止する遡及立法禁止原則の問題において論じられることもある（695頁以下参照)。

なお、そのほか、租税特別措置として、①上場株式等に係る譲渡損失の繰越控除（措法37の12の２)、②特定中小会社が発行した株式に係る譲渡損失の繰越控除（措法37の13の２）、③居住用財産の買換え等の場合の譲渡損失の繰越控除（措法41の５）、④特定居住用財産の譲渡損失の繰越控除（措法41の５の２）、⑤先物取引の差金等決済に係る損失の繰越控除（措法41の15）などもあるが、その趣旨は、前述と同様、単年度課税の弊害や不合理性を乗り越えるためのものであるといえよう。

Ⅳ　所得概念

1　包括的所得概念

所得税は、所得を課税物件とする租税であるが、所得に対する課税とはいっても、何をもって「所得」というのかについては、議論のあるところである。従来から、この点については、学説上「所得源泉説（制限的所得概念）」と「純資産増加説（包括的所得概念）」という学説の対立がある。

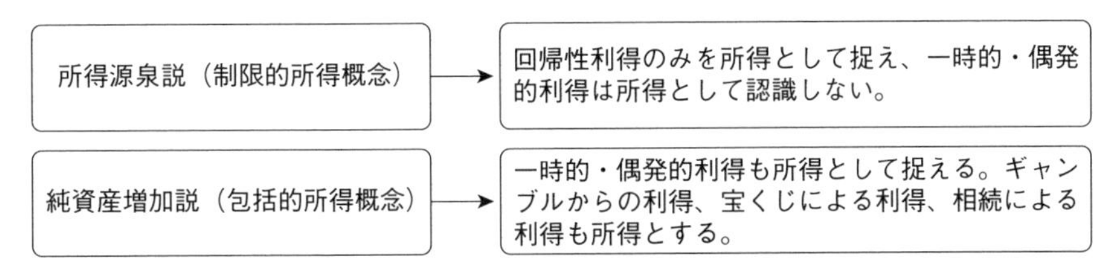

「所得源泉説（制限的所得概念）」とは、各種の勤労、事業、資産の貸付などから生ずる回帰性のある所得、すなわち、継続的な所得のみを課税対象とし、資産の譲渡による所得や相続による所得などの一時的、偶発的な利得については課税対象の所得としないとする、ドイツ法などで採用されている考え方をいう。他方、「純資産増加説（包括的所得概念）」とは、継続性を有する所得であるか否かにかかわらず、一定期間内に各人について生じた純資産の増加がすべて所得に含まれるとする考え方である。

我が国においては、昭和22年の所得税法改正以前は、所得源泉説（制限的所得概念）により所得を捉えていたが、同年の所得税法改正以降、一時所得や譲渡所得を課税対象に取り込むこととし、現在では純資産増加説に立つ包括的所得概念によって所得を捉えているというべきであろう。

この包括的所得概念の下では、持ち家に住む場合の家賃相当額、専業主婦に払っていない家事労務費相当額、農家が自己の農作物を家事消費した場合の家事消費相当額などの帰属所得（インピューティッド・インカム）も理論上、担税力を増加させる所得として課税されることになる。しかしながら、実際は、その課税に対する一般的な理解が得にくいとか、測定が困難であることなどの理由により、課税される帰属所得の範囲は極めて狭いものとなっているのが現状である（なお、法人税法上の論点であるが、課税対象とされる親会社から子会社への無利息貸付けの利息相当額を帰属所得課税で説明することも可能である（法法22②参照）。）。

包括的所得概念では、その所得の源泉の如何を問わず、課税対象所得と理解するので、判例・学説ともに、違法利得についても課税対象と捉えている。

裁判例の紹介

不法な所得（制限超過利息）

利息制限法による制限超過の利息・損害金は、その約定の履行期が到来しても、なお未収である限り、課税の対象となるべき所得を構成しないとされた事例

（32第一審福岡地裁昭和42年３月17日判決・民集25巻８号1131頁）[21]
（33控訴審福岡高裁昭和42年11月30日判決・民集25巻８号1153頁）[22]
（34上告審最高裁昭和46年11月９日第三小法廷判決・民集25巻８号1120頁）[23]

21）判例評釈として、清永敬次・企業法研究150号44頁（1967）参照。
22）判例評釈として、清永敬次・シュト73号７頁（1968）参照。
23）判例評釈として、中川一郎・シュト117号１頁（1971）、松澤智・ひろば25巻２号53頁（1972）、清永敬次・民商67巻４号563頁（1973）、北野弘久・昭和46年度重要判例解説〔ジュリ臨増〕49頁（1972）、同・ジュリ509号49頁（1972）、可部恒雄・昭和46年度最高裁判所判例解説〔民事篇〕645頁（1972）、同・曹時24巻10号218頁（1972）、中里実・租税百選〔３〕422頁（1992）、藤谷武史・租税百選〔４〕56頁（2005）、渋谷雅弘・租税百選〔７〕66頁（2021）、東法子・手形研究271号（1978）、林仲宣・税64巻10号124頁

〔事案の概要〕

X（原告・被控訴人・被上告人）は、金融業及び貸金業を営んでいたが、利息制限法を超える利息で貸付けを行っていた。税務署長Y（被告・控訴人・上告人）が超過利息部分について、履行期到来後未収部分を含め制限超過利息についても課税対象として更正処分を行ったところ、Xがこれを不服として提訴した。

〔争点〕

利息制限法所定の利率を超える部分の未収の約定利息、損害金は、旧所得税法10条1項（現行所得税法36条1項）の「収入すべき金額」に当たるとして課税対象とされるか否か。

〔判決の要旨〕

1　第一審**福岡地裁昭和42年3月17日判決**及び控訴審**福岡高裁昭和42年11月30日判決**ともXの主張を認容した。

2　最高裁昭和46年11月9日第三小法廷判決

「課税の対象となるべき所得を構成するか否かは、必ずしも、その法律的性質いかんによって決せられるものではない。当事者間において約定の利息・損害金として授受され、貸主において当該制限超過部分が元本に充当されたものとして処理することなく、依然として従前どおりの元本が残存するものとして取り扱っている以上、制限超過部分をも含めて、現実に収受された約定の利息・損害金の全部が貸主の所得として課税の対象となるものというべきである。もっとも、借主が約定の利息・損害金の支払を継続し、その制限超過部分を元本に充当することにより、計算上元本が完済となったときは、その後に支払われた金員につき、借主が民法に従い不当利得の返還を請求しうることは、当裁判所の判例とするところであって（昭和41年(オ)第1281号同43年11月13日大法廷判決、民集22巻12号2526頁）、これによると、貸主は、いったん制限超過の利息・損害金を収受しても、法律上これを自己に保有しえないことがありうるが、そのことの故をもって、現実に収受された超過部分が課税の対象となりえないものと解することはできない。」

「一般に、金銭消費貸借上の利息・損害金債権については、その履行期が到来すれば、現実にはなお未収の状態にあるとしても、旧所得税法10条1項にいう『収入すべき金額』にあたるものとして、課税の対象となるべき所得を構成すると解されるが、それは、特段の事情のないかぎり、収入実現の可能性が高度であると認められるからであって、これに対し、利息制限法による制限超過の利

(2009) 参照。

息・損害金は、その基礎となる約定自体が無効であって（前記大法廷判決参照）、約定の履行期の到来によっても、利息・損害金債権を生ずるに由なく、貸主は、ただ、借主が、大法廷判決によって確立された法理にもかかわらず、あえて法律の保護を求めることなく、任意の支払を行なうかも知れないことを、事実上期待しうるにとどまるのであって、とうてい、収入実現の蓋然性があるものということはできず、したがって、制限超過の利息・損害金は、たとえ約定の履行期が到来しても、なお未収であるかぎり、旧所得税法10条１項にいう『収入すべき金額』に該当しないものというべきである」

〔コメント〕

違法所得ともいうべき超過利息・損害金についても課税対象とされることが既に判例上確認されているが（上記判決引用判例のほか、最高裁昭和39年11月18日大法廷判決・民集18巻９号1868頁参照）、未収の場合については学説・裁判例において議論が分かれていた。本件最高裁は、履行期が到来しているからといって収入実現の蓋然性があるとはいえないという理由で旧所得税法10条１項の「収入すべき金額」に該当しないと判示している。

この判決とは反対に肯定説に立つものとして、例えば、名古屋高裁昭和41年１月27日判決（行集17巻１号23頁）[24)]は、「所得税法上、所得の概念は、もっぱら経済的に把握すべきであり、所得税法は、一定期間内に生じた経済的利得を課税の対象とし、担税力に応じた公平な税負担の分配を実現しなければならないので、所得の発生原因たる債権の成否とは無関係に、いやしくも納税義務者が経済的にみて、その利得を現実に支配管理し、自己のためこれを享受しうる可能性の存するかぎり、課税の対象たる所得を構成するものと解するのが相当である。もっともこのような制限超過の利息、損害金もその後、事実上回収不能に帰したときは、その事実が確定した日の属する年分の事業所得の計算においては、いわゆる貸倒損失金として必要経費に計上しうることはいうまでもない。しかしそれ以前においては、たとえ回収上にどのような困難があるとしても、遡及してまで課税所得金額を再計算することは許されない。このように解するのでなければ、国民の担税力に応じた公平な税負担は期すべくもないからである。」とする。このような判断もあったが、本件最高裁判決によって決着をみたといってよかろう。

なお、本件最高裁はかかる制限超過の利息、損害金が現実に収受されたときは、課税の対象となるべき所得を構成するとしている。

24）判例評釈として、吉良実・シュト51号７頁（1966）、同・租税百選60頁（1968）など参照。

2　総合課税の原則

⑴　総合課税と分離課税

原則として、所得税法は、源泉や性質の異なる所得を、その担税力の異なることに着目して、10種類に分類することとし、それぞれの所得区分ごとに所得金額の計算をした上で、最終的には、各種所得を総合して課税する、いわゆる「総合課税」による課税方式を採用している（所法22②、89①）。総合課税は、稼得した所得を全て総合するので、納税者の総合的な担税力に応じて、累進税率を適用することができるため、垂直的公平の確保に優れている。

しかしながら、原則的な取扱いとして総合課税が採用されているとはいっても、所得税法あるいは租税特別措置法は、累進課税を直接的に適用することに配慮すべき場面や、政策的な理由で低率の課税によるべきとされる所得においては、大きな例外を用意している。具体的には、例えば、退職所得や山林所得が分離課税とされているほか、利子所得等については源泉徴収のみで課税関係を終了させる源泉分離課税制度が採用されており、これらは、総合課税の原則の例外と位置付けられる。退職所得や山林所得は、長期にわたる勤労や山林の育成により蓄積された所得であって、それが退職や山林の伐採という段階で一時に実現するものであることから、累進税率の緩和の措置が必要である点を考慮して分離課税とされているのである（所法22③、89①）。

また、①利子所得や配当所得などの個人の貯蓄・投資の奨励、②株式又は土地等の譲渡益などの政策的な観点から、多くの所得についても分離課税が採用されている。この分離課税においては、所得を発生形態や性質に応じて区分し、異なる税率（多くは比例税率）を適用して所得税額を算出する。

⑵　累進課税の緩和措置

所得税法は、前述のとおり、純資産増加説の下で包括的所得概念を採用し、総合課税を原則としているのであるが、それでも一時的、偶発的所得や変動の大きい所得に対しては、累進負担の緩和を図るために緩和措置を用意している。

退職所得、長期譲渡所得、一時所得の各所得については、その所得の２分の１のみを課税所得とし（所法22②二、30②）、山林所得（所法32）、変動所得（所法2①二十三）、臨時所得（所法２①二十四）について、それぞれ多少異なる方法の平均課税（いわゆる５分５乗）を採用している（所法89①、90）。

3　分離課税

(1)　申告分離課税

申告分離課税の対象となる所得には、次のようなものがある。

①　退職所得（収入金額から退職所得控除額を控除した残額の２分の１に累進税率を適用）

②　山林所得（所得金額×１/５に累進税率を適用し、その５倍を所得税額とする（５分５乗方式））

③　上場株式等に係る配当所得

④　土地建物や株式等の譲渡による所得

⑤　先物取引に係る雑所得等

(2)　一律源泉分離課税

一律源泉分離課税の対象となる所得には、次のようなものがある。

①　預貯金や公社債の利子、公社債投資信託の収益の分配などの利子所得

②　金融類似商品の収益等

③　一定の割引債の償還差益

(3)　源泉分離選択課税

源泉分離選択課税の対象となる所得には、次のようなものがある。

①　少額の配当

②　大口株主以外の者が受ける上場株式等の配当

③　公募株式投資信託の収益の分配

④　特定株式投資信託の収益の分配

⑤　特定投資法人の投資口の配当等

⑥　特定口座内保管上場株式等の譲渡による所得

なお、上記所得は、納税者の選択により、確定申告をした方が有利となる場合には、申告をすることが可能であり、その場合には、総合課税又は申告分離課税となる。

裁判例の紹介

分離課税と所得控除の適用

租税特別措置法３条１項は憲法25条、14条等に反しないとされた事例

（35第一審大阪地裁平成２年10月25日判決・税資181号103頁）

（36控訴審大阪高裁平成３年５月17日判決・税資183号792頁）

（37上告審最高裁平成３年12月５日第一小法廷判決・集民163号647頁）

〔事案の概要〕

居住者に対して課される所得税について、所得税法22条《課税標準》及び89条《税率》は、利子所得の金額も総所得金額に含まれるものとし、総合課税を原則としているが、所得税法等の一部を改正する法律（昭和62年法律第96号。租税特別措置法３条に係る改正規定は昭和63年４月１日から施行）による改正後の租税特別措置法３条《利子所得の分離課税等》１項（以下「新措置法３条１項」という。）は、昭和63年４月１日以後に支払を受けるべき利子等については、これらの規定にかかわらず、他の所得と区分し、その支払を受けるべき金額に対し100分の15の税率を適用して所得税を課すこととした（利子等について一律源泉分離課税制度を採用）。この規定があるにもかかわらず、Ｘ（原告・控訴人・上告人）は、昭和63年度の利子所得の全てが総合課税の対象となるとの前提の下に本件確定申告を行った。そこで、税務署長Ｙ（被告・被控訴人・被上告人）は、新措置法３条１項、本件改正法附則40条２項により、Ｘの昭和63年分の総所得金額及び源泉徴収税額を認定し、これを前提として本件各処分を行った。

Ｘは、おおむね次のように主張していた。

すなわち、旧租税特別措置法３条１項の下では、利子所得については総合課税と35パーセントの源泉分離課税の選択が可能であった。そして、Ｘの所得は、約45万円の国民老齢年金と若干の利子所得及び配当所得のみであったので、Ｘは、従前、総合課税を選択して確定申告をすることにより、所得控除の恩恵を受けて、利子所得及び配当所得に対する源泉徴収税額に相当する還付金の交付を受けていた。しかるに、新措置法３条１項は、利子所得について総合課税を選択する余地をなくし15パーセントの一律分離課税の制度を採用したので、Ｘは、利子所得について所得控除の恩恵を受けることができず、その結果、源泉徴収された所得税に相当する金額の還付金の交付を受けることができなくなった。

しかし、基礎控除等の一般的な人的控除、老年者控除等の特別な人的控除、社会保険料控除、生命保険料控除等の特殊な控除は、憲法25条１項に規定する健康で文化的な最低限度の生活を保障する趣旨で、これを具体化するために設けられたものであるから、これらの控除は、所得の性質とは関係なく、全ての所得について認められるべきであって、徴税事務の簡素化や効率化を図るために、利子所得について所得控除を否定することは許されない。したがって、新措置法３条１項は、著しく合理性を欠くものであり、憲法25条１項に違反し無効であるとして、総合課税の対象とならないとの前提の下で行われた本件各処分は、違法である。

なお、Ｘは、その他、憲法14条違反や84条違反も主張していた。

〔争点〕

新措置法３条１項は、利子所得に対して源泉分離課税を採用しており、基礎控除等の控除を受けることができないこととされているが、このことは憲法に違反するか。

〔判決の要旨〕

１　大阪地裁平成２年10月25日判決

「⑴　新措置法３条１項の法令違憲

新措置法３条１項は、利子等の所得税につき15パーセントの一律分離課税の制度を採用しているが、同項は利子等に関する所得税の税額を定める規定であって、同項の適用により、利子等の所得を得ている者（以下『利子所得者』という。）が、一般的に憲法25条１項の規定する『健康で文化的な最低限度の生活』を営む権利を侵害されることにならないことは明らかである。したがって、新措置法３条１項は、その規定内容自体から、直ちにこれを憲法25条１項に違反し無効であるということはできない。

⑵　新措置法３条１項の適用違憲

新措置法３条１項によると、利子所得は総合課税の対象とならないので、利子所得者は、他に総合課税の対象となる所得があり、かつ、その所得の金額が所得控除の額を超える場合でない限り、所得控除の利益を十分に享受することができないことになる。本件について、これをみると、Ｘは、新措置法３条１項により昭和63年４月１日以後の利子所得44万9,850円が分離課税とされる結果、総所得金額は51万8,326円（利子所得の金額・34万170円、配当所得の金額・17万

8,156円）となり、Xが現実に所得控除の利益を受けることができる額は基礎控除額33万円と老年者控除額50万円の合計額83万円にも満たないこととなる。逆に、新措置法３条１項の適用がなく、確定申告に係る昭和63年４月１日以後の利子所得44万9,850円が総合課税の対象となるとすれば、Xの所得控除額は99万1,189円であるから、昭和63年度の利子所得については、全額、所得控除の利益を受けることができたことになる。

ところで、所得税法が、最低生活水準の維持に必要な所得に課税しないようにするために基礎控除を設け、老年者が他の者に比較して一般に所得を得るための条件が不利であり、また出費がかさむこと等を考慮して老年者控除を設け、社会保険のため強制的に支出を余儀なくされる点に着目して社会保険料控除を設け、社会保障制度を自ら補完するための自助努力等を助成するという見地から生命保険料控除を設けていることからすると、Xに生じる右のような結果は、所得税法の本来の趣旨に反すると解する余地がなくはない。

しかしながら、新措置法３条１項の適用の結果が憲法25条１項に違反するというためには、それが法律の適用の結果である以上、単に、同位にある所得税法が憲法25条の趣旨を受けて定めている所得控除の制度の趣旨に反する結果が生ずるということのみでは充分ではなく、適用の結果、憲法25条１項に規定する『健康で文化的な最低限度の生活』を営む権利が侵害されていると認められる場合でなければならない。

そこで、右のような観点から本件について検討するに、…Xは、昭和63年度に少なくとも45万円の国民老齢年金の交付を受けたことが認められ、これに前示の96万円余りの利子・配当を加えると、Xには昭和63年度中に少なくとも141万円の所得があったことになり、この点とXが大正４年９月７日生まれであって…、老人等のための郵便貯金非課税制度（所得税法９条の２）、老人等のための少額貯蓄非課税制度（所得税法10条１項）、老人等のための少額公債非課税制度（租税特別措置法４条）（以下、以上の各制度を一括して「老人等非課税制度」という。）を利用し、元本合計900万円まで、その利子について非課税の利益を受けることができたことを考慮すると、新措置法３条１項を適用して昭和63年４月１日以後の利子所得を総合課税の対象としないこと（すなわち、８万9,661円の源泉所得税の還付を受けられないこと）によって、Xの『健康で文化的な最低限度の生活』を営む権利が侵害されたとすることはできない。

したがって、新措置法３条１項を適用してされた本件各処分をもって憲法に違反するとすることはできない。」

「２　憲法14条違反について

まず、租税法の分野における所得の性質の違いを理由とする取扱いの区別は、その立法目的が正当なものであり、かつ、当該立法において具体的に採用された区別の態様がその目的との関連で著しく不合理であることが明らかでないかぎり、憲法14条１項に違反するものということはできない（最高裁昭和60年３

月27日大法廷判決・民集39巻２号247頁参照)。

そこで、右の観点から本件について検討するに、…本件改正法による改正前の少額貯蓄非課税制度をはじめとする利子非課税制度の下では巨額の利子が非課税となっていたのでその非課税制度を廃止して、総合課税の原則に復帰する必要があったが、利子所得については、その発生の大量性、その元本である金融商品の多様性・浮動性といった特異性があるため、総合課税の適正な執行を確保するには、利子所得の捕捉及び管理のために納税者番号制のような大掛かりな制度の導入が必要であるほか、納税者、金融機関、郵便局、国・地方の税務当局に膨大な費用と事務負担を強いることになることから、当時の納税環境や税務執行体制からすると、直ちに総合課税の対象とすることは現実的ではなく、また、適当でもないという状況にあったことが認められる。そして、新措置法３条１項が一律分離課税の制度を採用したのは、本件改正法附則51条において『利子所得に対する所得税の課税の在り方については、総合課税への移行問題を含め、必要に応じ、この法律の施行後５年を経過した場合において見直しを行うものとする。』と規定していることからも理解できるように、右のような状況下において、可能な限り、適正、公正な利子課税を行うことを目的としているものということができる。したがって、利子所得について一律分離課税制度を採用している法の目的は、正当といえる。

もっとも、一律分離課税制度の下では、利子所得者の中には、Xの主張するように総合課税制度における所得控除の利益を受けることができないため、利子所得が総合課税の対象となる場合よりも不利益な立場に立つ者が生ずることになる。しかし、新措置法３条１項の定める税率は15パーセントであり、また、利子所得については、所得の稼得能力の減退した老人等に老人等非課税制度が維持され、これを利用すると、元本合計900万円まで、その利子について非課税の利益を受けることができるので、一律分離課税制度が総合課税への移行期における暫定的なものであることを併せ考えると、その区別の態様は、右目的との関連で著しく不合理であることが明らかであるとはいえない。…したがって、新措置法３条１項をもって、憲法14条１項に違反し無効とすることはできない。」

2　控訴審**大阪高裁平成３年５月17日判決**及び上告審**最高裁平成３年12月５日第一小法廷判決**においても第一審判断は維持された。

〔コメント〕

本件地裁判決は、利子等についての一律源泉分離課税制度を採用した新措置法３条１項は、憲法25条１項に違反せず、同３条１項を適用してなされた各処分は、憲法25条１項に違反しないとし、同様に憲法14条及び84条にも違反していないと論じている。

同判決では、かように適用違憲についての判断を展開したものであるが、新措置法3条1項の規定は、利子非課税制度を廃止して、総合課税の原則に復帰するまでの経過的措置として定められたものであると論じられている点は注目される。

また、源泉分離課税による場合、基礎控除などの人的控除を受ける機会がなくなるという点が最も重要な争点であると思われるが、本件大阪地裁はこの点についての権利侵害の程度が微々たるものであることを判示している。この点につき、本件大阪高裁では、「所得控除の制度が、それを通じて納税者の『健康で文化的な最低限度の生活』の実現に資するものであるからといって、いかなる種類の所得についてもこれを適用しなければならないものではなく、また、利子所得につき一律源泉分離課税を採用し、所得控除の適用を排除したことが、直ちに納税者の最低限度の生活を侵害したとか、納税者間に不公平、不平等をもたらすものということもできない。」としており、議論のあるところであろう。もっとも、同高裁が「所得控除の制度は、納税者の人的事情に基づく担税力の差異に着目して、課税の公平を図ることをも主眼としているものであって、いかなる種類の所得にどの程度の所得控除を認めるかは、その内容が納税者間に不公平、不平等をもたらし、著しく合理性に欠けるものでない限り、立法裁量に委ねられているものと解される。」としている点は、これまでの判例・通説の見解に合致したものであるといえよう。

V　非課税所得

1　非課税所得の意義

純資産増加説に基づく包括的所得概念の下では、所得はその源泉の如何にかかわらずこれを課税対象所得として捉えることとしているが、政策的な見地から所得と認識されるものであっても、課税対象から除外することが適当とされるものもある。それらは、非課税所得といい、所得ではあるものの課税しない所得として位置付けられる。

非課税所得は、所得税法のみならず、他の法分野の実定法において規定されているものもある。所得税法9条《非課税所得》1項が所得を非課税とする理由については、①社会政策的な配慮や、②担税力への考慮、③実費弁償的な意味を有するもの、④少額のものは追及しないとする考えに基づくもの、⑤二重課税の排除など、様々なものがある。①、②、④、⑤などは租税法上の積極的な理由が見出せるものの、③についてはその理由が判然としない。給与所得者の交通費や制服などがここに含まれるといわれているが、それらは、そもそも給与所得者の所得ではなく雇用者が負担すべきものなのではないかという疑問も起こり得るからである（従業員は雇用者から預かった通勤定期代を鉄道会社に支払っただけであり、何ら従業員の所得を構成するものではないとする考え方であり、これを「従業員導管理論」という。深夜勤務の際のタクシー代を給与所得にカウントしないのはこの理屈である。令和3年1月15日付けで国税庁が公表した「在宅勤務に係る費用負担等に関するFAQ（源泉所得税関係）」の考え方も同様に説明することができる。この点については、CHECK!**テレワークに係る企業側の費用負担**を参照（226頁）。また、職場環境を整えるのは雇用者の負担において行うものであるから、デスクワークの文房具代やクーラー代などは給与所得にカウントしない。これは「コンディション理論」という。これらの理論的考え方については、酒井・論点研究230頁以下参照）。このように考えると、所得税法上の非課税所得を検討することは、他方で、同法上の「所得」とは何かを考察することをも意味することといってもよいであろう。

所得税法9条1項は、以下のようなものを非課税所得としている。なお、非課税所得の範囲については、前述のとおり、所得税法や租税特別措置法のみならず他の法律によって課税されない旨が規定されていることもある。また、所得税基本通達には、各種の非課税的取扱いが示されているが、理論的には説明しづらいものが多い。租税法律主義の観点からの疑問が惹起されるところでもある。

① 当座預金の利子

② 小学校、中学校、高等学校等の児童又は生徒が行ういわゆるこども預金利子又は収益の分配

③ 恩給、年金その他これらに準ずる給付で次に掲げるもの

(i) 増加恩給及び傷病賜金等

(ii) 遺族の受ける恩給及び年金（死亡した者の勤務に基づいて支給されるものに限る。）

(iii)　地方公共団体が精神又は身体に障害のある者に関して実施する共済制度の給付

④　給与所得者の出張、転任等に必要な支出に充てるため支給される金品で通常必要であると認められるもの

⑤　給与所得者の通勤手当のうち、一般の通勤者につき通常必要であると認められるもの

⑥　給与所得者がその使用者から受ける金銭以外の物で職務の性質上欠くことのできないもの

⑦　国外勤務をする居住者の受ける在勤手当

⑧　外国政府等に勤務する者がその勤務により受ける俸給、給料、賃金、歳費、賞与及びこれらの性質を有する給与

⑨　自己又はその配偶者その他の親族が生活の用に供する家具、じゅう器、衣服その他の資産で政令で定めるものの譲渡による所得

⑩　資力を喪失して債務を弁済することが著しく困難である場合における国税通則法の強制換価手続（通法２十）による資産の譲渡による所得

⑪　オープン型の証券投資信託の収益の分配のうち、信託財産の元本の払戻しに相当する部分

⑫　皇室経済法の内廷費及び皇族費の規定により受ける給付

⑬　次に掲げる年金又は金品

(i)　文化功労者年金

(ii)　日本学士院から恩賜賞又は日本学士院賞として交付される金品

(iii)　日本芸術院から恩賜賞又は日本芸術院賞として交付される金品

(iv)　学術、芸術に関する顕著な貢献を表彰するもの等として指定された一定の団体若しくは基金から交付される金品

(v)　ノーベル基金からノーベル賞として交付される金品

(vi)　外国、国際機関、国際団体等から交付される金品で(i)から(v)までに掲げる年金又は金品に類するもの

⑭　オリンピック競技大会又はパラリンピック競技大会において特に優秀な成績を収めた者を表彰するものとして財団法人日本オリンピック委員会等から交付される金品

⑮　学資に充てるため給付される金品（給与その他対価の性質を有するものを除く。）及び扶養義務者相互間において扶養義務を履行するため給付される金品

⑯　相続、遺贈又は個人からの贈与により取得するもの（相続、遺贈又は個人からの贈与により取得したものとみなされるものを含む。）

⑰　損害保険会社又は外国損害保険会社等の締結した保険契約に基づき支払を受ける保険金及び損害賠償金（これらに類するものを含む。）で、心身に加えられた損害又は突発的な事故により資産に加えられた損害に基因して取得するものその他の政令で定めるもの

⑱　選挙に係る候補者が選挙運動に関し法人からの贈与により取得した金銭、物品その他の財産上の利益で、選挙運動に関する収入及び支出の報告書の提出の規定による報告がされたもの

⑲　ベビーシッター・認可外保育施設の利用料等、国や自治体からの子育てに係る助成（令和3年度税制改正）

なお、所得税法9条1項にいう非課税所得をどのように理解するべきかについては見解の相違もみられるところであるが、その性質は上にみたように玉石混交としているといえよう。そもそも、所得税法上の「所得」と位置付けてよいものかどうかが判然としないものも含めて、所得税法9条1項柱書きにおいて「所得」と規定しているからである。文理解釈の立場からすれば、基本的に同条項に示された「金品」や「もの」は全て「所得」であるという理解から出発すべきであろうが、実際は、例えば、交通費のように、本来的には企業側が負担すべき支出を給与所得者の「所得」というべきか否かという問題は残されているといわざるを得ない。

いわゆる一ノ瀬バルブ事件105最高裁昭和37年8月10日第二小法廷判決（228

頁参照）は、「所得税法９条５号は『俸給、給料、賃金……並びにこれらの性質を有する給与』をすべて給与所得の収入としており、……勤労者が勤労者たる地位にもとづいて使用者から受ける給付は、すべて右９条５号にいう給与所得を構成する収入と解すべく、通勤定期券またはその購入代金の支給をもって給与でないと解すべき根拠はない。」とする。

すなわち、給与所得者がその地位に基づいて使用者から受ける給付は「給与所得」に該当すると論じているが、従業員導管理論の観点からは疑問の余地もあろう。給与所得者がその地位に基づいて得たフリンジ・ベネフィット（現物給与）についてどのような課税を行うかという点については、未だ明確な整理ができていないといってもよいと思われる。

また、非課税所得の計算上損失が生じた場合には、その損失はないものとみなされ、他の所得と損益通算することはできないこととされている（所法９②）。

2　主な非課税所得

(1)　生活用動産の譲渡による所得

所得税法９条１項は、生活に通常必要な家具、じゅう器、衣服その他の動産（以下「生活用動産」ともいう。）の譲渡による所得を非課税と規定する（所法９①九）。これを受けた所得税法施行令25条《譲渡所得について非課税とされる生活用動産の範囲》が、１個又は１組の価額が30万円を超える貴金属、宝石、書画、こっとう及び美術工芸品などを譲渡した場合の所得を非課税所得から除外しているところからすれば、30万円以下のこれら貴金属等も生活に通常必要な動産に当たることになる。すなわち、これら貴金属等のようなものをも含めて非課税所得の範囲が画されていることは明らかである。

所得税法９条１項９号が生活用動産の譲渡による所得を非課税としているのは、戦後の厳しい生活状況の中、身を少しずつはいでいくような生活、いわゆる「竹の子生活」といった経済状態を考慮し、零細な所得を追及しないという執行上の配慮であると説明されたり、あるいは、実際に生活用動産の譲渡から譲渡益が生じたとしても、その譲渡益は、通常は減価償却計算によるものであってキャッシュフローを伴わない利益であるから、そこに課税すべきではないとの考慮であるなどと説明されることがあるが、他面、同条2項が生活用動産を譲渡した場合に生じた損失をないものとみなすこととしていることの反射的な規定であるとの説明にも説得力がある。

裁判例の紹介

サラリーマン・マイカー訴訟

マイカーは生活に通常必要でない資産に当たるため譲渡損失を損益通算することはできないとされた事例

（38第一審神戸地裁昭和61年9月24日判決・訟月33巻5号1251頁）25）
（39控訴審大阪高裁昭和63年9月27日判決・高民41巻3号117頁）26）
（40上告審最高裁平成2年3月23日第二小法廷判決・集民159号339頁）27）

〔事案の概要〕

会計事務所に勤務する給与所得者であるX（原告・控訴人・上告人）は、自家用車を自損事故により破損させ、修理をすることなくスクラップ業者に3,000円で売却した。Xは、かかる売却により、自動車の帳簿価額30万円から売却価額を控除した29万7,000円の譲渡損失を生じたとして、給与所得と損益通算をして申告をした。これに対して税務署長Y（被告・被控訴人・被上告人）は、かかる譲渡損失の金額は給与所得と損益通算をすることはできないとして更正処分を行った。Xはこれを不服として提訴した。

25）判例評釈として、北野弘久・税理27巻15号91頁（1984）、碓井光明・税務事例19巻3号2頁（1987）、福家俊朗・判時1227号27頁（1987）、池本征男・税理30巻9号123頁（1987）など参照。

26）判例評釈として、山田二郎・平成元年度主要民事判例解説〔判タ臨増〕350頁（1990）、北野弘久・時法1325号62頁（1988）、高野幸大・ジュリ943号120頁（1989）、一杉直・税通44巻2号195頁（1989）、石田浩二・税弘37巻3号188頁（1989）など参照。

27）判例評釈として、玉國文敏・租税百選〔5〕85頁（2011）、石島弘・民商103巻2号304頁（1990）、石倉文雄・租税百選〔3〕54頁（1992）、佐藤久夫・平成2年度主要民事判例解説〔判タ臨増〕318頁（1991）、高野幸大・税研106号26頁（2002）、酒井・ブラッシュアップ150頁など参照。

〔争点〕

① 一般的な家庭用資産は、(i)「生活に通常必要な動産」(所法9①九、所令25)、(ii)「生活に通常必要でない資産」(所法62、所令178①三)、(iii)(i)(ii)のいずれにも属さない「一般資産」のうちの(iii)に該当するとし、その譲渡損失は損益通算ができると解すべきか。Xは、争点①について、本件自動車は「一般資産」に該当する旨主張した。

② 給与所得者の有する有形固定資産は、(i)「生活の用に供する資産」、(ii)「収入を得るために用いられる資産」に大別できるとし、本件自動車は(ii)の資産に該当することから、譲渡損失の金額は損益通算することができると解すべきか。Xは、争点②について、その譲渡損失は所得税法69条《損益通算》1項に基づき損益通算を認めるべき旨主張した。

〔判決の要旨〕

1　神戸地裁昭和61年9月24日判決

〔1〕「Xは給与所得者であるが本件自動車の使用状況も…事務所への通勤の一部ないし全部区間、また勤務先での業務用に本件自動車を利用していたこと、本件自動車を通勤・業務のために使用した走行距離・使用日数はレジャーのために使用したそれらを大幅に上回っていること、車種も大衆車であることのほか現在における自家用自動車の普及状況等を考慮すれば、本件自動車はXの日常生活に必要なものとして密接に関連しているので、生活に通常必要な動産(法9条1項9号、令25条)に該当するものと解するのが相当である。そして、自動車が令25条各号にあげられた資産に該当しないことは明らかであるから、Xの本件自動車の譲渡による損失の金額は、法9条2項1号に基づきないものとみなされることになる。したがって、損益通算の規定(法69条)の適用の有無につき判断するまでもなく右損失の金額を給与所得金額から控除することはできない〔。〕」

〔2〕 争点①について

「法9条1項9号…の改正経過をみても、昭和25年の改正に際しては『生活に通常必要な家具、什器、衣類その他の資産で命令で定めるもの』とされていたのが、昭和40年の全文改正で現行のように『生活の用に供する家具、じゅう器、衣類その他の資産で政令で定めるもの』となったもので、この改正経過に照らしてもX主張のような制限的解釈をする根拠は認められない…。さらに、法9条1項9号と令25条との関係も、X主張のように法9条1項9号を制限的に解釈し、令25条は列挙した貴石・書画等につき生活に通常必要といいうるものであっても一定額以上の高価品は非課税扱いの対象から除外する点に意味のある規定と解するよりは、法9条1項9号が生活の用に供する資産のうち非課税とする資産の具体的範囲につき令25条において定めることを委任したものと解するのが、文理上も法律と政令との機能分担からしても相当である。したがって、現行法上の根拠規定のないＸ独自の見解に基づき、本件自動車が法９条１項９号にいう非課税の資産に該当しないとの主張は、その余の点について判断するまでもなく理由がない〔。〕」

2　大阪高裁昭和63年９月27日判決

〔1〕「本件自動車は給与所得者であるＸが保有し、その生活の用に供せられた動産であって、供用範囲はレジャーのほか、通勤及び勤務先における業務にまで及んでいると言うことができる。ところで、右のうち、自動車をレジャーの用に供することが生活に通常必要なものと言うことができないことは多言を要しないところであるが、自動車を勤務先における業務の用に供することは雇用契約の性質上使用者の負担においてなされるべきことであって、雇用契約における定め等特段の事情の認められない本件においては、被用者であるＸにおいて業務の用に供する義務があったと言うことはできず、本件自動車を…駅間の通勤の用に供したことについても、その区間の通勤定期券購入代金が使用者によって全額支給されている以上、Ｘにおいて本来そうする必要はなかったものであって、右いずれの場合も生活に通常必要なものとしての自動車の使用ではないと言わざるを得ない。そうすると、本件自動車が生活に通常必要なものとしてその用に供されたと見られるのは、Ｘが通勤のため…駅間において使用した場合のみであり、それは本件自動車の使用全体のうち僅かな割合を占めるにすぎないから、本件自動車はその使用の態様よりみて生活に通常必要でない資産に該当するものと解するのが相当である。

そうだとすれば、仮にＸ主張の譲渡損失が生じたとしても、それは、所得税法… 69条２項にいう生活に通常必要でない資産に係る所得の計算上生じた損失の金額に該当するから、同条１項による他の各種所得の金額との損益通算は認められないことになる。」

〔2〕　争点②について

「現行の法は給与所得者について事業所得者におけるとは異なる仕組みを採用し、必要経費の実額控除を認めず、その代わりに事業所得者等との租税負担の公平を考慮し概算経費控除の意味で給与所得控除を認めているのである。このことに照らすと法は必要経費の実額控除をなすことに係る『収入を得るために用いられる資産』なるものは認めていないものと言うほかはない。したがって、右Ｘの予備的主張も実定法上の根拠を欠き失当であり、同主張に符合する前項記載の各証拠は同じ理由により採用することができない。」

3　上告審**最高裁平成２年３月23日第二小法廷判決**は原審の判断を維持した。

〔コメント〕

既述のとおり、「生活に通常必要な動産」に係る譲渡損失はなかったものとみなされる（所法9②、所令25）。一方で、「生活に通常必要でない資産」に係る譲渡損失は他の所得との損益通算ができないこととされている（所法62①、所令178①）。つまるところ、本件における自家用車が、前者又は後者のいずれに該当したとしても、本件のようなケースにおいては損失を控除ないし通算することはできない。なお、仮に譲渡益が生じた場合においては、前者は非課税所得とされるのに対し、後者の場合には譲渡所得として課税されるという違いが生じることとなる。

本件地裁判決は、本件自動車は、Xの生活と密接に関係しているものであるから「生活に通常必要な動産」に該当するとし、結果的に譲渡損失の金額はなかったものとみなされるとして、Xの主張を排斥した。他方で、本件高裁判決では、レジャー等にも多く使用されていたことを根拠として、本件自動車を「生活に通常必要でない資産」と判断し、譲渡に係る損失についての損益通算を否定した（上告審も同様）。このように、ロジックは異なるが、結論としては第一審から上告審まで、自家用車の譲渡に係る損失による担税力の減殺を認めなかったことになる。なお、本件高裁判決はレジャーの用に供していることをもって「生活に通常必要でない資産」と判断しているようにも見受けられるが、「生活」そのものをいかに捉えるか、「生活」とは何かという議論は残されているのではなかろうか。

本件では、税理士事務所の職員であるXが通勤や仕事のために本件自動車を利用した頻度や、レジャーのために利用した頻度などを検討した上で、「生活に通常必要」な資産であったか否かが判断されている。所得稼得活動たる「仕事」における使用頻度にのみ拘泥し、レジャー等の消費生活を「生活」概念から欠落している点には疑問を抱く。見方によっては、レジャーこそが生活であって、そのための糧を仕事によって稼いでいるにすぎないということもいえるはずであるからである。

さて、この所得税法上の「生活」概念とはどのように解釈されるべきであろうか。所有する自家用車が「生活に通常必要」であるか否かは、その者が、どのような地域でどのような「生活」をしているのか、具体的にいえば、その者の生活拠点（都市部なのか山間部なのかといった点）、その者の年齢や健康状態、家族の状況や、仕事の用に供していたのであれば、通勤代替手段の状況、職業内容や勤務先の自宅の距離などを念頭に置いた総合的な判断をすべきである。これは「生活」概念を、個々の納税者の生活とみる立場である。これに対して、ある種の社会通念を模索し、平均的、標準的な「生活」を念頭に置いて、これらの概念を解釈すべきとの見解もあり得る。

しかしながら、文理解釈を前提とすれば、その者の「生活に通常」必要か否かが規定されているのであって、標準的な「通常生活」なるものを想起させる規定振りではない。これは、消費税法が「通常生活」なる概念を用いて、「通常生活の用に供する物品」の輸出免税を規定するのとは大きく異なる（消令18①二）。消費税法が納税者の個別事情を考慮しない水平的公平を指向するものであるのに対して、所得税法は、異なる状況にある者には異なる租税負担を課すべきとする垂直的公平を指向するものである。同法が、個々の納税者の担税力に応じた肌理の細かい租税制度であることに鑑みれば、個々の納税者の「生活」にとって、対象となる資産が通常必要であるか否かを検討すべきなのではなかろうか。

かような意味では、本件高裁判決の射程範囲を広くみることには消極的であるべきなのではなかろうか。しかしながら、一般的に自家用車が「生活に通常必要でない資産」として捉えられ、旧損害保険料控除（旧所法77①）の対象から除外されてきたのである（現行所得税法77条《地震保険料控除》においても同様）。

なお、Ｘは、「生活に通常必要な動産」と「生活に通常必要でない資産」とは別に「一般資産」という資産概念があると主張しているが、これについては実定法上の根拠がないものとして排斥されている。

本件高裁判決は、結局のところ、本件自動車を「生活に通常必要でない資産」に該当するとしたが、損害保険料控除（現在の地震保険料控除）の適用においても、同様の考え方により自動車の賠償保険は同控除の対象とされていないなど、解釈論に大きな影響を与えているのである。例えば、所得税法77条《地震保険料控除》は「第９条第１項第９号《非課税所得》に規定する資産を保険又は共済の目的とし、かつ、地震若しくは噴火又はこれらによる津波を直接又は間接の原因とする火災、損壊、埋没又は流失による損害…によりこれらの資産について生じた損失の額をてん補する保険金」などが対象とされており、所得税法９条１項９号に規定する資産、すなわち「生活に通常必要な動産」のみが対象とされているところ、ここに自家用車を読み込まない実務的処理が支配的である。

⑵　相続、遺贈又は贈与による利得

包括的所得概念は所得の源泉を問わずに全ての所得を課税対象とするという考え方に立つので、相続、遺贈又は贈与による利得も所得税法にいう所得に含まれることになる。しかしながら、相続、遺贈又は贈与による利得を享受した者に所得税が課されることは、理論的には正しいとしても、これらが相続税や贈与税の課税対象とされていることから、国民の理解を得にくい面がある。このような見地から、所得税法は、相続や遺贈によって得た利得については所得税を非課税としている（所法９①十六）。所得税法９条１項16号（当時は15号）が創設された当時は、相続税や贈与税は財産の受け手ではなく、被相続人ないし贈与者に課されていたので、二重課税の排除のための規定ではなく、被相続人ないし贈与者に相続税ないし贈与税が課された上で、相続人や受贈者に所得税が課されるのでは国民の納得が得られないという考えに基づいて創設された

ものである。しかしながら、次にみる年金二重課税事件最高裁判決などでは、同条項を二重課税の排除のための規定であると説明されている。

贈与についても同様に非課税とされるべきであろうが、贈与のうちでも、法人からの贈与については、法人には贈与税が課されないことから所得税を非課税とする必要がない。そこで、所得税法では、相続又は遺贈に加えて、個人からの贈与のみを非課税としているのである（所法9①十六）。

ところで、被保険者の死亡により相続人その他の者が死亡保険金を取得した場合に、被保険者が保険料を負担していたときは、保険金受取人が被保険者から保険金を相続、遺贈又は贈与により取得したものとみなし、相続税が課されることとされている（相法3①一）。また、被保険者又は保険金受取人以外の第三者が保険料を負担していたときは、保険金受取人がその第三者から保険金を贈与によって取得したものとみなし、贈与税が課されることとされている（相法5①）。そこで、所得税法は、相続、遺贈又は贈与により取得した利得を非課税とするという制度に加えて、これらのみなし課税制度の対象となった、いわゆる「みなし相続財産」についても所得税を非課税としているのである。

なお、相続税や贈与税の課税対象となる死亡保険金には所得税が非課税とされるが、保険金受取人が保険料を負担していたときの死亡保険金はみなし課税の対象とならないため、所得税は非課税とはならない（一時所得：所基通34－1(4)）。

裁判例の紹介

年金二重課税事件

相続人が取得した生命保険年金のうち年金受給権の額に相当する部分は非課税であるとされた事例

（**41**第一審長崎地裁平成18年11月7日判決・民集64巻5号1304頁）[28]

28）判例評釈として、品川芳宣・税研132号90頁（2010）、池本征男・国税速報5852号6頁

（42控訴審福岡高裁平成19年10月25日判決・民集64巻５号1316頁）[29]
（43上告審最高裁平成22年７月６日第三小法廷判決・民集64巻５号1277頁）[30]

〔事案の概要〕

Ｘ（原告・被控訴人・上告人）の夫ＡがＢ生命相互会社との間で締結していた生命保険契約（被保険者及び契約者はＡ、受取人Ｘ）について、Ａの死亡に基づきＸが平成14年に受け取った年金払保障特約年金220万8,000円を、雑所得に当たるとして所轄税務署が所得税の更正処分（以下「本件処分」という。）を行ったため、Ｘが国Ｙ（被告・控訴人・被上告人）を相手取りその取消しを求めた事案である。

〔争点〕

①　本件年金が相続税法３条《相続又は遺贈により取得したものとみなす場合》１項１号のみなし相続財産に当たるか否か、所得税法９条１項15号〔筆者注：現行16号。以下、本件事案において同じ。〕により非課税とされるか否か。

②　所得税法207条所定の生命保険契約等に基づく年金の支払をする者は、当該年金が同法の定める所得として所得税の課税対象となるか否かにかかわらず、その年金について所得税の源泉徴収義務を負うか。

〔判決の要旨〕

1　長崎地裁平成18年11月７日判決

「相続税法３条１項は、相続という法律上の原因に基づいて財産を取得した場

(2006)、高野幸大・ジュリ1370号249頁（2009)、堀口和哉・税務事例39巻８号16頁(2007)、橋本守次・税弘55巻５号165頁（2007)、三木義一・税理50巻２号117頁（2007）など参照。

29）判例評釈として、浅妻章如・税研148号77頁（2009）参照。

30）判例評釈として、山田二郎・自研87巻８号150頁（2011)、木村弘之亮・ジュリ1415号100頁（2011)、水野忠恒・租税百選〔５〕62頁（2011)、神山弘行・租税百選〔７〕68頁（2021)、高須要子・平成22年度主要民事判例解説330頁（2011)、中里実・ジュリ1410号19頁（2010)、三木義一・税通65巻10号17頁（2010)、品川芳宣・TKC税研情報19巻５号35頁（2010)、池本征男・国税速報6130号６頁（2010)、志賀櫻・税通65巻11号31頁（2010)、増田英敏・税弘58巻13号149頁（2011)、大石篤史・ジュリ1410号４頁(2010)、渕圭吾・ジュリ1410号12頁（2010)、藤谷武史・ジュリ1410号28頁（2010)、佐藤英明・金法1908号18頁（2010)、浅妻章如・法教362号45頁（2010)、同・金法1929号71頁（2010)、大淵博義・税理53巻14号94頁（2010)、辻美枝・税大ジャーナル13号65頁(2010)、酒井克彦・税務事例42巻９号１頁、同10号９頁、同11号１頁（2010)、酒井・ブラッシュアップ98頁など参照。

合でなくとも、実質上相続によって財産を取得したのと同視すべき関係にあるときは、これを相続財産とみなして相続税を課することとし、他方所得税法9条1項15号は、このように相続税を課することとした財産については、二重課税を避ける見地から、所得税を課税しないものとしている。このような税法の規定からすると、相続税法3条1項によって相続財産とみなされて相続税を課税された財産につき、これと実質的、経済的にみれば同一のものと評価される所得について、その所得が法的にはみなし相続財産とは異なる権利ないし利益と評価できるときでも、その所得に所得税を課税することは、所得税法9条1項15号によって許されないものと解するのが相当である。」

「本件年金受給権は、Aを契約者兼被保険者とし、Xを保険金受取人とする生命保険契約に基づくものであり、その保険金は保険事故が発生するまでAが払い込んだものであるから、年金の形で受け取る権利であるとしても、実質的にみてXが相続によって取得したのと同視すべき関係にあり、相続税法3条1項1号に規定する『保険金』に当たると解するのが相当である。そして、本件年金受給権の価額は、同法24条に基づいて評価されることになるが、同条1項1号によると、有期定期金は、その残存期間に受けるべき給付金の総額に、その期間に応じた一定の割合を乗じて計算した金額とされている。この割合は、将来支給を受ける各年金の課税時期における現価を複利の方法によって計算し、その合計額が支給を受けるべき年金の総額のうちに占める割合を求め、端数整理をしたものだといわれている。

他方、本件年金は、本件年金受給権に基づいて保険事故が発生した日から10年間毎年の応答日に発生する支分権に基づいてXが保険会社から受け取った最初の現金である。上記支分権は、本件年金受給権の部分的な行使権であり、利息のような元本の果実、あるいは資産処分による資本利得ないし投資に対する値上がり益等のように、その利益の受領によって元本や資産ないし投資等の基本的な権利・資産自体が直接影響を受けることがないものとは異なり、これが行使されることによって基本的な権利である本件年金受給権が徐々に消滅していく関係にあるものである。

そして、上記のように、相続税法による年金受給権の評価は、将来にわたって受け取る各年金の当該取得時における経済的な利益を現価（正確にはその近似値）に引き直したものであるから、これに対して相続税を課税した上、更に個々の年金に所得税を課税することは、実質的・経済的には同一の資産に関して二重に課税するものであることは明らかであって、前記所得税法9条1項15号の趣旨により許されないものといわなければならない。」

支分権と基本権という異なる権利に対する課税であるから二重課税には当たらないとするY主張に対しては、「確かに、本件年金は、支分権という、本件年金受給権（基本権）と法的には異なる権利に基づいて取得した現金であるとはいえる。しかし、基本権と支分権は、基本権の発生原因たる法律関係と運命を共にする基本権と一たび具体的に発生した支分権との独立性を観念する概念であり、債権の消滅時効の点（民法168条、169条）などにおいて実際上の差異が生じるものであるが、この観念を、所得税法9条1項15号の解釈において、二重課税か否かを区別する指標であり二重課税であることを否定すべき事情と考えるべき根拠には乏しく…今後受け取るべき年金の経済的利益を現価に引き直して課税しているのが年金受給権への相続税課税である以上、このような経済的実質によって、二重課税か否かを区別することが所得税法9条1項15号の趣旨に沿う。」

2　福岡高裁平成19年10月25日判決

「所得税法9条1項15号は、相続、遺贈又は個人からの贈与により取得するもの（相続税法（昭和25年法律第73号）の規定により相続、遺贈又は個人からの贈与により取得したものとみなされるものを含む。）については、所得税を課さない旨を規定している。その趣旨は、相続、遺贈又は個人からの贈与により財産を取得した場合には、相続税法の規定により相続税又は贈与税が課されることになるので、二重課税が生じることを排除するため、所得税を課さないこととしたものと解される。この規定における相続により取得したものとみなされるものとは、相続税法3条1項の規定により相続したものとみなされる財産を意味することは明らかである。そして、その趣旨に照らすと、所得税法9条1項15号が、相続ないし相続により取得したものとみなされる財産に基づいて、被相続人の死亡後に相続人に実現する所得に対する課税を許さないとの趣旨を含むものと解することはできない。

ところで、被相続人が自己を保険契約者及び被保険者とし、共同相続人の1人又は一部の者を保険金受取人と指定して締結した生命保険契約において、被相続人の死亡により保険金受取人が取得するものは、保険金という金銭そのものではなく、保険金請求権という権利であるから、相続税法3条1項1号にいう『保険金』は保険金請求権を意味するものと解される。

そうすると、相続税法3条1項1号及び所得税法9条1項15号により、相続税の課税対象となり、所得税の課税対象とならない財産は、保険金請求権という権利ということになる〔。〕」

3　最高裁平成22年7月6日第三小法廷判決

「同項〔筆者注：所得税法9条1項〕柱書きの規定によれば、同号〔筆者注：16号〕にいう『相続、遺贈又は個人からの贈与により取得するもの』とは、相続等により取得し又は取得したものとみなされる財産そのものを指すのではなく、当該財産の取得によりその者に帰属する所得を指すものと解される。そして、当該財産の取得によりその者に帰属する所得とは、当該財産の取得の時における価額に相当する経済的価値にほかならず、これは相続税又は贈与税の課税対象となるものであるから、同号の趣旨は、相続税又は贈与税の課税対象となる経済的価値に対しては所得税を課さないこととして、同一の経済的価値に対する相続税又は贈与税と所得税との二重課税を排除したものであると解される。」

「相続税法３条１項１号は、被相続人の死亡により相続人が生命保険契約の保険金を取得した場合には、当該相続人が、当該保険金のうち被相続人が負担した保険料の金額の当該契約に係る保険料で被相続人の死亡の時までに払い込まれたものの全額に対する割合に相当する部分を、相続により取得したものとみなす旨を定めている。上記保険金には、年金の方法により支払を受けるものも含まれると解されるところ、年金の方法により支払を受ける場合の上記保険金とは、基本債権としての年金受給権を指し、これは同法24条１項所定の定期金給付契約に関する権利に当たるものと解される。

そうすると、年金の方法により支払を受ける上記保険金（年金受給権）のうち有期定期金債権に当たるものについては、同項１号の規定により、その残存期間に応じ、その残存期間に受けるべき年金の総額に同号所定の割合を乗じて計算した金額が当該年金受給権の価額として相続税の課税対象となるが、この価額は、当該年金受給権の取得の時における時価（同法22条）、すなわち、将来にわたって受け取るべき年金の金額を被相続人死亡時の現在価値に引き直した金額の合計額に相当し、その価額と上記残存期間に受けるべき年金の総額との差額は、当該各年金の上記現在価値をそれぞれ元本とした場合の運用益の合計額に相当するものとして規定されているものと解される。したがって、これらの年金の各支給額のうち上記現在価値に相当する部分は、相続税の課税対象となる経済的価値と同一のものということができ、所得税法９条１項15号により所得税の課税対象とならないものというべきである。」

「本件年金受給権は、年金の方法により支払を受ける上記保険金のうちの有期定期金債権に当たり、また、本件年金は、被相続人の死亡日を支給日とする第１回目の年金であるから、その支給額と被相続人死亡時の現在価値とが一致するものと解される。そうすると、本件年金の額は、すべて所得税の課税対象とならないから、これに対して所得税を課することは許されないものというべきである。」

「なお、所得税法207条所定の生命保険契約等に基づく年金の支払をする者は、当該年金が同法の定める所得として所得税の課税対象となるか否かにかかわらず、その支払の際、その年金について同法208条所定の金額を徴収し、これを所得税として国に納付する義務を負うものと解するのが相当である。」

「したがって、Ｂ生命が本件年金についてした同条所定の金額の徴収は適法であるから、Ｘが所得税の申告等の手続において上記徴収金額を算出所得税額から控除し又はその全部若しくは一部の還付を受けることは許されるものである。」

「以上によれば、本件年金の額から必要経費を控除した220万8,000円をＸの総所得金額に加算し、その結果還付金の額が19万7,864円にとどまるものとした本件処分は違法であり、本件処分のうち総所得金額37万7,707円を超え、還付金の額22万3,464円を下回る部分は取り消されるべきである。」

〔コメント〕

第一審ではＸ勝訴、控訴審ではＹ勝訴、上告審ではＸ勝訴となった。本件最高裁は、上記のとおり、所得税法９条１項16号にいう「相続、遺贈又は個人からの贈与により取得するもの」とは、「相続等により取得し又は取得したものとみなされる財産そのものを指すのではなく、当該財産の取得によりその者に帰属する所得を指すものと解される」との立場を示した。そして、「当該財産の取得によりその者に帰属する所得」とは、「当該財産の取得の時における価額に相当する経済的価値にほかならず、これは相続税又は贈与税の課税対象となるものである」とする。さらに、このことを理由に、「同号の趣旨は、相続税又は贈与税の課税対象となる経済的価値に対しては所得税を課さないこととして、同一の経済的価値に対する相続税又は贈与税と所得税との二重課税を排除したものであると解される」というのである。

そもそも、包括的所得概念により、相続又は贈与により受けた「もの」も所得税の課税対象とするに至った当時、相続税又は贈与税についてはいわゆる遺産課税方式的な課税手法が採用されており、被相続人や贈与者側に課されていたので、所得税が相続又は贈与により受けた「もの」に対して課税をしたとしても二重課税ではなかったものの、国民の納得を得るために非課税規定を設けたのである。すると、最高裁が所得税法９条１項16号を二重課税の排除規定と位置付けることは、という沿革に反する説示であり、疑問の余地も起こり得るところではあろう。また、相続税が非課税などによって課されていなくても、同号は、相続や贈与によって得た所得には課税をしないという規定なのであるから、二重課税の排除規定とする理解は実態にも合致していない。

また、源泉徴収をすべきではない非課税所得に対して源泉徴収を行っていたとしても、源泉徴収義務者が行った源泉徴収自体には問題がないとしている点は、例えば、給与支給者が、非課税所得となるべき交通費をも含めて給与等として源泉徴収の対象としていたとしても、源泉徴収自体には問題がない（問題がないどころか、その非課税部分に係る源泉徴収税額を「国に納付する義務を負う」）と解しているのと同様であり、これまでの源泉徴収制度に対する理解からかけ離れたものであろう。加えて、源泉徴収を受けた者が源泉徴収義務者ではなく、課税庁に対して直接源泉徴収の内容について訴訟を提起するという訴訟ルートの問題についてもこれまでの理解を超えたものであり、所得税法９条１項16号の解釈適用問題以外にも、諸々の点において注目される判決であるといってもよかろう。

そのような点はあるものの、本件最高裁の判断はその後、課税実務においても全面的に取り入れられるようになったのである。

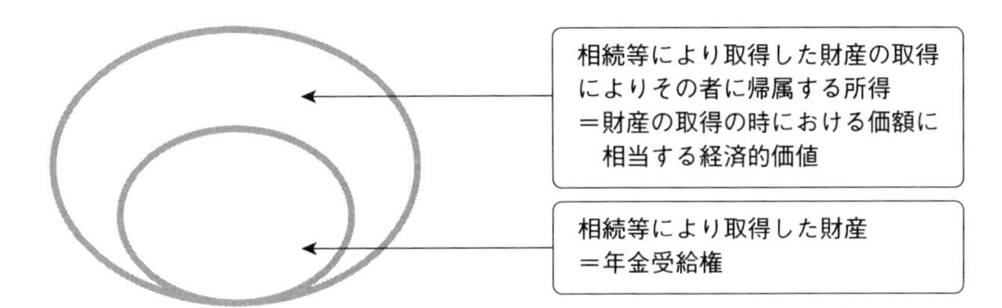

本件最高裁が示した非課税規定の対象、すなわち、〔相続等により取得した財産の取得によりその者に帰属する所得＝財産の取得の時における価額に相当する経済的価値〕をいかに理解するかについては議論のあるところであろうが、これについて、国税庁は、〔財産の取得の時における価額に相当する経済的価値＝年金受給権から得られる年金総額の割引現在価値〕と解釈して、税務上の取扱いを全面的に見直している。これは、同最高裁が、「年金の各支給額のうち…現在価値に相当する部分は、相続税の課税対象となる経済的価値と同一のものということができ、所得税法９条１項15号〔筆者注：現行法16号〕により所得税の課税対象とならないものというべきである」としているからであろう。

このように本件最高裁判決は、所得税法９条１項16号を「経済的価値」の二重課税排除の規定であると解釈している点が注目されるところである。

この判決を受けた後に見直しが行われた国税庁の取扱いは以下のとおりである（国税庁 HP より）。

「相続、遺贈又は贈与（以下「相続等」といいます。）により取得した年金受給権に係る生命保険契約や損害保険契約等に基づく年金の支払を受けている方（具体的には次の①から③のいずれかに該当する方で、保険契約等に係る保険料の負担者でない方）の、その支払を受ける年金に係る雑所得の計算は、課税部分と非課税部分に振り分けた上で計算をします。

具体的には、支払を受けた年金について、年金支給初年は全額非課税とし、２年目以降は課税部分が階段状に増加していく方法により計算します（雑所得の金額は、課税部分の年金収入額から対応する保険料又は掛金の額を控除して計算します。）。

①　死亡保険金を年金形式で受給している方

②　学資保険の保険契約者がお亡くなりになったことに伴い、養育年金を受給している方

③　個人年金保険契約に基づく年金を受給している方

（注１）　相続等により取得した生命保険契約や損害保険契約等に係る年金の受給権

は、相続税や贈与税の課税対象となっていますが、実際に相続税や贈与税の納税額が生じなかった方も対象となります。

（注２）相続等により取得した年金受給権に係る生命保険契約等に基づく年金の受給開始日以前に、年金給付の総額に代えて一時金で支払を受けた場合、所得税は非課税となります（所基通９－18）。

（注３）国民年金、厚生年金、共済年金などの遺族年金は非課税とされています（国民年金法25、厚生年金保険法41②ほか）。

（参考１）　課税・非課税部分の振り分け（旧相続税法対象年金）

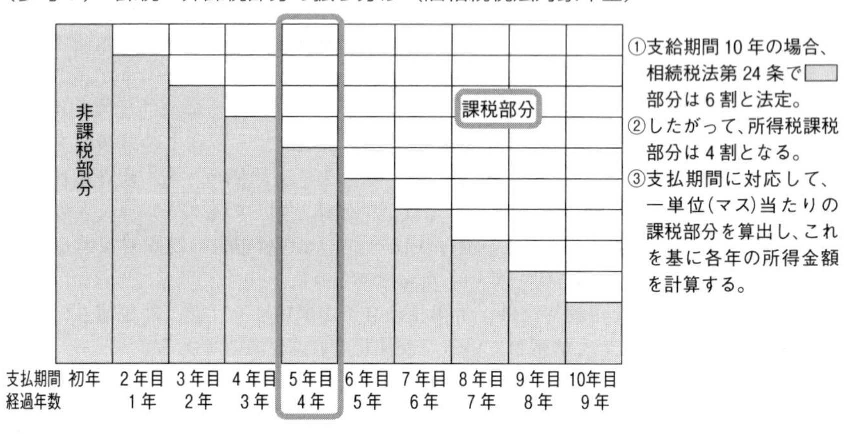

（計算例）　支払期間10年の確定年金（旧相続税法対象年金）を相続した方の支払年数５年目の所得金額の計算のイメージ

（年100万円定額払い、保険料総額200万円の場合）

①　１課税単位当たりの金額：1,000万円×40%÷45マス＝8.8万円
（課税部分）（課税単位数）{10年×（10年－1年）÷2}

②　課税部分の年金収入額：8.8万円×４＝35.2万円
（経過年数）支払開始日からその支払を受ける日までの年数

③　必要経費額：35.2万円×（200万円（保険料総額）÷1,000万円（支払総額））＝７万円

④　課税部分に係る所得金額：35.2万円－７万円＝28.2万円
（雑所得の金額）

㊟「旧相続税法対象年金」とは、年金に係る権利について所得税法等の一部を改正する法律（平成22年法律第６号）第３条の規定による改正前の相続税法第24条（定期金に関する権利の評価）の規定の適用があるものをいいます。

（参考２）　課税・非課税部分の振り分け（新相続税法対象年金）

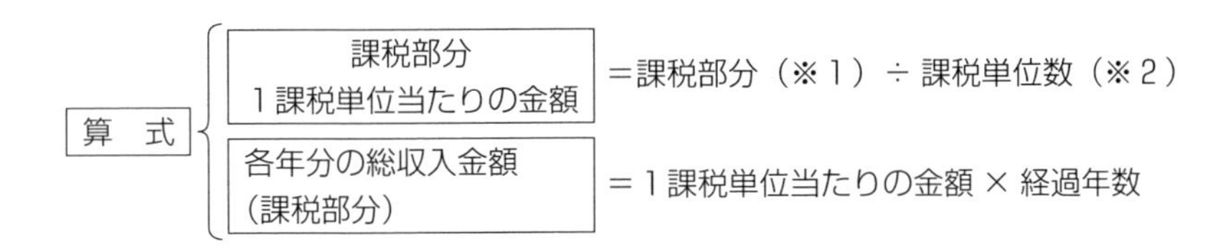

算　式

課税部分 １課税単位当たりの金額	＝課税部分（※１）÷課税単位数（※２）
各年分の総収入金額 （課税部分）	＝１課税単位当たりの金額 × 経過年数

※１　課税部分の金額　＝　支払金額　×　課税割合

課税割合は、相続税評価割合に応じ、それぞれ次のとおりです。

［算式］相続税評価割合＝相続税評価額÷年金の支払総額又は支払総額見込額

相続税評価割合	課税割合	相続税評価割合	課税割合	相続税評価割合	課税割合
50%超　55%以下	45%	75%超　80%以下	20%	92%超　95%以下	5％
55%超　60%以下	40%	80%超　83%以下	17%	95%超　98%以下	2％
60%超　65%以下	35%	83%超　86%以下	14%	98%超	0
65%超　70%以下	30%	86%超　89%以下	11%	－	－
70%超　75%以下	25%	89%超　92%以下	8％	－	－

相続税評価割合が50%以下の場合の計算方法については、税務署にお問合せください。

※２　課税単位数　＝　残存期間年数　×　（残存期間年数　－　１年）　÷　２

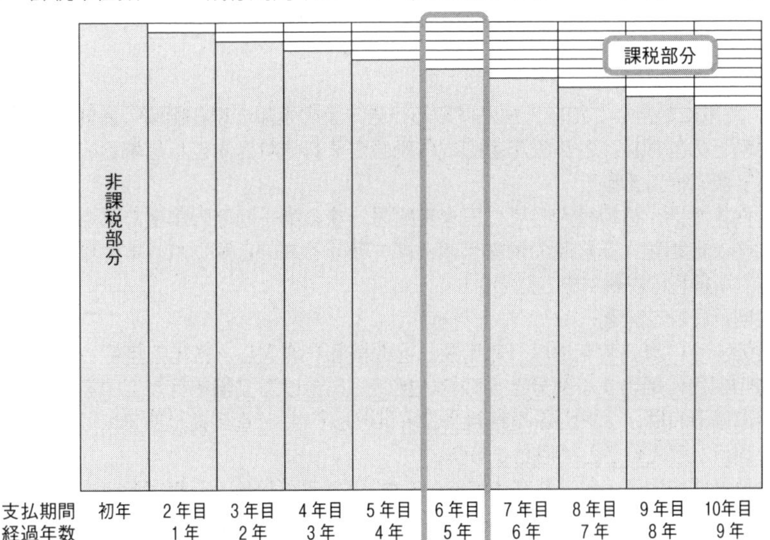

（計算例）　支払期間10年の確定年金（新相続税法対象年金）を相続した方の支払年数６年目の所得金額の計算イメージ

（年100万円定額払い、保険料総額200万円、新相続税法による評価額900万円の場合）

①　相続税評価割合：900万円　÷　1,000万円　＝　90％
（相続税評価額）（支払総額）
②　課税部分（収入金額）の合計金額：1,000万円　×　８％　＝　80万円
（支払総額）（相続税評価割合90％の時の課税割合）
③　１課税単位当たりの金額：80万円　÷　45単位　＝　1.8万円
（課税単位数）｛10年×（10年－１年）÷２｝
④　課税部分の年金収入額：1.8万円　×　５　＝　９万円
（経過年数）支払開始日からその支払を受ける日までの年数
⑤　必要経費額：９万円　×　（200万円　÷　1,000万円）＝　1.8万円
（保険料総額）（支払総額）
⑥　課税部分に係る所得金額：９万円　－　1.8万円　＝　7.2万円
（雑所得の金額）
㈡　「新相続税法対象年金」とは、「旧相続税法対象年金」以外のものをいいます。」

なお、政府税制調査会に設置された最高裁判決研究会は、平成22年10月22日付けで「『最高裁判決研究会』報告書～『生保年金』最高裁判決の射程及び関連する論点について～」を提出している。同報告書では、本件判決の射程範囲が定期金についてのみしか及ばない旨の見解が論じられており、次のようなコメントが付されている。

「・将来にわたって相続人が受け取るべき年金の金額の現在価値の合計額と受取年金総額との差額は、各年の年金の現在価値をそれぞれ元本とした場合の『運用益』の合計額に相当する、
・本件年金は、被相続人の死亡日を支給日とする第一回目の年金であるから、その支給額と被相続人死亡時の現在価値とが一致するものと解され、本件年金の額は、すべて所得税の課税対象とならない、
とも判示されている。

このように最高裁判決は『運用益』との概念を導入し、各年の年金の支給額を相続時の現価に相当する部分とその余の部分とに分ける立論を行っている。この判示内容に鑑みれば、今般の最高裁判決の解釈としては、『運用益』部分には所得税を課する趣旨と考えることが相当である。

より具体的には、最高裁判決においては、『将来にわたって受けるべき年金の総額に相続税法24条所定の一定割合（６割）を乗じて計算した金額（Ａ）が当該年金受給権の価額として相続税の課税対象となるが、この価額（Ａ）は、将来にわたって受け取るべき年金の金額を被相続人死亡時の現在価値に引き直した金額の合計額（Ｂ）に相当する』と述べており、Ｂそのものが『相続税の課税対象』ではなく、あくま

で『相続税課税対象のAは、Bに相当する』と述べている。つまり、将来にわたって受け取る定期金の総額の割引現在価値（将来収益の束の割引現在価値）そのものではなく、あくまで法定の評価方法によって評価がなされた経済的価値（『相続税法24条により評価された経済的価値』）が相続税の課税対象となっていると捉えた上で、所得税法９条１項16号を当てはめ、『運用益』の合計額については、各年分において課税しても、所得税法９条１項16号で排除しているところの相続税と所得税の二重課税とはならないとしているものと解される。

なお、仮にこの『運用益』部分を所得税非課税としてしまうと、所得概念を包括的に捉えることを立法の指針としている我が国所得税の基本的枠組みとの間で不整合が生じることとなる。」

裁判例の紹介

土地二重課税訴訟

相続した土地の含み益への譲渡所得課税が適法とされた事例

（44第一審東京地裁平成25年６月20日判決・税資263号順号12238）[31]

（45控訴審東京高裁平成25年11月21日判決・税資263号順号12339）

（46上告審最高裁平成27年１月16日第二小法廷決定・税資265号順号12588）

〔事案の概要〕

本件は、亡Ａから相続により取得した不動産の譲渡に係る所得税を分離長期譲渡所得の金額に計上し、平成21年分所得税の確定申告をしたＸ（原告・控訴人・上告人）が、上記譲渡に係る譲渡所得のうち、亡Ａの保有期間中の増加益に相当する部分については所得税法９条１項15号（現行法16号。以下「本件非課税規定」ともいう。）の規定により所得税を課されないことを理由に、Ｓ税務署長に対して、平成21年分所得税の更正の請求をしたところ、Ｓ税務署長から、更正をすべき理由がない旨の本件通知処分を受けたため、国Ｙ（被告・被控訴人・被上告人）を相手取りかかる処分の取消しを求めた事案である。

具体的事実関係はおおむね次のとおりである。

亡Ａが平成19年10月７日に死亡したため、亡ＡとＵとの間の子であるＸは、本件土地及び建物（以下「本件建物等」という。）の亡Ａの共有持分を相続により取得した。その結果、ＸとＵは、本件建物等をＸが持分６分の５、Ｕが持分６分の１の割合で共有することとなった。Ｘ及びＵは、平成21年７月31日に訴

31）判例評釈として、山田二郎・ジュリ1476号112頁（2015）、酒井克彦・税務事例45巻９号１頁、10号15頁（2013）参照。

外Ｂに対して、代金2,100万円（Ｘの持分に相当する金額は1,750万円）で本件建物等を譲渡（以下「本件譲渡」という。）した。

Ｘは、平成22年３月12日にＳ税務署長に対して、本件譲渡に係る譲渡所得の内訳として、譲渡価額1,750万円、取得費（昭和41年３月19日）282万1,237円、譲渡のための費用51万6,917円、譲渡所得金額1,416万1,846円を含む平成21年分所得税の確定申告を行った。

その後、Ｘは、平成23年３月２日に、Ｓ税務署長に対して、分離長期譲渡所得の金額を零円、還付金の額に相当する税額を48万3,195円とする平成21年分の所得税の更正の請求を行った。この更正の請求は、本件譲渡に係る譲渡所得のうち、亡Ａの保有期間中の増加益に相当する部分については、本件非課税規定により所得税を課されないことを理由とするものである。なお、Ｘは、亡Ａの相続に係る相続税の共有持分の相続評価額を2,034万7,675円としていたところ、本件譲渡の代金2,100万円のうちＸの持分に相当する金額は1,750万円であり、この金額は、上記相続税評価額を下回るものであるため、Ｘは、本件譲渡に係る譲渡所得の金額の全てが非課税所得になるとしたのである。

〔争点〕

相続した土地の譲渡において、当該土地に係る含み益のうち、被相続人が所有していた期間に係る所得税については、相続税と譲渡所得に係る所得税との二重課税が生じているとして、所得税法の非課税規定が適用されるか否か。

〔判決の要旨〕

1　東京地裁平成25年６月20日判決

(1)「相続税の課税対象となる当該資産の相続開始時における価額に相当する経済的価値の中には、被相続人の保有期間中に抽象的に発生し蓄積された資産の増加益が未実現のまま含まれているということができる場合、相続税の課税対象が、相続人が相続により取得した財産の経済的価値であるのに対して、…譲渡所得に対する所得税の課税対象となる被相続人の保有期間中の増加益は、被相続人の保有期間中にその意思によらない外部的条件の変化に基因する資産の値上がり益として抽象的に発生し蓄積された資産の増加益（被相続人がその資産を譲渡していれば被相続人に帰属すべき所得）が相続人による資産の譲渡により実現したものであるから、当該資産の譲渡により相続人に帰属する所得に所得税を課したとしても、実質的に同一の経済的価値に対する相続税と所得税との二重課税が行われることとなるとまでいうことはできない。」

「相続により取得した資産の譲渡に係る譲渡所得については、所得税法60条１項１号の規定が置かれており、同規定が、取得価額の引継ぎの方法により、相続時においては、被相続人の保有期間中の増加益に対する所得税の課税を繰り延べ、その後、相続人が相続により取得した資産を譲渡したときに、被相続人の保有期間中の増加益と相続人の保有期間中の増加益とを合わせて当該資産の譲渡に係る譲渡所得とし、相続人に課税するものとしていること…によれば、所得税法は、被相続人の保有期間中に抽象的に発生し蓄積された資産の増加益について、相続人が相続により取得した財産の経済的価値が相続人に対する相続税の課税対象となることとは別に、相続人に対する所得税の課税対象となることを予定しているものであるということができる。」とした上で、「そうすると、相続により取得した資産の譲渡に係る譲渡所得のうち被相続人の保有期間中の増加益に相当する部分については、本件非課税規定の適用により所得税に課税対象から除外し所得税を課さないものとすることはできないこととなる。」

⑵ 「仮に、計算規定及び非課税規定の一般的な性質ないし両規定の一般的な関係として、Xが主張するような性質ないし関係があるということができるものとしても、個別の計算規定及び非課税規定がどのような性質を有し、また、両規定がどのような関係にあるかは、上記の一般的な性質ないし関係のみから直ちに決定されるものではなく、当該規定の文言や当該法令等の中における位置付けをも併せ考えて決定されなければならないものである。そして、このような見地からすると、所得税法は、被相続人の保有期間中に抽象的に発生し蓄積された資産の増加益について、相続人が相続により取得した財産の経済的価値が相続人に対する相続税の課税対象となることとは別に、相続人に対する譲渡所得の課税対象となることを予定しているものということができることは上記…のとおりである。これを敷衍すると、被相続人の保有期間中の増加益は、本来被相続人の所得であるから、相続人が相続により当該資産を取得したからといって、当然に相続人に対する所得税の課税対象となるものではないのであり、同法60条１項１号の規定は、取得価額の引継ぎの方法により、相続時においては、被相続人の保有期間中の増加益に対する所得税の課税を繰り延べ、その後、相続人が相続により取得した資産を譲渡したときに、被相続人の保有期間中の増加益を含む譲渡所得に係る所得税を相続人に課税することを明確に定めた規定であると解するほかないところ、仮に被相続人の保有期間中の増加益について本件非課税規定の適用があるものとするならば、同法が60条１項１号の規定と本件非課税規定をそのようなものとして定めているとは考え難いというべきである。」

⑶ 「Xの更正の請求には理由がないということができる。」

2　東京高裁平成25年11月21日判決

東京高裁は次のように原判決に付言する。

「⑴　議論の便宜上、被相続人Aが価額80で購入した土地につき、その価額が100となった時点で、Aが死亡して相続により相続人Bがこれを取得し、その後、

Ｂがこれを他に価額110で売却した（Ａの保有期間中の増加益は20、Ｂの保有期間中の増加益は10）という事例を想定し、この事例について検討する。」とし、「所得税法の下では、上記(1)の事例において、Ｂが当該土地を他に売却したとき、Ｂに、Ａの保有期間中の増加益20とＢの保有期間中の増加益10との合計30に対する所得税が課されるが、そのうちＡの保有期間中の増加益20に対する部分は、本来相続時にＡに課されるべきものが繰り延べられていたという性質を有するものであって、相続人であるＢ固有の所得に対する課税ではなく、被相続人であるＡ固有の所得に対する課税の繰延べとみるべきものである。

他方、Ｂに課される相続税は、もとよりＢが相続により当該土地を取得したことによるＢ固有の経済的利得（100）に対するものである。

そうとすると、Ｂに課される100に対する相続税とＡの保有期間中の増加益20に対する所得税とが、実質的に同一の経済的価値に対して二重に課税するものであるとはいうことができない。」

3　上告審**最高裁平成27年１月16日第二小法廷決定**は、Ｘの上告を棄却し、上告不受理とした。

〔コメント〕

前述の年金二重課税事件については、学説も国税庁が示す取扱いもこれを認める方向で多数説が形成されているのが現状であろう。

金子宏教授も、「被相続人が契約者および被保険者である終身生命保険契約の年金払生活保障特約条項に基づき相続人が受け取る年金については、その現在価値に相続税を課税し、２期以降に受け取る年金については、その金額から、それに対応する相続税の課税済み金額を控除した収益部分についてのみが所得税の課税の対象となると解すべきである。」と述べられる（金子・租税法303頁）。

そうであるとすると、年金二重課税事件最高裁判決の射程範囲が次に問題となる。

前述の年金二重課税事件**43**最高裁平成22年７月６日第三小法廷判決（94頁参照）は、夫の死亡に基づき妻が受け取った年金払保障特約年金について、所得税法９条１項16号の適用により非課税所得に該当するとしたのであるが、この判決の考え方が、他の二重課税が問題とされる事案にまで及ぶと解するべきかが議論されていたところ、この点を直接に争う事案として注目されたのが、本件である。

本件では、相続した土地を譲渡した相続人が、当該土地に係る含み益のうち、被相続人が所有していた期間に係る所得税については、相続税と譲渡所得に係る所得税との二重課税が生じているとして、所得税法の非課税規定が適用されると解するべきか否かが問題となったが、本件判決は土地の含み益部分について所得税法９条１項16号は及ばないと判断した。

次図において、左側が年金二重課税事件の事例で、右側が本件事案である。

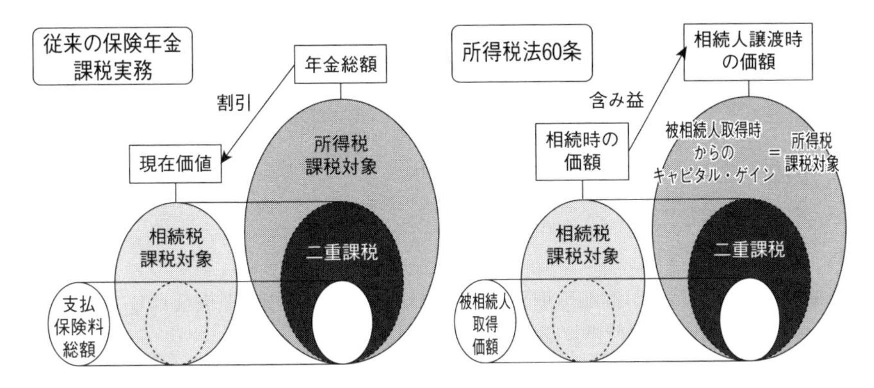

所得税法60条《贈与等により取得した資産の取得費等》は、同条59条《贈与等の場合の譲渡所得等の特例》の適用がない場面における簿価の引継ぎを規定したものであるが、簿価が贈与者や被相続人に引き継がれるということは、受贈者や相続人が第三者に係る資産を移転した場合の譲渡所得の金額の計算において、控除される取得費が贈与者や被相続人の取得費を意味することになるから、財産取得の際の相続税等評価額よりもかかる価額が低い場合には、その分だけ所得税が課されることとなり、相続税等と所得税との二重課税が発生することになるのである。

前述の年金二重課税事件最高裁判決が、所得税法９条１項16号を「経済的価値」の二重課税排除の規定であると解釈しており、この理解を前提とすれば、本件のような場合についても同様に理解すべきとするのがＸの主張であった。本件判決はこの点について否定的であるが、年金二重課税事件最高裁判決が所得税法上の規定にない「運用益」部分のみを課税するという態度に出たことからすれば、既に最高裁は所得税法の実定法規のみでは解釈できない判示をしていることになる。そのことからすれば、同最高裁判決を妥当とするのであれば、本件におけるＸの主張のような立論の余地はあり得るのかもしれない。本件は、年金二重課税最高裁判決の射程範囲をどう理解すべきかという点をも含めて関心の寄せられるべき事案であるといえよう。なお、本件高裁判決は、「平成22年最判は、相続人が保険会社から受領する年金払特約付き生命保険の年金について本件非課税規定により所得税が課せられないかどうかが問題となった事案であり、本件とは事案を異にしている。」と述べ、本件は、同最高裁判決の射程外にあるとしている。

また、Ｘの主張が通れば所得税法60条が空文化するということが論じられているが、この点は同法９条と60条の適用関係を混同しているとしか思えない。所得税法60条によって帳簿価額の引継ぎがあるとしても、それはあくまでも譲渡所得に係る課税の計算ルールにすぎないのであるから、非課税所得であるものが同条によって課税されるなどということはあり得ないのである。例えば、対象資産が所得税法９条１項９号にいう「生活に通常必要な動産」であった場合、同法60条の存在を考慮して、非課税所得でなくなるなどということは解釈として採り得ないのである。

裁判例の紹介

和解金訴訟

商品先物取引に関し商品取引員から不法行為に基づく損害賠償金として受け取った和解金が非課税所得に該当するとされた事例

（**47**第一審名古屋地裁平成21年9月30日判決・判時2100号28頁）[32)]
（**48**控訴審名古屋高裁平成22年6月24日判決・税資260号順号11460）[33)]

〔事案の概要〕

本件は、X（原告・被控訴人）が、商品取引員であるA商事に委託して行った商品先物取引に関しA商事から受け取った和解金457万455円（以下「本件和解金」という。）を所得に計上せずに平成15年分の所得税の確定申告を行ったところ、処分行政庁から本件和解金を雑所得として計上することなどを内容とする更正処分及び過少申告加算税賦課決定処分を受けたことから、国Y（被告・控訴人）を相手取りこれらの処分の取消しを求めた事案である。

Xは、平成13年4月23日から平成14年7月2日までの間、A商事に委託して商品先物取引を継続的に行い、1,281万5,795円の損失を被った（以下、この商品先物取引を「本件先物取引」という。）。なお、A商事は、本件先物取引の委託手数料として1,425万7,900円を得た。

Xは、平成15年2月25日、A商事との間で、本件先物取引に関し、次のような本件和解契約を締結した。

① A商事は、本件先物取引において、XとA商事との間に意思疎通を欠いた取引があったことを認め、本件和解金457万455円の支払義務があることを認める（第1条）。
② A商事は、本件和解金としてXに対して支払う457万455円のうち、7万455円を帳尻損金に充当し、450万円を平成15年3月14日限り、Xの指定する口座に送金して支払う（第2条〈1〉）。
③ Xは、A商事が第2条の債務を履行したときは、A商事及びその従業員に

32) 判例評釈として、奥谷健・判時2117号148頁（2011）、山本洋一郎・自正61巻2号26頁（2010）、岩﨑宇多子・税理53巻2号220頁（2010）、福井智子・税務事例43巻5号102頁（2011）など参照。
33) 判例評釈として、山本洋一郎・税法567号263頁（2012）、秋山友宏・税務事例43巻6号16頁（2011）など参照。

対する民事上の請求並びに行政上の一切の不服申立権を放棄する（第３条）。

④　ＸとＡ商事は、本件先物取引に関し、本件和解契約の各条項に定めるもののほか、相互に債権債務のないことを確認する（第４条）。

〔争点〕

①　本件和解金がＡ商事の不法行為に基づく損害賠償金に当たるか否か。

②　本件和解金が所得税の課税対象となるか否か。

〔判決の要旨〕

1　名古屋地裁平成21年９月30日判決

「Ａ商事はＸに対し本件先物取引について不法行為責任を負っており、本件和解金の額は過失相殺後の損害賠償金額の範囲内であるから、本件和解契約は、この不法行為に基づく損害賠償金として本件和解金を支払う趣旨で締結されたものと認めるのが相当である。」

「本件においては、本件和解金が施行令〔筆者注：所得税法施行令〕30条２号にいう『不法行為その他突発的な事故により資産に加えられた損害につき支払を受ける損害賠償金』に当たるかどうかが問題となるところ、この点につき、Ｙは、同号にいう『不法行為』とは、『突発的な事故』と同様の不法行為、すなわち、相手方との合意に基づかない突発的で予想することができない不法行為を意味するものであると主張する。

しかしながら、施行令30条２号は、『不法行為その他突発的な事故』と規定しているのであり、『不法行為その他の突発的な事故』と規定しているのではない。法令における『その他』と『その他の』の使い分けに関する一般的な用語法に照らせば、同号において『不法行為』と『突発的な事故』は並列関係にあるものとして規定されていると解されるのであって、文言上、同号にいう『不法行為』をＹが主張するように限定的に解すべき根拠はない。また、不法行為の態様が、突発的な事故ないしそれと同様の態様によるものであるか、又はそれ以外の態様によるものであるかによって、当該不法行為に係る損害賠償金の担税力に差異が生ずるものではないから、損害賠償金が非課税所得とされている立法趣旨に照らしても、同号にいう『不法行為』は突発的な事故と同様の態様によるものに限られると解する理由はない。」

「Ｙは、本件和解金が施行令30条柱書きの括弧書きにより非課税所得とはならないと主張する。

施行令30条柱書きの括弧書きは、損害賠償金等の額のうちに損害を受けた者の各種所得の金額の計算上必要経費に算入される金額を補てんするための金額が含まれている場合には、当該金額を控除した金額に相当する部分を非課税所得とする旨規定している。同括弧書きの趣旨は、損害賠償金等の額のうちに損害を受けた者の各種所得の金額の計算上必要経費に算入される金額を補てんするための金額が含まれている場合には、当該金額を非課税所得となる金額から控除しなければ、当該金額につき非課税所得と必要経費の控除という二重の控除を認めることとなってしまうため、これを防ぐことにあるものと解される。

Ｘは、本件先物取引による売買差益と委託手数料、取引所税及び消費税を差引き計算すると、1,281万5,795円の損失を被っており、本件和解金は、これをＸの損害とみて、その一部を不法行為に基づく損害賠償金として支払うこととしたものということができるところ、本件の事実関係の下では、本件和解金の中に、これを非課税所得とした場合に上記のような必要経費としての控除との二重の控除を認めることとなる金額が含まれているとは認められない。そうであるとすれば、本件和解金が施行令30条柱書きの括弧書きにより非課税所得には当たらないということはできず、Ｙの上記主張は採用することができない。」

「また、Ｙは、本件和解金が施行令94条１項２号所定の補償金等に当たり、施行令30条２号括弧書きにより非課税所得から除外されると主張する。

施行令94条１項柱書きは、『不動産所得、事業所得、山林所得又は雑所得を生ずべき業務を行なう居住者が受ける次に掲げるもので、その業務の遂行により生ずべきこれらの所得に係る収入金額に代わる性質を有するものは、これらの所得に係る収入金額とする。』と定め、同項２号は『当該業務の全部又は一部の休止、転換又は廃止その他の事由により当該業務の収益の補償として取得する補償金その他これに類するもの』と定めているから、同号所定の補償金等に該当するものは、休業補償、収益補償等の事業の遂行による得べかりし利益に代わるものであって、実損害を補てんするための損害賠償金がこれに含まれると解することはできない。

本件和解金は、Ｘに生じた実損害を補てんするための損害賠償金であるから、施行令94条１項２号所定の補償金等に当たるということはできず、Ｙの上記主張は採用することができない。」

「そうすると、本件和解金は法９条１項16号、施行令30条２号により所得税を課すことができない所得であるというべきである〔。〕」

2　名古屋高裁平成22年６月24日判決

「Ｘが支払わされた多額の委託手数料等は、委託者の利益を度外視し、Ａの利益のために、その取得のみを目的とする違法な行為による損害そのものであって、差引計算上認められる売買差益を得るための必要経費などではない。このように、違法に委託手数料の支払をさせるなどしたこと自体がＸに損害を発生させる不法行為であり、本件和解金は、そのような不法行為によってＸが被った損失に対する原状回復のための損害賠償金の一部であるにすぎないのであるから、本件和解金の中には施行令30条柱書きの括弧書きにいう『所得の金額の計算上必要経費に算入される金額を補てんするための金額』が含まれていると考える余地はなく、このことは、所得税法が期間計算主義を取っていることによって左右される事柄でもない。…以上のとおりであるから、本件和解金が同括弧書きにより非課税所得に当たらないということはできず、Ｙの上記主張は採用することができない。」

〔コメント〕

本件地裁判決及び高裁判決は、上記のとおり、本件和解金が非課税所得に該当すると判示している。

ここでは、物的損害に対しては、そもそも、突発的な事故など予測不可能なもののみを非課税所得の対象となると解されるとするＹ側の主張が裁判所によって排斥されたのであるが、本件地裁判決は所得税法施行令の規定振りから次のように判示したわけである。すなわち、「施行令30条２号は、『不法行為その他突発的な事故』と規定しているのであり、『不法行為その他の突発的な事故』と規定しているのではない。」から、「法令における『その他』と『その他の』の使い分けに関する一般的な用語法に照らせば、同号において『不法行為』と『突発的な事故』は並列関係にあるものとして規定されていると解される」というのである。これは条文の読み方から導かれる一般的な理解に従うものであると思われる。

問題は、そのような突発的な事故が「不法行為のような」ものに限定されるかどうかである。本件地裁判決のように解したとしても、なぜ、所得税法施行令が、「不法行為」という用語を条文に使っているのかという点についての配慮が欠落している点は気になるところである。

本件地裁は、「同号にいう『不法行為』は突発的な事故と同様の態様によるものに限られるとする理由はない。」として、Ｙの主張を排斥している。

他方、本件の和解金に、ある種の紛争解決金的な意味があると認定される余地もあったように思われる。

裁判例の紹介

非課税対象の保険金か課税対象の退職金か

代表者が保険金を原資として支払を受けた金員が退職所得に該当するとされた事例

（**49** 第一審神戸地裁平成13年２月28日判決・税資250号順号8848）

〔事案の概要〕

資本金の額300万円、取締役４名（代表取締役１名を含む。）の有限会社であり、同族会社であるX社（原告）が、訴外B生命会社（以下「B」という。）から支払を受けた高度障害保険金1億1,031万960円を原資として、X社の前代表取締役乙（以下「前代表者」という。）に支払った5,500万円につき、税務署長Y（被告）は、これを退職金に該当するものとして、源泉徴収に係る所得税の納税告知処分並びに不納付加算税賦課決定処分を行った。

本件は、X社が、かかる金員は①非課税とされている「高度障害保険金」に該当し、そうでないとしても、②災害等の見舞金で、その金額がその受贈者の社会的地位、贈与者との関係等に照らし社会通念上相当と認められるもの（所基通9－23）に該当するから、所得税は課されないにもかかわらず、それに反してなされた本件各処分は違法であるとして、その取消しを求めた事案である。

〔争点〕

本件金員が、下記の非課税所得のいずれかに該当するか、それとも退職金に該当するか。

① 損害保険契約に基づき支払を受ける保険金で、心身に加えられた損害に基因して取得するもの（所法9①十七：高度障害保険金）。

② 災害等の見舞金で、その金額がその受贈者の社会的地位、贈与者との関係等に照らし社会通念上相当であると認められるもの（所基通9－23：社会通念上相当な見舞金）。

〔判決の要旨〕

○　神戸地裁平成13年2月28日判決

「まず、本件金員が非課税所得たる高度障害保険金に該当するかどうかについて検討する。」

「X社は、Bとの間で、被保険者を当時X社の代表取締役であった前代表者、保険金受取人をX社とする本件保険契約を締結し、その保険料をBに支払ってきたこと、X社は、平成5年11月21日Bから受け取った本件保険金（1億1,031万960円）を会計処理上益金として雑収入勘定に計上し、平成6年1月21日、本件保険金を原資として約50パーセントに当たる本件金員（5,500万円）を前代表者に支払ったこと…、その際、X社は、これを『退職金』の支給として経理処理したこと…、平成6年2月期損益計算書にも、『販売費及び一般管理費の計算内訳』の欄に『退職金等』として本件金員5,500万円と平成6年2月18日支給の500万円の合計額である6,000万円を計上したことに照らせば、本件金員は、所得税法9条1項16号〔筆者注：現行17号。以下同じ。〕に規定する『保険金』には該当しないと認めるのが相当である。」

「X社は、X社の前代表者に対する本件金員の支払は、保険金は本来的に被保険者のものであるとの社会通念に沿ったものである旨主張する。しかし、本件保険契約は、前記…のとおり、保険金受取人をX社としているのであり、X社が主張するとおり本件保険金のうちの本件金員は本来的に被保険者のものであるというのであれば、被保険者である前代表者を受取人とする保険契約を締結すべきであり、しかも、そのような方法をとることは容易であることからすると、あえて、そのような内容の契約をしていない以上、本件金員が本来的に前代表者のものであるとまでいうことはできない。」

「そうすると、本件金員は高度障害保険金に該当しないというべきである。」

「次に、本件金員が非課税所得たる社会通念上相当な見舞金に該当するかどうかについて検討する。」

「所得税基本通達9－23は、『葬祭料、香典又は災害等の見舞金』で、『その金額がその受贈者の社会的地位、贈与者との関係等に照らし社会通念上相当と認められるもの』については、所得税法施行令30条の規定により課税しないものとする旨定めている。」

「前代表者は、X社の創業者で、昭和52年3月29日のX社設立以来、平成4年7月25日に本件交通事故に遭うまで、代表取締役として実質的にX社の経営に携わり、多大な貢献をしてきた…。しかし、…本件金員は、5,500万円という多額なものであること、平成5年取締役会決議において、前代表者に対する退職慰労金として支給するものとされた金額は1,258万円にすぎないこと、X社は本件金員の支払に当たり、『退職金』の支給として経理処理したこと、平成6年2月期損益計算書にも、『販売費及び一般管理費の計算内訳』の欄に『退職金等』として本件金員5,500万円を含む6,000万円を計上したこと、そして、X社は有限会社で、規模もそれほど大きくない同族会社であることからすれば、本件金員は、葬祭料、香典とともに列挙された災害等に対する見舞金として社会通念上相当なものであるということは到底できない。

したがって、本件金員は、所得税基本通達9－23、所得税法施行令30条3号、所得税法9条1項16号に規定する社会通念上相当な見舞金には該当しないと認めるのが相当である…。」

〔コメント〕

本件において、神戸地裁は、本件金員は社会通念上相当な見舞金には該当せず退職所得に該当するとして源泉徴収の対象となると判示している。その判断の前提として、同地裁は、そもそも本件金員が非課税所得の対象となる「保険金」には該当しないと説示しているが、そこでは、会社がいかなる会計処理をしていたかという点が強調されている。この点は、会社の処理次第で非課税所得にもなり得るということを意味するのであろうか。そうであるとすれば、かような解釈はミスリードであると思われる。

やはり、法的見地から、保険契約上X社が保険金の受取人であるという点を重要視すべきだったのではなかろうか。

裁判例の紹介

「傷害に基因して支払われる保険金」の意義

所得税法施行令30条1項1号に規定する「傷害に基因して支払われる」保険金等には、「死亡に基因して支払われる」保険金等は含まれないとされた事例

（50第一審名古屋地裁平成元年7月28日判決・税資173号417頁）
（51控訴審名古屋高裁平成2年1月29日判決・税資175号204頁）
（52上告審最高裁平成2年7月17日第三小法廷判決・集民160号219頁）[34]

〔事案の概要〕

X（原告・控訴人・上告人）は、訴外M生命との間に、保険契約者及び保険金受取人をXとし、被保険者をXの実子である訴外Tとする、(a)商品名「こども総合保険」（A保険）及び(b)商品名「ダイヤモンド保険ユース」（B保険）に係る本件生命保険契約をそれぞれ締結した。Xは、本件生命保険契約に基づき、毎月の保険料を訴外M生命に振り込んでいたところ、訴外Tが不慮の事故で死亡したので、訴外M生命に対し本件生命保険契約に基づき保険金等の支払を受けるべく保険金請求書を提出した。

訴外M生命は、Xの請求に基づき保険金を支払ったが、その支払根拠は、A保険については、同保険約款の「被保険者が保険期間中に所定の不慮の事故…によって死亡したときは、…死亡給付金及び…災害死亡給付金を支払うこと」等の規定に基づく災害死亡給付金100万円及び同約款各規定に基づく死亡給付金41万5,600円並びに同約款56条の規定に基づく社員配当金1万1,000円の各支払であり、B保険については、B保険約款における「被保険者が、責任開始時以後に発生した不慮の事故…を直接の原因として、その事故の日から180日以内の第1保険期間中に死亡したとき」は、特定死亡保険金として死亡保険金額の倍額を支払うとの規定に基づく特定死亡保険金1,000万円及び「被保険金が、この特約の責任開始時…以後に発生した不慮の事故…を直接の原因として、その事故の日から180日以内のこの特約の保険期間中…に死亡したとき」は、所定の災害死亡保険金を支払うとの規定に基づく災害死亡保険金500万円の各支払である（以下、Xが訴外M生命から受け取った保険金等を「本件保険金等」という。）。

本件は、税務署長Y（被告・被控訴人・被上告人）が本件保険金等につき所得税の決定処分を行ったことから、Xがかかる処分の取消しを求めて提訴した事例である。

34）判例評釈として、佐藤英明・ジュリ984号206頁（1991）、石倉文雄・平成2年度主要民事判例解説〔判タ臨増〕314頁（1990）など参照。

なお、Xは、Xが訴外M生命から受け取った本件保険金等は、被保険者である訴外Tの「傷害に基因する死亡」に対して支払われたものであるから、所得税法9条1項21号（現行17号）及び同法施行令30条《非課税とされる保険金、損害賠償金等》1号の規定に該当し、非課税所得として扱われるべきものであると主張した。

〔争点〕

所得税法施行令30条1項1号に規定する「傷害に基因して支払われる」保険金等には、「死亡に基因して支払われる」保険金等が含まれるか否か。

〔判決の要旨〕

1　名古屋地裁平成元年7月28日判決

「本件保険金等が本件適用法令の規定する非課税所得に該当するか否かについては当事者間に争いがあるところ、以下の(1)ないし(4)に記載の理由から、本件保険金等のような死亡により基因して支払われる保険金等は、本件適用法令により非課税とされる所得には当たらないと解するのが相当である。

(1)　法9条1項21号〔筆者注：現行17号。以下同じ〕は、『損害保険契約に基づき支払を受ける保険金及び損害賠償金（これらに類するものを含む。）で、心身に加えられた損害…に基因して取得するものその他の政令で定めるもの』を非課税所得にする旨規定し、これを受けて、令30条1号は法9条1項21号にいう損害賠償金の一つとして、『損害保険契約に基づく保険金及び生命保険契約に基づく給付金で、身体の傷害に基因して支払を受けるもの並びに心身に加えられた損害につき支払を受ける慰謝料その他の損害賠償金』が該当する旨規定しているが、右各規定が『傷害に基因して支払われる』保険金等に限定し、『死亡に基因して支払われる』保険金等には何ら言及していないことからすれば、文理解釈上は、本件保険金等のように死亡に基因して支払われる保険金は、本件適用法令の規定する非課税所得に含まれないと解するのが自然である。

(2)　また、法9条1項20号〔筆者注：現行16号。以下同じ〕は、『相続、遺贈または個人からの贈与により取得するもの（相続税法…の規定により、相続、遺贈または個人からの贈与により取得したものとみなされるものを含む。）。』と規定して、相続税法がみなし相続財産等とする死亡保険金（たとえば、相続税法3条1項1号）を非課税所得に含めているが、これは、相続財産等とみなされる死亡保険金に対する所得税と相続税の二重課税を避けるために、所得税法上はこれを非課税所得として扱う趣旨と解せられるところ、これからすれば、所得税法は、右規定に定める以外の死亡保険金を課税所得とすることを当然の前提にしているものと解されるのである。

(3)　加えて、本件適用法令の趣旨は、傷害に基因して支払われる保険金等は、それが、受傷者自身や受傷者の配偶者若しくは直系血族または生計を一にするその他の親族に支払われる場合には、通常受傷者の治療費等に費消されることにかんがみて、これに課税することは現に療養中の受傷者に対し酷な結果になるとの政策的配慮にあると解せられるところ、傷害による死亡に基因して支払われる保険金等の場合には、受傷者自身は既に死亡しているのであって、かかる保険金等に課税しても受傷者自身に対して酷な結果が生じることはなく、傷害のみに止まる場合とは明らかに状況を異にするのであり、これからすると、所得税法上傷害に基因して支払われる保険金等のみを非課税所得とし、死亡により基因して支払われる保険金等は課税する取扱いをしても、実質的にも必ずしも不合理であるとはいえない。

⑷　Ｘは、傷害に止まらず死亡に至った場合の方が重大な災害であること、死亡の場合にも葬儀代等の費用が必要であり、この点傷害に止まる場合と大きな事情の相違はないこと等を挙げて、本件適用法令により非課税とされる所得には、本件保険金等のような傷害による死亡に基因して支払われる保険金等も含めて解するべきである旨主張するが…、Ｘの右主張は、所得税法の解釈の範囲を超えた立法論ともいうべきものであって、前記⑴ないし⑶の理由のほか、課税の公平性、明確性の見地から非課税所得を制限的に列挙した法９条には厳格な解釈が要求されることにかんがみても、採用することができない。」

2　控訴審**名古屋高裁平成２年１月29日判決**及び上告審**最高裁平成２年７月17日第三小法廷判決**も第一審判断を維持している。

〔コメント〕

上記のとおり、本件名古屋地裁は、所得税法施行令30条《非課税とされる保険金、損害賠償金等》にいう「傷害」という概念には、「死亡」が含まれないと解する判断を展開した。ここでは、所得税法上傷害に基因して支払われる保険金等のみを非課税所得とし、死亡に基因して支払われる保険金等に課税する取扱いをしても、実質的に不合理であるとはいえない旨を論じていることからすれば、生存者の担税力を配慮した非課税措置だと整理しているようである。

文理解釈の立場からみれば妥当な判断であるともいえるが、他方で、同条にいう「傷害」に「疾病」を読み込む課税実務との整合性が問題となり得る。すなわち、所得税基本通達は、疾病により重度傷害の状態になったことなどにより、生命保険契約又は損害保険契約に基づき支払を受けるいわゆる高度障害保険金、高度障害給付金、入院給付金等についても、所得税法施行令30条１号に規定する「身体の傷害に基因して支払を受けるもの」に該当することとして取り扱う旨通達しているのである（所基通９－21）。

そもそも、所得税法施行令30条１号が「傷害」という概念を採用している点についても疑問が提起されている。例えば、植松守雄氏は、「何故『傷害』が含まれて『死亡』が入らないのか合理的な説明がしにくく、また、この点については相続財産とされる死亡保険金（被保険者（被相続人）が保険料負担者であるもの）については相続人１人につき500万円まで相続税が非課税とされている（相法12①五）こととのバランスをどのように考えるかといったことにも関連する問題である。」と指摘されている（注解所得税法研究会・注解935頁）。

もっとも、本件名古屋地裁は、所得税法施行令30条にいう「傷害」という用語についてのみ判断しているわけではなく、所得税法９条１項16号や相続税法を確認した上で文理解釈を展開しているのである。この点は、本件名古屋高裁が「所得税法と相続税法はそれぞれの課税目的を有する別個独立の法律であるが、それらが相互に矛盾なく機能し、適正な課税がなされねばならないことは当然であるから、死亡保険金に関する所得税法の解釈適用にあたっても、所得税と相続税の二重課税を避けるために相続税法の諸規定もふまえた上、これと矛盾なく整合性をそなえた解釈をすべきものである。従って、支払われた死亡保険金が所得税法の課税対象となる所得にあたるか否かを判断するに際し、相続税法の規定を検討し、その結論を導き出す根拠の一つとして同法の規定を援用しても何ら異とすべきものではない。」と述べており、かかる追加的説示を加えているところでもある。

(3)　障害者等マル優制度

「障害者等の少額預金の利子所得等の非課税制度」には、次の二つがあるが、いずれも政策的なものであり、租税特別措置法において規定されている。なお、いずれも元本が１人350万円である。

①　障害者等の少額預金の利子所得等の非課税制度（マル優：所法10、措法3の4）

②　障害者等の少額公債の利子の非課税制度（特別マル優：措法４）

裁判例の紹介

マル優制度を利用しない合意の違法性

納税者と金融機関との間でマル優制度の適用を除外する旨を預金契約の特約として定めることができるか否かが争われた事例

（**53**第一審東京地裁平成23年７月11日判決・税資261号順号11708）
（**54**控訴審東京高裁平成24年７月５日判決・税資262号順号11988）
（**55**上告審最高裁平成25年１月22日第三小法廷決定・税資263号順号12132）

〔事案の概要〕

本件は、精神保健及び精神障害者福祉に関する法律（以下「精神保健法」という。）45条に定める精神障害者保健福祉手帳の交付を受けていたX（原告・控訴人・上告人）が、A銀行（被告・被控訴人・被上告人）に預金口座を開設し、所得税法（ただし、平成17年法律第102号による改正前のもの。以下同じ。）10条《障害者等の少額預金の利子所得等の非課税》に定める障害者等の少額預金の利子所得等の非課税制度（以下「マル優制度」という。）を利用するために、非課税貯蓄申告書等をA銀行に送付したにもかかわらず、A銀行が、本件預金商品がマル優制度の利用をしないことを預金契約の内容ないし条件とするものであることを理由に、かかる申告書等を所轄税務署に提出することを拒んだこと及び所得税及び地方税を差し引いたこと等が不法行為に当たり、これにより、非課税とされるはずであった所得税及び地方税相当額並びに慰謝料の損害を被ったとして、国家賠償法（以下「国賠法」という。）1条1項又は民法709条に基づく損害賠償請求として10万1,842円の支払を求めるとともに、国Y（被告・被控訴人・被上告人）及び東京都Y（被告・被控訴人・被上告人）に対し、Xが、行政機関に対して、A銀行との取引におけるマル優制度適用手続に関する相談、苦情を申し立てたにもかかわらず、必要な調査、指導等を行わなかったことにより損害を被ったとして国賠法1条1項に基づく損害賠償請求としてそれぞれ10万1,842円の支払を求めて争われた事案である。

〔争点〕

本件の主たる争点は、私法上の預金契約を締結する当事者間で、マル優制度の適用を除外する旨を、契約の特約として定めることができるか否かである。

〔判決の要旨〕

1　東京地裁平成23年7月11日判決

「…私法上の預金契約を締結する当事者間で、マル優制度の適用を除外する旨を、契約の特約として定めることができるかを検討する。

所得税法は、マル優制度の利用につき、同制度を利用できる最高限度額の範囲内で、①預貯金等を預入する金融機関の営業所等、②預貯金等の種別及び③当該金融機関の営業署等において選択した預貯金等の種類に応じた非課税限度額との3つの組み合わせを、障害者等が任意に選択できるものとしているのであるから、障害者等が、金融機関との預金契約の締結にあたって、契約当初からマル優制度を利用しない旨合意することもできると解するのが相当である。」

「…認定事実によれば、Xは、本件預金商品の広告及び商品概要説明書に、マル優制度の取扱いはできない旨記載されていることを認識して本件各定期預金契約を締結していることが認められること、Xも自らの陳述書（…）において、一応同意している旨陳述していることからすれば、本件各定期預金契約には、マル優制度を利用しない旨の合意があるものと認められる。」

「したがって、XとA銀行とは、本件各定期預金契約を締結する際に、マル優制度を利用しない旨を適法に合意しているのであるから、A銀行がこの合意に反してXから提出された非課税貯蓄申告書等を所轄税務署に提出せず、本件各定期預金の利息につき所得税及び地方税を差し引いたことは違法とは解されず、Xの主張は採用することはできない。」

2　東京高裁平成24年7月5日判決

「現行法の解釈としては、金融機関が、マル優制度の取扱いをしないことを内容とする金融商品を販売することは許されないと解すべき理由はなく、適用対象者がマル優制度の適用を希望している場合であっても、対象となる預貯金を受け入れる金融機関と適用対象者との間で、契約等によって、非課税貯蓄申告書の受理等の行為を行い、マル優制度の適用について合意が成立していないときは、金融機関は、適用対象者から非課税貯蓄申込書等を受領し、マル優制度の適用をするための所定の手続を履行する義務はないというべきである。

したがって、金融機関が、マル優制度の取扱いをしないことを内容とする金融商品を販売すること、このような金融商品に関し、金融機関が預金者の提出した非課税貯蓄申込書等の受理を拒むことは、いずれも違法とは認められず、金融機関が預金者との間でマル優制度の適用をしないことを預金契約の条件としたとしても、当該預金契約を無効と解すべき理由もないというべきである。」

3　上告審**最高裁平成25年1月22日第三小法廷決定**において上告不受理とされている。

〔コメント〕

本件地裁及び高裁判決は、当事者間において「マル優制度が利用できない」旨の合意があるのであれば、私法上の預金契約においてかかる制度の利用を排除することも違法でない旨を判示した。

所得税法は、同法10条《障害者等の少額預金の利子所得等の非課税》1項において、マル優制度の適用対象者が金融機関に対し非課税貯蓄申込書を提出したときは所得税を課さない旨を定めるとともに、同条3項において、1項の規定は適用対象者が金融機関を経由して税務署長に非課税貯蓄申告書を提出した場合に限り適用する旨を規定している。本件高裁判決は、「これらの規定の文理に拠る以上」、金融機関に対し、適用対象者から提出を受けた非課税貯蓄申込書を必ず受理し、マル優制度が適用されることの確保を義務付けているものとは解されないとしたものである。

Ⅵ　免税所得

免税所得も非課税所得と同様所得税が課されない「所得」である。租税特別措置法25条《肉用牛の売却による農業所得の課税の特例》は、「農業…を営む個人が、…各号に定める肉用牛を売却した場合において、その売却した肉用牛が全て免税対象飼育牛…であり、かつ、その売却した肉用牛の頭数の合計が1500頭以内であるときは、当該個人のその売却をした日の属する年分のその売却により生じた事業所得に対する所得税を免除する。」と規定する。この規定からも分かるとおり、免税所得も「所得」である（事業所得である。）。

政策的に課税をしないという点では非課税所得と共通点もあるが、大きな違いは、免税所得については、所得税が課されないためには一定の手続を要するという点である。また、非課税所得の場合には損失もないものとみなされるが（所法9②）、免税所得の場合にはそのような取扱いはない。

具体的には、次の場合が免税対象牛となり、売却した場合に事業所得が課税対象外所得となる。

①　飼育した肉用牛を家畜市場、中央卸売市場等で売却した場合

②　飼育した生産後1年未満の肉用牛を指定農業協同組合（又は連合会）に委託して売却した場合

第２章　所得区分

Ⅰ　所得区分の意義

所得税法は、所得をその源泉や性質によって10種類に分類し、その分類された区分に応じて課税標準を計算する仕組みを採用している。すなわち、所得税法は、利子所得（所法23①）、配当所得（所法24①、25）、不動産所得（所法26①）、事業所得（所法27①）、給与所得（所法28①）、退職所得（所法30①、31）、山林所得（所法32）、譲渡所得（所法33①）、一時所得（所法34①）及び雑所得（所法35①）の10種類の所得区分に分類した上で、課税標準である総所得金額、退職所得金額及び山林所得金額を計算する（所法22①）。

所得税法がこのように所得区分に応じた課税標準の計算を行うこととしているのは、所得の種類に応じて担税力が異なるという前提を置いているからであり、担税力に応じて租税負担を配分するという思想をその背景とするものである。すなわち、所得金額を計算するに当たっては、経費的性質を有する価値犠牲部分たる支出金額等を控除することを原則とするが、経費控除の計算ルールを当てはめることに適していない類型の所得もある。事業所得や不動産所得、雑所得（公的年金によるものを除く。）は、総収入金額から必要経費を差し引いて所得金額を算出するが（所法26②、27②）、これに対して、給与所得や退職所得については、経費的性質を有する支出を控除することがその所得の性質上困難であると考えられるため、収入金額から必要経費を差し引いて計算するのではなく、給与所得控除や退職所得控除を差し引くこととしている（所法28②、30②）。このように、所得の種類に応じて所得計算ルールを異にすることが適当と考えられることがあるため、所得を分類して所得区分ごとに課税上の取扱いを異にすることは有益とされている。

また、事業所得や給与所得のように暦年計算が馴染みやすい所得がある反面、長期にわたるキャピタル・ゲインである譲渡所得・山林所得や長期間の労務提供の後払い的性質をも有する退職所得など暦年課税には馴染みにくい所得も存在する。いずれの所得においても、暦年を課税期間とするルールの下においては、これらの所得を合算して、その納税義務者の所得を総合する必要があるが、長期間にわたって蓄積されてきた所得が一度に実現したような場合に、その所得を単純に合算すると、長期間にわたって蓄積されてきた所得がその時期に一挙に実現することで累進税率の下での所得税負担が極めて重くなるということにもなりかねない。そこで、長期間にわたって所得が蓄積した（長期）譲渡所得や山林所得、退職所得などについては、課税標準の計算過程において、その点を配慮することとし、所得区分ごとに緩衝剤としての控除を設けるなど、きめの細かい配慮を行うことで担税力に応じた課税を実現することができるのである。具体的には、山林所得は分離課税方式とするとともに（所法22③）、5分5乗方式を採用し低い税率を適用することとし（所法89①）、長期譲渡所得や一時所得については課税標準の計算後ではあるが、2分の1の金額を課税対象としている（所法22②二）。

なお、所得は、一般に、勤労性所得（給与所得・退職所得）、資産性所得（利子所得・配当所得・山林所得・譲渡所得）、資産勤労結合所得（事業所得・不動産所得）の3種類に大別することができるところ、これを担税力の視角から眺めると、最も担税力が大きいとされているのが資産性所得であり、勤労性所得が最も担税力が小さいとされている。そこで、所得税法は所得計算ルールにおいて、資産性所得重課・勤労性所得軽課の考え方を織り込んでいるのである（金子・租税法219頁）。

もっとも、資産性所得重課・勤労性所得軽課は原則的な考え方であって、実際には、租税特別措置法において各種の優遇措置が講じられているため、資産性所得軽課・勤労性所得重課という結果となっているともいえよう（金子・租税法219頁)。また、何が資産性所得で何が勤労性所得かを確定させることも難しく、例えば、不動産所得は資産性所得ではあるものの、利子所得や配当所得とは異なり単純に元物に対する果実とはいえず、「貸付け」という行為による所得であるとされていることからすれば、勤労性所得の性質をも有しているし、ストック・オプションは勤労性所得でもあり、ある意味では資産性所得でもあるというように、セキュリタイゼーション（証券化）が進む今日において、この類別は相対化しているというべきであろう。

Ⅱ　利子所得

1　利子所得の意義

(1)　利子所得の範囲

所得税法23条《利子所得》１項は、利子所得を、「公社債及び預貯金の利子並びに合同運用信託、公社債投資信託及び公募公社債等運用投資信託の収益の分配に係る所得をいう。」と定義する。ここで利子とは、預金あるいは貯蓄元本の運用に伴う果実や公社債の運用益をいうと理解されている。預金や貯金の利子、公社債の利子といった果実であるから、例えば、友人や取引先に対する貸付金の利子は、ここにいう利子所得には該当しない。

公社債を額面未満の金額で購入した場合の償還金額と購入金額との差額である公社債の償還差益や、定期積金等の給付補てん金、抵当証券の利息、一時払養老保険の差益、金投資口座の差益などの金融類似商品の収益等も、経済的な性質は預貯金等の利子と類似しているが、利子所得には含まれないと解されており（所基通35－１など)、利子所得の範囲を解釈によって拡張することには問題があろう。株式投資信託の収益分配金は、株式への投資が予定されていることから、次にみる配当所得に該当することとされ、利子所得には当たらない。この点は、公社債投資信託が利子所得となる点と区別される。

利子所得は、15.315％（復興特別所得税0.315％を含む。ほかに住民税５％）の税率により源泉徴収を行った上で、他の所得と総合して課税することが所得税法の建付けであるが（所法22②一、182一）、租税特別措置法により、この点に大幅な修正が加えられており、実際は分離課税が原則となっている。すなわち、利子所得については、以下のものも含め租税特別措置法３条《利子所得の分離課税等》ないし８条《金融機関等の受ける利子所得等に対する源泉徴収の不適用》において様々な取扱いが定められている。そのため、総合課税の対象とされる利子所得は、極めて例外的なもの（国外の金融機関等に預け入れた預貯金等の利子やアジア開発銀行、国際復興開発銀行（世界銀行）、米州開発銀行、アフリカ開発銀行及び欧州復興開発銀行が国内で発行する債券の利子など）のみとされているのである（措法３①、３の３①、６②、措令１の４③、２の２①、措通３の３－３、３の３－５）。

⑵　一般利子等：一律源泉分離課税

一般利子等については、15％の所得税率による一律源泉分離課税の方法が採用されており（ほかに復興特別所得税0.315％、住民税５％が課されるため、合計で20.315％の源泉分離課税）（措法３①、３の３①）、源泉徴収のみで納税が完結する。「一般利子等」とは、次の⑶⑷に掲げるもの以外の利子等をいい、公社債の利子等で条約又は法律において源泉徴収の対象とされないものを除く（措法３①、措令１の４①）。

⑶　特定公社債等の利子等

平成28年１月１日以後に支払を受けるべき特定公社債の利子、公募公社債投資信託及び公募公社債等運用投資信託の収益の分配については、その支払を受ける際に税率15％（ほかに復興所得税0.315％、住民税５％）により所得税が源泉徴収されるとともに、申告分離課税の対象となるが、確定申告をしないことも選択できる（措法８の４①、８の５①）。

特定公社債とは、国債、地方債、外国国債、外国地方債、公募公社債、上場公社債、平成27年12月31日以前に発行された公社債（発行時において同族会社が発行したものを除く。）などの一定の公社債をいう。

(4)　特定公社債以外の公社債の利子で、同族会社の役員等がその同族会社から支払を受けるもの

特定公社債以外の公社債の利子で、その支払の確定した日においてその者を判定の基礎となる株主として選定した場合に、かかる公社債の利子の支払をした法人が同族会社に該当することとなるときにおける当該株主及びその親族等が支払を受けるものについては、総合課税の対象とされている（措法3①四、措令1の4③）。これは、平成25年度改正において設けられた規定であるが、同族会社における社債を利用した租税回避を防止することを目的とする個別的否認規定である（金子・租税法223頁）。

(5)　非課税利子所得

利子所得のうち、次のものは非課税とされている。

①　当座預金の利子（所法9①一）

②　子ども銀行の預貯金等の利子等（所法9①二）

③　勤労者財産形成住宅貯蓄の利子（元本550万円を限度）（措法4の2）

④　勤労者財産形成年金貯蓄の利子（元本550万円（生命保険契約等の保険料にあっては385万円）を限度）（措法4の2⑦、4の3⑦）

⑤　障害者等マル優等の適用がある利子（元本350万円を限度）（所法10、措法3の4）

⑥　特定寄附信託の利子（措法4の5）

⑦　納税貯蓄組合預金の利子（納税貯蓄組合法8）

⑧　納税準備預金の利子（措法5）

⑨　非居住者又は外国法人が受け取る振替国債等及び振替社債等の利子（措法5の2、5の3）

⑩　非居住者又は外国法人が受け取る民間国外債等の利子（措法6④）

(6) 金融類似商品の収益等に対する課税

次の金融類似商品の収益等に係る課税は、一律15.315％（復興特別所得税0.315％を含む。ほか住民税5％）の一律源泉分離課税となる（措法41の9①、41の10①）。

① 懸賞金付預貯金等の懸賞金等及び定期積金の給付補てん金

② 相互掛金の給付補てん金

③ 抵当証券の利息

④ 金投資（貯蓄）口座の差益

⑤ 外貨投資口座等の差益

⑥ 一時払い保険の差益

なお、商品先物取引及び有価証券先物取引等に係る差金等決済をした場合の所得は15.315％（復興特別所得税0.315％を含む。ほかに住民税5％）の申告分離課税の対象とされている（措法41の14①）。

裁判例の紹介

日本勧業相互株式会社事件

破産会社が利殖契約に基づき株主より受け入れた金銭に対し利息名義で支払った金員につき、利子所得該当性が判示された事例

（56第一審東京地裁昭和40年4月30日判決・税資41号532頁）
（57控訴審東京高裁昭和41年5月17日判決・税資44号634頁）[1]

〔事案の概要〕

本件は、破産会社が利殖契約に基づき支払った利息名義の金員が所得税法上の預金の利子に当たるものとして、K税務署長がした徴収決定は違法であるとして、同社の破産管財人X（原告・控訴人）が、徴収決定の無効を前提として国Y（被告・被控訴人）に対して、不当利得返還請求を提訴した事案である。

破産会社は、昭和26年7月、日本勧業振興株式会社の事業のうちの一部営業活動を引き受けて設立されたもので、破産会社の事業の中心である貸金業は、

1）判例評釈として、春日清弘・税通33巻14号58頁（1978）参照。

いわゆる株主相互金融方式によって営まれていたが、その大要は次のとおりである。

破産会社より融資を受けようとする者は、原則として1口6株の破産会社の株式（株式額面1株金500円）を取得することを必要とし、所要の株式を取得した者に対しては、1口につき金1万円ないし金1万5,000円の融資が最高10口まで行われた。もっとも、破産会社においては、このような方法によらない一般の貸付けも行われており、前者の株主に対する貸付けが定型化されていたのに対し、後者の一般貸付けにおいては、個々に貸付条件が契約された。他方、これら貸付資金の調達のため、破産会社は利殖契約と呼ばれる方法により、広く一般大衆から資金の調達を図ったが、その方法は、利殖契約として、日掛、月掛、一時払いの定型化された資金の受入方法とこれに対する一定の利息を定め、この利殖契約を利用しようとする者は、破産会社の株式1株以上を取得すべきものとするものであった。融資希望者・利殖契約希望者の取得すべき破産会社の株式の譲渡のため、破産会社では、新株発行の際、会社役員等の縁故者に資金を貸し付けて、これを一括して引き受けさせ、融資希望者・利殖契約希望者への譲渡を破産会社が斡旋するという方式をとり、利殖希望者は、株式の取得に当たり、株式代金500円を金100円ずつ5回に分割して納付することが認められていたが、その場合には、破産会社がひとまず金500円を立て替えておくとの形式がとられた。しかも、昭和27年5月末までは、利殖契約希望者からは、現実には株式代金を受け取らず、ただ名目的にこれらの者を株主とするため、破産会社において、内部的に利殖契約希望者のため株式代金を立て替えたように経理操作していたにすぎなかった。

以上のような方式の下に、破産会社は、利殖契約が高利であることと破産会社への資金の提供が安全であることを強調して、利殖契約希望者の募集を行っていた。ところで、募集に応じた者が破産会社の株主となったのは、それが銀行預金に比べて高利であった当該利殖契約を結ぶための条件とされていたためにほかならず、株主になること自体は、特に利殖契約希望者の目的ではなかった。

昭和28年暮頃、株主相互金融の一種として匿名組合方式により、広く一般より資金を受け入れていた保全経済会が倒産したことから、破産会社に対する利殖契約者らの信用を失い、破産会社も昭和29年11月9日破産宣告を受けることとなった。

〔争点〕

主たる争点は、破産会社が利殖契約に基づき株主より受け入れた金銭に対し、利息名義で支払った金員が、旧所得税法9条1項1号の預金の利子に当たるかどうかにある。

〔判決の要旨〕

1　東京地裁昭和40年４月30日判決

「預金の意義については、所得税法は特別の規定を置かず、その他の法令にも預金について定義したものはないから、所得税法第９条第１項第１号の預金がなにを指すかは、一般に預金の名で理解されている経済現象を探り、また所得税法が、預金の利子を利子所得として、特に所得類型化していることの意味を理解することによって、決められなければならない。

一般に預金と呼ばれる経済現象は、典型的には銀行取引において見られるように、金融機関その他資金を利用する者が不特定多数の者から、その資金利用者の定めた定形的な約款によって金銭を受け入れ、資金利用者はこれを事業資金にあて、預入れ人は、いわゆる当座預金の場合を除き、通常一定割合の金員（利子）を取得し、その金銭の返還についての保証は、資金利用者の信用に委ねられている場合を指すものと解されるところ、所得税法が、公、社債の利子、合同運用信託の利益等とともに、預金の利子を利子所得として類型化し（第９条第１項第１号）、これについて、その支払者に所得税の源泉徴収義務を課している（第37条）のは、これがいずれも不特定多数の者に対する定形的、継続的な金員の支払いであるとの特質を持つことによるものというべきであり、従って、所得税法は、前述のような預金といわれる経済現象をもって、同法にいう預金として予定しているものと解される。

Ｘは、預金かどうかは、それが消費寄託か消費貸借かによって決められると主張する。確かに、預金の受入は、預入れ人の金銭上の価値を保管するという面のあることは事実であり、従ってこれを消費寄託契約と呼ぶことも、一応誤まりとはいえまい。しかし、消費寄託については、返還の時期を除き、その他については、すべて消費貸借の規定が準用され（民法第666条）、しかし、返還の時期に関する特則も任意規定にすぎないから、契約当事者間で民法と異なった取決めをすることも自由であって、その意味では、消費寄託といい、消費貸借といっても、両者は法的に極めて近似したものであり、しかも、典型的な預金である銀行預金についても、当座預金、特別当座預金（普通預金）、通知預金、定期預金等の種類に応じて、それぞれ態様を異にするものであり、定期預金のように、預入れ期間中銀行は支払準備なしに資金として自由に運用することができ、預金利率も高く、その意味で、消費貸借的色彩が強いものもあって、決して単純な典型契約をもって一様に律することはできないというべきである。

また銀行預金の経済目的を見ても、それは、決して単に預金者の金銭上の価値の保管だけにあるのではなく、預金者の側の利子の取得、銀行におけるその価値の利用を目的とするものであり…、従って、Ｘの主張するように、問題の金銭の受入れが預金かどうかは、単にそれが典型的契約としての消費寄託に当るかどうかの一事をもって決められるものではない。」

「破産会社の利殖契約の経済的事態を検討すれば、それは不特定多数の者…が日掛け、月掛け、一時払いという破産会社の定めた定型的な方式により金銭を受け入れ、これについて高利を約し、その資金を破産会社の金融業務に当っていたもので、利殖契約として100日ないし１年という比較的短期間の返還期日を定め、１口の契約全額も金5,000円ないし金36,000円という少額で…あり、しかも、利殖契約については、破産会社が他から借り入れていた場合と異なり、担保は提供されておらず、実態において、銀行等の金融機関に対する定期預金または積立預金となんら異なるところがなかったのであり…、保全経済会の倒産により、破産会社を含む株主相互金融方式による事業者が相次いで倒産するに至ったことも、保全経済会の倒産により、利殖契約者が破産会社に金銭を拠出してその価値の保管を託することに危惧の念を持ったことによるものと解され、破産会社における利殖契約の実態は、所得税法第９条第１項第１号の予定する預金にほかならず、利殖契約によって支払われた利息名義の金員は、預金の利子に当るものといわねばならない。」

2　控訴審**東京高裁昭和41年５月17日判決**も原審を維持している。

〔コメント〕

本件判決が利子所得該当性を認めたのは、その経済的実質が預金の利子というに相応しいからという理由であった。そもそも、預金の利子が課税対象とされた大正９年当時、破産会社のようないわゆる株主相互金融の業務形態は存在しなかったから、破産会社が株主に支払った利息名義の金員を利子所得に当たると解することは、無理があるのではないかという疑問も起こり得る。租税法律関係においては、文理解釈を出発点とする厳格な解釈が要請されることからすれば、みだりな拡張解釈や類推解釈は租税法律主義の考え方に反するといえるからである。この点は、本件においてＸも主張したが、これに対して、本件東京地裁は、「租税法規の解釈に当り、安易にこれを類推ないし拡張解釈することは許されないものというべきであるが、所得税法は所得の経済的実態に着目して、その租税力を把握し、これを所得類形化するとともに、その経済的実態に応じた徴税方法を定めているものと解されるところよりすれば、所得税法の課税対象について、類推ないし拡張解釈が許されないのは、所得税法の所得類型が予定する特定の収入と経済的、実質的内容を異にする収入を、その法形式上の類似を理由に、納税者に不利益に規定を類推、拡張解釈して、その所得類型に包摂することを禁止することにあるのであって、経済的、実質的に所得税法の予定した所得類型の収入と異ならないものを、ただその法形式上の相違からこれと区別して取り扱うべきものとすれば、かえって所得税法が本来収入の経済的実態に応じて担税力を区別していることと矛盾し、税負担の公平に反することとなる。」という。

そして、このような考え方により、「利子所得を定めた当時、いわゆる株主相互金融の業務形態が存在していたかどうかにあるのではなく、破産会社が株主に支払った利息名義の金員が、所得税法の予定する…利子所得と経済的、実質的に異なるものであるかどうかが、検討されなければならないというべきである。」と論じるのである。

では、所得税法が予定する利子所得とはいかなるものであるのかが問題となるところ、本件東京地裁は、「預金といわれる経済現象をもって、同法にいう預金として予定しているものと解される。」とし、この「預金といわれる経済現象」とは、「資金を利用する者が不特定多数の者から、その資金利用者の定めた定形的な約款によって金銭を受け入れ、資金利用者はこれを事業資金にあて、預入れ人は、…通常一定割合の金員（利子）を取得し、その金銭の返還についての保証は、資金利用者の信用に委ねられている場合を指す」とするのである。

利子所得該当性については、このように経済的な性質による判断に基づくべきとする見解のほか、次にみるように法律的な性質による判断に基づくべきとする判決もある。

裁判例の紹介

協和興業株式会社事件

旧所得税法9条1項1号の「預金」とは、民法666条《消費寄託》による消費寄託の性質を有する金銭と解すべきとされた事例

（58第一審千葉地裁昭和37年12月25日判決・行集13巻12号2277頁）[2)]
（59控訴審東京高裁昭和39年12月9日判決・行集15巻12号2307頁）[3)]

〔事案の概要〕

いわゆる株主相互金融方式による商事会社であるX社（原告・控訴人）は、株主相互金融方式による商事会社一般の例に従って、増資の都度会社重役をして増資新株の引受けをさせた後、その譲渡を斡旋して重役が引き受けたかかる増資新株を消化することにより自己資金の増加を図るほかに、他から金員を受け入れ、これらを融資資金として営業を継続していた。X社は昭和27年度及び昭和28年度を通じて上記のように他から受け入れた金銭に対する利子として合計金195万4,046円の支払をしたところ、T税務署長は、昭和28年3月3日国税庁

2）判例評釈として、中川一郎・シュト15号12頁（1963）参照。
3）判例評釈として、須貝脩一・シュト50号1頁（1966）、北野弘久・租税百選〔1〕66頁（1968）、増田英敏・租税百選〔4〕58頁（2005）、松原有里・租税百選〔5〕64頁（2011）など参照。

長官が直法１－30、直所１－17国税局長宛通達に基づきＸ社が支払った利子が旧所得税法９条１項１号に規定する利子所得に該当するので、同法37条によりＸ社に源泉徴収義務があるとして、源泉徴収利子所得税本税、同加算税、同利子税、延滞加算税の各決定処分を行った。Ｘ社は、これらはいずれも無効であることを確認する旨を主張するとともに、不当利得返還請求を、国Ｙ（被告・被控訴人）に対して求めて提訴した。

〔争点〕

本件の株主相互金融方式による利子が所得税法上の預金の利子に該当するか否か。

〔判決の要旨〕

1　千葉地裁昭和37年12月25日判決

「思うに、預金は、銀行その他の各種金融機関に対するそれにみられるように、一般に、これらの者が不特定多数の相手方、すなわち預金者に対し同額の金銭の返還を約して、預金者から預託を受けた金銭であって、受入れた金銭自体をその侭保管するのではなく、これを自由に使用、消費し、その返還にあたっては同額の金銭をもってすればよいのであるから、民法第666条の消費寄託の性質をもつものということができ、所得税法中にこれと異なる税法固有の預金概念を採用していると認むべき根拠を見出し得ないから同法第９条第１項第１号にいわゆる預金は右と同一の意義、すなわち不特定多数の者から受入れた消費寄託の性質を有する金銭と解するのが相当である。そして、このような預金は、いわゆる借入金すなわち金銭の消費貸借とは、両者がいずれも同額の金銭の返還を約してなされた金銭の受入れであって、受入れた金銭はこれを自由に使用、消費し得る点では同じであるが、実際上後者は借主において生活または経済的活動の資金などとして使用、消費せられること、いわばその便宜ないし利益のためにすることを第一義とするに反し、前者は預金者において預け先に金銭的価値の保管を託することにより自ら金銭の出し入れを行う手数を省き、盗難、火災など不測の危険を免れ、あるいは貯蓄または利殖を図るなど、いわば預金者の便宜ないし利益を第一義とし、従って預金がいかように運用せられるかは寧ろ第二義とされる点で両者はその経済的性質（出資の受入、預り金及び金利等の取締等に関する法律第２条第２項参照）を判然と異にするものである。」

「Ｘ社が受入れた金銭は、同会社において後日これと同額の金銭の返還を約してなされたものであり、Ｘ社がこれを自由に使用、消費し得るものであることは疑問の余地なく、従ってその点では金銭の消費貸借と性質を共通にするものというべきではあるけれども、それが右認定のような広告、宣伝によって誘引せられたどの顧客との間でも一様に(ｲ)顧客の申出に基づき３ケ月または６ケ月などと比較的短期間の返還期限を定めて受入れられたり、また(ﾛ)随時受入れ顧客の要求により何時にても自由にその全部または一部の払戻しに応ずるものであったりなどする点は、どのように考えてみても右金銭を貸付その他の営業資金にしようとするＸ社の便宜ないし利益を第一義として受入れられたものといい難く、むしろ通常銀行その他の金融機関に対する定期預金や普通預金にみられるように、右(イ)の点は顧客の貯蓄または利殖の目的に、右(ロ)の点は顧客の小口、且つ簡易な貯蓄などの目的にもっぱら奉仕する金銭受入れの形態であって、それがＸ社側よりは金銭を醸出しようとする顧客側の便宜ないし利益に供することを主眼とするものであることは多言を要しないところであるのみならず、Ｘ社が受入れた金銭が、右のようなその受入れの形態にかかわらず、もし同会社の便宜ないし利益を第一義としてなされたものであるならば、右金銭を醸出しようとする顧客において該金銭の返還を受けることにつき多少とも不安を抱く場合がないとは到底考えられないからＸ社に対し人的たると物的たるとを問わず担保を徴すべき筈であるのに、右認定のとおりかような担保を徴した形跡が全く存しないのであるから、この点からいってもＸ社は顧客から金銭を、その価値の安全な保管を本旨として受入れ、換言すれば顧客の便宜ないし利益を第一義として受入れたものと考えるのが相当であり、そしてＸ社とその営業内容が類似するいわゆる保全経済会が倒産するやＸ社においても顧客から前記の如き方法でその資金を吸収することが極めて困難となった事実の一半は顧客において右方法によりＸ社に対し金銭を醸出しその価値の安全な保管を託することに危惧の念をもったことによるものと推測するに難くない。そうだとすると、Ｘ社が顧客から前認定のような方法でなした金銭の受入れは、消費貸借ではなく、金銭の消費寄託と同一の経済的性質を有するものと認めるのが相当である。」

2　控訴審**東京高裁昭和39年12月９日判決**も原審判断を維持し確定している。

〔コメント〕

本件では、法律的性質判断によって、民法666条にいう消費寄託の性質を持つものが所得税法上の利子所得の対象となる預金の利子であると論じている点が注目される。本件の意義は、かかる考え方の下で、本件のような方法でなした金銭の受入れは、消費貸借ではなく、金銭の消費寄託と同一の経済的性質を有するものと認めるのが相当であるとしている点にあるといえよう。

このように、法律的性質判断によって利子所得該当性を判断する考え方は、例えば、大洋セメント興業株式会社事件東京地裁昭和37年３月23日判決（訟月８巻５号783頁）が、実質的に金融機関による消費寄託と同一の性質を有するか否かで利子所得該当性を判断したように、いくつかの事例においても散見される構成である。

もっとも、他方で、本件東京地裁は、「税法上は、受入れられた金銭が預金または借入金のいずれに属するかは、単に当事者によって選ばれた法律的形式だけではなく、右のような観点よりその経済的性質をも検討して判定すべく、この場合もし当事者によって選ばれた法律的形式が、当該金銭受入行為の経済的性質からみて通常採らるべき法律的形式と齟齬する異常のものであり、かつそのような異常な法律的形式が選ばれたことにつき、これを正当とする特段の事情がない限りは、租税負担の公平の見地からいって、当事者によって選ばれた法律的形式のみに拘泥すべきではないと解するのが相当である。」とも判示しており、かような点では、前述の日本勧業相互株式会社事件（126頁参照）とは判断を二分したものと位置付けるのは行き過ぎかもしれない。

裁判例の紹介

ワラント債の利息の利子所得該当性

ワラント債の利息は配当所得ではなく利子所得に該当すると判断された事例

（60第一審横浜地裁平成２年３月19日判決・税資175号1228頁）
（61控訴審東京高裁平成２年８月８日判決・税資180号451頁）
（62上告審最高裁平成３年４月11日第一小法廷判決・集民162号461頁）[4]

〔事案の概要〕

Ｘ（原告・控訴人・上告人）は、昭和47年訴外会社を設立して同社の代表取締役に就任し、訴外会社の筆頭株主であるとともに同社の経営に当たってきた者で実質的なオーナーであった。訴外会社は、研究開発型の有力な「ベンチャービジネス」の一つとして急成長したが、昭和63年１月に、２回目の手形不渡を出して倒産し、破産宣告を受けた。

訴外会社は、多額の設備投資を要する装置産業を営むものであるから、銀行借入れ、増資、社債発行等の種々の方法で資金調達を行わなければならず、昭和60年７月に総額４億2,000万円の新株引受権付社債を発行した。しかし、かかる新株引受権付社債は何らの担保もなく極めて危険なものであったから、Ｘがその大部分に相当する３億7,000万円分の社債（以下「本件ワラント債」という。）を引き受けざるを得なかった。Ｘは、本件ワラント債を担保とし年6.6パーセントの利子を支払う約定でＨ銀行から本件ワラント債の取得資金を借り受けた。

Ｘは、訴外会社から本件ワラント債の利息として、昭和60年12月30日に897万8,794円を、昭和61年１月31日に181万9,232円の支払を受け、また、同日本件ワラント債の元金金額の償還を受けたが、利息及び償還金は全てＨ銀行に対する

4）判例評釈として、浅沼潤三郎・民商106巻５号707頁（1992）参照。

借入金債務の返済に充てられた上、Xがこの利息と同銀行に対する利子との差額分を個人負担して支払った。

そこで、Xは、本件ワラント債の利息を配当所得と解し、H銀行に対する借入金利息を必要経費として利息から控除して所得金額を算定し、これをもって確定申告を行ったところ、税務署長Y（被告・被控訴人・被上告人）は、本件ワラント債の利息を利子所得であるとし、必要経費の控除を認めずにXの所得金額を算定して本件更正処分を行った。Xはかかる処分を不服として提訴した。

〔争点〕

本件ワラント債の利息を利子所得とし必要経費を否認した更正処分は適法か否か。

〔判決の要旨〕

1　横浜地裁平成2年3月19日判決

「所得税法2条1項9号は公社債を公債及び社債と定義したうえ、同法23条1項が公社債の利息を利子所得とする旨明記している。そして、本件ワラント債は訴外会社が発行した新株引受権付社債であるから、本件ワラント債の利息が利子所得に該当することは明らかであり、かつ、利子所得については、所得税法23条2項が公社債の利息等の収入金額をもって課税所得金額を算定すると規定しており経費の控除を認めていないのであるから、X主張の借入金利子を控除する余地はない。」

⑴　Xが、所得税法23条1項が安全確実な貯蓄の果実を利子所得としているところ、本件ワラント債は安全確実な貯蓄対象として取得したものではなく、銀行から資金を借り受けて本件ワラント債を取得したのであって、通常の社債を取得した場合とは異なるから、本件ワラント債の利息は配当所得又は雑所得に該当し、本件ワラント債の取得に際して銀行から借入れた借入金の利子を右利息から控除すべきである旨主張する点について

「所得税法23条1項は社債の利息を利子所得として分類しており、本件ワラント債の利息についてのみ配当所得又は雑所得とする法的根拠はない。

また、所得税法23条1項は、担保付社債の利息又は一定規模の法人が発行する社債の利息についてのみ利子所得としているわけではないから、安全確実な社債の利息のみを利子所得として分類したものとは解し難いうえ、Xが本件ワラント債を取得した意図・動機の如何により、その利息が利子所得でなくなるとする法的根拠もなく、Xの右主張はその前提において失当である。」

⑵　Xが、利子所得の範囲は元本を取得するために借入金利子その他の経費を支出することがあり得るか否かにより決定されるべきところ、新株引受権社債は投機性のあるもので株式投資に類似し、他から融資を受けて取得することも予想されているから、新株引受権付社債の利息は利子所得ではなく配当

所得又は雑所得に該当する旨主張する点について
「所得税法は各種所得の法的性格に応じてこれを分類したうえそれぞれの課税方法を規定しており、『経費を支出することがあり得るか否か』などという所得の分類を曖昧にする判断基準を持ち込む余地はないから、Xの主張はその前提において既に採用し難いものである。
また、新株引受権付社債の取得が株式投資に類似する旨の主張についても、新株引受権付社債は確定利率による利息支払いが約束された債権であり（商法301条2項4号参照）、利益配当の金額、利率等が保障されていない株式とは本質的に異なるものであるうえ、新株引受権付社債は、新株引受権付社債の付与されていること故にその流通価格が株価の推移に影響されるにしても、そのことが社債としての法的性格や新株引受権付社債の利息金額に影響を及ぼすものではなく、Xの右主張は、新株引受権付社債の取得と株式投資を同一視する点において失当である。」

2　東京高裁平成2年8月8日判決

控訴審においては、利子所得に必要経費を認めない所得税法23条2項の規定は、憲法14条1項及び同29条に違反し無効であるとの追加主張もされたが、東京高裁はこれを棄却した。

3　上告審**最高裁平成3年4月11日第一小法廷判決**も原審判断を維持した。

〔コメント〕

新種の金融商品に係る所得区分は、しばしば解釈上、種々の疑義を惹起させる。本件新株引受権付社債についても同様であり、この点から、Xは、新株引受権付社債の制度が所得税法の現行区分の確立した以後に導入されたことから、趣旨解釈を主張した。しかしながら、新株引受権付社債が、社債としての基本的性格を有していることは疑いのないところであるし、新株引受権付社債制度の導入に際して所得税法がその利息について他の社債の利息と異なる取扱いをする旨の改正規定を設けなかったことを考慮すると、所得税法の解釈上、新株引受権付社債の利息が利子所得に該当することは明らかであるといわざるを得ないとした本件判決の判断は妥当であろう。

本件事案におけるXの主張のように、必要経費が認められるか否かの点、すなわち、所得金額の計算方法の見地から、所得区分の是非が論じられることがあるが、本質的には、かような論法は本末を転倒したものというべきではなかろうか。

裁判例の紹介

デット・アサンプション契約

デット・アサンプション契約に基づき社債発行会社から銀行が受け入れた預託金と償還社債の元利金との差額相当額が利子所得に該当するとされた事例

（63第一審東京地裁平成18年１月24日判決・訟月54巻２号531頁）
（64控訴審東京高裁平成18年８月17日判決・訟月54巻２号523頁）[5)]
（65上告審最高裁平成19年８月23日第二小法廷決定・税資257号順号10766）

〔事案の概要〕

Ｘ銀行（原告・控訴人・上告人）は、社債の発行会社（３社）との間で、それぞれ、Ｘ銀行が一定の金額の預託を受けて、社債の償還債務の履行を引き受けることなどを内容とする契約（デット・アサンプション契約）を締結し、同契約に基づき、各社債の元利金の償還期限に、各社債の支払代理人に対して当該元利金を支払っていた。税務署長Ｙ（被告・被控訴人・被上告人）は、上記各社債発行会社から受け入れた預託金と償還した社債の元利金との差額相当額につき「預貯金の利子」を国内で支払ったものと認められるから、同額に対する所得税を源泉徴収して国に納付すべき義務があるとして、所得税の納税告知処分及び不納付加算税の賦課決定を行った。本件は、上記各処分を不服としたＸ銀行がその取消しを求めた事案である。

〔争点〕

主な争点は、本件各社債の元利金の一部を構成する本件金員が、源泉徴収義務の対象となる預金の利子（所法23①）に当たるか否かである。

〔判決の要旨〕

1　東京地裁平成18年１月24日判決

「所得税法施行令２条に定める預金とは、銀行その他の金融機関が、不特定の公衆又は取引先から広く運用資金を調達することを主たる目的として、相手方（預金者）から受け入れ、保管する金銭であって、金融機関において当該金銭を費消することを許容され、預金者との約定に従って同額の金銭を返還することが約されたものと解するのが相当であり、預金の利子（利息）とは、このような預金に係る元本の使用の対価として、元本に対する一定の利率により定められる金銭等をいうと解することができる。

5）判例評釈として、長戸貴之・租税百選〔７〕72頁（2021）参照。

そうすると、預金の発生原因となる契約（預金契約）は、法的には、上記のような内容を含む金銭消費寄託契約の性質を有するものということができ、預金の利子の発生原因は、当該金銭消費寄託契約における利息の約定であるということができる。」

「説明書には、取引の仕組みとして、社債発行企業（本件各社債発行会社）が預託銀行（X銀行）との間でデット・アサンプション契約を締結すること、その契約内容はX銀行が本件各社債発行会社に代わって社債の利払い及び償還元本の支払を行い、その履行の代わりに、本件各社債発行会社はX銀行に対する預託金の元利支払請求権（預託金返還請求権）を放棄することであること、本件各社債発行会社は、将来の元利支払債務の現在価値に相当する金額（A金員）をX銀行に預託し、X銀行は、その預託金（A金員）を運用し、預託金（A金員）と運用利息（本件金員）をもとに本件各社債発行会社に代わって社債発行契約に基づく元利金を支払代理人に支払うことが説明され、本件各社債発行会社からX銀行に預託される金額は、『デット・アサンプション実行時以降、債務者に対し将来支払われる元利金を、デット・アサンプション実行時の市場実勢金利に基づく割引率を用いて、現在価値に割り引くことで算出され』る旨記載されている。

上記各記載によれば、本件各契約において、X銀行と本件各社債発行会社との間で、⑴A金員の金額が、社債の元利金の各支払日ごとの支払額を一定の割引率により、A金員を預託する時点の現在価値に割り戻した金額を基にして決定されていること、⑵A金員がX銀行に預託されるものであること、⑶A金員とB金員の総額の差額がX銀行がA金員を運用することによって得られる運用利息であること、⑷本件各社債発行会社は、X銀行に対し本来は預託金返還請求権を有するものの、X銀行が本件各社債発行会社に代わってA金員とその運用利息を基に社債の元利金の支払債務の履行を行うことから、X銀行に対して預託金の払戻しは行わないこととされているということができる。」

「検討した本件各契約の関係書類の記載や契約の特質等によれば、X銀行は、本件各社債発行会社から、X銀行において当該金員を費消し、運用することを認める前提の下に、A金員の寄託を受けるとともに、本件各社債の元利金の各支払期日に、A金員及びその運用の対価、すなわち利息として一定利率により算定される本件金員との合計額（B金員）を、預金者である本件各社債発行会社に対して直接払い戻すことに代えて、本件各社債の元利金の支払債務履行のために、本件各契約上指定された原契約の相手先に対して支払ったものとみることができる。そして、X銀行は、預金者の指定する相手方に対して金員を交付することにより、預金の払戻しを行ったもの、あるいは、その支払による求償権と預金の返還請求権とを、あらためて相殺の意思表示を行うことなく、対当額で相殺する旨の合意に基づき相殺したものとみることができる。

したがって、デット・アサンプション取引のために締結された本件各契約は、各支払日を返還期限として、Ａ金員の寄託を受け、Ａ金員に寄託を受けた期間に係る利子に相当する本件金員を加算した額をＢ金員として返還するという預金契約と、預託されたＡ金員及びその利子を原資として、Ｂ金員を本件各社債発行会社に代わって支払うという委任契約とが複合した契約であって、本件金員は、本件各社債発行会社が銀行であるＸ銀行に消費寄託した預金（Ａ金員）に対する利子に当たると認められる。」

2　控訴審**東京高裁平成18年８月17日判決**においても第一審判断は維持されている。なお、上告審**最高裁平成19年８月23日第二小法廷決定**においては、適法な上告理由には当たらないとして上告が棄却され、上告受理申立ては受理されていない。

〔コメント〕

本件金員の支払が、源泉徴収義務の対象となる預金の利子の支払に当たるか否かは、本件金員が所得税法23条１項に定める預金の利子に当たるか否かによって決せられることになる。ところで、所得税法は、預金の意義については、「銀行その他の金融機関に対する預金」をいうと規定しているものの（所法２①十、所令２）、それ以上に預金の意味を明らかにしていない。また、銀行法その他の法令上においても預金の定義規定はない。

そこで、本件東京地裁は、「銀行業の特質や社会及び取引の通念に照らし、上記預金の一般的な意義を解釈することが必要である」として、「銀行法上、銀行は、預金又は定期積金の受入れという受信業務と、資金の貸付け又は手形の割引という与信業務を併せ営むことを業とするものとして（銀行法２条２項）、金融の仲介を行うことをその本質的機能とし、その信用を背景に広く公衆から預金を受け入れ、これを運用することにより収益を上げ、このような資金運用の対価として、預金者に利子（利息）を支払うのが通常であり…、上記のような機能を満たす預金として、銀行取引約定書のひな型等には、普通預金、定期預金等が規定されているが、上記機能を満たす限り、預金の種類が上記ひな型に規定のあるものに限定されると解する理由はなく、預金者のニーズに応じた多様な金融商品が存在し得ると考えられる。」とするのである。

同地裁は、このような前提を置いた上で、上記引用の判断をしたのであるが、本件でも法律的性質判断が採用されているといえよう。

2　利子所得の金額の計算

利子所得の金額の計算は、収入から経費を控除するという所得税法の原則的ルールから大きく外れており、収入金額から経費等を控除することを認めず、収入金額がそのまま所得金額とされている。その理由としては、株式投資などとは異なり、借入れをしてまで貯蓄を行うことは想定し難いことや、金融機関が破綻することはあまりないことが挙げられてきた。

利子所得の金額 ＝ 収入金額（所法23②）

利子所得について経費や損失が認められていないことに対しては、立法論の観点から多くの問題があるといえる。金融自由化以前の時代であれば格別、今日的には、金融機関が自由競争の下で破綻することがあり得ることは周知のとおりであるし、近年は、MMF（マネー・マーケット・ファンド）の元本割れや債券のデフォルトなど、債券や投資信託についても、投下資本が回収できないリスクが生じている。また、平成17年４月にはペイオフが解禁されている。一定の預金につき回収不能の事態に陥ることが考えられるにもかかわらず、利子所得には損失を控除する機会がないことから、かかる損失が税制上考慮されないという問題がある（酒井克彦「いわゆる金融商品の損失等を巡る課税上の問題―金融商品を巡る個人所得課税についての若干の立法論的提言」税大論叢41号355頁(2003))。そもそも、金利が自由化され、多様な金融商品が登場している中にあって、他の金融機関から借入れを行って、金利の高い金融機関の預金口座に預けたり、投資信託への投資や公社債への投資を行うことは十分に想定し得るところ、借入先金融機関に支払った利息を利子所得から控除することができないということが、ネット所得を算出し担税力の指標とするという所得税法の考え方に合致していないのではないかという疑問も惹起し得る。

他方で、利子所得が一律の源泉分離課税制度を採用してきたことから、このような問題関心がありつつも、利子所得に必要経費を認めるという仕組みの構築に対して困難性を指摘する見解もある。そこで、近時は、金融所得一体課税論の台頭とともに、所得税法の体系を残しつつ、金融所得内における所得区分間の税制上の取扱いの差異を極力フラットにした上で、金融系資産の果実たる所得についてはその通算を認めることによって、損失を税制上考慮していく方向での議論が進められている。

こうした議論の高まりを受けて、平成25年度税制改正において、利子所得の一律源泉分離課税制度に係る改正が行われ、上記のとおり、平成28年1月1日以後に支払を受けるべき一定の利子等については源泉分離課税制度から除外されることとなった。

例えば、平成28年1月1日以後に支払を受けるべき①特定公社債（国債・地方債・公募公社債等）の利子等、②公社債投資信託でその設定に係る受益権が公募されるもの等に係る収益の分配、③公募公社債等運用投資信託の収益の分配については、従来の源泉分離課税ではなく、15.315％（復興特別所得税0.315％を含む。ほか住民税5％）の税率による申告分離課税の対象となった（措法3。これにより、上場株式等に係る配当所得等の課税と同様の取扱いとなった（措法8の4）。）。加えて、これら利子や収益の分配は、上場株式等に係る譲渡損失との通算が認められることとなり、繰越控除の対象にもなっている（措法37の12の2）。

かかる改正は、これらの資産が、金融資産として上場株式等に類似している点に着目し、上場株式等と同様に取り扱うことで、金融所得一体課税の更なる推進を図るものと解されている[6]。

なお、平成27年12月31日以前に発行された公社債のうち国内発行の割引債は、償還差益に対して発行時に所得税18.378％（復興特別所得税0.378％を含む。住民税は非課税）の源泉分離課税とされるが（措法41の12）、平成25年度税制改正により、平成28年分から公社債の譲渡所得等が課税対象とされたことに伴い、平成28年1月1日以後に発行される割引債の償還差益については、一定の割引債を除き、原則として、発行時の源泉徴収はされず、償還時に税率15.315％（復興特別所得税0.315％を含む。ほかに住民税5％）の源泉徴収の上、公社債の譲渡所得

6）金子・租税法222頁。

得等に係る収入金額とみなして、税率15%の申告分離課税の対象とされることとなった（別途復興特別所得税が加算される。なお住民税は５%）（措法41の12の２）。

Ⅲ　配当所得

1　配当所得の意義

配当所得とは、法人から受ける剰余金の配当（株式又は出資に係るものに限るものとし、資本剰余金の額の減少に伴うものなどを除く。）、利益の配当、剰余金の分配（出資に係るものに限る。）、基金利息並びに投資信託（公社債投資信託及び公募公社債等運用投資信託を除く。）及び特定受益証券発行信託の収益の分配に係る所得をいう（所法24①）。

なお、会社法において、従来の利益の配当（中間配当を含む。）や資本金等の減少に伴う払戻しの全てが「剰余金の配当」と統一されたことから、配当所得に該当する「剰余金の配当」とは、株式又は出資に係るものに限るものとし、資本剰余金の額の減少に伴うもの及び分割型分割によるものは配当所得から除くこととされた。そこで、「剰余金の配当」に係る課税上の取扱いを整理すると、次のようになる。

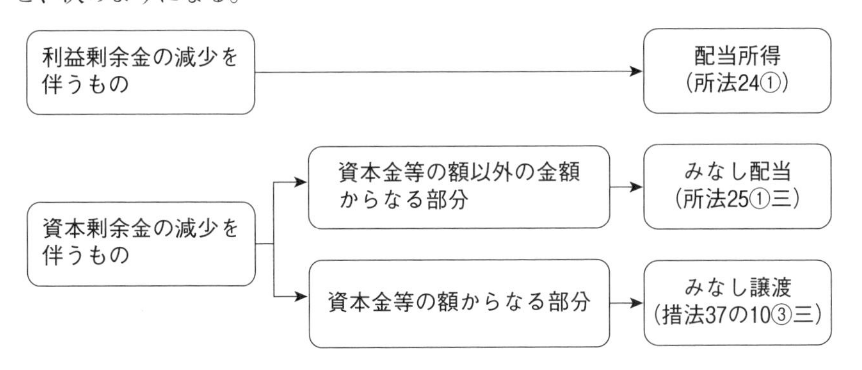

後述するように、判例は、配当所得について、法人の意思を尊重する解釈を展開しており、商法（会社法）上、違法な配当とされているものを受けた場合

であっても、所得税法上の配当所得に該当することがあり得るとしている。

そこで、課税実務では、次のように取り扱われており、商法（会社法）上認められた利益配当であるか否かにはこだわらない考え方が採用されている。すなわち、所得税法24条《配当所得》１項に規定する「剰余金の配当」、「利益の配当」及び「剰余金の分配」には、「剰余金又は利益の処分により配当又は分配をしたものだけでなく、法人が株主等に対しその株主等である地位に基づいて供与した経済的な利益が含まれる」と通達している（所基通24－１）。

また、配当等に含まれないものとして、「法人が株主等に対してその株主等である地位に基づいて供与した経済的な利益であっても、法人の利益の有無にかかわらず供与することとしている次に掲げるようなもの…は、法人が剰余金又は利益の処分として取り扱わない限り、配当等（法第24条第１項に規定する配当等をいう。以下同じ。）には含まれない」としている（所基通24－２）。

① 旅客運送業を営む法人が自己の交通機関を利用させるために交付する株主優待乗車券等

② 映画、演劇等の興行業を営む法人が自己の興行場等において上映する映画の鑑賞等をさせるために交付する株主優待入場券等

③ ホテル、旅館業等を営む法人が自己の施設を利用させるために交付する株主優待施設利用券等

④ 法人が自己の製品等の値引販売を行うことにより供与する利益

⑤ 法人が創業記念、増資記念等に際して交付する記念品

なお、これらのものに代えて他の物品又は金銭の交付を受けることができることとなっている場合における当該物品又は金銭を含むこととされている。また、ここに掲げる配当等に含まれない経済的な利益で個人である株主等が受けるものは、雑所得に該当することと解されており、当然、配当控除の対象にもならない。

裁判例の紹介

鈴や金融株式会社事件

株主相互金融会社における株主優待金が所得税法上の利益配当に当たらないとされた事例

（66第一審東京地裁昭和34年２月11日判決・民集14巻12号2434頁）
（67控訴審東京高裁昭和34年10月27日判決・民集14巻12号2437頁）[7]
（68上告審最高裁昭和35年10月７日第二小法廷判決・民集14巻12号2420頁）[8]

〔事案の概要〕

Ｘ社（原告・被控訴人・被上告人）は金融業並びに不動産及び有価証券の保有を目的として設立されたいわゆる株主相互金融会社である。その事業内容は、①会社は増資によって自己の株式を発行する、②増資新株は一括してある株主が一手にこれを引き受け更にこれを広く大衆に譲渡する、③株式の譲受け希望者には原則として前記の株主が自己の持株を日賦又は月賦で譲渡するが、この際会社は譲受希望者との間に立って譲受けを斡旋する、④この場合、株式を譲渡した者が譲受人から直接日賦又は月賦による株式代金の支払を受けることの煩を避けるため、ひとまず譲渡人に対し会社が株式の代金の全額を立替払いし、譲受人は立替人たる会社に対して日賦又は月賦で代金を弁済する仕組みになっている、⑤株式を譲り受けた者は、その代金を完済したときは会社から額面全額の３倍の融資を受けることができる、⑥株式を譲り受け、かつその代金を完済した後も⑤の融資を受けない者に対してＸ社は株主優待金名義で一定の金銭を支払うというものであった。⑥の融資を希望しない者に対してＸ社が支払う株主優待金は、会社の事業年度の決算を待たずに、また利益の有無にかかわらず、あらかじめ約定された一定の利率に従って支払われるものであったが、国税局長Ｙ（被告・控訴人・上告人）はこれを所得税法上の「利益の配当」として源泉徴収をすべきとして決定処分を行った。Ｘ社がこれを不服として提訴した。

7）判例評釈として、喜多川篤典・ジュリ284号128頁（1963）参照。
8）判例評釈として、碓井光明・税通38巻15号16頁（1983）、松冨善行・税通21巻７号89頁（1966）、西原寛一・民商44巻５号58頁（1961）、村井正・シュト100号117頁（1970）、田中勝次郎・ジュリ222号14頁（1961）、渡部吉隆・租税百選〔２〕30頁（1983）、白石健三・曹時12巻12号92頁（1960）、同・ジュリ214号36頁（1960）、広瀬時映・税通16巻３号52頁（1961）、北野弘久・税通33巻14号10頁（1978）、伊東稔博・税通33巻14号60頁（1978）、吉牟田勲・租税百選〔３〕46頁（1992）、酒井貴子・租税百選〔４〕59頁（2005）、松原有里・租税百選〔５〕65頁（2011）など参照。

〔争点〕

いわゆる株主相互金融会社の株主優待金は所得税法上の利益配当に当たるか。

〔判決の要旨〕

1　第一審**東京地裁昭和34年2月11日判決**はX社の請求を認容し、控訴審**東京高裁昭和34年10月27日判決**は第一審の判断を維持した。

2　最高裁昭和35年10月7日第二小法廷判決

「おもうに、商法は、取引社会における利益配当の観念（すなわち、損益計算上利益を株金額の出資に対し株主に支払う金額）を前提として、この配当が適当に行なわれるよう各種の法的規制を施しているものと解すべきである（たとえば、いわゆる蛸配当の禁止《商法290条》、株主平等の原則に反する配当の禁止《同法293条》等)。そして、所得税法中には、利益配当の概念として、とくに、商法の前提とする、取引社会における利益配当の観念と異なる観念を採用しているのと認むべき規定はないので、所得税法もまた、利益配当の概念として、商法の前提とする利益配当の観念と同一観念を採用しているものと解するのが相当である、従って、所得税法上の利益配当とは必ずしも、商法の規定に従って適法になされたものにかぎらず、商法が規制の対象とし、商法の見地からは不適法とされる配当（たとえば蛸配当、株主平等の原則に反する配当等）の如きも、所得税法上の利益配当のうちに含まれるものと解すべきことは所論のとおりである。しかしながら、原審の確定する事実によれば、本件の株主優待金なるものは、損益計算上利益の有無にかかわらず支払われるものであり株金額の出資に対する利益金として支払われるものとのみは断定し難く、前記取引会社における利益配当と同一性質のものであるとはにわかに認め難いものである。されば右優待金は所得税法上の雑所得にあたるかどうかはともかく、またその全部もしくは一部が法人所得の計算上益金と認められるかどうかの点はともかく、所得税法9条2号〔筆者注：現行24条1項〕にいう利益配当には当らず、従って、X社は、これにつき、同法37条に基づく源泉徴収の義務を負わないものと解すべきである。」

〔コメント〕

租税法律主義が立法原理にとどまらず、罪刑法定主義のように法条の厳格解釈をも内包する解釈原理であるとするならば、租税法が他の法分野から借用している概念（借用概念）は、できるだけ借用元の意味内容と同義に解すべきであろう（統一説)。本件最高裁判決も、私法におけると同義に解すべきとの立場から「利益配当」を解釈しようとしている。判決自体はやや読みづらいが、商法が射程としている配当の観念はおよそ違法なる配当も規制対象下に置いているという意味では、配当という用語を商法は広く捉えているとみることができるのであるから、違法配当のようなものも租税法上の配当とみるという理解につながるわけである。

なお、本件最高裁が「概念」と「観念」を使い分けており、前者が法条の用語として使われている点にも注意が必要である。

2　配当所得の金額の計算

(1)　計算方法

配当所得の金額 ＝ 収入金額 － 元本取得のため要した負債利子（所法24②）

所得税法では、配当所得は一定の税率による所得税の源泉徴収を行った後（所法182二）、他の所得と合算して課税する総合課税によることとしている（所法22①一）。

イ　上場株式等の配当等の場合

① 平成21年1月1日から平成24年12月31日までの間に支払を受けるべきもの

7％（ほかに地方税3％）の軽減税率により所得税が源泉徴収される。

② 平成25年1月1日から平成25年12月31日までの間に支払を受けるべきもの

7.147％（ほかに地方税3％）の軽減税率により所得税及び復興特別所得税が源泉徴収される。

③ 平成26年1月1日以後に支払を受けるべきもの

15.315％（ほかに地方税5％）の税率により所得税及び復興特別所得税が源泉徴収される。

✍ 発行済株式の総数等の3％以上（平成23年10月1日前に支払を受けるべき配当等については5％以上）に相当する数又は金額の株式等を有する個人（以下「大口株主等」という。）が支払を受ける上場株式等の配当等については、この軽減税率適用の対象とならないので、次のロにより源泉徴収される。

✍ 平成25年1月1日から平成49年12月31日までの間に支払を受ける配当等については、所得税とともに復興特別所得税が源泉徴収される。

ロ　上場株式等以外の配当等の場合

①　平成24年12月31日以前に支払を受けるべきもの

20%（地方税なし）の税率により所得税が源泉徴収される。

②　平成25年１月１日以後に支払を受けるべきもの

20.42%（地方税なし）の税率により所得税及び復興特別所得税が源泉徴収される。

このような総合課税の原則の下にありながらも、租税特別措置法は、一定の要件の下で、確定申告不要制度や上場株式等に係る配当所得の課税の特例などを設けている（措法８の４、８の５、９の２、９の３）。

⑵　負債利子控除

配当所得は、利子所得と異なり、その年中の配当等の収入金額から元本たる株式等の取得に要した負債の利子を控除して計算する（所法24②）。この点は、類似の資産性所得とはいえ、利子所得と配当所得とで大きくその計算上の取扱いを異にしているのである。

利子所得については、そもそも必要経費を観念しづらいなどという点から経費控除の機会が設けられていない。配当所得も、当初は利子所得と同様に負債利子控除は認められていなかったが、借入による投資元本の買入れが容易に想定できるところ、負債の利子を支払っても投資採算が成り立つという点が考慮されて、現行法のように、負債利子控除が認められるようになった（注解所得税法研究会・注解330頁）。控除できる負債の利子は、株式等の取得に要した負債の利子に限られる。しかしながら、実際問題として、どの負債が株式等の取得に要したものであるかという点でのひも付き関係が明確ではないことから、結局のところは、株式等の取得時期、取得価額、資金の借入時期、借入金額等からその負債が株式等の取得に要したものであるかどうかを判定するほかない。

なお、その年中の配当等の収入金額から控除できる負債の利子は、株式等を所有していた期間に対応する部分の金額としている（所法24②、所令59①）。

負債の利子（年額）× 元本所有期間の月数（１月未満切上げ）/　12

配当の確定申告不要制度を適用した株式等（源泉分離課税とされる証券投資信託の受益権も同様）を取得するために要した負債の利子は、他の株式等の配当収入からは控除できない（措通８の２－１、８の３－３、８の５－２）。

裁決例の紹介

名義書換えをしていない株式に係る負債利子控除

配当所得の金額の計算上収入金額から控除すべき負債利子については、名義書換えをしていない株式に係る負債利子であっても、当該負債により取得した株式以外の配当収入金額からも控除することができるとした事例
（69国税不服審判所平成６年２月23日裁決・裁決事例集47号97頁）

〔事案の概要〕
Ｘ（請求人）は、昭和62年４月15日にＡ社株式及び同年11月12日にＢ社株式（以下、Ａ社株式とＢ社株式を併せて「本件株式」という。）を１億530万円で取得した。本件株式の取得代金のうち１億100万円はＣ銀行Ｒ支店他２行からの借入金を充てた。

Ｘは、本件株式の取得後、所有者の名義書換えを失念していたが、平成４年３月25日にＡ社株式を、また同年３月23日及び３月27日にＢ社株式の所有者名義をＸに書き換えた。Ｘは、本件株式に係る配当金を受領していなかったが、株主たる地位に基づいて得られるべき配当金であることから、Ａ社株式の配当金15万円及びＢ社株式の配当金13万5,000円（以下、Ａ社株式の配当金及びＢ社株式の配当金を併せて「本件配当金」という。）を配当所得の収入金額に計上し、本件配当金に対応する源泉所得税５万7,000円を納付すべき税額の計算上控除して申告した。

これに対し、Ｙ（原処分庁）は、Ｘが本件配当金を平成３年中に受領した事実はないとして、本件配当金を配当所得の収入金額に計上することを認めず、また、本件配当金に対応する源泉所得税を納付すべき税額の計算上控除することはできないと認定して更正処分を行った。

また、Ｘは、平成３年中に支払った本件株式取得のために要した借入金１億100万円に係る利子754万3,727円は所得税法24条２項に規定する「株式その他配当所得を生ずべき元本を取得するために要した負債の利子」に該当するとして、配当所得の収入金額から当該支払利子を控除して申告した。これに対し、Ｙは、本件株式の名義書換えをしていない以上、本件株式は配当所得を生ずべき元本には当たらないとして、配当所得の収入金額から負債の利子の控除はできないと認定した。

Ｘは Ｙの処分を不服として審査請求に及んだ。

〔争点〕

① 本件配当を申告することの可否。

② 株式の名義書換えをしていない以上、本件株式は配当所得を生ずべき元本には当たらないとして、配当所得の収入金額から負債の利子の控除はできないのか。

〔裁決の要旨〕

○ 国税不服審判所平成６年２月23日裁決

⑴ 争点①について

「Ｙは、本件株式の名義書換えを行っていないこと及び本件株式の名義人に対し本件株式に係る配当金の返還請求もしていないから、本件配当金は申告することはできないと主張する。

しかし、所得税法上、配当所得とされる法人からの利益の配当、剰余金の分配は、株主である地位に基づいて受ける分配金と解されている。

また、この場合における株主とは、単に株主名簿に登載されている名義株主ではなく株式を取得した実質上の株主と解されている。

これを本件について見ると、Ｘは、…本件株式の名義書換えを平成４年３月まで失念していた事実は認められるが、…本件株式を取得した実質上の株主であるから、当然に株主たる地位に基づいて利益の配当を享受できる権利者であるということになる。そうすると、配当所得の収入金額の収入すべき時期は、…本件株式に係る配当支払決議があった日にＸの本件株式に係る利益配当を得る権利が確定していることになる。

なお、名義書換えを失念したことによって、本件株式の配当金を本件株式の発行会社から直接受けられないこと及び本件株式の名義人に対する配当金の返還請求を行っていないことは、実質上の株主であるＸの本件株式に係る利益配当を得る権利が当該配当支払決議のあった日に確定していることに影響を与えるものではない。

したがって、Ｙの主張には理由がない。

よって、Ｘが本件配当金を配当収入金額として計上し、本件配当金に対応する源泉所得税を納付すべき税額の計算上控除して申告したことは相当である。」

⑵　争点②について

「Ｙは、本件株式は名義書換えを行っていない以上『配当所得を生ずべき元本』には当たらないので、本件株式を取得するために要した負債の利子は他の株式の配当収入金額から控除することはできないと主張する。

しかし、所得税法第24条第２項の規定を本件でみると、『株式を取得するために要した負債の利子』と解するのが相当であるから、株式の名義書換えを行っているか否かではなく、株式を所有しているか否かで判断すべきであると解するのが相当である。

そうすると、Ｘは、…株主として本件株式を所有している事実があり、また、…本件株式を取得するために要した資金に係る借入金の利子を支払っている事実も認められるから、Ｘが、本件株式を取得するために要した借入金101,000,000円に係る支払利子7,543,727円を配当収入金額から負債の利子として控除したのは相当である。

したがってＹの主張には理由がない。」

〔コメント〕

本件においては、株式の名義書換えを行っていないことが争点の基礎にある。

名義書換えとは、権利者が変更した場合に、その変更に応じて証券又は名簿上の記載を書き換えることをいう（高橋ほか・小辞典1268頁）。株券発行会社においては、株式譲渡は株券の交付によって行われ、株券の交付を受けた者は、当然に株式の取得を第三者に対抗することができるが、この株式取得を会社に対抗するためには、株主名簿にその氏名又は名称及び住所を記載することが必要とされているのである（会130①）。このように、名義書換えは、会社に対する対抗要件であるとされているわけであるが、それは、株主の会社に対する資格、すなわち会社は誰を株主として扱うべきかを定める確定的効力を付与することにある。このような確定的効力のほか、次のような効力が名義書換えにはある（大隅健一郎ほか『新会社法概説〔第２版〕』125頁（有斐閣2010））。

①　名義書換えがあるまでは、譲受人は会社に対して自己を株主として取り扱うように主張することができない。

②　名義書換えがあるときは、譲受人は正当な株主として推定される（資格授与的効力）。

③　会社もまたその者を全ての関係において株主として扱うことができることとなり、たとえその者が実質上株主でなかった場合においても、原則として免責される（免責的効力）。

これらの効力は通常変動が多く、また多数の株主からなる株式会社の法律関係の簡明な処理を可能とするためのものであって、第三者に対して真実の株主であるかどうかということを確定させる効力ではないのであるから、名義書換えをしていない以上、本件株式は配当所得と生ずべき元本には当たらないという認定は名義書換えの本質を見誤ったものであるといわざるを得ない。

(3) みなし配当

法人の株主が一定の事由により、金銭その他の資産の交付を受けた場合において、その金銭の額及び金銭以外の資産の価額の合計額が当該法人の資本等の金額のうち、その交付の基因となった当該法人の株式に対応する部分の金額を超えるときは、その超える部分の金額は利益の配当又は剰余金の分配とみなされる（所法25①、所令61）。これを「みなし配当」という（金子宏編著『税法用語事典〔7訂版〕』193頁（税務経理協会2006））。具体的には、法人が合併や解散をするに際して残余財産を分配した場合など、形式的には法人の利益の分配ではないが、実質的にみて配当に相当する利益が個人に帰属すると認められるときに、その利益相当額を配当所得として課税するものである。みなし配当の額Aは、次のケースに応じて、それぞれの計算式により算定される。

①　合併（法人課税信託に係る信託の併合を含むものとし、適格合併を除く。）

$$A = \text{交付金銭等の額} - \frac{\text{被合併法人の資本金等の額}}{\text{被合併法人の発行済株式数の総数}} \times \text{所有株式数}$$

②　分割型分割（適格分割型分割を除く。）

$$A = \text{交付金銭等の額} - \frac{\text{分割法人の資本金等の額}}{\text{分割法人の発行済株式数の総数}} \times \text{所有株式数}$$

③　資本の払戻し（資本剰余金の額の減少に伴うものに限る。）又は解散による残余財産の分配

$$A = \text{交付金銭等の額} - \frac{\text{資本金等の額} \times \text{純資産減少割合}}{\text{払戻しに係る株式数の総数}} \times \text{所有株式数}$$

④　株式分配（適格株式分配を除く。）

⑤　自己株式又は出資の取得（証券市場等からの取得を除く。）

⑥　出資の消却（取得した出資について行うものを除く。）、出資の払戻し、退

社又は脱退による持分の払戻し等

⑦　組織変更（株式又は出資以外の資産を交付したものに限る。）

$$A = 交付金銭等の額 - \frac{資本金等の額}{発行済株式数の総数} \times 所有株式数$$

裁判例の紹介

みなし配当課税の二重課税性

清算手続結了前の株式を相続した場合に当該株式について相続税を課すことと、清算後に生じる留保利益の分配を原因として所得税法25条１項３号所定のみなし配当課税をすることが同法９条１項16号の規定によって禁止される二重課税に当たらないとされた事例

（70第一審大阪地裁平成27年４月14日判決・訟月62巻３号485頁）[9]
（71控訴審大阪高裁平成28年１月12日判決・税資266号順号12779）
（72上告審最高裁平成29年３月９日第一小法廷決定・税資267号順号12990）

〔事案の概要〕

本件は、亡A（以下「本件被相続人」という。）から相続により取得した株式（破産手続中の会社に係るもの）の株主として受領した残余財産分配金に係る所得のうち資本金の額を除いた分を所得税法25条《配当等とみなす金額》１項３号のみなし配当金として配当所得の金額に計上して平成22年分所得税の確定申告をしたX（原告・控訴人・上告人）らが、上記みなし配当金に係る所得はXらが相続により取得した上記株式の基本権である残余財産分配金を受ける権利が実現したものの一部にすぎず、同法９条１項16号（平成22年法律第６号による改正前は同項15号）の規定（以下「本件非課税規定」という。）により所得税を課されないことを理由に、所轄税務署長に対し、平成22年分所得税の更正の請求をしたところ、同税務署長から、更正をすべき理由がない旨の本件各通知処分を受けたため、国Y（被告・被控訴人・被上告人）を相手取り、本件各通知処分の取消しを求めた事案である。

〔争点〕

みなし配当に係る所得は、所得税法９条１項16号により非課税とされるべき

9）判例評釈として、吉村政穂・ジュリ1493号10頁（2016)、首藤重幸・速報判例解説20号〔法セ増刊〕253頁（2017）など参照。

か否か。

〔判決の要旨〕

1　大阪地裁平成27年４月14日判決

(1)　本件非課税規定の趣旨及び本件での適用について

「所得税法９条１項は、その柱書において『次に掲げる所得については、所得税を課さない。』と規定し、その16号において『相続、遺贈又は個人からの贈与により取得するもの（相続税法の規定により相続、遺贈又は個人からの贈与により取得したものとみなされるものを含む。）』を掲げている。同項柱書の規定によれば、同号にいう『相続、遺贈又は個人からの贈与により取得するもの』とは、相続等により取得し又は取得したものとみなされる財産そのものを指すのではなく、当該財産の取得によりその者に帰属する所得を指すものと解される。そして、当該財産の取得によりその者に帰属する所得とは、当該財産の取得の時における価額に相当する経済的価値にほかならず、これは相続税又は贈与税の課税対象となるものであるから、同号の趣旨は、相続税又は贈与税の課税対象となる経済的価値に対しては所得税を課さないこととして、同一の経済的価値に対する相続税又は贈与税と所得税との二重課税を排除したものであると解される（平成22年最判〔筆者注：いわゆる年金二重課税事件43最高裁平成22年７月６日第三小法廷判決（民集64巻５号1277頁）（94頁参照）〕参照）。

本件でこれをみると、…本件被相続人が死亡し、Ｘらが本件株式を相続により取得したことによって、Ｘらの担税力は増加しているといえるが、Ｘらは本件株式を相続したことに関して相続税を課されることとなるから、本件非課税規定が適用される結果、Ｘらが新たに取得する経済的価値である本件株式については、所得税の課税対象とされないこととなる。

これに対し、Ｘらは、本件相続によりＸらに帰属する所得は本件各分配金に相当する経済的価値であるから、本件非課税規定が本件各分配金に相当する経済的価値について適用されることとなるため、本件各分配金（本件各みなし配当金はその一部である。）については所得税が課されないこととなる等と主張する。

確かに、…Ｘらは相続税の申告において本件株式の資本金に相当する金額を『有価証券』として申告するほかに、『その他の財産』（未収入金）として本件各分配金の見込み額のうち資本金の額を超える部分を申告していたことが認められる。

しかしながら、…本件会社は本件相続開始当時、未だ破産手続が行われており、本件清算手続の開始前であって、債務も確定されておらず、残余財産の有無やその額も確定していなかったことからすれば、残余財産分配請求権を基礎とする本件各分配金に係る債権が既に具体的に発生していたということはできない。また、Ｘらが本件相続により取得した本件株式の評価を本件各分配金の見込み額としたことは、本件相続時における本件株式の時価（相続税法22条参照）を客観的に評価する上で、清算による残余財産分配見込金の推計をすることとし、具体的には、清算手続開始後に見込まれる不動産の売却等に係る収入や固定資産税の納付等に係る支出及び清算所得に対する税額などを加減算して計算した結果にすぎず、かかる事実をもって、本件相続によってＸらが未だ具体的には発生していない本件各分配金に相当する経済的価値を相続によって取得したということはできない。

そうすると、Ｘらが本件相続によって取得したのは飽くまで本件株式というべきであり、本件各分配金に相当する経済的価値を本件相続によって取得したということはできない。」

(2)　本件非課税規定と相続により取得した株式に係るみなし配当所得の関係について

「所得税法25条１項３号は、法人の株主等が当該法人の解散による残余財産の分配による金銭その他の資産の交付を受けた場合において、その金銭の額及び金銭以外の資産の価額の合計額が当該法人の資本金等の額を超えるときは、所得税法の規定の適用については、その超える部分の金額に係る金銭その他の資産は、同法24条１項に規定する配当所得、すなわち、法人から受ける剰余金の配当、利益の配当、剰余金の分配、基金利息並びに投資信託及び特定受益証券発行信託の収益の分配に係る所得とみなす旨を規定している。

かかる規定の趣旨は、清算手続が結了した法人の残余財産を株主等に対して分配することは形式的には法人の利益の配当には当たらないものの、当該法人が設立されてから清算に至るまでに社内に留保されていた利益積立金が、残余財産の分配という形をとって、法人の外に流出するものであるから、実質的には利益の配当に相当するということができるため、株主等が残余財産の分配として受けた経済的利益を配当とみなして課税することにしたものと解される。

そうすると、所得税法25条１項３号のみなし配当課税は、株主等が法人の清算によってそれまで当該法人に留保されていた利益を残余財産の分配として受けたことを課税対象とするのであるから、当該法人の株式を相続人が相続した場合における株式についての相続税の課税とは課税対象を異にするものであるし、また、上記みなし配当課税は法人に留保されていた利益の分配を原因として実現した経済的利益を課税の原因とするものであるから、上記みなし配当課税の対象となる経済的利益は、本件非課税規定にいう相続等を原因として取得したものということはではない。

したがって、清算手続結了前の株式を相続した場合に当該株式について相続税を課すことと、清算後に生じる留保利益の分配を原因としてみなし配当課税をすることが、本件非課税規定によって禁止される二重課税に当たるということはできない。」

2　大阪高裁平成28年1月12日判決

「Xらは、Xらの補充主張ア…ように、本件相続当時、破産手続中であった本件会社に係る本件株式に固有の経済的価値はないが、財産評価基本通達により、本件各分配金の経済的価値が相続税の課税価格計算の基礎に算入され、相続税の課税がされたため、本件各分配金の経済的価値に対する相続税を納付した旨主張する。

…本件において、Xらが、本件相続によって本件株式を取得し、その取得時における価額に相当する経済的価値を得たことによって、その担税力が増加したことは明らかである。確かに、債務者が法人である場合の破産手続が、支払不能又は債務超過（債務者が、その債務につき、その財産をもって完済することができない状態をいう。）にあるときに開始されること（破産法15条1項、16条1項）からすると、一般に、同手続がされている会社の株式には、経済的価値があると認められないことが大半であるが、破産手続開始決定が取り消される場合があり得ること（同法33条1項）及び本件のように当該破産手続が終了した後、なお清算会社に財産が存在する場合があり得ることを踏まえると、破産手続開始決定がされたという事情のみから直ちにその会社の株式に経済的価値がないということはできない。また、破産手続開始の原因が上記のように定められていることからすれば、通常の大半の事例においては、同株式の評価を、財産評価基本通達189－6に基づいて清算による残余財産分配見込額の推計計算をした場合に多額の残余財産の分配が見込まれることがないが、本件株式は、…本件相続当時、同推計計算をすれば、合計4億0769万6500円（X各自につき2億0384万8250円）という多額の残余財産の分配が見込まれる、相応の経済的価値があるものであった。Xらは、本件相続によって、かかる経済的価値を有する本件株式を取得したのであるから、同取得につき、本件株式を課税対象として、相続税法所定の相続税を賦課されるべきこととなる。」

「Xらは、…本件株式に固有の経済的価値がないことを前提に、本件では、相続税も、所得税も、同じ残余財産分配請求権という経済的価値に対して課税されている旨主張する。

…しかし、本件株式に固有の経済的価値がないといえず、本件で、相続税の課税対象が本件株式であった…。

また、本件会社の株式は、その額面が1株500円であり、当初、その4万5000株（X1名当たりの持株数）に相当する会社財産は、2250万円に過ぎなかったはずであるにもかかわらず…、その後、経営がされ、利益が配当されずに内部留保されてきた結果、清算時には、1株当たり、資本金相当の500円を3979円24銭超える財産的価値を有していたのであり、同株式について、残余財産の分配がされ、Xらは、各2億0156万6037円の分配を受け、同額から上記資本金相当分の2250万円を控除した各1億7906万6037円のみなし配当金を得ている。そして、…所得税法25条1項3号が、株主等が法人の残余財産の分配を受けた場合、資本金等の額を超える部分の金額にかかる金銭その他の資産をみなし配当所得として、所得税の課税対象とする旨定めていて、同金銭その他の資産が、当該株主が株主であった期間に係るものに限定される旨定めていないこと…からすると、Xらが得た上記各1億7906万6037円のみなし配当金は、同号により所得税の課税対象となるものであって、Xらが、本件株式を相続により取得し、その後に残余財産の分配を受けた場合であっても、この理は変わらないと解するのが相当である。かかる解釈は、本件に適用はないものの、所得税法60条が、事業所得、山林所得、譲渡所得及び雑所得の金額の計算について、相続等がされた場合は、その者（相続であれば相続人）が引き続きこれを所有していたものとみなすとして課税の繰延べを定め、平成23年法律第82号による改正により設けられた同法67条の4が、利子所得、配当所得、一時所得及び雑所得の基因となる資産を相続等で取得した場合について、原則として同様に取り扱う旨定めたことからも、所得税法が予定した合理的解釈であると裏付けられるものである。

以上の事情を踏まえると、Xらに賦課された所得税の課税対象は、本件会社に係る残余財産分配請求権ないしこれに基づいて交付を受けたみなし配当所得であり、相続税の課税対象とは異なるものであったと認められる。したがって、Xらの上記…の主張は、前提を欠き、採用できない。」

3　上告審**最高裁平成29年3月9日第一小法廷決定**は上告不受理を決定した。

〔コメント〕

本件は、清算手続結了前の株式を相続した場合に当該株式について相続税を課すことと、清算後に生じる留保利益の分配を原因として所得税法25条1項3号所定のみなし配当課税をすることが同法9条1項16号の規定によって禁止される二重課税に当たらないとされた事例である。

裁判例の紹介

合資会社の無限責任社員が死亡退社した場合のみなし配当

合資会社の無限責任社員が死亡により退社した場合であっても、退社による持分の払戻請求権に係る所得のうち出資額を超える部分はみなし配当に当たるとされた事例

（**73**第一審神戸地裁平成4年12月25日判決・税資193号1189頁）

〔事案の概要〕

本件は、X（原告）の無限責任社員の死亡退社によって同人の相続人に払い戻された持分のうち、出資額を超える部分は所得税法上の配当とみなされるとして、税務署長Y（被告）がXに対してした源泉所得税の納税告知及び不納付加算税の賦課決定処分について、Xが、死亡退社の場合は所得税の対象にならないなどと主張して、処分の取消しを求めた事案である。

〔争点〕

合資会社の無限責任社員が死亡退社した場合に、相続人らに対して支払われた社員の出資持分払戻金のうち、出資金の額を超える部分については、みなし配当とされるか否か。

〔判決の要旨〕

○　神戸地裁平成4年12月25日判決

(1)　みなし配当課税の趣旨について

「所得税法25条1項2号は、株主又は合名会社、合資会社若しくは有限会社の社員その他法人の出資者（法人税法2条15号、以下『法人の株主等』という。）が、当該法人からの退社又は脱退により出資持分の払戻しとして交付される金銭その他の資産の交付を受けた場合において、その金銭の額及び金銭以外の資産の価額の合計額が当該法人の資本等の金額のうちその交付の基因となった株式（出資を含む。）に係る部分の金額を超える部分の金額は、利益の配当又は剰余金の分配の額とみなすと規定している。

法人が退社した株主等に対してその出資持分を払い戻すことは、形式的には法人の利益の配当には当たらないものの、当該株主等が入社してから退社するまでの間に社内に蓄積された利益積立金が出資持分の払戻しという形ではあるが社外に流出するものであるから、実質的には利益の配当に相当するということができる。そこで、所得税法は、右条項を設けて、法人が退社した株主等に出資持分を払い戻した場合に、この株主等が受ける経済的利益を配当とみなして課税することにしたものである。」

(2)　死亡による退社の場合について

「合名会社の社員及び合資会社の無限責任社員については、その死亡が退社原因のひとつとされている（商法147条、85条）が、所得税法25条1項2号の趣旨からすると、社員等が死亡により退社した場合であっても、社内に蓄積された利益が社外に流出するという点では他の理由による退社の場合と同じであるから、死亡退社による持分の払戻しの場合の出資の額を超える部分をみなし配当に当たらないと解して、他の退社事由の場合と異なった取扱いをするのは合理的ではなく、かえって、他の事由による退職の場合と異なった取扱いをするならば、課税上の不均衡さえ生じることになる。また、所得税法には、同法25条1項2号の『退社』の意味について特に規定がなく、退社原因の中から、特に死亡による場合を除いていないし、商法における退社の意味と同様に解すべきであるから、合名会社の社員等が死亡によって退社する場合であっても、退社による持分払戻請求権に係る所得のうち出資の額を超える部分は、その所得が誰に帰属するかはともかく、みなし配当に当たると解するのが相当である。」

〔コメント〕

退社とは、一般社団法人や持株会社等の存続中に特定の社員の社員たる地位が絶対的に消滅することをいう（高橋ほか・小辞典858頁）。退社事由には、①任意退社、②法定退社のほか、③その他の退社として、持分の差押えの場合の退社、会社の継続に同意しなかった社員の退社、設立の無効・取消しの原因が一部の社員のみにあるとき他の社員全員の同意により法人を継続する場合の当該原因のある社員の退社などがある。絶対的消滅という意味では、死亡による退社も退社であることには変わりがない。死亡退社は、上記のうち、②法定退社である。

本件において、神戸地裁は、二つのアプローチから死亡退社も所得税法25条1項2号にいう「退社」に含まれると判示している。まず第一に、趣旨解釈の見地からこれを論じる。すなわち、同地裁がいうには、所得税法は、法人が退社した株主等に出資持分を払い戻した場合に、この株主等が受ける経済的利益を配当とみなして課税することにしたという趣旨である。この趣旨は、通説的な理解に基づくものであり、妥当であろう。次に、文理解釈の見地から、「法25条1項2号の『退社』の意味について特に規定がなく、退社原因の中から、特に死亡による場合を除いていないし、商法における退社の意味と同様に解すべきである」としている。「退社」を借用概念として捉えた上で、統一説の立場から、商法と同義に解すべきであるとしているのである。商法上の退社概念の理解は、上記のとおりであるところ、所得税法上の「退社」に死亡退社が除かれる積極的な理由はないことから、商法上の「退社」の意義と同義であるとするという判断も正当というべきであろう。

裁判例の紹介

外国法人のスピンオフとみなし配当

外国法人のスピンオフによりその株主が取得することとなった別の外国法人の株式が、所得税法24条1項所定の配当所得又は同法25条1項3号所定のみなし

配当所得に該当するとされた事例
（74第一審東京地裁平成21年11月12日判決・判タ1324号134頁）[10]

〔事案の概要〕

Ｙ（被告）は、自ら株式を保有している外国法人（Ｔ社）から、同社の資本剰余金及び利益剰余金を原資として、同社発行の株式１株につき、同社がスピンオフの形式で分社化した他の外国法人２社（Ｋ社及びＥ社）の株式をそれぞれ0.25株ずつ割り当てられていた（本件割当て）。Ｙの配当所得等について、源泉徴収義務を負う証券会社であるＸ（原告）は、資本剰余金に係る割当ての部分は所得税法（平成19年法律第６号による改正前のもの）25条１項３号、同法施行令61条２項３号にいう「みなし配当」として、利益剰余金に係る割当ての部分は法24条１項にいう「配当」として課税の対象となるから、これらについて合計17万5,265円の所得税等が生じているとして、Ｙに対して、Ｘが源泉徴収義務を負う所得税等の金額の一部及びこれに対する遅延損害金の支払を求めた事案である。

Ｘは、本件割当ての原資はＴ社の資本剰余金及び利益剰余金であるから、Ｙが割り当てられたＫ社及びＥ社の株式のうち、資本剰余金に係る部分については「みなし配当」として、利益剰余金に係る部分については「配当」としてそれぞれ課税の対象となると主張した。

これに対して、Ｙは、①日本の所得税法は、投資先の外国法人がスピンオフを実施した場合の課税の可否、要件等について何らの定めも置かないから、本件スピンオフについても課税することはできない。②また、日本の所得税法は、あくまで所得が生じた場合に限って適用されるのであって、所得が生じていない場合にこれを適用することは違法である。③Ｙには、本件スピンオフが実施された前後において、株主資産の増加（キャピタルゲイン）が生じていない以上、本件スピンオフについても所得の発生という課税要件を満たさず、所得税法を適用することはできない。④諸外国では、スピンオフという経営戦略上の措置に対し、課税しないのが通例である。現に、本件スピンオフは、米国ではInternal Revenue Code Section 355（スピンオフの株主に対する非課税要件を定めた法律）の承認を得て非課税とされているなどと主張した。

〔争点〕

本件スピンオフによる他の外国子会社の株式の取得が配当所得に該当するとして課税することが許されるか否か。

10）判例評釈として、田島秀則・ジュリ1429号153頁（2011）参照。

〔判決の要旨〕

○　東京地裁平成21年11月12日判決

⑴　本件割当てが配当所得に該当するか否かについて

「本件割当ては、Ｔ社の株主に対して、当該株主が保有するＴ社の株式数に応じて、Ｔ社がスピンオフの形式で分社化したＫ社及びＥ社の株式を割り当てたものである。…その原資には、Ｔ社の利益剰余金が充てられていることが認められる。そうすると、Ｙが本件割当てによって取得したＫ社及びＥ社の株式のうちＴ社の利益剰余金を原資とする部分は、法人がその株主等の出資者に対し出資者としての地位に基づいて分配した利益に当たるから、法24条１項に規定する利益の配当として、配当所得に該当するというべきである。」

⑵　本件割当てがみなし配当に該当するか否かについて

「その〔筆者注：本件割当ての〕原資には、Ｔ社の資本剰余金が充てられていることが認められる。そうすると、Ｙが本件割当てによって取得したＫ社及びＥ社の株式のうちＴ社の資本剰余金を原資とする部分は、剰余金等の留保利益から成るものであって、その実態において配当利益と異ならないものであるから、Ｔ社の資本金等の額のうち払戻しの基因となったＹの出資額に対応する部分を超えれば、法25条１項３号に規定する法人の資本の払戻しとして、みなし配当に該当するというべきである。」

⑶　Ｘの主張に対して

「確かに、株主が、投資先の外国法人のスピンオフにより分社化された他の外国法人の株式の交付を受けた場合、その株式の価額の合計額が配当等となる旨を明記する所得税法の規定はない。しかし、配当等に該当するか否かは、法人が株主に対して交付した資産が、その名目のいかんにかかわらず、出資者としての地位に基づいて分配した利益といえるか否か（配当所得の場合）、又は利益配当に相当する法人利益といえるか否か（みなし配当の場合）を実質的に判断した上で決せられる…。…本件割当ての原資には、Ｔ社の資本剰余金及び利益剰余金が充てられていることが認められる以上、資本剰余金に係る割当ての部分は法25条１項３号、施行令61条２項３号にいう『みなし配当』として、利益剰余金に係る割当ての部分は法24条１項にいう『配当』としていずれも課税の対象となるものといわざるを得ない。」

「Ｙは、本件スピンオフが実施された前後において、株主資産の増加が生じていない以上、所得の発生という課税要件を満たさず、課税することはできないと主張する。…しかし、法人の資本金の額を減少させると、その金額は、株主に対する分配が可能な剰余金になり、これをスピンオフにより分社化された他の外国法人の株式という資産に転化させて払い戻せば、その実態は利益配当と異ならず、株主資産の増加が生じたとみることができるから、これを課税の対象とすることは、何ら不合理ではない。株主に対し、減資を伴うスピンオフにより分社化された他の外国法人の株式を交付することは、会社が、いったん剰余金を株主に分配した上、改めてスピンオフにより分社化された他の外国法人につき資本の払込みをさせるのと同一の効果をもたらすことからも、上記の合理性は裏付けられる。」
「さらに、Yは、本件スピンオフは、米国ではInternal Revenue Code Section 355の承認を得て非課税とされていると主張するが、本件スピンオフが米国の法律上非課税とされていることは、我が国の税法の解釈について特段の影響を及ぼすものとはいえない〔。〕」

〔コメント〕

我が国における現物配当の配当財産としては、典型的には、子会社株式があり、例えば、新設分割により設立した会社の株式を配当財産とする場合がある（会社763十二ロ、812二）。米国では、子会社株式を、現物配当の手続で分配するスピンオフ（spin-off）が活発に利用されている（そのほか、子会社株式を自己株式の取得対価として分配するスプリットオフ（split-off）や、清算手続中の残余財産の分配として子会社株式を使うスプリットアップ（split-up）などもある。）。

本件において、東京地裁は、外国法人のスピンオフにより、その株主が外国法人子会社の株式を割り当てられたことに対しては、①当該外国法人の利益剰余金を原資とする部分は配当所得に該当するとし、②資本剰余金を原資とする部分はみなし配当に該当すると判示している。このように、本件判決は、みなし配当の金額が、法人の利益積立金額など法人の留保利益からなるものであることから上記の結論を導出している。

本件東京地裁は、所得税法24条1項が、配当所得について、法人から受ける剰余金の配当、利益の配当、剰余金の分配、基金利息並びに投資信託及び特定目的信託の収益の分配に係る所得をも含むものと規定しており、「決算手続に基づいてされる利益の配当に限られないことは、明らか」と論じている。また、利益の配分の性格を持たない基金利息や、各種収益の混合体ともいうべき投資信託の収益の分配等がいずれも配当所得に含まれるとされていることを考慮すると、「所得税法上の配当所得の概念は、相当に広範なものと考えるべきであって、法人が、その株主等の出資者に対し、出資者としての地位に基づいて分配した利益は、その名目のいかんにかかわらず、所得税法上の配当所得に該当する」と解するのが相当であるとの理解を示している。

また、本件東京地裁は、みなし配当課税について、「形式的には法人の利益配当ではないが、資本の払戻し等の方法で、実質的に利益配当に相当する法人利益の株主等への帰属が認められる行為が行われたときに、その経済的実質に着目して、これを配当とみなして株主等に課税する趣旨」であるとし、したがって、法人が、その株主等の出資者に対し、「実質的に利益配当に相当する法人利益を帰属させた場合には、当該利益の名目のいかんにかかわらず、その法人の資本金等の額のうち払戻しの基因となった株式又は出資に対応する部分を超えれば、上記法人利益の出資者への帰属は、所得税法上のみなし配当に該当する」と解するのが相当であるとしている。

このように、本件判決が、配当が決算手続に限定されたものでないことを文理解釈から導き出し、みなし配当課税が、経済的実質に着目をしている規定であって、資本金等の額のうち払戻しの基因となった出資等を超える部分に対するものであることを趣旨解釈から導き出して、上記の判断に結び付けている点は解釈論的にも注目される。

(4)　自己株式の取得

会社が自己の発行済株式を株主との合意により取得することは論理的には不可能ではないとされていたが、従前、会社法は、次に示すような弊害を生ずるおそれのある行為であるとして、自己株式の取得には制限をかけてきた（江頭憲治郎『株式会社法〔第7版〕』238頁（有斐閣2015））。

①　資本金・準備金を財源とする取得は、株主への出資の払戻しと同様の結果を生じ、会社債権者の利益を害する（資本の維持）。

②　株主への分配可能額を財源とする取得でも、流通性の低い株式を一部の株主のみから取得すると株主相互間の投下資本回収の機会の不平等を生じさせ、また取得価額如何によっても残存株主との間の不公平を生じさせる（株主相互間の公平）。

③　反対派株主から株式を取得することにより取締役が自己の会社支配を維持する等、経営をゆがめる手段に利用される（会社支配の公正）。

④　相場操縦（金商159）、インサイダー取引（金商166）などに利用される（証券市場の公正）。

しかしながら、産業界には、上場会社の財務戦略上の観点等から、自己株式の取得規制の緩和を主張する意見が強く（神田秀樹「自己株式取得と企業金融（上）」商事1291号2頁（1992）等）、平成13年6月の商法改正により、自己株式の取得と保有を認めるいわゆる「金庫株の解禁」が行われた。

これを受けて、所得税法では、法人が自己株式の取得（証券市場等からの取得を除く。）をし、その法人の株主等に金銭その他の資産の交付をした場合には、その金額がその所有する法人の株式又は出資に対応する資本金等の額を超える金額のうち、交付の基因となった株式等に対応する部分の金額を超えると、その超える部分の金額は株主等の配当所得の金額とみなすこととされた（所法25①四）。すなわち、法人が自己株式を取得することは、間接的には資本の払戻し（減少）があったものとして取り扱われるので、みなし配当課税を行うとしたものである。

もっとも、自己株式の取得全てにみなし配当課税が適用されるのではなく、次の場合の自己株式の取得は除かれる（所法25①、所令61①）。

① 金融商品取引所の開設する市場における購入
② 店頭登録銘柄株式の店頭売買による購入
③ 金融商品取引業者のうち、一定の行為を行う者が有価証券の媒介等をする場合のその売買
④ 事業の全部の譲受け
⑤ 合併、分割又は現物出資による被合併法人、分割法人又は現物出資法人からの移転
⑥ 適格分社型分割による分割承継法人からの交付
⑦ 株式交換による株式交換完全親法人からの交付
⑧ 合併に反対する被合併法人の株主等の買取請求に基づく買取り
⑨ 端株主の端株買取請求による買取り
⑩ 全部取得条項付種類株式を発行する旨の定めを設ける定款等の変更に反対する株主等の買取請求に基づく買取り
⑪ 全部取得条項付種類株式に係る取得決議による取得
⑫ 株式交換等による端株に相当する金銭の交付による取得
⑬ 株式交換又は株式移転による取得

これは、みなし配当課税が、納税者が法人の場合には受取配当の益金不算入（法法23）の適用により有利であるのに対し、個人株主の場合には、譲渡益課税に比べて不利に働くからであるとも説明される。

なお、金融商品取引法27条の22の２《発行者による上場株券等の公開買付け》に規定する公開買付けにより自己株式を取得した場合には、①にいう「市場における購入」に該当せず、みなし配当が生ずることになるが、これまでは租税特別措置としてみなし配当課税を行わず（旧措法９の６①）、株式等の譲渡による所得に含めることとしてきたが（措法37の10③）、平成23年以降はみなし配当課税が行われている（平成22年所法等改正附則51）。

なお、平成16年度税制改正により、相続又は遺贈により取得した非上場株式をその発行会社に譲渡した場合には、相続開始の日の翌日から相続税申告書の提出期限の翌日以後３年を経過する日までの間に譲渡したものであることなど、所定の要件を満たすものである限り、みなし配当課税を行わず、株式等に係る譲渡所得等の課税の特例が適用される（措法９の７①②、37の10③。ただし、納付すべき相続税額がない場合には、この特例を受けることができない。）。

裁判例の紹介

自己株式の取得

事実認定の結果、本件各株式の取得は、原告会社における自己株式の取得に該当すると判断された事例

（75 第一審岡山地裁平成29年９月20日判決・税資267号順号13063）

〔事案の概要〕

1　概観

本件は、所轄税務署長から、平成26年12月15日付けで、平成25年６月分の源泉徴収に係る所得税及び復興特別所得税としての1,033万7,625円の納税告知処分並びに不納付加算税としての103万3,000円の賦課決定処分（以下、これらの各処分を併せて「本件各処分」という。）を受けたＸ社（原告）が、本件各処分は、所得税法（以下「法」という。）25条１項４号の適用を誤った違法があると主張して、国Ｙ（被告）を相手取って本件各処分の取消しを求めた事案である。

2　具体的事実

ア　Ｘ社は株式会社であるところ、平成24年９月当時の資本金の額は2,000万円であり、当該資本金の額に係る発行済株式数は40万株、１株当たりの価格は50円であった。Ｘ社は、会社法２条《定義》17号に規定する譲渡制限株式のみを発行する会社であり、その株式を譲渡するためには、取締役会の承認を受けなければならないこととされていた。

イ　乙は、平成24年９月30日当時、Ｘ社発行済株式のうち８万2,500株（以下「本件乙株式」という。）を所有していた。

ウ　丙（乙と併せて「丙ら」という。）は、同日当時、Ｘ社発行済株式のうち３万株（以下「本件丙株式」といい、本件乙株式と併せて「本件各株式」という。）を所有していた。

エ　丁は、平成23年11月30日から平成26年４月１日までの間、Ｘ社の取締役を務めていた者であり、平成24年９月30日当時、Ｘ社の株主であった者である。

オ　本件各株式に係る譲渡契約書の存在

本件において、Ｘ社が乙から代金4,125万円で本件乙株式を買い受ける旨の株式譲渡契約書（以下「本件乙契約書」という。）及びＸ社が丙から代金1,500万円で本件丙株式を買い受ける旨の株式譲渡契約書（以下「本件丙契約書」といい、本件乙契約書と併せて「本件各契約書」という。）が存在する。

カ　所轄税務署長は、Ｘ社が丙らから本件各株式を取得し、法25条１項４号の「法人の自己の株式の取得」があったことを前提として、法及び関連法令の規定に従い、Ｘ社に対し、平成26年12月15日付けで、本件各処分を行った。

〔争点〕

本件における主な争点は、Ｘ社において、法25条１項４号の「法人の自己の株式の取得」に該当する行為があったか（丙らから本件各株式を取得したのはＸ社と丁のいずれか。）である。

〔判決の要旨〕

○　岡山地裁平成29年９月20日判決

「Ｘ社と丙らとの間で、Ｘ社が丙らから本件各株式を買い受ける旨の本件各契約書が作成され、Ｘ社内部においても、それに沿った株主総会や取締役会の決議がなされ、経理処理も行われているのであるから、Ｘ社が丙らから本件各株式を取得したと認められ、この行為は、法25条１項４号の『法人の自己の株式の取得』に該当する行為であると認められる。

これに対し、Ｘ社は、本件各契約書の内容は実態とは異なるとし、実際は、丁が丙らから本件各株式を取得し、その際、丁が本件各株式を担保としてX社から購入資金を借り受け、X社が譲渡担保を原因として本件各株式の名義人となった旨主張する。
　しかし、本件において、丁が丙らから本件各株式を取得したことや丁がX社から本件各株式の購入代金相当額を借り受けたことを裏付ける契約書等は全く作成されていないばかりか、X社と丁との間で金銭消費貸借契約及び譲渡担保契約の詳細についても取決めがなされていなかったことは、X社も自認しているところである。」
「したがって、X社の上記主張は採用できないといわざるを得ない。」

〔コメント〕
　居住者に対し国内において所得税法24条1項に規定する配当等の支払をする者は、その支払の際、その配当等について所得税を徴収し、その徴収の日の属する月の翌月10日までに、これを国に納付しなければならない（所法181①）。また、所得税法25条1項において、法人の株主等が当該法人の所定の事由により金銭その他の資産の交付を受けた場合において、その金銭の額及び金銭以外の資産の価額の合計額が所定の金額を超えるときは、法の規定の適用については、その超える部分の金額に係る金銭その他の資産は、同法24条1項に規定する配当等とみなされると規定されており、同項4号では、上記所定の事由として、「当該法人の自己の株式又は出資の取得」が掲げられている。
　本件においては事実認定が問題とされた。すなわち、丙らから本件各株式を取得したのはX社と丁のいずれかという争点が論じられたのであるが、①丁が丙らから本件各株式を取得したことや、丁がX社から本件各株式の購入代金相当額を借り受けたことを裏付ける契約書等は全く作成されていないこと、②X社と丁との間で金銭消費貸借契約及び譲渡担保契約の詳細についても取決めがなされていなかったことから、丙から本件各株式を取得したのは、X社であると認定された事例である。

Ⅳ　不動産所得

1　不動産所得の意義

　不動産所得とは、土地や建物等の不動産の貸付け、不動産の上に存する権利（地上権や永小作権等）の貸付け、船舶や航空機の貸付けから生ずる所得をいう（所法26①）。この定義から明らかなとおり、不動産所得とは、不動産所有の有無にかかわらず、「貸付け」による所得であること、必ずしも、不動産の貸付けのみを指す所得区分ではなく、不動産以外の船舶や航空機といった動産の貸付けによる所得も含まれていることに注意が必要である。なお、「船舶」には総トン数20トン未満の小型船舶及びろかい船は含まれない（所基通26－1）。また、不動産の貸付けに際して受ける権利金や頭金、更新料、名義書換料も不動産所得に含まれる。他方、借地権の設定により一時に受ける権利金等は、譲渡所得等になる場合がある。

CHECK！　不動産所得と事業所得の区分

不動産所得の範囲を画するに当たって、しばしば問題となるのが、事業所得や譲渡所得との区別である。

不動産等の貸付けによる所得であっても、事業所得に該当するものは不動産所得から除外されている（所法26①）。他方、事業所得とは、農業、漁業、製造業、卸売業、小売業、サービス業その他の事業から生ずる所得をいうが、不動産又は船舶、航空機の貸付業は、そこにいう「事業」の範囲から除かれている（所法27①、所令63）。したがって、不動産又は船舶、航空機の貸付けが一定の規模において営利性を有し継続的に行われている場合の所得が不動産所得に該当するのか、あるいは事業所得に該当するのかについては、議論のあり得るところである。

そこで、その所得区分については、相対的ではあるものの不動産所得が資産性所得的性格が強い所得区分であるのに対して、事業所得が不動産所得よりは勤労性所得の性格が強い所得区分であるところから、その所得の内容を吟味して、①その所得がほとんど又は専ら不動産等の利用に供することにより生ずる場合には不動産所得、②不動産等の使用のほかに役務の提供が加わり、これらが一体となった給付という性格を持つ場合には、事業所得（又は雑所得）と解されている。なお、不動産所得を資産性所得と性格付けすることは、「貸付け」という行為を要件としていることから疑わしいといわざるを得ない。

例えば、課税実務では、次のように取り扱うことが通達されている。

①　アパートや下宿等を貸し付けた場合の所得（所基通26－4）

(i)　単に部屋を提供するだけで食事を提供しない場合…不動産所得

(ii)　賄い付きの下宿のように食事を提供するなど、人的役務の提供が加わる場合…事業所得又は雑所得

②　船舶を貸し付けた場合の所得（所基通26－3）

(i)　裸用船契約による所得…不動産所得

(ii)　船員とともに船舶を利用させる定期用船契約による所得…事業所得又は雑

所得

③　有料駐車場や有料自転車置場の所得（所基通27－２）

(i)　自己の責任において保管しない場合（例えば、月極駐車場）…不動産所得

(ii)　自己の責任において保管する場合（例えば、時間極駐車場）の所得…事業所得又は雑所得

なお、不動産業者が販売用不動産を一時的に貸し付けたような場合の不動産等の貸付けによる所得は、事業を営む者がその事業に関連していることから、その貸付けが事業の付随行為とみられるため事業所得に該当することになる。そのほか、貸金業者が代物弁済等によって取得した不動産等を一時的に貸し付けた場合や、事業主がその従業員に寄宿舎などを提供している場合なども、その貸付けによる所得は事業所得の付随収入となる（所基通26－７、26－８、27－４）。

人的役務が付着した不動産等の貸付けによる所得は事業所得に該当するといわれているが、その理由は奈辺にあるのであろうか。多くの租税法の教科書は、例として、所得税基本通達などを示すのみであって、この点について明確な説明が必ずしも十分になされてこなかったのではないかと思われる。

もちろん、その説明は、租税法律主義に従い基本的には実定法の根拠を示した上での説明であるべきことはいうまでもない。

所得税法26条１項は、不動産の貸付けによる所得を不動産所得と規定しているが、そこでは、「事業所得…に該当するものを除く。」として事業所得の先取りを規定している。この規定から判然とすることは、不動産等の貸付けによる所得には事業所得が混在しているということである（そうでなかったら、わざわざ事業所得を除く必要はないからである。）。次に、優先適用される事業所得については、所得税法27条１項が、「その他の事業で政令で定めるものから生ずる所得」として所得税法施行令63条に委任している。その上で、同条は、「不動産の貸付業又は船舶若しくは航空機の貸付業に該当するものを除く。」という括弧書きを規定している（この規定を循環規定と読み誤る初学者は少なくない。）。

ここまで読むと、所得税法26条により先取りされるはずの事業所得とは、「不動産等の貸付け」のうち、「『不動産の貸付業又は船舶若しくは航空機の貸付業に該当するもの』以外のもの」であることが判然とするのである。すなわち、純粋な意味での、❶不動産の貸付業、❷船舶・航空機の貸付業だけが、事業所得から除外されて不動産所得に残ることになる。

そうすると、❶や❷のような純粋な不動産等貸付け以外の、例えば、ホテル業や旅館業、駐輪場の管理業、下宿業のようなものは所得税法施行令63条の括弧書きに当たらないため、事業所得に残り、不動産所得よりも先取りされることになるのである。

裁判例の紹介

余剰容積の移転に係る地役権の設定と不動産所得

連担建築物設計制度に関わる地役権の設定の対価として受領した金員が不動産所得に該当するとされた事例

（76第一審東京地裁平成20年11月28日判決・税資258号順号11089）[11]
（77控訴審東京高裁平成21年5月20日判決・税資259号順号11203）[12]
（78上告審最高裁平成22年3月30日第三小法廷決定・税資260号順号11413）

〔事案の概要〕

本件は、X（原告・控訴人・上告人）が、余剰容積移転のための対価としてA社から支払を受けた1億7,500万円（本件対価）について、譲渡所得とすべきを一時所得として申告したとして、所得税の更正の請求をしたところ、所轄税務署長が、本件対価は、不動産の上に存する権利の貸付けの対価に当たるから不動産所得であるとして、更正をすべき理由がない旨の通知処分及び更正処分等を行ったのに対して、Xが国Y（被告・被控訴人・被上告人）を相手取りこれらの処分の取消しを求めた事案である。XらとA社の取決めは次のとおり。

① Xらの所有土地とA社が所有する宅地を合わせた敷地（本件各土地）を建築基準法86条《一の敷地とみなすこと等による制限の緩和》2項に定める連担建築物設計制度の認定を受ける区域とし、A社はその認定に基づき、Xらの所有土地が保有する余剰容積の移転を本件各土地上に受け、A社が同土地上のh所有地に建物（本件予約建物）を建設する。

② Xら及びA社は、本件予約建物の着工を停止条件として、294.6％を超える建物を本件各土地内に建設しない旨の不作為の地役権（本件地役権）を設定し、これによりA社は、Xら所有土地の余剰容積を利用する権利（本件余剰容積利用権）をXらにより取得する。

③ Xらは、A社が本件余剰容積利用権の移転を受けた後は、同社が本件予定建物を将来再建築する場合においても、本件余剰容積利用権を本件各土地の容積に加算することを承諾する。

〔争点〕

本件対価は不動産所得と譲渡所得のいずれに当たるか。

11）判例評釈として、水野忠恒・税務事例研究111号47頁参照（2009）。

12）判例評釈として、高野幸大・租税百選〔7〕74頁（2021）、田島秀則・税務事例42巻7号1頁（2010）、豊田孝二・速報判例解説5号〔法セ増刊〕311頁（2009）など参照。

〔判決の要旨〕

1　東京地裁平成20年11月28日判決

「所得税法33条１項は、『建物又は構築物の所有を目的とする地上権又は賃借権の設定その他契約により他人に土地を長期間使用させる行為』については、その土地の独占的利用権ないし場所的利益の譲渡としての性質を有する場合があり、そのような行為については、経済的、実質的には、土地の所有者等がその土地の更地価額のうち土地の利用権に当たる部分を半永久的に譲渡することによってその土地に対する投下資本の大半を回収するものとみられることなどから、法律的には『資産の譲渡』ということはできないものの、その土地の利用権部分についてはその段階で所有資産の増加益の清算をするのが相当と考えられるため、このうちで更に『政令で定めるもの』を『資産の譲渡』に含めるものと規定する。

そして、上記の『政令で定めるもの』として、所得税法施行令79条１項は、建物若しくは構築物の所有を目的とする地上権若しくは賃借権又は地役権の設定のうち、その対価として支払を受ける金額が一定の金額を超えるものとする旨規定した上、この地役権について、①特別高圧架空電線の架設、②特別高圧地中電線の敷設、③ガス事業法２条11項に規定するガス事業者が供給する高圧ガスの通導管の敷設、④飛行場の設置、⑤懸垂式鉄道若しくは跨座式鉄道の敷設、⑥砂防法１条に規定する砂防設備である導流堤その他財務省令で定めるこれに類するものの設置、⑦都市計画法４条14項に規定する公共施設の設置、⑧都市計画法８条１項４号の特定街区内における建築物の建築のために設定されたもので、建造物の設置を制限するものに限る旨規定しているところ、その規定から明らかなとおり、特定街区制度にかかわる地役権の設定についてはこれを『資産の譲渡』に該当し得るものとしているにもかかわらず、連担建築物設計制度にかかわる地役権の設定については何ら規定していない。

そうすると、連担建築物設計制度にかかわる地役権の設定の対価が所得税法33条１項に規定する譲渡所得に該当すると認めることはできない。」

「そして、本件地役権は、Ｘらが承役地である本件各土地について容積率294.46％を超える建物を建設しない旨の不作為の地役権を設定し、本件連担認定によって、本件余剰容積の利用という便益を要役地であるｈ所有地に供し、Ａ社に本件各所有地の所有権の一内容である本件余剰容積を使用させるものであるから、本件対価は、所得税法26条１項にいう不動産所得に該当するものと認めることができる。」

2　控訴審**東京高裁平成21年５月20日判決**は第一審の判断を維持した。なお、Ｘは上告したが、上告審**最高裁平成22年３月30日第三小法廷決定**は、上告を棄却し、上告不受理とした。

〔コメント〕

容積率とは、建物の延床面積の敷地面積に対する割合のことであり、その敷地に対して建築が許容される建物の規模（床面積）を示す割合を意味する。これは、建ぺい率と同様に、用途地域ごとに都市計画法で定められている。容積率は、個々の敷地ごとに適用することが原則とされているが、建築基準法は、複数の独立した建築物がある場合には、一定の要件の下で、「連担建築物設計制度」という例外を設けている（建築基準法86②）。

●容積率

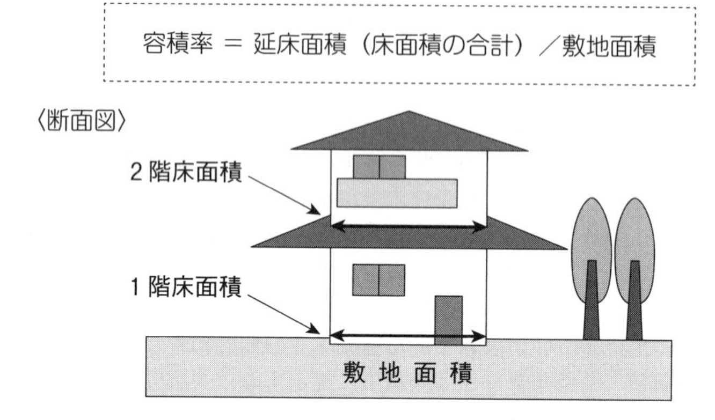

連担建築物設計制度を適用することにより、幅員が狭い道路に面した既存建築物がある土地と、これに連なる幅員が広い道路に面した更地がある場合に、これらを一の敷地とみることによって、既存建築物の存する土地は幅員の広い道路に面した土地とみなされることになるのである。すなわち、「当該一定の一団の土地の区域」を隣り合った建築物の同一の敷地とみなすことにより、既存建築物の存在を前提として、その余剰容積を隣地に建築する建築物に移転することを可能とする制度である。この制度が適用されると、幅員が狭い道路に面した土地が幅員の広い道路に面した土地とみなされることによって、既存建築物の存する土地に制限のない高い容積率が適用され、建築可能な延べ面積から既存建築物の延べ面積を控除した分の余剰容積が生ずることになる。

本件地裁判決は、連担建築物設計制度等は公法上の規制の緩和を実質とするものであり、私法上、余剰容積利用権という新たな権利を創設するものではないと解した上で、権利設定対価としてみるべきではなく、正しく本件各土地を承役地とする不作為の地役権の設定であるとした上で、かかる地役権の設定は、所得税法施行令79条《資産の譲渡とみなされる行為》１項に掲げられていないとして譲渡所得該当性を排除しているのである。

ここでの理解は、譲渡所得に該当するとされている、所得税法施行令79条１項に掲げられている権利の設定を厳格に解しており、同項を例示的規定でもなければ確認的規定でもないと考えているようである。このような考え方は、後述するいわゆるサンヨウメリヤス事件165最高裁昭和45年10月23日第二小法廷判決（373頁参照）の考え方に抵触するようにも思われる。同最高裁は、「借地権設定に際して土地所有者に支払われるいわゆる権利金の中でも、右借地権設定契約が長期の存続期間を定めるものであり、かつ、借地権の譲渡性を承認するものである等、所有者が当該土地の使用収益権を半永久的に手離す結果となる場合に、その対価として更地価格のきわめて高い割合に当たる金額が支払われるというようなものは、経済的、実質的には、所有権の権能の一部を譲渡した対価としての性質をもつものと認めることができるのであり、このような権利金は、昭和34年法律第79号による改正前の旧所得税法の下においても、なお、譲渡所得に当たるものと類推解釈するのが相当である。」と判示しており、所得税法施行令79条１項が創設される以前から、譲渡所得の類推解釈によって、借地権の設定対価たる権利金は不動産所得ではなく譲渡所得として認定し得る余地を説示していたのである。この最高裁昭和45年判決を前提に考えると、所得税法施行令79条１項は確認的規定であるということになろう。そうであるとすれば、本件における東京地裁判決との整合性が問われることになるようにも思われるのである。しかしながら、私見としては、上記最高裁昭和45年判決の考え方は文理解釈の点で疑問なしとはできないため、本件東京地裁判決の解釈が妥当ではないかと考える。

裁判例の紹介

不動産所得と付随収入

土地賃貸借契約の終了に伴い無償で譲り受けた同土地上の建物等に係る利益は、不動産の貸付けによる所得には当たらないとされた事例

（79第一審名古屋地裁平成17年３月３日判決・判タ1238号204頁）[13]
（80控訴審名古屋高裁平成17年９月８日判決・税資255号順号10120）[14]
（81上告審最高裁平成18年10月３日第三小法廷決定・税資256号順号10522）

〔事案の概要〕

税務署長Ｙ（被告・被控訴人兼控訴人・上告人）が、Ｘ（原告・控訴人兼被控訴人・被上告人）の所有地についての土地賃貸借契約が合意解約される際に、

13）判例評釈として、青柳達朗・ジュリ1341号192頁（2007）、荻野豊・TKC 税研情報14巻６号51頁（2005）、増田英敏＝堀光博・TKC 税研情報15巻２号34頁（2006）など参照。
14）判例評釈として、林仲宣・ひろば63巻３号50頁（2010）参照。

賃借人からXに無償で提供された同土地上の建物等の利益（以下「本件建物利益」という。）が不動産所得に当たるとして、Xの平成12年分所得税について更正処分及び過少申告加算税賦課決定処分（以下、両者を併せて「本件所得税課税処分」という。）を行ったのに対し、Xが、本件建物利益は一時所得に当たると主張して、本件各課税処分（ただし、異議決定により一部取消し後のもの）のうち、申告額を超える部分の取消しを求めた抗告訴訟である。

ア　Xは、不動産賃貸業等を営んでいるところ、昭和52年ころ、株式会社Aを立会人として、C株式会社との間で、各土地（以下「本件T土地」という。）を、仮設モーターショップ及びモータープールの用地として一時使用目的で賃貸する旨の契約を締結した。Cは、同地上に建物（以下「本件建物」という。）を建築して、T店として営業を開始した。

　その後、XとCとは、上記契約を更新してきたところ、平成12年4月30日、賃貸期間を平成12年5月1日から平成15年4月30日までの3年間とし、賃料は1か月62万円とする旨の「借地一時使用契約」（以下「本件賃貸契約」という。）を締結（契約更新）した。

イ　Cは、平成12年8月ころ、T店を閉鎖して業務を縮小すべく、Xに対して、本件賃貸契約の中途解約について協議を申し入れ、同年9月5日付けで、これに関するC側の基本方針を内容とする文書（以下「本件申入文書」という。）を作成し、Xに交付した。

　本件申入文書は、Cが、①本件建物における営業を平成12年9月末日をもって休止し、同年10月中旬には閉店する予定であること、②平成13年2月分までは現行の賃料を支払うが、その間に新賃借人が現れたときは、本件建物を新賃借人に譲渡したいと思っていること、③平成13年1月末日までに新賃借人が現れないときは、Xの指示に従い本件T土地を明け渡すつもりであることを内容としている。

ウ　その後、中古車買取販売業者である株式会社Dが本件T土地を本件建物付きで借り受けたいと申し入れてきたため、X及びCは、平成12年11月14日、①本件賃貸契約を同月15日限り解約すること、②Xは、支払済みの同月分の賃料62万円のうち解約日以降の賃料に相当する31万円及び保証金1,000万円をCに返還すること、③Cは、本件建物（付属建物（油庫）、構築物（門扉・塀・舗装等）及び広告塔を含む。）をXに無償譲渡することなどを内容とする中途解約の合意をした（以下「本件合意」といい、その合意書を「本件合意書」という。）。

〔争点〕

本件建物利益は、Xの不動産所得（Yの主位的主張）ないし雑所得（Yの予備的主張）に当たるか、それとも一時所得（Xの主張）に当たるか。

なお、駐車場収入についての消費税等課税売上げ該当性も争点とされているが、ここでは取り上げない。

〔判決の要旨〕

1　名古屋地裁平成17年3月3日判決

「所得税法上、不動産所得とは、不動産、不動産の上に存する権利、船舶又は航空機の貸付けによる所得であって、事業所得又は譲渡所得に該当するものを除いたものをいう（26条）ところ、ここでいう不動産等の貸付けとは、これによって貸主に一定の経済的利益をもたらすものであるから、有償双務契約である賃貸借契約（民法601条）がその中心となる（もっとも、これと同類の経済的目的を達する地上権や永小作権の設定も含まれる。）。

ところで、『貸付けによる』とは、『貸付けに基づいて』あるいは『貸付けを原因として』を意味すると解されるところ、賃貸借契約は、当事者の一方が相手方にある物の使用及び収益をなさしめることを約し、相手方がこれにその賃金（賃料）を払うことを約束することによって成立する契約である（民法601条）から、『貸付けによる所得』とは、借主から貸主に移転される経済的利益のうち、目的物を使用収益する対価としての性質を有するものを指すというべきである。

その典型例は、使用収益する期間に対応して定期的、継続的に支払われる賃料である（もっとも、その支払の態様については各種のものがあり得る。）が、これに限られず、権利金、礼金、更新料、転貸承諾料などのように、目的物を使用収益し得る地位を取得、確保する対価として一時的に支払われる経済的利益も、広い意味では目的物を使用収益する対価たる性質を有するから、『貸付けによる所得』に含まれ得る（権利金につき最高裁判所昭和45年10月23日第二小法廷判決・民集24巻11号1617頁参照）し、当該使用収益は、必ずしも有効な契約関係に裏付けられている必要はないから、占有権原を有しない者が使用収益したことに基づいて支払われる賃料相当損害金も、これに含まれ得るというべきである。また、事業所得との区別の観点からすれば、不動産所得を生ずべき業務に関し、当該業務の全部又は一部の休止、転換又は廃止その他の事由により当該業務の収益の補償として取得する補償金その他これに類するものについて、その業務の遂行により生ずべきこれらの所得に係る収入金額に代わる性質を有するものも、不動産所得に該当するとされている（所得税法施行令94条1項2号）。

しかしながら、不動産所得は、あくまでも、貸主が借主に対して一定の期間、不動産等を使用又は収益させる対価としての性質を有する経済的利益、若しくはこれに代わる性質を有するものに限定されるのであって、およそそのような性質を有しないものは、これが借主から貸主に移転されるとしても、含まれないというほかない。そのような経済的利益が不動産所得に含まれるとの解釈は、前掲法条の文言に反する上、所得税法が、所得を10種類に分類し、担税力に応じた課税を行うために、その所得の性質によって、回帰的に生ずるものとそうでないものとに分け、とりわけ回帰的に生ずる所得の中でも不労所得性の強い資産所得の性質を有する不動産所得については、給与所得に認められる給与所得控除（28条）、臨時的所得に講ぜられる累進負担の緩和措置（22条2項）等の定めを設けず、役務の対価の要素を有する事業所得に認められる資産損失の必要経費算入についても、不動産事業に該当しない場合には無条件には認められず（51条4項）、必要経費を控除して所得額に応じた累進課税を課することとしていることに照らすと、不動産所得の概念につき、合理的な根拠なくして拡大解釈を行うことは、租税法律主義の観点から、認めることができないというべきである。」

「認定事実によれば、本件建物の（当初は有償、その後は無償）譲渡の話は、土地賃貸借契約である本件賃貸契約の終了に伴って、賃借人であるCが負担することとなる原状回復義務としての建物収去（土地明渡）義務の履行が相当額の費用出捐を伴うことから、その負担を免れたいCの希望に沿って申し入れられたものであり、もともと、X側にとって、本来の収去義務の履行と比較して、より多くの利益をもたらすものではなかったこと、もっとも、たまたま新賃借人候補となったDが、本件建物をそのまま借り受けたいとの意向を示したことから、CとXの利害関係が一致し、本件賃貸契約の中途解約を内容とする本件合意の中で、本件建物の無償譲受けが約されたこと、以上の経緯が明らかである。そうすると、本件建物の無償譲受けは、賃貸借契約に基づいて目的物を使用収益させる賃貸人の義務やこれに対する賃料等を支払う賃借人の義務とは関連せず、専ら同契約の終了に伴う原状回復義務の履行を賃借人が免れる（軽減する）ことを目的として行われたものであるから、何らかの意味で賃貸借の目的物を使用収益する対価（あるいはこれに代わるもの）たる性質を有するものでないといわざるを得ない。」

2　名古屋高裁平成17年9月8日判決

「本件建物利益は、…交渉の経過により、本件T土地の賃貸契約の合意解約（本件合意）において、本来、借主が同土地上に建設した本件建物を撤去して原状に回復すべき義務があるところ、本件建物を貸主に無償譲渡する旨を合意し、この合意に基づいてXが本件建物を取得したものである…。そうすると、貸主であるXが本件建物を取得したのは、本件T土地を使用又は収益させる対価としての性質を有し、若しくはこれに代わる性質を有するものでないことが明らかであって、これをもって不動産所得が生じたものと解することはできない。Xの本件建物の取得は、本件T土地の賃貸借から生じるものではなく〔本件建物の無償譲受けが賃貸借契約終了に伴う借主の原状回復義務の履行に代わるものであるとしても、貸主が土地の賃貸借契約により通常予定できる経済的利益とはいえず（もっとも、当初から賃貸借契約の内容として、契約の終了時に建物を無償譲受けする旨を合意し、それが地代等に反映している場合などでは、不動産所得と解する余地もあり得る。）、あくまで賃貸借契約とは別個の合意に基づく本件建物の取得にすぎず、土地の貸付けによる所得とはいえない。〕、本件賃貸契約の直接の因果関係のある取得ともいえない。

また、所得税法施行令94条1項2号に、不動産所得を生ずべき業務に関し、『当該業務の全部又は一部の休止、転換又は廃止その他の事由により当該業務の収益の補償として取得する補償金その他これに類するもの』について、『その業務の遂行により生ずべきこれらの所得に係る収入金額に代わる性質を有するものは、これらの所得に係る収入金額とする』と定めており、補償金等のほか、共益費や実費弁償金、賃貸借契約解除に伴う明渡しが遅滞した場合に受ける損害賠償金等も不動産所得に当たるとされるが、これらも、不動産等の貸付けの業務の遂行により生ずべき収入金額に代わる性質を有するものであって、本件建物利益のように、賃貸借契約の終了する際の借地上の借主の所有建物の無償譲受けとは性質を異にするものであって、これを上記付随収入に含めることはできない。」

3　上告審**最高裁平成18年10月3日第三小法廷決定**は、Yの上告受理申立てに対し、受理すべきものと認められないとして受理しなかった。

〔コメント〕

所得税法26条《不動産所得》1項は、「不動産所得とは、不動産、不動産の上に存する権利、船舶又は航空機…の貸付け（地上権又は永小作権の設定その他他人に不動産等を使用させることを含む。）による所得…をいう。」と規定しているところ、①「不動産等の貸付けによる所得」とされて「不動産等に係る所得」とされていないこと、②地上権又は永小作権の設定などによる所得を含むこと、③いわゆる権利金が、「通常、それは賃貸人が賃借人に対して一定の期間不動産を使用収益させる対価の一部として支払いを受ける一時の所得である」ことを根拠として、不動産所得に当たると解されていること（後述するサンヨウメリヤス事件165最高裁昭和45年10月23日第二小法廷判決（373頁参照））などに照らせば、単に不動産等を貸し付けて得られる賃貸料のみを対象とするものではなく、頭金、名義書換料、更新料、収益の補償として受け取る補償金等、不動産の貸付けの開始から終了までの間に不動産等を使用させた対価として得られる全ての収入（経済的利益）を含むものと解される。④また、所得税法施行令94条1項2号は、不動産所得を生ずべき業務に関し、「当該業務の全部又は一部の休止、転換又は廃止その他の事由により当該業務の収益の補償として取得する補償金その他これに類するもの」につき、「その業務の遂行により生ずべきこれらの所得に係る収入金額に代わる性質を有するものは、これらの所得に係る収入金額とする。」と定め、所得税法26条にいう「不動産等の貸付けによる所得」には、他人に一定の期間不動産等を使用させることによって得られる収益に代わる性質を有する補償金等も含まれることを明らかにしている。このようなことからすれば、不動産所得には不動産貸付け業務に付随する収入も含まれると解されると思われるところである。これが、本件におけるＹの主張である。

まず①の点について、本件名古屋地裁は、所得税法26条の「による」は、不動産等の貸付けとの因果関係があるものに限定して解釈すべきとしている。また、④について、本件名古屋高裁は、所得税法施行令94条１項２号の文理に即して、不動産所得に係る「収入金額に代わる性質を有するもの」まで拡張することを述べているにすぎないから、それ以上の拡張解釈を許すものではないとしているのである。すなわち、付随収入が不動産所得に含まれるか否かではなく、付随収入とされるものが不動産所得に該当することがあるとしても、それは、不動産所得に「代わる性質を有する」か否かによって判断されるべきとしているのである。

このような判断は文理に即したものであるが、Ｙの主張した②及び③の点については明確な回答が得られていないようも思われる。

ここでは、後述するサンヨウメリヤス事件最高裁昭和45年判決との整合的な理解について関心が寄せられよう。

裁判例の紹介

債務免除益の不動産所得該当性

債務免除益が不動産等の貸付業務の一環としてされた行為から得られた所得ではあっても、一時所得に該当するとされた事例

（82第一審福岡地裁平成29年11月30日判決・税資267号順号13092）
（83控訴審福岡高裁平成30年11月27日判決・税資268号順号13213）

〔事案の概要〕

本件は、処分行政庁が、Ｘ（原告・被控訴人）らが訴外Ａ社に対して負っていた債務を免除されたことによって受けた利益（以下「本件各債務免除益」という。）は雑所得に当たるとして、Ｘらに対し、それぞれ平成26年５月28日付けで平成23年分の所得税の各更正処分（以下「本件各更正処分」という。）を行ったところ、Ｘらが、本件各債務免除益は一時所得に当たるから、本件各更正処分等は違法であると主張し、国Ｙ（被告・控訴人）を相手取りこれらの処分の取消しを求めた事案である。

〔争点〕

本件の争点は、本件各債務免除益の所得区分であり、具体的には、所得税法

26条１項の不動産所得、同法34条１項の一時所得又は同法35条１項の雑所得のいずれに当たるかである。

〔判決の要旨〕

1　福岡地裁平成29年11月30日判決

⑴　不動産所得の意義

「所得税法上、不動産所得とは、不動産、不動産の上に存する権利、船舶又は航空機の貸付けによる所得（事業所得又は譲渡所得に該当するものを除く。）というとされている（法26条１項）。ここでいう不動産等の貸付けとは、これによって貸主に一定の経済的利益をもたらすものであるから、賃貸借契約がその中心となると考えられる。そして、賃貸借契約は、当事者の一方がある物の使用及び収益を相手方にさせることを約し、相手方がこれに対して賃料を支払うことを約することによって成立する契約であるから、貸付けによる所得とは、借主から貸主に移転される経済的利益のうち、目的物を使用収益する対価としての性質を有するものを指すというべきである。

また、施行令94条１項は、不動産所得を生ずべき業務を行う居住者が受ける当該業務の収益の補償として取得する補償金等で、その業務の遂行により生ずべきこれらの所得に係る収入金額に代わる性質を有するものについても、不動産所得に係る収入金額とする旨定めている。このことからすれば、不動産等の貸付けの対価として収受する賃料収入に加え、これに代わる性質を有する収入についても不動産所得に含まれると解される。

以上によれば、不動産所得とは、貸主が借主に対して一定の期間、目的物を使用収益させる対価としての性質を有する経済的利益又はこれに代わる性質を有するものと解される。」

「これに対し、Ｙは、不動産所得は、不動産貸付業の遂行によって生じる経済的利益をいう旨主張する。

しかし、法26条１項が、不動産所得を不動産等の貸付けによる所得と定め、貸付けが行われる業務又は事業に言及していない文理からすると、不動産所得は、貸主が借主に対して一定の期間、不動産等を使用収益させる対価としての性質を有する経済的利益若しくはこれに代わる性質を有するものに限定され、不動産等の貸付けによって発生したと評価できないような経済的利益は含まないと解するのが自然である。」

⑵　債務免除益の所得区分

「⑴　Ｙは、債務免除益に係る所得区分は、免除された債務の性質等によって担税力が異なることからすれば、免除された債務の性質ないし発生原因等を重視して判断するべきである旨主張する。

⑵　所得税法は、当該所得の性質や発生の態様によって担税力が異なるとい

う前提に立った上で、租税の公平負担の観点から、各種所得を、その源泉ないし性質によって分類し、それぞれの担税力の相違に応じた計算方法等を定めている。債務免除益についても、所得区分の判断は、このように類型化された所得区分に係る法令の文理を踏まえて行われるべきである。したがって、債務免除益からうかがわれる担税力の高低という実質的な観点から直ちに、所得区分を決定することは相当でない。

もっとも、債務免除益の直接の原因となる債務免除の意思表示には、担税力の相違を見出し、所得の性質を決定するための手掛かりとなるような性質や特徴はない。したがって、本件各債務免除益がいずれの所得に分類されるかは、法令の文理を前提として、債務免除により得られる経済的利益の性質や態様に鑑み判断すべきである。

⑶　これに対し、Ｙは、債務免除益の所得区分は、債務免除益を生み出す元となる債務の性質や発生原因（いかなる業務について生じたものか）等を重視し、不動産所得については、債務免除益を生み出す元となった債務が不動産貸付業の遂行と密接な関係性を有する債務か否かによって判断すべきである旨主張するが、前記説示に照らすと、所得区分を決定するに当たって考慮すべき要素を、債務免除益を生み出す元となった債務の性質や発生原因に限定し、又は逆に、不動産貸付業の遂行との関係性を広く考慮すべき根拠は見出せないので、Ｙの主張は、この限度では採用できない。」

「⑸　以上の検討結果を踏まえて、本件各債務免除益が不動産所得に当たるか検討するに、前記前提事実及び認定事実によれば、本件各債務免除益は、Ｘらとａ社との間で合意された本件各弁済合意に基づき、Ａ社が債務免除をしたことによって発生したものであるところ、Ａ社は、Ｘらが所有する不動産の賃借人ではなく、これらを使用収益していたわけでもない。また、前提事実及び弁論の全趣旨によれば、本件各債務は、Ｘらの不動産貸付業に用いられていた不動産の取得又は建築のための借入債務であったことが認められ、この債務が免除されることによってＸらが不動産貸付業を継続できなくなることを避けることができたということはできるが、前記のとおり、この債務の返済金は、不動産貸付けの費用となるものではなく、これが、Ｘらが行っていた営利を目的とする継続的行為である貸付け自体によって発生したということはできず、不動産を使用収益させる対価又はこれに代わる性質を有するものということもできない。したがって、本件各債務免除益が不動産所得に当たるということはできない。」

⑶　一時所得該当性

「本件各債務免除益は、Ｘらの不動産貸付業において当然に発生が予定されていたものではなく、本件各借入に係る債権がＡ社に譲渡されたのを機に締結された本件各弁済合意に基づく債務免除によって発生したものであることからすると、本件各債務免除益は、A社の経営判断により、一時的、偶発的に発生したものと認めるのが相当である。そうすると、本件各債務免除益は、営利を目的とする継続的行為から生じた所得以外の一時の所得であるといえる。

…そして、本件各債務免除益は、A社による債務免除によって発生したものであるところ、Xらが、A社に対し、本件各債務免除益の対価となるような具体的な労務その他の役務を提供したと認めるに足りる証拠はない。

したがって、本件各債務免除益は、労務その他の役務又は資産の譲渡の対価としての性質を有しないもの（法34条1項）に当たるということができる。

…以上によれば、本件各債務免除益は一時所得に該当する。」

2　福岡高裁平成30年11月27日判決

「〔所得税法26条1項にいう〕『貸付けによる所得』にいう『よる』は因果関係を表す用語であるから、文言上これに該当するものは、賃料に限られないし、使用収益させる相手方から得られるものに限定されることもない。所得税法が、所得金額の計算に関し、不動産所得（26条2項）について、『総収入金額』という語を用いているのも、副収入や付随収入等も加わってその収益の内容が複雑な場合が多いことを踏まえたものと解される。

したがって、権利金、礼金、更新料、転貸承諾料などのように、目的物を使用収益し得る地位を取得、確保する対価として一時的に支払われる経済的利益も、目的物を使用収益させることと因果関係を有する上に、広い意味では目的物の使用収益の対価たる性質を有するものとしてこれに含まれ得る。

また、『貸付け』は他人に不動産等を使用収益させる一切の場合を含んでおり、必ずしも有効な契約関係に裏付けられている必要はないから、占有権原を有しない者が使用収益したことに基づいて支払われる賃料相当損害金もこれに含まれ得るものというべきである。不動産所得を生ずべき業務の全部又は一部の休止、転換又は廃止その他の事由により当該業務の補償として取得する補償金その他これに類するものが不動産所得に係る収入に含まれるとされている（施行令94条1項2号）のも、不動産所得の意義についての上記のような理解を前提とするものと解される。

さらに、不動産所得に係る必要経費を補填する性質を有する経済的利益も、不動産を使用収益させて初めてそのような必要経費が発生するという意味において、『貸付け』との間に因果関係がある上に、これを不動産所得に係る総収入に算入しなければ、所得の性質や発生の態様によって異なる担税力に応じた公平な課税を目的とする所得税法の立法趣旨を損なうことになるから、不動産所得に係る総収入に含まれ得るものというべきである。

しかしながら、『貸付けによる所得』といえるためには、その所得が不動産等の『貸付け』と因果関係を有すること、すなわち、不動産等を使用収益させなければ得ることができなかったものといえる必要があるから、使用収益をさせなかったとしても得られた所得は、『貸付けによる所得』には含まれないと解される。不動産所得該当性を判断するに当たっては、当該所得発生に係る諸事情を考慮の上、当該所得が以上のような意味で不動産の貸付けにより発生したと評価できるかどうかを検討する必要がある。」

「Ｙは、〈１〉法26条１項が『よる』（『因る』と同義）という文言を用いていること、〈２〉法26条１項が『対価』という文言を用いていないこと、〈３〉法26条１項が『に係る所得』（法23条１項、24条１項、28条１項、30条１項参照）ではなく『による所得』との文言を用い、また、法26条２項が『収入金額』（法23条２項、24条２項、28条２項、30条２項参照）ではなく『総収入金額』との文言を用いていることをその主張の根拠として挙げる。

しかしながら、上記〈１〉の点については、Ｙ自身、『貸付けによる所得』について、およそ不動産等の貸付業務と因果関係がある収入全てが不動産所得に該当すると解することは広きに失し、不動産等の貸付業務の遂行により生ずべき収入が不動産所得に該当すると解すべきであるとして、不動産所得の発生原因を限定する解釈をしており…、『よる（因る）』との文言が不動産所得の解釈内容を一義的に決するものではないことを自認している（なお、Ｙは、不動産等の使用収益と因果関係が認められてもその対価的利益等といえないものの例として、借主から貸主に対して支払われる定額制の水道光熱費を挙げるが、実際の水道や電気の使用量に関わらず料金を定額とする以上、不動産等の使用収益の対価と評価することも可能であるから、Ｙの指摘は的を射たものとはいえない。）。

上記〈２〉の点については、有効な契約関係を前提としない経済的利益（例えば、占有権原を有しない者が使用収益したことに基づいて支払われる賃料相当損害金）や対価に代わる性質を有する経済的利益も不動産所得に係る収入に含めるために、『対価』という文言が用いられなかったと理解することが可能である。

上記〈３〉の点についても、『による所得』、『総収入金額』という文言は、収益内容の複雑さを相対的に示すものとはいえるものの、これらは、不動産所得に係る収入が、賃料以外に、権利金、礼金、更新料、転貸承諾料等、目的物を使用収益し得る地位を取得、確保する対価として一時的に支払われるもの、占有権原を有しない者が使用収益したことに基づいて支払われるもの、対価に代わる性質を有するものなど多様な経済的利益を含み、その内容が単純でないこと、不動産所得の計算においては、必要経費の控除を認めていることに着目したものとも考えられ、上記文言から、不動産所得に、不動産貸付業の遂行によって生じたすべての経済的利益が当然に含まれると解することはできない。

以上のとおり、Ｙの指摘する点は、いずれも、不動産所得の意義をＹ主張のように解すべき根拠とはならない。」

〔コメント〕

本件において、Ｙは、所得税法26条１項を「貸付け」による行為性所得であるとの立場からの主張を展開した。そもそも、不動産所得の性質論については議論のあるところであり、利子所得や配当所得のようないわば果実所得と同様に不動産から得られる果実として捉えるべきか否かという点にその争点の淵源がある。所得税法23条が利子所得について、同法24条が配当所得について、それぞれ「による」所得と規定しているのに対して、同法26条の不動産所得は「貸付けによる」所得と規定していることからすれば、文理解釈上、利子所得・配当所得とは異なる性質を有する所得と観念することができそうである。その上で、「貸付け」が貸付行為を指すとすれば、その点でも利子所得や配当所得とは異なり、何らかの行為から得られた所得としての行為性所得であると観念できそうである（酒井・論点研究107頁以下）。他方、そもそも、不動産所得は利子所得や配当所得と同様、資産合算制度を前提として規定されており、あくまでもその文脈からすれば、資産性所得としての性質を有しているとみることもできるのである。本件福岡地裁及び福岡高裁は、Ｙの主張を排斥したのである。

なお、所得税法26条１項のみならず、２項が「総収入金額」と規定している点などもＹによって主張されたが、この点も排斥されている。

ちなみに、東京高裁平成22年９月30日判決（税資260号順号11523）は、建物の賃借人がその建物の賃貸借契約を合意解除した際に賃借人から預託されていた保証金の返還義務を免除されたことによる債務免除益は、不動産所得に当たると解すべきである旨判示し、いわゆる倉敷青果市場事件[125][228]最高裁平成27年10月８日第一小法廷判決（271頁、500頁参照）は、権利能力なき社団の理事長がその財団から借り受け入れていた48億円余の債務の免除益は賞与又は賞与の性質を有する給与に該当するとした。これら二つの裁判例に共通する点として、債務免除益の所得区分を考える際に当該債務の発生原因を重視していることが挙げられる。他方、東京高裁平成28年２月17日判決（税資266号順号12800）では、民法上の組合を組成した上、組合員の出資金のほか、金融機関からの借入金を用いることで航空機を購入し、それを航空会社にリースする事業を営んでいた者たちが、航空機を売却して当該事業を終了する際に、航空機の購入原資の一部である借入金の一部について受けた債務免除益及び当該組合の業務執行者に対して支払うべき手数料の免除益につき、不動産所得又は雑所得ではなく、一時所得に当たると解すべきであるとした。なお、東京地裁平成19年９月27日判決（税資257号順号10791）では、債務免除益は「債権者からの債務免除の意思表示により、債務が消滅することになって、債務者である当該法人に無償で経済的価値が流入するものである」こととしており、借入金の原因と債務免除益とを切断する考え方を裏付けるものともなろう。

所得税法36条は、各種所得の金額の計算上の「収入金額」あるいは「総収入金額」に算入すべき金額について規定している。所得税法は、次の表にみるように所得区分ごとに「収入金額」と「総収入金額」という概念を使い分けているのである。

収入金額	利子所得 (所法23②)	配当所得 (所法24②)	給与所得 (所法28②)	退職所得 (所法30②)		
総収入金額	不動産所得 (所法26②)	事業所得 (所法27②)	山林所得 (所法32②)	譲渡所得 (所法33③)	一時所得 (所法34②)	雑所得 (所法35②二)

利子所得、配当所得、給与所得、退職所得のように明確に、所得の源泉の性格を確定しやすい所得区分における経済的価値の流入は「収入金額」の概念を使用しているのに対して、❶所得源泉が明確に確定しづらい所得区分（譲渡所得、一時所得、雑所得）や、❷本来の収入以外の付随的な収入も観念することが可能であるような行為性所得（事業所得、山林所得）のようなものは「総収入金額」という概念を使用していると考えられるため、不動産所得が❷に該当すると考える解釈論も成り立ち得るように思われる。

裁判例の紹介

公社から支払を受けた清算後の共益費の余剰金

公社から支払を受けた余剰金が不動産所得に該当するとされた事例
（84第一審東京地裁平成29年３月17日判決・税資267号順号12998）

〔事案の概要〕

Ｘ（原告）の亡父は、その所有する共同住宅（以下「本件共同住宅」という。）をＡ公社（以下「公社」という。）に一括で賃貸し、公社はこれを都民住宅として各戸別に転貸し、入居者らから家賃とともに共益費の支払を受けていたところ、原賃貸借契約期間中にＸの父が死亡してＸが本件共同住宅を相続し、その期間満了時に公社からＸに本件共同住宅が引き渡され、Ｘは、入居者らとの転貸借契約の賃貸人たる地位を引き継いだ。

本件は、上記の賃貸人たる地位の引継ぎに伴い、入居者らが公社に支払っていた共益費のうち使用済みの実費を控除した余剰金が公社からＸに支払われたことについて、所轄税務署長である処分行政庁が、Ｘに対し、Ｘの一時所得に当たるとして所得税の更正処分をした後、Xの不動産所得に当たるとして増額再更正処分をしたため、Xが、国Y（被告）に対し、同再更正処分のうち申告額を超える部分の取消しを求めた事案である。

〔争点〕

本件の主な争点は、Xが公社から支払を受けた本件余剰金がXの不動産所得に該当するか否かである。

〔判決の要旨〕

○　東京地裁平成29年3月17日判決

「(1)　本件余剰金は、公社が本件転貸借契約に基づいて本件共同住宅の入居者らから支払を受けた共益費のうち、公社が本件借上契約期間中に本件転貸借契約書に基づく使用目的に沿って支出した剰余に相当する金員であって、本件借上契約が期間満了により終了し、Xが本件転貸借契約の賃貸人たる地位を承継したこと…に伴って、引き続き本件転貸借契約書に基づく使用目的に従うことを前提に、公社からXに対して引き渡されたものである　。

(2)　まず、本件転貸借契約における共益費の性質をみると、その使用目的は、本件転貸借契約書に基づけば、〈1〉共用部分及び共用施設の維持運営に要する費用に当たるもの…と、〈2〉それ以外のもの（入居者が共同して使用する電気、水道及びガスの使用料…並びにごみ処理に要する費用…）とから成る。

このうち〈1〉の共用部分及び共用施設の維持運営に要する費用としての共益費部分は、民法上、賃貸借契約は、賃貸人が賃借人に対し賃貸物の使用及び収益をさせる契約であり（601条）、賃貸人は、賃貸物の使用及び収益に必要な修繕をする義務を負うとされていること（606条1項）からすると、これを入居者から徴収することは、本件共同住宅の使用及び収益並びにそのために必要な修繕に要する費用を入居者に転嫁するという実質を有するものであり、かつ、本件転貸借契約上、公社が入居者に報告する収支においてこの共益費部分に剰余金が生じたとしても、翌年度に繰り越してその費用に充てるものとし、これを入居者に返還しないものとされている…。

一方、上記〈2〉の入居者が共同して使用する電気、水道及びガスの使用料並びにごみ処理に要する費用部分は、公社において随時その実費額を支払ってきていると考えられ、それ自体、剰余金が生じるような性質のものではないと解される。

(3)　また、…公社においては、一般に、民間の土地所有者が建設した住宅を公社が都民住宅として借り上げて供給・管理する民間借上型都民住宅について、入居者から徴収する共益費は、一括借上契約終了後、その余剰金を民間所有者に引き渡すべきものとなることを前提に、地方住宅供給公社会計基準に基づき、貸借対照表上流動負債に区分される『預り金』として経理処理していることが認められ、本件共同住宅に係る共益費についても、そのような経理処理がされていたことがうかがえる。
　これは、本件借上契約によれば、乙は、本件共同住宅を借上型都民住宅として活用できるよう、乙の負担により適正に維持・修繕しなければならないものとされる…一方、乙は、その業務について、公社と別途委託契約を締結し、公社に委託するものとされている…こと…を踏まえ、本件共同住宅の維持・修繕に使用するために入居者から支払を受ける共益費は、…本来、乙又はその一般承継人であるXにおいて管理運営すべきものではあるが、…委託契約が締結された結果、その共益費の管理運営も公社に委託されているものであることを反映した経理処理であると考えられる。
　これらのことからすると、本件借上契約の終了に伴う公社からXに対する本件余剰金の支払は、もともと本件借上契約に基づいて、乙又はXにおいて、本件共同住宅を使用及び収益させ、必要な修繕をする義務を負っているところ、同契約の終了に伴い、その義務を公社に委託していた契約も終了するに至ったこと…から、上記義務を履行するために充てられる費用が、公社からXのもとに復帰したものであると解することができる。
　⑷　以上によれば、本件余剰金は、本件共同住宅の賃貸人としての義務を履行する費用に充てるために入居者から徴収し、入居者に返還する義務のない共益費部分について、本件借上契約期間中、公社が乙又はXから委託を受けてその義務の履行を引き受けていたことから、一時的にその管理をしていたところ、平成23年3月31日付けで本件借上契約が終了した際の収支において、繰り越すべき剰余金として確定するとともに、その管理を終了してXに復帰させるべきこととなった金員というべきであるから、本件共同住宅の貸付けによりXに対してもたらされた経済的価値の流入であるということができるとともに、その収支確定の時点においてXの収入すべき金額として確定したものということができる。
　Xが公社から本件余剰金の支払を受けたことは、Xの平成23年分の不動産所得に該当するというべきである。」

〔コメント〕
　本件においては、そもそも不動産所得該当性の議論よりも前に、Xの所得とされるべきか否かが論点とされた。この点について、Xは、公社は本件余剰金を引き渡すことに対して代償を求めていないところ、公社が共益費の剰余金を所得として認識していれば、公社の財産である本件余剰金を次の管理人に無償で引き渡すことはあり得ないとし、所得とするならば、公社が本件借上契約が終了するXに対して公社に帰属する所得をなぜ支払うのかという疑問が生じると主張した。すなわち、本件余剰金は、Xが前管理者であった公社から引き継いだ預り金とするのが妥当であるというのである。これに対して、Yは、〈1〉公社が入居者から徴収して管理運営していた本件共益費の余剰金が、〈2〉入居者に返還されずに本件借上契約の契約期間を通じて公社において繰り越され、最終精算されたものを、〈3〉本件借上契約の期間満了に伴い、Xが本件転貸借契約に基づく賃貸人の地位を公社から承継したことによって公社から支払を受けたものである。そして、〈4〉敷金とは異なり、入居者に返還する義務がない性質の金員であり、〈5〉本件転貸借契約に基づく共益費の使用目的に従って使用されるものであって、入居者に代わって第三者に支払う義務を有する性質のものでもないなどと主張していた。

結論的には、Xの主張は排斥されたが、その上での不動産所得該当性の議論であった。Yは、不動産所得には、その典型例である賃料に加え、副収入・付随収入といったものも含まれ、その範囲は貸付けの対価に限定されないし、貸付けの相手方から得られるものに限定されることもないものと解されると主張した。これは、所得税法26条1項にいう不動産所得を行為性所得と捉える立場に近いものである。前述の82 83の事案において、Yは、不動産所得を行為性所得の観点から捉えているが、ここでも同様の立場に立っているとみてよかろう。その上で、Yは、本件余剰金は、本件確認書に基づいて、公社が入居者から徴収した共益費について所定の方法で精算した後の余剰金について、Xが、本件借上契約の期間満了に伴い、本件転貸借契約に基づく賃貸人の地位を公社から承継したことによって、公社から支払を受けた金員であると主張したのである。本件は、かかるYの主張が採用された事例である。

2　不動産所得の金額の計算

不動産所得の金額は、その年中の不動産所得に係る総収入金額から必要経費を控除して計算する（所法26②）。

不動産所得の金額 ＝ 総収入金額 － 必要経費（所法26②）

賃貸物件の明渡し遅延などにより、賃貸料に相当する損害賠償金を収受する場合には、その損害賠償金名義の金員も、不動産所得の収入金額に代わる性質を有するので、不動産所得の収入金額となる（所令94①）。

不動産所得の金額の計算上、必要経費を控除することができるが、必要経費については、賃貸した土地、建物等に係る固定資産税、管理費、修繕費、損害保険料、減価償却費及び借入金利子などを算入することができる。

なお、不動産所得は、事業的規模の貸付けであるか、業務的規模の貸付けであるかによって、必要経費の取扱いに大きな差異がある（所法45、51、52、57、63、64、70、72、措法25の2など）。

そこで、建物又は土地の貸付けが事業的規模で行われているか又は業務的規模で行われているかについては、社会通念上事業と称する程度の規模で建物又は土地の貸付けが行われているかどうかで判定することになるが、課税実務では、次に掲げる事実のいずれか一つに該当する場合又は賃貸料の収入の状況、貸付資産の管理の状況等からみて、これらの場合に準ずる事情があると認められる場合には、特に反証がない限り、事業として行われているものとされている（5棟10室基準：所基通26－9）。

① 貸間、アパート等については、貸与することができる独立した室数がおおむね10以上であること

② 独立した家屋の貸付けについては、おおむね5棟以上であること

ここで注意が必要なのは、貸付けの規模を判断するための間接事実として、貸付家屋の棟数や室数が用いられているのであって、棟数や室数が直接に不動産所得の事業的規模か業務的規模かの決定打となっているわけではないということである。

なお、所得税基本通達には明らかにされていないが、課税実務上、土地の貸付けにあっては、①貸室1室及び貸地1件当たりのそれぞれの平均的賃貸料の比、②貸室1室及び貸地1件当たりの維持管理及び債権管理に要する役務提供の程度等を考慮し、地域の実情及び個々の実態等に応じ1室の貸付けに相当する土地の貸付件数を「おおむね5」として判定することとして統一的に扱われている。

V　事業所得

1　事業所得の意義

事業所得とは、農業、漁業、製造業、卸売業、小売業、サービス業その他の事業で政令で定めるものから生ずる所得（山林所得又は譲渡所得に該当するものを除く。）をいう（所法27①）。そして、所得税法施行令で定めるものとは、次に掲げる事業（不動産の貸付業又は船舶若しくは航空機の貸付業に該当するものを除く。）と規定されている（所令63）。

①農業、②林業及び狩猟業、③漁業及び水産養殖業、④鉱業（土石採取業を含む。）、⑤建設業、⑥製造業、⑦卸売業及び小売業（飲食店業及び料理店業を含む。）、⑧金融業及び保険業、⑨不動産業、⑩運輸通信業（倉庫業を含む。）、⑪医療保健業、著述業その他のサービス業、⑫①～⑪に掲げるもののほか、対価を得て継続的に行う事業

このように、所得税法施行令63条《事業の範囲》は、最終的に、⑫にあるようにバスケットカテゴリーとして「対価を得て継続的に行う事業」を事業所得の範囲に含めていることから、結局のところ、限界事例において事業所得に該当するか否かは、「事業」が何を指しているのかに依存するといってもよいと思われる。なお、 医師、弁護士、作家、俳優、プロ野球の選手、外交員などの事業から生ずる所得は事業所得に含まれる。

一般的に、「事業」とは、「自己の危険と計算において営利性有償性を有し、継続的に行う活動」であると理解されているが、これは、これまでの判例が形成してきた考え方である。

事業所得に付随収入が含まれることは、前述の不動産所得とは異なり、異論をみないところである。課税実務では、次のような事業の遂行に付随して生じた収入は、事業所得の金額の計算上総収入金額に算入することとされている（所基通27－5）。

①　事業の遂行上取引先又は使用人に対して貸し付けた貸付金の利子

② 事業用資産の購入に伴って景品として受ける金品

③ 新聞販売店における折込広告収入

④ 浴場業、飲食業等における広告の掲示による収入

⑤ 医師又は歯科医師が、休日、祭日又は夜間に診療等を行うことにより地方公共団体等から支払を受ける委嘱料等

⑥ 事業用固定資産に係る固定資産税を納期前に納付することにより交付を受ける地方税法365条《固定資産税に係る納期前の納付》２項に規定する報奨金

裁判例の紹介

弁護士顧問料事件

弁護士の顧問料収入による所得が事業所得とされた事例

（85 第一審横浜地裁昭和50年４月１日判決・民集35巻３号681頁）[15]
（86 控訴審東京高裁昭和51年10月18日判決・民集35巻３号686頁）[16]
（87 上告審最高裁昭和56年４月24日第二小法廷判決・民集35巻３号672頁）[17]

〔事案の概要〕

X（原告・控訴人・上告人）は第一東京弁護士会所属の弁護士であり、昭和42年ないし同44年当時、自己の法律事務所を有し、使用人を４人ないし６人（うち家族使用人２人を含む。）を使用して、特定の事件処理のみならず、法律相談、鑑定等の業務もその内容として、継続的に弁護士の業務を営んでいた。また、各会社とXとの間の本件各顧問契約はいずれも口頭によってなされ、この契約

15）判例評釈として、伴義聖・ひろば28巻11号70頁（1975）参照。

16）判例評釈として、海老沢洋・税通33巻14号78頁（1978）参照。

17）判例評釈として、園部逸夫・租税百選〔２〕64頁（1983）、同・ジュリ746号92頁（1981）、同・曹時35巻４号137頁（1983）、古川悌二・税弘29巻10号103頁（1971）、同・税務事例13巻６号30頁（1981）、北武雄・税理25巻16号119頁（1982）、碓井光明・判時1020号156頁、清永敬次・民商85巻６号113頁（1982）、原田尚彦・昭和56年度重要判例解説〔ジュリ臨増〕49頁（1982）、玉國文敏・租税百選〔３〕52頁（1992）、高野幸大・租税百選〔５〕67頁（2011）、奥谷健・租税百選〔７〕76頁（2021）など参照。

において、Xは各会社の法律相談等に応じて法律家としての意見を述べる業務をなすことが義務付けられていた。この業務は本来の弁護士の業務と別異のものではない。

なお、本件各顧問契約には勤務時間、勤務場所についての定めがなく、この契約は、その頃常時数社との間で締結されており、特定の会社の業務に定時専従する等格別の拘束を受けるものではなく、この契約の実施状況は、前記各社において多くの場合電話により、時には各社の担当者がXの事務所を訪れて随時法律問題等につき意見を求め、Xがその都度その事務所において多くは電話により、時には同事務所を訪れたかかる担当者に対し専ら口頭でその法律相談等に応じて意見を述べるというものであって、Xの方から各社に出向くことは全くなく、相談回数は会社によって異なり、月に2、3回というところや半年に1回、1年に1回というところもあった。各社はいずれも本件顧問料を弁護士の業務に関する報酬に当たるものとして毎月定時に定額をその10％の所得税を源泉徴収した上、Xに支払っており、顧問料から、健康保険法、厚生年金保険法等による保険料を源泉徴収することも、Xに対し、夏期手当、年末手当、賞与の類のものを一切支給することもなかった。

Xが取得した各金額につき、税務署長Y（被告・被控訴人・被上告人）が、これを事業所得として認定した上で行った更正処分に対し、Xが不服として提訴したのが本件である。

〔争点〕

弁護士の本件顧問料収入による所得は事業所得に該当するか、あるいは給与所得に該当するか。

〔判決の要旨〕

1　第一審**横浜地裁昭和50年4月1日判決**は、Xの請求を棄却し、事業所得に該当するとした。控訴審**東京高裁昭和51年10月18日判決**は、第一審判断を維持した。

2　最高裁昭和56年4月24日第二小法廷判決

「およそ業務の遂行ないし労務の提供から生ずる所得が所得税法上の事業所得（同法27条1項、同法施行令63条12号）と給与所得（同法28条1項）のいずれに該当するかを判断するにあたっては、租税負担の公平を図るため、所得を事業所得、給与所得等に分類し、その種類に応じた課税を定めている所得税法の趣旨、目的に照らし、当該業務ないし労務及び所得の態様等を考察しなければならない。したがって、弁護士の顧問料についても、これを一般的抽象的に事業所得又は給与所得のいずれかに分類すべきものではなく、その顧問業務の具体的態様に応じて、その法的性格を判断しなければならないが、その場合、判断の一応の基準として、両者を次のように区別するのが相当である。すなわち、事業所得とは、自己の計算と危険において独立して営まれ、営利性、有償性を有し、かつ反覆継続して遂行する意志と社会的地位とが客観的に認められる業務から生ずる所得をいい、これに対し、給与所得とは雇傭契約又はこれに類する原因に基づき使用者の指揮命令に服して提供した労務の対価として使用者から受ける給付をいう。なお、給与所得については、とりわけ、給与支給者との関係において何らかの空間的、時間的な拘束を受け、継続的ないし断続的に労務又は役務の提供があり、その対価として支給されるものであるかどうかが重視されなければならない。」

「右の事実関係のもとにおいては、本件顧問契約に基づきＸが行う業務の態様は、Ｘが自己の計算と危険において独立して継続的に営む弁護士業務の一態様にすぎないものというべきであり、前記の判断基準に照らせば右業務に基づいて生じた本件顧問料収入は、所得税法上、給与所得ではなく事業所得にあたると認めるのが相当である。」

〔コメント〕

本件は、事業所得該当性や給与所得該当性を論じる上で極めて有名な判決である。ここでは、最高裁が事業所得、給与所得の意義を次のように論じている点が重要である。

事業所得	自己の計算と危険において独立して営まれ、営利性、有償性を有し、かつ反覆継続して遂行する意志と社会的地位とが客観的に認められる業務から生ずる所得をいう。
給与所得	雇傭契約又はこれに類する原因に基づき使用者の指揮命令に服して提供した労務の対価として使用者から受ける給付をいう。

このように本件最高裁は、事業所得については、独立性を重視して判断する態度を示し（独立性要件）、他方で、給与所得については、指揮命令などの従属性を重視して判断する態度を示している（従属性要件）のである。

さらに、本件最高裁は、「給与所得については、とりわけ、給与支給者との関係において何らかの空間的、時間的な拘束を受け、継続的ないし断続的に労務又は役務の提供があり、その対価として支給されるものであるかどうかが重視されなければならない。」としており、従属性要件を強調している。このような給与支給との関係において、空間的、時間的な拘束の有無についてまで述べているのは、給与所得が必ずしも雇用契約関係のみを前提とした所得区分ではないところから、その両者の関係が不透明である点に鑑みて、これに類する原因の場合の両者の関係についてまで付言しているように思われる。

本件最高裁判決は、このような判断を行うに当たって、「一応の基準」としていることから、その射程範囲がしばしば問題となることがある（この点に触れるものとして、例えば人材派遣業事件117東京地裁平成25年4月26日判決（255頁）など参照）。

裁判例の紹介

弁護士の解嘱慰労金の所得区分

弁護士の顧問契約の終了に伴い受領した解嘱慰労金が事業所得に当たるとされた事例

（88第一審東京地裁昭和62年9月16日判決・税資159号555頁）
（89控訴審東京高裁昭和63年1月26日判決・税資163号143頁）
（90上告審最高裁平成元年6月22日第一小法廷判決・税資170号769頁）[18]

〔事案の概要〕

弁護士X（原告・控訴人・上告人）は顧問先K社から解嘱慰労金名義の金員を受領したが、この解嘱慰労金に関してはあらかじめ特段の定めがなかったため、Xはこれを退職所得と理解して申告しなかったところ、税務署長Y（被告・被控訴人・被上告人）がこれを事業所得に係る収入金額として更正処分をした。Xはこれを不服として提訴した。

〔争点〕

本件解嘱慰労金は事業所得と退職所得のいずれに該当するか。

〔判決の要旨〕

1　東京地裁昭和62年9月16日判決

「事実によれば、Xは右顧問契約により本件顧問先のために常時専従する等、格別の支配、拘束を受けていないことは明らかであり、右顧問契約に基づきXが行う業務の態様は、Xが自己の計算と危険において独立して継続的に営む弁護士業務の一態様に過ぎないものというべきであり、…右業務に基づいて生じた本件顧問料収入は、所得税法上、給与所得ではなく、事業所得に該当すると認めるのが相当である。そうすると、Yが本件係争両年分の本件顧問料を当該

18）判例評釈として、酒井・ブラッシュアップ178頁参照。

各年分の事業所得に当たると認定したのは正当である。」

「Xは、昭和55年7月29日本件顧問先の一つであるK株式会社から本件解嘱慰労金33万3,333円を受領し、その金額を昭和55年分の給与所得の収入金額に算入して確定申告をしたこと、本件解嘱慰労金に関しては、Xと右会社との間にあらかじめ特段の定めはなかったこと、本件解嘱慰労金は、Xが右会社の顧問として右会社のために永年弁護士業務を行っていたこと及びその顧問契約が終了したことに起因して支払われたものであること、右会社は、本件解嘱慰労金に係る所得税の源泉徴収に当たって、本件顧問料と同様に、弁護士業務に関する報酬又は料金として所得税を源泉徴収していること、以上の事実は当事者間に争いがない。

右事実と、Xと右会社との間の顧問契約に基づきXが行う業務の態様は、Xが自己の計算と危険において独立して継続的に営む弁護士業務の一態様に過ぎないものであって、…本件解嘱慰労金もまた事業所得に該当すると認めるのが相当である〔。〕」

「退職手当等とは、『退職手当、一時恩給その他の退職により一時に受ける給与及びこれらの性質を有する給与』と定められており、右に該当するためには、少なくとも、当該給付が従来の給与所得の源泉をなした勤務関係（雇用契約又はこれに類する原因に基づき使用者の指揮命令に服する関係をいう。以下同じ。）の終止によって初めて生ずる給付であることが必要であるが、…Xと右会社との関係を給与所得の源泉をなした勤務関係とみることはできないのであるから、本件解嘱慰労金は退職手当等に該当するものとは認められず、他にこれを認めるに足りる証拠はない。」

2　控訴審**東京高裁昭和63年1月26日判決**及び上告審**最高裁平成元年6月22日第一小法廷判決**は、第一審の判断を維持した。

〔コメント〕

一般に、事業所得とは、自己の計算と危険において独立して営まれ、営利性、有償性を有し、かつ、反覆継続して遂行する意思と社会的地位とが客観的に認められる業務から生ずる所得をいい、これに対し、給与所得とは、雇用契約又はこれに類する原因に基づき使用者の指揮命令に服して提供した労務の対価として使用者から受ける給付をいうものであり、給与所得については、とりわけ、給与支給者との関係において何らかの空間的、時間的な拘束を受け、継続的ないし断続的に労務又は役務の提供があり、その対価として支給されるものであるかどうかが重視されなければならないと解されている（弁護士顧問料事件**87**最高裁昭和56年4月24日第二小法廷判決（188頁参照））。

また、本件地裁判決が、退職所得は「給与」に係る所得であることから、給与所得の判例法上の要件である「雇用契約又はこれに類する原因」という関係が退職所得認定においても重視されるべきとの判断を示しているところは注目すべきであろう。

類似事例として、名古屋高裁平成12年４月27日判決（税資247号555頁）がある。これは、株式会社の取締役であった社会保険労務士である原告が、所得税の確定申告に当たり、退職に際し得た金員は退職所得に該当すると判断し、退職所得控除をすれば非課税になるため、これを申告しなかったところ、税務職員が原告は名目的取締役であり、社会保険労務士としての業務に関する契約に基づく報酬の支払がなされてきたにすぎないため、当該全員は事業所得に該当するとして行った修正申告の慫慂に応じて提出した修正申告書は、その内容が誤りであるので、錯誤により無効などと主張して、その返還を求めた事例であるが、ここでも、退職所得該当性は否定されている。

裁判例の紹介

電力検針員事件

電力会社所属の委託検針員が受ける委託手数料は、事業所得に当たるとされた事例

（**91**第一審福岡地裁昭和62年７月21日判決・訟月34巻１号187頁）
（**92**控訴審福岡高裁昭和63年11月22日判決・税資166号505頁）

〔事案の概要〕

Ｘ（原告・控訴人）らは、いずれもＫ電力（以下「Ｋ電」という。）の検針員であり、元々Ｋ電との委託検針契約によって検針業務に従事していたが、Ｘらの属するＫ電検針労働組合とＫ電との「労働基準協定書」に基づき、Ｋ電が労働基準法の適用を受ける労働者として認める料金嘱託員の途を選んだ上、Ｋ電との間で委託検針契約を解除し、料金嘱託員としての雇用契約を締結した。

Ｘらは、委託検針契約解除の際、「労働基準協定書」に基づき、Ｋ電から「解約慰労金」と「厚生手当金」の支給を受け、昭和52年の所得税について、同年３月末日までの旧委託検針契約による手数料収入を事業所得、「解約慰労金」と「厚生手当金」を一時所得、同年４月１日以降の料金嘱託員としての給与収入を給与所得として、本件各確定申告をしたが、後に、手数料収入を給与所得、「解約慰労金」と「厚生手当金」を退職所得とする更正の請求を行った。

これに対して、税務署長Ｙ（被告・被控訴人）らは、手数料収入が事業所得に該当するとし、「解約慰労金」と「厚生手当金」は一時所得に該当するとした。

〔争点〕

電力会社所属の委託検針員が受ける委託手数料は、事業所得に該当するか。

〔判決の要旨〕

1　福岡地裁昭和62年7月21日判決

「業務の遂行ないし労務の提供から生ずる所得が所得税法上の事業所得と給与所得のいずれに該当するかの判断基準につき、同法の趣旨、目的に照らし、事業所得が自己の計算と危険において独立して営まれ、営利性、有償性を備え、且つ客観的な反覆継続の意思と社会的地位が認められる業務から生ずる所得をいい、給与所得が雇用契約ないしそれに類する原因に基づき、使用者の指揮命令に服して提供した労務の対価として使用者から受ける給付をいう、との観点から判定すべきことは、XYら双方主張のとおりである。

そして、これを本件についてみるに、前記認定した事実によれば、委託検針員の場合、①、採用過程に一般従業員のそれに類似する面があり、且つ、Xらのように10数年以上検針員を継続しているものがいること、②、業務内容がK電の直接的な指揮下に行われ、K電から身分証明書が交付されたり、社名入り作業衣等が貸与されたりしていること、③、定例日制のため、検針日が定まっていて、裁量の余地がないこと、④、委託業務中に本来の検針業務のほか付帯業務が含まれていること、⑤、月に1回程度打合せ会への出席が求められていること、⑥、Xらのように受持枚数の多い者の就業態様、就業時間等が一般従業員のそれに類似していること、⑦、同じく受持枚数の多い者の場合、委託手数料も毎月それ程変らぬ金額であって、一般従業員の給与に相応し、また、委託検針員にも毎年夏冬の2回従業員のボーナスに類する特別謝礼金、契約終了時に退職金に類する解約謝礼金（…『労働基準協定書』後解約慰労金）が支払われていること等、K電との関係が実質雇用契約に類似する面を有することは否定されない。

しかし、右①の採用過程についていえば、委託検針契約は、K電と各委託検針員との間で、具体的な検針地区と定例検針日、検針枚数等を明示した契約書により個別に締結され、且つ、その検針地区、定例検針日、受持枚数も多種多様のものであって、対等当事者間の委任ないし請負契約として効力を有する、といわなければならず、②の業務関係も、委託検針員らは、契約で定められた事項によってのみK電に従属しており、労務の提供につき一般的な指揮命令下にあるわけではなく、②の身分証明書、社名入り作業衣、及び⑤の定例打合せ会等は、検針作業の円滑な実施のためのもの、②の作業衣等の貸与、⑦の特別謝礼金、解約謝礼金、その他も、委託検針員に対する処遇の改善として逐次実現されてきたものであって、委託検針契約が右委任ないし請負契約であることと必ずしも矛盾するものではない。

特に、⑦の委託手数料は、略純粋な形の出来高制であって、労務提供の対価よりも委任ないし請負事務の報酬としての性格を持つというべきであり、⑥の就業態様の関係で、委託検針員に勤務時間の定めがなく、就業時間が定例検針日の日数と受持枚数の如何で異なる点、委託検針員に就業規則によるK電の服務規律の拘束がなく、懲戒等もない点、⑧の業務に必要な器具、資材のうち、主要な交通手段であるバイクの購入、維持費等が委託検針員の個人負担である点、⑨、検針業務を第三者に代行させることが禁止されてなく、現実に行われている点等は、むしろ雇用契約にはない面といわねばならず、⑩の兼業が自由で実際兼業者が多い点も、一般的には委託検針契約が雇用契約でない方向を裏付けるものである。

従って、右のような諸点を総合し、K電が委託検針員の委託手数料につき、これまで長年所得税法204条の報酬、料金としての源泉徴収をし、委託検針員らも右源泉徴収を前提に毎年事業所得としての確定申告をしてきていることを併せ考えると、委託検針員中とりわけXらのように検針日数、受持枚数の多い者の場合、就業態様その他色々な面で事実上正規の従業員に類似する部分が多々ある点を考慮にいれても、その委託手数料は給与所得とはいえず、右委託検針契約に基づく報酬、料金として、事業所得に該当する、と解せざるを得ない。」

2　控訴審**福岡高裁昭和63年11月22日判決**も原審判断を維持した。

〔コメント〕

本件において裁判所は、電力検針員の得た所得が事業所得に該当すると判断している。

前述のとおり、事業所得とは、「事業」から生ずる所得をいうのに対し、給与所得とは、俸給、給料、賃金、歳費及び賞与並びにこれらの性質を有する給与に係る所得をいうとされている（所法27①、28①）。

これらの所得については、その所得金額の計算方法が異なる。事業所得は総収入金額から必要経費を控除して計算されるのに対して、給与所得は収入金額から給与所得控除額を差し引いて計算する（所法27②、28②）。この給与所得控除は、実際に負担した経費相当額がどの程度であるかにかかわらず法定されていることから、事業所得に該当するか給与所得に該当するかの限界事例において、実際に経費の負担が大きい者にとってみれば、事業所得に該当するとされた方が租税負担の観点からは有利であり、他方、実際の経費負担の小さい者にとってみれば、給与所得に該当するとされた方が有利になる。

限界事例においては、本件のように、事業所得に当たるか又は給与所得に当たるか、両者の所得区分が問題となる場合が少なくない。そこでのメルクマールは、前述の弁護士顧問料事件**87**最高裁昭和56年4月24日第二小法廷判決（188頁参照）で示されたとおりである。すなわち、「事業所得とは、自己の計算と危険において独立して営まれ、営利性、有償性を有し、かつ反覆継続して遂行する意志と社会的地位とが客観的に認められる業務から生ずる所得をいい、これに対し、給与所得とは雇傭契約又はこれに類する原因に基づき使用者の指揮命令に服して提供した労務の対価として使用者から受ける給付をいう。」とするものである。もっとも、この判例以前にも例えば、日本フィルハーモニー交響楽団員事件100東京地裁昭和43年４月25日判決（218頁参照）は、「給与所得は、雇傭又はこれらに類する原因に基づき非独立的に提供される労務の対価として受ける報酬及び実質的にこれに準ずる給付を意味するものであって、報酬と対価関係に立つ労務の提供が、自己の危険と計算とによらず、他人の指揮命令に服してなされる点に、事業所得との本質的な差異がある。」としてきたところである。

給与所得か事業所得かという二者択一の限界事例においては、前述したとおり、独立性と従属性がメルクマールとされることになる（人材派遣業事件117東京地裁平成25年４月26日判決（255頁）も参照）。

裁判例の紹介

馬券訴訟（横浜事件）

馬券購入行為は「対価を得て」継続的に行う事業とはいえず、競馬所得以外の所得の存在が窺えないとしても、社会通念に照らし、事業所得を生じさせる「事業」に該当するとはいえないとして、競馬所得の事業所得該当性が否定された事例

（93第一審横浜地裁平成28年11月９日判決・訟月63巻５号1470頁）
（94控訴審東京高裁平成29年９月28日判決・税資267号順号13068）[19]
（95上告審最高裁平成30年８月29日第一小法廷決定・税資268号順号13179）

〔事案の概要〕

本件は、競馬の勝馬投票券（以下「馬券」という。）の的中による払戻金に係る所得（以下「本件競馬所得」という。）を得ていたＸ（原告・控訴人・上告人）が、本件競馬所得が事業所得であるとして、平成21年分及び平成22年分の所得税に係る確定申告を行ったところ、Ｍ税務署長から、本件競馬所得は一時所得に該当するとして、平成21年分更正処分及び平成22年分更正処分（これらを併せて、以下「本件各処分」といい、平成21年及び平成22年のことを「本件各係争年」という。）をそれぞれ受けたため、本件競馬所得は事業所得に該当するから本件各処分はいずれも違法であるなどと主張して、国Ｙ（被告・被控訴人・

19）判例評釈として、渡辺充・税理61巻４号２頁（2018）参照。

被上告人）に対し、本件各処分の一部の取消しを求めた事案である。

〔具体的事実及び当事者の主張〕

ア　Xは、派遣会社の社員としてソフトウェア開発を担当していたが、平成19年に同社を退職し、遅くともこの頃から、J銀行に開設したX名義の普通預金口座（以下「本件各ネット指定口座」という。）を即PATにおけるネット指定口座として、X名義の普通預金口座（以下「本件指定口座」という。）をA－PATにおける指定口座として、PAT方式による馬券の購入を行っていた（以下「本件各PAT口座」という。）。

イ　当事者の主張

(ア)　Yの主張

本件競馬所得は、XがJRAに対して何らかの役務を提供したり資産を譲渡したりした対価として交付されたものではなく、出走馬の着順というXの行為が全く関与しない偶然の結果により、購入した馬券が的中して初めて所得が発生するものであるから、払戻金に対価性はなく、Xの馬券購入行為は「対価を得て」行う事業（所令63十二）には当たらない。

また、払戻金の総額は馬券の発売金額の約75％であるから、馬券購入行為の払戻金を得る数学的な期待値は購入金額の約75％でしかなく、客観的にみて当該行為から継続的、安定的に利益を得る可能性があるとはいえない。一般的な競馬愛好家の多くが、Xと同じように、競馬予想ソフト等を利用し、多種多様な要素を分析してレース結果を予想し、オッズに応じて回収率を意識しながら馬券を購入しているのであって、Xが行っていたと主張する馬券購入行為の態様は、一般的な競馬愛好家による馬券購入行為の態様と何ら変わるところはないから、本件競馬所得もまた「偶発的な利得」であって、同じ購入態様でありながら、本件競馬所得のみが「必然的な利得」と認められる根拠はない。そうすると、Xの馬券購入行為は、必然的、安定的、継続的に収益を得られるものではなく、営利性が認められない。

加えて、本件各係争年分において、Xが購入した競争ごとの馬券の種類、金額、払戻金の額は不明であって、馬券購入金額が比較的多額であったということ以外に、Xの馬券購入行為と他の一般的な競馬愛好家のそれとの間に具体的な差異を認めることはできない上、馬券購入行為により払戻金を得ることで生計を立てることを生業とすることが社会通念上認知されているともいえず、Xの馬券購入行為は、社会的地位が客観的に認められる業務ともいえない。

しかも、Xの平成21年分から平成25年分の確定申告における事業所得の金額は、平成21年分が1,575万3,440円、平成22年分が296万6,205円の損失、平成23年分は49万456円の損失、平成24年分は155万7,977円の損失、平成25年分は446万6,723円と、その金額が大きく変動しており、5年分のうち3年分について損失が発生していることからも、Xの馬券購入行為が安定的、継続的に利得が得られるものでなかったことは明らかであるし、Ｘが本件競馬所得により生計を維持していたものともいえない。

以上によれば、本件競馬所得は、事業所得には該当しない。

(イ)　Ｘの主張

a　Ｘは、平成６年頃から自ら競馬予想プログラムの開発を始め、ソフトウェア開発会社等に勤務しながら、同プログラムの開発・改良を続け、馬券の的中によって得た払戻金に係る所得で生計を立てていく目途が立ったため、平成19年９月頃勤務先を退職した。Ｘは、退職してから現在まで、自宅において以下の方法で、馬券の的中によって得た払戻金に係る所得を得て、これを専業として生計を立てている。

b　Ｘは、自ら競馬予想プログラム（当該レースでの各馬の勝率を求めるソフトウェア及び予想的中率とオッズを掛け合わせて期待値を算出して指定する期待値下限を超える買い目を抽出するソフトウェア）を開発し、JRA―VANデータラボが提供する競馬データを利用して、各馬の過去の走破タイムと補正データから各馬の能力を推計し、当該レースの条件（出走頭数、競馬場の種類、レースの距離及び枠順等）において、各馬がその能力をどれだけ発揮できるかプログラムを用いて推定し、乱数を用いた模擬レースを数万回行って、予想買い目を出力し、その予想した買い目の的中率を過去の実績から算出して、リアルタイムのオッズと予想的中率を掛け合わせることで期待値を求め、期待値が高い馬券を抽出して購入することで利得を得てきた。

c　Ｘは、JRAのシステム上において、個々のレースの購入及び払戻しの結果を管理し、自身の購入及び払戻成績並びに購入可能残高を管理していた。個別のレースについての購入履歴は２週間で消失するため、Ｘは、レース結果を踏まえて、競馬予想プログラムに修正すべき事項があれば、ほぼ毎日その更新を行っていた。また、Ｘは、馬券を購入するに際し、全ての判断を競馬予想プログラムに任せるのではなく、その要所においてＸ自身の判断を入れて遂行してきた。

d　Ｘは、A―PAT及び即PATの加入者として、本件各PAT口座を利用して、パソコンからインターネットを通じて大部分の馬券を購入していた。なお、平成21年分については在席投票の方法により馬券を購入したこともあった。

Ｘは、毎週（少なくとも52節以上で）、新馬戦及び障害レースを除くほぼ全レースで馬券を購入しており、少なくとも、平成20年は2,900レース、平成21年は2,813レース、平成22年は2,247レース、平成23年は1,446レース、平成24年は756レース、平成25年は2,094レース、平成26年は1,921レースで馬券を購入した。

Ｘの馬券購入金額は、平成20年分が総額7,506万3,900円、平成21年分が総額２億2,873万6,600円、平成22年分が総額5,081万100円、平成23年分が総額3,362万4,500円、平成24年分が総額1,655万3,200円、平成25年分が総額3,264万

4,700円であった。他方、Xが購入した馬券の払戻金額は、平成20年分が総額8,535万620円、平成21年分が総額2億5,513万7,640円、平成22年分が総額4,839万3,020円、平成23年分が総額3,511万6,150円、平成24年分が総額1,589万6,570円、平成25年分が総額3,881万8,540円であった。

e　以上のように、Xは、競馬予想プログラムを用いて、予想的中率ではなく期待値に着目してXの設定する条件に合致する馬券を、機械的に選択して網羅的に大量購入することを反復継続し、長い期間を通じて、全体として利益を得てきたものである。その規模は、数年間にわたり、一日に数十万円あるいは数百万円単位で、新馬戦等を除く全レースを対象に、基準を充足する馬券を、年間数千万円から数億円の規模で購入し、年間数千万円から数億円の払戻金を得るという極めて大規模なものであった。

f　事業所得（所法27①）とは、自己の計算と危険において独立して営まれ、営利性、有償性を有し、かつ反覆継続して遂行する意思と社会的地位とが客観的に認められる業務から生ずる所得をいう。

g　Xは、自身で競馬予想プログラムを開発し、そのプログラムを用いて、期待値の高い過小評価された馬券を購入することによって収益を上げるという事業計画に基づき、本件競馬所得を獲得するための事業を起業したものであり、同事業は、自己の計算と危険において独立して営まれる業務にほかならない。

また、Xの馬券の購入態様は、競馬予想プログラムを用いて、多種多様な要素を分析して、レース結果を予想し、予想的中率ではなく期待値に注目して期待値が1を超える馬券を機械的に選択し、網羅的に大量購入することを反復継続することにより、長期間を通じて利益を得ようとするものである。このような本件競馬所得を獲得するための一連の行為からすれば、本件競馬所得は、偶発的な利得ではなく、必然的な利得というべきであり、安定的、継続的に収益が見込まれるものであるし、その規模も極めて大規模である。

しかも、Xは馬券を購入するに際し、全てを上記プログラム等の機械に任せるのではなく、要所でX自身の判断も入れて遂行しているが、そのことはXが馬券購入行為を事業として行っていることを示すものである。

加えて、Xの平成21年分及び平成22年分の所得額の合計は、1,278万7,235円（平均約639万3,618円）、平成21年分から平成25年分までの所得額の合計は、1,520万5,525円（平均304万1,105円）であり、Xの平均所得は、税務統計上の事業所得者の平均所得金額と何ら遜色はなく、生計を維持するのに十分なものである。

h　以上によれば、本件競馬所得を獲得するためのXの一連の行為は、社会通念に照らし、自己の計算と危険において独立して営まれ、営利性、有償性を有し、かつ反覆継続して遂行する意思と社会的地位とが客観的に認められる業務に該当することが明らかであるから、「事業」に該当し、これによって得られた本件競馬所得は、事業所得に該当する。

〔争点〕

本件競馬所得に係る事業所得該当性如何。

〔判決の要旨〕

1　横浜地裁平成28年11月9日判決

「ア　所得税法27条1項は、事業所得について、『農業、漁業、製造業、卸売業、小売業、サービス業その他の事業で政令で定めるものから生ずる所得（山林所得又は譲渡所得に該当するものを除く。）をいう。』と規定し、これを受けて、事業所得の事業の範囲について定める所得税法施行令63条は、1号ないし11号で個別の事業を掲げるほか、12号で、『前各号に掲げるもののほか、対価を得て継続的に行う事業』と規定しているから、事業所得にいう『事業』とは、対価を得て継続的に行う事業をいうものと解される。そして、事業所得にいう『事業』に当たるかどうかは、一応の基準として、自己の計算と危険において独立して営まれ、営利性、有償性を有し、かつ反覆継続して遂行する意思と社会的地位とが客観的に認められる業務に当たるかどうかによって判断するのが相当であり（最高裁昭和56年4月24日第二小法廷判決・民集35巻3号672頁参照）、具体的には、営利性及び有償性の有無、反復継続性の有無に加え、自己の危険と計算においてする企画遂行性の有無、その者が費やした精神的及び肉体的労力の有無及び程度、人的及び物的設備の有無、その者の職業、経験及び社会的地位、収益の状況等の諸般の事情を考慮し、社会通念に照らして、『事業』として認められるかどうかによって判断すべきものと解するのが相当である。そして、社会的客観性をもって『事業』として認められるためには、相当程度の期間継続して安定した収益を得られる可能性がなければならないと解される。

イ　本件競馬所得に係る収入は、JRAからXに交付された競馬の払戻金であるところ、Xが、その主張のとおり、競馬予想プログラムを用いてレース結果を分析、予測し、自らの設定する条件に見合う期待値の高い馬券を抽出する作業をしていたとしても、そのような作業（役務）は馬券購入の相手方であるJRAに提供されたものではないから、その役務の対価としてXが払戻金を得るわけではない。また、払戻金は、当然ながら、JRAに対し券面額を支払って馬券を購入しただけで得られるものではなく、レースの結果という偶然の事情により購入した馬券が的中することで初めて発生するものであるから、Xが得た払戻金をもって、馬券購入のためにXがJRAに支払った金員の対価であるということもできない。

そうすると、Xの馬券購入行為は、そのための準備行為を含めて考えても、『対価を得て』継続的に行う事業に当たるとはいい難い。

ウ(ア)　また、Xは、自らの馬券購入の態様について、競馬予想プログラムを用いて、レース結果を予想し、予想的中率ではなく期待値に注目して期待値が高い馬券を機械的に選択して網羅的に大量購入することを反復継続することにより、長期間を通じて利益を得ようとするものであって、本件競馬所得は、必然的な利得であり、安定的、継続的に収益が見込まれる旨主張する。

(イ)　しかし、…Xは、競馬予想プログラムを用いて買い目の的中率を予想した上で、期待値（予想的中率×オッズ）が高い馬券（払戻金を得る確率が高い馬券）を選んで購入していたほか、全ての判断を同プログラムに任せるのではなく、要所においてX自身の判断を入れていたというのであって、その馬券の購入態様は、購入規模は別として、個々のレースの結果を予想して、予想の確度に応じてどのように馬券を購入するかを判断している一般的な競馬愛好家による馬券の購入態様と質的に異なるものではない。そして、競馬は、的中した馬券の購入者に、馬券の売得金のうち一定の額を按分して払い戻す仕組みとなっており、払戻金は、その発生の有無及び額が個々のレースの結果という不確定な事実にかかっているという点で、本来的には偶発的な利得という性質を有するものであり、交付される払戻金の総額が馬券の発売総額の約75%にとどまること…からすれば、一般的には、払戻金により相当程度の期間継続して安定した収益を得られる可能性は乏しいといわざるを得ない。

(ウ)　なるほど、本件各係争年分における本件各PAT口座のJRAとの決済における入金額及び本件在席投票においてJRAから交付を受けた額は、平成21年分において総額2億5513万7640円、平成22年分において総額4839万3020円であり…、その規模は多額ではあるし、…Xは、少なくとも、平成21年は2813レース、平成22年は2247レース（ただし、同年の数は、同一レースを即PAT方式及びA―PAT方式により重複して購入したものも含む延べ数である。）という多数のレースで馬券を購入していたこと…が認められる。

しかし、Xが、本件各係争年において、馬券の購入履歴や収支に関して帳簿等の作成を行っておらず、本件在席投票について各在席投票の当日のJRA入出金機に入金した金額及び最終精算時に交付を受けた金額を記載したJRAの発行する各利用控えを保存している他には、購入履歴に関する資料等を保存していないことから、Xが、本件各係争年分において、どのようなレースについて、1日当たり、どのような買い目の馬券をどれだけの金額購入し、どれだけの額の払戻金を得たのかということは不明であり…、結局、Xによる馬券購入行為の具体的な態様は不明といわざるを得ない。

また、…Xの平成21年分ないし平成25年分の確定申告における事業所得の金額…は、平成21年分が1575万3440円、平成22年分が296万6205円の損失、平成23年分が49万0456円の損失、平成24年分が155万7977円の損失、平成25年分が446万6723円であると認められ、この5年間における各年分の事業所得の金額が大きく変動しているだけでなく、そのうち3年分（平成22年分ないし平成24年分）は連続して損失が発生していることが認められる。

しかも、…Xは、競馬予想プログラムを用いるとはいえ、買い目の的中率を予想した上で、期待値（予想的中率×オッズ）が高い馬券を選び、要所では自らの判断も入れて馬券を購入していたというのであって、その馬券の購入方法は一般の競馬愛好家と質的に異ならないと評価できるのである。

㈤　そうすると、Xの本件各係争年分の馬券購入行為は、その購入規模の大きさを踏まえても、払戻金の発生に関する偶発的な要素が相当程度減殺され払戻金により相当程度の期間継続して安定した収益を得られる可能性が客観的にあったとまでは、認めることはできないというべきである。

エ　以上によれば、本件係争各年分におけるXの馬券購入行為は、『対価を得て』継続的に行う事業といえない…というだけでなく、Xが自ら開発した競馬予想プログラムを用いて本件競馬所得を得たことや、Xには本件各係争年分において本件競馬所得以外の所得の存在が窺えないことを踏まえても、…社会通念に照らし、事業所得を生じさせる『事業』に該当するということはできず、本件競馬所得が、事業所得に該当すると認めることはできない。」

2　東京高裁平成29年9月28日判決

「Xは、個人による経済活動が事業に該当するか否かは昭和56年判決〔筆者注：87最高裁昭和56年4月24日第二小法廷判決（188頁参照）〕の定立した基準を当てはめて判断すれば足りると主張する。しかしながら、同判決は、所得の法的性格は具体的態様に応じて判断しなければならないとした上で、給与所得と事業所得を区別する一応の基準を示した事案であり、事業所得と他の所得とを区別する基準を網羅したものではなく、ある経済活動が事業に該当するか否かは、結局のところ、個別の事案について原判決が指摘するような具体的事情を総合考慮して、社会通念に照らし、社会的客観性をもって『事業』とするに足りる実態を有するか否かにより決するほかはない。

そして、事業所得が事業活動を遂行することで得られる収益に担税力を認めたものである以上、現に収益を計上できるかどうかは別として、社会的・客観的に見て、ある程度の期間継続して経済活動を遂行して安定した収益を得ることを目的とし、この目的に合致した実態を有するといえるものを事業とし、これにより得られた所得を事業所得とすべきであるから、社会的客観性をもって『事業』と認められるためには『相当程度の期間継続して安定した収益を得られる可能性』を要するとした原判決の説示は相当であり、このような考え方は、自己の計算と危険において営まれ（企画遂行性）、営利性、有償性を有し、かつ反復して遂行する意思と社会的地位とが客観的に認められることを事業該当性判断の一応の基準とした昭和56年判決とも整合するものである。」

「㈠　これに対し、Xは、一方で収益を得られない危険を判断要素としながら、他方で収益を得られる可能性を判断要素とする点において原判決が矛盾した判断をしていると批判するが、そもそも、ある経済活動が企画遂行性を有することと当該経済活動に安定した収益を得られる可能性があることとは何ら矛盾するものではないから、Xの批判は当を得ない。

(イ)　次に、Xは、原判決のような判断方法を採用すると、相当程度の期間が経過するまで、ある業務が事業であるか否かが確定せず、収益発生の有無により事業に該当するか否かの判断が左右され、公平性の観点から極めて不当であるとも主張するが、上記のとおり、事業該当性の判断は、ある経済活動が、ある程度の期間継続して遂行されることによって安定した収益を得ることを目的とし、その目的に合致した実態を有することが社会的客観性をもって判定できるかという観点から行うものであり、実際に収益を計上したか否かを後方視的に検討することを予定したものではないから、Xの主張は前提を異にし、採用することができない。

(ウ)　さらに、Xは、対価を支払って、的中することにより払戻金を得られる権利を化体した馬券を購入し、的中馬券を競馬の開催者に交付・譲渡して払戻金という反対給付を受けており、Xによる馬券の購入及び払戻しと小売事業者の事業との間に本質的な違いはないとも主張する。しかしながら、馬券（勝馬投票券）の購入は、発売された馬券を馬単、馬連等の種類に応じて購入することでレースの結果を予想して投票する行為であり（競馬法6条、7条参照）、払戻金請求権は、レースの着順という馬券購入後の偶発事象により初めて発生し、かつ、金額が定まるのであるから、購入馬券に的中を条件とする払戻金請求権が化体されているということはできず、的中馬券の払戻しも、勝馬投票の的中者が開催者に払戻金の交付を求める行為であって（同法8条参照）、馬券の譲渡とはいえない。

また、小売事業者は、卸売業者等から仕入れた商品を消費者に販売することで仕入値と小売値の差額相当額の利益を得るのに対し、競馬の場合、馬券の購入者がそれぞれ競馬の開催者に提供した馬券購入代金総額から開催者に留保される金員を除いた配当金が的中馬券の購入者だけに払い戻されることで利益を生ずるもの、すなわち、外れ馬券の購入者の損失において的中馬券の購入者が利益を得るものであるから、小売事業と馬券の購入及び払戻しとはその態様を全く異にしており、この点においてもXの主張は採用できない。」

3　上告審**最高裁平成30年8月29日第一小法廷決定**は上告不受理とした。

〔コメント〕

本件東京高裁は、「同判決〔筆者注：最高裁昭和56年4月24日判決〕は、所得の法的性格は具体的態様に応じて判断しなければならないとした上で、給与所得と事業所得を区別する一応の基準を示した事案であり、事業所得と他の所得とを区別する基準を網羅したものではなく、ある経済活動が事業に該当するか否かは、結局のところ、個別の事案について原判決が指摘するような具体的事情を総合考慮して、社会通念に照らし、社会的客観性をもって『事業』とするに足りる実態を有するか否かにより決するほかはない。」とする。

このように、いわゆる弁護士顧問料事件87最高裁昭和56年4月24日判決（以下「最高裁昭和56年判決」という。）（188頁参照）が本件に及ばないとする態度を取っているが、果たして、そのような説示が必要であったのであろうか。むしろ、これまでの多くの裁判例と同様、同最高裁判決の射程範囲が及ぶとした上で議論することはできなかったのであろうか。まずは、この点について考えてみたい。

ところで、最高裁昭和56年判決は、弁護士の顧問料収入は、たとえ毎月定時に定額が支払われているとしても、顧問契約において弁護士が負担している債務が本来の弁護士業務と同一の内容であり、勤務時間、場所についての定もなく、随時質問してくる法律問題につき依頼のあった都度法律相談に応ずるものであり、また同時に数社と締結されている等の事情のある場合には、給与所得ではなく、事業所得に当たるとされた事例において、「およそ業務の遂行ないし労務の提供から生ずる所得が所得税法上の事業所得（同法27条1項、同法施行令63条12号）と給与所得（同法28条1項）のいずれに該当するかを判断するにあたっては、租税負担の公平を図るため、所得を事業所得、給与所得等に分類し、その種類に応じた課税を定めている所得税法の趣旨、目的に照らし、当該業務ないし労務及び所得の態様等を考察しなければならない。したがって、弁護士の顧問料についても、これを一般的抽象的に事業所得又は給与所得のいずれかに分類すべきものではなく、その顧問業務の具体的態様に応じて、その法的性格を判断しなければならないが、その場合、判断の一応の基準として、両者を次のように区別するのが相当である。すなわち、事業所得とは、自己の計算と危険において独立して営まれ、営利性、有償性を有し、かつ反覆継続して遂行する意思と社会的地位とが客観的に認められる業務から生ずる所得をい〔う〕」と判示している。

なるほど、本件高裁判決は、①最高裁昭和56年判決が事業所得と給与所得との間に所在する所得区分の問題であったのであって、本件が事業所得か一時所得かを争っている事例であることからすれば、必ずしも妥当しないと解される点を指摘している。また、②最高裁昭和56年判決は、あくまでも所得区分の判断における「一応の基準」を示したものにすぎず、事業所得該当性を論じるときに必ずかかる説示が参考になるとまではいえないという点を意識したのかもしれない。

①の点についていえば、なるほど、判例の射程範囲を考えるに当たって、当該事案がいかなる事件であったのかについて意識をした上で検討が展開されるべきであることはいうまでもない。そのような意味においては、例えば、給与所得か一時所得かという所得区分が争点となった事例であるいわゆる親会社ストック・オプション訴訟108最高裁平成17年1月25日第三小法廷判決（民集59巻1号64頁。以下「最高裁平成17年判決」ともいう。）（232頁参照）が、最高裁昭和56年判決を

当事案に適切ではないとしてディスティングィッシュしたことは理解しやすい[20)]。かように考えると、本件に最高裁昭和56年判決の射程が及ばないとする本件高裁判決の見解は妥当であるようにも思われる。しかしながら、他方で、事業所得該当性を論じるときに、最高裁昭和56年判決の判断枠組みで議論されてきたのもまた事実である。

学説においても、事業所得該当性における判定要素として、最高裁昭和56年判決と同様の考え方が示されてきたところである[21)]。かように考えると、最高裁昭和56年判決の説示した事業所得の本質論は定立したものと理解してもよく、更にいえば、同判決を離れて学説上の通説を念頭に議論をしたとしても、やはり事業所得判定上の考慮要素は最高裁昭和56年判決とほぼ同様のものとなるのではなかろうか。

加えて、最高裁平成17年判決においてディスティングィッシュがとられたのは、二面当事者問題を前提とした同最高裁が親会社ストック・オプション訴訟における三面当事者の問題には妥当しないとしたからではないかと思われるのである。

次に、②の「判断の一応の基準」の点であるが、ここでは、「一応の基準」として事業所得該当性のメルクマールが示されているだけであって、この説示が必ずしも他の事案に適合するかどうかは判然としないという理解に従ったものであると思われる。しかしながら、このように事業所得を捉える考え方は、他の裁判例においても度々引用され、学説においてもおおむね支持されていると解されるところ、そうであれば、このような判断を当てはめることが合理的ではないことが明確でない限りかかる説示が尊重されてもよいように思われるのである[22)]。

CHECK！　馬券訴訟と安定収入

以下では、上記最高裁昭和56年判決との関係について、若干の検討を加えることとしよう。

1　最高裁昭和56年判決の説示内容

最高裁昭和56年判決を事業所得の要件を説示したものとして捉えれば、事業所得とは、❶自己の計算と危険において独立して営まれ、❷営利性、❸有償性を有し、かつ❹反覆継続して遂行する意思と❺社会的地位とが客観的に認められる業務から

20）「ディスティングィッシュ」とは、先例と区別するという意味である。判例法の運営に関する一つの技術である。同判決のディスティングィッシュについては、酒井・フォローアップ129頁参照。

21）金子・租税法239頁、谷口・講義276頁など参照。

22）最高裁昭和56年判決の「一応の基準」が親会社ストック・オプション訴訟には適さないとした指摘として、酒井克彦・国税速報5580号5頁（2004）、同5594号5頁（2004）も参照。

生ずる所得をいうとしており、事業所得該当性は❶ないし❺の要件を充足させる必要がある旨を判示している。

しかしながら、ここで、「かつ」の位置が不安定であることに気がつく。すなわち、❶、❷、❸かつ❹、❺というような日本語の構成は不自然であるからである。すると、❶は独立した節としての意味を有しているからこれは独立したものとして捉えることができるため、❶＋（〔❷、❸〕かつ❹、❺）と捉えることが可能なのではなかろうか。換言すれば、「❶自己の計算と危険において独立して営まれ」、「営利性・有償性を有し」、「意思と社会的地位とが客観的に認められる」業務から生じる所得というように捉えるべきなのではなかろうか。

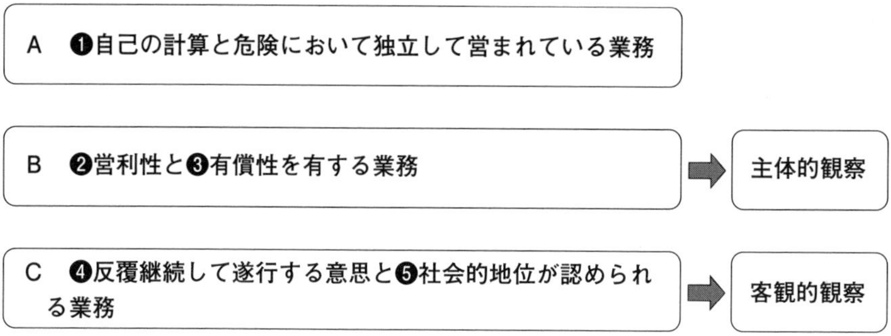

A　❶自己の計算と危険において独立して営まれている業務		
B　❷営利性と❸有償性を有する業務	➡	主体的観察
C　❹反覆継続して遂行する意思と❺社会的地位が認められる業務	➡	客観的観察

これらA、B、Cが満たされている場合に事業所得とされるということになる。

そして、AやBに比して、Cはより客観的に認められることが求められており、単に意思があるというだけでは足りないということである。

なお、本件地裁判決及び本件高裁判決は、❶「自己の計算と危険において独立して営まれている業務」を「企画遂行性」と位置付けている。このような位置付けが妥当であるかについては検討を要しよう。

2　安定収入性の客観的認定

本件地裁判決は、「社会的客観性をもって『事業』として認められるためには、相当程度の期間継続して安定した収益を得られる可能性がなければならないと解される。」としている。これを受けて、本件高裁判決は、「事業所得が事業活動を遂行することで得られる収益に担税力を認めたものである以上、現に収益を計上できるかどうかは別として、社会的・客観的に見て、ある程度の期間継続して経済活動を遂行して安定した収益を得ることを目的とし、この目的に合致した実態を有するといえるものを事業とし、これにより得られた所得を事業所得とすべきであるから、社会的客観性をもって『事業』と認められるためには『相当程度の期間継続して安定した収益を得られる可能性』を要するとした原判決の説示は相当であ〔る〕」としたのである。

このように、安定収入であることは、果たして事業所得該当性を構成する要素なのであろうか。この点、本件東京高裁は、「社会的客観性をもって」事業該当性を判断すべきとしている点からすれば、最高裁昭和56年判決の示す要素になぞらえれば、❺客観的に認められるべき「社会的地位」を論じたものではないかと思われる。そうであるとすれば、本件をことさらに、最高裁昭和56年判決とは異なるものと位置付ける必要はなかったのではなかろうか。

3　一時所得該当性

(1)　自己の判断

いわゆる馬券訴訟（大阪事件）の210最高裁平成27年３月10日第三小法廷判決（451頁参照）は、「馬券を自動的に購入するソフトを使用」していたことを論じている。これは、継続的購入を判断するに当たって、判断の有無を介入させずに機械的に次のレースを購入することを意味づけるようにも思え、継続的行為であることをうかがわせる１つのファクターとはなり得よう。また、「独自の条件設定と計算式に基づ」き、馬券を購入するための独自の計算によってなされたものであるという点では、営利を目的とした行為であるということをうかがわせる１つのファクターであったともいえる。加えて、同最高裁が、「個々の馬券の的中に着目しない」購入方式であることを前提とした上で、一時所得を否定し雑所得該当性を肯定しているが、これは、継続的購入行為であることをうかがわせる１つのファクターであったともいえよう[23)]。

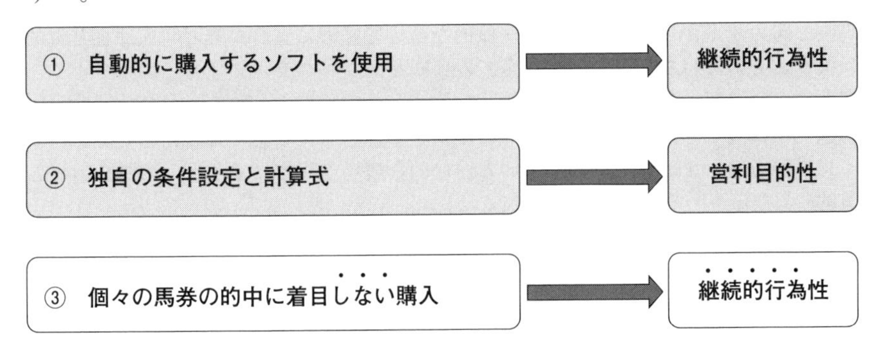

この三つの要素のうち、③個々の馬券の的中に着目しない購入が継続的行為性を判断するファクターとなり得るという点に理解を寄せることができるとしても、他面、個々の馬券の的中に着目をしない購入というのは、営利目的性という判断要素には

23)　この点を詳述したものとして、酒井克彦「いわゆる馬券訴訟にみる一時所得該当性―最高裁平成27年３月10日第三小法廷判決及び東京地裁平成27年５月14日判決を素材として―」中央ロー・ジャーナル12巻３号99頁（2015）を参照。

マイナスの効果を招来することになりはしないか。別言すれば、個々の馬券の的中に着目しないということは、営利目的の見地からみると必ずしも得策ではない。情報を精緻に分析して、より的中率をアップさせることの方がより、営利目的性という点では重要であると思われるからである。

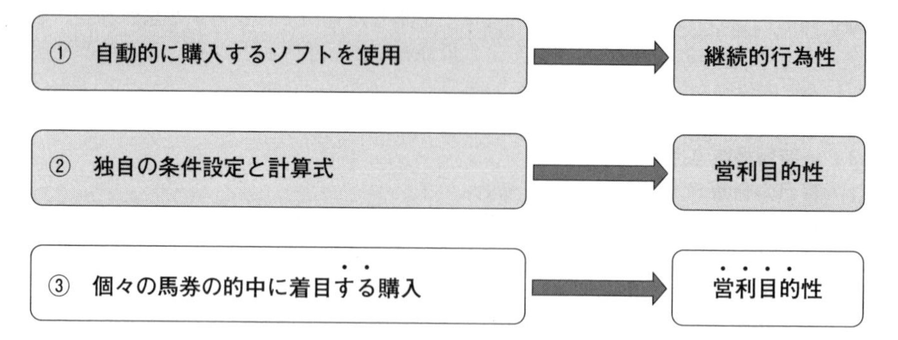

このように考えると、個々の馬券の的中に着目しない購入は継続的行為性を肯定することにはなっても、営利目的性を否定する効果を帯有しているのであって、所得税法34条《一時所得》１項にいう「営利を目的とする継続的行為」を認定するためのファクターとしての重要性は乏しいと思われるのである。

さて、本件地裁判決は、「全ての判断を同プログラムに任せるのではなく、要所においてＸ自身の判断を入れていたというのであって、その馬券の購入態様は、購入規模は別として、個々のレースの結果を予想して、予想の確度に応じてどのように馬券を購入するかを判断している一般的な競馬愛好家による馬券の購入態様と質的に異なるものではない。」とか、「全ての判断を同プログラムに任せるのではなく、要所においてＸ自身の判断を入れていたというのであって、その馬券の購入態様は、購入規模は別として、個々のレースの結果を予想して、予想の確度に応じてどのように馬券を購入するかを判断している一般的な競馬愛好家による馬券の購入態様と質的に異なるものではない。」としている。

このように考えると、むしろ、個々の馬券の的中に着目をしていることは、すなわち、営利目的性が単にコンピュータ任せにしているよりもより強く性格付けされ得るようにも思われる。

⑵　科学的説明という視角

しかしながら、本件地裁判決がそのことの故をもって否定的にみられるべきであろうか。

馬券購入者の主観的判断とコンピュータによる客観的判断という観点について見方を変えてみると、科学的説明の濃度という意味に捉え直すことができそうである。すなわち、コンピュータによる客観性を有する購入行為はいわば科学的説明を可能とするものであるのに対して、主観的な判断に基づく購入行為はその場限りの「勘」

に基づく要素が入り込むことによって、いわば科学的説明を不可能にする馬券購入活動となり得る。つまり、科学的説明がつくような行為は偶発性を排除し得るのに対して、個人の「勘」に頼った購入行為はむしろ偶発性に頼った行為であるともいい得るのである。

そうであるとすれば、偶発的所得としての一時所得該当性を考えるに当たって、「勘」に従った判断とコンピュータによる科学的な判断とを比較すると前者の方がより一時所得該当性を説明しやすいものとなろう。

かような点からみると、本件地裁判決の判断はリーズナブルなものであったともいい得るのである。

裁判例の紹介

宅地分譲の事業所得性

宅地等分譲により生じた利益の分配を受けることに係る所得は事業所得に当たり、損失負担金は事業所得の必要経費に当たるとされた事例

（**96**第一審東京地裁平成30年１月23日判決・税資268号順号13115）[24)]

〔事案の概要〕

本件は、X（原告）が、宅地の分譲等を業とするＩ社とともに実施した宅地等分譲事業（以下「本件宅地等分譲」という。）について、Ｉ社から本件宅地等分譲により発生した損失負担金の支払を求める訴えを提起され、その訴訟の結果に従いＩ社に対して支払った本件宅地等分譲に係る損失負担金（以下「本件損失負担金」という。）、当該訴訟の弁護士費用（以下「本件弁護士費用」という。）及び訴訟費用（以下「本件訴訟費用」といい、本件弁護士費用と併せて「本件各費用」という。）を、Xの事業所得に係る必要経費に算入して所得税の申告をしたところ、処分行政庁から、本件宅地等分譲はＩ社の単独事業であるとして、所得税等に係る各更正処分及び各過少申告加算税賦課決定処分（以下、併せて「本件各更正処分等」という。）を受けたため、国Ｙ（被告）を相手取り、本件各更正処分等の取消しを求めた事案である。

〔争点〕

①　本件宅地等分譲が所得税法上の事業所得を生ずべき事業に当たるか。

②　本件宅地等分譲が所得税法上の事業所得を生ずべき事業に当たるとした場

24）判例評釈として、橋本浩史・税通74巻７号184頁（2019）、木山泰嗣・税理63巻３号152頁、同４号152頁（2020）、佐藤孝一・税務事例52巻２号18頁（2020）など参照。

合、本件各費用が必要経費に当たるか。
③　本件損失負担金を平成21年分の事業所得の必要経費として控除できるか。
④　本件弁護士費用が消費税法上の課税仕入れに係る支払対価に当たるか。
以下では、①及び②を中心に取り上げることとする。

〔判決の要旨〕

○　東京地裁平成30年１月23日判決

「Ｘとｌ社とは、本件宅地等分譲を実施するに当たって、Ｉ社において本件宅地等の開発及び分譲を実施し、本件宅地等分譲による損益を両者で折半することを合意しており、Ｘは、かかる合意に基づき、本件宅地等分譲によって生じた損益について、Ｉ社から利益の分配を受け、あるいはＩ社にその負担すべき損失を支払うことになるものと解される。

ところで、所得税法は、公平負担の観点から、納税者の所得を、その源泉又は性質によって10種類に区分し、担税力に応じた計算方法等を定めているところ、かかる所得区分の判断に当たっては、当該利益が生み出される具体的態様を考慮して実質的に判断されるべきものと解され、上記のように他者の営む事業から生じた利益の分配を受ける旨の合意がされている場合において、当該合意に基づいて当該他者から受領した利益の所得区分については、当該利益の分配を受ける者が実質的に当該他者と共同してその事業を営む者としての地位を有するものと認められる場合には、当該他者の営む事業の内容に従って判断されるべきものと解され、他方で、当該利益の分配を受ける者がこのような地位を有するものと認められない場合には、当該他者の営む事業の内容にかかわらず、当該利益の分配を受ける者にとってその所得が有する性質に従って判断されるべきものと解される。そして、当該利益の分配を受ける者が上記地位を有するものといえるかどうかは、当該事業に至る経緯、当該事業に係る合意内容、当該事業に対する関与の程度等を総合して実質的に判断するのが相当である。」

「Ｘは、本件宅地等分譲の内容面に関わる土地の選定あるいは本件宅地等分譲の実施の決定そのものに大きく関わり、しかも、Ｉ社と同一の経済的な利害関係の下において、本件宅地等の取得に係る地権者であるＦらとの折衝などという本件宅地等分譲における不可欠かつ重要な役割を担っていたものであって、かかるＸとＩ社との合意の内容あるいはＸの実際の行動内容等に照らせば、Ｘが本件宅地等分譲において果たした役割は、単なる信用供与にとどまらず、その業務遂行の重要な場面にも及んでいたものであって、Ｘが本件宅地等分譲に相当程度関与していたものということができる。」

「Ｘが、本件宅地等分譲において果たした役割あるいは関与の程度に加え、Ｘが本件宅地等分譲の意思決定に関わり得る地位にあったことに鑑みれば、Ｘは、本件宅地等分譲に関して、実質的にＩ社と共同してその事業を営む者としての地位を有するものと認めるのが相当である。」

「ＸがＩ社から本件宅地等分譲により生じた利益の分配を受けることに係る所得区分は、Ｉ社の営む事業の内容に従って判断されるべきことになるところ、Ｉ社は不動産売買に関する事業等を目的とする株式会社であり、本件宅地等分譲はＩ社が目的とする事業そのものであることに照らせば、Ｘが本件宅地等分譲により生じた利益の分配を受けることに係る所得区分は事業所得に当たり、本件損失負担金は、Ｘの事業所得の必要経費になるというべきである。」

〔コメント〕
本件判決は、ＸがＩ社から本件宅地等分譲により生じた利益の分配を受けることに係る所得区分をどのように判断するかは、実質的に共同してその事業を営む者としての地位を有するものと認められる場合には、Ｉ社の営む事業の内容に従って判断されるべきとする。その上で、本件判決は、①Ｉ社が不動産売買に関する事業等を目的とする株式会社であること、②本件宅地等分譲がＩ社の事業そのものであることに照らして、Ｘが本件宅地等分譲により生じた利益の分配を受けることに係る所得区分は事業所得に当たるというのである。

これは、Ｉ社とＸとの関係について、あたかも、ＸをＩ社の行う組合事業に係る組合員の立場であるかのような関係として捉えた上で、いわゆる導管理論的な構成で所得区分の判断を展開している点は注目すべきであろう。

2　事業所得の金額の計算

事業所得の金額は、その年中の事業所得に係る総収入金額から必要経費を控除して計算する（所法27②）。

事業所得の金額 ＝ 総収入金額 － 必要経費（所法27②）

イ　事業所得の総収入金額

事業所得は、総収入金額から必要経費を控除することによって計算されるものであるから、総収入金額をいかに理解するかは極めて重要なポイントとなる。事業所得の総収入金額には、前述のとおり付随収入が含まれるとされているが、それ以外にインピューテッド・インカムの取扱いや、棚卸資産の範囲などいくつかの重要な論点がある。

① インピューテッド・インカム

インピューテッド・インカムとは、帰属所得ともいい、例えば、販売業者が自己の取り扱う棚卸資産を家事のために消費した場合（以下「家事消費」という。）などに、その消費した棚卸資産の時価を総収入金額に算入すべきとする考え方であり、自己の便益として享受した経済的価値を所得と認識して総収入金額を計算する方法である。

(i)　棚卸資産（準棚卸資産を含む。以下、①において同じ。）を家事消費した場合（所法39、所令86）

(ii)　事業所得の基因となる山林を伐採して家事消費した場合（所法39、所令86）

(iii)　棚卸資産（事業所得の基因となる山林及び有価証券を含む。以下、①において同じ。）を贈与又は遺贈した場合（所法40、所令87）

(iv)　棚卸資産を著しく低い価額で譲渡した場合（所法40、所令87）

(v)　農産物を収穫した場合（所法41、所令88）

上記の各ケースにおいて、(i)から(iii)については、時価相当額を、(iv)については、時価相当額と対価との差額のうち実質的に贈与したと認められる金額、(v)については、収穫時におけるその農産物の生産者販売価格をもって総収入金額に算入することとされている。なお、(v)については、インピューテッド・インカムではなく、課税の時期の問題として捉えるべきとの見解もあるが、農家の自家消費を前提とした規定であると考えるべきであろう。

② 収益補償金等

人的損害に対する保険金等は非課税とされるが（第1章参照）、以下のようなものについては、事業所得の金額の計算上、総収入金額に算入する。

(i)　棚卸資産について損害を受けたことにより取得するもので、事業所得の収入金額に代わる性質を有する保険金、損害賠償金、見舞金等（所令94①一）

(ii)　事業の全部又は一部の休止、転換又は廃止等により収益の補償として取得する補償金（所令94①二）。

ロ　事業所得の必要経費

事業所得の金額の計算に当たっては、総収入金額から必要経費を控除する。その場合の必要経費とは、所得税法37条《必要経費》１項が示す次の２点や減価償却費（所法41）、資産損失（所法51）のほか、別段の定めが設けられている。次章で詳しく説明しよう（486頁以下参照）。

① 売上原価その他その総収入金額を得るために直接要した費用の額
② その年における販売費、一般管理費その他事業所得を生ずべき業務について生じた費用の額

また、別段の定めとしては次のようなものがある。

① 家事関連費等の必要経費不算入等（所法45）
② 外国税額の必要経費不算入（所法46）
③ 棚卸資産の売上原価等の計算及びその評価の方法（所法47）
④ 有価証券の譲渡原価等の計算及びその評価の方法（所法48）
⑤ 減価償却資産の償却費の計算及びその償却の方法（所法49）
⑥ 繰延資産の償却費の計算及びその償却の方法（所法50）
⑦ 貸倒引当金（所法52）
⑧ 返品調整引当金（旧所法53）

✍ 返品調整引当金は、平成30年度税制改正において廃止されているが、令和12年分まで経過措置が設けられている（平成30年改正法附則５）。

⑨ 退職給与引当金（所法54）
⑩ 親族が事業から受ける対価（所法56等）
⑪ 社会保険診療報酬に係る必要経費の特例（措法26①）
⑫ 家内労働者等の事業所得等の所得金額の特例（措法27）
⑬ 有限責任事業組合員の事業所得等の所得計算の特例（措法27の２）
⑭ 債務処理計画に基づき評価減された減価償却資産等の損失の必要経費算

入（措法28の２の２）

Ⅵ　給与所得

1　給与所得の意義

給与所得とは、俸給、給料、賃金、歳費、賞与及びこれらの性質を有する給与に係る所得をいう（所法28①）。

給与所得の金額の計算は原則的には次によるが、このほか、実際に給与所得を得るためにかかった特定の費用がある場合には、特定支出控除の特例を受けることもできる（所法57の２①）。また、一定の給与所得者については所得金額調整控除も設けられている（措法41の３の３①②）。

給与所得の金額 ＝ 収入金額 － 給与所得控除額（所法28②）

給与所得とは、雇用契約又はこれに類する原因に基づき、その労務の対価として使用者等から受ける給付をいうが、その典型的なものは、雇用契約に基づいて被用者が雇用者から受ける給料や賞与である。もっとも、名称の如何にかかわらず、超過勤務手当、役付手当、家族手当、住宅手当などの各種の手当も当然給与所得に含まれるし、フリンジ・ベネフィットといわれる経済的利益も、それが労務の対価としての性格を有するものであれば、現物給与として給与所得に該当することになる。ただし、同じ「給与に係る所得」であっても、退職に伴い一時に支払われるものは退職所得に分類される（所法30）。

なお、①事業所得等の金額の計算に当たって必要経費に算入した青色事業専従者給与の金額及び事業専従者控除額（所法57①④）、並びに②勤労者が受ける財産形成給付金等のうち、７年サイクルの中途で受けるもの等（措法29の３）は給与所得とみなされる。

また、課税上の取扱いとして、日本相撲協会から支給される力士の報酬は給与所得、スポンサーから受ける賞金や地方巡業に出場した場合の収益の分配金は事業所得と解されている。ただ、優勝や三賞の賞金は一時所得であると説明されることがあるが（昭和34年直所５－４参照）、一時所得には、対価としての性質を有するものが含まれないことからすれば（所法34①）、議論のあるところであろう。また、プロ野球選手の報酬については、事業所得とされている（昭和26年直所２－82参照）。

なお、所得税法は、出張旅費や通勤手当のうち一定のものなどの所得を非課税としている（所法９①四～八、所令20の２～24。非課税所得の詳細については、第１章Ⅴ参照）。

裁判例の紹介

ゴルフ場キャディ報酬事件

労務提供の対価として支給されるキャディ報酬が、所得税法上の給与所得に当たるとされた事例

（97第一審那覇地裁平成11年６月２日判決・税資243号153頁）[25]
（98控訴審福岡高裁那覇支部平成12年10月10日判決・税資249号６頁）
（99上告審最高裁平成13年４月27日第二小法廷決定・税資250号順号8893）

〔事案の概要〕

X社（原告・控訴人・上告人）は、ゴルフ場の経営等を業とする会社であり、Kクラブを経営している。X社は、本件各事業年度の法人税及び消費税について確定申告書を作成し、いずれも法定申告期限内に提出した。

税務署長Y（被告・被控訴人・被上告人）は、X社に対し、法人税及び消費税の更正処分、消費税の過少申告加算税、源泉所得税の納税告知処分（本件各課税処分）を行った。

本件は、YがX社に対してした各処分について、X社が、いずれも課税の前提となる事実に誤認があるとして、その一部取消しを求めた事案である。

なお、裁判所の認定するところによれば、プレーヤーは、キャディ料金をX社に支払い、X社からキャディに対して、キャディ報酬が支払われている。X社は、キャディ料金からキャディ報酬を支払った残額から、福利厚生費やカー

25）判例評釈として、品川芳宣ほか・TKC税研情報９巻４号16頁（2000）参照。

トの使用料等を差し引き、キャディの税金等を支払い、その残りの部分については X 社に留保されている。

〔争点〕

プレーヤーがキャディを伴ってゴルフを行い、キャディ料金を支払った場合、キャディが X 社から受け取るキャディ報酬は給与所得となるか事業所得となるか。

〔判決の要旨〕

1　那覇地裁平成11年6月2日判決

「所得税法における給与所得とは、単に雇用関係に基づく労務の対価として支給される報酬というよりは広く、労務の提供が自己の危険と計算によらず、他人の指揮監督ないし組織の支配に服してなされる場合にその対価として支給されるものであり、一方、同法における事業所得とは、自己の計算と危険において独立して営まれ、利益を得ることを目的として継続的に行う経済活動から生じるものであると解されるところ、本件では、X 社とキャディーとの間で、形式的には雇用契約が締結されていないものの、…特に、キャディーの採用の仕方、プレーヤーへの割当や日常業務に対する管理の在り方、キャディーの勤務状況の把握及び指導、キャディーの報酬額の決定及びその支給方法等を総合考慮すると、キャディー業務は、X 社がゴルフ場におけるプレーヤーに対するサービスの一部をなしているものであり、キャディーの労務提供は、キャディー自身の危険と計算によるものではなく、X 社の指揮監督に服してなされるものであると認められる。したがって、右労務提供の対価として支給されるキャディー報酬は、所得税法上の給与所得に当たると解される。」

「X 社は、キャディーがプレーヤーに随行して労務を提供する際に、自己の判断と責任によって労務を提供している旨主張する。しかし、…キャディーが行う業務は、全体として X 社の経営方針や指導に基づいてなされ、X 社の管理が及んでいると認められる。プレーの進行管理や悪天候等によるプレーの中断等の判断を独自に行うことがあるものの、それはキャディー業務の一部について判断を委ねられているにすぎない。したがって、X 社の右主張は採用できない。」

「また、X 社は、キャディー報酬が給与所得でなく事業所得であることを基礎付ける事情として、①キャディーには定時刻の出勤義務がなく、出勤簿も存在しないこと、②いつでも自由に休暇をとることができること、③兼職も可能であること、④プレーヤーがスタートするまでの待期時間等の補償もないこと、⑤天候の悪化等によってプレーヤーからゴルフ場利用料を請求できない場合、キャディー報酬を受けとることはないことを主張する。

しかし、前述のとおり、給与所得に該当するか事業所得に該当するかは、労務の提供が自己の危険と計算によらず、他人の指揮監督ないし組織の支配に服してなされる場合にその対価として支給されるものであるかどうかにより判断されるのであって、X社が主張する右事情は、いずれも、直ちにキャディー報酬が事業所得であることを基礎付ける事情とはならず、これらの事情だけでキャディー報酬が給与所得に該当することを否定する事情にはなり得ないものである。そして、…X社が主張する右事情を考慮しても、本件ではキャディー報酬は給与所得と認められるのである。したがって、X社の右主張は採用できない。」

2　控訴審**福岡高裁那覇支部平成12年10月10日判決**においても、原審判断が維持された。なお、上告審**最高裁平成13年4月27日第二小法廷決定**は適法な上告理由に当たらないとして棄却した。

〔コメント〕

本件はキャディの報酬が事業所得に該当するか給与所得に該当するかが争われた事例であるが、このように給与所得該当性を肯定する判決の中には、雇用契約の有無を問わないものも多い。そもそも、所得税法28条《給与所得》は、給与所得該当性について雇用契約の有無を要件としていないことに加え、雇用契約ではなく委任契約である法人役員に対する役員賞与が「賞与」として給与所得に含まれること、雇用関係などが前提にない国会議員に支給される歳費が給与所得に該当するとされていることなどが実定法上の根拠であるといえる。前述のいわゆる弁護士顧問料事件**87**最高裁昭和56年4月24日第二小法廷判決（188頁参照）も「雇用契約又はこれに類する原因」と説示しているのであって、雇用契約の有無のみにとらわれて給与所得を判断することは妥当ではないといえよう。

そうであるとすると、より実体に即した所得区分が判断される必要があることになるが、本件において、那覇地裁は、「キャディー自身の危険と計算によるものではなく、X社の指揮監督に服してなされるものであると認められる。」と認定しており、この指揮命令に服してされた役務提供に対する対価であるという点、すなわち従属性要件が重視されたものといえよう。

裁判例の紹介

日本フィルハーモニー交響楽団員事件

交響楽団の正楽員が楽団から受けた所得が給与所得に当たるとされた事例

（**100**第一審東京地裁昭和43年4月25日判決・行集19巻4号763頁）[26]
（**101**控訴審東京高裁昭和47年9月14日判決・訟月19巻3号73頁）[27]
（**102**上告審最高裁昭和53年8月29日第三小法廷判決・訟月24巻11号2430頁）[28]

〔事案の概要〕

X（原告・控訴人・上告人）は、株式会社B放送の一部門である日本F交響楽団（以下「日本F」という。）の正楽員たる身分を有するバイオリン演奏家であるが、昭和37年中に日本Fから93万6,359円、日本G株式会社から1万9,721円、日本C株式会社から8,888円、株式会社S協会から1万2,600円、以上合計97万7,568円の収入を得たので、その全部を事業所得として、必要経費34万2,148円を控除した上で、税務署長Y（被告・被控訴人・被上告人）に対し、昭和37年分所得税の確定申告書を提出した。

Yは、かかる収入金額のうち、日本Fからの収入を給与所得とし、日本G株式会社ほか2社からの収入を雑所得として更正処分をした。

Xはこれを不服として提訴した。

〔争点〕

交響楽団の正楽員が楽団から受けた所得は給与所得に該当するか否か。

〔判決の要旨〕

1　東京地裁昭和43年4月25日判決

「旧所得税法施行規則（昭和40年政令第96号による改正前のもの）第7条の3〔筆者注：現行所得税法施行令63条〕は、右の事業所得における『事業』に当るものとして、11の業種を例示するとともに、その他『対価を得て継続的に行なう事業』と定めているが、そこに例示された業種との関連において考えると、

26）判例評釈として、広瀬時江・税通23巻11号205頁（1968）、野崎悦宏・税弘16巻103頁（1968）など参照。

27）判例評釈として、伊藤一行・税通32巻11号244頁（1977）、島村芳見・ジュリ573号120頁（1974）など参照。

28）判例評釈として、水野忠恒・ジュリ704号135頁（1979）、古田善香・税通38巻15号312頁（1983）など参照。

右にいわゆる『対価を得て継続的に行なう事業』とは、自己の危険と計算において独立的に営まれる業務で、営利性有償性を有し、かつ反覆継続して遂行する意思と社会的地位とが客観的に認められるものをいうものと解される。これに対し、給与所得は、雇傭又はこれに類する原因にもとづき非独立的に提供される労務の対価として受ける報酬及び実質的にこれに準ずべき給付を意味するものであって、報酬と対価関係に立つ労務の提供が、自己の危険と計算とによらず他人の指揮命令に服してなされる点に、事業所得との本質的な差異がある。したがって、提供される労務の内容自体が事業経営者のそれと異ならず、かつ、精神的、独創的なもの、あるいは特殊高度な技能を要するもので、労務内容につき本人にある程度自主性が認められる場合であっても、その労務が雇傭契約等にもとづき他人の指揮命令の下に提供され、その対価として得られた報酬もしくはこれに準ずるものであるかぎり、給与所得に該当するといわなければならない。」

さらに、楽団におけるXの地位、服務、分限、報酬、旅費、退職金等についての認定の上で、「事実によれば、Xの日本Fからの本件所得がXの危険と計算において経営される事業から生じたもの、すなわち事業所得であるとはとうてい認められず、まさに同Fとの雇傭契約にもとづき所定の演奏及び練習という労務に服することの対価もしくはこれに準ずる給付として支給されたもので、給与所得に該当するというべきである。Xの日本Fにおける演奏および練習が音楽家としての芸術的活動であり、その服務についても通常の勤労者のように日々一定の時間拘束されるものではなく、楽団の定めたスケジュールに従う以外は他社出演その他の行動が自由であるというようなことは、…Xの同Fからの所得の性質を右のとおり認定することをなんら妨げるものではない。

これに対し、Xは、Xが演奏家として活動するのに要する費用をいわゆる給与所得控除額で賄うことは不可能であり、このように類型的にみて必要経費が給与所得控除額を超える職業の者は給与所得者とみるべきでないと主張する。たしかに、…Xらのような音楽演奏家は、自己の使用する楽器や演奏会用の特殊な服装等を自ら用意するのが普通であり、また技両向上のための研究費等も必要であるなどのことから、職業費ともいうべきものが一般の勤労者より多くかかり、それが給与所得控除額を上廻る場合もありうることは否定できないけれども、先に述べたとおり、法は所得の発生態様ないし性質の如何によって所得の種類を分類しているのであり、必要経費の多寡を所得分類の基準としたものとは解されないから、多種多様な給与所得者につき収入額に応じた一定の給与所得控除(これは必要経費の概算控除の意味を含んでいる)しか認めないことの立法政策上の当否はともかく、給与の支給を受ける者の支出する経費が右の控除額を超えるからといって、それだけで給与所得者に当らないとすることはできない。」

「また、Xは職業野球選手の労務ないし所得と音楽演奏家のそれとが類似することを指摘し、通達及び課税実務上職業野球選手の所得がすべて事業所得とされているのに、演奏家の所得がそれと異なる取扱いを受けるのは不平等であると主張する。しかしながら、職業野球選手は球団との契約にもとづきチームの一員として試合に出場し、練習に従事するものであるとはいえ、一般に職業野球の場合にはチームの成績と並んで選手個人の技能と個々のプレーが興味と関心の対象となり、選手が球団から受ける報酬も当該選手の技能の進歩、成績、人気の高低によって大きく左右されるものであることは顕著な事実であって、それはあたかも一般芸能人の出演料などと同様、選手個人が契約に従い自己の責任と計算において提供する具体的なサービスに対する報酬たる性質をもつと認められるのに反し、…Ｘら日本Ｆの一般の楽員については、右のような個人的色彩はほとんどなく、その報酬も楽団の定めたとおりに労務を提供すること自体に対して支払われるもので、原則として勤務年数に応じて逐年増額され、生活給的要素を顕著に有する点において、職業野球選手の報酬とは異なることが認められる。このように職業野球選手の所得とＸの日本Ｆからの所得との間には税法上の所得分類の見地から重要な差異が認められる以上、他に類似の点があるにしても、Ｘの右所得を事業所得としなかったことをもって法の下の平等に反するということはできない。」

2　控訴審**東京高裁昭和47年９月14日判決**及び上告審**最高裁昭和53年８月29日第三小法廷判決**においても、第一審判断は維持された。

〔コメント〕

本件において、東京地裁は、「その労務の雇傭契約等にもとづき他人の指揮命令の下に提供され、その対価として得られた報酬もしくはこれに準ずるものであるかぎり、給与所得に該当するといわなければならない。」としており、従属性が認められる限り給与所得に該当するというのである。これは、演奏家のようにある程度の独立性の認められる形態の場合であっても、その対価が雇用契約等に基づいている限り給与所得に該当するという理解である。

Ｘの主張としては、類型的にみて必要経費が給与所得控除額を超える職業の者は給与所得者とみるべきでないとするが、所得金額の計算に併せて所得区分を考えることはあり得ないことではないとしても、本質的には本末転倒の感がある。もっとも、かように費用がかかるという点を、事業所得の独立性要件である、自己の危険と計算に基づく業務形態であることの主張の柱とすることはあり得なくはなかったと思われる。

2　フリンジ・ベネフィット

直接報酬として使用者等から支給されるものに限らず、従業者として受けることのできるベネフィット（これを「フリンジ・ベネフィット」という。）の形態をとるものであっても、それが労務の対価としての性質を有する限り給与所得に該当すると考えるべきであろう。例えば、無償で供与される社宅の家賃相当額などがこれに当たる。もっとも、フリンジ・ベネフィットのうち、どのようなものが給与所得課税の対象とされ、どのようなものが対象とされないのかについての線引きは極めて困難な問題を惹起する。

例えば、会社が従業員野球部に支給するバットやグローブ代は給与所得課税の対象となるであろうか、また会社が従業員旅行の費用を負担した場合はどうであろうか。超過勤務時に支給されるタクシー代、会社内の食堂での食事代に係る割引代金相当額、会社内に流れるBGMを用意するためにかかった費用、会社内のトイレットのウォシュレット維持費用などはどうであろうか。あるものは給与所得課税になじむかもしれないが、あるものは会社が本来負担すべき福利厚生費や会社の運営費用とみるべきであろう。通勤費についても、本来的に使用者側が負担すべきものなのか、あるいは被用者が受け取った給与所得の中から負担すべきものなのか、必ずしも判然としないところである。

以下では、課税実務上、課税しないこととされている主なフリンジ・ベネフィットを所得税基本通達に沿って掲げることとする。理論的には、従業員導管理論（従業員は単に通過点にすぎず、従業員に所得が帰属するとは観念できないとする考え方）や、コンディション理論（使用者の側が事業運営のためのコンディションを用意する義務があると考えられるものについては給与所得課税がなじまないとする考え方）などによって説明できるものもあるが、これらの法律的根拠は必ずしも明確ではないものもある（酒井・論点研究230頁）。

①　永年勤続者の記念品等（所基通36－21）

②　創業記念品等（所基通36－22）

③　商品、製品等の値引販売（所基通36－23）

使用者が役員又は使用人に対し自己の取り扱う商品、製品等（有価証券及び食事を除く。）の値引販売をすることにより供与する経済的利益で、次の要件のいずれにも該当する値引販売により供与するものについては、課税しなくて差し支えないとされている。

(i)　値引販売に係る価額が、使用者の取得価額以上であり、かつ、通常他に販売する価額に比し著しく低い価額（通常他に販売する価額のおおむね70％未満）でないこと。

(ii)　値引率が、役員若しくは使用人の全部につき一律に、又はこれらの者の地位、勤続年数等に応じて全体として合理的なバランスが保たれる範囲内の格差を設けて定められていること。

(iii)　値引販売をする商品等の数量は、一般の消費者が自己の家事のために通常消費すると認められる程度のものであること。

④　残業又は宿日直をした者に支給する食事（所基通36－24）

使用者が、残業又は宿直若しくは日直をした者（その者の通常の勤務時間外における勤務としてこれらの勤務を行った者に限る。）に対し、これらの勤務をすることにより支給する食事については、課税しなくて差し支えないとされている。

⑤　掘採場勤務者に支給する燃料（所基通36－25）

⑥　寄宿舎の電気料等（所基通36－26）

⑦　金銭の無利息貸付け等（所基通36－28）

使用者が役員又は使用人に対し金銭を無利息又は一定の利息相当額に満たない利息で貸し付けたことにより、その貸付けを受けた役員又は使用人が受ける経済的利益で、次に掲げるものについては、課税しなくて差し支えないとされている。

(i)　災害、疾病等により臨時的に多額な生活資金を要することとなった役員又は使用人に対し、その資金に充てるために貸し付けた金額につき、その返済に要する期間として合理的と認められる期間内に受ける経済的

利益

(ii) 役員又は使用人に貸し付けた金額につき、使用者における借入金の平均調達金利（例えば、当該使用者が貸付けを行った日の前年中又は前事業年度中における借入金の平均残高に占める当該前年中又は前事業年度中に支払うべき利息の額の割合など合理的に計算された利率をいう。）など合理的と認められる貸付利率を定め、これにより利息を徴している場合に生じる経済的利益

(iii) (i)及び(ii)の貸付金以外の貸付金につき受ける経済的利益で、その年（使用者が事業年度を有する法人である場合には、その法人の事業年度）における利益の合計額が5,000円（使用者が事業年度を有する法人である場合において、その事業年度が１年に満たないときは、5,000円にその事業年度の月数（１月未満の端数は１月に切り上げた月数）を乗じて12で除して計算した金額）以下のもの

⑧ 用役の提供等（所基通36－29）

使用者が役員若しくは使用人に対し自己の営む事業に属する用役を無償もしくは通常の対価の額に満たない対価で提供し、又は役員若しくは使用人の福利厚生のための施設の運営費等を負担することにより、当該用役の提供を受け又は当該施設を利用した役員又は使用人が受ける経済的利益については、当該経済的利益の額が著しく多額であると認められる場合又は役員だけを対象として供与される場合を除き、課税しなくて差し支えない。

⑨ 使用人等に対し技術の習得等をさせるために支給する金品（所基通36－29の２）

使用者が自己の業務遂行上の必要に基づき、役員又は使用人に当該役員又は使用人としての職務に直接必要な技術若しくは知識を習得させ、又は免許若しくは資格を取得させるための研修会、講習会等の出席費用又は大学等における聴講費用に充てるものとして支給する金品については、これらの費用として適正なものに限り、課税しなくて差し支えない。

⑩　使用者が負担するレクリエーションの費用（所基通36－30）

使用者が役員又は使用人のレクリエーションのために社会通念上一般的に行われていると認められる会食、旅行、演芸会、運動会等の行事の費用を負担することにより、これらの行事に参加した役員又は使用人が受ける経済的利益については、使用者が、当該行事に参加しなかった役員又は使用人（使用者の業務の必要に基づき参加できなかった者を除く。）に対し、その参加に代えて金銭を支給する場合又は役員だけを対象として当該行事の費用を負担する場合を除き、課税しなくて差し支えない。

⑪　使用者契約の養老保険に係る経済的利益（所基通36－31）

使用者が、自己を契約者とし、役員又は使用人（これらの者の親族を含む。）を被保険者とする養老保険（被保険者の死亡又は生存を保険事故とする生命保険）に加入してその保険料を支払ったことにより当該役員又は使用人が受ける経済的利益については、次に揚げる場合の区分に応じ、それぞれ次により取り扱うものとする。

(i)　死亡保険金（被保険者が死亡した場合に支払われる保険金をいう。）及び生存保険金の受取人が当該使用者である場合……当該役員又は使用人が受ける経済的利益はないものとする。

(ii)　死亡保険金及び生存保険金の受取人が被保険者又はその遺族である場合……その支払った保険料の額に相当する金額は、当該役員又は使用人に対する給与等とする。

(iii)　死亡保険金の受取人が被保険者の遺族で、生存保険金の受取人が当該使用者である場合……当該役員又は使用人が受ける経済的利益はないものとする。ただし、役員又は特定の使用人（これらの者の親族を含む。）のみを被保険者としている場合には、その支払った保険料の額のうち、その２分の１に相当する金額は、当該役員又は使用人に対する給与等とする。

⑫　使用者が負担する少額な保険料等（所基通36－32）

使用者が役員又は使用人のために次に掲げる保険料又は掛金を負担する

ことにより当該役員又は使用人が受ける経済的利益については、その者につきその月中に負担する金額の合計額が300円以下である場合に限り、課税しなくて差し支えない。ただし、使用者が役員又は特定の使用人（これらの者の親族を含む。）のみを対象として当該保険料又は掛金を負担することにより当該役員又は使用人が受ける経済的利益については、この限りでない。

(i)　健康保険法、雇用保険法、厚生年金保険法又は船員保険法の規定により役員又は使用人が被保険者として負担すべき保険料

(ii)　生命保険契約等又は損害保険契約等に係る保険料又は掛金

⑬　使用者が負担するゴルフクラブの入会金（所基通36－34）

使用者がゴルフクラブの入会金を負担することにより当該使用者の役員又は使用人が受ける経済的利益については、次に掲げる場合の区分に応じ、それぞれ次による。

(i)　法人会員として入会した場合……記名式の法人会員で名義人である特定の役員又は使用人が専ら法人の業務に関係なく利用するため、これらの者が負担すべきものであると認められるときは、その入会金に相当する金額は、当該役員又は使用人に対する給与等とする。

(ii)　役員又は使用人が個人会員として入会した場合……入会金に相当する金額は、当該役員又は使用人に対する給与等とする。ただし、無記名式の法人会員制度がないため役員又は使用人を個人会員として入会させた場合において、その入会が法人の業務の遂行上必要であると認められ、かつ、その入会金を法人が資産に計上したときは、当該役員又は使用人が受ける経済的利益はないものとする。

⑭　使用者が負担するゴルフクラブの年会費等（所基通36－34の２）

使用者がゴルフクラブの年会費その他の費用を負担することにより当該使用者の役員又は使用人が受ける経済的利益については、次による。

(i)　使用者がゴルフクラブの年会費、年決めロッカー料その他の費用（そ

の名義人を変更するために支出する名義書換料を含み、プレーをする場合に直接要する費用を除く。）を負担する場合には、その入会金が法人の資産として計上されているときは、当該役員又は使用人が受ける経済的利益はないものとし、その入会金が給与等とされているときは、その負担する金額は、当該役員又は使用人に対する給与等とする。

(ii)　使用者が、プレーをする場合に直接要する費用を負担する場合には、その負担する金額は、そのプレーをする役員又は使用人に対する給与等とする。ただし、その費用が使用者の業務の遂行上必要なものであると認められるときは、当該役員又は使用人が受ける経済的利益はないものとする。

CHECK！　テレワークに係る企業側の費用負担―従業員導管理論とコンディション理論―

従来より、働き方の多様化の一環として在宅勤務（いわゆる「テレワーク」）を導入する企業が散見されていたところではあるが、新型コロナウイルス感染症に伴う緊急事態宣言を契機とする外出自粛傾向が、企業のテレワーク推進を急速に後押ししている。そうした中、テレワークを巡る課税問題として、在宅勤務手当やテレワーク用のパソコン等支給、テレワークに要した電気代の費用負担等について、どのように課税すべきかが注目されてきた。そこで、国税庁は、令和３年１月15日付けで「在宅勤務に係る費用負担等に関するFAQ（源泉所得税関係）」を公表し、①在宅勤務手当、②在宅勤務に係る事務用品等の支給、③業務使用部分の精算方法、④通信費に係る業務使用部分の計算方法、⑤通信費の業務使用部分の計算例、⑥電気料金に係る業務使用部分の計算方法、⑦レンタルオフィス等使用料の精算の７項目についての取扱いを明らかにした。

使用者から何らかの手当等が支給された場合、本来的には従業員の給与所得を構成することになるのは上述のとおりであるが、本FAQでは、在宅勤務手当や業務用のパソコン等支給、通信費やレンタルオフィス等使用料の精算について、基本的には「従業員に対する給与として課税しなくて差し支えありません。」としており、給与所得課税から除外される場面を明らかにしている。

ここで、本FAQの性格付けが問題となるが、法律ではない国税庁のFAQで非課税規定を設けることは許されないことからすれば（合法性の原則）、これを非課税規定の創設と捉えることは当然できない。正しくは、本FAQは非課税を定めるものではなく、「従業員導管理論」や「コンディション理論」によって、そもそも従業員の所得ではない部分を明らかにしたものと位置付けるべきであろう。以下、FAQの問ごとに、その考え方を簡単に列挙しておこう。

〔問1〕在宅勤務手当

FAQは、❶在宅勤務に通常必要な費用について、その費用の実費相当額を精算する方法により、企業が従業員に対して支給する一定の金銭については、従業員に対する給与として課税する必要はないとする。もっとも、❷企業が従業員に在宅勤務手当（従業員が在宅勤務に通常必要な費用として使用しなかった場合でも、その金銭を企業に返還する必要がないもの（例えば、企業が従業員に対して毎月5,000円を渡切りで支給するもの））を支給した場合は、従業員に対する給与として課税する必要があるとする。

❶については「実費相当額を精算する方法により」とされているとおり、本来使用者が支払うべきものを従業員を介して支払っているにすぎないといえることから、「従業員導管理論」で説明できるものであろう。これに対して、実費精算とはいえないような❷の場合には、原則どおり従業員の所得を構成するというわけである。

〔問2〕在宅勤務に係る事務用品等の支給

FAQは、❶企業が所有する事務用品等を従業員に貸与する場合には、従業員に対する給与として課税する必要はないが、❷企業が従業員に事務用品等を支給した場合（事務用品等の所有権が従業員に移転する場合）には、従業員に対する現物給与として課税する必要があるとする。

❶の貸与のケースは「コンディション理論」で説明ができよう。すなわち、従業員が在宅でも勤務できる状態（コンディション）を、使用者が整えるものと解するのである。これに対し、❷のように、パソコン等を貸与ではなく従業員に贈与してしまうような場合には、現物給与として原則どおり課税すべきとされている。

〔問3〕業務使用部分の精算方法

FAQは、在宅勤務手当としてではなく、企業が在宅勤務に通常必要な費用を精算する方法により従業員に対して支給する一定の金銭については、従業員に対する給与として課税する必要はないとする。これは「従業員導管理論」で説明できるものであろう。

〔問4〕通信費に係る業務使用部分の計算方法
〔問5〕通信費の業務使用部分の計算例
〔問6〕電気料金に係る業務使用部分の計算方法

従業員の所得を構成する部分とそうでない部分を明らかにする必要があるため、FAQでは、通信費や電気料金について、業務のために使用した部分の合理的な計算方法を明らかにしている。具体的には、通話明細書等による方法のほか、在宅勤務日数や床面積等を用いての計算が例示されている。

〔問7〕レンタルオフィス

FAQは、従業員が、勤務時間内に自宅近くのレンタルオフィス等を利用して在宅勤務を行った場合、従業員が在宅勤務に通常必要な費用としてレンタルオフィス代等を立替払いし、かつ、業務のために利用したものとして領収書等を企業に提出してその代金が精算されているものについては、従業員に対する給与として課税する必要はないとする。これは、「従業員導管理論」、「コンディション理論」のいずれでも説明ができよう。

裁判例の紹介

一ノ瀬バルブ事件

会社が従業員に交付する通勤定期乗車券等が、実質的な賃金の一部にほかならないとされた事例

（103第一審大阪地裁昭和34年12月26日判決・民集16巻8号1756頁）
（104控訴審大阪高裁昭和35年12月15日判決・民集16巻8号1762頁）[29]
（105上告審最高裁昭和37年8月10日第二小法廷判決・民集16巻8号1749頁）[30]

〔事案の概要〕

従業員に通勤定期券又はその購入代金相当額の金銭を交付していたX（原告・控訴人・上告人）は、税務署長Y（被告・被控訴人・被上告人）から通勤費に相応する源泉徴収所得税の徴収決定を受けた。Xはこれを不服として提訴した。

〔争点〕

通勤費は、労働者の取得する俸給、給料、賃金と同一の性質を有する給与として、旧所得税法9条5号（現行所得税法28条）にいう給与所得に該当するか否か。

29）判例評釈として、伊藤稔博・税通16巻7号200頁（1961）参照。

30）判例評釈として、金子宏・法協82巻2号308頁（1966）、新井隆一・シュト14号12頁（1963）、斉藤明・租税百選〔2〕68頁（1983）、泉水一・税通23巻13号112頁（1968）、浅井清信・民商48巻5号783頁（1963）、田中真次・昭和37年度最高裁判所判例解説〔民事篇〕321頁（1962）、松本庄蔵・税通33巻14号84頁（1978）、酒井・ブラッシュアップ164頁など参照。

〔判決の要旨〕

1　大阪地裁昭和34年12月26日判決

「〔所得税法上の給与所得規定は、〕給与所得として、労務の提供に対する反対給付たる『俸給、給料、賃金』をはじめ、『歳費、年金、恩給、賞与』の諸収入形態を列挙した上、『これらの性質を有する給与』をも包括的にその課税対象とする旨定めているから、労務それ自体の対価として、提供された労務に相応する給付のみが、前記規定に定める給与所得なりとは解し難く、労務の提供に関連して受くべき給付も、給付の性格等を検討して、それが労務の対価に準じて評価せらるべき場合には、これを俸給、給料、賃金と同一の性質を有する給与として、前記規定の給与所得に包含せられるものと解すべきである。

ところで本件通勤費は、労働条件として使用者たるXがこれを負担することと定めた労働契約にもとづき、毎月労働者に交付せられる通勤定期券若くはその購入代金相当額の金銭であって、労務そのものの対価として供与された事情はこれを認むべき証拠がないけれども、右給付は労務の提供を前提とし、これと密接に関連し、いわゆる労働条件としての内容を有して、労働契約により使用者に規則的に請求しうべき労働者の権利たる性格をもつものであるから、まさに労務の等価関係においてこれに準じて評価せらるべき給付というべく、したがって右通勤費は労働者の取得する俸給、給料、賃金と同一の性質を有する給与として前記規定にいわゆる給与所得に該当するものとみるべきである。」

2　大阪高裁昭和35年12月15日判決

「わが国戦後の賃金体系を考慮してみると、直接労働の質および量に対応する基本給、超過勤務手当のほかに、家族手当、勤務地手当、通勤手当、住宅手当、子女教育手当、物価手当、生活補助金等のように一見労働とは関係のないような名目を附せられた諸手当も、賃金体系の内容を構成し、実質的には労働の対価として支給されてきたことは否定できないところである。」

「そうすると、本件のごとく、Xが、労働条件として従業員の通勤費の実費をXの方で負担することを定めた労働契約にもとづいて従業員に交付する本件通勤定期乗車券またはその購入代金相当額の金員も、上叙の賃金体系の一内容を構成する実質的な賃金の一部にほかならないものと認めるのが相当である。」

3　最高裁昭和37年8月10日第二小法廷判決

「所得税法9条5号〔筆者注：現行28条1項〕は『俸給、給料、賃金……並びにこれらの性質を有する給与』をすべて給与所得の収入としており、…勤労者が勤労者たる地位にもとづいて使用者から受ける給付は、すべて右9条5号にいう給与所得を構成する収入と解すべく、通勤定期券またはその購入代金の支給をもって給与でないと解すべき根拠はない。Xは、労働協約によって通勤定期券またはその購入代金を支給しているというのであるが、かかる支出が会社の計算上損金に計算されることは勿論であるが、このことによって、勤労者の給与でなくなるものではない。若し右の支給がなかったならば、勤労者は当然に自らその費用を負担しなければならないのであって、かかる支給のない勤労者とその支給のある勤労者との間に税負担の相違があるのは、むしろ当然であって、通勤費の支給を給与と解し、勤労者の所得の計算をしたのは正当である。従ってXが通勤費に相応する所得税を源泉徴収する義務があることも当然のことといわなければならない。」

〔コメント〕

Xは、Xが支出した通勤費は輸送機関の所得にこそなれ、労働者の所得にはならないと主張した。この点が本件の中心的関心事項でもある。これに対して、本件大阪地裁は、「労働力の売主たる労働者は使用者の指示する職場においてのみ労働力を提供し、これを商品化し得るものであるから、使用者の指示した職場が労働者の居住する場所と異る場合に、労働者が自己の居住する場所から職場に赴く費用は、本来労働者が負担すべきものであって、使用者の支出した通勤費が結局乗客輸送業者に支払われ、労働者の手中に残らないとしても、労働者としてはこれによって自己の負担すべかりし経費の支出を免れ、これと同額の財産的利益を受けたこととなるのであるから、労働者に所得なしということはできない。」と説示した。

そして、本件大阪高裁は、これまでの給与慣行を前提として、給与所得該当性を肯定している。しかしながら、かような判断は、従業者の通勤に要する費用は、労働力を購入する側が本質的に負担すべき費用という観点からみれば、雇用環境を整備するのが雇用主側にあった場合には給与所得を観念していないこととの整合的な理解がつけられているといえるのであろうか。また、あくまでも、交通費相当額は、従業者の手元には残らないのであるから、そのような意味では、給与所得者の所得として認識すべきものではないとの主張（「従業員導管理論」）が排斥された一事例として本判決は位置付けられることになろう。もっとも、現行法においては、所得税法9条1項5号が一定の通勤手当を非課税としていることから、本件の争点は立法上の解決がなされている。

3　ストック・オプション等の権利行使益

発行法人からストック・オプションを与えられた場合、そのストック・オプションの権利行使益は一般的には給与所得に該当するとされる。ただし、退職後に当該ストック・オプションの権利行使が行われた場合については、例えば、権利付与後短期間のうちに退職を予定している者で、かつ、その権利行使益が主として退職後長期間にわたって生じた株式の値上り益に相当するものと認められる等、主として職務の遂行に関連を有しない利益が供与されていると認められるときは、雑所得となるなど、具体的な権利関係等に基づいて課税関係は整理されることになろう。

ただし、次の要件が定められた付与契約に従って権利行使した場合（いわゆる税制適格ストック・オプション）の経済的利益については、所得税が課税されない（措法29の２）。

① 付与決議の日後２年から10年以内に権利行使をすること

② 権利行使価額の年間の合計額が1,200万円を超えないこと

③ １株当たりの権利行使価額は、付与契約締結時における１株当たりの時価以上であること

④ 新株予約権等は、譲渡禁止であること

⑤ 株式の交付が付与決議された会社法（商法）に定める事項に反しないで行われるものであること

⑥ 権利行使により取得する株式は、その株式会社を通じて証券会社等の営業所に保管の委託等がされること

なお、近年、ストック・オプションの代わりに現物株式の交付を行う企業が増えるなど、株式報酬制度は多様化している。例えば、ストックアワード（停止条件付株式引受権）やリストリクテッド・ストック（譲渡制限付株式引受権）、パフォーマンス・シェア・ユニットなどがある。これらの帰属年度と評価額については学説上の見解が定まっていない部分もあるが、後掲するような裁判例109～116がある。

裁判例の紹介

親会社ストック・オプション訴訟

親会社から付与されたストック・オプションの権利行使益が給与所得に当たるとされた事例

（106第一審東京地裁平成15年8月26日判決・訟月51巻10号2741頁）
（107控訴審東京高裁平成16年2月19日判決・訟月51巻10号2704頁）31）
（108上告審最高裁平成17年1月25日第三小法廷判決・民集59巻1号64頁）32）

〔事案の概要〕

X（原告・被控訴人・上告人）は、日本A社の代表取締役を務めていた。日本A社は、米国法人である米国A社の日本法人として設立されたものであり、米国A社は日本A社の発行済株式の100％を所有している。米国A社は、同社及びその子会社（以下、併せて「A社グループ」という。）の一定の執行役員及び主要な従業員に対する精勤の動機付けを企図して、これらの者に米国A社のストック・オプションを付与している（以下「本件ストック・オプション制度」という。）。

本件ストック・オプション制度に基づき付与されたストック・オプションについては、被付与者の生存中は、その者のみがこれを行使することができ、その権利を譲渡し、又は移転することはできないものとされている。ストック・オプションの権利行使期間は付与日から10年間とされているが、被付与者とA社グループとの雇用関係が終了した場合には、原則として、その終了の日から

31）判例評釈として、長谷川俊明・国際商事法務32巻10号1372頁（2004）、井上和彦・金判1203号58頁（2004）、本庄資・ジュリ1284号157頁（2005）、酒井克彦・税務事例36巻4号1頁、5号1頁、6号1頁（2004）など参照。

32）判例評釈として、品川芳宣・税研121号42頁（2005）、増田稔・平成17年度最高裁判所判例解説〔民事篇〕39頁（2008）、同・ジュリ1310号147頁（2006）、同・曹時60巻2号211頁（2008）、吉村政穂・租税百選〔4〕70頁（2005）、川田剛・国際税務25巻6号42頁（2005）、一原友彦・行政関係判例解説〔平成17年〕72頁（2007）、酒井貴子・租税百選〔7〕78頁（2021）、占部裕典・法令解説資料総覧282号123頁（2005）、塩崎勤・民情226号94頁（2005）、長谷川俊明・国際商事法務33巻10号1380頁（2005）、堀口和哉・税務事例38巻9号10頁（2006）、安宅敬祐・岡法55巻1号1頁（2005）、田中治＝小山馨・税通60巻13号229頁（2005）、安中和彦・税務事例37巻5号29頁（2005）、鳥飼重和・法セ51巻3号6頁（2006）、橋本慎一朗・税研148号55頁（2009）、酒井克彦・国税速報5685号5頁（2005）、5594号5頁（2004）、酒井・ブラッシュアップ119頁など参照。

15日間に限りこれを行使することができるものとされている。また、上記ストック・オプションの被付与者は、付与日から６か月間はその勤務を継続することに同意するものとされている。

Ｘは、日本Ａ社在職中に、本件ストック・オプション制度に基づき、米国Ａ社との間で、ストック・オプション付与契約（以下「本件付与契約」という。）を締結し、ストック・オプション（以下「本件ストック・オプション」という。）を付与された。その際、Ｘは、米国Ａ社との間で、本件ストック・オプションについて、その付与日から１年を経過した後に初めてその一部につき権利を行使することが可能となり、その後も一定期間を経た後に順次追加的に権利を行使することが可能となる旨の合意をした。

Ｘは、平成８年から同10年までに、本件ストック・オプションを行使し、それぞれの権利行使時点における米国Ａ社の株価と所定の権利行使価格との差額に相当する経済的利益として、同８年中に約4,000万円、同９年に約１億5,500万円、同10年に約１億6,000万円の権利行使益（以下、併せて「本件権利行使益」という。）を得た。

Ｘは、平成８年分から同10年分までの所得税について、本件権利行使益が所得税法34条１項所定の一時所得に該当するとして確定申告をした。これに対して、税務署長Ｙ（被告・控訴人・被上告人）は、給与所得に該当するとして更正処分を行った。Ｘはこれを不服として訴訟を提起した。

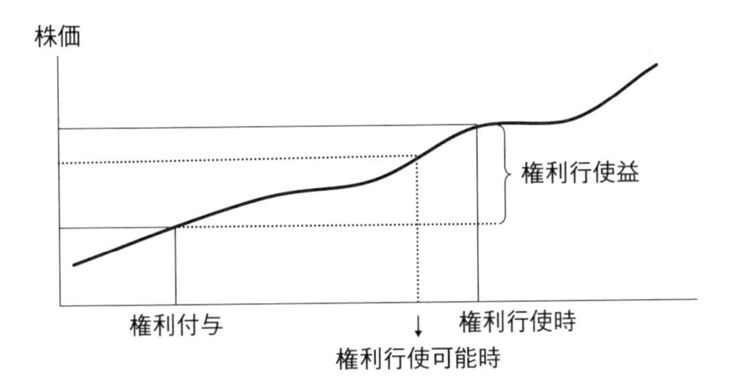

〔争点〕

親会社から付与されたストック・オプションをＸが行使して得た権利行使益は一時所得に該当するか、あるいは給与所得又は雑所得に該当するか。

〔判決の要旨〕

1　東京地裁平成15年８月26日判決

「ストック・オプションの権利を行使する者は、…株価が多様な要因に基づいて変動することを前提として、株価の動向を予測しながら、自らの判断において、権利行使の時期を選択し、実行するのが一般的であると考えられる。そのため、仮に付与会社から同一内容のストック・オプションを与えられたとしても、これを行使して得られる現実の権利行使益は、これを行使する者ごとに異なるものであり、個々の具体的な権利行使益発生の有無及び享受する権利行使益の額は、前述のとおりの多様な諸要因によってその時々に形成された株式の時価及び行使者自身の判断による権利行使の時期という、多分に偶発的、一時的な要因によって定まるものである。」とし、これらの要因に「大きく基因するものであることを捨象し、これをもって米国Ａ社からＸに対して与えられた経済的利益であると評価することは、相当でないというべきである。」

「本件権利行使益が、本件ストック・オプションに係る親会社の株価の変動及びＸ自身の権利行使の時期に関する判断によってその発生の有無及び金額が決定付けられた、偶発的、一時的な性格を有する経済的利益であることは前記…のとおりであるから、所得税法34条１項にいう『一時の所得』に該当するものというべきである。」

2　東京高裁平成16年２月19日判決

「ストック・オプションが行使されて株式譲渡契約が成立した時点の法律関係をみれば、それは、会社がその従業員との間で労務提供の対価として株式を時価により低額で譲渡する旨の契約（本契約）を成立させ、それによって給与の支払があったとされる場合の法律関係と同じであり、譲渡契約が被付与者による予約完結権行使によって成立したものであることやストック・オプションの付与時から権利行使時までの間に株価が変動したことによって、付与会社が…経済的利益を被付与者に移転するということに変わりはない…。」

「本件権利行使益が労務の対価という趣旨で給付されたものかどうかを判断するに当たっては、本件付与契約の趣旨、目的、内容等を検討することこそが重要である。」

「ストック・オプションを付与することとしている趣旨、目的が、要職にある従業員等の貢献に報い、それらの従業員等の一層の職務の精励と就労の継続への動機付けを図るという点にあることは明らかである。」

「株価が多様な要因によって形成されるものであるとしても、当該会社の業績が、当該会社の株価を形成する重大な要素の一つであることは明らかである。また、会社の業績が従業員等が当該会社に提供する労務が集合した成果であることにかんがみれば、従業員等の当該会社における精勤の継続が、その業績の向上、株価の上昇に貢献し得るという関係にあることも明らかである。」

「権利行使益を取得するためには、まず、勤務先会社に対して労務を提供しなければならないということが、米国Ａ社のストック・オプション制度の本質的要素を成している。」

「会社が何らの見返りもなく従業員等に対して経済的負担を負うとは考え難い」が、それは従業員等がグループ内の会社においてストック・オプションの付与時あるいは付与後に労務の提供をするからにほかならないとして、第一審判断を覆し、給与所得に当たると判示した。

3　最高裁平成17年１月25日第三小法廷判決

「被付与者の生存中は、その者のみがこれを行使することができ、その権利を譲渡し、又は移転することはできないものとされているというのであり、被付与者は、これを行使することによって、初めて経済的な利益を受けることができるものとされているということができる。そうであるとすれば、米国Ａ社は、Ｘに対し、本件付与契約により本件ストックオプションを付与し、その約定に従って所定の権利行使価格で株式を取得させたことによって、本件権利行使益を得させたものであるということができるから、本件権利行使益は、米国Ａ社からＸに与えられた給付に当たるものというべきである。本件権利行使益の発生及びその金額が米国Ａ社の株価の動向と権利行使期間に関するＸの判断に左右されたものであるとしても、そのことを理由として、本件権利行使益が米国Ａ社からＸに与えられた給付に当たることを否定することはできない。」

「〔本件権利行使益は〕Ｘが代表取締役であった日本Ａ社からではなく、米国Ａ社から与えられたものである。しかしながら、…米国Ａ社は、日本Ａ社の発行済み株式の100％を有している親会社であるというのであるから、米国Ａ社は、日本Ａ社の役員の人事権等の実権を握ってこれを支配しているものとみることができるのであって、Ｘは、米国Ａ社の統括の下に日本Ａ社の代表取締役としての職務を遂行していたものということができる。そして、…本件ストックオプション制度は、Ａ社グループの一定の執行役員及び主要な従業員に対する精勤の動機付けとすることなどを企図して設けられているものであり、米国Ａ社は、Ｘが上記のとおり職務を遂行しているからこそ、本件ストックオプション制度に基づきＸとの間で本件付与契約を締結してＸに対して本件ストックオプションを付与したものであって、本件権利行使益がＸが…職務を遂行したことに対する対価としての性質を有する経済的利益であることは明らかというべきである。」

「本件権利行使益は、雇用契約又はこれに類する原因に基づき提供された非独立的な労務の対価として給付されたものとして、所得税法28条１項所定の給与所得に当たるというべきである。所論引用の判決〔筆者注：前述の弁護士顧問料事件87最高裁昭和56年４月24日第二小法廷判決（188頁参照）〕は本件には適切でない。そうすると、本件権利行使益が給与所得に当たるとしてされた本件各更正は、適法というべきである。」

〔コメント〕

1　米国親会社から付与されたもの

本件ストック・オプション契約により被付与者（X）が付与されたもののうち、課税対象となる所得は何かがまず明確にされなければならない。ストック・オプションの権利行使益か、ストック・オプションの権利そのもののいずれと解すべきであろうか。Xはストック・オプション制度によって被付与者が付与を受けたのは、ストック・オプションに係る権利行使益ではなくて、むしろコール・オプション（買う権利）であるストック・オプション権そのものであるという主張をしている。

Xがストック・オプションそのものを付与されたと主張するのは、ストック・オプションそのものが付与されたとすれば、仮に給与所得に該当するとしてもストック・オプションの付与時評価額が給与所得となるのであって、付与後の権利行使益は当該権利の行使によって得られるものであるから、その段階では課税がなされないことになり、その部分の利益は株式の譲渡の段階で譲渡所得に吸収されると解するべきと考えるからであろう。

権利が付与されたとして認識できるとしても、所得税法上の収入金額というためには、所得税法36条《収入金額》にいう「権利」である必要があるし、ストック・オプションの付与を経済的な利益の流入と認識できるとしても、同法36条にいう「経済的利益」である必要がある。

そこで、所得税法36条にいう「権利」や「経済的利益」とは何かという議論になるのである。所得税法は例えば、眺望権や平穏に生活する権利の獲得をそのまま収入金額として認識することはしない。つまり、所得税法上の所得というためには、ただ権利といえるだけでは足りず、課税の対象となる具体的かつ経済的な価値のある権利でなくてはならない。

2　課税対象となる経済的利益

本件において、最高裁は、ストック・オプションの権利行使益の市場における価格変動の要因についての議論はせずに、そのストック・オプションが米国A社からXに付与されたものであるとした上で、その権利行使益は、付与契約の約定に従って米国A社がXに取得させたものであると認定し、労務提供の対価ではないとのXの主張を排斥している。

この点に関し、従業員等は、経済的利益ではなく権利そのものを付与されたのではないのかという疑問が惹起される。この問題は、次のような課税上の取扱いの差異をもたらす。すなわち、所得税法36条2項は、「金銭以外の物又は権利その他経済的な利益の価額は、当該物若しくは権利を取得し、又は当該利益を享受した時における価額とする」と規定している。この規定によれば、従業員等が付与会社から交付されたストック・オプションは、その権利の取得時における価額が所得になると読めそうである。また、平成10年改正前の所得税法施行令84条は、

「発行法人から有利な発行価額による新株その他これに準ずるものを取得する権利に係る法第36条第２項の価額は、当該権利に基づく払込みに係る期日における新株等の価額から当該新株等の発行価額を控除した金額による。」と規定していたことからすれば、ストック・オプションに係る所得の収入すべき時期については、所得税法36条２項の規定を根拠に、「経済的利益の享受の時」ではなく、「権利取得の時期」とすべきであるとの指摘もあり得るところであり、現にＸもその旨主張していたのである。

しかしながら、最高裁は、ストック・オプションの権利行使益が米国親会社から付与されたストック・オプション付与契約に基づくものであるとの理解を基礎としている。そう考えると、発行会社から付与されたストック・オプションは、形成権にすぎないものであり具体的な価値ある権利とはいえないから、所得税法36条にいう権利確定主義の下では、ストック・オプション権自体を所得と認識し得ないとし、権利行使益こそが具体的な価値を有する所得であるとして、給与所得課税がなされるという構成をとることができる。このように考えると、従業員等が米国Ａ社から給付されたもののうち、課税対象となるものは、権利行使益である経済的利益であると理解すべきということになる。すなわち、ストック・オプション権の行使の段階で初めて具体的な経済的利益を享受したということである。

3　一時所得非該当性―対価としての性質

本件最高裁判決は、「米国Ａ社は、Ｘが…職務を遂行しているからこそ、本件ストックオプション制度に基づきＸとの間で本件付与契約を締結してＸに対して本件ストックオプションを付与した」と認定している。

ここで注目すべきは、最高裁が本件権利行使益について、「職務を遂行したことに対する対価としての性質を有する経済的利益である」としている点である。

仮に「対価」とまではいえないとしても、「対価としての性質」（所法34①）を有していれば、Ｘの主張する一時所得には該当しないことになる。しかしながら、これは一時所得非該当性の議論であって、給与所得に該当するというためには、「俸給、給料、賃金、歳費及び賞与並びにこれらの性質を有する給与に係る所得」でなければならない（所法28①）。

最高裁は、この「俸給、給料、賃金、歳費及び賞与並びにこれらの性質を有する給与に係る所得」の範囲を「職務を遂行したことに対する対価としての性質を有する経済的利益」にまで拡張したと理解すべきであろうか。この辺りはどのように解すべきであろうか。

東京地裁昭和27年８月２日判決（行集３巻８号1669頁）[33]は、神道教師として

33）判例評釈として、小木曽競・宗教百選〔１〕82頁（1972）、畠山武道・宗教百選〔２〕96頁（1991）など参照。

5～60人の信者をもち、自宅に祭壇を設け、信者の供物その他の寄進により米、味噌等の食糧品に事欠くことなく、生計費を大幅に低減できる程度にこれらの寄進を継続的に受けている事実があるとすれば、それはもはや単なる贈与の域を出て、所得税法（昭和25年法律71号による改正前）上、事業等所得の一種に属するものと解すべきである旨判示した。ある具体的な収入が対価であるかどうかは、その所得者がその収入を対価として認識しているかどうか、あるいは対価を得る目的でその行為をしたかどうか、というような所得者の主観的意図・動機とは距離を置いて、客観的にみて対価性を有すると認められるかどうかにより判断すべきであろう。この判決では、対価性を客観的に判断するという視点から、その神道教師としての地位や当該給付を提供する者との関係などを前提とした上で対価性を解釈すべしとする判断が下されたと考えられる。

このように給付を受ける者の地位や給付提供者との関係などを前提とした上で、対価性を判断するという枠組みが一時所得該当性の理解との間で整合的であると考えられる。例えば、大学の教授や医師等が入学や入院等に関して受験生、患者等から受ける金銭等については、個別的にみると一回限りの臨時的収入ではあるものの、それは、大学の教授あるいは医師という地位や職務を離れては想定しづらいものでもあると考えられる。また、お中元やお歳暮といった名目のものの中にも、社会通念上のそれとは性質が異なるものもあろう[34)]。ある給付が一般的に人の地位や職務行為に対応、関連してなされる場合には、そこには何らかの対価性を認めることができるのであって、その限りにおいて一時所得には該当せず、雇用契約又はこれに類する原因に基づく場合には給与所得、事業に関するものである場合には事業所得、その他の場合には雑所得と解するのが相当である。

4　給与所得該当性

所得税法28条1項は、給与所得について、「俸給、給料、賃金、歳費及び賞与並びにこれらの性質を有する給与（以下この条において『給与等』という。）に係る所得をいう。」と規定するだけで、「給与等」の具体的な定義規定は置いていない。このように所得税法28条は解釈の参考として例示列挙を示した上で、「これらの性質を有する給与」という包括的な文言によって、個別具体的な事例に対応し得るように規定している。

ここにいう「これらの性質を有する給与」が何を指すかについては議論があるところであるが、給与所得の意義を考えるに当たって、雇用契約の存否を重視す

---

34) 世話のお礼や感謝の気持ちの表現として贈られたものについては、一種の贈与に該当することとなり、所得税法上は課税対象とはならず（所法9①十六）、贈与税の対象となるのであるが、社交上の必要によるもので、贈与者と受贈者の関係等に照らして社会通念上相当と認められるものについては、贈与税を課税しないこととして取り扱われている。

べきとする考え方と雇用契約の存否にとらわれる必要はないとする考え方がある。

前述の一ノ瀬バルブ事件105最高裁昭和37年8月10日第二小法廷判決（228頁参照）は、「勤労者が勤労者たる地位にもとづいて使用者から受ける給付は、すべて右9条5号〔筆者注：現行所得税法28条1項〕にいう給与所得を構成する収入と解すべく、通勤定期券またはその購入代金の支給をもって給与でないと解すべき根拠はない。」として、給与所得を勤労者が勤労者たる地位に基づいて使用者から受ける給付とする。

また、大嶋訴訟129第一審京都地裁昭和49年5月30日判決（292頁参照）[35)]は、「要するに、給与所得とは、使用者との間の雇傭契約に基づいて、非独立的に提供する労務の対価として使用者から受ける金銭的給付をいうものと解することができる。」と判示している。このように給与所得を雇用契約と結び付けて理解する立場がある[36),37)]。給与所得該当性の判断において雇用契約の存在が強く意識されてきた時期があったのは事実であるが、給与所得を雇用契約の存在に依拠する限定的な理解では、多様な労務提供や労務対価の支払形態に応じた解釈論を展開することができず、実態から乖離することにもなりかねない。

通説・判例は、雇用契約関係に拘泥せずにこれに類する関係をも前提とした上で給与所得を理解しようとする立場を採る。

この点を端的に示した裁判例として、前述のゴルフ場キャディ報酬事件97那覇地裁平成11年6月2日判決（215頁参照）がある。那覇地裁は、「所得税法における給与所得とは、単に雇用関係に基づき労務の対価として支給される報酬というよりは広く、雇用又はこれに類する原因に基づいて、非独立的に提供される労務の対価として、他人から受ける報酬及び実質的にこれに準ずべき給付をいうと解

35）判例評釈として、清永敬次・ジュリ567号30頁（1974）、同・税通33巻14号18頁（1978）、山田二郎・ジュリ567号36頁（1974）、碓井光明・ジュリ590号9頁（1975）、同・憲法百選〔2〕328頁（1980）、同・判評189号22頁（1974）、波多野弘・シュト148号9頁（1974）、149号9頁（1974）、畠山武道・自研53巻1号130頁（1977）など参照。

36）平田敬一郎『新税法』93頁（時事通信社1950）は、「雇用主が法人たると、個人たると、あるいは人格のない社團たると、團体たるとを問わず、一定の雇用主に対し、雇用関係に基いて被雇用者が提供した労務の対價として支拂を受ける報酬は、すべて給與所得に該当する。」とする。

37）阿南主税『所得税法体系』619頁（ビジネス教育出版1969）は、生産高払給与について、「対価の額が生産高によって確定する点において請負の場合と同一であるが、給与の場合は、その支払原因となる法律関係が、雇傭契約で定められており、労働基準法第27条の規定による賃金保償がなされているのであるが、請負の場合の生産高払いは、支払原因となる法律関係の内容自体である点で異なる」とする。なお、労働法にいう賃金に当たるか否かは、給与所得該当性の判断に影響を与えないと考えるべきであろう（酒井・前掲32）5594号7頁以下参照）。

すべき」と判示する。このような解釈は、前述の弁護士顧問料事件87最高裁昭和56年4月24日第二小法廷判決（188頁参照）の延長にあるともいえよう。給与所得の意義を示す判例として、その後の判決に多大な影響を及ぼしたとされる同判決は、「給与所得とは雇傭契約又はこれに類する原因に基づき使用者の指揮命令に服して提供した労務の対価として使用者から受ける給付をいう。なお、給与所得については、とりわけ、給与支給者との関係において何らかの空間的、時間的な拘束を受け、継続的ないし断続的に労務又は役務の提供があり、その対価として支給されるものであるかどうかが重視されなければならない。」と判示している。この判示は本件訴訟においてX側から主張されているが、本件最高裁は、かかる判決の射程範囲につき、本件とは異なるものとしてディスティングィッシュ[38]している。

所得税法28条が「歳費」など雇用契約の存在を前提としない所得についても、これを給与所得として定義していることなどからすれば、雇用契約の存在が給与所得の意義を画するという理解は妥当しないであろう。給与所得は必ずしも雇用契約の存在を前提としたものと解する必要はなかろう。

では、このような議論が全く意味をなさないかというとそうではない。給与所得とされる多くの場面では、依然として雇用契約を前提としていると思われることから、第一義的には雇用契約の存否が議論される必要性は存するのである。かような意味では、雇用契約の存在を十分に意識しつつも、これのみに限定させない解釈指針を示した本件最高裁判決の考え方は妥当であるといえよう。

裁判例の紹介

ストックアワード

親会社である外国法人からストックアワードを付与された当該外国法人の子会社である日本法人の従業員が、かかるストックアワードの権利を行使した時に得た株式の時価相当額の経済的利益は、給与所得になるとされた事例

（109第一審大阪地裁平成20年2月15日判決・訟月56巻1号21頁）[39]

（110控訴審大阪高裁平成20年11月19日判決・訟月56巻1号1頁）[40]

38）「ディスティングィッシュ」については、前掲20）参照。

39）判例評釈として、長谷川俊明・国際商事法務36巻12号1564頁（2008）、石川欽也・税務事例41巻1号1頁（2009）、岸田貞夫＝忠岡博・TKC税研情報18巻1号12頁（2009）など。

40）判例評釈として、森稔樹・速報判例解説6号〔法セ増刊〕319頁（2010）、増井良啓・ジュリ1441号139頁（2012）など。

（111上告審最高裁平成21年５月26日第三小法廷決定・税資259号順号11210）

〔事案の概要〕

本件は、勤務先の外国法人である親会社の株式を無償で取得することができる権利（ストックアワード）を付与されていたＸ（原告・控訴人・上告人）が当該権利に係る株式を平成12年に売却して得た利益を給与所得として同年分の所得税の確定申告をし、上記株式を平成13年に売却して得た利益を一時所得として同年分の所得税の確定申告をしたところ、所轄税務署長が、Ｘは上記権利の権利確定時にその時点における上記株式の時価相当額の経済的利益を取得し、当該経済的利益は給与所得に該当するとして、上記各所得税の更正処分（以下「本件各更正処分」という。）及び過少申告加算税の賦課決定処分（以下「本件各賦課決定処分」という。）をしたため、Ｘが、国Ｙ（被告・被控訴人・被上告人）に対し、本件各更正処分及び本件各賦課決定処分（ただし、本訴提起後に所轄税務署長がした上記各所得税の再更正処分及び本件各賦課決定処分の変更決定処分により取り消された部分を除く。）の取消しを求めた事案である。

〔争点〕

本件の争点は、①本件アワードに係る経済的利益の課税時期、②本件アワードに係る経済的利益の所得区分、③国税通則法65条４項にいう正当な理由の有無であるが、ここでは、①及び②を取り上げる。

〔判決の要旨〕

1　大阪地裁平成20年２月15日判決

(1)　争点①について

「本件アワード・プランの下において、本件アワードは、Ｐ５社及びその子会社を含むＰ17・グループの各社に雇用される正規の従業員に対しＰ５社から無償で付与され、通常報奨については各基準日において資格を有する従業員の全員に対し各従業員の年間給与額に比例して、任意報奨については資格を有する従業員の中から任意に選抜された者に対して付与され、本件アワードを付与された従業員は、本件アワードを譲渡したり担保に供したりすることができず、また、当該従業員の退職等により雇用が終了した場合には、『vest』されていない本件アワードは原則として補償なしに取り消されるものとされ、さらに、任意報奨については、『vest』された後の本件アワードであっても、雇用終了日における本件アワードに係る株式等の市場価格を超えたその後の価格上昇についての権利を有しないものとされ、本件アワード・プランの参加者は、Ｐ５社傘下の企業の売上向上努力に貢献し、傘下の企業の顧客の要求を満たし、期待を上回る実績を上げることに務める等の役割を負うものとされている。これらの事実関係によれば、本件アワード・プランは、Ｐ17・グループの各社に雇用される従業員等に対する精勤の動機付け（インセンティブ）とすることを企図して設けられた従業員報奨制度であるということができる。」

「本件アワード・プランにおいては、従業員等は、『vest』によりその『vest』時に本件アワードに係る株式についての受益所有権を特段の意思表示等を要せずに自動的に取得する仕組みがとられていると解するのが合理的かつ自然であり、受益所有権の取得を従業員等の意思表示等にかからせる仕組みがとられているとは認め難い。そうであるとすれば、本件アワード・プランに従って本件アワードを付与された従業員等は、通常報奨についても任意報奨についても、本件アワードの『vest』によりその『vest』時に本件アワードに係る株式の受益所有権相当額の経済的利益を現実に取得するものというべきであり、上記のような受益所有権の内容にかんがみると、当該経済的利益は、当該株式の『vest』時における時価相当額であると認められる。

以上検討したところによれば、本件アワード・プランに基づき本件アワードを付与された従業員等については、本件アワードの『vest』時に本件アワードに係るＰ５社の株式の時価相当額の経済的利益を取得し、当該経済的利益（当該株式の『vest』時における時価相当額）が所得税法36条１項にいう『収入すべき金額』として当該『vest』時に係る年分の所得税の課税対象になるというべきである。」

⑵　争点②について

「前記認定事実等によれば、本件アワード・プランは、Ｐ17・グループの各社に雇用される従業員等に対する精勤の動機付け（インセンティブ）とすることを企図した従業員報奨制度として設けられたものであって、本件アワード・プランに基づいて本件アワードを付与された従業員等は、本件アワードを譲渡したり担保に供したりすることができず、諮問委員会の決定する『vest』時に初めてその付与された本件アワードに係るＰ５社の株式等の受益所有権としてその時価相当額の経済的利益を受けるものとされているのであり、上記経済的利益は、Ｐ５社から従業員等に与えられた給付に当たるものというべきである。上記経済的利益の発生及びその金額がＰ５社の株式等の価格の動向と諮問委員会による本件アワードの『vest』の決定時期に左右されるものであるとしても、諮問委員会の決定した『vest』時における本件アワードに係るＰ５社の株式等の時価相当額の経済的利益が従業員等の特段の意思表示ないしこれに係る判断とは無関係に自動的に従業員等に付与されるのであるから、上記経済的利益がＰ５社から従業員等に与えられた給付に当たることを否定することはできない。」

「本件アワード・プランは、Ｐ17・グループの各社に雇用される従業員等に対する精勤の動機付け（インセンティブ）とすることを企図した従業員報奨制度として設けられたものであって、Ｐ５社は、Ｘが上記のとおりその職務を遂行しているからこそ、Ｘに対し本件アワード・プランに基づき本件各アワードを付与したものであって、本件各アワードが『vest』されたことによりXが取得した前記経済的利益（本件各アワードに係るＰ５社の株式等の『vest』時における時価相当額）は、Xが上記のとおりその職務を遂行したことに対する対価としての性質を有する経済的利益であることが明らかである。そうであるとすれば、当該経済的利益は、雇用契約又はこれに類する原因に基づき提供された非独立的な労務の対価として給付されたものとして、所得税法28条１項所定の給与所得に当たるというべきである。」

2　控訴審**大阪高裁平成20年11月19日判決**にて控訴棄却、上告審**最高裁平成21年５月26日第三小法廷決定**にて上告不受理とされた。

〔コメント〕

本件において、Xは、本件アワード・プランにおける本件アワードが「vest」されたことによる従業員等の地位は、ストック・オプションにいう会社から新株予約（購入）権を付与され、権利者においていつでもそれを行使してもよい状態と同視することができ、本件アワードとストック・オプションとは、その付与が無償であるか有償であるかの違いにすぎないから、ストック・オプションが権利行使時にその権利行使益に対して課税される以上、本件アワードについてもストック・オプションの場合との取扱いの均衡上、「vest」時ではなく権利行使時にその権利行使益に対して課税されるべきであるなどと主張している。

しかしながら、本件大阪地裁は、前述の親会社ストック・オプション訴訟108最高裁平成17年１月25日第三小法廷判決（232頁参照）は、本件には及ばないとして、Xの主張を排斥した。すなわち、同地裁は、「従業員等に対する精勤の動機付けとすることなどを企図して従業員等にその勤務先会社ないしその親会社等の株式をあらかじめ定められた権利行使価格で取得することができる権利を付与するいわゆるストック・オプション制度においても、従業員等に付与されたストック・オプションに対する所得税の課税時期及び課税内容は、当該制度の具体的内容及び当該ストック・オプションが付与された際の当該従業員等とこれを付与した会社との間の合意の具体的内容に応じて個別的に検討されるべきものであるから、抽象的にストック・オプションと本件アワードとを比較して課税上の取扱いの均衡を論じることはそもそも適当でないというほかないが、少なくとも、ストック・オプションにおいては、権利行使をして初めて当該株式に係る配当の受領、議決権の行使及び当該株式の処分等が可能になるものとされているのが通常であると考えられる上、少なくとも最高裁平成17年判決の事案においては、当該ストック・オプションの一般的な権利行使期間並びにこれを付与された上告人の権利行使時期及びその方法が具体的に定められていたというのであるから、最高裁平成17年判決が当該ストック・オプションの権利行使時における権利行使益が所得税の課税対象であることを前提とする判示をしているからといって、当該ストック・オプションとその制度の内容が異なる本件アワードの課税時期及び課税内容について最高裁平成17年判決に係るストック・オプションと同様に解すべき理由はない。」としている。

裁判例の紹介

リストリクテッド・ストック

日本子会社に勤務していた納税者が、米国親会社から付与された譲渡制限株式（リストリクテッド・ストック）の譲渡制限が解除されたことにより得た利益は、給与所得に該当するとされた事例

（112第一審東京地裁平成17年12月16日判決・訟月53巻3号871頁）41）

〔事案の概要〕

本件は、X（原告）が、勤務先会社の親会社である米国法人から付与された譲渡制限株式の譲渡制限が解除されたことにより受けた利益について、譲渡制限が解除された平成12年分の給与所得に当たるものとして確定申告及び修正申告をしたが、これは誤りであり、その付与を受けた平成11年分の一時所得として申告すべきであったとして本件更正請求をしたところ、税務署長Y（被告）から更正をすべき理由のない旨の通知（本件通知処分）を受けたため、同処分の取消しを求めた事案である。

〔争点〕

本件の争点は、①本件利益の所得区分、②本件利益に係る所得の帰属年分、③理由附記の適否であるが、ここでは①及び②を取り上げる。

〔判決の要旨〕

○　東京地裁平成17年12月16日判決

(1)　争点①について

「本件利益は、Xが常務取締役であった日本HP社からではなく、米国HP社から付与されたものである。しかしながら、…米国HP社は、日本HP社の発行済全株式を有する親会社であるから、米国HP社は日本HP社の役員の人事権等の実権を握ってこれを支配しているものとみることができるのであって、Xは、米国HP社の統轄の下に日本HP社の常務取締役として本件会社分割を含む職務

41）判例評釈として、岩崎友紀・税務事例39巻9号29頁（2007）など。

を遂行していたものということができる。
　そして、…本件リストリクテッド・ストックは、HPグループにおける本件会社分割の遂行上、同社幹部役員等に対する精勤の動機付けとすることなどを企図して付与されたものであり、米国HP社は、Xが上記のとおり職務を遂行しているからこそ、Xとの間で本件付与契約を締結してXに対し同ストックを付与し、その譲渡制限を所定の時期に解除したものであって、本件利益がXが上記のとおり職務を遂行したことに対する対価としての性質を有する経済的利益であることは明らかというべきである。
　したがって、本件利益は、雇用契約又はこれに類する原因に基づき提供された非独立的な労務の対価として給付されたものとして、所得税法28条1項所定の給与所得に当たると解するのが相当である（最高裁平成17年判決参照）。」

(2)　争点②について

「(1)　所得税法36条は、『その年分の各種所得の金額の計算上収入金額とすべき金額又は総収入金額に算入すべき金額は、別段の定めがあるものを除き、その年において収入すべき金額（金銭以外の物又は権利その他経済的な利益をもつて収入する場合には、その金銭以外の物又は権利その他経済的な利益の価額）とする。』（1項）、『前項の金銭以外の物又は権利その他経済的な利益の価額は、当該物若しくは権利を取得し、又は当該利益を享受する時における価額とする。』（2項）と規定する。
　ここに、『収入すべき金額』としているのは、現実の収入がなくても、その収入の原因となる権利が確定した場合には、その時点で所得の実現があったものとして同権利確定の時期の属する年分の課税所得を計算するという建前（いわゆる権利確定主義）を表明したものであり、ここにいう収入の原因となる権利が確定する時期は、それぞれの権利の特質を考慮し決定されるべきものである（最高裁昭和53年2月24日第二小法廷判決・民集32巻1号43頁参照）。
　(2)　本件付与契約においては、上記認定のとおり、本件制限解除日（帰属確定日）において、本件リストリクテッド・ストックに係る全ての権利はXに帰属するものとされているのであるから、同ストックに係る権利が最終的にXに帰属したのは同解除日（平成12年9月1日）であるとの解釈を許容し得るものである。」
「本件制限解除に至るまでのXは、形式上米国HP社の株主であるとはされているものの、その保有する株式を処分することも、株式買取請求権等の行使によって株式の処分に替えてその価値を取得することもおよそ不可能な状況に置かれていたものというべきであるから、このような時点において、株式の経済的価値を取得するに至ったと評価することはできず、むしろ、本件リストリクテッド・ストックに係る経済的利益の取得は、本件制限解除によって初めて現実化したものであって、その年分の所得として認識するのが相当であるというべきである。仮に本件付与日（追加付与分については、その付与日）において X が本件リストリクテッド・ストックに係る経済的利益を取得したと考えるとすると、X は、現実には株式の価値に相当する利益を取得する手段が全くないにもかかわらず、付与日の株価を基準として算出した所得に対応する多額の所得税の納税義務を負うこととなるが、このような結論は、X にとっても酷といわざるを得ないのであって、この点からしても、上記のように解するのが相当というべきである。

なお、所得税法36条１、２項との関連で、これを、〈１〉X が本件リストリクテッド・ストックに係る権利を取得したのは本件付与日であるものの、上記の契約の実態に即しその収入すべき金額の帰属年分を本件年分とするか、〈２〉同ストックに係る株主権のうちこれを換価・譲渡する権利は本件制限解除日に取得したとして、その権利取得日の属する本件年分を収入の帰属年分とするか、〈３〉本件利益は同条１項の経済的利益に該当し、それが発生した本件制限解除日の属する本件年分を収入の帰属年分とするかは、説明の仕方の相違にすぎないものと解される（なお、上記⑵冒頭部分のように、X が本件制限解除日まで本件リストリクテッド・ストックに係る株主権を実質的に取得していなかったとすれば、X が株主権を取得して本件利益を収入した日は、本件制限解除日の属する本件年分ということになる。）。」

〔コメント〕

本件東京地裁は、所得税法が権利確定主義を採用しているとして、「制限解除日に権利が確定したと考えられるから、その日をもって、所得税法36条１項にいう『収入すべき金額』を観念すべき」とする。

その上で、同地裁は、最終的に課税のタイミングについて、「本件制限解除に至るまでの原告は、形式上米国 HP 社の株主であるとはされているものの、その保有する株式を処分することも、株式買取請求権等の行使によって株式の処分に替えてその価値を取得することもおよそ不可能な状況に置かれていたものというべきであるから、このような時点において、株式の経済的価値を取得するに至ったと評価することはできず、むしろ、本件リストリクテッド・ストックに係る経済的利益の取得は、本件制限解除によって初めて現実化したものであって、その年分の所得として認識するのが相当であるというべきである。」としている。所得税法上の「所得」が、原則的に納付能力を伴う経済的利得であるべきとの立場からはこの判断が肯定されよう[42]。

本件判決は、リストリクテッド・ストックに係る全ての権利は同解除日に X に帰属したとした。そもそも、学説上、譲渡制限付株式引受権については譲渡制限

42）注解所得税法研究会・注解1019頁。

解除の日の属する年分の所得であると解する有力な見解もあったところであり[43]、この見地からみれば妥当性が検出され得る。また、ストック・アワード（stock award：停止条件付株式引受権）について、条件が成就して、株式引受権が確定した日の属する年分の所得であるとした裁判所の判断が権利確定主義を根拠に展開されていることにも整合的であると思われる[44]。

もっとも、「他方、〈1〉同契約によれば、Xは本件付与日以降、本件リストリクテッド・ストックを売却、入質又は移転する権利を除く全ての株主権を有するものとされていること、〈2〉同ストックについては、X名義で譲渡制限株主帳簿に記入・登録され得るものとされていること、〈3〉Xが制限期間中に日本HP社を退職したとき等には同ストックは没収されると規定されているところ、これは、制限期間中原告が同ストックに係る株主であることを前提とする規定と読めなくもないことなどに照らすと、本件付与によってXが同ストックに係る株主としての権利を取得した可能性も否定できない。」として検討を加えている。

すなわち、続けて、「しかしながら、仮にこのような前提に立つとしても、本件においては…、〈1〉本件リストリクテッド・ストックに付された譲渡制限が解除されるためには、Xが平成12年9月1日までの間、米国HP社における基幹的地位に留まりながら継続的にフルタイムの勤務形態で雇用契約を継続すること等の条件が付されており、これに反したときは同ストックも没収されるという不確定な権利が認められているにすぎないこと、〈2〉同ストックに係る株券は、エクスロー・エージェントとしての米国HP社総務部長に交付・預託されており、Xは本件制限解除日までその交付を受けることもできないものとされているため、Xが制限付株式を処分することは、事実上不可能であったといえること、〈3〉本件リストリクテッド・ストックの趣旨に照らし、一般の譲渡制限付株式の場合に認められる株式買取請求権等の行使は、およそ想定されていなかったものと解されること、〈4〉日本HP社担当者は、本件付与日における同ストックの付与価格をいずれも

---

43) 水野忠恒「ストック・ユニットに係る課税関係―わが国における争訟事例の検討」租税研究792号167頁、同「企業会計における実現主義と租税法における所得の実現との交錯について―ストック・ユニットの事例をもとにしたと所得の実現に関する評論」租税研究794号40頁、同「ストック・ユニットに係る課税関係―権利確定に関する事案の検討を中心に」国際税務35巻11号88頁などを参照。

44) 大阪地裁平成21年2月15日（判タ1277号142頁）、その控訴審大阪高裁平成20年12月19日判決（訟月56巻1号1頁。最高裁平成21年5月26日第三小法廷決定（税資259号順号11210）において上告不受理）。なお、役員の証券口座に入庫された日に所得と観念すべきとする判断として、東京地裁平成27年5月28日判決（税資265号順号12671）、その控訴審東京高裁平成27年12月2日判決（税資265号順号12763。最高裁平成29年2月14日第三小法廷決定（税資267号順号12979において上告不受理）。判例評釈として、谷口勢津夫・ジュリ1501号10頁（2017）、長島弘・税務事例48巻4号25頁（2016）など参照。

0.00ドルとしており、制限解除前の同ストックは市場価格が形成されないものであると認められること、〈5〉Xは、平成12年9月1日に同ストックにつき本件制限解除を受けたところ、同解除は、Xが制限期間中本件付与契約を遵守し、米国HP社及び日本HP社による本件会社分割等の業務を含む諸般の業務を誠実に遂行したことに対する対価としての意味を有するものであることが認められるのである。」とした。

かように、権利帰属の実現については、単に譲渡等の権利行使の制限があるか否かという表面的ないし形式的な判断によるのではなく、内層的ないし実質的に検討を加えた上で、本件制限解除の日をもって権利確定の日とする判断が展開されている。

本件リストリクテッド・ストックのように、リストリクテッド・ストックには譲渡制限が付されることが通例であるが、その譲渡制限期間中はそのリストリクテッド・ストックの処分ができないこととされている。このことに鑑み、特定譲渡制限付株式を付与された個人に対しては、特定譲渡制限付株式の譲渡制限の解除日に係る株式の価額で課税されることが明確に示された。このことは、付与時課税を実施しないことを意味する。

付与時課税を行わない点については、いわゆる親会社ストック・オプションの課税ルールと同様の取扱いであるということができる。もっとも、親会社ストック・オプション訴訟において、108最高裁平成17年1月25日第三小法廷判決（232頁参照。以下「最高裁平成17年判決」という。）では、権利行使時における経済的利益、すなわち権利行使益に対する課税が是とされたのであるが、他方で、上記の本件リストリクテッド・ストックの場合は、ストック・オプションとは異なり、譲渡制限が付されているものの、それが当初から「株式」であることには変わりがないから、権利行使時課税という観念はない。親会社ストック・オプション訴訟の事例において、課税当局は、譲渡制限が解除され権利行使が可能となった時点における課税をせずに、実際の権利行使時まで課税をしていないのは、経済的価値の外部からの流入が観念できないからと整理していたのではなかったであろうか。ストック・オプションの場合、権利行使をするか否かは権利行使者の側の判断次第であって、付与時あるいは権利行使が可能となった時において、必ずしも権利が「実現」すると考えることはできないという事情があった。それに対して、リストリクテッド・ストックの場合には、権利行使をすることなく既に株式を有しており、ここに実質的な意味での経済的価値が付与されるものであるという点において、相違がみられる。

裁判例の紹介

リストリクテッド・シェア

リストリクテッド・シェアについて権利確定期間終了により得た経済的利益は、給与所得に該当するとされた事例

（113第一審東京地裁平成24年７月24日判決・税資262号順号12010）

〔事案の概要〕

本件は、平成15年から平成17年までの間に、勤務先の親会社から同社の譲渡等制限付株式を付与されてこれを所有していたＸ（原告）が、平成18年３月31日に勤務先を退職した後に、上記株式の譲渡等の制限が解除された日の属する各年度の年度末の株価及び為替相場で株式価格を計算して、その経済的利益の価額を退職所得として平成19年分及び平成20年分の所得税の確定申告をしたところ、処分行政庁であるＳ税務署長から、これらの所得は給与所得に当たり、また、譲渡等の制限が解除された日の株価及び為替相場で株式価格を計算すべきものであるとして更正処分及び過少申告加算税賦課決定処分を受けたことにつき、Ｘが、これを不服として、国Ｙ（被告）を相手取り、更正処分のうち確定申告に係る税額等を超える部分及び過少申告加算税賦課決定処分の取消し（ただし、いずれも異議決定により一部取り消された後のもの）を求めた事案である。

〔争点〕

本件の争点は、①本件経済的利益が給与所得に当たるか、それとも退職所得に当たるか（本件経済的利益の所得区分）、②本件経済的利益の収入計上時期を譲渡等制限解除日（権利確定日）とし、同日の本件リストリクテッド・シェアの株価及び為替相場で所得金額を算出すべきか、それとも本件経済的利益の収入計上時期を各権利確定期間が終了した後の申告年度末とし、同日の本件リストリクテッド・シェアの株価及び為替相場で所得金額を算出すべきか（本件経済的利益の収入計上時期及び算定基準日）である。なお、過少申告加算税賦課に係る正当な理由の有無については省略。

〔判決の要旨〕

○　東京地裁平成24年７月24日判決

(1)　争点①について

「Ｂ社は、Ａ社の発行済み株式を間接的に100％保有している親会社であり、Ｘは、Ｂ社の統轄の下にＡ社の従業員としての職務を遂行していたものということができる。そして、前記認定事実のとおり、コンペンセイション・プランは、

Ｂ社の業績に重要な影響を及ぼすことができる優れた力量と能力を持つＢ社グループの主要な従業員を惹きつけ、確保し、当該従業員の意欲を刺激することなどを企図しており、Ｂ社は、Ｘが上記のとおり職務を遂行しているからこそ、コンペンセイション・プランに基づき、Ｘに対して本件リストリクテッド・シェアを付与したものであり、本件経済的利益は、職務を遂行したことに対する対価としての性質を有する経済的利益であることは明らかというべきである。そうであるとすれば、本件経済的利益は、雇用契約又はこれに類する原因に基づき提供された非独立的な労務の対価として給付されたものであるということができる（最高裁平成●●年（○○）第●●号同17年１月25日第三小法廷判決・民集59巻１号64頁参照）。」

「(イ)　他方、前記認定事実によれば、コンペンセイション・プランの目的は、Ｂ社グループの業績に重要な影響を及ぼすことができる主要な従業員に対して長期奨励報酬を提供することで、Ｂ社グループの成長と収益性の拡大を図ること、現金に代わり、Ｂ社グループの主要な従業員に、年次年末賞与の一部を株式で提供すること、Ｂ社の業績に重要な影響を及ぼすことができる優れた力量と能力を持つ主要な従業員を惹きつけ、確保し、当該従業員の意欲を刺激すること、従業員による長期株式所有を推進することなどであり、このような目的の下に付与されるリストリクテッド・シェアは、少なくとも過去の特定期間の業績に基づき、賞与の一部について現金に換えて付与されるという性質を有するものである。そして、リストリクテッド・シェアは、一般に、付与日から４年後に権利が確定し、当該権利確定日に譲渡等の制限が解除されるが、権利確定期間中に雇用関係が終了した場合又は特定の約定の不履行の場合には没収されることとなり、権利確定期間中にＢ社グループを退職する従業員は、リストリクテッド・シェアを没収されることとなるが、他方で、キャリア・リタイアメントの要件を満たして雇用関係が終了する場合、雇用が継続している者と同様に扱われ、雇用関係が擬制されて没収を免れるとともに、権利確定日に確定的に当該従業員に権利が帰属してリストリクテッド・シェアに係る経済的利益も確定し、現実化することになる。また、Ｂ社グループの退職、グループ保険又はその他の従業員給付制度に基づく給付決定の際には、コンペンセイション・プランに基づくいかなる支払も考慮しないとされている。

(ウ)　このようなコンペンセイション・プランに基づくリストリクテッド・シェア付与の性質・内容からすると、付与されたリストリクテッド・シェアは、退職するか否かの事実関係には関わりなく、特定の従業員に対し、過去の特定期間の勤務成績に基づいて付与された賞与（ただし、経済的利益の最終的な帰属の不確定なもの）の性質を有するものであり、雇用関係が継続していることを条件として、一定の期間の経過後には、譲渡等制限が解除されることによりリストリクテッド・シェアに基づく経済的利益を確定的に取得することができるものである。他方、キャリア・リタイアメントの要件に該当することは、退職により雇用関係が終了するにもかかわらず、リストリクテッド・シェアの没収を免れるために雇用継続が擬制される要件にすぎず、リストリクテッド・シェアが付与される要件ではないことが認められる。

そうすると、本件リストリクテッド・シェアに基づく本件経済的利益は、退職所得の要件である〈1〉 退職すなわち勤務関係の終了という事実によって初めて給付されることという要件をそもそも満たさないというべきである。」

⑵　争点②について

「イ　…所得税法における収入金額の計上時期は、収入の原因となる権利が確定した時期であり、その価額は、その権利を取得し又は経済的利益を享受する時の時価により算定することとなるところ、コンペンセイション・プランに基づき付与されたリストリクテッド・シェアは、権利確定期間中に一定の要件を満たすことによって、リストリクテッド・シェアに基づく権利が確定し没収されないものとなり、譲渡等制限が解除されるものであるから、付与されたリストリクテッド・シェアに基づく経済的利益は、権利確定日に権利が確定し、併せて、譲渡等制限が解除されることによって初めて現実化するものといえる。

そして、Xに付与された本件リストリクテッド・シェアについては、権利確定日及び制限解除日が同一日であり、平成15年付与分は平成19年１月31日に、平成16年付与分及び平成17年付与分は平成20年１月31日に、それぞれ権利が確定し没収されないものとなり、併せて譲渡等制限が解除されたものであるから、本件経済的利益に係る所得は、上記の各権利確定日において確定的に実現したとみることができ、本件経済的利益の収入計上時期は、上記の各権利確定日と解するのが相当である。

また、本件経済的利益の価額は、所得税法36条２項に従い、当該利益を享受する時である当該権利確定日におけるＢ社の株式の価額に基づいて算定するのが相当である。」

「以上によれば、本件経済的利益の収入計上時期については、各譲渡等制限解除日（各権利確定日）とすべきであり、その価額は、各譲渡等制限解除日（各権利確定日）における株式の価額及び為替相場に基づいて所得金額を算出するのが相当である。」

〔コメント〕

本件リストリクテッド・シェアにおいても、譲渡等制限の解除日が権利確定の日と判断されている。これは前述のリストリクテッド・ストックの判断枠組みと近接しているとみてよいように思われる。

裁判例の紹介

ストック・ユニット

ストック・ユニットに係る経済的利益は、譲渡制限解除の日ではなく、その転換日の属する年分の所得であり、その収入金額は転換日の証券市場の終値をTTMで換算して計算すべきとした事例

（114第一審東京地裁平成27年9月30日判決・税資265号順号12728）
（115控訴審東京高裁平成28年4月14日判決・税資266号順号12842）
（116上告審最高裁平成29年1月10日第三小法廷決定・税資267号順号12950）

〔事案の概要〕

X（原告・控訴人・上告人）は、平成21年3月10日付けでした平成20年分の所得税の確定申告（以下「本件確定申告」という。）に係る確定申告書（以下「本件確定申告書」という。）の提出に際し、アメリカ合衆国（以下「米国」という。）のF州の法人であるMS社の株式報酬制度に基づき、Xが平成15年から平成18年までの間にMS社から付与されたストック・ユニットによって取得した米国のニューヨーク証券取引所（以下「NYSE」という。）に上場されているMS社の普通株式（以下「本件MS株式」という。なお、MS社の株式について、一般的に表記する場合は、単に「MS株式」という。）に係る経済的利益（以下「本件経済的利益」という。）について、平成20年9月18日のNYSEにおけるMS株式の株価の高値と安値の単純平均価格及び1米国ドルに対する円の対顧客直物電信買相場（以下「TTBレート」という。）によって算定した金額を、給与等の収入金額として申告した。

これに対し、所轄税務署長は、本件経済的利益に係る給与等の収入すべき日は、平成20年9月8日（通知書に記載されていた「引渡し（deliver）」の日）であり、また、当該給与等の収入すべき金額は、本件MS株式の株数に、同日のNYSEにおけるMS株式の株価の終値及び1米国ドルに対する円の対顧客直物電信売買相場の仲値（以下「TTMレート」という。）に基づいて算定した金額であるとして、本件更正処分及び本件賦課決定処分（以下「本件更正処分等」という。）をした。

本件は、Xが、国Y（被告・被控訴人・被上告人）に対し、本件更正処分等につき、本件経済的利益に係る給与等の収入金額は、本件確定申告書に記載した金額が適正であるとして、本件更正処分のうち本件確定申告書における申告額を超える部分及び本件賦課決定処分の取消しを求めるとともに、本件裁決は適正な手続に基づいていないなどとして、本件裁決の取消しを求めた事案である。

本件において、Xは、MS株式については、MS取引方針によるウインドウ・

ピリオドという取引期間内に限り、譲渡が可能となる譲渡制限があったものであって、Xの本件MS株式については、直近のウインドウ・ピリオドの開始日である平成20年9月18日まで当該制限があった以上、本件経済的利益の価額は、同日におけるMS株式の価額に基づいて算定するのが相当である旨主張した。

〔争点〕

本件の争点は、①本件経済的利益に係る給与等の収入すべき日と、②本件経済的利益に係る給与等の収入すべき金額の算定方法である。なお、本件裁決の固有の瑕疵の有無については省略。

〔判決の要旨〕

1　東京地裁平成27年9月30日判決

⑴　争点①について

「所得税法36条1項は、現実の収入がなくても、その収入の原因となる権利が確定した場合には、その時点で所得の実現があったものとして、当該権利の確定の時期の属する年分の課税所得を計算する旨定めているものと解されるところ、前記…のとおり、本件ストック・ユニットについては、平成20年9月8日に転換され、Xにおいて、本件MS株式を受領する権利をMS社から取り消されることがなくなったことに加え、その受領（引渡し）に係る契約上の引渡日も平成20年9月8日とされていたことからすると、Xが同月11日に本件MS株式の引渡しを受けたとしても、同月8日をもって、本件MS株式を受領し得る日が到来していたことになるから、同日が収入の原因となる権利が確定した時期というべきである。そして、このことからすれば、本件経済的利益の価額については、同条2項の規定に従い、同日におけるMS株式の価額によって算定するのが相当というべきである。」

⑵　争点②について

「⑴　NYSEにおけるMS株式の株価の終値によって計算することについて

所得税法36条2項の『当該物若しくは権利を取得し、又は当該利益を享受する時における価額』とは、取得時又は利益享受時における当該資産の客観的交換価値を指すものであり、それぞれの資産の現況に応じ、不特定多数の当事者間で自由な取引が行われる場合に通常成立すると認められる価額であって、いわゆる市場価格をいうものと解され、また、証券取引所に上場されている株式の公表されている価格は、市場を通じた不特定多数の当事者間の自由な取引によって成立した客観的なものであり、当該取引日の終値は一般に時価として認識され、利用されており…、これを同項の『当該物若しくは権利を取得し、又は当該利益を享受する時における価額』とすることは、課税の公平を確保する観点から相当性を肯定することができる。このことに加え、所得税基本通達23

～35共－9⑴（平成26年課個2－9、課審5－14による改正前のもの。）は、所得税法施行令84条に規定する株式等を取得する権利の価額について、当該株式が証券取引所に上場されている場合には、所得税法36条2項の『当該物若しくは権利を取得し、又は当該利益を享受する時における価額』につき、証券取引所の終値による旨の解釈を示していること（これについても、上記の観点から相当性を肯定することができる。）等の均衡も踏まえれば、本件更正処分等において、本件経済的利益に係る同項の『当該物若しくは権利を取得し、又は当該利益を享受する時における価額』について、平成20年9月8日におけるNYSEのMS株式の終値によるとした点に違法があるとはいえない。」

「⑵　TTMレートによることについて

所得税法57条の3第1項は、居住者が、外貨建取引を行った場合には、当該外貨建取引の金額の円換算額は当該外貨建取引を行った時における外国為替の売買相場により換算した金額として、その者の各年分の各種所得の金額を計算するものとする旨を定める。

本件経済的利益に係る収入すべき金額は、外国通貨によって同法36条2項の『当該物若しくは権利を取得し、又は当該利益を享受する時における価額』の表示がされるものであるから、その経済的利益の価額については、同法57条の3第1項の規定の趣旨に従い、外国為替の売買相場により換算した金額によってこれを評価するのが相当である。

そして、所得税法基本通達57の3－2本文は、所得税法57条の3第1項につき、TTMレートによる計算をすべき旨の解釈を示すところ、円換算は、外貨と円貨の翻訳であると解され、為替相場に用いるTTBレートとTTMレートとの差額又はTTSレートとTTMレートとの差額は、金融機関の手数料及びリスク料としての性質を有していることや…、さらに、課税の公平を確保する観点からすれば、所得税法基本通達57の3－2本文のとおり、外国通貨によって表示される経済的利益の円換算については、金融機関の手数料等相当額を含まないTTMレートによるものとすることは合理的というべきであるから、本件更正処分等において、TTMレートによる計算を行った点に違法があるとはいえない。」

2　控訴審**東京高裁平成28年4月14日判決**は原審判断を維持し、上告審**最高裁平成29年1月10日第三小法廷決定**は上告を棄却した。

〔コメント〕

本件ストック・ユニットは、株式報酬制度に基づき付与される報酬で、所定の転換日に付与会社の普通株式に転換される契約、すなわち、転換日に1ストック・ユニットにつき1株を与えるという会社と役員・従業員との間の契約によるインセンティブ報酬制度である[45]。本件において、東京地裁が、権利確定主義を論拠として、譲渡制限解除の日ではなく、その転換日の属する年分の所得であり、その収入金額は転換の日の証券市場の終値（TTMで換算）であると判示してきたところとは異なる判断が展開されている。これは、前述のリストリクテッド・ストックやリストリクテッド・ユニットの事例における判断とは異なるものの、いずれも権利確定主義に基づく判断であることに注意したい。権利確定主義によって全ての課税のタイミングの問題が解決するというよりは、個々の事案ごとに収入実現の蓋然性を判断しているのが実情であるといえよう。

本件の類似事例において、東京地裁平成27年10月８日判決（税資265号順号12735）[46]、その控訴審東京高裁平成28年５月25日判決（税資266順号12857）及び上告審最高裁平成28年11月29日第三小法廷決定（税資266号順号12939）のほか、東京地裁平成28年１月21日判決（訟月62巻10号1693頁）なども同旨の判断を下している。

裁判例の紹介

人材派遣業事件

非独立性基準によって給与所得該当性が判断された事例

（117 第一審東京地裁平成25年４月26日判決・税資263号順号12210）
（118 控訴審東京高裁平成25年10月23日判決・税資263号順号12319）[47]
（119 上告審最高裁平成27年７月７日第三小法廷決定・税資265号順号12690）

〔事案の概要〕

X社（原告・控訴人）は、①民間教育機関及び公的教育機関（以下「教育機関等」という。）から講師による講義等の業務を、一般家庭から家庭教師による個人指導の業務を、それぞれ受託する一方、②X社の上記①の各業務に係る講師又は家庭教師としてX社と契約を締結し、上記①の教育機関等における講義等又は一般家庭における個人指導の業務を行った者に対し、当該契約所定の金員（交通費を除く。以下「本件各金員」という。）を支払っていた（以下、X社との間の契約に基づき教育機関等における講師として講義等の業務を行う者を

45）金子・租税法247頁。
46）判例評釈として、藤岡祐治・ジュリ1503号123頁（2017）など参照。
47）判例評釈として、宮崎綾望・速報判例解説17号〔法セ増刊〕233頁（2015）、長島弘・税務事例46巻12号22頁（2014）、酒井克彦・税務事例46巻１号１頁、同２号20頁（2014）、ファルクラム租税法研究会＝酒井克彦・税弘63巻８号105頁（2015）など参照。

「本件塾講師」といい、一般家庭における家庭教師として個人指導の業務を行う者を「本件家庭教師」といい、両者を併せて「本件塾講師等」という。

また、Ｘ社に対して講義等を委託した教育機関等を「本件教育機関等」といい、家庭教師による個別指導の業務を委託した一般家庭を「本件会員」という。)。Ｘ社は、本件講師等に対して支払った本件各金員が所得税法28条１項に規定する給与等に該当しないことを前提として、本件各金員につき源泉所得税の源泉徴収をせず、また、本件講師等から本件各金員を対価とする役務の提供を受けたことが課税仕入れに当たるものとして、消費税法30条１項の規定に該当するとして申告をしたところ、Ｓ税務署長は、本件各金員は給与等に該当し、課税仕入れに該当しないとして納税告知処分及び更正処分を行った。これに対し、Ｘ社がこれらの処分の取消しを求めて、国Ｙ（被告・被控訴人）を相手取って提訴したのが本件である。

なお、Ｘ社は、教育機関等から本件塾講師による講義等の業務を受託するなどの事業等を行っている。Ｘ社のホームページやパンフレットには、次のような記載がある。

本件塾講師になることを希望する者は、講師仮登録をした後、原則としてＸ社の事務所にて教科テスト、講師適正テスト及び面接を受けた上で、登録がなされる。Ｘ社は、本登録をした者の中から、本件塾講師となる者の候補者を選定する。当該候補者は、Ｘ社の事務所で、「紹介研修」において、仕事先の特徴や講師としての心構え、仕事先で受ける面接や模擬授業のコツなどについて具体的なレクチャーを受け、その後、教育機関等における面接に合格すると、本件塾講師として講義等の業務に当たる。Ｘ社においては、本件塾講師が指導を行うに当たり、研修を行っている。

〔争点〕

本件各金員は給与所得に該当するか事業所得に該当するか。

〔判決の要旨〕

1　東京地裁平成25年４月26日判決

「最高裁昭和56年判決〔筆者注：いわゆる弁護士顧問料事件**87**上告審最高裁昭和56年４月24日第二小法廷判決（188頁参照）〕は、業務の遂行ないし労務の提供…から生ずる所得が所得税法上の事業所得と給与所得のいずれに該当するかを判断するに当たっては、租税負担の公平を図るため、所得を事業所得、給与所得等に分類し、その種類に応じた課税を定めている所得税法の趣旨、目的に照らし、当該業務ないし労務及び所得の態様等を考察しなければならないなどとした上で、その『判断の一応の基準』として、『事業所得とは、自己の計算と危険において独立して営まれ、営利性、有償性を有し、かつ反覆継続して遂行する意思と社会的地位とが客観的に認められる業務から生ずる所得をいい、これに対し、給与所得とは雇傭契約又はこれに類する原因に基づき使用者の指揮命令に服して提供した労務の対価として使用者から受ける給付をいう。なお、給与所得については、とりわけ、給与支給者との関係において何らかの空間的、時間的な拘束を受け、継続的ないし断続的に労務又は役務の提供があり、その対価として支給されるものであるかどうかが重視されなければならない。』と判示している。すなわち、同判決は、労務の提供等から生ずる所得の給与所得該当性について、①そのような所得のうち『自己の計算と危険において独立して営まれ、営利性、有償性を有し、かつ反覆継続して遂行する意思と社会的地位とが客観的に認められる業務から生ずる所得』を給与所得の範ちゅうから外した上で（これにより、労務の提供等が自己の計算と危険によらないものであること〔労務の提供等の非独立性〕が、給与所得該当性の判断要素として位置付けられることになる。）、②労務の提供等から生ずる所得が『雇傭契約又はこれに類する原因に基づき使用者の指揮命令に服して提供した労務の対価として使用者から受ける給付』に当てはまるか否かを、当該労務の提供等の具体的態様等に応じ、とりわけ、『給与支給者との関係において何らかの空間的、時間的な拘束を受け、継続的ないし断続的に労務又は役務の提供があり、その対価として支給されるものであるかどうか』を重視して判断するという枠組みを提示したものであるが、同判決も明示しているとおり、そこに示されているのは、飽くまでも『判断の一応の基準』にとどまるものであって、業務の遂行ないし労務の提供から生ずる所得が給与所得に該当するための必要要件を示したものではない。」

「〔給与所得を規定する所得税法28条１項では、〕国会議員が国から受ける給与を意味する『歳費』（憲法49条）が給与所得に含まれることを明らかにしており、また、例えば、法人の役員が当該法人から受ける報酬及び賞与が給与所得に含まれることは特に異論がないところ、これらの者の労務の提供等は、自己の危険と計算によらない非独立的なものとはいい得ても、使用者の指揮命令に服してされたものであるとはいい難いものであって、労務の提供等が使用者の指揮命令を受けこれに服してされるものであること（労務の提供等の従属性）は、当該労務の提供等の対価が給与所得に該当するための必要要件とはいえないものというべきである。最高裁平成17年判決〔筆者注：親会社ストック・オプション訴訟108上告審最高裁平成17年１月25日第三小法廷判決（232頁参照）〕が、米国法人の子会社である日本法人の代表取締役が親会社である米国会社から付与されたいわゆるストック・オプションを行使して得た利益を給与所得に当たると判断するに当たって、『雇用契約又はこれに類する原因に基づき提供された非独立的な労務の対価として給付されたものとして、所得税法28条１項所定の給与所得に当たる』との判示をしているのも、以上に述べたような考え方を前提としたものであると解される。」

2　東京高裁平成25年10月23日判決

「最高裁昭和56年判決…、最高裁平成13年判決（民法上の組合の組合員が組合の事業に係る作業に従事して支払を受けた収入に係る所得が給与所得に当たるとした最高裁平成13年７月13日第二小法廷判決・裁判集民事202号673頁）及び最高裁平成17年判決…は、当該所得が給与所得に該当するかに関し、これを一般的抽象的に分類すべきものではなく、その支払（収入）の原因となった法律関係についての当事者の意思ないし認識、当該労務の提供や支払の具体的態様等を考察して客観的、実質的に判断すべきことを前提として、それぞれの事案に鑑み、いわゆる従属性あるいは非独立性などについての検討を加えているものにすぎず、従属性が認められる場合の労務提供の対価については給与所得該当性を肯定し得るとしても（したがって、そのような観点から従属性を示すものとされる点の有無及び内容について検討するのは何ら不適切なものではない。）、従属性をもって当該対価が給与所得に当たるための必要要件であるとするものではない〔。〕」

「そして、給与所得に該当することが明らかな国会議員の歳費や会社の代表取締役の役員報酬・役員賞与などは、それらの者の労務の提供が従属的なものとはいい難く、従属性を必要要件とする解釈は、歳費及び賞与を給与所得として例示列挙する所得税法28条１項の解釈として採り得ない（X社が挙げる職務専念義務などによって従属性における指揮命令関係を直ちに肯定することはできない）。」

3　上告審**最高裁平成27年７月７日第三小法廷決定**にて上告棄却、上告不受理とされた。

〔コメント〕

1　従属性要件

本件地裁判決は、「労務の提供等が使用者の指揮命令を受けこれに服してされるものであること」を「労務の提供等の従属性」とネーミングしているので、ここでもこの用語を使用することとしたい。そこで、議論を始めるに当たって、まず、この「従属性」の意味するところを明らかにしておく必要があろう。本件地裁判決が、弁護士顧問料事件最高裁昭和56年判決の議論を前提としているところ、同最高裁が、「労務の提供等が…」使用者の指揮命令を受け、これに服してされるものであることを前提としていることは明らかであるから、ここにいう従属性とは、指揮命令を受けて労務が提供されること、あるいは、同最高裁判決の説示するところである、「空間的、時間的な拘束」を受けて労務が提供されることを指しているものと思われる。

ところで、この従属性について、X社はこれを給与所得の要件であるとし、Y

は給与所得の必要要件ではないと反論している。すなわち、X社は、「そもそも、給与所得は、雇用契約又はこれに類する原因に基づき、指揮命令を受けて提供した労務の対価をいうものと解されているのであって、この点において、給与所得の本質的な性質として、『従属性』要件が必要になる」と主張している。

かかるX社の主張に対して、本件地裁判決は、「労務の提供等から生ずる所得の給与所得該当性についての判断の一応の基準を示したものにとどまる最高裁昭和56年判決について、あたかも給与所得の必要要件を判示したものであるかのような前提に立って論を進めているものといわざるを得ないものであって、採用することができない」と判示している。

まずは、この点について考えてみたい。

X社は、給与所得該当性の判断に当たっては、「雇用契約ないしこれに類する原因」があるといえるか否か、「労務の対価」といえるか否かといった給与所得の要件の判断に際して、給与支給者と受給者との間に「従属性」があるか否かを判断しなければならないと主張したが、本件地裁判決は、かかるX社の主張につき、「『給与所得とは雇傭契約又はこれに類する原因に基づき使用者の指揮命令に服して提供した労務の対価として使用者から受ける給付をいう』との最高裁昭和56年判決の判示が給与所得該当性の判断の『一応の基準』にとどまるものであることを見過ごすとともに、所得税法28条1項の規定の内容を軽視するものといわざるを得ず、採用し難い。」と断じているのである。

本件地裁判決は、次のように、三つの観点から従属性が給与所得の要件には当たらないとしている。

① 最高裁昭和56年判決は、「一応の基準」にすぎない。

② 所得税法28条1項の規定の内容に必ずしも一致するとはいえない。

③ 親会社ストック・オプション訴訟最高裁平成17年判決によって、従属性要件はなくなった。

そこで、ここでは、最高裁昭和56年判決が示す文脈に丁寧に従ったところで従属性の有無が給与所得該当性にいかなる意味を付与するかについて、検討することとしよう。

同最高裁は、「給与所得とは雇傭契約又はこれに類する原因に基づき使用者の指揮命令に服して提供した労務の対価として使用者から受ける給付をいう。なお、給与所得については、とりわけ給与所得者との関係において何らかの空間的、時間的な拘束を受け、継続的ないし断続的に労務又は役務の提供があり、その対価として支給されるものであるかどうかが重視されなければならない。」としているのであって、素直に理解すれば、ここにいう空間的、時間的な拘束とは、給与支給者と給与受給者との関係を指していると理解することができそうである。しかしながら、かように理解すると前段で給与支給者と給与受給者との関係は、「雇傭契約又はこれに類する原因に基づき」としているのであるから、改めて給与支給者と給与受給者との関係を論じる必要はないのにもかかわらず、なぜあえて、また、

「空間的、時間的な拘束を受け…」と説示しなければならなかったのであろうか。そこで、この点について考えたい。

なるほど、給与支給者と給与受給者との関係を論じてはいるものの、それは「雇用契約」という法律関係がある場合のみならず、「これに類する原因」のある関係をも包摂しているのであるから、雇用契約がない場合において、果たして使用者の指揮命令に服して提供された労務等の対価であるか否かについての判断は難しいところである。そこで、単に「これに類する原因」と説示するにとどめず、あえて、最高裁は、判断基準として（これに類する原因の場合の判断基準として）、なお書きにおいて、「給与所得については、とりわけ給与所得者との関係において何らかの空間的、時間的な拘束を受け…」としたのではないかと思われる。すなわち、ここにいう「これに類する原因」が必ずしも法律関係としての雇用契約関係に限定されないという態度を示したことを前提として、更なる説明を加えたものと位置付けることができるのではなかろうか。したがって、とりわけ、①給与支給者との関係において、何らかの空間的・時間的な拘束を受けることや、②継続的ないし断続的に労務等の提供があること、そして、③その対価として支給されたものであることが、「判断基準」として重視されなければならないと判示したものと解するべきであろう。

かくして、最高裁昭和56年判決は、上記のとおり、使用者の指揮命令ないし空間的. 時間的拘束によって労務の提供の態様を論じているということが判然とするのである。すなわち、この帰結からすれば、同判決においては、従属性ないしそれを代替する観念としての空間的・時間的拘束という労務態様というものを、原則的に給与所得の要件として捉えるべきとの考え方が示されたと理解すべきであるように思われるのである。そして、場合によっては、かような要件設定には例外が認められる余地もあり得ると解するのが相当ではなかろうか。

この立場は本件地裁判決とは異なり、従属性を役務提供の態様という観点から捉えた場合の要件として考える立場である。すなわち、本件地裁判決は、「従属性」と「時間的・空間的拘束」をあたかも別のものと捉え、従属性が認められない場合であっても、「時間的・空間的拘束」等の諸要素を総合的に考慮した結果として給与所得に該当する場合があるというのである。別言すれば、本件地裁判決は、「時間的・空間的拘束」は総合勘案されるべき諸要素の一つであると考えているようであるが、果たして、そのような理解は妥当なのであろうか。上記の理解からすれば、これとは反対に、空間的ないし時間的拘束は、使用者の指揮命令に服していない状況下においては、重要な要件となるということになろう。

所得税法が、給与所得について担税力が低いものと捉えて、他の所得と区別していることを考えても同様の結論に行き着く。すなわち、いわゆる給与所得は、身体が資本であり、また、使用人の指揮命令下という従属的立場ゆえに勤務条件の変更等で継続勤務ができなくなることがあり、所得稼得の機会を奪われる可能性があることや、勤務時間という時間的な拘束を受けることから、余暇を制限されたり、勤務地への勤務という空間的な拘束を受けることから、通勤地に通う便宜のために居住地も制限されるという点で、担税力が低いと考えられているのである。

このように、所得税法がいかなる活動によって所得を稼得したかを前提として担税力を考慮する租税法であることを踏まえると、労務提供の態様たる従属性を無視して給与所得該当性を判断するということはおよそあり得ないのではないかと思われるのである。

2　従属性と非独立性の関係

最高裁平成17年判決は、「本件権利行使益は、雇用契約又はこれに類する原因に基づき提供された非独立的な労務の対価として給付されたものとして、所得税法28条1項所定の給与所得に当たる」と判示しているが、ここでは、「非独立的」な労務の対価であることが、給与所得該当性の唯一の要件であるようにも思える判断を示している。

上記のとおり、最高裁昭和56年判決にいう従属性は、「指揮命令に服する」ことや「時間的，空間的拘束」にあることを典型例とするとみてよいと思われるが、これは前述のとおり、労務提供の態様に関する基準であると理解することが妥当である。前述のとおり．給与所得該当性を画する要件分析において、担税力評価の基礎となる労務提供の態様が重要性を帯びる点を考慮すれば、原則的に、従属性が給与所得該当性の要件であると理解すべきであろう。

他方で、最高裁平成17年判決の判示から、従属性が希薄な場合であっても、非独立性さえ明らかであれば給与所得と判断するのが相当とする見解も考えられる。このような理解は妥当であろうか。まずは、この点について明らかにしたい。

例えば、Xが事業所得と主張し、Yが給与所得と主張しているような事例であればどうであろうか。我が国の弁論主義の下では、給与所得非該当性を論じることで事業所得該当性が肯定されるということにもなろう。すなわち、このような事例においては、非独立性と従属性は次のような関係にあるとみることができる。

すなわち、ここでは、事業所得か給与所得かが争点となっており、雑所得該当性が争点となっていない事例であれば、給与所得該当性を論じるに当たって事業所得との区分を前提とすることは妥当であろう。もっとも、非独立性要件は給与所得の課税要件ではない。非独立性要件は事業所得に該当しないことを考える消極的要件ではあっても、これを給与所得該当性の積極要件と置き換えることは妥当ではない。

このことは、事業所得に該当しないとしても雑所得に該当するものがいくらでもあり得ることを考えれば、無理な構成であることは容易に明らかとなろう。また、その理は、「雇用契約又はこれに類する原因」に基づく人的役務提供に当たらなければ、それが事業所得に該当すると論じるのと同義であるが、かような構成は無理があるといわざるを得ない。つまり、「事業所得非該当＝給与所得該当」ではないのである。雑所得の存在をも考慮に入れるべきなのはいうまでもない。もっとも、場合によっては雑所得に該当しないことも同時に論じることによって、給与所得該当性を判断することも可能であるといえるかもしれない。すなわち、「事業所得非該当∩雑所得非該当＝給与所得該当」という構成である。しかしながら、このような立論には、ここにいう雑所得の非該当性をいかなる理論構成によって説明するのかという疑問が惹起される。そのような立論においては、他の9つの所得のいずれかに該当することをもって雑所得非該当を論じることになるが、かかる主張は循環論に陥る。

すると、本件のような、「事業所得又は雑所得」か、あるいは「給与所得」かが争点とされているような事案における所得区分の要件を論じるに当たって、給与所得該当性を事業所得非該当性をもって論じることは、論理的ではないことになる。すなわち、本件のようなケースにおいて非独立性要件のみを給与所得該当性の要件とすることには、問題が残るのではなかろうか。

3　最高裁昭和56年判決の射程範囲

(1)　最高裁昭和56年判決

最高裁昭和56年判決は、顧問契約を締結した当事者間において、受給者が得た報酬が事業所得と給与所得のいずれの所得区分に該当するかが争われた事例である。したがって、雇用契約を締結した当事者以外の第三者が給付したストック・オプションの権利行使益が、一時所得と給与所得のいずれの所得区分に該当するかが争われた事案とは、その前提となる重要な事実関係を大きく異にするものであった。そのことから、最高裁平成17年判決は、納税者側が引用して主張した最高裁昭和56年判決について、「所論引用の判決〔筆者注：最高裁昭和56年判決〕は本件に適切ではない。」として、明確にディスティングィッシュしたのである。

それに対して、本件事案と最高裁昭和56年判決の関係を考えると、両者は、その前提となる重要な事実関係において大きく異なるような事実はない。後述するとおり、少なくとも、①支給者と受給者の当事者間における事案であること、②論点が所得区分のうち、受給者の得た所得が、給与所得と事業所得のいずれに該当するかが争われたものである、という二つの点から、最高裁昭和56年判決は本件に適切な事例であるとみるべきであろう。

むしろ、最高裁平成17年判決は、雇用契約当事者以外の者から得たストック・オプションの権利行使益についての問題であり、雇用者以外の者から経済的利益を「得させ」る仕組みに基づいて生じた経済的利益が給与所得となり得るか否かという点が問題となった事例であり、その判決の時点では参考となり得る先例がなかったという事例である。最高裁昭和56年判決の事案において、労務提供を受けた者以外の者が給付した経済的利益についての所得区分などは、もともと争点とはされていなかったのであるから、同判決において、一般的理由付け法命題で「給与所得とは…」という説示があるからといって、上記のような給付については、当時は想定さえしていなかったであろう。すなわち、親会社ストック・オプション訴訟のような事例を念頭に置いた判示ではなかったことは明らかである。

かような意味では、最高裁平成17年判決が、最高裁昭和56年判決を「本件に適切ではない」としたのは十分に理由のあるところである。

そこで、最高裁平成17年判決の意義を考えるに当たっては、同判決が、最高裁昭和56年判決にいう給与所得該当性の要件（従属性要件）を塗り替えたとする見解（ここでは、「A説」という。）と、いまだに最高裁昭和56年判決にいう給与所得該当性の要件は原則的に存在しており、むしろ、最高裁平成17年判決にいう給与所得該当性の要件（非独立性要件）は例外的なものとする見解（ここでは、「B説」という。）があり得よう。

この点については、最高裁平成17年判決が最高裁昭和56年判決の射程を減じているとみるべきではなく、まして大法廷判決による判例変更がなされたわけでもないのである（裁判所法10）。したがって、最高裁昭和56年判決がいまだに判例としての先例拘束性を有していることには間違いがない。すると、B説が妥当というべきであろう。

(2)　一応の基準

本件東京地裁は、本件事案が最高裁昭和56年判決にいう「一応の基準」に当たらない事案だと位置付けているが、この点について考える必要がある。これを考える一つの重要な手掛かりとして、最高裁平成17年判決が最高裁昭和56年判決について「所論引用の判決は本件に適切でない。」とした点、すなわち、ストック・オプションの事例は、最高裁昭和56年判決の「一応の基準」に当たらないとしたことについての考察が有益であろう。

最高裁平成17年判決は、最高裁昭和56年判決の射程範囲が親会社ストック・オプションの権利行使益に係る所得区分が争われた事例には及ばないと判示したが、前述のとおり、最高裁昭和56年判決の事例は弁護士が顧問契約をしている会社から得た顧問料の所得区分が争われた事例であり、当事者間での役務提供とそれに対する対価の支払が基礎となっている事例であった。これに対して、最高裁平成17年判決の事例では、ストック・オプションの権利行使益を受けた者は、ストック・オプション契約に基づき直接の雇用関係にない子会社従業員であり、その者が親会社から受けたストック・オプションに基づいて給付を得たという事例であった。すなわち、労務の提供者と労務提供を受けた者以外の者（第三者）によって経済的利益の給付がなされたという特異なケースである。

このことは、単に事実関係において、雇用（顧問）契約の当事者間の関係かそれ以外の第三者との関係かという違いだけを意味するのではなく、最高裁昭和56年判決における給与所得該当性の議論においては、使用者以外の者による給付に係る所得が給与所得に該当するか否かというような点については、そもそも議論されてはいなかったということを理解しなければならない。より積極的には、支払の基礎となった法律関係の私法上の性質決定は、重視されていなかったということもできよう。ストック・オプション制度は、最高裁昭和56年判決の当時は想定さえし得ない制度であったといえるものである。しからば、同判決が、かような新種のインセンティブ報酬制度に係る所得の所得区分が給与所得に該当するか否かを判断する先例とはなり得ないものであることは明白である。このような理由から、最高裁平成17年判決は、最高裁昭和56年判決を「本件に適切でない」としてディスティングィッシュしたと解することができよう。

もっとも、最高裁昭和56年判決の当時になかった雇用形態や勤務体系、あるいは給与支給制度であるからといって、それら全てが同判決の射程範囲外にあると解するのは短絡に過ぎる。最高裁平成17年判決が最高裁昭和56年判決の射程範囲外にあるとしたのは、再述するが役務提供を受けた者以外の者から受けた給付が給与所得に該当するかどうか、という極めてユニークな争点が、およそ最高裁昭和56年判決の当時、論点にはなり得ないものであったからである。本件のような事例も、最高裁昭和56年判決の当時からすれば、想定し得なかった役務提供形態であるという指摘もできなくはない。

しかしながら、本件は、役務提供者（本件塾講師又は本件家庭教師）と役務提供を受ける者（X社）との当事者間の事例であり、少なくとも役務提供を受けた者以外の者により、給付がなされた所得の所得区分が争点とされる、というような極めて特異な事例であるとは到底いえないものである。

したがって、最高裁昭和56年判決の射程範囲は本件に及ぶものと解するのが相当であろう。とすれば、最高裁昭和56年判決にいう「一応の基準」の及ぶ範囲と解するべきであるということになる。

⑶　一応の基準に従わない理由

本件地裁判決は、給与所得該当性を論ずるに当たって、本件は最高裁昭和56年判決にいう「一応の基準」に当てはまらないとするのであるが、かような判断の積極的な理由が奈辺にあるのか示されていない。本件地裁判決は、何をもって最高裁昭和56年判決で示された「一応の基準」には当たらないというのであろうか。仮に該当しないというのであれば、それはいかなる理由なのかという点を明らかにしなければならないはずである。本件が何らかの根拠により、最高裁昭和56年判決にいう、「一応の基準」には当てはまらないような特殊な事例であるということなのであろうか。

この点については、むしろ、本件東京地裁がしばしば引用する最高裁平成17年判決こそが特異なケースであるという理解の方が素直であるように思われるところであるが、この点はどうであろうか。疑問が残るところである。

⑷　従属性要件に基づき判断を行っている事例

最高裁昭和56年判決の示す「従属性要件」が、過去の裁判例や課税実務において、その判断におけるメルクマールとされてきたのは、疑いのない事実である。例えば、いわゆるゴルフ場キャディ報酬事件97那覇地裁平成11年6月2日判決（215頁参照）や、いわゆる電力検針員事件92福岡高裁昭和63年11月22日判決（193頁参照）などは、最高裁昭和56年判決の説示するように給与所得該当性について、雇用契約又はこれに類する原因に基づいているか否かあるいは、就業態様等を基礎に、指揮命令（指揮監督）の下にあるか否かという観点から、従属性を要件として判断してきたのである。このような点からも、最高裁昭和56年判決の射程範囲が広いことを確認することができる。そこで、問題関心としては、最高裁平成17年判決以後の事例において、最高裁昭和56年判決の示す「従属性要件」が否定されているかあるいは軽視されているかという点である。結論からいえば、最高裁平成17年判決以後においても、ストック・オプション訴訟あるいはストック・オプションに類似するインセンティブ型給付の給与所得該当性が争われている事例（明らかに最高裁平成17年判決の射程範囲にあると思われる事例）以外の給与所得該当性を争う事例においては、圧倒的に最高裁昭和56年判決が引用されてきている。

4　最高裁平成17年判決は本件に及ぶか―親会社ストック・オプション訴訟と本件との共通性―

ところで、親会社から付与されたストック・オプションに係る所得の所得区分が争点とされた最高裁平成17年判決の射程範囲が本件に及ぶと解するのであれば、次の点を念頭に置いて論じられなければならないと思われる。すなわち、最高裁平成17年判決は、雇用契約がなくまた労務の提供を受けているとはいえない者（親会社）から支給された給付に係る給与所得該当性が肯定された事例についての判断である。かような前提事情からして、受給者と支給者（親会社）との間には、「使用者の指揮命令」に服するような状況もないとはいっても、受給者と使用者との間には厳然とした指揮命令はあったのであり、そこには「空間的・時間的拘束」はあったのである。ただ、あくまで受給者との間にはそれが直接の関係において存在しなかったことから、最高裁平成17年判決は、親会社と子会社との関係や人事権についての掌握を論じることによって、直接的関係こそないもののそれに近接した関係があると論じているのであって、同判決といえども、必ずしも「従属性」を不要としたわけではないのである（少なくともそのようには説示していない。）。このように、その基礎となる事実関係が特異なケースであることから、その事実認定を前提として判断をしたものであると理解すべきであろう。かような意味では、最高裁平成17年判決は、一般的あるいは原則的な給与所得該当性を論じた事件であるとみるべきではなく、むしろ、本件のような事案を異にする事例にまで射程範囲が及ぶと考えるのは妥当ではないというべきであろう。

最高裁昭和56年判決の示す要件が最高裁平成17年判決以後においても、給与所得該当性の判断メルクマールとして積極的に引用されているという点については、既に述べたところである。また、最高裁平成17年判決が最高裁昭和56年判決を否定したものでも、判例変更したものでもなく、あくまでも事案を異にすると判断しただけである（ディスティングィッシュ）とも述べた。そのような整理をした上で、本件判決がいずれの判断に沿って給与所得該当性を論じるべきかについての結論は明らかである。本件は、事業所得又は雑所得に該当するかあるいは給与所得に該当するかという事案であることからすれば、最高裁昭和56年判決の示す従属性要件を基礎として判断を展開すべきであるとの結論にたどり着くはずである。

5　本件高裁判決の考え方

本件東京高裁は、「従属性が認められる場合の労務提供の対価については給与所得該当性を肯定し得るとしても…、従属性をもって当該対価が給与所得に当たるための必要要件であるとするものではない」と論じる。この説示は、最高裁平成17年判決を前提にしているように思われる。しかしながら、本件東京高裁がいうように、「労務提供や支払の具体的態様等を考察して客観的、実質的に判断すべきこと」に鑑みれば、全ての事案においてすべからく従属性が必要要件ではないというのもまた言い過ぎであろう。ここでの問題は、「労務提供や支払の具体的態様等を考察して客観的、実質的に判断」するに当たって、いかなる判断基準が要求されるかという点を論じることであるから、「労務提供や支払の具体的態様等を考察して客観的、実質的に判断すべき」とした瞬間に要件を不要とするものではないはずである。

そして、およそ労務提供の関係性が明確な本件のような事例においては、従前から論じられてきた最高裁昭和56年判決のいう「従属性」が、依然として「労務提供や支払の具体的態様等を考察して客観的、実質的に判断」するに当たっての要件であるとみるべきであろう。そうでなければ、判例性というものを真っ向から否定するに等しく、法的安定性や予測可能性を著しく害することにもなりかねない。したがって、本件高裁判決の考え方には疑問なしとはしない。

裁判例の紹介

役員による横領と給与所得

代表役員の横領による経済的利益の移転が「認定賞与」に該当するかを巡り、源泉徴収の対象とすべきか否かが争われた事例

（120 第一審京都地裁平成14年9月20日判決・税資252号順号9198）48）

48）判例評釈として、一杉直・税務事例35巻3号1頁（2003）、品川芳宣・TKC税研情報12巻3号28頁（2003）、同・税研109号96頁（2003）など参照。

(121控訴審大阪高裁平成15年8月27日判決・税資253号順号9416)[49]
(122上告審最高裁平成16年10月29日第二小法廷決定・税資254号順号9803)

〔事案の概要〕

本件は、特別養護老人ホームの設置経営等の社会福祉事業を行う社会福祉法人であるXの元理事長であったAがX（原告・被控訴人・上告人）の本部会計等から取得した金員につき、税務署長Y（被告・控訴人・被上告人）がAに対するXからの給料であると認めて行った各納税告知処分及びそれに伴う不納付加算税各賦課決定処分について、Xが、かかる金員はAによって横領されたものであって、給与所得には当たらないと主張して、Yに対して、本件各処分の取消しを求めた事案である。

当事者の主張を具体的にみると次のとおりである。

(1)　Yは、Aは、Xの理事長として、Xの資産に対する全面的な支配権を有していた上、本件金員は、Xの事業活動によって得たものであることが明らかであり、AがXの理事ないし理事長として勤務してきたこと以外に本件金員を得る理由がない。また、Aが、理事長という立場と無関係にXとの間で純然たる第三者として取引等によって本件金員を取得したという事情も存在しない。さらに、実質的にみても、Aの勤務状況やXを長年にわたり実質的に支配していたと認められること、AのXに対する出資の状況やXからのAに対する毎月の報酬金額や本件金員の合計額の多寡及びAが本件金員を取得するにつきいわばXが容認していたというべき状況があること等からしても、本件金員の移動は、XがAに賞与を支払ったものであると主張した。

(2)　これに対して、Xは、本件金員の移動は、AがXから本件金員を横領した行為によるものであり、XがAに賞与を支払ったものとは到底いえない。Yの主張は、主として株式会社についての判断であり、本件Xのような社会福祉法人については妥当しない。

〔争点〕

役員の横領による経済的利益の移転は、役員の給与所得に該当するか否か。

〔判決の要旨〕

1　京都地裁平成14年9月20日判決

「本件金員は、…課税庁との間の課税関係において、所得税法上の所得に該当し、Aの所得として課税対象となるというべきであって（ただし、ここでは、

49)　判例評釈として、占部裕典＝岡田悦美・税通59巻3号197頁（2004）、伊藤義一＝八木隆行・TKC税研情報13巻7号23頁（2004）、大平漸・税研123号86頁（2005）、酒井克彦・税務事例46巻5号1頁、同6号8頁（2014）など参照。

その所得の種類は問わない。)、本件金員の移動が不法、違法な利得であっても、また、その原因となった法律行為が無効であっても、直ちに、上記の判断を左右するものではないというべきである。更に、法人がその役員へ源泉徴収の対象となる法28条所定の賞与を支払った否かの判断において、賞与の支払という要件をなす具体的な事実があったといえるかどうかが正に問題であって、法人における賞与の支払のための所定の手続が採られたか否か、その手続に瑕疵があったか否かは、必ずしも決定的な決め手になる事項ではないというべきである。Ｘも、これらの点に関する限り、特に強く争わないところである。」

「しかしながら、本件金員の移動によって、…それがＡの所得として、課税対象となることは明らかであるとしても、そのことから、法が定める現行の源泉徴収制度の下で、源泉徴収の対象となる法28条１項所定の給与や賞与の支払いがあったといえるかどうかについては、更に、検討が必要であって、本件事実関係の下では、いわばＡによる横領行為の被害者ともいうべきＸに対し、Ａの所得についての源泉徴収をして納付する義務があることを前提とする本件各処分は、いかにも不当な結論であると考えられる。課税庁との間の法律関係においても、本件金員の移動によって、Ｘという法人がＡに対して法28条１項所定の賞与を支払ったとまではいえないと考えられる。」

「給与所得か否かの判断に当たっては、更に、法が、給与所得について、利子所得及び配当所得とともに、法183条以下において、給与等の支払をする者（支払者）から源泉徴収によりその税を徴収するものとしており、源泉徴収の対象とならない他の所得とは、その徴収手続において極めて異なった扱いをしている点も考慮されるべきである。すなわち、法183条１項は、支払者は、その支払の際、その給与等を受給者（給与等の受給者）から、天引により徴収し（同項の『支払の際』『徴収し』とはこのような意味と解される。例外的には法221条、222条参照)、その徴収の日の属する月の翌月10日までに、これを国に納付しなければならないと規定している。これを受けて、国税通則法（以下『通則法』という。）２条５号は、支払者を納税者とし、その場合の納税義務を、受給者から徴収して納付する義務と定義している（通則法15条１項)。そして、そのような支払者の特殊な納税義務は、当該所得の支払の時に成立し（同条２項２号)、その成立と同時に特別な手続を要しないで納付すべき税額が確定するものとされる（同条３項２号)。そして、源泉徴収による所得税は、いかなる場合でも、支払者のみから徴収され、受給者が課税庁から直接に追及されることはないこととされ（法220条ないし223条)、法や通則法は、課税庁と受給者（源泉納税義務者）との間の直接の法律関係が生じ得る場合を想定していない。受給者が確定申告をする場合においてさえも、源泉徴収もれの税額分を受給者から直接徴納されることはないし、逆に、過大に源泉徴収された税額の控除もできないとされており、更に、源泉所得税と申告所得税との各租税債務の間には同一性がないとされているのである（最３小判平成４年２月18日・民集46巻２号77頁参照)。したがって、源泉徴収の対象となる所得税を負担するのは受給者で、源泉徴収は政策的な理由に基づく徴収制度にすぎないものであるとはいっても、法や通則法は、源泉徴収の対象となる所得については、他の各所得とは異なる扱いをしているのであって、前記のような源泉徴収手続をするのに相応しい内容の所得を念頭に置いているものと解され、給与所得となる法28条1項所定の賞与の意味も、また、法183条1項所定の『支払の際』の意味も、このような観点をも加味して考えるべきである。」

「本件事実関係の下では、まず、本件金員の移動によって、Xが本件金員を『支払った』ことになるのか否かが問題になる。本件事実関係の下では、Aは、定款により社会福祉法人であるXの代表権を有していたものであるが、単独では、業務執行の権限はなく、本件金員の移動は、その権限外のことで、また、Aが、Xに帰属すべき本件金員を、正規の経理上の手続を経ることなく、X名義の口座からA個人名義の口座に移動させたことは、Xとの関係では違法な行為（委任契約上の義務違反又は不法行為上の義務違反）に当たることは明らかであり、正に、法人の金員の横領行為であったもので、しかも、Xとしては、支払者として、Aからその所得税を天引により徴収する余地はなかったもので、法が予定しているようにXという法人がAから所得税を源泉徴収する余地はおよそ考えられない形態の金員の移動であったというべきである。Xとして、当時、本件金員をAに『支払った』ものということができるかどうかは、極めて疑問であるといわなければならない。Xは、後に各理事が交代して、Aらに対し、別件訴訟を提起して、その損害の賠償の支払を求め、その請求を認容する判決が確定しており、少なくとも別件訴訟においても、裁判所は、法人であるXが本件金員の移動を是認していたとの判断をしなかったことになる。むしろ、本件事実関係によれば、本件金員の移動は、法人としてのXの当時の客観的な意思(それはAの意思とは異なる。)に反していたものというべきで、これをXがAに支払ったとみるのは無理であると考えられる。Xの源泉徴収による前記の納税義務は、法183条1項の支払の際に発生すると解されるところ、本件金員の移動については、この要件があったとまでは認められないといわざるを得ない。

のみならず、本件事実関係の下では、本件金員の移動は、Aらが、自己の個人的用途に使用する目的で、不正に、Xの資金を移動したものであることが明らかであり、その事実経過、金額、その他いかなる観点からみても、それがAがしたXの理事長としての職務・役務の提供と対価の関係に立つものでないことも明らかであるといわなければならない。本件事実関係によれば、本件金員の移動は、専ら、Aが、その個人的用途に使用する必要に応じて、その都度、個人的用途に必要な金額分についてされたものであって、法人であるX側の事情は一切無関係であると認められ、このような本件金員が、理事長としてのAの職務、役務の提供と対価関係にあると解するのは、不合理というべきである。さらに、Xは、会社とは異なり、社会福祉法人であることからしても、本件金員の移動をXのAに対する利益処分と解することも疑問であるといわなければならない。むしろ、本件金員の移動によるAの利益は、専らA個人の都合に応じた利益とみられるのであって、それは、課税関係では、Aの所得であることは明らかであるが、源泉徴収の対象となる法28条1項所定の給与や賞与であると認めるのは無理であって、それ以外のAの所得として、A個人から徴収されるべきである。」

2　大阪高裁平成15年8月27日判決

「上記認定事実によれば、本件金員は、いずれも、当時、Xの代表者であった理事長のAの意思に基づいて、Xの本部会計や同協会名義の簿外の裏口座である…口座から、Aが支配していた…各口座に送金手続がされたこと、すなわち、Xの本件金員が同協会からAの口座へ送金されたことが明らかである。

この本件金員の移動によりAは経済的な利得を得たものということができ、これはAの所得税法上の『所得』に該当するものといえる。なお、本件金員の移動が違法ないし私法上無効である場合であっても、本件金員が現実にAの管理下に入り、同金員の取得がAの経済的な利得であるといえる以上、所得税法上は『所得』があったとみるべきものである。

ところでAのXにおける地位、権限、実質的に有していた全面的な支配権に照らせば本件金員の移動、すなわち、Xの金員を同協会からAの口座へ送金したことは、Xの意思に基づくものであって、XがAに対し、経済的な利得を与えたものとみるのが相当である。なお、AにXの金員について、これを不正に取得する意図や不正な行為があったとしても、Aの上記のようなXにおける地位、権限等からみて上記認定判断を左右するものではない。

そして、本件金員は、定期的に定額が支払われたものではなく臨時的な給付であるといえるから、給与所得のうちの賞与に該当するものと解するのが相当である。」

「所得の受給者が源泉徴収義務者から不法に利得した場合であっても、その利得が給与所得と認められる以上は、源泉徴収義務者に納税義務を課すべきものであって、源泉徴収が困難であるかどうかは全く関係のないことである。税務署長から所得税を徴収された源泉徴収義務者（給与の支給者）は、その徴収をしていなかった所得税の額に相当する金額の支払を、その徴収されるべき者（所得の受給者）に対し請求することができるが（法222条）、税務署長が所得の受給者に直接徴税することはできないので、不法利得の場合において、源泉徴収義務者にその義務を課さなければ、結局、国民にその負担を転嫁することとなる〔。〕」

3　上告審**最高裁平成16年10月29日第二小法廷決定**は、Xの上告を棄却し、上告受理申立てを受理しなかった。

〔コメント〕

本件のように、法人の経理上は役員に対する賞与とされていないものの、課税庁がその実質からみて役員賞与の支給があったと認定するものを「認定賞与」という。実務上は、横領によるものとされていても、役員が現実に会社から利益を得ている場合には認定賞与として課税（源泉徴収）がなされるべきとして取り扱っている。この点については、二つの観点から議論がなされる。すなわち、①第一に、そもそも、かかる経済的利益の移転が役員の給与所得と認定されるべきものであるのか、②次に、給与所得に該当するとしても、果たして源泉徴収の対象とすべきであるのかという二つの論点がある。

この点につき、本件地裁判決は①の論点と②の論点を別意に解して、①については給与所得該当性を認めたものの、②の源泉徴収義務を否定したのに対して、本件高裁判決では、①が肯定される限り②も肯定されるとの立場に立っているようである。

②については、所得税法183条《源泉徴収義務》の要件該当性が同法28条の給与所得該当性とは別に規定されていることからすれば、本件高裁判決の判断には疑問の余地もあろう。すなわち、「支払」該当性についての論点はそれとして独自にあり得るとも考えられよう。

裁判例の紹介

倉敷青果市場事件―債務免除益に係る錯誤主張の可否

権利能力のない社団の理事長及び専務理事の地位にあった者が当該社団からの借入金債務の免除を受けることにより得た利益が、所得税法28条１項にいう賞与又は賞与の性質を有する給与に当たるとされた事例

（123 第一審岡山地裁平成25年３月27日判決・民集72巻４号336頁）
（124 控訴審広島高裁岡山支部平成26年１月30日判決・訟月62巻７号1287頁）[50]
（125 上告審最高裁平成27年10月８日第一小法廷判決・集民251号１頁）[51]
（126 差戻控訴審広島高裁平成29年２月８日判決・民集72巻４号353頁）
（127 差戻上告審最高裁平成30年９月11日第三小法廷決定・税資268号順号13184）
（128 差戻上告審最高裁平成30年９月25日第三小法廷判決・民集72巻４号317頁）[52]

50）判例評釈として、豊田孝二・速報判例解説18号〔法セ増刊〕213頁（2016）など参照。

51）判例評釈として、木山泰嗣・税通71巻１号189頁（2016）、今本啓介・ジュリ1489号10頁（2016）、占部裕典・平成27年度重要判例解説〔ジュリ臨増〕203頁（2016）、長島弘・税務事例51巻２号38頁（2019）など参照。

52）判例評釈として、木山泰嗣・税通73巻14号170頁（2018）、岸田貞夫・税理62巻１号４頁

〔事案の概要〕

本件は、人格のない社団等であるX（原告・被控訴人・被上告人）が、Xの理事長であった乙（以下「乙理事長」ともいう。）に対し、借入金債務の免除をしたところ、所轄税務署長から、上記債務免除に係る経済的利益（債務免除益）が乙理事長に対する賞与に該当するとして、給与所得に係る源泉所得税の納税告知処分及び不納付加算税の賦課決定処分を受けたため、上記債務免除益には旧所得税基本通達36－17（以下「本件通達」という。）本文の適用があり、乙理事長に係る源泉所得税額の計算上これを給与等の金額に算入することはできず、仮に上記通達の適用がないのであれば、上記債務免除は錯誤により無効であるから、源泉徴収義務はないなどと主張して、上記各処分の一部取消しを求めた事案である。

乙理事長は、平成19年12月10日の時点で、Xに対し、借入金残元本53億2,673万934円及びこれに対する約定利息2億3,650万円の合計55億6,323万934円の借入金債務を負っていた。乙理事長及び上記借入金債務の連帯保証人である丙は、平成19年12月10日、Xに対し、その所有又は共有する各不動産（以下「本件各不動産」という。）を総額7億2,640万9,699円で売却し、その代金債務と上記借入金債務とを対当額で相殺した。そして、Xは、同日、乙理事長に対し、上記相殺後の借入金残元本債務48億3,682万1,235円（以下「本件債務」という。）を免除した（以下これを「本件債務免除」といい、これにより乙理事長が得た経済的利益を「本件債務免除益」という。）。

乙理事長は、本件債務免除の当時、Xに対する本件債務のほか、合計4億4,084万2,857円の債務を負っており、これらの債務と本件債務との合計額は52億7,766万4,092円であった。

本件債務免除当時の乙理事長の年間収入は、各不動産からの収入2,749万2,000円及び役員報酬等による収入997万3,786円の合計3,746万5,786円であった。

〔争点〕

本件債務免除益が所得税法上の給与所得に該当するという点についての錯誤があったことから、債務免除につき無効となるとの主張の可否。

〔判決の要旨〕

1　岡山地裁平成25年3月27日判決

「債権者から債務免除を受けた場合、原則として、所得税法36条1項にいう

(2019)、西本靖宏・ジュリ1528号10頁（2019)、荒谷謙介・ジュリ1533号100頁（2019)、同・曹時72巻1号155頁（2020)、碓井光明・ジュリ1533号128頁（2019)、佐藤英明・民商155巻3号84頁（2019)、渡辺充・判時2421号148頁（2019)、橋本彩・平成30年度重要判例解説〔ジュリ臨増〕194頁（2019）など参照。

『経済的な利益』を受けたことになり、免除の内容等に応じて事業所得その他の各種所得の収入となるものであるが、例えば、事業所得者が、経営不振による著しい債務超過の状態となり、経営破綻に陥っている状況で、債権者が債務免除をしたなどという場合には、債務者は、実態としては、支払能力のない債務の弁済を免れただけであるから、当該債務免除益のうちその年分の事業損失の額を上回る部分については、担税力のある所得を得たものとみるのは必ずしも実情に即さず、このような債務免除額に対して原則どおり収入金額として課税しても、徴収不能となることは明らかで、いたずらに滞納残高のみが増加し、また、滞納処分の停止を招くだけであり、他方、上記のような事情がある明らかに担税力のない者について課税を行わないこととしても、課税上の不公平が問題となることはなく、むしろ、課税を強行することについて一般の理解は得られないものと考えられることから、このような無意味な課税を差し控え、積極的な課税をしないこととしたものである。

⑵ア　本件通達の定めにおいて用いられている『資力を喪失して債務を弁済することが著しく困難』であるとの文言は、所得税法９条１項10号及び所得税法施行令26条の各規定において用いられている文言と同じであり、これらの各規定における当該文言の意義については、所得税基本通達９－12の２において、『債務者の債務超過の状態が著しく、その者の信用、才能等を活用しても、現にその債務の全部を弁済するための資金を調達することができないのみならず、近い将来においても調達することができないと認められる』場合をいうとされているから、本件通達の定めにおいても、当該文言が上記と同じ意義を有するものとして用いられているものと解される。

すなわち、本件通達は、上記のような場合に受けた債務免除益への非課税を規定したものと解されるのであり、このような規定の内容及び上記認定のとおりのその趣旨からすれば、本件通達による上記非課税の取扱いは、所得税法等の実定法令に反するものとはいえず、相応の合理性を有するものということができる。そして、もとより本件通達が法令そのものではなく、これによらない取扱いが直ちに違法となるものではないとしても、本件通達が相応の合理性を有する一般的な取扱いの基準として定められ、広く周知されているものである以上は、課税庁においてこれを恣意的に運用することは許されないのであって、本件通達の適用要件に該当する事案に対して合理的な理由もなくその適用をしないとすることは、平等取扱いの原則に反し、違法となるというべきである。

なお、本件通達は、上記のような場合に受けた債務免除益については、『各種所得の金額の計算上収入金額又は総収入金額に算入しないものとする』とのみ定めているが、この定めは、給与所得に係る源泉所得税額の計算上給与等の金額に算入しないとする趣旨も含むものと解される。

イ　これを本件についてみるに、前記事実関係によれば、本件債務免除の当時において、乙理事長は、48億3682万1235円の本件債務を含む合計52億7766万

4092円の債務を負っていた。これに対し、本件債務免除当時の乙理事長の資産は2億8222万5622円にすぎなかったのであるから、乙理事長の負債はその資産の実に20倍に迫る金額に達しており、債務超過の状態が著しいものであったといえる。

乙理事長は、年間収入として不動産収入や役員報酬等合計3746万5786円を得ているが、上記債務の額が多額であることに鑑みれば、これらをもって近い将来において本件債務全額を弁済することが可能であるということもできない。また、乙理事長は、本件債務免除を受けた後も、D株式会社から貸付けを受けているが、乙理事長は、本件債務免除の時点で、同社に対し既に8000万円の借入金債務を負っており、本件債務免除後の貸付けは乙理事長の返済能力を超えるものであった疑いがある上に、その借入金を投入した有価証券取引及び有価証券先物取引において乙理事長が利益を上げた事実も認められないから、これをもって乙理事長に近い将来において本件債務を弁済するだけの資金を調達する能力があったということもできない。

以上の事実に鑑みれば、本件債務免除益にも、本件通達の適用があるものと認めるのが相当である。

なお、Yは、本件債務免除の実質が、Xを実質的に支配していた乙理事長においてXに本件債務免除を強いたというものであることを理由に、本件債務免除益が本件通達の要件に該当しないと主張する。しかしながら、Yの主張は、本件債務免除益が『債務者が資力を喪失して債務を弁済することが著しく困難である場合に受けたもの』に該当するか否かとは異なる視点からの主張であり、本件通達の要件該当性を判断する上で、意味のある主張とはいえないから、失当である。また、担税力のない者に課税することで将来生じ得る行政上の不必要なコストを回避するという前記のような本件通達の趣旨は、本件においても当てはまることが明らかであるから、上記のような理由が本件通達を適用しないことの合理的な理由になるともいえない。

(3)　したがって、仮に本件債務免除益が給与等に該当するとしても、本件債務免除益に本件通達を適用せず、源泉取得税額の計算上これを給与等の金額に算入すべきものとしてされた本件各処分は、本件通達を適用しなかったことについての合理的な理由が示されていない以上、平等取扱いの原則に反し違法であるというほかなく、取り消されるべきである。」

2　広島高裁岡山支部平成26年1月30日判決

「(1)　所得税法28条1項は、『給与所得とは、俸給、給料、賃金、歳費及び賞与並びにこれらの性質を有する給与（以下『給与等』という。）に係る所得をいう』と規定している。同項が給与所得を包括的に規定している趣旨からすると、給与所得を実質的に解し、雇用契約に限らず、これに類する委任契約などの原因に基づき提供した労務（役務）の対価として支給されるものも給与等に含むものと解される。したがって、法人の役員が法人から支給を受ける報酬も、役員の労務又は役務の対価とみることができることから、給与所得に含まれると解される。

そして、所得税法183条１項は、給与等の支払をする者に対し、その支払の際、その給与等について所得税を徴収することを義務付けている（源泉徴収義務）。

⑵　前提となる事実等及び上記認定事実をもとに、本件債務免除が『給与等』に該当するかどうか、検討する。

前提となる事実等及び上記認定事実によれば、乙理事長は、長年Ｘの理事長を務めていた者であり、乙理事長は、有価証券取引等の資金をＸから借り入れてきたが、バブル崩壊後、借入金の返済に窮し、Ｘに対し、平成２年以降、債務免除及び利息の減免を希望していたところ、Ｘは、債務免除をせず、源泉徴収しないことを所轄税務署に確認の上利息を減免し、毎月500万円ずつ利息の支払を受けていたこと、平成19年８月６日、乙理事長の課税処分に対する異議決定において、平成17年の債務免除益について、乙理事長に資力がなく債務の弁済が著しく困難であると判断され、本件通達が適用され、平成17年以降も乙理事長の資産の増加がなかったことから、Ｘの理事会においても、乙理事長に資力を喪失し弁済が著しく困難であると判断し、本件各不動産の売却代金を借入金債務と相殺した後に残存する本件債務を免除した（本件債務免除）ことが認められる。

この点について、Ｘは、本件債務免除の理由として、乙理事長の資力がないことと乙理事長のＸに対する貢献と述べているが、Ｘの乙理事長に対する貸付金が長年利息の減免を受け、利息が細々と返済されているものの、元本返済の目処も立たない不良債権であったところ、平成19年８月６日の乙理事長の課税処分に対する異議決定において、平成17年の債務免除益につき本件通達が適用された後、乙理事長の資産の増加がなかった状況下で、本件債務免除がなされたという事実経過からすると、本件債務免除の主たる理由は乙理事長の資力喪失により弁済が著しく困難であることが明らかになったためであると認めるのが相当であり、債務者が乙理事長（役員）であったことが理由であったと認めることができない。

したがって、本件債務免除は、役員の役務の対価とみることは相当ではなく、『給与等』に該当するということはできないから、本件債務免除益について、Ｘに源泉徴収義務はないというべきである。

⑶　以上によれば、Ｘの請求は、その余の争点について判断するまでもなく、理由がある。」

3　最高裁平成27年10月８日第一小法廷判決

「原審の上記判断は是認することができない。その理由は、次のとおりである。

所得税法28条１項にいう給与所得は、自己の計算又は危険において独立して行われる業務等から生ずるものではなく、雇用契約又はこれに類する原因に基づき提供した労務又は役務の対価として受ける給付をいうものと解される（最高裁昭和52年（行ツ）第12号同56年４月24日第二小法廷判決・民集35巻３号672頁、最高裁平成16年（行ヒ）第141号同17年１月25日第三小法廷判決・民集59巻１号64頁参照）。そして、同項にいう賞与又は賞与の性質を有する給与とは、上記の給付のうち功労への報償等の観点をも考慮して臨時的に付与される給付であって、その給付には金銭のみならず金銭以外の物や経済的な利益も含まれると解される。

前記事実関係によれば、乙は、Ｘから長年にわたり多額の金員を繰り返し借り入れ、これを有価証券の取引に充てるなどしていたところ、Ｘが乙に対してこのように多額の金員の貸付けを繰り返し行ったのは、同人がＸの理事長及び専務理事の地位にある者としてその職務を行っていたことによるものとみるのが相当であり、Ｘが乙の申入れを受けて本件債務免除に応ずるに当たっては、Ｘに対する乙の理事長及び専務理事としての貢献についての評価が考慮されたことがうかがわれる。これらの事情に鑑みると、本件債務免除益は、乙が自己の計算又は危険において独立して行った業務等により生じたものではなく、同人がＸに対し雇用契約に類する原因に基づき提供した役務の対価として、Ｘから功労への報償等の観点をも考慮して臨時的に付与された給付とみるのが相当である。

したがって、本件債務免除益は、所得税法28条１項にいう賞与又は賞与の性質を有する給与に該当するものというべきである。」

4　差戻控訴審広島高裁平成29年２月８日判決

差戻控訴審は、申告納税方式の下では、納税義務の成立後に、安易に納税義務の発生原因となる法律行為の錯誤無効を認めて納税義務を免れされることは、納税者間の公平を害し、租税法律関係を不安定にすることからすれば、法定申告期間を経過した後に当該法律行為の錯誤無効を主張することは許されないと解されるところ、源泉徴収制度の下においても、源泉徴収義務者が自主的に法定納付期限までに源泉所得税を納付する点では申告納税方式と異なるところはなく、かえって、源泉徴収制度は他の租税債権債務関係よりも早期の安定が予定された制度といえることからすれば、法定納期限後の錯誤無効の主張は許されないとの立場に立った上で、次のように債務超過状態にあった場合に課税を見合わせる旧所得税基本通達の取扱いを検討している。

「債務者は、債権者から債務免除を受けた場合、原則として、所得税法36条１項にいう『経済的な利益』を受けたことになり、免除の内容等に応じて当該債務者の事業所得その他の各種所得の収入金額となるものであるが、例えば、事業所得者が、経営不振による著しい債務超過の状態となり、経営破綻に陥っている状況で、債権者が債務免除をしたなどという場合には、債務者は、実態としては、支払能力のない債務の弁済を免れただけであるから、当該債務免除益のうちその年分の事業損失の額を上回る部分については、担税力のある所得を得たものとみるのは必ずしも実情に即さず、このような債務免除額に対して原則どおり収入金額として課税しても、徴収不能となることは明らかで、いたずらに滞納残高のみが増加し、また、滞納処分の停止を招くだけであり、他方、上記のような事情がある明らかに担税力のない者について課税を行わないこととしても、課税上の不公平が問題になることはなく、むしろ、課税を強行することについて一般の理解は得られないものと考えられる。こうしたことから、本件旧通達は、かかる無意味な課税を差し控え、積極的な課税をしないこととしている…。

本件旧通達の定める『資力を喪失して債務を弁済することが著しく困難』とは、所得税法9条1項10号及び所得税法施行令26条の各規定において用いられている文言と同じであり、これらの各規定における当該文言の意義については、所得税法基本通達9－12の2において、『債務者の債務超過の状態が著しく、その者の信用、才能等を活用しても、現にその債務の全部を弁済するための資金を調達することができないのみならず、近い将来においても調達することができないと認められる場合をいい、これに該当するかどうかは、これらの規定に規定する資産を譲渡した時の現況により判定する』と定めているから、本件旧通達の上記定めも、同じ意義を有するものとして用いられていると解される。

また、これは、破産手続開始の原因となる『支払不能』（破産法15条1項）又は民事再生手続開始の条件となる『破産手続開始の原因となる事実の生ずるおそれがあるとき』（民事再生法21条1項）と同様の状態にある者をいうと解される…。ここでいう支払不能とは、債務者が支払能力を欠くために、その債務のうち弁済期にあるものにつき、一般的かつ継続的に弁済することができない状態をいう（破産法2条1項11号参照）。

なお、本件旧通達は、上記のような場合に受けた債務免除益については、『各種所得の金額の計算上収入金額又は総収入金額に算入しないものとする』とのみ定めているが、この定めは、給与所得に係る源泉所得税額の計算上給与等の金額に算入しないとする趣旨も含むものと解される。」

「本件債務免除当時（直前）の負債が52億7722万9692円（本件債務を除き4億4040万8457円）、資産が17億2519万9510円と認められるのであり、これによると、本件債務免除当時、資産よりも負債が3倍以上と大幅に上回っており、I理事長が資力を喪失して本件債務全額を弁済することが著しく困難であったと認めることができるものの、後記のとおり、本件債務免除により、I理事長は資産が負債を大幅に上回る状態になる。

よって、本件債務免除に係る48億3682万1235円の全額を債務免除益として源泉所得税額の計算上給与等に算入した本件各処分は、適法とは認められない。」

5　差戻上告審最高裁平成30年9月25日第三小法廷判決

「原審の上記判断は是認することができない。その理由は、次のとおりである。

給与所得に係る源泉所得税の納付義務を成立させる支払の原因となる行為が無効であり、その行為により生じた経済的成果がその行為の無効であることに基因して失われたときは、税務署長は、その後に当該支払の存在を前提として納税の告知をすることはできないものと解される。そして、当該行為が錯誤により無効であることについて、一定の期間内に限り錯誤無効の主張をすることができる旨を定める法令の規定はなく、また、法定納期限の経過により源泉所得税の納付義務が確定するものでもない。したがって、給与所得に係る源泉所得税の納税告知処分について、法定納期限が経過したという一事をもって、当該行為の錯誤無効を主張してその適否を争うことが許されないとする理由はないというべきである。」

「以上と異なる見解の下に、Xが法定納期限の経過後に本件債務免除の錯誤無効を主張することは許されないとした原審の判断には、法令の解釈適用を誤った違法があるものといわざるを得ない。しかしながら、Xは、本件債務免除が錯誤により無効である旨の主張をするものの、…納税告知処分が行われた時点までに、本件債務免除により生じた経済的成果がその無効であることに基因して失われた旨の主張をしておらず、したがって、Xの主張をもってしては、本件各部分が違法であるということはできない。そうすると、本件各部分が適法であるとした原審の判断は、結論において是認することができる。」

〔コメント〕

本件においては、大きく錯誤無効の主張の可否と源泉徴収義務が争点とされた。前者の錯誤無効については、差戻上告審の結論において、法定納期限の経過後に本件債務免除の錯誤無効を主張することができないということはないが、納税告知処分が行われた時点までに本件債務免除により生じた経済的成果がその無効であることに基因して失われた旨の主張をしていなかったとして、Xの救済はなかった。後者の問題は所得税法プロパーの問題であるので、強調して取り上げてみたい。

本件高裁判決は、本件債務免除益は役員の役務の対価とはいえないことから「給与等」に該当しないとし、したがって源泉徴収義務も発生しないとしている。これに対して、本件最高裁判決はそれを覆し、給与等に該当するとした上で、源泉徴収義務の存在を肯定している。すなわち、同最高裁は、本件のような多額の金員の貸付けと債務免除は、乙の理事長及び専務理事としての地位や貢献を考慮した結果であるとして、雇用契約に類する原因に基づき提供した役務の対価と解すべきと示したのである。本件最高裁判決のロジックは、いわゆる弁護士顧問料事件**87**最高裁昭和56年4月24日第二小法廷判決（188頁参照）と、いわゆる親会社ストック・オプション訴訟108最高裁平成17年1月25日第三小法廷判決（232頁参照）を引用していることからも明らかなとおり、給与所得該当性を論じる従来の裁判例の多くと整合的な理解であるといえよう。

もっとも、本件では、結論において給与所得に係る源泉徴収義務が認められたわけであるが、本件地裁判決で論じられたように、債務免除に係る源泉徴収義務についてはその法的根拠や実効性の問題など固有の論点が伏在している。以下では、この点に焦点を当ててみよう。

1　本件通達についての本件地裁判決の理解

⑴　本件通達と所得税法36条

いうまでもなく、本件通達（旧所基通36－17）は、所得税法36条《収入金額》に関する解釈通達である。同条は、「収入金額とすべき金額又は総収入金額に算入すべき金額」の規定であるところ、本件通達によって「債務免除益のうち、債務者が資力を喪失して債務を弁済することが著しく困難であると認められる場合に受けたものについては、各種所得の金額の計算上収入金額又は総収入金額に算入しないものとする。」としているのである。すなわち、ここでは、「収入金額とすべき金額又は総収入金額に算入すべき金額」に算入しないと解釈しているのであって、「収入」でないとしているわけではない。

したがって、仮に、本件通達の解釈が妥当であるとしても（そもそもこのような解釈が妥当であるか否かについては後述する。）、「収入」が否定されているわけではない。ただ少なくともいえることは、このように、債務免除益を収入金額とすべき金額に算入しないという通達が存在意義を有するのは、債務免除益について、これをそもそも「収入」と解釈していることを前提としているという点である。

ところで、所得税法36条にいう「収入」とは何であろうか、どのようなものを指すのであろうか。我が国の所得税法は、取得型（発生型）所得概念を念頭に構築されており、各人が収入等の形で新たに取得する経済的価値、すなわち経済的利得を所得と観念する考え方を採用している。例えば、法人税法22条2項にいう、「収益とは、外部からの経済的価値の流入」であり、無償取引の場合には経済的価値の流入がそもそも存在しないと理解されている[53)]。そして、所得税法36条1項にいう「収入すべき金額」とは、「実現した収益」を指すと解されていることからすれば[54)]、同条項にいう実現した外部からの経済的価値の流入となる。さらに、これは、いまだ収入がなくても収入金額として認識すると考えるのが通説であり、ここにいう「収入すべき金額」とは、言い換えれば「収入すべき権利の確定した金額」のことであり[55)]、したがって、この規定は広義の発生主義のうちいわゆる

53）金子・租税法338頁。
54）金子・租税法310頁。
55）金子・租税法310頁。

権利確定主義を採用したものである、と一般に解されている[56]。

ところで、債務免除益をみたとき、外部からの経済的価値が実現したといえるのであろうか。また、上記の権利確定主義を念頭に置いた場合、権利の確定があるのであろうか。債務を返済しなくてよいという意味を有するにすぎず、何らかの権利が発生し、それが確定したといえるのであろうかという疑問が惹起される。また、あくまでも、ここにいう権利確定主義とは、所得の基礎たる経済的価値が流入したことを前提としているのであるから[57]、かような疑問が乗り越えられなければ、所得税法36条の適用問題には到底たどり着けないはずである。

本件地裁判決も、「債権者から債務免除を受けた場合、原則として、所得税法36条１項にいう『経済的な利益』を受けたことになり、免除の内容等に応じて事業所得その他の各種所得の収入となるものである」としており、債務免除益に対する所得税法36条の規定の適用は当然の前提とされているようである。

⑵　通達の法的根拠

イ　行政先例法アプローチ

このことを措くとしても、本件通達が「収入金額に算入しない」としていることは、給与所得の金額を０とすることを意味する。けだし、給与所得の金額は、収入金額から給与所得控除を控除した金額と定義されているからである（所法28②)。後述するが、平成26年度税制改正において新しく創設された所得税法44条の２《免責許可の決定等により債務免除を受けた場合の経済的利益の総収入金額不算入》は、本件通達のように「収入金額又は総収入金額」に算入しないとするのではなく、「総収入金額に算入しない」と規定していることから、給与所得については、適用がないことになる（当然ながら、総収入金額は、不動産所得、事業所得、

---

56) 最高裁昭和40年９月８日第二小法廷判決（刑集19巻６号630頁)、最高裁昭和49年３月８日第二小法廷判決（民集28巻２号186頁)、最高裁昭和53年２月24日第二小法廷判決（民集32巻１号43頁)。

57) 岡村忠生教授は、「権利確定主義やこれを補う管理支配基準には、根本的な誤りがある。それは、これらの考え方が、もっぱら対価、つまり、取引によって納税者に入って来たものに着目していることである。所得課税の観点からは、入って来た対価ではなく、譲渡された目的物や提供された役務、つまり、出て行ったものが着目されねばならない。その理由は、…清算課税説に見られるように、所得課税の基本的な考え方として、資産の譲渡に係る損益は、納税者の保有期間にどれだけの価値変動があったか、納税者がどれだけの価値を付加したかによって算定され、また、役務提供にかかる損益も、納税者がどれだけの価値のある役務を提供したかによって算定されるからである。そうでなければ、無償取引のように対価が観念できない取引をはじめ、現物出資や現物配当についても収益が発生することを説明できない。」とされる（岡村『法人税法講義〔第３版〕』59頁（成文堂2007))。

山林所得及び雑所得の金額の計算の際の概念である。)。

ところで、本件地裁判決は、「収入金額に算入しない＝非課税とする」と理解しているようである。すなわち、同判決は、「本件通達は、上記のような場合に受けた債務免除益への非課税を規定したものと解されるのであり、このような規定の内容及び上記認定のとおりのその趣旨からすれば、本件通達による上記非課税の取扱いは、所得税法等の実定法令に反するものとはいえず、相応の合理性を有するものということができる。」とするのである。ここにいうその趣旨とは、担税力がないところに課税をしないという意味であると理解し得たとしても、非課税措置を通達で設けることに問題はないのであろうか。何故、実定法令に反するものといえないと結論付けられるのであろうか。

ここで考えられる筋としては、通達の取扱いが長らく国民に知れ渡り、国民の間に法的確信が生じているという意味での法源性の存在である[58)]。行政先例法たる慣習法の成立というロジックである。通説に従えば、行政先例法は納税者に有利な局面でのみ成立が認められるとされていることからすれば[59)]、本件のような債務免除の場合の経済的利益に対する課税を行わないとする取扱いは納税者に有利なものといえよう。また、通説は、行政先例法の成立が認められる場合、その内容の改正を行うためには、立法によるほかないとする[60)]。平成26年度税制改正において新設された所得税法44条の２は、「総収入金額に算入しない」との規定振りによるものであるから、その対象は、通達において各種所得の金額が対象とされていたものを、不動産所得、事業所得、山林所得及び雑所得の金額のみに限定されたようである。本件通達が行政先例法と認められるのであれば、通達の改正でその対象所得区分を限定することは許されず、立法によるほかなかった。その意味で、立法によって平成26年度に法律を創設する形で実質的には本件通達の内容を改正したとみることも不可能ではない。つまり、本件通達が行政先例法として認識されていたからこその法律制定による取扱いの変更であったといえるのかもしれない。

なるほど、本件地裁判決が、「本件通達が相応の合理性を有する一般的な取扱いの基準として定められ、広く周知されているものである」としていることからすれば、裁判所が本件通達を行政先例法として認めていたと考えることが一見するとできそうである。しかしながら、この説示のくだりは、あくまでも、「広く周知されている」という点についてのみ論じられており、通達の取扱いについて、国民の法的確信が認められるという点については何ら述べられていない。このことからすれば、かかる説示部分のみを頼りに、裁判所が行政先例法を認めたと理解するのははなはだ早計であろう。やはり、この説示からすれば、せいぜい言えても、

58）行政先例法の成立要件については、金子・租税法115頁参照。

59）金子・租税法115頁。

60）金子・租税法115頁。

裁判所は本件通達を「事実たる慣習」[61]として認めているというにとどまるといわざるを得ない。これだけをもって、行政先例法たる「慣習法」の成立を前提としているとは到底いえない[62]。

本件地裁判決が、行政先例法の成立を認めたわけではないとすると、本件通達の法的根拠は奈辺にあると同裁判所は考えているのであろうか。

むしろ、本件地裁判決は、法的根拠をもってして本件通達の適法性を論じるのではなく、かかる取扱いについての平等原則違反の点から、通達の適用を許容しているにすぎないと読む方が自然であろう。すなわち、本件地裁判決が、「課税庁においてこれを恣意的に運用することは許されないのであって、本件通達の適用要件に該当する事案に対して合理的な理由もなくその適用をしないとすることは、平等取扱いの原則に反し、違法となるというべきである。」としているのは、単に行政処分としての違法性を論じているだけである。そして、この文脈からは、前述の通達の「合理性」の問題はあくまでも、この平等原則違反を論じるための前提であると位置付けられることになる。

そうなると、仮に本件からいったん離れてみた場合、全ての納税者に一律にこの通達の取扱いをしないこととなっても、場合によっては、法的問題にはならないのかもしれない。したがって、仮に本件地裁判決の平等原則違反の構成が妥当であるとしても、本件通達が解釈通達として妥当な法的解釈であるかといえるかという点での法的問題は依然として残されているように思われるのである。

ロ　所得税法36条にいう「経済的利益」

大阪地裁平成24年2月28日判決（税資262号順号11893）は、「相続税法8条ただし書1号は、同条本文の例外として、債務者が資力を喪失して債務を弁済することが困難である場合において、当該債務の全部又は一部の免除を受けたときは、その贈与により取得したものとみなされた金額のうちその債務を弁済することが困難である部分の金額については、同条本文の規定を適用しない旨を規定する。これは、債務者が経済的破綻状態に至った場合においてやむを得ず、又は道義的に行われた債務免除にまで贈与税が課されることは適当でないとの考えに基づいて定められた規定であるところ、債務者が資力を喪失して債務を弁済することが困難であるか否かの判断時期が債務免除の直前であることは、同規定の趣旨からも、またその文言からも明らかである。そうすると、個人から受けた債務免除益については、債務免除の直前の状況を前提に資力を喪失して債務を弁済することが困

61）事実たる慣習については、酒井克彦『プログレッシブ税務会計論Ⅲ』39頁以下（中央経済社2019）参照。

62）「事実たる慣習」は、「慣習法」としての「法的確信」にまで到達していない程度の慣習をいうものとされている（小林忠正『スタートアップ法学〔補訂版〕』61頁（成文堂2006））。

難であったが、債務免除の結果、債務者が資力を回復したというような場合でも、一定の範囲で贈与税が課されないことになる（かかる場合において、所得税も課されないことは明らかである。)。

ところで、基本通達36－17は、所得税法9条1項16号が適用されない債務免除益、すなわち、法人が個人に対してした債務免除等に係る債務免除益に適用される規定であるところ、債務免除を行った者が個人であるか法人であるかといった債権者の属性によって、債務免除益に課税するか否かについて差異を設ける合理的な理由があるとは認め難い。そうすると、法人である債権者から債務免除を受けた場合、当該債務免除後においても、債務者が資力を喪失して債務を弁済することが著しく困難である場合でなければ、全く基本通達36－17の適用がないとすることは、個人から債務免除を受けた場合と比して均衡を失するものといえる。他方、法人である債権者から債務免除を受ける前において、債務者が資力を喪失して債務を弁済することが著しく困難であれば、当該債務免除の結果債務者が資力を回復した場合であっても、当然に債務免除益全額を収入金額に算入しないというのも、個人から債務免除を受けた場合と比してやはり均衡を失するものといえる。」とする。このように、大阪地裁は、個人間において資力喪失状態の場合になされる債務免除益に贈与税が課税されないことと、同様の状況において法人からの債務免除を受けた場合との平仄を考慮に入れると、本件通達に合理性があるとするのである。

そして、所得税法9条1項10号が、資力を喪失して債務を弁済することが著しく困難である場合における強制換価手続による資産の譲渡による所得その他これに類するものとして政令で定める所得については所得税を課さない旨規定しているのは、資力を喪失して債務を弁済することが著しく困難であるために強制換価手続等が行われる者から所得税を徴収することが困難であることや、強制換価手続等による資産の譲渡が本人の意思に基づかない強制的な譲渡であり、あるいはそれと同視できるものであること等を考慮したことによるものと解されるとする。

加えて、法人税法59条《会社更生等による債務免除等があった場合の欠損金の損金算入》1項1号は、内国法人について更生手続開始の決定があった場合において、その内国法人が当該更生手続開始の決定があった時においてその内国法人に対し政令で定める債権を有する者から当該債権につき債務の免除を受けた場合に該当するときは、その該当することとなった日の属する事業年度前の各事業年度において生じた欠損金額で政令で定めるものに相当する金額のうちその債務の免除を受けた金額の合計額に達するまでの金額は、当該適用年度の所得の金額の計算上、損金の額に算入する旨規定し、同条2項1号は、内国法人について再生手続開始の決定があったことその他これに準ずる政令で定める事実が生じた場合において、その内国法人がこれらの事実の生じた時においてその内国法人に対し政令で定める債権を有する者から当該債権につき債務の免除を受けた場合に該当するときは、その該当することとなった日の属する事業年度前の各事業年度において生じた欠損金額で政令で定めるものに相当する金額のうちその債務の免除を受けた金額の合計額に達するまでの金額は、当該適用年度の所得の金額の計算上、損金の額に算入する旨規定する。大阪地裁は、このように、論じた上で、「会社更生手続又は民事再生手続が開始された法人が受けた債務免除益については、法人税法上、これを益金に算入する扱い自体に変更はないものの、当該債務免除額を限度として、通常の繰越控除の適用期間を経過した欠損金の損金算入を認めるものとされており、法人の再建をより容易にする趣旨の規定が設けられているということができる。これに対し、民事再生手続が開始された個人が受けた債務免除益については、所得税法上、個人の再建を支援する趣旨の特別の規定は設けられていない。これは、民事再生手続が開始された個人の再建を支援することについては、基本通達36－17がその役割を果たしていることによるものと解することもできよう。」とする。

もっとも、いかに合理性を有する取扱いであったとしても、租税法律主義の下、通達の取扱いに法源性を認めるわけにはいかず、通達が、上級行政機関がその内部的権限に基づき、下級行政機関や職員に対し発する行政組織内部の命令にすぎず、国民の権利義務に直接の法的影響を及ぼすものではないことからすれば、通達に従った税務処理が適法であるというためには、当該通達がその拠って立つ法令に整合するものであることが必要である。

そこで、この点につき、大阪地裁は次のように論じている。

すなわち、「所得税法は、…個人の収入のうちその者の担税力を増加させる利得に当たる部分を所得とする趣旨に出たものと解される。このことに鑑みると、同法36条１項が、経済的な利益をもって収入する場合にはその利益の価額を各種所得の計算上収入金額又は総収入金額に算入する旨規定しているのは、当該経済的な利益のうちその者の担税力を増加させる利得に当たる部分を収入金額及び総収入金額に算入する趣旨をいうものと解すべきである。そして、債務免除を受ける直前において、債務者が資力を喪失して債務を弁済することが著しく困難であり、債務者が債務免除によって弁済が著しく困難な債務の弁済を免れたにすぎないといえる場合には、当該債務免除という経済的利益によって債務者の担税力が増加するものとはいえない。そうすると、基本通達36－17本文は、当該債務免除の額が債務者にとってその債務を弁済することが著しく困難である部分の金額の範囲にとどまり、債務者が債務免除によって弁済が著しく困難な債務の弁済を免れたにすぎないといえる場合においては、これを収入金額に算入しないことを定めたものと解するのが相当であり、このような解釈は、所得税法36条の趣旨に整合するものというべきである。（なお、前記のとおり債務免除益は経済的利益に当たるものであるから、基本通達36－17本文の趣旨は、債務免除益が当該債務免除を受けた債務者の担税力を増加させない場合に積極的に課税をすることを避けようというものにとどまるというべきである。したがって、関連業務に係る損失の控除等によって課税が生じない範囲では原則どおり当該債務免除益を収入金額に算入するという基本通達36－17ただし書の取扱いは、上記に説示した同本文の解釈と矛盾しないものといえる。)」と論じる。

この判決は、所得税法36条の「経済的利益」を「経済的利益のうち、納税者の担税力を増加させるもの」と解釈しているように思われる。けだし、大阪地裁は、債務免除益を経済的利益に当たるとした上で、それでも、債務免除益が債務免除を受けた債務者の担税力を増加させない場合に課税を避けるという趣旨であれば、所得税法36条の趣旨に整合するとしているからである。

このように、所得税法36条の「経済的利益」を担税力の観点から解釈をするという手法は、これまで課税実務においてもしばしば採用されてきた。

(3)　本件通達と所得税法183条

次なる問題は、一応の法律的な説明が可能であったとした場合に、かかる取扱いが源泉徴収義務に何らかの影響を及ぼすのかという点である。

本件地裁判決は、上記平等原則違反を論じた上で、なお書きにおいてではあるが、「本件通達は、上記のような場合に受けた債務免除益については、『各種所得の金額の計算上収入金額又は総収入金額に算入しないものとする』とのみ定めているが、この定めは、給与所得に係る源泉所得税額の計算上給与等の金額に算入しないとする趣旨も含むものと解される。」とする。

この点には注意が必要である。

本件においては、本件通達の適用が肯定された上で、給与所得に対する源泉徴収義務が否定されたのであるが、源泉徴収義務を否定する論理的根拠は、上記のなお書きのくだりにのみ記されている。すなわち、「各種所得の金額の計算上、収入金額…に算入しない」との本件通達の書き振りからすれば、所得税法28条《給与所得》にいう給与所得にも同通達の射程が及ぶとしている。本件地裁判決は、この点は当然であると考え、単に「なお書き」において付言したにすぎないのかもしれない。国税不服審判所平成17年2月28日裁決[63)]が、「上記通達〔筆者注：本件通達〕は、所得税法第36条第1項に規定する各種所得の金額の計算上収入金額又は総収入金額に算入すべき金額について定めたものであり、10種類に類別される所得のうち特定のものについて又は特定のものを除外して定められたものとは解されないから、給与所得に係る源泉所得税についても適用されるものであり、上記通達の定める取扱いにより、各種所得の金額の計算上収入金額又は総収入金額に算入しない債務免除益は、その支払の際も、給与所得の金額の計算上収入金額に算入されず、その支払者に源泉徴収義務は生じないものと解するのが相当である。」としている点に表れているように、国税当局はこのように理解してきたと思われる。

---

63)　この裁決を扱った論稿として、酒井克彦「債務免除益に係る源泉徴収義務―国税不服審判所平成17年2月28日裁決を素材として―」税務事例46巻3号54頁（2014）参照。

この点については異論がなかったとしても、問題は、債務免除益を「給与所得に係る収入金額に算入しない」とするのではなく、「給与所得に係る源泉所得税額の計算上給与等の金額に算入しない」とする点である。つまり、源泉徴収税額の計算に影響を与えないかのような表現をしているのである。なぜ、このようななお書きが必要であったのであろうか。

本件では、Xの源泉徴収義務の有無が争点となっている。より正確に述べれば、所得税法183条《源泉徴収義務》の適用問題である。

所得税法183条は、「居住者に対し国内において第28条第1項《給与所得》に規定する給与等（以下この章において『給与等』という。）の支払をする者は、その支払の際、その給与等について所得税を徴収し、その徴収の日の属する月の翌月10日までに、これを国に納付しなければならない。」と規定し、「給与等の支払」を源泉徴収義務の成立要件の一つとしている[64)]。この条文は、源泉徴収義務の要件として「収入金額」や「総収入金額」に算入されるものを規定しているのではない。源泉徴収義務の要件はあくまでも「給与等の支払」である。

そうであるのに、なぜ、本件通達に、「源泉徴収税額の計算上給与等の金額に算入しないとする趣旨」が含まれるのであろうか。再説すれば、所得税基本通達36－17とは所得税法36条の解釈通達である。同条は、「所得金額の計算の通則」に係る規定であって源泉徴収義務の通則規定ではない。源泉徴収義務は給与等の「支払」の事実に着目をして成立することを謳っているのである。本件通達にいう「収入金額に算入しない」という点を「支払がないものとする」という内容を織り込んでいると拡張して解釈せよというのであろうか。「支払」とは事実行為である。それがあったこととなるとか、なかったこととなるとかという点を通達によって左右することはできまい。この点については深慮ある検討が必要とされよう。

⑷　源泉徴収義務の実効性

イ　源泉徴収義務と確定申告による清算

所得税基本通達36－17によって、「収入金額」に算入しないとしても、そのことが直接に源泉徴収義務を否定することにはならないというべきであろう。再説すれば、あくまでも、源泉徴収義務は「支払」の事実さえあれば成立してしまうのである。もっとも、筆者の論じるような文理解釈に従えば、給与所得の金額がないのにもかかわらず、源泉徴収義務のみが成立してしまい、かかる源泉徴収義務は自動確定の税目であることからすれば、実体法の納税義務のないところに源泉徴収義務だけが成立するといういささか座りの悪い状況を招来してしまうことに

64）所得税法183条にいう「支払」の意義については、酒井克彦「源泉徴収義務者は誰か（上）（中）―代表者による金銭の不正領取に係る源泉徴収義務が争われた事例（大阪高裁平成15年8月27日判決）を素材として―」税務事例46巻5号1頁、同6号8頁（2014）など参照。

なりはしないかという問題が浮上する。すなわち、給与所得者としては「総収入金額に算入しない」としていることから、債務不履行に係るこの分の給与所得課税は発生しない。給与所得者としては、この分の給与所得がないのにもかかわらず、源泉徴収されることになるのである。

しかしながら、そうであるからといって、租税法律主義の下、文理解釈を軽視することはできない。

そこで、この場合、給与所得者は確定申告において、還付申告をしなければならないことになる。所得税法120条《確定申告》１項５号にいう「各種所得につき源泉徴収をされた又はされるべき所得税の額」とは、同法の適法な適用によって源泉徴収された又はされるべき金額を指すと理解されているから、同法183条により源泉徴収されるべき金額（この場合、債務免除益に係る源泉徴収税額を含めた源泉徴収税額）を確定申告書に記載しなければならないのである。

さて、そもそも、上記の理解は、所得税法183条にいう「支払」に債務免除が含まれるとするところから出発している。本当に債務免除は「支払」があったといえるのであろうか。むしろ、債務免除益については「支払」があったとはいえないと理解すべきなのではなかろうか。明確な支払という行為があった場合に、その行為に付随して、源泉徴収義務が発生するという考え方が妥当なのではなかろうか。

仮に、そのように解せば、源泉徴収義務を観念しないことになるから、本来の納税者、本件でいえば、乙理事長の給与所得課税がないことと源泉徴収義務の発生がないことは整合性を担保できる。もちろん、通常の債務免除益の場合には、給与所得者が自ら確定申告をする必要がある。

しかしながら、平成26年度税制改正によって新たに創設された所得税法44条の２は、給与所得者については、資力喪失の状態であっても、債務免除益について収入金額に算入しないとは規定していない。前述のとおり、規定しているのは、「総収入金額」についてのみであるから、対象となるのは、不動産所得、事業所得、山林所得、雑所得のみである。したがって、今後は、本件の乙理事長に対して債務免除を行ったとしても、債務免除益については給与所得の対象となり、所得税法183条の源泉徴収義務が残ることになるのである。かような意味で、給与所得がないのにもかかわらず、源泉徴収のみがなされることから、確定申告によってその分の還付を受けるというような煩わしさはなくなったといえよう。

ロ　資力喪失者たる給与所得者の担税力

他方で、資力喪失者の救済法理として整理されるこの手の取扱いから、なぜ給与所得が排除されるのかという議論は依然として残されている。

担税力が減殺されているという点でいえば、事業所得者も不動産所得者も給与所得者も同じであるように思われる。そうであるにもかかわらず、なぜ、平成26年度税制改正では、本件通達が認めてきた資力喪失状態にある給与所得者に対して課税を行わないという取扱いを継続しなかったのであろうか。

所得税法9条《非課税所得》1項10号は、「資力を喪失して債務を弁済することが著しく困難である場合における国税通則法第2条第10号《定義》に規定する強制換価手続による資産の譲渡による所得その他これに類するものとして政令で定める所得（第33条第2項第1号《譲渡所得に含まれない所得》の規定に該当するものを除く。）」については非課税とすると規定するが、本件通達はこの条項と同様の趣旨であると解されてきた。この点は、本件地裁判決も、「本件通達の定めにおいて用いられている『資力を喪失して債務を弁済することが著しく困難』であるとの文言は、所得税法9条1項10号及び所得税法施行令26条の各規定において用いられている文言と同じであり、これらの各規定における当該文言の意義については、所得税基本通達9－12の2において、『債務者の債務超過の状態が著しく、その者の信用、才能等を活用しても、現にその債務の全部を弁済するための資金を調達することができないのみならず、近い将来においても調達することができないと認められる』場合をいうとされているから、本件通達の定めにおいても、当該文言が上記と同じ意義を有するものとして用いられているものと解される。」と説示している。このように譲渡所得については、特別の規定があるという点で、同所得区分が他の所得と性質を異にするという面はあるかもしれないが、債務免除に対する課税免除という文脈で、不動産所得、事業所得、山林所得、雑所得と給与所得を分ける積極的な理由があるのであろうか。

むしろ、前述の国税不服審判所平成17年2月28日裁決が、「上記通達〔筆者注：本件通達〕は、… 10種類に類別される所得のうち特定のものについて又は特定のものを除外して定められたものとは解されない」としているとおりではないかと思われる。

具体的に、資力喪失の状況にある者に対して、通達をもって債務免除益に対する課税免除を行うことは租税法律主義に反するおそれがあると考えるが、担税力への配慮という観点から具体的な立法上の措置を講ずることには問題がないように思われる。これまで、法律の明確な根拠が極めて希薄な中にあって、それでも、通達で課税免除処理を認めてきたのである。換言すれば、極めて法的説明の困難ないわば境界線ギリギリのところを課税免除としていたにもかかわらず、いざ法律という根拠を創設するに当たって、それまで、かろうじて解釈論で耐えてきた給与所得や退職所得を課税免除の対象から除外するのはなぜなのか。判然としないのである。

そもそも、資力喪失者に対する債務免除の際における源泉徴収の実効性がいかほどのものかという極めて実際的な問題も大きいといわざるを得ない。

この点、仙台地裁平成17年2月28日判決（税資255号順号9945）が、次のように判示していたところと同様の見地に立っているといえよう。すなわち、同地裁は、「所得税法9条1項10号は、基本通達36－17と同様の文言を用いて、資力を喪失して弁済することが著しく困難な場合における強制換価手続による資産の譲渡による所得について、これを非課税とする旨定めている。これは、このような場合の譲渡所得もあくまで所得ではあるものの、実際上担税力のある所得を得たとはいいがたく、税の納付能力がないために課税しても徴収不能となって無意味であることから非課税とした趣旨の規定と解され、これを受けた基本通達9－12の2が『資力を喪失して債務を弁済することが著しく困難である場合とは、債務者の債務超過の状態が著しく、その者の信用、才能等を活用しても、現にその債務の全部を弁済するための資金を調達することができないのみならず、近い将来においても調達することができないと認められる場合をいう』旨の定めをしているのも、上記の法の趣旨を敷衍し、譲渡所得があっても担税能力のない場合を具体的に明確にしたものといえる。」とし、「所得税法の規定を受けて制定された基本通達が、同法の規定と同様の文言を用いている以上、特段の事情がない限り、その意義についても同様に解するのが相当であるから、基本通達36－17は、所得税法9条1項10号と同様の状況を想定した規定であると解される。」とするのである。

4　給与所得控除等

給与所得は、その年中の給与等の収入金額から、その収入金額に応じて算定される次の給与所得控除額を差し引いて算出する（所法28②③）。なお、平成24年度改正、同26年度改正、同30年度改正において、高額な給与収入のある者に対する控除額についての減額改正がなされている。

その年中の給与等の収入金額－給与所得控除額＝給与所得の金額

■令和2年分以降

給与等の収入金額 （給与所得の源泉徴収票の支払金額）	給与所得控除額
1,625,000円まで	550,000円
1,625,001円から　1,800,000円まで	収入金額×40%－　100,000円
1,800,001円から　3,600,000円まで	収入金額×30%＋　80,000円
3,600,001円から　6,600,000円まで	収入金額×20%＋　440,000円
6,600,001円から　8,500,000円まで	収入金額×10%＋1,100,000円
8,500,001円以上	1,950,000円（上限）

■平成29年～令和元年分

給与等の収入金額 （給与所得の源泉徴収票の支払金額）	給与所得控除額
1,625,000円まで	650,000円
1,625,001円から　1,800,000円まで	収入金額×40%
1,800,001円から　3,600,000円まで	収入金額×30%＋　180,000円
3,600,001円から　6,600,000円まで	収入金額×20%＋　540,000円
6,600,001円から　10,000,000円まで	収入金額×10%＋1,200,000円
10,000,001円以上	2,200,000円（上限）

■平成28年分

給与等の収入金額 （給与所得の源泉徴収票の支払金額）	給与所得控除額
1,625,000円まで	650,000円
1,625,001円から　1,800,000円まで	収入金額×40%
1,800,001円から　3,600,000円まで	収入金額×30%＋　180,000円
3,600,001円から　6,600,000円まで	収入金額×20%＋　540,000円
6,600,001円から　10,000,000円まで	収入金額×10%＋1,200,000円
10,000,001円から　12,000,000円まで	収入金額×５%＋1,700,000円
12,000,001円以上	2,300,000円（上限）

理論的には、給与所得についても、必要経費に該当する支出を観念できるが、旅費や通勤費あるいは職業上必要な用具の購入費などは、通常、使用者が負担する場合が多いし、教養のための書籍代のほか、衣服、靴等の身の回り品の購入費用、部下や同僚等との交際費などは、「家事費」又は「家事関連費」であって、所得税法上の必要経費には該当しない（所法45①)。そこで所得税法では、給与所得には、事業所得のような実額経費控除を認めず、それに代わるものとして、必要経費の概算控除たる給与所得控除を規定しているのである。かつて、政府税制調査会は、給与所得控除の性格について、①勤務に必要な経費の概算的な控除、②給与所得が本人の勤労による所得で、有期的かつ不安定であり、他の所得に比して担税力が弱いことに対する斟酌、③給与所得が源泉徴収の方法で徴税され、他の所得に比して相対的に把握が容易であることに対する配慮、

④源泉徴収による早期納税に伴う金利の調整、の四つの要素があるとしていた。その後、平成12年７月付け政府税制調査会中期答申「わが国の税制の現状と課題」では、給与所得控除の性格について、勤務費用の概算控除及び他の所得との負担調整の二つの要素が含まれると整理し、雇用形態の変化などを挙げて他の所得との負担調整という配慮の必要性が薄れてきているので、今後は、勤務費用の概算控除としての性格をより重視する方向で、そのあり方について検討すべきであるとしている（平成15年６月付け政府税制調査会中期答申「少子・高齢社会における税制のあり方」も同じ）。

もっとも、給与所得控除の水準が今日のように大幅に拡充されたのは、給与所得者の所得捕捉率が他の所得者に比べて高く、給与所得者の税負担が相対的に高くなるという不公平感に配慮されたことも見逃せない。世上、“クロヨン”“トーゴーサンピン”（サラリーマンの税の捕捉率は９割又は10割、自営業者のそれは６割又は５割、農家は４割又は３割、政治家は１割と比職的に表現）といわれるように、サラリーマンの収入は、源泉徴収によってほぼ把握されているのである。

平成30年度税制改正では、給与所得控除の上限額が従来の220万円（給与収入1,000万円超）から195万円（給与収入850万円超）に引き下げられたが、これは、基礎控除について一律10万円の引上げ（38万円から48万円へ）がなされたことに伴う財源確保の目的も有している。なお、同改正では、併せて特別措置として、「所得金額調整控除」も導入されている。これは、給与等の収入金額が850万円を超える居住者で、①特別障害者に該当する者、②23歳未満の扶養親族を有する者、③特別障害者である同一生計配偶者若しくは扶養親族を有する者については、給与等の収入金額（1,000万円限度）から850万円を控除した金額の10％相当額を、その年分の給与所得の金額から控除するものである（措法41の３の３）。この措置は、給与収入が1,000万円以下で子育て中又は介護中などの者に、給与所得控除の引下げによる税負担の増加を及ばさないための措置であり（金子・租税法251頁）、公的年金等を有する者についても一定の所得金額調整控除が設けられている。

裁判例の紹介

大嶋訴訟

給与所得者の所得計算ルールが憲法14条に違反しないとされた事例

（129第一審京都地裁昭和49年５月30日判決・民集39巻２号272頁）[65)]
（130控訴審大阪高裁昭和54年11月７日判決・民集39巻２号310頁）[66)]
（131上告審最高裁昭和60年３月27日大法廷判決・民集39巻２号247頁）[67)]

〔事案の概要〕

本件は、私立Ｄ大学の教授であったＸ（原告・控訴人・上告人）が、昭和39

65）判例評釈は、前掲35）を参照。

66）判例評釈として、品川芳宣・税通35巻４号203頁（1980）、林修三・時法1091号52頁（1980）、清永敬次・ジュリ709号114頁（1980）、畠山武道・租税百選〔２〕24頁（1983）など参照。

67）判例評釈として、金子宏・判評332号２頁（1986）、同・租税百選〔７〕４頁（2021）、同＝清永敬次＝宮崎直見・ジュリ837号６頁（1985）、泉徳治・昭和60年度最高裁判所判例解説〔民事篇〕74頁（1989）、同・曹時38巻５号223頁（1986）、同・ジュリ837号39頁（1985）、清永敬次・民商94巻１号97頁（1986）、同・税弘33巻３号６頁（1985）、碓井光明・ジュリ837号24頁（1985）、同・憲法百選Ⅰ〔４〕72頁（2000）、水野忠恒・昭和60年度重要判例解説〔ジュリ臨増〕11頁（1986）、中里実・戦後重要租税判例の再検証12頁（2003）、山田二郎・税通40巻７号103頁（1985）、村井正・ひろば38巻６号33頁（1985）、同・税通40巻７号98頁（1985）、北野弘久・税通40巻７号80頁（1985）、吉牟田勲・税通40巻７号107頁（1985）、吉良実・ひろば38巻６号40頁（1985）、佐藤進・税通40巻７号86頁（1985）、名東孝二・税通40巻７号92頁（1985）、和田正明・ひろば38巻６号17頁（1985）、宇田川璋仁・税通40巻７号74頁（1985）、小山廣和・シュト292号１頁、293号１頁（1985）、岡光民雄・ひろば38巻６号４頁（1985）、平石雄一郎・ひろば38巻６号47頁（1985）、柳田広隆・判例からみた租税法の諸問題23頁（1994）、水野正一・ジュリ837号31頁（1985）、泉美之松・ひろば38巻６号11頁（1985）、同・税通40巻７号66頁（1985）、田中久夫・税務事例18巻１号４頁（1986）、石島弘・ひろば38巻６号24頁（1985）、石弘光・ジュリ837号49頁（1985）、畠山武道・法教56号134頁（1985）、林修三・時法1251号56頁、1252号50頁（1985）、須貝脩一・税通40巻９号13頁（1985）、荻野豊・税通40巻９号216頁（1985）、渡辺賢・法セ31巻３号37頁（1986）、榎本恒男・民研361号36頁（1987）、廣澤民生・憲法百選Ⅰ〔５〕70頁（2007）、西山由美・租税法の発展191頁（2010）、戸波江二・憲法百選Ⅰ〔６〕68頁（2013）、志賀櫻・租税訴訟７号115頁（2014）、君塚正臣・憲法百選Ⅰ〔７〕70頁（2019）、酒井・ブラッシュアップ２頁など参照。

年分の所得税の確定申告をせず、税務署長Ｙ（被告・被控訴人・被上告人）から課税処分を受けたところ、同課税処分の根拠である旧所得税法（昭和40年改正前のもの）の給与所得に関する諸規定が、給与所得者を他の所得者より不公平に扱うものであり、一括して憲法14条１項に違反するなどと主張して、課税処分の取消しを求めた事案である。

Ｘは、①所得税法上、事業所得等には必要経費の控除を認めておきながら、給与所得にはそのような規定がなく不公平であり、給与所得控除が経費控除の意味を持っているとしても、実際の経費額がそれを上回っている場合に超過分の控除を認めないのは不合理であり、Ｘはそのケースに該当すること、②給与所得者と事業所得者等との間の捕捉率には大きな較差があり、給与所得者は著しく不利益な扱いを受けていること、③事業所得等には租税特別措置法が設けられているのに対して給与所得にはそれがないため、不公平な租税負担を強いられていることなどを主張した。

〔争点〕

給与所得者に不公平な租税負担を強いる所得税法の規定が憲法14条１項に違反しているか。給与所得控除制度の趣旨・内容は合理性を有せず、憲法30条及び84条に違反しているか。

〔判決の要旨〕

1　第一審**京都地裁昭和49年５月30日判決**及び控訴審**大阪高裁昭和54年11月７日判決**ともにＸの主張を排斥した。

2　最高裁昭和60年３月27日大法廷判決

(1)「租税は、国家が、その課税権に基づき、特別の給付に対する反対給付としてでなく、その経費に充てるための資金を調達する目的をもって、一定の要件に該当するすべての者に課する金銭給付であるが、およそ民主主義国家にあっては、国家の維持及び活動に必要な経費は、主権者たる国民が共同の費用として代表者を通じて定めるところにより自ら負担すべきものであり、我が国の憲法も、かかる見地の下に、国民がその総意を反映する租税立法に基づいて納税の義務を負うことを定め（30条）、新たに租税を課し又は現行の租税を変更するには、法律又は法律の定める条件によることを必要としている（84条）。それゆえ、課税要件及び租税の賦課徴収の手続は、法律で明確に定めることが必要であるが、憲法自体は、その内容について特に定めることをせず、これを法律の定めるところにゆだねているのである。思うに、租税は、今日では、国家の財政需要を充足するという本来の機能に加え、所得の再分配、資源の適正配分、景気の調整等の諸機能をも有しており、国民の租税負担を定めるについて、財政・経済・社会政策等の国政全般からの総合的な政策判断を必要とするばかりでなく、課税要件等を定めるについて、極めて専門技術的な判断を必要とすることも明らかである。したがって、租税法の定立については、国家財政、社会経済、国民所得、国民生活等の実態についての正確な資料を基礎とする立法府の政策的、技術的な判断にゆだねるほかはなく、裁判所は、基本的にはその裁量的判断を尊重せざるを得ないものというべきである。そうであるとすれば、租税法の分野における所得の性質の違い等を理由とする取扱いの区別は、その立法目的が正当なものであり、かつ、当該立法において具体的に採用された区別の態様が右目的との関連で著しく不合理であることが明らかでない限り、その合理性を否定することができず、これを憲法14条１項の規定に違反するものということはできないものと解するのが相当である。」

(2)「給与所得者は、事業所得者等と異なり、自己の計算と危険とにおいて業務を遂行するものではなく、使用者の定めるところに従って役務を提供し、提供した役務の対価として使用者から受ける給付をもってその収入とするものであるところ、右の給付の額はあらかじめ定めるところによりおおむね一定額に確定しており、職場における勤務上必要な施設、器具、備品等に係る費用のたぐいは使用者において負担するのが通例であり、給与所得者が勤務に関連して費用の支出をする場合であっても、各自の性格その他の主観的事情を反映して支出形態、金額を異にし、収入金額との関連性が間接的かつ不明確とならざるを得ず、必要経費と家事上の経費又はこれに関連する経費との明瞭な区分が困難であるのが一般である。その上、給与所得者はその数が膨大であるため、各自の申告に基づき必要経費の額を個別的に認定して実額控除を行うこと、あるいは概算控除と選択的に右の実額控除を行うことは、技術的及び量的に相当の困難を招来し、ひいて租税徴収費用の増加を免れず、税務執行上少なからざる混乱を生ずることが懸念される。また、各自の主観的事情や立証技術の巧拙によってかえって租税負担の不公平をもたらすおそれもなしとしない。旧所得税法が給与所得に係る必要経費につき実額控除を排し、代わりに概算控除の制度を設けた目的は、給与所得者と事業所得者等との租税負担の均衡に配意しつつ、右のような弊害を防止することにあることが明らかであるところ、租税負担を国民の間に公平に配分するとともに、租税の徴収を確実・的確かつ効率的に実現することは、租税法の基本原則であるから、右の目的は正当性を有するものというべきである。」

(3)　給与所得控除について

「右目的との関連において、旧所得税法が具体的に採用する前記の給与所得控除の制度が合理性を有するかどうかは、結局のところ、給与所得控除の額が給与所得に係る必要経費の額との対比において相当性を有するかどうかにかかるものということができる。もっとも、前記の税制調査会の答申及び立法の経過によると、右の給与所得控除は、前記のとおり給与所得に係る必要経費を概算的に控除しようとするものではあるが、なおその外に①給与所得は本人の死亡等によってその発生が途絶えるため資産所得や事業所得に比べて担税力に乏しいことを調整する、②給与所得は源泉徴収の方法で所得税が徴収されるため他の所得に比べて相対的により正確に捕捉されやすいことを調整する、③給与所得においては申告納税の場合に比べ平均して約５か月早期に所得税を納付することになるからその間の金利を調整する、との趣旨を含むものであるというのである。しかし、このような調整は、前記の税制調査会の答申及び立法の経過によっても、それがどの程度のものであるか明らかでないばかりでなく、所詮、立法政策の問題であって、所得税の性格又は憲法14条１項の規定から何らかの調整を行うことが当然に要求されるものではない。したがって、憲法14条１項の規定の適用上、事業所得等に係る必要経費につき実額控除が認められていることとの対比において、給与所得に係る必要経費の控除のあり方が均衡のとれたものであるか否かを判断するについては、給与所得控除を専ら給与所得に係る必要経費の控除ととらえて事を論ずるのが相当である。しかるところ、給与所得者の職務上必要な諸設備、備品等に係る経費は使用者が負担するのが通例であり、また、職務に関し必要な旅行や通勤の費用に充てるための金銭給付、職務の性質上欠くことのできない現物給付などがおおむね非課税所得として扱われていることを考慮すれば、本件訴訟における全資料に徴しても、給与所得者において自ら負担する必要経費の額が一般に旧所得税法所定の前記給与所得控除の額を明らかに上回るものと認めることは困難であって、右給与所得控除の額は給与所得に係る必要経費の額との対比において相当性を欠くことが明らかであるということはできないものとせざるを得ない。」

(4)　捕捉率について

「所得の捕捉の不均衡の問題は、原則的には、税務行政の適正な執行により是正されるべき性質のものであって、捕捉率の較差が正義衡平の観念に反する程に著しく、かつ、それが長年にわたり恒常的に存在して租税法制自体に基因していると認められるような場合であれば格別（本件記録上の資料からかかる事情の存在を認めることはできない。）、そうでない限り、租税法制そのものを違憲ならしめるものとはいえないから、捕捉率の較差の存在をもって本件課税規定が憲法14条１項の規定に違反するということはできない。」

(5)　租税優遇措置について

「所論は合理的理由のない租税優遇措置の存在をいうが、仮に所論の租税優遇措置が合理性を欠くものであるとしても、そのことは、当該措置自体の有効性に影響を与えるものにすぎず、本件課税規定を違憲無効ならしめるものということはできない。」

〔コメント〕

本件最高裁判決は、租税法における最も重要な判決であるといわれている。それは、立法裁量基準、租税の本質、租税法律主義、租税公平主義、給与所得の課税ルールなど、租税法の基本的問題について、正面から根本的に論じた大法廷判決であるからにほかならない。

1　立法裁量基準

本件最高裁判決が摘示するとおり、最高裁は、これまでも憲法14条を合理的理由なくして差別することを禁止する趣旨として捉えてきた（最高裁昭和25年10月11日大法廷判決・刑集4巻10号2037頁、同昭和39年5月27日大法廷判決・民集18巻4号676頁等参照）。そこにいう合理性の基準について、上記最高裁は、いわゆる「二重の基準の法理」の「ゆるやかな合理性の基準」を採用しているようである。

この点につき、伊藤正己裁判官が補足意見として、「租税法は、特に強い合憲性の推定を受け、基本的には、その定立について立法府の広範な裁量にゆだねられており、裁判所は、立法府の判断を尊重することになるのであるが、そこには例外的な場合のあることを看過してはならない。租税法の分野にあっても、例えば性別のような憲法14条1項後段所定の事由に基づいて差別が行われるときには、合憲性の推定は排除され、裁判所は厳格な基準によってその差別が合理的であるかどうかを審査すべきであり、平等原則に反すると判断されることが少なくないと考えられる。性別のような事由による差別の禁止は、民主制の下での本質的な要求であり、租税法もまたそれを無視することを許されないのである。しかし、本件は、右のような事由に基づく差別ではなく、所得の性質の違い等を理由とする取扱いの区別であるから、厳格な基準による審査を必要とする場合でないことは明らかである。」と述べているとおりである。

☞ 二重の基準の法理とは、次のような考え方である。

　違憲審査基準としては、まず、国民の意思を反映して立法する権限をもつ国会の判断したところは、なるべく尊重されるべきものとして、法律に対する「合憲性推定の原則」が説かれ、明らかに違憲とされ得る誤りがなければ、裁判所は法律を違憲と判断すべきではないとする「明白性の原則」が存在している。もっとも、いかなる場合にもかような原則が働くわけではなく、一定の領域については、「合憲性推定の原則」が排されるべきであるとの考え方から「二重の基準の法理」が論じられるようになっている。すなわち、言論の自由などの精神的自由の領域については、経済的自由の領域に比して、裁判所は憲法の趣旨を基礎として、その規制立法に対して違憲の推定をし、厳格な判断を行うべきであり（「厳格な審査基準」）、他方、経済的自由の規制立法に対しては、むしろ、立法部の判断を尊重し、入念な審査を加えずに合理性を判断することが許容される「ゆるやかな合理性の基準」という二重の基準に従った判断が求められるというのである（伊藤正己『憲法〔第３版〕』645頁（弘文堂2004）参照）。

なるほど、経済的自由の保障については、その自由に加えられる制限に専門・技術性とか政策的配慮が関わるから、裁判所は、立法部の裁量の余地を認めるという一般的傾向があるが、本件最高裁判決も、「租税法の定立については、国家財政、社会経済、国民所得、国民生活等の実態についての正確な資料を基礎とする立法府の政策的、技術的な判断にゆだねるほかはなく、裁判所は、基本的にはその裁量的判断を尊重せざるを得ないものというべきである」とする。

✍ もっとも、経済的自由の領域ではあっても、規制目的に区分を見出し、必要最小限の規制がなされているか否かをみる「厳格な合理性の基準」の適用が求められるべき場合があるとの新たな傾向が登場している。また、伊藤正己裁判官は、生存権保障の議論において、裁判所が、立法者のとった政策判断を尊重しそこに合理的な目的を認めようとする判示方法を採用すると、「プログラム規定説」と同じことになってしまうとされる（伊藤・前掲書383頁）。租税法領域との関わりで考えると、例えば、所得税法上の基礎控除（所法86）は生存権保障から導出されるものであるといえよう。

☞ プログラム規定説とは、憲法25条１項の「すべての国民は、健康で文化的な最低限度の生活を営む権利を有する」との規定について、国に対してそこに規定された理念を実現するための政策的指針を定めたものであって、ここから直ちに具体的な法的権利の主張をすることはできないと説く考え方である（伊藤・前掲書380頁）。

2　給与所得の課税ルールと給与所得控除

本件最高裁判決は、「サラリーマンにも必要経費はあるが、給与所得控除の中に概算的に含まれており、事業所得者と比べ不公平ではない」とするが、次のような理由で、実額控除を認めないでよしとしている。

① 職場における勤務上必要な費用のたぐいは使用者において負担するのが通例であり、給与所得者が勤務に関連して費用の支出をする場合であっても、必要経費と家事上の経費等との明瞭な区分が困難である。

② 給与所得者の申告に基づき必要経費の額を個別的に認定して実額控除を行うことは、技術的及び量的に相当の困難を招来し、ひいて租税徴収費用の増加を免れず、税務執行上少なからざる混乱を生ずる懸念がある。

③ 各自の主観的事情や立証技術の巧拙によってかえって租税負担の不公平をもたらすおそれもなしとしない。

この三つの根拠は、事業所得者等の給与所得者以外の者についても当てはまり得る指摘であるから、かかる根拠があるから給与所得のみに実額控除が認められないというのにも無理があるようにも思える。もっとも、この判決の後、昭和62年度税制改正において、特定支出控除が認められることになった。

伊藤正己裁判官や谷口正孝裁判官は、「サラリーマンの実際の経費が給与所得控除を超えた場合、その制度で課税するのは合理性を欠き違憲」とする補足意見を付している。これらは、給与所得控除をサラリーマンの必要経費的な性質のものと捉えた上での議論である。給与所得控除について、本件最高裁判決は必要経費として位置付けているが、この点は本件地裁判決が、次のように4つの性質を有すると説示していたところと異なるのであろうか。

まず、本件京都地裁は、給与所得控除について、以下の「4つの内容を含み、これらが総合されてその趣旨をなしているものと認められる。」とする。

給与所得控除は、①給与収入を得るための必要経費を概算的に控除するだけでなく（必要経費の概算控除）、②給与所得は、利子、配当所得及び事業所得等に比べて、一般的に、担税力に乏しいのでこれを概算的に調整し（担税力の調整）、③給与所得の捕捉率とその他の申告所得の捕捉率との間にはある程度の較差が存在するので、これを概算的に調整するほか（捕捉率較差の調整）、④給与所得は、その他の申告所得に比べて平均約5か月程度早期に所得税を納付しているので、この間の金利差を概算的に調整する（金利調整）というのである。

次に、同地裁は、「必要経費の概算控除分が給与所得控除制度の中にどのようにして織り込まれ、給与所得控除額のうちのいかほどの割合（ないし金額）を占めているのかは必ずしも明確に画定されていない。」とした上で、②について、「給与所得の担税力の調整分を余りに重要視するのは必ずしも相当ではない」とし、③について、「本来単なる税務行政執行上の事実上の問題にすぎないと考えられるので、…給与所得控除制度の中に織り込まれている捕捉率の格差の調整分を余りに重要視するのは必ずしも相当ではない」とする。さらに、④については、「かなり僅少な額にとどまると認められる」とするのである。

この考え方は、本件最高裁が「給与所得控除を専ら給与所得に係る必要経費の控除ととらえて事を論ずるのが相当である」とする見解に通じているといえよう。

学説上の批判がある中ではあるものの、政府税制調査会や立法的対応を眺めると、給与所得控除を概算経費的なものと理解する傾向にあるといえよう。

なるほど、担税力の調整については、学説もこれを認める見解が多数を占めているが、なぜ勤労性所得のうち、給与所得についてのみ担税力が低いとしてこれを控除計算に反映させているのかが必ずしも明らかではないし、捕捉率較差の調整の問題意識は、捕捉率が低いといわれている事業所得についての適正な課税を執行上いかに手当すべきかという視角からのアプローチによって解決すべき論点である。捕捉率の低いレベルに合わせて公平を担保しようとする考え方は、シャウプ勧告がいうように捕捉漏れを放任するような議論にもつながりかねず疑問なしとはしない。また、金利差の調整という点では、その金額の大きさからして重要性に乏しいといわざるを得ない。かように考えると、給与所得控除を概算経費として捉えることに最も重要な意味があるとする判断は妥当であると思われる。

5　特定支出控除

(1)　特定支出控除の金額

その年の給与所得の総額に対する税額と源泉徴収された税額との過不足については、通常、年末調整により精算される（所法190）が、給与所得者が勤務に直接必要な特定の支出をした場合で、その年中の特定支出の合計額が給与所得控除額の２分の１に相当する金額を超えるときは、確定申告により、その超える部分を特定支出控除として控除することが認められている（所法57の２①）。

給与等の 収入金額	給与所得 控除額(a)	特定支出控除額のうち (a)×1/2を超える部分の額	− 給与所得の金額

給与所得者の特定支出とは、給与所得者の負担する、❶通勤費、❷旅費等、❸転任に伴う転居費用、❹研修費、❺人の資格取得費用、❻単身赴任者の帰宅旅費、❼職務必要経費をいうが、これらの費用を給与所得者が支出した場合であっても、その支出について使用者により補てんされる部分があり、その補てんされる部分が非課税とされている場合には、その支出のうち補てんされる部分は除かれる（所法57の２②、所令167の３）。

(2)　沿革

イ　従来の特定支出控除

この制度は、特定支出の負担を余儀なくされるサラリーマンの負担を考慮し、給与所得者についても確定申告の途を拓く趣旨で設けられたものである。その契機となったのは、前述のいわゆる大嶋訴訟131最高裁昭和60年３月27日大法廷判決（292頁参照）であった。同訴訟では、背広代、クリーニング代、散髪代、書籍代等の勤務に必要な費用を給与所得から控除すべきであるとして、かかる実額控除を認めていない所得税法の合憲性が争われたのであるが、同最高裁は、「給与所得者の職務上必要な諸設備、備品等に係る経費は使用者が負担するのが通例であり、また、職務に関し必要な旅行や通勤の費用に充てるための金銭給付、職務の性質上欠くことのできない現物給付などがおおむね非課税所得として扱われていることを考慮すれば、…給与所得者において自ら負担する必要経費の額が一般に旧所得税法所定の…給与所得控除額を明らかに上回るものと認めることは困難であって、…給与所得控除の額は給与所得に係る必要経費の額との対比において相当性を欠くことが明らかであるということはできない。」として、給与所得控除制度の合憲性を認めている。

しかし、その後、昭和62年度税制改正において特定支出控除の制度が設けられることになったのである。

我が国の大部分の企業では、サラリーマンの通勤費や旅費は会社持ちとされており、その支給額が通勤や旅行に通常必要なものと認められるものは、非課税所得とされており（所法９①四、五）、研修費や人の資格取得費用は、職務の遂行に直接必要なものに限って特定支出控除の対象としているから（所法57の２②四、五）、特定支出の金額が給与所得控除額を上回る事例は、極めて例外である。

ロ　特定支出控除の範囲の拡張

特定支出控除はその制度の活用が例外を除いて極めて少ないことが長い間指摘されてきた。その理由としては、そもそも給与所得控除額が高く設定されているという点も指摘し得るが、特定支出控除の枠が狭すぎるという面があったことも否定できない。そこで、平成24年度税制改正においては、特定支出控除の範囲に上記のものに加えて以下の点が追加されることとなった。

①　職務の遂行に直接必要な弁護士、税理士、弁理士などの資格取得費

②　職務必要経費

なお、職務必要経費とは、職務と関連のある図書の購入費、職場で着用する衣服費、職務に必要な交際費及び職業上の団体の費用をいう。その年中に支出

した職務必要経費の金額の合計が65万円を超える場合には、65万円が限度となる（所法57の２②五、七）。

また、平成30年度税制改正では、上記⑴の❷旅費等（勤務する場所を離れて職務を遂行するために直接必要な旅行であることにつき給与等の支払者により証明がされたものに通常要する支出で政令で定めるもの）が追加されるほか、上記⑴の❻の単身赴任者の帰宅旅費の範囲も拡充されている。

Ⅶ　退職所得

1　退職所得の意義

所得税法上、給与に係る所得には、給与所得と退職所得がある。この退職所得には、本来の退職所得とみなし退職所得がある。

本来の退職所得とは、退職手当、一時恩給その他の退職により一時に受ける給与及びこれらの性質を有する給与に係る所得をいう（所法30①）。

また、みなし退職所得とは、次のものをいう（所法31、措法29の６）。

① 国民年金法、厚生年金保険法、国家公務員共済組合法、地方公務員等共済組合法、私立学校教職員共済法及び独立行政法人農業者年金基金法の規定に基づく一時金その他これらの法律の規定による社会保険又は共済に関する制度に類する制度に基づく一時金（所法31一）

② 石炭鉱業年金基金法の規定に基づく一時金で、坑内員又は坑外員の退職に基因して支払われるものその他同法の規定による社会保険に関する制度に類する制度に基づく一時金（所法31二）

③ 確定給付企業年金法の規定に基づいて支給を受ける一時金で加入者の退職により支払われるものその他これに類する一時金（所法31三）

④ 賃金の支払の確保等に関する法律に規定する事業主に係る事業を退職した労働者が未払賃金債務の弁済を受けた金額（措法29の４）

裁判例の紹介

5年退職金事件

勤続満5年に達するごとに支給される退職金名目の金員が所得税法上の退職所得に当たらないとされた事例

（132 第一審東京地裁昭和51年10月6日判決・民集37巻7号971頁）[68]
（133 控訴審東京高裁昭和53年3月28日判決・民集37巻7号981頁）[69]
（134 上告審最高裁昭和58年9月9日第二小法廷判決・民集37巻7号962頁）[70]

〔事案の概要〕

X（原告・控訴人・上告人）の従業員労働組合はXに対し、Xがいつ営業停止し従業員解雇になるかもしれず、その際退職金も支払わないのでは労働意欲も湧かないので、一定の期間ごとに退職金に相当する金員を支払って欲しい旨の申し出をした。これに対しXは、5年間で勤務期間を区切り、就職後5年ごとに退職金名義で手当を支給し、営業停止による解雇の場合の退職金支払を実質上前払いの形で保障し、併せて、Xの営業停止の際の退職金支払に要する経理上の負担を軽減することとした。そしてXは、給与規程を改正し、「勤務年数が会社設立後又は本人の就職後満5か年、爾後満5か年を加算した時期が到来した場合」に退職金を支給するとし、「従来の在職年数は爾後の在職年数には算入しないものとする。」とした。

Xがかかる給与規程に基づく5年ごとの期間の退職金であるとして支払った金員につき、源泉徴収しなかったことについて、税務署長Y（被告・被控訴人・被上告人）は、これを給与所得に該当するとして源泉所得税の告知処分及び不納付加算税賦課決定を行った。本件はこれらの処分に不服があるとして、Xが提訴した事例である。

68）判例評釈として、高梨克彦・シュト183号1頁（1977）、村瀬次郎・税通33巻14号90頁（1978）など参照。

69）判例評釈として、山田二郎・税通34巻15号30頁（1979）、品川芳宣・税弘26巻12号79頁（1978）、島村芳見・税理22巻9号137頁（1979）など参照。

70）判例評釈として、金子宏・判時1139号179頁（1985）、新村正人・昭和58年度最高裁判所判例解説〔民事篇〕356頁（1987）、同・ジュリ807号68頁（1984）、同・曹時39巻6号115頁（1987）、品川芳宣・商事1016号242頁（1984）、吉良実・民商90巻6号117頁（1984）、谷口勢津夫・租税百選〔3〕58頁（1992）、畠山武道・季刊実務民事法6号170頁（1984）、川田剛・戦後重要租税判例の再検証117頁（2003）、酒井・ブラッシュアップ174頁など参照。

〔争点〕

本件金員は退職所得に該当するか。

〔判決の要旨〕

1　第一審**東京地裁昭和51年10月6日判決**は、Xの請求を棄却し、給与所得に該当するとした。控訴審**東京高裁昭和53年3月28日判決**は、第一審判断を維持した。

2　最高裁昭和58年9月9日第二小法廷判決

「退職所得について、所得税の課税上、他の給与所得と異なる優遇措置が講ぜられているのは、一般に、退職手当等の名義で退職を原因として一時に支給される金員は、その内容において、退職者が長期間特定の事業所等において勤務してきたことに対する報償及び右期間中の就労に対する対価の一部分の累積たる性質をもつとともに、その機能において、受給者の退職後の生活を保障し、多くの場合いわゆる老後の生活の糧となるものであって、他の一般の給与所得と同様に一率に累進税率による課税の対象とし、一時に高額の所得税を課することとしたのでは、公正を欠き、かつ社会政策的にも妥当でない結果を生ずることになることから、かかる結果を避ける趣旨に出たものと解される。従業員が退職に際して支給を受ける金員には、普通、退職手当又は退職金と呼ばれているもののほか、種々の名称のものがあるが、それが法にいう退職所得にあたるかどうかについては、その名称にかかわりなく、退職所得の意義について規定した…法30条1項の規定の文理及び右に述べた退職所得に対する優遇課税についての立法趣旨に照らし、これを決するのが相当である。かかる観点から考察すると、ある金員が、右規定にいう『退職手当、一時恩給その他の退職により一時に受ける給与』にあたるというためには、それが、⑴退職すなわち勤務関係の終了という事実によってはじめて給付されること、⑵従来の継続的な勤務に対する報償ないしその間の労務の対価の一部の後払の性質を有すること、⑶一時金として支払われること、との要件を備えることが必要であり、また、右規定にいう『これらの性質を有する給与』にあたるというためには、それが、形式的には右の各要件のすべてを備えていなくても、実質的にみてこれらの要件の要求するところに適合し、課税上、右『退職により一時に受ける給与』と同一に取り扱うことを相当とするものであることを必要とすると解すべきである。」

「Xがその従業員に対し5年の勤務期間を経過するごとに支給する退職金名義の金員は、少なくとも、既往の右の期間における勤務に対する報償ないしその間の労務の対価の一部の後払という趣旨以外に特段の趣旨を有するものではないということができるが、他方において、右金員の支給を受けた従業員は、一たん退職したうえ再雇用されるものではなく、従前の雇用契約がそのまま継続していているものとみるべきであり、また、右金員支給の基礎となる5年の期間は、その経過によって勤務関係を確定的に終了させるという意図から設けられたものではなく、むしろ、将来勤務関係が確定的に終了する際に支給される退職金を実質的に前払いするための計算の便宜上定められたものにすぎず、5年という年数にそれ以上に特段合理的な根拠があるわけではないとみるべきであって、これらの点を考慮すると、右金員は、前記(1)の要件である、勤務関係の終了という事実によってはじめて給付されること、という要件を欠くことは明らかであ〔る〕」。「本件退職金名義の金員にかかる所得は、法30条1項所定の退職所得にはあたらないというべきである。」

〔コメント〕

最高裁は、退職所得該当性の判断基準として上記(1)ないし(3)を備えることが必要であるとし、さらに各要件を全て備えていなくても実質的にこれらと同一に取り扱うことを相当とするものとのメルクマールを提示した。ここでは、退職所得に対する租税負担軽減措置の趣旨をも織り込んだ要件論が展開されている。すなわち、退職所得が優遇されているのは、①過去勤務の累積に対する課税の平準化を図ることや、②老後生活保障に対する社会政策的側面によるものであるから、これらを退職所得該当性の判断に当たり斟酌すべきとするのである。もっとも、退職所得が「給与」に対する課税であるからには、給与所得控除が内包する経費の概算控除や捕捉率調整という側面があろうが、本件最高裁判決においては、この点について言及されていない。

裁判例の紹介

10年退職金事件

従業員が勤続満10年に達したときに定年となる旨の就業規則の定め及び退職金規程に基づき支払われた退職金名義の金員が退職所得に当たらないとされた事例

(135第一審大阪地裁昭和52年2月25日判決・行集28巻1＝2号177頁)[71]
(136控訴審大阪高裁昭和53年12月25日判決・行集29巻12号2107頁)[72]

71) 判例評釈として、村山文彦・税通33巻4号179頁（1978)、広木重喜・税理21巻1号209頁（1978）など参照。

72) 判例評釈として、上原健嗣・税弘27巻4号144頁、6号67頁（1979)、高梨克彦・シュト208号1頁（1979）など参照。

（137上告審最高裁昭和58年12月６日第三小法廷判決・訟月30巻６号1065頁）[73)]
（138差戻控訴審大阪高裁昭和59年５月31日判決・判タ534号115頁）

〔事案の概要〕

Ｘ社（原告・被控訴人・被上告人）は、経営が行き詰まり、多額の負債をかかえ、会社更生法の適用を申請するに至り、その後更生計画が認可されて会社再建が進められることになった。このような状況のもとで、従業員側は、会社がいつ倒産するか分からないので、勤続満10年をもって定年とし、その時点で退職金を支給し、その後引き続き勤務する場合は再雇用という形にするようにしてほしいとの要望をするに至り、労使の合意の上、就業規則に、「従業員の停年は満55才とする。又は、勤続満10年に達したもの。ただし停年に達した者でも業務上の必要がある場合、会社は本人の能力、成績、および健康状態などを勘案して選考のうえ、あらたに採用することがある。」と規定した。

その後、Ｘは、この退職金規程により勤続満10年に達したものとして退職金を支給し、退職所得として源泉徴収をしたが、Ｙ（被告・控訴人・上告人）は給与所得に該当するとして源泉徴収納付義務告知処分等を行った。Ｘはこれを不服として提訴した。

〔争点〕

本件金員は退職所得に該当するか。

〔判決の要旨〕

1　第一審**大阪地裁昭和52年２月25日判決**は、Ｘの請求を認容し、退職所得に該当するとした。控訴審**大阪高裁昭和53年12月25日判決**は第一審判断を維持した。

2　最高裁昭和58年12月６日第三小法廷判決

「ある金員が、右規定〔著者注：所得税法30条１項〕にいう『退職手当、一時恩給その他の退職により一時に受ける給与』に当たるというためには、『それが、⑴退職すなわち勤務関係の終了という事実によって初めて給付されること、⑵従来の継続的な勤務に対する報償ないしその間の労務の対価の一部の後払いの性質を有すること、⑶一時金として支払われること、との要件を備えることが必要であり、また、右規定にいう『これらの性質を有する給与』にあたるというためには、それが、形式的には右の各要件のすべてを備えていなくても、実

73)　判例評釈として、品川芳宣・商事1017号306頁（1984）、吉良実・民商90巻５号130頁（1984）、小沢良一・税通40巻３号229頁（1985）、西本靖宏・租税百選〔７〕80頁（2021）、酒井・ブラッシュアップ176頁など参照。

質的にみてこれらの要件の要求するところに適合し、課税上、右『退職により一時に受ける給与』と同一に取り扱うことを相当とするものであることを必要とすると解すべきである〔。〕」

「従業員の勤続関係が外形的には右定年制にいう定年の前後を通じて継続しているとみられる場合に、これを、勤続満10年に達した時点で従業員は定年により退職したものであり、その後の継続的勤務は再雇用契約によるものであるとみるのは困難であるといわなければならず、このような場合にその勤務関係がともかくも勤続満10年に達した時点で終了したものであるとみうるためには、右制度の客観的な運用として、従業員が勤続満10年に達したときは退職するのを原則的取扱いとしていること、及び、現に存続している勤務関係が単なる従前の勤務関係の延長ではなく新たな雇用契約に基づくものであるという実質を有するものであること等をうかがわせるような特段の事情が存することを必要とするものといわなければならない。」

「原審の確定した事実関係からは、直ちに、本件係争の退職金名義の金員の支給を受けた従業員らが勤続満10年に達した時点で退職しその勤務関係が終了したものとみることはできないといわなければならない。そうすると、右金員は、名称はともかく、その実質は、勤務の継続中に受ける金員の性質を有するものというほかはないのであって、前記所得税法30条1項にいう『退職手当、一時恩給その他の退職により一時に受ける給与』にあたるための3つの要件のうち『退職すなわち勤務関係の終了という事実によって初めて給付されること』という要件を欠くものといわなければならない。」

〔コメント〕

本件最高裁判決は、いわゆる前述の5年退職金事件での最高裁判断を前提に、同判決にいう3要件に従って、本件の10年退職金を退職所得に当たらないものとして判断した。そもそも、所得税法が退職所得に負担軽減措置を設けているのは、①給与の後払い的性質を有する退職所得の課税が一時的になされることからくる累積課税に対する緩和措置、②老後生活のための糧に対する社会政策的あるいは担税力への配慮というところにある。そうであるとするならば、本件最高裁が判断の基礎に置いた「退職すなわち勤務関係の終了という事実」の有無は大きな判断要素となるとみてよいであろう。もっとも、①の要件が充足されなかったとしても、「これらの性質を有する給与」といえればよいのであるが、これについては、退職の事実に拘泥しなかったとしても、優遇措置を特別に認めている法の趣旨からみて、狭く限定的にその範囲を画する必要があると考えるべきであろう。

裁判例の紹介

分割払いの退職金

源泉所得税の還付請求権は時効により消滅したということはできないとされた事例

（139第一審名古屋地裁平成29年９月21日判決・税資267号順号13064）[74]

〔事案の概要〕

1　概観

Ａ社は、その代表者であったＣに対し、退職慰労金２億8,000万円（以下「本件退職慰労金」という。）を支給する旨の株主総会決議（以下「本件株主総会決議」という。）が成立したとして、源泉徴収に係る所得税5,048万4,000円（以下、本件においてＡ社が納付した源泉所得税を「本件源泉所得税」という。）及び市県民税1,198万8,000円（以下「本件市県民税」という。）を控除した２億1,752万8,000円（以下「本件退職慰労金手取額」という。）を支払うとともに、平成20年６月３日、本件源泉所得税を納付した。

本件は、その後、合併によりＡ社の権利義務を承継したＸ（原告）が、本件株主総会決議が不存在であることを理由に、Ｃに本件退職慰労金の返還を請求し、本件退職慰労金手取額の支払を受けたことから、本件源泉所得税は過誤納金に当たると主張して、国Ｙ（被告）に対し、国税通則法56条《還付》１項に基づき、5,048万4,000円及び還付加算金の支払を求めた事案である。

2　具体的事実

ア　Ｃは、Ａ社の設立時からその代表取締役であったところ、平成20年５月16日付けで、代表取締役退任登記及び取締役辞任登記がされ、同日付けで、Ｉの代表取締役就任登記がされた。

イ　Ａ社の平成20年４月６日付け臨時株主総会議事録には、同日付けで、Ｃに対し、退職慰労金２億8,000万円を支給する旨の本件株主総会決議がされた旨の記載がある。なお、本件株主総会決議は、ＣがＡ社の唯一の株主であることを前提にされたものであった。

ウ　Ａ社は、Ｃに対し、本件退職慰労金として、平成20年５月30日に１億1,263万400円を、同年12月10日に1,000万円を、平成21年10月22日に8,300万円を、同月23日に1,189万7,600円をそれぞれ支払った。

74）判例評釈として、佐藤英明・ジュリ1540号107頁（2020）、木山泰嗣・税通74巻11号167頁（2019）など参照。

〔争点〕

本件源泉所得税の還付請求権（以下「本件還付請求権」という。）が時効により消滅したか否か。

〔判決の要旨〕

○　名古屋地裁平成29年9月21日判決

「(1)　Yは、国税通則法74条所定の『その請求をすることができる日』とは、民法166条1項の『権利を行使することができる時』と同義であり、権利の行使についての法律上の障害がないことをいうところ、本件源泉所得税は、その納付時において、租税実体法上、Yがこれを保有する正当の理由のない利得として、国税通則法56条1項所定の『還付金等』に該当しており、本件源泉所得税について納税義務を確定する行政処分も存在しないため、本件還付請求権の行使について法律上の障害は存在しなかったというべきであるから、本件還付請求権の消滅時効の起算点は、本件源泉所得税の納付日の翌日である平成20年6月4日であり、本件還付請求権は、同日から5年間が経過したことによって、時効により消滅した旨主張し、本件還付請求権の消滅時効の起算点について上記のように解すべき具体的根拠として、〈1〉本件退職慰労金は所得税法199条所定の『退職手当等』には当たらず、Xには、本件退職慰労金に係る源泉徴収義務はなかった、〈2〉仮に、本件退職慰労金が所得税法199条所定の『退職手当等』に当たるとしても、源泉所得税は、納税義務の成立と同時に納付すべき税額が確定するから、各種所得の金額に事後的に異動が生じることは予定されておらず、一旦確定し、具体化された納税義務の数額に誤りがあったとしても、そのことをもって、租税法律関係を変動させるものとはいえず、当該誤りがある部分は、当初から租税法律関係が存在していなかったものと解さざるを得ない旨主張する。

そもそも、所得税法上の所得は専ら経済的面から把握すべきものであり、経済的にみて利得者がその利得を現実に支配管理し、自己のために享受する限りその利得は所得を構成すると解するのが相当であるところ、Cは、本件退職慰労金を受領したことによって経済的利得を受け、その利得を現実に支配管理するようになったのであるから、本件退職慰労金は同人の所得を構成していたというべきであり、この点については、Yも自認するところである。そこで、以下では、まず、本件退職慰労金が源泉徴収義務を定めた所得税法199条の『退職手当等』に該当するか否かを検討し、これが肯定される場合に、これを前提として、本件還付請求権の発生時期及び消滅時効の起算点について検討することとする。

(2)　本件退職慰労金が所得税法199条の『退職手当等』に該当するか否かについて

ア　所得税法30条１項は、退職所得とは、退職手当、一時恩給その他の退職により一時に受ける給与及びこれらの性質を有する給与（退職手当等）に係る所得をいう旨規定しているところ、ある金員が退職手当等に該当するためには、〈１〉退職すなわち勤務関係の終了という事実によって初めて給付されること、〈２〉従来の継続的な勤務に対する報償ないしその間の労務の対価の一部の後払いの性質を有すること及び〈３〉一時金として支払われることという要件を備えていること又は実質的にこれらの要件の要求するところに適合することが必要であると解するのが相当である（最高裁昭和53年（行ツ）第72号同58年９月９日第二小法廷判決・民集37巻７号962頁参照）。

前記前提事実及び認定事実によれば、Ｃは、平成20年５月16日、Ａ社の代表取締役及び取締役を退任し、その後にＸから本件退職慰労金の支払を受けているから、本件退職慰労金は、退職によって初めて給付されたものということができる。また、Ｃは、Ａ社が設立された昭和56年５月19日から退任日である平成20年５月16日までの約27年間にわたって、Ａ社の代表取締役としての業務を遂行してきたのであるから、本件退職慰労金は、従来の継続的な勤務に対する報償ないしその間の労務の対価の一部の後払いの性質を有すると認めることができる。さらに、退職に起因して支払われる金員であっても、年金の形式で定期的、継続的に支給されるものは、一時金には当たらないため、退職手当等に含まれないところ、本件退職慰労金の支払は、平成20年５月30日から平成21年10月23日までの間に４回に分割してされたものであるが、Ａ社の年金制度等に基づき支払われたものでないことはもとより、その期間及び回数が年金と同視し得る程度に長期及び多数回に及んでいたということはできないこと、Ａ社は、第28期（平成20年４月１日から平成21年３月31日まで）の決算報告書において、本件退職慰労金を『退職金』として計上しているほか、その全額を基準として本件源泉所得税及び本件市県民税の額を算出し、平成20年６月３日付けでこれらを納付していること等の諸事情に照らすと、本件退職慰労金は、退任に当たって支払われる一時金としての実質を備えているということができる。

以上によれば、本件退職慰労金は、所得税法30条１項所定の『退職手当等』に該当するというべきである。」

「(3)　本件還付請求権の発生時期及び消滅時効の起算点について

ア　国税通則法74条１項所定の『その請求をすることができる』とは、民法166条１項の『権利を行使することができる』と同義であるから、その権利の行使について法律上の障害がないこと、及び権利の性質上、その権利行使が現実に期待のできるものであることを要すると解するのが相当である（同項に関する最高裁昭和40年（行ツ）第100号同45年７月15日大法廷判決・民集24巻７号771頁、最高裁平成４年（オ）第701号同８年３月５日第三小法廷判決・民集50巻３号383頁参照）。

イ　Ｙは、源泉所得税は納税義務の成立と同時に納付すべき税額が確定するから、各種所得の金額に事後的に異動が生じることは予定されておらず、一旦確定し、具体化された納税義務の数額に誤りがあっても、そのことをもって、租税法律関係を変動させるものとはいえず、当該誤りがある部分は、当初から租税法律関係が存在していなかったものと解さざるを得ない旨主張する。そして、確かに、源泉徴収の対象となるべき所得の支払がされるときは、支払者は、法令の定めるところに従って納税義務を負うのであるが、この納税義務は上記所得の支払の時に成立し、その成立と同時に特別の手続を要しないで納付すべき税額が確定するものとされており（国税通則法15条）、源泉所得税については、申告納税方式による場合の納税者の税額の申告やこれを補正するための税務署長等の処分（更正、決定）、賦課課税方式による場合の税務署長等の処分（賦課決定）なくして、その税額が法令の定めるところに従って当然に、いわば自動的に確定するものとされている（最高裁昭和43年(オ)第258号同45年12月24日第一小法廷判決・民集24巻13号2243頁参照）。

しかしながら、支払者が源泉徴収義務の発生する所得を支払い、源泉所得税を納付した後になって、その支払の原因が無効であったこと等を理由として、支払者が上記所得に相当する金員の返還を受けたことにより、上記所得の支払による経済的成果が失われる場合があり得るところ、このような場合について、Ｙの主張するとおり、当初から租税法律関係が存在しなかったものとして、源泉所得税の納付時にその還付請求権が発生すると解したとしても、前記(1)で説示したとおり、所得税法上の所得は専ら経済的面から把握すべきものであり、経済的にみて利得者がその利得を現実に支配管理し、自己のために享受する限りその利得は所得を構成するのであるから、上記返還によって所得の経済的成果が失われるまでは、源泉所得税の課税要件に欠けるところはなく、上記源泉所得税についての還付請求権を行使するにつき、法律上の障害があるというべきである。」

「本件退職慰労金は、所得税法30条１項所定の『退職手当等』に該当するから、本件源泉所得税は、ＸがＣから本件退職慰労金手取額の返還を受けるまでは課税要件に欠けるところはなく、本件還付請求権を行使するについて、法律上の障害があったというべきである。したがって、本件源泉所得税の納付日の翌日である平成20年６月４日をもって、国税通則法74条所定の『その請求をすることができる日』であると認めることはできない〔。〕」

「以上によれば、本件還付請求権について、国税通則法74条所定の時効期間が経過したとは認められないから、本件還付請求権が時効により消滅したということはできない。」

〔コメント〕

本件は、還付請求権が時効によって消滅していたか否かが争点となった事例であるが、その前提として、退職所得の課税のタイミングが当然に問題となっている。

最高裁昭和52年2月10日第二小法廷判決（訟月24巻10号2108頁）は、納税告知により納付した源泉所得税本税の返還請求権の消滅時効の起算点が当該源泉所得税本税の納付時であるとした原審の判断を是認しているが、本件とこの事案との関係を考える必要がある。本件判決は、上記最高裁の事案について、〈ア〉原告株式会社は、自己所有の株式を代表者に譲渡したところ、所轄税務署長から当該株式の時価相当額と譲渡価額との差額を役員賞与として認定され、認定賞与に係る源泉所得税の納税告知を受け、源泉所得税を完納した、〈イ〉原告株式会社は、上記納税告知については争わなかったが、上記役員賞与の認定を理由とする法人税再更正処分の取消しを求めて提訴し、同再更正処分を取り消す旨の判決が確定した、〈ウ〉そこで、原告株式会社は、法人税再更正処分が取り消された以上、同処分と表裏の関係にある源泉所得税の納税告知は不存在であるなどと主張して、国に対して納付した源泉所得税について、不当利得返還請求をしたというものであり、当該事案においては、原告株式会社は、当初から、株式の譲渡価格が時価相当額を下回るものではなく、譲受人である代表者に賞与として認定されるべき経済的利得は存在しないことを主張して、源泉所得税の還付請求をすることが可能であったと考えられる事案であったとする。したがって、XがCから本件退職慰労金手取額の返還を受けるまで源泉所得税の課税要件に欠けるところのなかった本件とは事案を異にするというべきであるとして、ディスティングィッシュしている。

2　退職所得の金額の計算

退職所得の金額は、次の計算式による。

> 退職所得の金額 ＝（収入金額－退職所得控除額）× 1/2（所法30②）

ここにいう退職所得控除額は、次に掲げる場合の区分に応じそれぞれ定める金額とする。

①　勤続年数が20年以下である場合

> 40万円に当該勤続年数を乗じて計算した金額

②　勤続年数が20年を超える場合

800万円＋｛70万円×（勤続年数－20年)｝

なお、勤続年数（以下「役員等勤続年数」という。）が5年以下である次の者が支払を受ける退職手当等は、特定役員退職手当等といい、例外的な計算が規定されている。

① 法人税法2条《定義》15号に定義されている役員

② 国会議員及び地方公共団体の議会の議員

③ 国家公務員及び地方公務員

ここに、同一年中に特定役員退職手当等とそれ以外の退職手当等の支給を受けた場合の退職所得の金額は以下の(i)と(ii)の金額を合計したものとなる。

(i) 特定役員退職手当等の収入金額 － 特定役員退職所得控除額

(ii) ｛(一般退職手当等の収入金額) － (一般退職所得控除額)｝ × 1/2

なお、「一般退職所得控除額」とは、退職所得控除額から特定役員退職所得控除額を差し引いた残額をいう（所令71の2①二)。また、「特定役員退職所得控除額」とは、次の(i)と(ii)の金額を合計したものをいう。

(i) 40万円 ×（特定役員等勤続年数 － 重複勤続年数)

(ii) 20万円 × 重複勤続年数

なお、令和3年度税制改正では、「退職所得課税の適正化」が図られている。すなわち、退職手当等のうち、退職手当等の支払者の下での勤続年数が5年以下である者が支払を受けるものであって、特定役員退職手当等に該当しないもの（以下「短期退職手当等」という。）に係る退職所得の金額の計算につき、短期退職手当等の収入金額から退職所得控除額を控除した残額のうち300万円を超える部分については、退職所得の金額の計算上2分の1とする措置を適用しないこととされた。これは、現状の退職給付の実態を踏まえ、上記の勤続年数5年以下の法人役員等以外の退職金についても、短期間の勤続に係るものについては、退職所得優遇課税の対象から除外するものである。退職所得については多額の退職所得控除が認められ、さらに2分の1課税の優遇が認められているわけであるが、その趣旨は、従来の我が国の終身雇用体系において退職金が「老後の糧」になるものであるという点への配慮が大きかった。しかしながら、近年の雇用流動化によって、転職によるキャリアアップを図る者が増加傾向にあり、従来の終身雇用がその前提を失いつつある中で、「老後の糧」とはいえないような退職手当も多く見受けられるようになっている。そこで、かような退職手当について課税の適正化を図るべく、上記のような短期退職手当等に係る措置が講じられることとなったのである。

裁判例の紹介

法人成りと勤務年数の引継ぎ

個人事業主が法人成りをした場合、その個人としての経営期間は、原則として法人税法施行令72条の2にいう「法人の業務に従事した期間」には含まれないとされた事例

（140 第一審福島地裁平成4年10月19日判決・税資193号78頁）[75]

〔事案の概要〕

X（原告）は医療を行う法人であるところ、Xの法人税について、税務署長Y（被告）は、決定通知（以下「本件決定」という。）をした。本件決定は、Xが行った法人税の修正申告中、昭和63年6月7日に死亡した常務理事Kに対し、Xが同年9月30日に「役員退職慰労金9,599万円及び弔慰金780万円、合計1億379万円を退職金勘定に損金経理」したことについて、「役員退職慰労金9,599万円のうち1,757万6,000円を超える7,841万4,000円」は不相当に高額な部分の金額

75）判例評釈として、武田昌輔・税弘42巻13号106頁（1994）、品川芳宣・日税研論集50号37頁（1993）など参照。

に該当し、法人税法36条《過大な使用人給与の損金不算入》の規定により、損金の額に算入されない、との判断のもとに所得金額を算出し、それに基づき本件決定がなされた。

Xはこれを不服として提訴した。

〔争点〕

個人事業主が法人成りをした際の、個人経営時の在職期間に対応する退職給与の損金算入如何。

〔判決の要旨〕

○　福島地裁平成4年10月19日判決

「法人税法36条及び同法施行令72条〔筆者注：現行72条の2〕が、役員に対する退職給与の額が当該役員の業務に従事した期間、退職の事情、同種の事業を営む法人でその事業規模が類似するものの役員に対する退職給与の支給状況等に照らし、相当であると認められる金額を超える場合には、その超える部分について損金に算入しないと定めたのは、役員に対する退職給与が使用人に対する退職給与（全額が損金として扱われる。）と異なり、益金処分たる性質を含んでいることに鑑み、右基準に照らし一般に相当と認められる金額に限り収益を得るために必要な経費として損金算入を認め、右金額を超える部分は益金処分として損金算入を認めない（いわば、役員に対する賞与と同視する。）趣旨であると解される。」

「そして、同法施行令72条が、右のとおり退職給与が不相当に高額か否かの判断基準の一要素として例示する当該役員の業務の従事期間については、『法人の業務に従事した期間』と明定している。したがって、個人事業主が法人を設立し、その法人に事業を継承して個人事業は廃業するいわゆる『法人成り』の場合でも、当該役員の個人経営時に業務に従事した期間は『法人の業務に従事した期間』には含まれないことになる。しかしながら、同条が掲げる『法人の業務に従事した期間』等の判断基準の要素は例示であるから、当該役員の個人経営時に業務に従事した期間を、その退職給与が不相当に高額か否かの判断基準の一要素として考慮できるか否かについては、なお、その実質的な理由からも検討しなければならない。」

「そこで、まず比較のために、『法人成り』の場合に、個人経営時から引き続き在職する使用人に対する退職給与…を、法人が個人経営時の在職期間に対応する分もまとめて支給した場合に、税務上どのように扱われるかについて検討する。

…理論的には、『法人成り』の場合、個人事業主と法人とは別個の独立した法人格を有し、法人成りの前後で、経営主体及び納税主体が法的に異なるものであるから、使用人に対する退職給与が、個人事業主と法人のどちらの収入又は収益を得るために必要な経費であったといえるかという見地から、①個人経営時の在職期間に対応する退職給与は、個人事業主の事業所得の必要経費に（一般的には個人事業主の最終年分の事業所得の必要経費として減額更正を行うべきことになる。）、②法人経営時の在職期間に対応する退職給与は法人の損金とすべきものである。

…①個人事業主の側からすると、個人事業主は法人に対し、今後の営業活動に必要な事業資産・財産を、金銭・医療未収金等の債権、現物出資等により出資するのであるが、法人が使用人に対する未払退職給与等個人事業主の業務上の債務も引き継ぐ場合には、その分を差し引いて個人事業主（出資者）に『持分』が与えられるのであり、この段階で、個人事業主はその債務を支払ったのと同様の経済的な効果を受けるので、その分個人事業主の事業所得の計算上必要経費とみるべき実質があり、他方、②法人の側からすると、出資された正の資産・財産の額から、引き継がれた負の財産（債務）を差し引いた額が、出資者の『持分』に変わっただけであり、出資された資産・財産の額が収益とされない（したがって、法人の所得としては課税されない。）のと同様、引き継がれた債務を支払ったとしても、法人の損金（収益を得るために必要な経費）とはならないものである。」

「『法人成り』の場合に、個人経営時から引き続き在職する役員に対する退職給与のうち、損金又は必要経費として認められる部分については、別異に解する理由はない。すなわち、理論的には、役員に対する退職給与のうち、(ア)法人経営時の在職期間に対応する部分で、相当と認められる金額は法人の損金に算入され、(イ)個人経営時の在職期間に対応する部分で、個人事業主の事業所得の計算上必要経費として認められる金額はその最終年分の事業所得の計算上必要経費に算入されるべきであるが、法人設立後相当期間の経過後であれば、便宜右(イ)の部分も法人の損金に算入することが認められることになる。

しかしながら、本件のKの場合、『法人成り』する以前の個人事業（T〔筆者注：Xの理事長Sの父〕及びS〔筆者注：Xの理事長〕）当時、所得税法57条1項に規定する青色事業専従者であったのであるから、個人事業主であるT及びSから、それぞれの個人事業の廃業時点で退職給与が支払われたとしても、同法56条により、個人事業主と生計を一にする親族に対する対価の支払として、個人事業主（T及びS）の事業所得の計算上必要経費に算入することはできないものであるから、仮に法人設立後相当期間の経過後であっても、当然に、『法人成り』したXの損金と認めることはできない。」

「したがって、本件のKに対する個人経営時の在職期間に対応する退職給与部分は、Xがその債務を引き継いだか否かにかかわらず、損金算入が認められるものではない。」

〔コメント〕

本件判決は、結果において、個人経営時の在職期間に対応する退職給与部分は、法人の所得金額の計算上、損金の額に算入することができないと判示しているが、その理由には注目すべきであろう。所得税法56条《事業から対価を受ける親族がある場合の必要経費の特例》によれば、生計同一親族に退職金が支払われたとしても所得税法上は必要経費に算入できないはずのものであったという点が理由とされているのである。その理論的根拠は、本件判決にいう「理論的には、役員に対する退職給与のうち、(ア)法人経営時の在職期間に対応する部分で、相当と認められる金額は法人の損金に算入され、(イ)個人経営時の在職期間に対応する部分で、個人事業主の事業所得の計算上必要経費として認められる金額はその最終年分の事業所得の計算上必要経費に算入されるべきである」としながらも、「法人設立後相当期間の経過後であれば、便宜右(イ)の部分も法人の損金に算入することが認められる」とする辺りにあろう。すなわち、そもそも所得税法上の必要経費に算入できないようなものは、法人の損金に算入する余地がないというのである。ここでは、相当の期間経過後であるか否かについては議論されていないが、そもそも、この相当の期間経過後であれば前述の(イ)の部分も法人の損金に算入できるとする理論的根拠が必ずしも明らかではないように思われる。

このようなアプローチは、法人成りの場面における退職の解釈に当たっては、ある程度の継続性を実質的にその解釈の中に織り込もうとする試みともいえ、所得税法30条にいう「退職」を基因とするとする考え方と、他方で実質的な継続性との折り合いの付け方の問題であろう。これは、先にみた、必ずしも退職とはいえない分掌変更の場合に、これを「退職」として取り扱おうとする解釈と無関係であるとは思えない。いずれの局面においても、文理解釈上の問題は残されているといえよう。

3　打切り支給の退職金

所得税法上の退職所得とは、「退職により」支給される給与をいうとされていることから（所法30①）、離職の事実がない限り退職所得に該当しないと解釈されることになりそうであるが、「退職」の意義を含めてこの点については議論がある。課税実務においては、所得税基本通達がこの点についての態度を明らかにしており、次のような取扱いが示されている。

その一つが、「引き続き勤務する者に支払われる給与で退職手当等とするもの」であり（所基通30－2）、もう一つが、「使用人から執行役員への就任に伴い退職手当等として支給される一時金」である（所基通30－2の2）。国税庁は、これらの通達番号からも明らかなとおり、所得税法30条《退職所得》の解釈としてこの二つの通達を発遣している（所得税法31条《退職手当等とみなす一時金》の解釈ではない点に留意が必要である。）。確認しておこう。

所得税基本通達30－2《引き続き勤務する者に支払われる給与で退職手当等とするもの》

引き続き勤務する役員又は使用人に対し退職手当等として一時に支払われる給与のうち、次に掲げるものでその給与が支払われた後に支払われる退職手当等の計算上その給与の計算の基礎となった勤続期間を一切加味しない条件の下に支払われるものは、30－1にかかわらず、退職手当等とする。

(1)　新たに退職給与規程を制定し、又は中小企業退職金共済制度若しくは確定拠出年金制度への移行等相当の理由により従来の退職給与規程を改正した場合において、使用人に対し当該制定又は改正前の勤続期間に係る退職手当等として支払われる給与

(2)　使用人から役員になった者に対しその使用人であった勤続期間に係る退職手当等として支払われる給与（退職給与規程の制定又は改正をして、使用人から役員になった者に対しその使用人であった期間に係る退職手当等を支払うこととした場合において、その制定又は改正の時に既に役員になっている者の全員に対し当該退職手当等として支払われる給与で、その者が役員になった時までの期間の退職手当等として相当なものを含む。）

(3)　役員の分掌変更等により、例えば、常勤役員が非常勤役員（常時勤務していない者であっても代表権を有する者及び代表権は有しないが実質的にその法人の経営上主要な地位を占めていると認められるものを除く。）になったこと、分掌変更等の後における報酬が激減（おおむね50％以上減少）したことなどで、その職務の内容又はその地位が激変した者に対し、当該分掌変更等の前における役員であった勤続期間に係る退職手当等として支払われる給与

(4)　いわゆる定年に達した後引き続き勤務する使用人に対し、その定年に達する前の勤続期間に係る退職手当等として支払われる給与

(5)　労働協約等を改正していわゆる定年を延長した場合において、その延長前の定年（以下この(5)において「旧定年」という。）に達した使用人に対し旧定年に達する前の勤続期間に係る退職手当等として支払われる給与で、その支払をすることにつき相当の理由があると認められるもの

(6)　法人が解散した場合において引き続き役員又は使用人として清算事務に従事する者に対し、その解散前の勤続期間に係る退職手当等として支払わ

れる給与

所得税基本通達30－２の２《使用人から執行役員への就任に伴い退職手当等として支給される一時金》

使用人（職制上使用人としての地位のみを有する者に限る。）からいわゆる執行役員に就任した者に対しその就任前の勤続期間に係る退職手当等として一時に支払われる給与（当該給与が支払われた後に支払われる退職手当等の計算上当該給与の計算の基礎となった勤続期間を一切加味しない条件の下に支払われるものに限る。）のうち、例えば、次のいずれにも該当する執行役員制度の下で支払われるものは、退職手当等に該当する。

(1)　執行役員との契約は、委任契約又はこれに類するもの（雇用契約又はこれに類するものは含まない。）であり、かつ、執行役員退任後の使用人としての再雇用が保障されているものではないこと

(2)　執行役員に対する報酬、福利厚生、服務規律等は役員に準じたものであり、執行役員は、その任務に反する行為又は執行役員に関する規程に反する行為により使用者に生じた損害について賠償する責任を負うこと

これらの取扱いは、引き続き勤務する者に支給する一時金であっても、退職手当等を支給することに何らかの合理的な理由がある場合に、その退職手当等を、所得税法上の退職所得と解釈しようとするものである。所得税法30条にいう「退職」を固有概念として捉えていることが分かる。

もっとも、「これらの性質を有する給与」に該当するとしても、引き続き勤務する者に対する退職手当を「退職により」支給したものと解釈することには大きなハードルがあるのも事実であろう。なお、その者が実際に退職するときの退職金の計算上その給与の計算期間の基礎となった勤続期間を一切加味しないという条件が付された支給であることという要件が課されている点にも注意が必要であろう。

裁判例の紹介

厚生年金基金解散分配金事件

厚生年金基金の解散に伴う残余財産の分配金は退職所得に当たらないとされた事例

（141第一審東京地裁平成18年２月24日判決・判タ835号191頁）76)
（142控訴審東京高裁平成18年９月14日判決・判時1969号47頁）77)

〔事案の概要〕

厚生年金保険法に定める厚生年金基金に加入し、Ａ社からの退職に伴い同基金から年金の支給を受けていたＸ（原告・被控訴人）が、同基金の解散に伴って、残余財産の分配金の支払を受けたところ、税務署長Y_1（被告・控訴人）は、当該分配金に係る所得は一時所得に当たるものとして本件各処分を行った。Ｘが当該分配金に係る所得は退職所得に当たるなどと主張して審査請求したところ、国税不服審判所長Y_2（被告・控訴人）はこれを棄却したため、ＸがＹらを相手取って提訴した。

〔争点〕

本件分配金が、「厚生年金保険法第９章の規定に基づく一時金」（本件基金の解散に伴う残余財産の分配金）であり、かつ、「厚生年金基金規約に基づいて支給される年金の受給資格者に対し年金の受給開始日後に支払われる一時金」であることを前提に、これが所得税法31条《退職手当等とみなす一時金》２号に定める「加入員の退職に基因して支払われるもの」に該当するか否か。

旧所得税基本通達31－１《厚生年金基金等から支払われる一時金》

法第31条第２号に規定する「加入員の退職に基因して支払われるもの」又は同条第３号に規定する「加入者の退職により支払われるものその他これに類する一時金として政令で定めるもの」には、厚生年金保険法第９章《厚生年金基金及び企業年金連合会》の規定に基づいて支払われる退職一時金…のうち、次に掲げる一時金がそれぞれ含まれるものとする。

76）判例評釈として、荻野豊・税務事例38巻12号１頁（2006）、岸田貞夫・ジュリ1347号87頁（2007）など参照。

77）判例評釈として、日高大開・国税速報5866号５頁（2007）、奥谷健・判時1987号182頁（2008）、秋山友宏・税務事例39巻11号17頁（2007）、今本啓介・速報税理28巻13号36頁（2009）。

(1)　厚生年金基金規約…に基づいて支給される年金の受給資格者に対し当該年金に代えて支払われる一時金のうち、退職の日以後当該年金の受給開始日までの間に支払われるもの（年金の受給開始日後に支払われる一時金のうち、将来の年金給付の総額に代えて支払われるものを含む。）

〔判決の要旨〕

1　東京地裁平成18年２月24日判決

「通達31－１は、退職後の事情の変更によって年金に代わる一時金の支給を受けた者については、相当長期間にわたる年金に相当する金額が一時に課税の対象となって過大な税負担が生じる事態を避けることが必要であるとの実質的な配慮の下に、当該一時金が、過去の勤務に基づいて支給される年金給付の将来の総額に代えて支払われるものであれば、当該一時金もまた、過去の勤務に基づいて支給される性質のものといい得るものであることから、将来の年金給付の総額に代えて支払われる一時金については、所得税法31条２号に定める『加入員の退職に基因して支払われるもの』に該当するものとして取り扱うこととしたものと解されるのであり、所得税法31条の趣旨に照らしても、合理的な解釈であるといえる。

したがって、本件分配金が、通達31－１の『将来の年金給付の総額に代えて支払われるもの』に該当する場合には、これを所得税法31条２号の『加入員の退職に基因して支払われるもの』に該当しないもの（退職所得に該当しないもの）として課税処分を行うことは、原則として許されないものというべきである。」

「本件基金の退職年金制度においては、選択一時金という制度があり、これは、要するに、退職年金の受給権者が、退職年金の受給資格を取得した後、加算年金の支給済期間が10年に達するまでの間において、その選択により、未支給分の加算年金について、年金給付の支給に代えて、一時金の支給を受けることができるという制度である。

そして、本件基金の規約によると、退職年金の受給権者が、加算年金の支給が開始された後に選択一時金を選択した場合に支給される一時金の額は、加算年金の額に…受給済期間に対応する年金現価率を乗じた額であり（附則６条の３第１項）、選択一時金の支給を受けた場合には、その後の退職年金の額が、選択一時金を選択した加算年金額の分だけ減額される（附則７条１項）というのであるから、選択一時金は、通達31－１に定める『将来の年金給付の総額に代えて支払われるもの』に該当するものというべきである。」

「以上のような選択一時金の性質を前提に、これとの比較において、本件分配金の性質を検討すると、本件分配金が選択一時金そのものでないことは明らかであるが、…Xは、本件分配金を受領するに当たり、これを一時金で受け取るか、又は連合会からの年金給付（加算年金部分）で受け取るかを選択する余地があったところ、一時金で受け取ることを選択し、以後の連合会からの年金給付については、加算年金に相当する額の支給を受けないこととしたものである。したがって、本件分配金のうち、選択一時金の金額に相当する部分については、将来の加算年金の総額に代えて支払われたものと評価することが十分に可能であるし、また、一時金の受領によるいちどきの課税負担を軽減するという通達31－1の趣旨はこの場合にも妥当するものということができるから、これを選択一時金に準ずるものとして、通達31－1に定める『将来の年金給付の総額に代えて支払われるもの』に該当するものと解するのが相当である。」

2　東京高裁平成18年9月14日判決

「本件分配金（平成14年1月15日受領）は、本件基金の解散に伴う残余財産の分配一時金であり、本件基金の解散により最低責任準備金を連合会に納付した後の残余財産の清算金としての性質を有するものと解されるから、本件基金の解散という事実がその支払の原因であって、XのA社からの退職（平成10年〇月〇日）を原因として支払われたものでないことは明らかである。また、本件基金の残余財産は、基金の加入員（A社に勤務している『現存者』）及び年金受給開始待期者（A社を退職したが、本件基金からの年金受給は開始されていなかった『待期者』）並びに年金受給者（A社を退社しかつ本件基金から年金を受給していた『受給者』であり、Xはこれに該当する。）に対して、厚生年金保険法147条、162条の3及び本件基金の規約の『残余財産の分配』の定め（99条）に従って公平に分配されたのであり、上記規約の『残余財産の分配』の定めも、分配金額（配分額）の算定について分配を受ける受給権者等がA社を既に退職しているか否かは直接関連しない内容となっているのである。

そうしてみると、本件配分金を所得税法31条2号の『加入員の退職に基因して支払われるもの』に該当するものとみることはできないと解するのが相当である。これに反するXの主張は採用できない。」

「なお、所得税基本通達…31－1は、所得税法31条2号に規定する『加入員の退職に基因して支払われるもの』には、『厚生年金基金規約…に基づいて支給される年金の受給資格者に対し当該年金に代えて支払われる一時金のうち、退職の日以後当該年金の受給開始日までの間に支払われるもの（年金の受給開始日後に支払われる一時金のうち、将来の年金給付の総額に代えて支払われるものを含む。）』が含まれるものとすると定めている。しかし、本件分配金は、通達31－1の『年金の受給開始日後に支払われる一時金』には該当するものの、『将来の年金給付の総額に代えて支払われるもの』とはいえないから、上記通達によっても所得税法31条2号所定の退職手当等とみなされる一時金に該当すると解することはできないというべきである。

もっとも、本件基金の退職年金制度においては、選択一時金という制度があり、退職年金の受給権者が退職年金の受給資格を取得した後加算年金の支給済期間が10年に達するまでの間において、その選択により、未支給分の加算年金について、その年金の全部又は一部の年金給付の支給に代えて、一時金の支給を受けることができることになっている。そして、本件基金の規約によると、退職年金の受給権者が加算年金の支給が開始された後に選択一時金を選択した場合に支給される一時金の額は、加算年金の額に…受給済期間に対応する年金現価率を乗じた額であり（附則６条の３第１項）、選択一時金の支給を受けた場合には、その後の退職年金の額が、選択一時金を選択した加算年金額の分だけ減額される（附則７条１項）というのであるから、この選択一時金は、通達31－１に定める『将来の年金給付の総額に代えて支払われるもの』に該当するものと解することができるというべきである。

しかし、本件分配金は、上記の選択一時金として支給することができる加算年金部分のみを原資としているものではなく、一時金として支給することができない基本年金のプラスアルファ部分や基金の資産の運用益等を含んだ本件基金の残余財産を原資とするものであり、また、分配金額（配分額）についても、選択一時金の計算ベースである加算年金は受給権者等の給与額、勤務年数等に応じて計算されるのに対し、本件分配金は、最低積立基準額相当額に基づき行われ、残余財産の額に応じて算定されるものである（規約99条２項)。加えて、本件基金は、その解散に伴い、Ａ社を既に退職した年金受給者であるＸ以外にも、現にＡ社に勤務している者に対しても残余財産の分配を行っているのである。そうとすれば、本件分配金は、選択一時金とは性質を異にするものというほかはなく、選択一時金に適用されると解される通達31－１の準用を認めることも、本件分配金のうちの選択一時金の金額に相当する部分についてのみ選択一時金に準ずるものとして通達31－１の準用を認めることも、相当でないというべきである。」

「以上の検討のとおり、本件分配金に係る所得は退職所得に該当するものということはできず、…Ｘが主張するとおり、一時所得（所得税法34条１項）に該当するものというべきである。」

〔コメント〕

1　問題点の所在

厚生年金基金が解散した場合、残余財産に関しては、責任準備金相当額を企業年金連合会に納付しなければならないが、規約の定めるところにより、受給権者（基金が給付に関する義務を負う者で、年金受給者又は受給待期者若しくは加入員をいう。）からの分配金支払の申出があった場合にはその全額を分配することとされている。

この場合に年金受給者が受ける残余財産の分配金に係る所得区分が問題とされることがある。かかる分配金のうちに、将来支給を受ける加算年金の額が含まれていることから、当該加算年金受給残額のみなし退職所得該当性が争点とされた事件が本件である。

〔図表〕厚生年金基金の解散のイメージ図

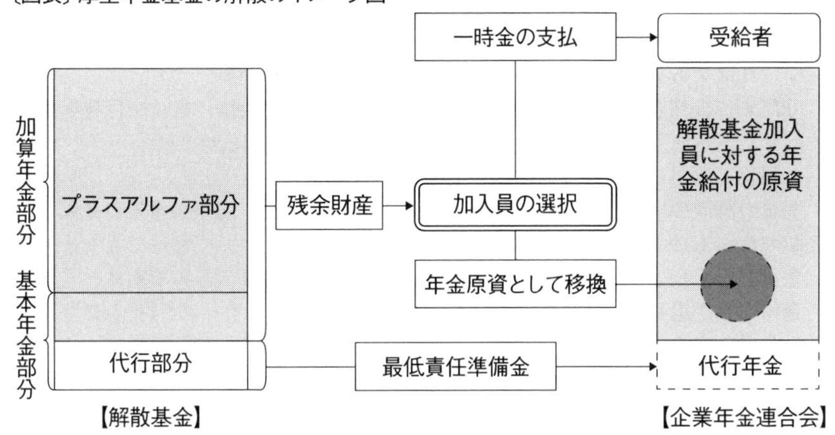

（出所）日高大開『退職給付制度の改廃等をめぐる税務』253頁（大蔵財務協会2005）より

厚生年金保険法第９章（106条から188条まで）に定める厚生年金基金制度は、国の年金事務を代行し、独自に上積みした老後の所得保障を行うことを目的とするものであり、具体的には、企業が厚生年金基金という母体企業とは別個の法人を設立してこれに掛金を拠出し、基金においてこれを年金原資として運用しつつ、母体企業の退職者に対しては年金を支給するなど、いわゆる企業年金の役割を果たすものである。基金が支給する年金給付には、①国の老齢厚生年金制度の代行部分で、原則として老齢厚生年金と同じ設計が要求される「基本年金」と、②企業の退職金制度としての役割を果たす部分で、一定の要件に従う限り、独自の設計が可能な「加算年金」とがあり、前者の基本年金については、国の老齢厚生年金を上回る水準の給付が要求される（厚年132②。以下、基本年金のうち、国の老齢厚生年金の代行部分を単に「代行部分」、これを上回る部分を「プラスアルファ部分」[78]という（上記図表参照)。)。

基金の設立事業所に使用される被保険者は、当該基金の加入員とする（厚年

78) プラスアルファ部分は、当該基金から支払われる基本年金の原資となり、選択一時金として支給を受けることはできないが、後者の加算年金については、年金給付を原則とするものの、一定の条件の下で年金給付に代えて一時金による給付を選択できる制度とすることも認められている。なお、増井良啓「退職年金等積立金の課税」日税研論集37号201頁以下（1997）も参照。

122)。基金が支給する年金たる給付及び一時金たる給付を受ける権利は、その権利を有する者の請求に基づいて、基金が裁定する（厚年134)。基金が解散したときは、厚生年金基金連合会（以下「連合会」という。）が、代行部分に係る責任準備金相当額（以下「最低責任準備金」という。）を当該基金から徴収し（厚年162の３①)、代行部分に係る年金給付の支給義務を引き継ぐ（厚年162の３②)。最低責任準備金を控除した後の残余財産は、基金の規約の定めるところにより、解散した日において当該基金が年金給付の支給に関する義務を負っていた者に分配しなければならない（厚年147④）が、基金が、加入者の選択により、当該加入者に分配すべき残余財産を連合会に交付したときは、連合会は、当該交付金を原資として、当該加入者に係る年金給付の額を加算する（厚年162の３④⑤)。

国税不服審判所平成15年10月24日裁決（裁決事例集66号134頁）は、「厚生年金基金の解散の場合に支払われる一時金については、〔１〕基金の解散に基因して支払われるものであること及び〔２〕既に退職した者についてだけでなく、退職の事実がなく引き続き勤務している者であっても支払われるものであり、当該一時金の支払が退職という事実と関係なく行われることからすれば、『退職に基因して支払われるもの』でないというべきである。また、本件分配金の算定方法をみてみると、以下のとおり、本件分配金の額は、厚生年金基金連合会に移管される基本年金部分としての最低積立基準額相当額に基づいた残余財産の額に応じて算定されているのに対し、請求人の主張する本件加算年金受給残額は、加入員期間の最終加算給与月額を基に算定されている点で、両者の算定方法は全く異なっており、両者の間に関連性がないことが認められるのであって、この点からも本件分配金が本来の退職一時金とその実質において同様のものであるとは認められない。」との判断を下した。

上記のとおり、本件東京地裁と本件東京高裁とでは結論を分けることになったが、その大きな違いは、東京地裁が通達の取扱いに基礎を置いた判断であったのに対して、東京高裁が所得税法の解釈のみを基礎として判断を展開したところにあると思われる。なるほど、東京地裁がいうように「税務通達に定める税法の解釈基準等が合理的なものと認められる場合には、特段の事情のない限り、課税庁においてこれと異なる取扱いをすることは許されず、異なる取扱いの結果として納税者に過大な納税義務を課すこととなる課税処分は、違法なものとして取り消されることとなる」との考え方は一応妥当ではあるが、まずは、租税法律主義の要請する法律を基礎として考えるところから始めるべきであろう。

そこで、厚生年金基金の解散一時金が所得税法31条２号に規定する「厚生年金保険法第９章の規定に基づく一時金で同法第122条（加入員）に規定する加入員の退職に基因して支払われるもの」の意義について考えてみたい。とりわけここでは、所得税法31条１号が「国民年金法…の規定に基づく一時金」をみなし退職所得とするのに対して、同条２号が、単に厚生年金保険法第９章の規定に基づく一時金というだけでは足りず、「退職に基因して支払われるもの」に限定していることに着目すべきであり、この「退職に基因して支払われるもの」の意義について検討する必要があると思われる[79]。

2 「退職に基因して支払われるもの」の意義と所得税基本通達

課税実務においては、「厚生年金基金規約…に基づいて支給される年金の受給資格者に対し当該年金に代えて支払われる一時金のうち、退職の日以後当該年金の受給開始日までの間に支払われるもの（年金の受給開始日後に支払われる一時金のうち、将来の年金給付の総額に代えて支払われるものを含む。）」については、所得税法31条2号に規定する「加入員の退職に基因して支払われるもの」に該当するとして取り扱っている（所基通31－1⑴）。この取扱いについて、植松守雄氏は、「退職年金制度などにおいては、年金受給者の選択その他一定の事由の発生等により、将来の年金給付の全部又は一部に代えて一時金を支払うこととしている場合があり、このような一時金については、退職の際の選択によりその時に支払われるもの及び退職に際し退職手当等の支払を受けたことのない者に対し、退職後最初に支払われるものについては退職所得とし、年金の支払者である法人の解散等により将来の年金給付の総額に代えて支払われるもの及びその他のものは、その支給事由が退職と直接的な関連を有しないことから、退職所得以外の所得とすべき」とする考え方を示される。そして、その上で、「退職の際に退職手当等の支給を受けた者が、その後、住宅の取得とか、疾病、災害等の不測の事由により一時金の支給を受けることとした場合には、相当長期間にわたる年金に相当する金額が一時に雑所得等として課税されることになり、税負担の面から実情に沿わないという問題が生ずることから」、厚生年金基金から年金に代えて支払われる一時金のうち、年金の受給開始前に支払われる一時金のみならず、年金の受給開始後に支払われるもののうちその支払が将来の年金給付の総額に代えて支払われるものについては、退職所得として取り扱うこととしている旨説明される[80]。

かような解釈が、果たして所得税法31条2号から読み取れるのかという点についての問題も惹起されそうである。そこで、「加入員の退職に基因して支払われるもの」の意義から、なぜかような解釈を導出できるのかという点について考えてみたい。すなわち、ここで考察すべき点は退職との因果関係の問題である。

厚生年金基金から年金に代えて支払われる一時金であっても、既に退職をしている年金受給者に対する一時金であれば、「退職」の事実があると一応はいえそうである。もっとも、「退職」があることは、退職の時期に支給されたという意味にとどまる場合もあることから、退職の事実のみで必ずしも「退職に基因して支払

79）昭和62年度税制改正において公的年金等に対する課税の仕組みについての全面的見直しが行われたことに伴い、みなし退職所得とされる一時金の範囲についての整備が行われた。

80）注解所得税法研究会・注解583頁。

われるもの」に当たるとまではいい切れない。

さりとて、退職という事実はあっても、既に退職から時間が経過してしまっている既退職者が受ける一時金の支給についてまで、退職という事実と因果関係があるといえるのであろうか。また、年金の受給開始前であれば、一度年金を選択したものの退職一時金として受給することを選択し直したのであるから、これを退職一時金としても問題ないと解されるが、既に公的年金として受給をしているケースではどうであろうか。既に支給された部分については、公的年金に係る雑所得課税が行われているのである。とすれば、未受給年金の残りが爾後に一時に支給されたことに退職との因果関係を認めるのは困難であるようにも思われる。

では、所得税基本通達31－1⑴の括弧書き（以下「選択一時金通達括弧書き」という。）において、「年金の受給開始日後に支払われる一時金のうち、将来の年金給付の総額に代えて支払われるもの」についてまで退職所得との因果関係が認められるとする根拠は奈辺にあるのであろうか。

まず考えられるのは、所得税基本通達30－4《過去の勤務に基づき使用者であった者から支給される年金に代えて支払われる一時金》が「法第35条第３項第２号に規定する過去の勤務に基づき使用者であった者から支給される年金の受給資格者に対し当該年金に代えて支払われる一時金のうち、退職の日以後当該年金の受給開始日までの間に支払われるものは退職手当等とする。なお、年金の受給開始後に支払われる一時金であっても、将来の年金給付の総額に代えて支払われるものは、次に掲げる区分に応じ、それぞれ次に掲げる年分の退職手当等として差し支えない。」とする取扱いとの整合性である。

もっとも、同通達に示す取扱いが、「これらの性質を有する給与」という包括的な規定振りをする所得税法30条の規定の解釈として導出し得るとしても、同法31条にはかような包括的な規定がないことに思いを致せば、同様に解釈する根拠はない。かくして、所得税基本通達31－1⑴の取扱いが許容されるとすれば、「退職に基因して支払われるもの」の解釈に戻らざるを得ないことになるのである。

3　「退職」と支給との因果関係

ところで、ここで考えたいのは、退職と支給との因果関係の捉え方には、二つの切り口があり得るのではないかという点である。すなわち、第１に退職の事実との因果関係と、第２に退職所得とされる退職一時金との金額面あるいは計算基準の因果関係である。まず、退職の事実との因果関係によって導出されるのが、所得税基本通達31－1⑴の「年金の受給資格者に対し当該年金に代えて支払われる一時金のうち、退職の日以後当該年金の受給開始日までの間に支払われるもの」である。そして、選択一時金通達括弧書きについては、事実上の退職との因果関係は希薄であるが、第２の退職一時金との金額面あるいは計算基準における因果関係があるとみているのではないかと思われる[81)]。選択一時金通達括弧書き部分についてのみ「年金給付の総額に代えて」とされており、爾後に分割支給される年金総額と同額であれば、これも年金を選択せずに退職一時金を選択したのと同様とみることが可能であるとして、所得税法31条２号にいう「退職に基因して支払われるもの」に該当すると解釈していると思われるのである。長期間にわたる年金に相当する金額が一時に雑所得等として課税されることへの担税力の配慮が許容されるのは、分割支給される年金総額が退職所得の金額と同額であるという点、すなわち、厚生年金基金規約に基づいて支給される将来の年金の総額に代えて一時金として支払われるのであれば、退職所得と同様に扱うことが可能であるという点に尽きる。

そうであるとすれば、選択一時金通達括弧書き部分を所得税法31条に規定するみなし退職所得といい得るためには、厚生年金基金規約に基づいて支給される金額が年金の総額に代えた金額相当額と合致していることが最低限必要であり、この点が等閑視されてはならないのではなかろうか。したがって、選択一時金通達括弧書きを捉えて、さらにこれを拡張して理解するのは妥当ではない。そもそもみなし退職所得については、所得税法30条のように「これらの性質を有する給与」といった広範な規定振りは用意されていないのであるから、支給された一時金の性質に着目した上で類似のものをみなし退職所得に取り込むことを法は予定していないと思われるのである。かくして、選択一時金通達括弧書きが所得税法31条２号の解釈論として認容されるのであれば、金額的な面での因果関係が認められるこのあたりが解釈論上の限界であろう[82)]。

ところで、厚生年金基金の解散という偶然の出来事を原因として分配される一時金は、既退職者だけでなく、引き続き勤務している者に対しても分配される。後者にとっては退職の事実との因果関係は見出せない。そして、前述の国税不服審判所裁決では、「退職所得とされる一時金は、将来の年金給付の総額に代えて支払われるものの現価相当額、すなわち将来支給を受ける年金総額の前払いとして

81) 計算基準によって退職手当等の範囲を画そうとする実務上の取扱いとして、所得税基本通達30－１参照。

82) 所得税法30条が「退職により」としているのに対して、同法31条２号は「退職に基因して」として、明確に文言を使い分けている。「基因」は「より」と比較して直接的な因果関係を予定していないという点から、「基因」という文言を使う所得税法31条２号にいう因果関係は、同法30条にいう因果関係に比してそれほど直接的なものが要求されていないのではないかという考えも起こり得よう。しかし、この点を捉えて、みなし退職所得を広く捉える根拠とすることは妥当でないと考える。所得税法31条が「基因」という文言を使っているのは、一時金が雇用関係にない厚生年金基金から支給されるもので、勤務先等を退職したことによって支給されるわけではないという点にあると思われるからである。なお、所得税法31条３号の「退職により」との関係も同様に整理できよう。

の支払であるのに対し、本件分配金は、上乗せ部分の給付原資に係る残余財産の分配であり、将来の年金給付の総額との関連性を有していないものであることから、本件分配金を退職手当等とみなされる一時金と解することはできない。」として、みなし退職所得には該当しないと判断されたのである。

解散一時金は、厚生年金基金解散時の残余財産の分配であり、具体的には、受給権者等は各人のプラスアルファ部分と加算年金部分の最低積立基準額相当額に応じた公平な分配額の支払を受けるもので、時価換算をした際の解散基金の資産や債務の状況如何によってその額に変動が生じる。このように考えると、金額面においても計算基準においても、厚生年金基金の解散一時金は「本来の年金給付の総額に代えて支払われるもの」には当たらないといえよう。

厚生年金基金等の企業年金制度等から支給される一時金には、退職を基因とするものも、基金の解散や適格退職年金契約の解除等を基因とするものもある。所得税法は、企業年金制度等からの一時金としての支給には多くの基因があり得るとしても、前者の場合にのみ担税力の低さを考慮する必要があるとしており、そのような場合についてのみ退職所得に該当すると解するべきであろう[83)]。

ここで注意しなければならないのは、課税実務上、同じ従業員に対する支給ではあっても、母体企業の倒産によって厚生年金基金が解散した場合の残余財産の分配一時金については退職所得と解されているという点である[84)]。この取扱いの分岐点は、厚生年金基金の解散に基づく一時金が、退職に基因しているとはいえないのに対して、母体企業の倒産による場合には、会社の解散という「退職」に基因しているという点にあると思われる（所基通30－2(6)も参照）。「退職」概念が、雇用関係等の条件、内容等に著しい変更のある事実の総体として捉えられていることからすれば、母体企業が消滅し、従業員が勤務を継続し得ない状況に陥ったことは退職と解する余地がある。要するに、同じ厚生年金基金の解散一時金であっても、その所得区分上の判断は、「退職に基因して支払われるもの」かどうかという点に帰着することになる。

よって、退職所得とは、「退職」という概念の意義とかかる退職と支給との因果関係によって画される所得区分であるということがいえよう。

83）昭和62年度税制改正における立案当局の見解では、厚生年金基金制度をはじめとする企業年金等の制度においては、退職の事実がない場合、例えば、厚生年金基金の解散の場合には一時金の支払が行われることになるが、このようなものについてまで退職所得扱いとすることは適当ではないと考えられるという理由で、「その加入員の退職に基因して支払われるもの」を退職所得とする規定が設けられたと説明されている（国税庁『改正税法のすべて〔昭和62年〕』46頁）。

84）国税庁質疑応答事例「母体企業の倒産によって厚生年金基金が解散し、その残余財産の分配一時金が支払われる場合」（国税庁 HP（https://www.nta.go.jp/law/shitsugi/shotoku/02/22.htm〔令和３年４月19日訪問〕）参照。

Ⅷ　山林所得

1　山林所得の意義

山林所得とは、山林の伐採又は譲渡による所得をいい（所法32①）、所得税法上の「譲渡による所得」の一つである。譲渡所得が「資産」の譲渡による所得と規定しているのに対して、山林所得は「山林」の譲渡による所得と規定していることに注意が必要である。所得税法は、譲渡による所得のうち、山林の譲渡による所得を先取りして山林所得とし、それ以外の資産の譲渡による所得を譲渡所得としている（所法33②）。山林を伐採して、譲渡した場合と山林を山林のまま譲渡する場合の両方が山林所得の対象となるが、「山林をその取得の日以後５年以内に伐採し又は譲渡することによる所得は、山林所得に含まれない」（所法32②）。

なお、分収造林契約又は分収育林契約に基づき受ける一定の収入金額や、これらの契約に係る権利の譲渡による収入金額は、山林所得の収入金額とされる（所令78の２①②、78の３①）。ここにいう「分収造林契約又は分収育林契約」とは、次の者が、労務又は資本を出し合って造林又は育林を行い、その共同の成果である山林を伐採又は譲渡して、その収益を各当事者が一定の割合で分収する契約をいう。

①　土地の所有者

②　費用負担者

③　造林者又は育林者

ただし、分収造林契約等の各当事者が分収する金額のうち、次のいずれかに該当するものは、山林所得以外の所得とされる（所令78の２③、78の３②）。

❶　上記①又は②の者がその山林の伐採又は譲渡前の契約割合で分収する金額

❷　上記①又は②の者が契約期間中引き続いて地代や利息等の支払を受けている場合に契約割合で分収する金額

❸　権利の取得日から5年以内にその山林を伐採又は譲渡し契約割合で分収する金額

❹　契約の各当事者が権利の取得日から5年以内に譲渡したことによる収入金額

❺　費用負担者が契約上の権利を譲渡したことによる収入金額

ここにいう「山林」とは、販売を目的として育成管理した立木をいうと解されている。すなわち、山林所得とは、山林経営を前提とした所得区分であるから、単に、植木業者の育成している立木や庭木、果樹園などはここにいう山林には当たらないと解されている。

例えば、後述の145最高裁昭和35年9月30日第二小法廷判決（334頁参照）は「所得税法が同法9条1項8号〔筆者注：現行33条〕の譲渡所得から7号〔筆者注：現行32条〕の山林の伐採または譲渡による所得を除外しているのは、山林所得が山林経営を伴う点においてその性質を異にする故と解されるから、前述のように山林経営の実体を伴わない山林譲渡については、その所得を山林所得と解すべきではなく譲渡所得と解するのを相当とする。」と判示している。

また、例えば、国税不服審判所昭和61年3月31日裁決（裁決事例集31号42頁）は、「山林経営の目的は、自ら植林した山林又は他から取得した幼令林につき除伐、補植、その他育成管理を行って長期間にわたる立木の成長と自然的、人為的なとうたを経た後植生した立木のうちから用材として使用価値のある一定数の成長立木を仕立て、これを伐採、譲渡して投下資本の回収を図ることにある。しかして、その山林の育成管理のために投下したあらゆる費用は、植生した立木のうち最終的に用材として成長を遂げて伐採、譲渡された立木の原価として配賦すべきであるから、山林所得の金額の計算は、一定の立木の集団ごとに行うというのが所得税法第37条第2項の規定の趣旨である。」とする。このような判断は、山林経営を前提としているように思われ、そのことが成長過程にある未成木から成っている山林に生じた災害損失を立木ごとに計算せずに、かかる経営単位で資産損失の適用をみるとの考え方に反映されているのではないかとも思われるのである。

CHECK！　事業所得と山林所得の区分

山林の所有者が保有期間５年を超える山林を伐採又は譲渡することによる所得は、たとえその山林経営が事業的規模と認められる場合であっても、事業所得には該当しない。この場合には、山林所得に分類されることになる（山林所得の前取り的取扱い）。他面、山林を取得した日から５年以内に伐採又は譲渡することによる所得は、山林の経営が事業的規模である場合には事業所得、事業的規模とまで認められない場合には雑所得に分類される。課税実務は、次のように二つの所得に区分することを通達している（所基通23～35共－12）。

①　植林又は幼齢林の取得から伐採までの所得…伐採した原木を製材業者の通常の原木貯蔵場等に運搬した時の価額で山林所得とする。

②　製材から販売までの所得…その製品を販売した時の事業所得とする。

2　山林所得の金額の計算

山林所得の金額は、その年中の山林所得に係る総収入金額から必要経費を控除し、その残額から山林所得の特別控除額を控除した金額とする。なお、山林所得の特別控除額は、50万円（50万円に満たない場合には、当該残額）とする。

山林所得の金額＝（総収入金額－必要経費）－特別控除額（所法32③④）

(1)　山林所得の総収入金額

山林所得の総収入金額の計算に当たっては、次の点に注意が必要である。

①　自家消費

居住者が山林を伐採して家事のために消費した場合には、その消費した時におけるこれらの資産の価額に相当する金額は、その者のその消費した日の属する年分の山林所得の金額の計算上、総収入金額に算入する（所法39）。

②　みなし譲渡課税

次に掲げる事由により居住者の有する山林の移転があった場合には、その者の山林所得の金額の計算については、その事由が生じた時に、その時における価額に相当する金額により、これらの資産の譲渡があったものとみなす。その際、居住者が山林を個人に対し下記(ii)に規定する対価の額により譲渡した場合において、当該対価の額が当該資産の譲渡に係る山林所得の金額の計算上控除する必要経費額に満たないときは、その不足額は、その山林所得の金額の計算上、なかったものとみなす（所法59①②）。

(i)　贈与（法人に対するものに限る。）又は相続（限定承認に係るものに限る。）若しくは遺贈（法人に対するもの及び個人に対する包括遺贈のうち限定承認に係るものに限る。）

(ii)　著しく低い価額の対価として政令で定める額による譲渡（法人に対するものに限る。）

なお、損失に係る保険金、損害賠償金、見舞金等は非課税所得とされるが（所法９①十七）、山林に損失を受けたことによりに取得する保険金、損害賠償金、見舞金等は、山林所得の収入金額に代わる性質を有するものであることから、その受けた年分の総収入金額に算入する（所令94①一）。

(2)　山林所得の必要経費

山林所得の金額の計算上控除することができる必要経費は、別段の定めがあるものを除き、その山林の取得費、管理費、伐採費その他その山林の育成又は譲渡に要した費用（償却費以外の費用でその年において債務の確定しないものを除く。）である（所法37②）。ただし、昭和27年12月31日以前から引き続き所有していた山林を伐採又は譲渡した場合には、取得費として、昭和28年１月１日における相続税評価額をもとに計算する（所法61①、所令171）。

なお、次のような課税の特例が規定されている。

①　山林所得の概算経費控除

伐採又は譲渡した年の15年前の12月31日以前から引き続き所有していた山林については、次の算式により必要経費の額を計算することができる

（措法30①④、措令19の６、措規12②、措通30－２）。

$$\left\{\left(\text{収入金額}\right)-\left(\text{伐採費などの譲渡費用}\right)\right\}\times 50\% + \left(\text{伐採費などの譲渡費用}\right) + \left(\text{被災事業用資産の損失の金額}\right)$$

＝必要経費の額

②　山林所得の森林計画特別控除

森林施業計画に基づき山林の全部又は一部を伐採又は譲渡した場合には、通常の必要経費のほかに、次の(i)と(ii)により計算した金額のうちいずれか低い金額（概算経費によった場合は(i)による。）を山林所得の金額の計算上控除することができる（措法30の２①②）。

(i)　（収入金額ａ － 伐採費等の譲渡費用ｂ）× 20%

（収入金額が2,000万円を超える場合、その超える部分は10%）

(ii)　（ａ － ｂ）× 50% － $\left(\text{aに対応する必要経費} - b - \text{aに対応する被災事業用資産の損失の金額}\right)$

③　山林を収用された場合の課税の特例

土地収用法により山林が収用されたときや、保安林などを国有林と交換したときなどの場合には、課税の特例が設けられている（措法33ほか）。

裁判例の紹介

山林所得の意義

山林所得とは山林経営による所得を指すものと解されているとされた事例

（143第一審徳島地裁昭和31年２月８日判決・民集14巻11号2365頁）

（144控訴審高松高裁昭和31年10月20日判決・民集14巻11号2370頁）

（145 上告審最高裁昭和35年9月30日第二小法廷判決・民集14巻11号2330頁）[85]

〔事案の概要〕

X（原告・控訴人・上告人）は肩書地で農業及び砂糖精製業を営んでいるが、山林所得については確定申告をしなかったところ、税務署長Y（被告・被控訴人・被上告人）から、Xが本件山林をTに売却した譲渡所得を算入した更正処分を受けた。Xはこの処分の取消しを求めて本訴に及んだ。

〔争点〕

本件では、Xが娘との間で所得分割を行ったことの是非も争点とされているが、ここでは、控訴審における争点、すなわち本件山林の譲渡が山林所得に該当するか譲渡所得に該当するかを取り上げる。

〔判決の要旨〕

1　徳島地裁昭和31年2月8日判決

第一審においては、Xが他家に嫁した娘との間に山林の経営、転売に関し、組合契約若しくは匿名組合契約を締結しているとして、所得を分割すべきか否かが争点となった。徳島地裁は、Xが単独で山林の買入、管理、売却等一切の手続をなし、娘には出資余力もなく、かつX主張のような多額の利益の分配を受けていない等の事実が認められる場合は、たとえ両者の間に金員の授受があったとしても、それは消費貸借契約を締結した趣旨にすぎないものというべきである旨判示した。

2　高松高裁昭和31年10月20日判決

「所謂山林所得とは山林経営による所得を指すものと解せられているので、通常山林を買入れ直ちにこれを伐採又は譲渡した場合のように山林経営の実を伴わない場合の所得は山林所得には該当しないものと謂うべきところ山林を買入れて之を譲渡することに因って得た所得は勿論…所謂事業所得からは除外せられており…規定の位置体裁等から検討するに、右に所謂一時所得とは…一定の所得の源泉即ち、動、不動産其の他の資本若くは事業乃至は勤労等から通常生ずる所得以外の所得で、営利を目的とする継続的行為から生じた所得以外の一時的性質を有する所得を指称し…右に所謂雑所得とは右第1号乃至第9号の所得以外の所得を指称する…を相当とする。従って右の如き山林所得に該当しない山林立木の譲渡による所得は特段の事情のない限り前記譲渡所得に該当する

85）判例評釈として、中川一郎・税法123号28頁（1961）、高田敏・民商44巻4号159頁（1961）、植松守雄・税通39巻15号52頁（1984）、志場喜徳郎・租税百選74頁（1968）、田中真次・曹時12巻11号110頁（1960）、藤田良一・税通33巻14号94頁（1978）など参照。

ものと解するを相当とする。尤も現行の所得税法…によれば、山林の伐採又は譲渡に因る所得（山林をその取得の日から１年以内に伐採又は譲渡することに因る所得を除く以下山林所得という）云々と規定せられているけれども、右規定の趣旨は右の如く１年以内の短期間の山林保有の場合には山林経営の事実の有無を問わないで之による所得は山林所得には該当しないと明定したまでであって、これが為に山林を取得して１年以上保有した事実があったからとて、直ちにその山林譲渡による所得を山林所得であるとする趣旨とは解せられない。右の見解に従って本件を見るに、…Ｘにおいて本件山林を経営した事跡も認められない。かような情況下における本件山林の譲渡に因る所得は前叙に照し到底山林所得とは謂い難く、譲渡所得と解するを相当とする。」

3　最高裁昭和35年９月30日第二小法廷判決

「原判決の確定するところによれば、…Ｘが山林を経営した事跡は認められないというのである。そして、所得税法が同法９条１項８号〔筆者注：現行33条〕の譲渡所得から７号の山林の伐採または譲渡による所得を除外しているのは、山林所得が山林経営を伴う点においてその性質を異にする故と解されるから、前述のように山林経営の実体を伴わない山林譲渡については、その所得を山林所得と解すべきではなく譲渡所得と解するのを相当とする。」

〔コメント〕

控訴審及び上告審では、山林の経営が山林所得の要件と判断されている。このような間接事実が解釈論上導出できるのは、本件最高裁によれば、所得税法が譲渡所得から「山林」の伐採又は譲渡による所得を除外していることにあり、それが、「山林」については山林経営を伴う点においてその性質を異にするためという。

実定法上の文理解釈から山林の経営要件を導出することができるか否かについては議論のあるところである。

Ⅸ　譲渡所得

1　譲渡所得の意義と計算

譲渡所得とは、資産（棚卸資産やこれに準ずる資産、営利を目的として継続的に譲渡される資産及び山林を除く。）の譲渡による所得をいう（所法33①②）。資産の譲渡による所得に対する課税とは、資産に内在している価値の増殖分（含み益、キャピタル・ゲイン）に対する課税（繰り延べられてきた課税）を、資産を手放すタイミングで課税するということを意味している。したがって、譲渡所得とは、譲渡によって得られる所得というよりは、これまで内在していて課税されてこなかった資産価値の増殖分が「譲渡というタイミング」で実現したものとして把握する概念であるといってもよかろう。このような考え方を「増加益清算課税説」と呼ぶ。これに対して、譲渡所得とは、資産の譲渡によって外部から流入してくる譲渡の対価と取得費・維持管理費との差額であると説明する考え方もある。この考え方を「譲渡益課税説」と呼ぶ。我が国の通説・判例は、前者の増加益清算課税説に立っているといえよう。

いわゆる榎本家事件148最高裁昭和43年10月31日第一小法廷判決（342頁参照）は、「譲渡所得に対する課税は、…資産の値上りによりその資産の所得者に帰属する増加益を所得として、その資産が所有者の支配を離れて他に移転するのを機会に、これを清算して課税する趣旨のものと解すべきであり、売買交換等によりその資産の移転が対価の受入を伴うときは、右増加益は対価のうちに具体化されるので、これを課税の対象としてとらえた」ものであると説明している。

上記のとおり、譲渡所得とは、資産の譲渡による所得をいうが、資産の譲渡による所得のうちでも、一定のものを譲渡所得の対象から除外し、その一方で、資産の譲渡とはいえないような借地権等の設定の対価として支払を受ける権利金については、譲渡所得の対象としている。

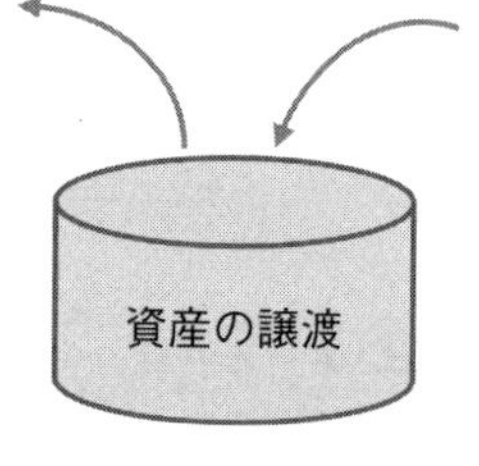

譲渡所得は短期譲渡所得と長期譲渡所得に区分する。短期譲渡所得とは、資産の譲渡でその資産の取得の日以後５年以内にされたものによる所得をいい

（所法33③一）、長期譲渡所得とはそれ以外の資産の譲渡による所得をいう（所法33③二）。

譲渡所得の金額
＝{総収入金額－(取得費＋譲渡費用額)}－特別控除額（最高50万円）（所法33③）

譲渡所得の金額は、短期譲渡所得及び長期譲渡所得のそれぞれについて、上の計算式のように、総収入金額から当該所得の基因となった資産の取得費及びその資産の譲渡に要した費用の合計額を控除し、その残額の合計額から譲渡所得の特別控除額を控除した金額である。「短期譲渡所得」又は「長期譲渡所得」のうちいずれかの所得に係る総収入金額がその資産の取得費及び譲渡に要した費用の合計額に満たない場合、すなわち譲渡により損失が生じている場合には、その不足額に相当する金額は他の「短期譲渡所得」又は「長期譲渡所得」の金額から差し引いて計算する（所法33③）。また、この譲渡益から控除する特別控除額は、「短期譲渡所得」に係る譲渡益から先に差し引くことになる（所法33⑤）。

譲渡所得は、原則として総合課税の対象である。なお、「長期譲渡所得」については、その２分の１が総合課税の対象となる（所法22②二）。

譲渡所得の金額の計算上控除される取得費は、原則としてその資産の取得に要した金額と設備費及び改良費の合計額である（所法38①）。譲渡所得の対象資産が機械や車両運搬具のように時の経過によって減価するものであるときは、次の計算によるその保有期間中の減価相当額を控除した金額がその資産の取得費となる（所法38②、所令85）。

①　不動産所得、事業所得、山林所得又は雑所得の業務の用に供されていた期間

その期間内の必要経費に算入される償却費の累積額

② ①に掲げる期間以外の期間（非業務供用期間）

> （取得価額）× 90% ×（法定耐用年数の1.5倍の耐用年数に応ずる旧定額法の償却率）× 経過年数
>
> ※経過年数…6か月未満の端数は切捨て、6か月以上の端数は1年

購入した譲渡資産の場合には、購入代金のほか、購入手数料、登録免許税、不動産取得税、引取運賃等、その他その資産を取得するために要した費用（付随費用）が取得費に加算される。ただし、次のような特例にも注意が必要である。

① 昭和27年12月31日以前から引き続き所有していた資産の取得費は、原則として、昭和28年1月1日現在の相続税評価額を基にして計算する（所法61②、所令172①）。

② 昭和27年12月31日以前から引き続き所有していた土地建物等の取得費は、譲渡代金の5％相当額とされる（措法31の4①）。なお、当該金額が実際の取得費に満たないことが証明された場合には実際の取得費とされる（措法31の4①ただし書）。

③ 相続等により財産を取得し、相続税額がある個人が、相続税申告書の提出期限の翌日以後3年内にその相続財産を譲渡した場合には、相続税と所得税の二重課税を調整するため、譲渡所得の計算上、その相続財産に係る部分の相続税額を取得費に加算することとされている（措法39①）。

2　譲渡所得の基因となる資産

譲渡所得の基因となる「資産」の範囲を論じるに当たっては、そもそも「資産」が何かを明らかにしなければならないが、一般的に、資産とは、譲渡性のある財産権を全て含むと解されている。もっとも、次のように、譲渡所得の基因となる資産から除外されるものがある（所法33①②）。

① 棚卸資産

② 棚卸資産に準ずる資産で政令で定めるもの

③ その他営利を目的として継続的に行われる譲渡資産

④ 山林

⑤ 金銭債権

⑥ 暗号資産

文理解釈上の問題点を包含しつつも、課税実務上は金銭債権のようなキャピタル・ゲインを生じない資産（上記⑤）についても、譲渡所得の基因となる資産から除外するものとして取り扱われている（所基通33－1）。

「棚卸資産」とは、商品又は製品、半製品、仕掛品、主要原材料、補助原材料、貯蔵品及び「これらの資産に準ずるもの」をいい（所令3）、「これらの資産に準ずるもの」はいわゆる「準棚卸資産」と呼ばれている。そしてこの、準棚卸資産とは、次のようなものをいう。

① 棚卸資産に準ずるもの

② 少額減価償却資産（使用可能期間が1年未満のもの又は取得価額が10万円未満のもの）及び一括償却資産（取得価額が20万円未満のもののうち一定のもの（所令139））で業務の性質上基本的に重要なもの（少額重要資産）に該当しないものをいう（所令81、所基通33－1の2参照）。

したがって、業務の性質上基本的に重要なもの（少額重要資産）を譲渡した場合には、譲渡所得を構成することになる。

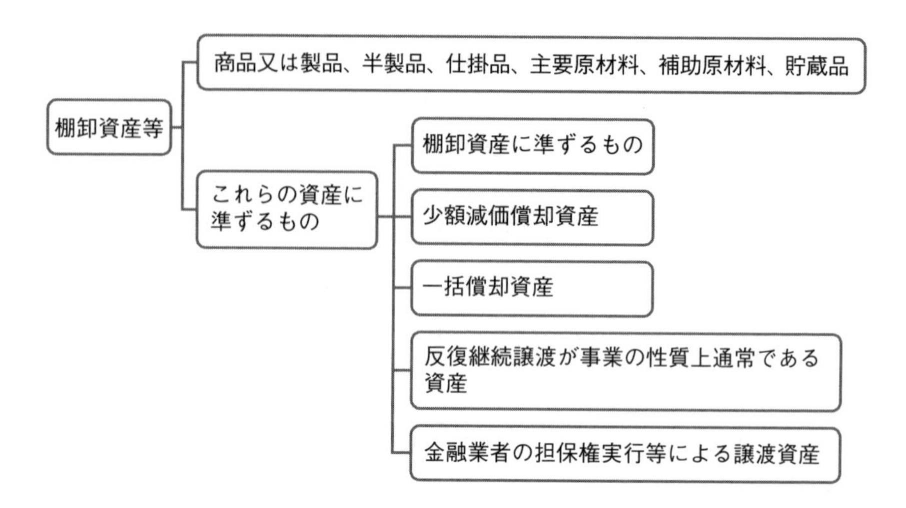

課税実務上は、所得税基本通達において次のように取り扱っている。

① 貸衣装業における衣装類の譲渡、パチンコ店におけるパチンコ器の譲渡、養鶏業における採卵用の鶏の譲渡のように、その事業の用に供する固定資産を反復継続して譲渡することが事業の性質上通常である場合、その固定資産の譲渡による所得は事業所得に該当する（所基通27－1）。釣り堀業における生簀（いけす）内の魚などもこれに含まれよう。

② 金融業者が担保権の実行等により取得した土地、建物、機械等の資産を譲渡した場合の所得は、金融業から生ずる事業所得に該当する（所基通27－4）。

③ 固定資産であった土地に販売の目的で宅地造成を行い、又はその上に建売住宅を建設したような場合には、その土地は「固定資産」ではあるものの、「棚卸資産」としての性質をも有することになる場合には固定資産の定義から外れることから（「固定資産」の定義は「棚卸資産」を除いている（所令5）。）、その譲渡による所得は事業所得又は雑所得に該当することになる。

ただし、(a)宅地造成等をした土地が小規模（おおむね3,000㎡以下）であるときは譲渡所得、(b)その土地が極めて長期間（おおむね10年以上）保有されていたものであるときは、宅地造成等に着手する直前の土地の値上り益に相当する部分を譲渡所得、宅地造成等の加工利益に相当する部分を事業所得又は雑所得として差し支えないとされている（所基通33－4、33－5）[86)]。

前述のとおり、譲渡所得に対する課税は、保有期間中における資産のキャピタル・ゲインについて、その資産が売買等により所有者の支配を離れて他に移転するのを機会に、その保有期間中の値上り益に相当する所得の実現があったものとして一時に課税するものである。このことから「キャピタル・ゲイン課税」とも呼ばれる。本来であれば、キャピタル・ゲインを毎期評価して、かかる評価額に相当する額の所得を認識した上で、キャピタル・ゲイン課税を行うことも考えられるが、所得税法は資産を他に移転する機会まで課税を繰り延べることとしているのである。したがって、いわば本来課税すべきものを資産の移転のタイミングまで課税しないでおくこととしているのが譲渡所得である。そこでは、キャピタル・ゲインに対する課税の繰り延べがなされていると考え、資産移転の際に、その所得が実現したものとして「清算」を行うと理解するのである。前述のとおり、学説は、譲渡所得を増加益の清算課税をするものと捉える見解（増加益清算課税説）が有力である。

ところで、譲渡所得は、その発生形態が非回帰的あるいは不規則的であることから、継続的に発生する所得との担税力の差を考慮する必要があると考えられている。上記のように考えた場合に、特に長期譲渡所得の場合には、本来であれば毎課税期間ごとに資産の増加益を課税すべきところを長期間にわたって課税を繰り延べているのであるから、その実現の際に、累進課税の構造上税負担が重くなりすぎるという問題がある。そこで、所得税法は、長期譲渡所得に対しては、超過累進税率を緩和するためにその2分の1相当にのみ課税するなどの措置をとっている（所法22②二）。また、この理屈から、資産の譲渡による

86）なおこうした取扱いを「二重利得法」と呼ぶことがあるが、この点については後述の裁判例151～153（350頁）を参照。

所得であっても、その発生が非回帰的あるいは不規則的でないものは、譲渡所得から除外し、棚卸資産等の譲渡による所得を事業所得又は雑所得、山林の伐採又は譲渡による所得を山林所得等として課税することとしている（所法33②）。

裁判例の紹介

榎本家事件

対価を伴わない資産の移転において、その資産の値上りにより生じている増加益を課税することは所得のないところに課税所得の存在を認めるものではないとされた事例

（146第一審浦和地裁昭和39年１月29日判決・行集15巻１号105頁）[87]
（147控訴審東京高裁昭和40年９月10日判決・税資41号1004頁）
（148上告審最高裁昭和43年10月31日第一小法廷判決・集民92号797頁）[88]

〔事案の概要〕

Ｘ（原告・控訴人・上告人）は、相続により取得した宅地、山林及び家屋をその親族に贈与したとして当該贈与から生ずる譲渡所得に対する所得税等について、所轄税務署長より各決定処分を受けた。

Ｘは、かかる各決定処分等の取消しを求めて提訴した。

〔争点〕

譲渡所得該当性如何。

〔判決の要旨〕

1　浦和地裁昭和39年１月29日判決

「Ｘは本件不動産の譲渡が無償贈与であって対価を収受していないから課税の

87）判例評釈として、吉良実・租税百選82頁（1968）、波多野弘・シュト36号15頁（1965）など参照。

88）判例評釈として、石井健吾・曹時30巻11号（1835）、浅沼潤三郎・民商77巻２号274頁（1977）、清永敬次・租税百選〔２〕70頁（1983）、岡村忠生・租税百選〔３〕60頁（1992）、佐藤孝行・判評202号28頁（1975）、吉良実・シュト86号８頁（1969）、大塚正民・税法306号307頁（1976）、山田康王・税務事例９巻４号13頁（1977）、波多野弘・シュト36号15頁（1965）、竹下重人・シュト100号107頁（1970）、藤田良一・税通33巻14号98頁（1978）、大島隆夫・税通39巻15号８頁（1984）など参照。

対象にならないと主張する。しかしながら、譲渡所得に対する課税は、資産移転の段階において、それまでの資産の増加益が前所有者に既に帰属しているとの見地に立ち、資産がその者の支配から離れた際に課税の清算を行うという考方に基いているのである。

すなわち、譲渡所得は、資産を売却することによって始めて実現する（資産の売却価額が取得価額や譲渡経費を上廻る場合にその差額が譲渡所得を構成する）という考え方ではなく、譲渡所得の基因である資産利益は資産そのものの値上りという形で既に発生しており、これを、資産が売買であれ贈与であれ、その所有者の支配から離れる際に清算しようという考方に立っている。したがって、たとえ資産が無償譲渡され、従前の所有者が資産譲渡について何らの対価を得ていない場合においても、譲渡所得に対して課税がなされることになる。所得税法第５条の２の規定はかような税法上の理論的根拠に基くものであるから、対価を収受していないから課税の対象にならないというＸの主張は失当である。」

2　控訴審**東京高裁昭和40年９月10日判決**も原審判断を維持した。

3　最高裁昭和43年10月31日第一小法廷判決

「譲渡所得に対する課税は、原判決引用の第一審判決の説示するように、資産の値上りによりその資産の所得者に帰属する増加益を所得として、その資産が所有者の支配を離れて他に移転するのを機会に、これを清算して課税する趣旨のものと解すべきであり、売買交換等によりその資産の移転が対価の受入を伴うときは、右増加益は対価のうちに具体化されるので、これを課税の対象としてとらえたのが旧所得税法（昭和22年法律第27号、以下同じ。）９条１項８号の規定である。そして、対価を伴わない資産の移転においても、その資産につきすでに生じている増加益は、その移転当時の右資産の時価に照して具体的に把握できるものであるから、同じくこの移転の時期において右増加益を課税の対象とするのを相当と認め、資産の贈与、遺贈のあった場合においても、右資産の増加益は実現されたものとみて、これを前記譲渡所得と同様に取り扱うべきものとしたのが同法５条の２の規定なのである。されば、右規定は決して所得のないところに課税所得の存在を擬制したものではなく、またいわゆる応能負担の原則を無視したものともいいがたい。のみならず、このような課税は、所得資産を時価で売却してその代金を贈与した場合などとの釣合いからするも、また無償や低額の対価による譲渡にかこつけて資産の譲渡所得課税を回避しようとする傾向を防止するうえからするも、課税の公平負担を期するため妥当なものというべきであり、このような増加益課税については、納税の資力を生じない場合に納税を強制するものとする非難もまたあたらない。」

〔コメント〕

本件最高裁判決は、譲渡所得を過去の増加益の清算課税と捉え、キャピタルゲイン課税と理解する（増加益清算課税説）。そもそも、シャウプ勧告は、「増加する所得に対する厳格な課税理論に従えば、納税者の資産の市場価値の一年内の増加額は、毎年これを査定し課税すべきものとなる。しかし、これは困難であるので、実際においては、かかる所得は、納税者が、その資産を売却し、所得を現金または他の流通資産形態に換価した場合に限って、課税すべきものとされている。この換価が適当な期間内に行われる限り、課税はただ時期を若干遅らせたにすぎず基本原則は何ら害されはしない。しかし、資産所得に対する課税を無制限に延期すれば、納税者は本来ならば課せられるべき税負担の相当部分を免れることができるから、無制限延期はこれを防止する必要がある。これを防止する最も重要な方法の一つは、資産が贈与または相続によって処分された場合に、その増加を計算してこれを贈与者または被相続人の所得に算入せねばならないものとすることである。」として[89)]、譲渡所得を上記最高裁判決と同じように捉えていた。

そのような意味において、譲渡所得は無償による譲渡にも課税され得ることにはなるが、みなし譲渡所得の現行所得税法59条《贈与等の場合の譲渡所得等の特例》１項が、①「贈与（法人に対するものに限る。）又は相続（限定承認に係るものに限る。）若しくは遺贈（法人に対するもの及び個人に対する包括遺贈のうち限定承認に係るものに限る。）」及び②「著しく低い価額の対価として政令で定める額による譲渡（法人に対するものに限る。）」として、資産の贈与や相続の際にすべからく譲渡所得を観念するとまでは規定していないことからすれば、上記の理論は、同条の範囲内においてのみ適用されると解されるのであって、シャウプ勧告の思考こそ引き継がれてはいるものの、その範囲は制限されているといえよう。すなわち、贈与に関していえば、法人に対する贈与の場合にのみ、譲渡所得として課税されることになるのである。

裁判例の紹介

金地金譲渡

本件スワップ取引により本件金地金を交換したことが所得税法33条１項にいう「資産の譲渡」に該当しないとされた事例

（149第一審名古屋地裁平成29年６月29日判決・税資267号順号13028）
（150控訴審名古屋高裁平成29年12月14日判決・税資267号順号13099）

89）第一次シャウプ勧告・附録ＢのＤ。

〔事案の概要〕

本件は、金地金を所有していたX（原告・控訴人）が、A社との間で、金の購入保管に係る本件契約を締結して取引をしたところ、所轄税務署長から、本件契約に基づく取引が譲渡所得に係る所得税の課税対象となる「資産の譲渡」（所法33①）に該当し、Xには同取引による譲渡所得が生じているとして、平成23年分の所得税の更正処分等を受けたため、Xが、本件契約に基づく取引は「資産の譲渡」に該当せず、譲渡所得は生じていないと主張して、国Y（被告・被控訴人）を相手取り、本件更正処分の取消しを求めた事案である。

なお、Xは、平成9年4月10日、E社を通じて、金地金26キロを3,905万5,099円（委託手数料、消費税相当額等を含む。）で購入した。また、Xは、同月8日、所有していた銀を売却し、その後、当該売却により得た資金を原資として、同社を通じて、金地金10キロを約1,000万円（委託手数料、消費税相当額等を含む。）で購入した（以下、Xが購入したこれらの金地金合計36キロを「本件金地金」という。）。その後、Xは、平成23年6月17日、本件金地金をA社が運営するF名古屋店に持ち込み、同社との間で、本件契約を締結した。Xは、本件金地金につきスワップ取引をするとともに、これにより取得した金地金につき保管取引をすることとし、同日、スワップ取引により取得した同社が製錬した金地金36キロについて、同社に保管を委託し、同社に対し、スワップ取引手数料90万円（同日の金地金の店頭での販売価格である1グラム当たり4,147円と買取価格である1グラム当たり4,122円との差額25円に本件金地金の重量を乗じた額）、年会費5,250円及び年間保管料4万2,000円を支払った（以下、上記スワップ取引を「本件スワップ取引」という。）。

〔争点〕

本件スワップ取引による本件金地金の移転が、所得税法33条1項に規定する「資産の譲渡」に該当するか否かである。

〔判決の要旨〕

1　名古屋地裁平成29年6月29日判決

「1　譲渡所得の本質は、資産の値上がりにより当該資産の所有者に帰属する増加益（いわゆるキャピタル・ゲイン）であり、譲渡所得に対する課税は、上記増加益を所得として、その資産が所有者の支配を離れて他に移転するのを機会に、これを清算して課税する趣旨のものであるから、その課税所得たる譲渡所得の発生には、必ずしも当該資産の譲渡が有償であることを要せず、所得税法33条1項にいう『資産の譲渡』とは、有償無償を問わず資産を移転させる一切の行為をいうものと解すべきである（最高裁昭和●●年（○○）第●●号同47年12月26日第三小法廷判決・民集26巻10号2083頁、昭和50年判決参照）。そして、資産の値上がり益である増加益は、それが抽象的に発生しているにとどまる限りは、それを捕捉し評価して課税することが困難であることから、未実現の経済的利得として所得税の課税対象とされていないのであり、原則として、当該資産の譲渡により増加益が所得として実現したときに所得税の課税対象となり（最高裁平成●●年（○○）第●●号同18年４月20日第一小法廷判決・裁判集民事220号141頁参照）、売買、交換等による資産の移転が対価の受入れを伴うものであるときは、その増加益は当該対価のうちに具体化されるものであると解するのが相当である（最高裁昭和●●年（○○）第●●号同43年10月31日第一小法廷判決・裁判集民事92号797頁参照）。

以下、上記判断枠組みを前提に、本件契約について検討する。

２　本件スワップ取引による本件金地金の移転が、所得税法33条１項に規定する『資産の譲渡』に該当するか否かについて

⑴　…本件契約は、本件契約の締結を希望する顧客が、〈１〉Ａ社から同社にて製錬した金地金を購入する『売買取引』を行うか、同社との間で、当該顧客が所有する金地金と同社にて製錬した金地金とを交換する『スワップ取引』を行うことにより、同社にて製錬した金地金を取得することと、〈２〉取得した金地金の保管を同社に委託する『保管取引』を行うことを組み合わせて構成された契約であると認められる。そして、初回の売買取引又はスワップ取引と初回の保管取引とは、同時に行われることが予定されているものの、本件約款上それぞれ独立した取引として観念され、各取引を行うに当たり生じる購入代金、スワップ取引手数料及び保管料といった費用も、それぞれ独立して発生するものとされていることに照らすと、Ａ社にて製錬した金地金を取得することを目的とする上記〈１〉の取引と、その保管の委託を目的とする上記〈２〉の取引とは、本件契約上それぞれ独立した取引として構成されているものと認めるのが相当である。したがって、スワップ取引により取得した金地金を保管取引により預ける場合の本件契約の法的性質は、顧客とＡ社とが互いの金地金の所有権を相手方に移転する民法上の交換と、顧客がこれにより取得した金地金の保管を同社に委託する民法上の寄託（混蔵寄託）とを組み合わせた混合契約であると認められる（なお、Ｙは、本件契約におけるスワップ取引が交換又は売買である旨主張するところ、本件約款において定められたスワップ取引の具体的内容や、本件約款において金地金の『交換』であるとの文言が使用されていること、…Ｘが本件契約の締結に当たり支払った費用はスワップ取引手数料、年会費及び年間保管料の合計94万7250円のみであることなどに鑑みると、スワップ取引の法的性質は、上記のとおり交換であると認められる。)。

そして、上記１で説示したとおり、交換としての法的性質を有する本件スワップ取引により、Ｘが所有していた本件金地金の所有権がＡ社に移転し、その対価（反対給付）としてＸに所有権が移転した同社にて製錬した金地金をもって、Ｘによる本件金地金の保有期間中に抽象的に発生していた増加益が具体化されたものと解するのが相当である。そうすると、本件スワップ取引により、本件

金地金について『資産の譲渡』があったものというべきである。」

2　名古屋高裁平成29年12月14日判決

「本件契約は、本件契約の締結を希望する顧客が、〈1〉A社との間で本件契約を締結すると同時に、同社から初回の売買取引により金地金を購入して初回の保管取引を行うというものと、〈2〉A社との間で本件契約を締結すると同時に、顧客が所有する金地金を初回のスワップ取引により同社が製錬した金地金と交換し、当該交換した金地金について保管取引を行うというもの（本件交換・保管取引）の、二つがあるところ、…XとA社との取引は、上記〈2〉の本件交換・保管取引であったと認められる。

本件交換・保管取引は、…交換取引と保管取引を切り離して個別に取引をすることはできず、両取引が一体となって行われる取引であると認められるから、本件契約のうち、本件交換・保管取引に係る部分の法的性質は、顧客とA社とが互いの金地金の所有権を相手方に移転する民法上の交換と、顧客がこれにより取得した金地金の保管を同社に委託する民法上の寄託（混蔵寄託）とを組み合わせた混合契約であると認められる。なお、Yは、本件契約におけるスワップ取引は売買であるとも考えられる旨主張するが、本件約款においては金地金の『交換』であるとの文言が使用されていること、…Xが本件契約の締結に当たり支払った費用は、スワップ取引手数料、年会費及び年間保管料の合計94万7250円のみであることなどに鑑みると、スワップ取引の法的性質は交換であると認めるのが相当である。」

「本件契約を締結し、本件交換・保管取引を行う顧客からみれば、Dで純度99.99％以上の純金からなる一定の重量の金地金をA社に預けて保管し、将来これと同質かつ同重量の金地金の返還を受けるというのと同じであるから、本件契約を締結し、本件交換・保管取引を行う顧客の目的は、特定の金地金をA社に預けて保管してもらうというのと等しいのであって、X自身もそのような目的であったと主張しているところである。また、上記によれば、A社においても、本件交換・保管取引は、顧客から金地金を預かり、これと同質かつ同重量の金地金を返還するというのと同様であると認められるから、実質的には特定の金地金を預かりこれを保管するというのと同様であるといえる。

したがって、本件契約のうち、本件交換・保管取引は、交換と寄託（混蔵寄託）からなる混合契約の形をとっているものの、スワップ取引部分に係る交換は、寄託（混蔵寄託）をするための単なる準備行為にすぎず、本件交換・保管取引は、実質的には寄託（混蔵寄託）契約であると認めるのが相当である。

なお、…本件交換・保管取引のうち、スワップ取引部分については、顧客がスワップ取引手数料を支払う必要があるところ、これはA社において顧客が持ち込んだ金地金を比重計測等の手段によりDで純度99.99％以上であるか否かを判定するためなどに要する費用にすぎないと考えられるから、本件交換・保管取引が実質的には寄託（混蔵寄託）契約であるという上記結論を左右するものとはいえない。」
「Yは、スワップ取引により交換される金地金が同量・同純度のものであったとしても、当該交換の際にそれまで所有していた金地金の価値が増加していれば、その増加益に対して所得税が課されるべきである旨主張する。しかし、本件交換・保管取引は、実質的には寄託（混蔵寄託）契約であると認められ、所得税法33条1項の『資産の譲渡』に該当しない以上、顧客がスワップ取引を行った時点の金地金の価値が購入時よりも増加しているからといって、所得税を課すことはできない。Yの主張は、採用することができない。」
「Yは、交換が経済的価値の等しい物を対象とするものであったとしても、所有権が相互に移転している以上、『資産の譲渡』に該当する旨主張する。しかし、本件交換・保管取引は、交換と寄託（混蔵寄託）を組み合わせた混合契約であるものの、実質的には寄託（混蔵寄託）契約であると認めるのが相当であることは、上記説示のとおりであって、スワップ取引により金地金の所有権が形式的に移転していることを取り上げて『資産の譲渡』に該当するとするのは適切とはいえない。Yの主張は、採用することができない。」
「上記のとおり、本件交換・保管取引は、実質的には寄託（混蔵寄託）契約であり、所得税法33条1項に規定する『資産の譲渡』に該当しない。したがって、Xが、本件スワップ取引により本件金地金を交換したことは、『資産の譲渡』に該当しない。そうすると、本件金地金の交換が『資産の譲渡』に該当することを前提としてなされた本件各処分は、いずれも違法である。」

〔コメント〕

本件は、本件契約に係る取引の法的性質が争われた事実認定に関する事例であるといえよう。名古屋高裁は、XとA社との契約を「本件交換・保管取引」と認定した上で、かかる取引は、交換と寄託（混蔵寄託）からなる混合契約の形をとってはいるものの、スワップ取引部分に係る交換は、寄託（混蔵寄託）をするための単なる準備行為であるとし、本件交換・保管取引の実質は、寄託（混蔵寄託）契約であると認めるのが相当としたのである。

その上で、スワップ取引により金地金の所有権が形式的に移転しているとはいっても、所得税法33条1項にいう「資産の譲渡」には該当しないと判断している。

CHECK！　立退料の所得区分

家屋の明渡しに際して受け取る立退料の所得区分については、それが資産（借家権）の譲渡に該当するとすれば、譲渡所得になる。しかしながら、立退料の法的性質は、必ずしも一義的な内容を持つものではない。立退料についてはおおむね次のように分類することができよう。

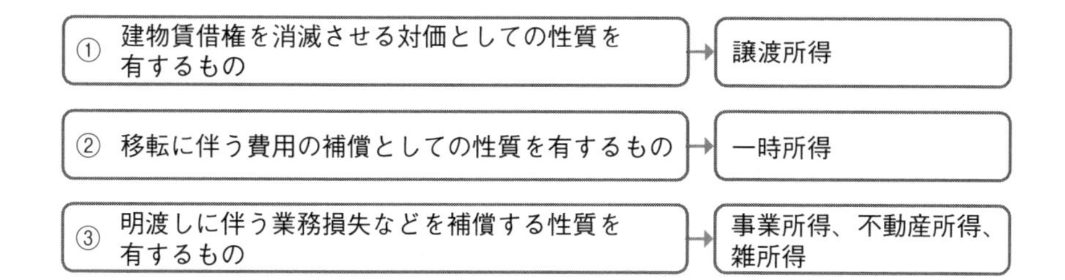

個人が受け取る立退料のうち、建物賃借権を消滅させる対価としての性質を有するもの（上図①）は、建物賃借権という資産の譲渡の対価とみることができるから、譲渡所得の収入金額となる（所令95）。また、移転に伴う費用の補償としての性質を有するもの（上図②）は、単なる移転費用の補償であり「対価としての性質を有しない」一時の所得とみることができることから、一時所得の収入金額に該当する（所法34①）。さらに、明渡しに伴う業務上の損失補償の性質を有するもの（上図③）は、業務上の収益を補償するものであるから、その業務の態様に応じて、事業所得、不動産所得又は雑所得の収入金額に該当するということになろう（所令94）。

しかしながら、賃貸借の当事者間で授受される立退料が、上記の①ないし③までの立退料に明確に区分されていることは少なく、①ないし③の性質が混然となっており、その法的性質を分類することは困難であることが多い。そこで、課税実務においては、借家人が受ける立退料のうち、借家権の消滅の対価の額に相当する部分の金額は、譲渡所得に係る収入金額に該当するとし（所基通33－6）、それ以外のものについては、一時所得として取り扱っている（所基通34－1の(7)）。もちろん、通達の取扱いはあくまでも実務的にそのように取り扱うことが妥当だとの仮定の上であると考えられるから、もし、仮に、①ないし③の性質が事実認定として判然とするのであれば、それぞれの立退料ごとに所得区分が異なることになろう。

立退料が譲渡所得又は一時所得に該当するかどうかは、その地域における借家権取引の慣行の有無等の具体的事情を考慮して、借家権の対価であるかどうかについて判断されるべきあるが、一般的にいえば、賃貸借期間が非常に長く多額の権利金を授受していた場合とか、店舗等の賃借に当たり建築費の相当部分を建築協力金等の名義で提供していた場合とか、新たな建物を賃借するための権利金や新旧家賃の差額を補償するといった要素が含まれていると認められる場合などは、その立退料は借家権の消滅の対価の額に相当し、譲渡所得に該当するというべきであろう（所令95、池本・所得税法103頁、酒井・相当性111頁）。

裁判例の紹介

二重利得法

極めて長期間保有されていた土地に造成等を加え譲渡した場合、造成等着手前までの資産の値上り益相当については譲渡所得とし、その他の部分については事業所得又は雑所得とすることが相当であるとされた事例

（151第一審松山地裁平成３年４月18日判決・訟月37巻12号2205頁）[90]
（152控訴審高松高裁平成６年３月15日判決・税資200号1067頁）
（153上告審最高裁平成８年10月17日第一小法廷判決・税資221号85頁）

〔事案の概要〕

本件は、Ｘ（原告・控訴人・上告人）の所得税の無申告、あるいはＸの行った確定申告につき、税務署長Ｙ（被告・被控訴人・被上告人）が行った決定・更正処分等を不服として、Ｘがその取消しを求めた事案である。

本件各土地は、井地山と呼ばれる標高約60メートルの山林の北斜面にあった。Ｘは、Ｋ市から譲渡を受け、また相続又は贈与により土地を所有するに至った。

Ｏ産業有限会社は、Ｘから土地の土砂の取除けの依頼を受け、昭和45年夏ころから取り除けた土砂を埋立てに使う目的で右土地の西側の山裾（南側）から東側に向けて土砂の取除けを始めた。また、株式会社Ｈ組も昭和46年ころ右土地の中央付近から土砂を大量に取り除け始めた。両社を含むその他の者のブルドーザー等を用いた土砂の取除けにより、昭和46年末には土地はほぼ現況のように平地となった。

Ｘは、昭和45年12月ころ、Ｉに対し、土地を、宅地造成工事を完了の上引き

90）判例評釈として、佐々木潤子・租税百選〔４〕76頁（2005）、水野恵子・租税百選〔７〕83頁（2021）など参照。

渡すことを条件にして、270万円で売却している。Xは、昭和45年ころ、Sに対し、当時未造成地であった東側の山林、土地を、宅地造成工事を完了の上約1年後に引き渡すことを条件にして、90万円で売却している。Xは、昭和45年10月27日、Nに対し、当時未造成地であった山林、土地を、240万円で売買予約した。Xは、昭和46年1月14日、Tに対し、山林、土地を3月31日までに宅地造成工事を完了の上引き渡すこと及び幅4メートル以上の進入路を設置することを条件にして、100万円で売却している。Xは、昭和46年2月6日、Mに対し、山林、土地を3月31日までに宅地造成工事を完了の上引き渡すことを条件にして、125万円で売却している。Xは、昭和46年4月8日、Nに対し、山林、土地を7月末日までに宅地造成工事を完了の上引き渡すこと並びに道路及び下水・排水工事を行うことを条件にして、125万円で売却している。Xは、昭和46年7月7日、Gに対し、当時未造成地であった土地を10月末日までに宅地造成工事を完了の上引き渡すこと並びに道路及び排水工事を行うことを条件にして、150万円で売却している。

Xは、土地について、昭和45年1月から昭和52年12月までの間に、少なくとも分筆面積1万2,069.40平方メートル、分筆された筆数60筆という分筆及び合筆面積1万7,603平方メートル、合筆された筆数15筆という合筆を行い、その後間もなく土地を売買している。Xは、少なくとも、昭和50年から昭和52年までに宅地造成するために3,832万7,324円を支出した。

〔争点〕

Yは、Xが各土地について対価を得て継続的に行う意思をもって売買するために宅地造成に着手したと主張する。Xは、これに対して、各土地について対価を得て継続的に行う意思をもって売買するために宅地造成したものでないと主張する。そこで、Xが各土地について対価を得て継続的に行う意思をもって売買するために宅地造成したか否か、宅地造成をしたとすれば、その着手時期はいつかが争点となっている。

〔判決の要旨〕

1　松山地裁平成3年4月18日判決

「土地等の資産の譲渡による所得が譲渡所得として課税の対象にされているのは（所得税法33条1項）、資産の値上がりによりその資産の所有者に帰属する増加益を所得として、その資産の所有者が支配を離れて他に移転するのを機会に、これを清算して課税する趣旨のものである（最高裁判所昭和47年（行ツ）第4号昭和50年5月27日第三小法廷判決・民集29巻5号641頁以下）。ところが、たな卸資産（事業所得を生ずべき事業に係る商品、製品、半製品、仕掛品、主要原材料等である。同法2条1項16号、同法施行令3条）の譲渡その他営利を目的として継続的に行われる資産の譲渡による所得は、譲渡所得に含まれないものとされている（同法33条2項1号）。これは、譲渡所得が概して臨時的、偶発的に発生する所得であるのに対し、たな卸資産の譲渡等により発生する所得は、経常的、計画的に発生するものであるから、譲渡所得に比較して担税力に優るので、税負担の衡平を図るため、譲渡所得とは区別して、同法27条1項に定める事業所得として課税する趣旨であると考えられる（東京高等裁判所昭和47年（行コ）第33号昭和48年5月31日判決・行裁集〔ママ〕24巻4・5号465頁以下）。そして、農業、林業、狩猟業、漁業、水産養殖業、鉱業、建設業、製造業、卸売業、小売業、金融業、保険業、不動産業、運輸通信業、医療保健業、著述業その他のサービス業並びにそれ以外の対価を得て継続的に行う事業から生ずる所得は事業所得と定められており（同法27条1項、同法施行令63条）、右対価を得て継続的に行う事業とは、自己の計算と危険において独立して営まれ、営利性、有償性を有し、かつ反復継続して遂行する意思と社会的地位とが客観的に認められる業務をいう（最高裁判所昭和52年（行ツ）第12号昭和56年4月24日第二小法廷判決・民集35巻3号672頁以下）。

そこで、Xが行った…各売買及び…交換による所得が譲渡所得に該当するか、あるいは事業所得に該当するかを検討する。…Xは、2、3年という短期間に、しかもO産業有限会社に対してはXが依頼して…山林の土を取り除けて平地にしていること、右土地に多額の造成費用を支出していること、右造成が完了していない間にもその完了を予定して売買を行っていること、右土地のうち広大な面積について多数回にわたり分・合筆を繰り返していること、昭和52年までに右各売買及び交換を含めて右造成地の多くを売却していること、昭和51年には分譲予定地とした書面を作成していること、Xは取引主任の資格を有し、不動産業を営む会社の取締役をしていること、Xが右造成地以外にも多数の売買取引を行っていること等を考慮するならば、Xの右各売買及び交換は自己の計算と危険において独立して営まれ、営利性、有償性を有し、かつ反復継続して遂行する意思と社会的地位とが客観的に認められる業務に当たるものと解するのが相当である。したがって、Xが行った…各売買及び…交換による所得は、原則として事業所得に該当するものと解される。

ところで、土地等の譲渡がたな卸資産又はこれに準ずる資産の譲渡に該当する場合であっても、極めて長期間引き続いて販売目的以外の目的で所有していた土地等について、販売することを目的として宅地造成等の加工を加えた場合には、その土地等の譲渡による所得には、右加工を加える前に潜在的に生じていた資産の価値の増加益に相当するものが相当部分含まれていると考えられる。そこで、そのような場合には、右加工に着手する時点までの資産の価値の部分に相当する所得を譲渡所得とし、その他の部分を事業所得又は雑所得とするのが相当である。所得税基本通達33の5の規定もこのような趣旨を定めたものと解される。

そこで、Xが行った…各売買及び…交換による所得について検討する。…K

市から譲渡を受けた土地を除いた…土地は、Xが昭和40年以前に相続又は贈与により所有するに至ったものであるから、極めて長期間所有していた土地といえる。そして、…右土地の造成の経過、右造成地の売買の時期及び条件、分・合筆の回数及び面積、造成費用の額等に鑑みれば、右宅地造成は対価を得て継続的に売買をする意思で行われたものと認められるので、右造成地は宅地造成の時点でたな卸資産に転化したものと考えるのが相当である。したがって、右各売買及び交換による所得のうち、右宅地造成（所得税基本通達33の５にいう『区画形質の変更等』）の直前における価額は、譲渡所得に当たると解するのが相当である。

よって、右各売買及び交換による所得のうち、Xが対価を得て継続的に売買する意思で宅地造成に着手する直前における右造成地の価額をもって譲渡所得とし、その他の所得を事業所得とすることとなる。」

2　控訴審**高松高裁平成６年３月15日判決**及び上告審**最高裁平成８年10月17日第一小法廷判決**においても、第一審判断が維持された。

〔コメント〕

本件は、いわゆる「二重利得法」と呼ばれる判断が示された事例として、長らく研究が進められてきた事例である。

本件は、極めて長期間引続いて販売目的以外の目的で所有されていたが、販売を目的として宅地造成等の加工が加えられることによりたな卸資産又はこれに準ずる資産に転化した土地が譲渡された場合、かかる譲渡による所得のうち、その加工に着手する時点までの資産の価値の増加益に相当する所得を譲渡所得とし、その他の所得は事業所得又は雑所得とすべきであると判示した事例である。

ここでの中心的テーマは、所得区分の最小分割化が可能か否かということである。

二重利得法の議論は、米国の連邦所得税における判例法理に端を発するものであり、金子宏教授により日本に紹介されたものである。米国においては、キャピタル・ゲインとして課税されるべきかあるいはオーディナリー・インカム（通常所得）として課税されるべきかという二つの区分しか存在しないが、その中間にある所得について、これをその性質に応じた分解を可能とする理論である。

我が国においては、この二重利得法について、次の論点がある。

①　立法論的に取り入れることは可能かという論点

②　現行所得税法上の解釈論として採用することは可能かという論点

所得税基本通達は、この点②の点につき肯定的な立場に立ち、所得税法33条《譲渡所得》にいう譲渡所得と同法27条《事業所得》の事業所得や35条《雑所得》の雑所得との分解を前提とした解釈を通達している。所得税基本通達33－５《極めて長期間保有していた土地に区画形質の変更等を加えて譲渡した場合の所得》がそれである。通達に示されている取扱いが法律から導出できないとすれば、それは租税法律主義を脅かすものでもあり、看過できない問題となろう。

この点につき、金子宏教授は、次のように論じて、肯定的な見解を示される。すなわち、同教授は、「物価水準の上昇、近隣の土地の開発、付近における道路の建設、近隣の土地ないし当該土地に対する需要の増加等、外部的要因による価値の増加に起因する所得は譲渡所得であり、所得者自身が造成、開発、販売促進等の行為ないし活動によって土地に付加した価値の増加に起因する所得はその他の所得である」という考え方を主張される。このように、「その全体を事業所得または雑所得として課税するのは妥当ではなく、譲渡所得と事業所得ないし雑所得とに分けて課税すべきであろう。」とされるのである[91)]。

また、下級審判断ではあるが、判決においても、肯定的なものが散見される。

岡山地裁昭和59年4月25日判決（税資136号331頁）は、「準たな卸資産の譲渡といえども、極めて長期間保有していた土地に宅地の造成又は建物の建築をして譲渡した場合において、その譲渡による所得のうちには、その土地の長期間にわたる保有期間中に先じた資産の増加益に相当するものが相当部分含まれていることは十分認められるところである。したがって、右のような土地を譲渡した場合において、宅地の造成又は建物の建築に着手する時点までの資産の増加益に相当する部分の所得を譲渡所得とし、その後の利益に相当する部分の所得を雑所得として課税することを認めた前記通達は前記譲渡所得に対する課税の趣旨に副うものであって十分合理性を有するものと解される。」とする。

所得税基本通達33－3《極めて長期間保有していた不動産の譲渡による所得》

固定資産である不動産の譲渡による所得であっても、当該不動産を相当の期間にわたり継続して譲渡している者の当該不動産の譲渡による所得は、法第33条第2項第1号に掲げる所得に該当し、譲渡所得には含まれないが、極めて長期間（おおむね10年以上をいう。以下33－5において同じ。）引き続き所有していた不動産（販売の目的で取得したものを除く。）の譲渡による所得は、譲渡所得に該当するものとする。

所得税基本通達33－4《固定資産である土地に区画形質の変更等を加えて譲渡した場合の所得》

固定資産である林地その他の土地に区画形質の変更を加え若しくは水道そ

91）金子・租税法266頁。同「譲渡所得の意義と範囲─二重利得法の提案を含めて」同『課税単位及び課税所得の研究』113頁（有斐閣1996）。その他、二重利得法を取り扱った論稿として、占部裕典「土地の譲渡による所得の区分─所得税基本通達33－4、33－5および二重利得法の検討」同『租税法の解釈と立法政策Ⅰ』1頁（信山社2002）も参照。

の他の施設を設け宅地等として譲渡した場合又は固定資産である土地に建物を建設して譲渡した場合には、当該譲渡による所得は棚卸資産又は雑所得の基因となる棚卸資産に準ずる資産の譲渡による所得として、その全部が事業所得又は雑所得に該当する。

㈱ 固定資産である土地につき区画形質の変更又は水道その他の施設の設置を行った場合であっても、次のいずれかに該当するときは、当該土地は、なお固定資産に該当するものとして差し支えない。

1 区画形質の変更又は水道その他の施設の設置に係る土地の面積（当該土地の所有者が２以上いる場合には、その合計面積）が小規模（おおむね3,000㎡以下をいう。）であるとき。

2 区画形質の変更又は水道その他の施設の設置が土地区画整理法、土地改良法等法律の規定に基づいて行われたものであるとき。

所得税基本通達33－５《極めて長期間保有していた土地に区画形質の変更等を加えて譲渡した場合の所得》

土地、建物等の譲渡による所得が33－４により事業所得又は雑所得に該当する場合であっても、その区画形質の変更若しくは施設の設置又は建物の建設（以下この項において「区画形質の変更等」という。）に係る土地が極めて長期間引き続き所有されていたものであるときは、33－４にかかわらず、当該土地の譲渡による所得のうち、区画形質の変更等による利益に対応する部分は事業所得又は雑所得とし、その他の部分は譲渡所得として差し支えない。この場合において、譲渡所得に係る収入金額は区画形質の変更等の着手直前における当該土地の価額とする。

㈱ 当該土地、建物等の譲渡に要した費用の額は、すべて事業所得又は雑所得の金額の計算上必要経費に算入する。

裁判例の紹介

上場株式の高額譲渡と譲渡所得の範囲

上場株式を市場価額以上の価額で譲渡した場合の所得の一部が一時所得に該当するとされた事例

（154第一審東京地裁平成25年９月27日判決・税資263号順号12298）92）

（155控訴審東京高裁平成26年５月19日判決・税資264号順号12473）

（156上告審最高裁平成27年３月31日第三小法廷決定・税資265号順号12644）

92）判例評釈として、松井宏・税理58巻１号100頁（2015）など参照。

〔事案の概要〕

本件は、X（原告・控訴人・上告人）が、A株式会社（以下「A社」という。）の株式（以下「A社株式」という）を、Xが実質的なオーナーであるZ社に対し、1株当たり550円（以下「本件取引単価」という。）で、平成21年3月2日に112万株、同年11月24日に31万7,550株を譲渡した（以下、これらを「本件譲渡」といい、これら譲渡したA社株式を「本件株式」という。）として、平成21年分の所得税の確定申告をしたところ、所轄税務署長が、本件譲渡に係る収入金額とA社株式のJASDAQ市場における終値（3月譲渡時は290円、11月譲渡時は426円。以下、これらを「本件市場単価」という。）を基に算出した本件株式の評価額との差額合計3億3,057万6,200円（以下「本件差額」という。）は、Z社からXに贈与されたものであり、Xの一時所得に該当するとして、平成23年7月5日付けで更正処分等をし、更に平成25年3月15日付けで再更正処分（以下、これらを「本件更正処分等」という。）をしたことから、Xが国Y（被告・被控訴人・被上告人）に対して、本件更正処分等の各取消しを求めた事案である。

当時の租税特別措置法37条の11の2第1項は、平成13年9月30日以前から引き続き所有していた上場株式等を平成15年1月1日から平成22年12月31日までの間に譲渡した場合の収入金額から控除する取得費は、当該上場株式等の平成13年10月1日における価額の100分の80に相当する金額とすることができる旨規定していたところ、同規定を適用すれば、同日におけるA社株式の80%たる568円が取得費とされることになる。したがって、Xが主張するように、全額が譲渡所得となれば、568円の80%が同株式の取得費とされることとなる。

Z株の譲渡

本件譲渡の日	本件市場単価	取引単価	株数
3月2日	290円	550円	112万株
11月24日	426円	550円	31万7,550株

〔争点〕

本件株式の譲渡価額のうち本件差額をXの譲渡所得ではなく一時所得として課税することの適否。

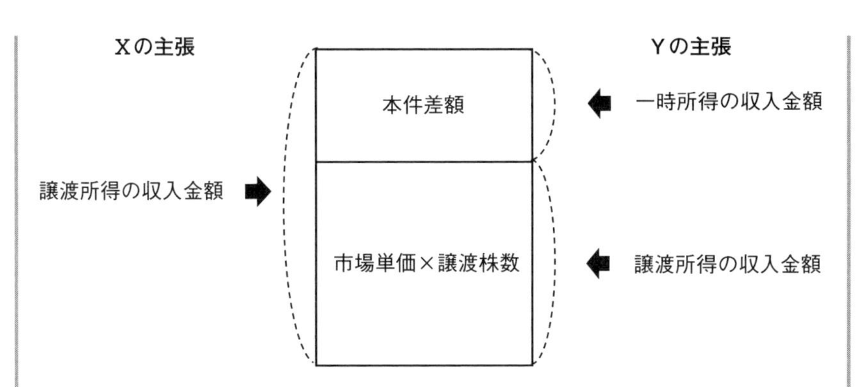

Xは、所得税法36条は、「収入金額」を、金銭をもって収入する場合は「その年において収入すべき金額」とすることを基本としつつ、「金銭以外の物又は権利その他経済的な利益をもって収入する場合」（同条1項括弧書き）について、特に「当該物若しくは権利を取得し、又は当該利益を享受する時における価額」（同条2項）、すなわち、時価を基礎として算定する旨規定している。そして、金銭をもって収入する場合の「その年において収入すべき金額」は、「別段の定め」がない限り、現実に収受されるべき金銭を指す。したがって、金銭をもって対価が支払われる譲渡契約・譲渡取引については、「別段の定め」がない限り、当該譲渡契約に定めた譲渡価額そのものが収入金額となるところ、所得税法は、「別段の定め」として、59条1項1号（法人に対する贈与等）及び2号（法人に対する著しく低い価額での譲渡）などを置き、これらの場合は、総収入金額は時価を基準として算定されることになるが、法人に対する高い価額での譲渡の場合については、特に定めた規定はないなどと主張していた。

〔判決の要旨〕

1　東京地裁平成25年9月27日判決

「(1)　所得税法は、利子所得、配当所得、不動産所得、事業所得、給与所得、退職所得、山林所得、譲渡所得及び一時所得という所得区分を設けるほか（同法23条ないし34条）、それらに含まれない所得を全て雑所得として課税の対象としており（同法35条）、人の担税力を増加させる経済的利得は全て所得を構成するという包括的所得概念を採用して、所得がその性質や発生の態様によって担税力が異なるという前提に立って、公平負担の観点から、各種の所得について、それぞれの担税力に応じた計算方法を定め、また、それぞれの態様に応じた課税方法を定めるために、所得をその源泉ないし性質によって10種類に分類している。

また、所得税法は、所得金額の計算の通則として同法36条を置き、同条1項は、その年分の各種所得の総収入金額に算入すべき金額は、別段の定めがあるものを除き、その年において収入すべき金額（金銭以外の物又は権利その他経済的な利益をもって収入する場合には、その金銭以外の物又は権利その他経済的な利益の価額）とする旨規定している。

⑵　所得税法33条1項は、譲渡所得とは、資産の譲渡による所得をいう旨規定し、同条3項は、譲渡所得の金額は、その年中の当該所得に係る総収入金額から当該所得の基因となった資産の取得費及びその資産の譲渡に要した費用の額の合計額を控除し、その残額の合計額から譲渡所得の特別控除額を控除した金額とする旨規定している。

そして、譲渡所得に対する課税は、資産の値上がりによりその資産の所有者に帰属する増加益を所得として、その資産が所有者の支配を離れて他に移転するのを機会に、これを清算して課税する趣旨のものであり（最高裁昭和47年12月26日第三小法廷判決・民集26巻10号2083頁、最高裁昭和50年5月27日第三小法廷判決・民集29巻5号641頁参照）、売買交換等によりその資産の移転が対価の受入れを伴うときは、上記増加益が対価のうちに具体化されるので、法はこれを課税の対象としてとらえたものであると解される。そうすると、有償の譲渡が行われる場合において譲渡所得として課税される対象は、当該資産の譲渡の『対価』たる性格を有する金額であると解することが相当である。したがって、個人がその有する資産を有償で譲渡した場合であっても、当該譲渡金額中に当該資産の譲渡の『対価』たる性格を有しない部分があるときは、当該部分は、譲渡所得の課税対象ではないこととなる。

⑶　所得税法34条は、一時所得とは、利子所得、配当所得、不動産所得、事業所得、給与所得、退職所得、山林所得及び譲渡所得以外の所得のうち、営利を目的とする継続的行為から生じた所得以外の一時の所得で労務その他の役務又は資産の譲渡の対価としての性質を有しないものをいう旨規定している。そうすると、資産の譲渡の対価としての性質を有しないもの、例えば、法人からの贈与により取得する金品（業務に関して受けるもの及び継続的に受けるものを除く。）は、一時所得たる性質を有することとなる。

⑷　以上によれば、個人がその有する資産を法人に対して有償で譲渡した場合における課税関係は、当該譲渡価額が、当該資産の譲渡の「対価」たる性格を有する限りにおいて、譲渡所得に係る収入金額として課税されるが、当該譲渡価額中に当該資産の譲渡の『対価』たる性格を有しておらず、法人から贈与された金品（業務に関して受けるもの及び継続的に受けるものを除く。以下同じ。）としての性格を有する部分があると認められるときは、当該部分の金額については、一時所得に係る収入金額として課税されるべきこととなる。

そして、譲渡する資産が上場株式であるときは、その譲渡価額がその資産の譲渡の『対価』たる性格を有しているかどうかは、当該上場株式の市場価格、当該取引の動機ないし目的、当該取引における価格の決定の経緯、当該価格の合理性などの諸点に照らして判断すべきものと解される。

(5)　これに対し、Xは、金銭をもって収入する場合の『その年において収入すべき金額』(所得税法36条1項)は、現実に収受されるべき金銭を指すものであり、金銭をもって対価が支払われる譲渡契約については、当該譲渡契約に定めた譲渡価額が直ちに譲渡所得における収入金額となると解すべきであると主張する。

しかしながら、前記(1)のとおり、所得税法は、所得をその源泉ないし性質によって10種類に分類して課税することとしているのであり、所得税法36条は、この分類を前提として性質が決定された各種所得につき、所得金額の計算の通則として、その年分の各種所得の総収入金額に算入すべき金額の算定方法を定めたものにすぎない。同条の規定は、所得としての性質決定を経た上で適用されるものであるから、同条の規定の存在は、上記(4)で判示したような所得の性質決定を妨げるものではない。したがって、Xの上記主張は採用することができない。」

2　東京高裁平成26年5月19日判決

東京高裁は、原審判断を引用した上で、Xの本件更正処分等が真実存在する私法上の法律関係から離れて独自の法律行為を設定して、それを前提に課税するとの主張に対し次のように判示した。

「所得税法は、譲渡所得に対する課税につき、資産の値上がりによりその資産の所有者に帰属する増加益を所得とし、その資産が他に移転するのを機会に清算して課税する趣旨であり、譲渡によって資産の移転が対価の受入れを伴う場合には、対価のうちに増加益が具体化されることから、これを課税対象として捉えたものと解される。そして、有償の譲渡が行われる場合において、譲渡所得として課税される対象は、専ら所得税法33条1項の『資産の譲渡による所得』の解釈により決定されるところ、当該資産のすべてが譲渡の対価たる性格を有するとはいえないときに、その部分は増加益が具体化したものとはいえないから、譲渡所得の対象とならないのは、事柄の性質上、当然である。当事者が私法上の法律関係において、当該法律行為にどのような法律効果を生じさせようとしたかという問題と、当該法律行為により移転される資産の譲渡中に対価たる性格を有する部分とそうでない部分とがあり得るという問題とは、事柄の性質上、別個の問題である。後者については、所得税法33条1項の上記解釈によれば、資産の譲渡による所得とは解されないのであるから、それについて所得税法の区分に従って課税することは、租税法律主義に反するものではないし、引用に係る原判決…に説示するとおり、私法上の法律関係から離れて独自の所得区分の決定を認めるものとも解されない。」

3　上告審**最高裁平成27年3月31日第三小法廷決定**は、Xの上告を棄却し、上告不受理とした。

〔コメント〕

本件判決は、譲渡行為により得た所得の全てを譲渡所得とするのではなく、その一部につき、一時所得とした行政処分を適法なものと判示した。譲渡所得を譲渡益説ではなく増加益清算課税説で捉えた判断であり、いわゆる二重利得法をも彷彿とさせる判断が展開されている[93]。この判断は、JASDAQ 市場における終値といういわば客観的交換価値たる時価が明確であったが故になされた課税処分であったと思われるが、上場株式でなかった場合には、果たしてかような判断が展開されたであろうか。公開会社の株式と未公開株式との間に横たわる評価の中立性の問題が惹起され得る。

3　譲渡所得の基因となる譲渡

(1)　概観

譲渡所得は、「資産の譲渡」による所得であるから、「資産」の意義を明らかにした上で、さらに「譲渡」の意義を明らかにする必要がある。ここにいう「譲渡」とは、一般に、所有権その他の権利の移転を広く含む概念であると理解されている。したがって、棚卸資産の譲渡である通常の売買のほか、交換、代物弁済、物納、競売、公売、収用、法人に対する現物出資などが含まれる。また、契約（行政処分その他の行為を含む。）に基づき又は資産の消滅（価値の減少を含む。）を伴う事業で、その消滅等に対する補償を約して行うものの遂行によって、譲渡所得の基因となる資産が消滅等をしたことにより取得する補償金等は、譲渡所得の収入金額に該当する（所令95）。

裁判例の紹介

岩瀬事件

同一当事者間で各別の売買契約によりされた相互の土地の譲渡と取得等を交換に当たるとしてなされた譲渡所得に係る課税処分が違法とされた事例

（157第一審東京地裁平成10年5月13日判決・訟月47巻1号199頁）[94]

93）伊川正樹・税研208号74頁（2019）も参照。

94）判例評釈として、増田英敏・ジュリ1182号105頁（2000）、高野幸大・判時1673号177頁

（158控訴審東京高裁平成11年６月21日判決・訟月47巻１号184頁）[95]
（159上告審最高裁平成15年６月13日第二小法廷決定・税資253号順号9367）

〔事案の概要〕
亡Ｈの相続人であるＸ₁（原告・控訴人・被上告人）は物件Ａ及びＢの土地を所有し、Ｈは、上記各土地に対する賃借権並びにＣの土地及びこれらの各上地上に所在するＤの建物を所有していた（以下、Ａ土地、Ｂ土地及びＣ土地を「本件譲渡土地」と、Ａ土地及びＢ土地に対する賃借権を「本件譲渡借地権」という。）。

Ｈらは、平成元年３月23日、訴外株式会社Ｍ企画に対して、本件譲渡土地、本件譲渡借地権及びＤ建物（以下「本件譲渡資産」という。）を総額７億3,313万円余（内訳は、Ａ土地及びＢ土地の所有権（底地価格）が１億2,443万4,290円、本件譲渡借地権及びＣ土地が合計６億869万5,710円。Ｄ建物は無価値と評価した。）で売買する旨の契約を締結した。

Ｍ企画は、同日、①Ｈらに対して、甲土地（以下「本件取得土地」ともいう。）を、Ｈ持分４分の３、Ｘ₁持分４分の１の割合で、代金を３億5,700万円にて、②Ｈに対して、乙土地に対する賃借権（以下「本件取得借地権」という。）及び丙建物を、代金7,700万円にて、それぞれ売買する旨の契約を締結した（以下、本件取得土地、本件取得借地権及び丙建物を「本件取得資産」といい、このうちＨの取得した部分を「Ｈ取得資産」という。）。

Ｈら及びＭ企画は、同日、各売買契約の履行を行い、各契約代金の相殺差金として、Ｍ企画から２億9,913万円の小切手がＨらに交付された（以下、この小切手に係る金銭を「本件差金」といい、本件譲渡資産及び本件取得資金の各売買契約及び本件差金の授受からなる行為を「本件取引」と総称する。）。

本件取引に先立つ昭和63年11月４日、本件譲渡資産の売買に関して、譲渡予定総額を８億5,392万円とする国土利用計画法（以下「国土法」という。）23条１項所定の届出書が東京都Ｔ区長に提出されたが、国土法24条に基づく勧告を受けたため、同月21日、譲渡予定総額７億3,313万7,664円として再度の届出の変更書が提出され、これに対しては不勧告の通知がされた。

Ｈは、平成元年５月８日、東京都から乙土地に対する所有権（底地権）を1,606万7,610円で取得した。

(1999) など参照。

95) 判例評釈として、中里実・税研106号51頁 (2002)、谷口勢津夫・租税百選〔7〕38頁 (2021)、大淵博義・税理46巻12号13頁、同13号11頁 (2003)、品川芳宣・税研89号115頁 (2000)、占部裕典・判時1703号180頁 (2000)、増田英敏・税務事例32巻11号１頁 (2000)、渡邊徹也・税通58巻13号131頁 (2003)、谷口豊・平成12年度主要民事判例解説〔判タ臨増〕322頁 (2001)、酒井克彦・会計・監査ジャーナル26巻８号39頁 (2014) など参照。

その後、Hが死亡し、Hの養子であるX_1とX_2は、Hの権利義務をそれぞれ2分の1ずつ承継した。

Hは、平成元年分の所得税として、本件譲渡資産のうちH所有に係るものの譲渡価額を6億869万5,710円、分離長期譲渡所得金額を4億3,825万7,002円とする確定申告書を提出した。また、X_1は、同年分の所得税として、本件譲渡資産のうちX_1所有に係るものの譲渡価額を1億2,443万4,290円、分離長期譲渡所得金額を1億1,687万3,116円として、確定申告をした。

税務署長Y（被告・被控訴人・上告人）は、本件譲渡資産の譲渡及び本件取得資金の取得に関する本件取引は不可分一体の取引であり、Hらは、本件譲渡資産の対価として、本件取得資産及び本件差金を取得したものであり、6億3,750万円をもって、本件取得土地の本件取引当時の適正な時価と解し、本件取得土地の単価に地積を乗じ、借地権割合0.7を乗じた1億4,070万円をもって本件取得借地権価額とし（丙建物は評価外とした。）、以上から、本件取得資産及び本件差金の合計額は10億7,733万円として、更正処分を行った。

これを不服として、X_1らは本訴に及んだ。

〔争点〕

租税回避を企図した取引において、当事者が選択した法形式を通常用いられる法形式に引き直してこれに対応する課税要件を充足したものと認定して課税することができるか否か。

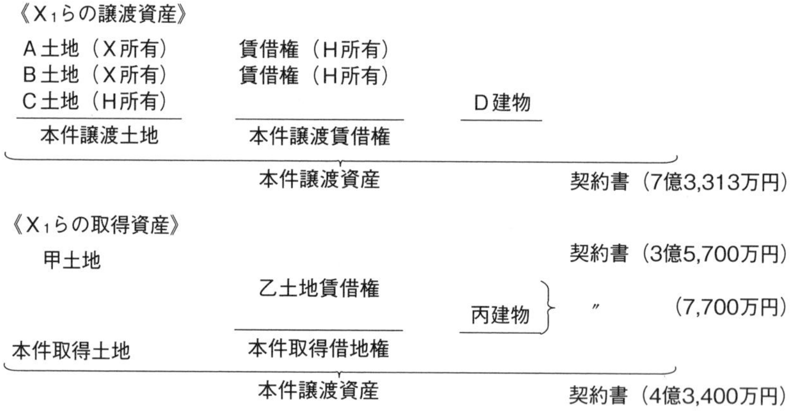

《X_1らの譲渡資産》

A土地（X所有）　　賃借権（H所有）
B土地（X所有）　　賃借権（H所有）
C土地（H所有）　　　　　　　　　　D建物

本件譲渡土地　　本件譲渡賃借権

本件譲渡資産　　契約書（7億3,313万円）

《X_1らの取得資産》

甲土地　　契約書（3億5,700万円）

乙土地賃借権
丙建物 }　〃　（7,700万円）

本件取得土地　　本件取得借地権

本件譲渡資産　　契約書（4億3,400万円）

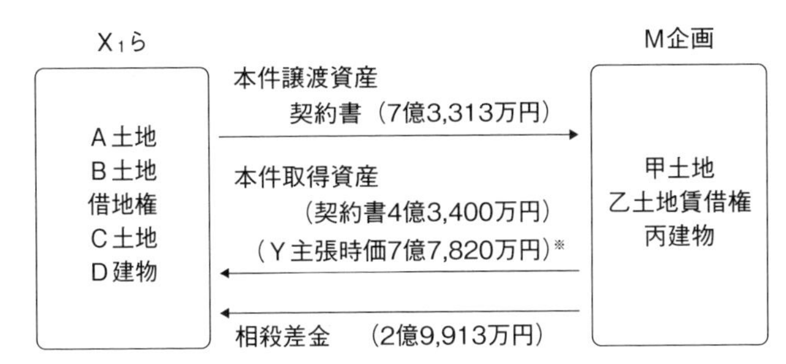

※　異議決定による評価8億750万円、国税不服審判所裁決による評価8億1,563万1,782円
　譲渡収入…X_1らの主張：7億3,313万円、Yの主張：10億7,733万円

〔判決の要旨〕

1　東京地裁平成10年５月13日判決

「契約の内容は契約当事者の自由に決し得るところであるが、契約の真実の内容は、当該契約における当事者の合理的意思、経過、前提事情等を総合して解釈すべきものである。ところで、既に認定した本件取引の経過に照らせば、Hらにとって、本件譲渡資産を合計７億3,313万円で譲渡する売買契約はそれ自体でHらの経済目的を達成させるものではなく、代替土地の取得と建物の建築費用等を賄える経済的利益を得て初めて、契約の目的を達成するものであったこと、他方、M企画にとっても、本件取得資産の売買契約はそれ自体で意味があるものではなく、右売買契約によってHらに代替土地を提供し、本件譲渡資産を取得することにこそ経済目的があったのであり、本件取得資産の代価は本件譲渡資産の譲渡代金額からHらが希望した経済的利益を考慮して逆算されたものであることからすれば、本件取引は本件取得資産および本件差金と本件譲渡資産とを相互の対価とする不可分の権利移転合意、すなわち、M企画において本件取得資産及び本件差金を、Hらにおいて本件譲渡資産を相互に相手方に移転することを内容とする交換（民法586条）であったというべきである。」

「もっとも、本件では本件取引によって契約の履行も完了しているから、合意の不可分一体性を論ずることは当事者間では無意味であるが、本件取引の性質を検討するために本件各契約の履行が時を異にした場合を想定すれば、Hらにとって、本件譲渡資産の売買契約の履行として不勧告通知に係る価額の金銭を給付され、別途、自らの責任と判断において代替土地を取得するというのでは、本件譲渡資産の売買目的を達成することはできず、他方、M企画としても、本件取得資産を４億3,400万円で売却するというだけでは、その売買契約の目的を達成することはできないのであって、本件取引は、相互の権利移転を同時に履行するという関係を当然に前提とし（履行の同時性が確保されないときは、意思解釈の問題として同時履行の要否が問題となり得るものであり）、一方の履行不能は他方の履行を無意味ならしめるという関係にあったというべきである。」

「本件取引は、地上げの目的達成のため本件譲渡資産の取得が必須であるという事情下にあるＭ企画と本件譲渡資産の譲渡を希望する事情が存しないというＨらとの間で、換言すれば、地上げの目的達成による経済的利益との関係で市場価値を超えた価額で本件譲渡資産を取得することに経済的合理性を有するＭ企画側と、単なる等価交換では本件取引に係る有形、無形のさまざまな負担の見合いがとれないとし、これらの諸負担に相当する対価を取得して初めて譲渡の意味が生ずるＨらとの間で、市場価値としてはほぼ等価と解される本件譲渡資産と本件取得資産の相互的な権利移転に加えて本件差金の授受が行われたものである。すなわち、周辺土地の地上げという経済目的の下に本件譲渡土地を評価するＭ企画にとっては、本件取引が本件譲渡資産をその時価以上で取得することも経済的な合理性を有すると認識したものであり、他方、Ｈらにとっても、本件譲渡資産とほぼ等価といえる本件取得資産の取得に加えて本件差金をもって譲渡の対価とすることは、本件取引の経過に照らして経済的な合理性を有すると認識し得たものということができる。

したがって、本件取得資産及び本件差金と本件譲渡資産とは本件取引当事者間において対価性を有し、かつ対価的なバランスを有していたということができる。」

「所得税法36条１項は、金銭以外の物又は権利その他経済的な利益をもって収入とする場合の収入金額は、その金銭以外の物又は権利その他経済的な利益の価額とする旨を規定し、同条２項は、金銭以外の物又は権利その他経済的な利益の価額は、当該物若しくは権利を取得し又は当該利益を享受する時における価額によるものと規定している。右価額とは一般に適正と承認され得る時価ということができるから、不動産については、正常な取引において形成されるべき客観的交換価格によるべきである。

…Ｈらは、本件取引を介して、本件譲渡資産の対価として、本件取得資産に相当する経済的利益及び本件差金を取得したことになるところ、甲土地及び乙土地の更地としての時価は一平方メートル当たり少なくとも756万2277円をもって相当とするから、右金額に基づいて本件取得資産の価額を７億7820万円と算定し、これに本件差金の額を合算した10億7733万円をもって本件譲渡資産の譲渡収入金額としたＹ主張を是認することができる。」

２　東京高裁平成11年６月21日判決

「事実関係からすれば、Ｈら側とＭ企画との間で本件取引の法形式を選択するに当たって、より本件取引の実質に適合した法形式であるものと考えられる本件譲渡資産と本件取得資産との補足金付交換契約の法形式によることなく、本件譲渡資産及び本件取得資産の各別の売買契約とその各売買代金の相殺という法形式を採用することとしたのは、本件取引の結果Ｈら側に発生することとなる本件譲渡資産の譲渡による譲渡所得に対する税負担の軽減を図るためであったことが、優に推認できるものというべきである。」

「本件取引に際して、ＨらとＭ企画の間でどのような法形式、どのような契約類型を採用するかは、両当事者間の自由な選択に任されていることはいうまでもないところである。確かに、本件取引の経済的な実体からすれば、本件譲渡資産と本件取得資産との補足金付交換契約という契約類型を採用した方が、その実体により適合しており直截であるという感は否めない面があるが、だからといって、譲渡所得に対する税負担の軽減を図るという考慮から、より迂遠な面のある方式である本件譲渡資産および本件取得資産の各別の売買契約とその各売買代金の相殺という法形式を採用することが許されないとすべき根拠はないものといわざるを得ない。」

「本件取引における当事者間の真の合意が本件譲渡資産と本件取得資産との補足金付交換契約の合意であるのに、これを隠ぺいして、契約書の上では本件譲渡資産及び本件取得資産の各別の売買契約とその各売買代金の相殺の合意があったものと仮装したという場合であれば、本件取引でＨらに発生した譲渡所得に対する課税を行うに当たっては、右の隠ぺいされた真の合意において採用されている契約類型を前提とした課税が行われるべきことはいうまでもないところである。しかし、本件取引にあっては、Ｈらの側においてもまたＭ企画の側においても、真実の合意としては本件譲渡資産と本件取得資産との補足金付交換契約の法形式を採用することとするのでなければ何らかの不都合が生じるといった事情は認められず、むしろ税負担の軽減を図るという観点からして、本件譲渡資産及び本件取得資産の各別の売買契約とその各売買代金の相殺という法形式を採用することの方が望ましいと考えられたことが認められるのであるから、両者において、本件取引に際して、真実の合意としては右の補足金付交換契約の法形式を採用した上で、契約書の書面上はこの真の法形式を隠ぺいするという行動を取るべき動機に乏しく、したがって、本件取引において採用された右売買契約の法形式が仮装のものであるとすることは困難なものというべきである。」

「本件取引のような取引においては、むしろ補足金付交換契約の法形式が用いられるのが通常であるものとも考えられるところであり、現に、本件取引においても、当初の交渉の過程においては、交換契約の形式を取ることが予定されていたことが認められるところである…。しかしながら、最終的には本件取引の法形式として売買契約の法形式が採用されるに至ったことは前記のとおりであり、そうすると、いわゆる租税法律主義の下においては、法律の根拠なしに、当事者の選択した法形式を通常用いられる法形式に引き直し、それに対応する課税要件が充足されたものとして取り扱う権限が課税庁に認められているものではないから、本件譲渡資産及び本件取得資産の各別の売買契約とその各売買代金の相殺という法形式を採用して行われた本件取引を、本件譲渡資産と本件取得資産との補足金付交換契約という法形式に引き直して、この法形式に対応した課税処分を行うことが許されないことは明かである。」

3　上告審**最高裁平成15年6月13日第二小法廷決定**において、Ｙの上告受理申立ては不受理とされた。

〔コメント〕

1　事実認定

本件は、租税法律関係における事実認定のあり方に対して大きな問題を提起した事例である。すなわち、当事者が、譲渡資産の売却と取得資産の購入という二つの売買契約を交わしていることから、それを尊重して二つの別個の売買契約とみて課税関係を考えるべきか、あるいはこれら関連する二つの契約を一つの交換契約とみて課税関係を考えるべきかという点が争われたのである。本件における二つの契約を各別の売買契約と解釈すると、譲渡所得の基礎となる収入金額は契約書に示されている7億3,313万円となるのに対して、一つの交換契約と解釈すると、本件取得資産の時価（7億7,820万円）と相殺差金（2億9,913万円）との合計額10億7,733万円となる。

この点について、Ｙは、第一審において、「本件においては、⑴本件取得資産の取得及び本件差金の交付は、本件譲渡資産の譲渡の交渉過程においてX_1の夫であったＰがＨらの代理人として要求したものであり、ＨらとＭ企画との間で、本件取得資産及び本件差金を本件譲渡資産の対価として、各契約が締結されたこと、⑵Ｐが代替地の要求をした後、本件取引に至るまで、Ｈらは本件譲渡資産及び本件取得資産の各価額についてＭ企画と交渉したことはなかったこと、⑶本件譲渡資産と本件取得資産を等価で交換する旨の確約書は、Ｐの確認を得て作成されたものであること、⑷本件譲渡資産の売買代金額は、国土法との関係で不勧告となりそうな届出価額として決定されたもので、本件取得資産の価額も右届出価額から本件差金の額を控除して決められたものにすぎないことが認められるのであって、これらの事情に照らせば、本件譲渡資産の譲渡と本件取得資産の取得に関する取引は、不可分一体の補足金付交換契約というべきである。」と主張した。

これに対して、Ｘらは、「本件譲渡資産に係る売買契約及び本件取得資産に係る売買契約が関連しており、取引として対価的にバランスのとれたものであるということはできるが、これは各契約の動機ないし背景にすぎず、各契約は、その形式においても関係当事者の認識においても、それぞれ別個に締結された独立の契約である。そして、当事者の客観的意思において個別の売買であるものを税法上別異と認定することは、不意打ちを容認することとなり、租税法律主義に反する。」と反論したのである。

2　私法上の法律構成による否認論

ところで、本件を巡る学説上の議論として、しばしば私法上の法律構成による否認論が取り上げられる。私法上の法律構成による否認論については、論者によってその主張するところに差異はあるものの、民法における契約の法的性質決定の手法を用いて、契約当事者の意思がどのように合致していたかを探究することにより、真実の法律関係を構成してそれを基礎に事実認定を行う考え方である。

私法上の法律構成による否認論については、学説上の争いがある[96)]。大雑把にみることが許されるならば、これを法的実質主義の一側面として事実認定論として捉え、肯定的に考える立場と、租税法律主義に抵触するものとしてこれを否定的に捉える立場に分かれ得る。

例えば、今村隆教授は、私法上の法律構成による否認論を肯定する立場から、「課税要件事実の認定は、外観や形式に従ってでなく、真実の法律関係に則して認定がなされなければならない」とし、「その結果、当事者が用いた法形式が否定されることがある」とされる。そして、「①そもそも当事者の選択した法形式での契約が民法上成立していると認定できるのか、②あるいは、契約が成立したとしても、その真実の法的性質は、当事者の選択した法形式と一致するか否かが問題とされるべきである」として、契約の法的性質決定による否認の可能性を論じられる（今村「租税回避行為の否認と契約解釈(1)」税理42巻14号209頁（1999））。

〔図表１〕私法上の法律構成による否認論＝法的実質主義

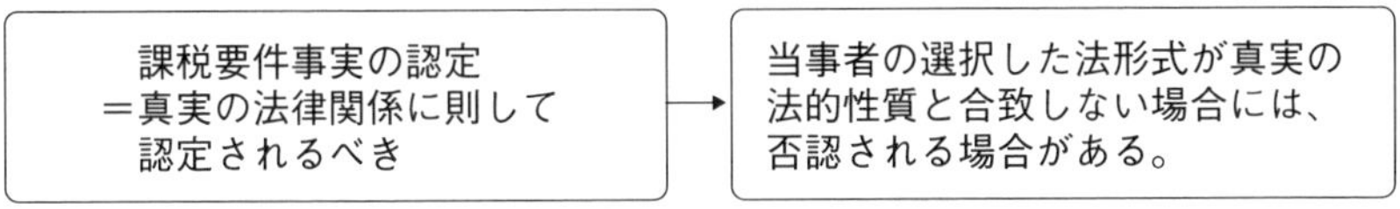

課税要件事実の認定 ＝真実の法律関係に則して 認定されるべき	→	当事者の選択した法形式が真実の 法的性質と合致しない場合には、 否認される場合がある。

これに対して、谷口勢津夫教授は、私法上の法律構成による否認論を否定する立場から、これを「法的実質主義の単なる言い換えとみることはできない」とされる。そして、「私法上の法律構成による否認論は、その狙いが租税回避事案における契約解釈あるいは契約の法的性質決定に関する裁判上のルールの確立にあることをも考慮すると、要件事実論の観点から実体法の解釈にアプローチし、『法の目的』等の総合的考慮に基づき、実体法を『立証責任の分配という視点』を踏まえた『裁判規範』として、再構成（場合によっては『補正』）する考え方を、租税回避事案における課税要件法の解釈の場面に応用しようとするものであると解される。」と論じられる（谷口・講義75頁）。

---

96)　中里実教授は、「課税は、第一義的に私法の適用を受ける経済取引の存在を前提として行われる」ことから、課税を考えるに際しては、当該取引に関する私法上の法律構成のあり方が重要になると説かれる。そして、「課税の前提となる私法上の当事者の意思を、私法上、当事者間の合意の単なる表面的・形式的な意味によってではなく、経済的実体を考慮した実質的なかたちにしたがって認定し、その真に意図している私法上の事実関係を前提として法律構成をし、課税要件へのあてはめを行えば、結果として、狭義の租税回避否認と同様の効果をもたらすことが可能となろう。」と主張される（中里「課税逃れ商品に対する租税法の対応（上）」ジュリ1169号117頁（1999））。

〔図表2〕私法上の法律構成による否認論＝裁判上の推論ルールを用いた一般的租税回避否認論

租税負担の公平＝租税正義の実現→租税回避の経済的不合理性を基礎に、課税要件法を訴訟法上再構成する。	→	租税回避目的をもって法形式を選択した場合には、真実の法律関係とは異なるという推認に依拠した「裁判規範としての一般的否認規定」の措定→租税法律主義に反する。

谷口勢津夫教授は、「私法上の法律構成による否認論は、『裁判規範としての一般的否認規定』という推論ルール（租税法律主義の下では立法者しか行ってはならないはずの租税回避に対する価値判断を、裁判官が、訴訟法・証拠法の視点から課税要件法の解釈を通じて、行うことによって形成した裁判上の推論ルール）において、租税回避目的を重要な間接事実として捉える考え方である。この考え方は、その意味では、明文の否認規定がない場合でも租税回避の否認を正面から肯定する実質主義的見解とは異なる…。しかし、私法上の法律構成による否認論は、明文の規定がある場合にしか租税回避の否認を許容すべきでないとする租税法律主義の要請を、訴訟の場面で潜脱することになり…、また、法律論（ここでは租税回避否認立法）で対処すべき問題を事実認定の問題として処理してはならないという、事実認定に関する一般的要請に反することにもなる。」と論じられ、結論的に、主張立証過程で租税回避目的という経済的な動機や意図を重視することによって、私法上の法律構成による否認を経済的実質主義による結果と同様の結果を招来させるものと主張される（谷口・講義78頁）。

私法上の法律構成による否認論は、租税回避目的を重要な間接事実として捉えている。そこでは、当事者が租税回避目的で選択した法形式が、経験則上、真実の法律関係とは異なることを強く推認させる間接事実とするのである。

このように租税回避目的を重要な間接事実として捉えるアプローチに対しては、「租税回避目的」という経済的に合理的な目的をもって当事者が選択した法形式は、経験則によれば、当然に当事者が選択した真実の法律関係であるとする反論が待ち構えているといえよう。そのことは、本件東京高裁が、「むしろ税負担の軽減を図るという観点からして、本件譲渡資産及び本件取得資産の各別の売買契約とその各売買代金の相殺という法形式を採用することの方が望ましいと考えられたことが認められるのであるから、両者において、本件取引に際して、真実の合意としては右の補足金付交換契約の法形式を採用した上で、契約書の書面上はこの真の法形式を隠ぺいするという行動を取るべき動機に乏しく、したがって、本件取引において採用された右売買契約の法形式が仮装のものであるとすることは困難」と判示しているところである。

この判断においては、むしろ「租税回避目的」は、経済的に合理的な目的であると位置付けられている。すなわち、租税を回避することが真の内心的効果意思であり、それが表示されているということであれば、契約の性質決定論に基づく租税回避の否認が困難にもなろう。

⑵　遺産分割

遺産分割の場合においても、その方法によっては、譲渡所得として所得税が課税されることがある。そこで、共同相続人が相続財産を分割する方法として、現物分割、代償分割、換価分割及び共有とする方法等につき確認する。

イ　現物分割の方法による場合

現物分割とは相続財産を具体的な姿のまま分割する方法をいう。分割を受ける財産は、他の相続人から取得するものではなく、分割を受けた相続人が被相続人から直接相続により承継するものであるから（民909）、譲渡所得としての課税問題は生じない。

ロ　代償分割の方法による場合

代償分割とは、共同相続人のうちの一人又は数人が相続財産の現物を取得し、その者が他の共同相続人に対し金銭などを交付する債務を負担する方法をいう。代償分割によって現物財産を取得した相続人が債務の履行として金銭等を交付した場合には、譲渡所得としての課税問題は生じない。一方、その債務の履行として不動産等の所有権の移転が行われた場合には、その履行によって消滅する債務の額に相当する経済的利益を対価とする資産の有償譲渡がなされたことになるから、その移転の時にその資産の時価相当額の収入があったものとして譲渡所得の課税が生じる（所基通33－１の５）。

ハ　換価分割の方法による場合

換価分割とは、相続財産を換価してその代金を相続人間で具体的な相続分に応じて配分する方法をいう。換価分割の方法によった場合、その換価代金の配分を受けた相続人は、相続により取得した相続財産に係る権利を譲渡したものと解されるから、その相続により取得した権利（割合）に応じて譲渡所得の課税が生じる。

二　共有とする方法

これは相続財産の全部又は一部を相続人間の共有にしておく方法であるから、相続人各人は、共有物の全部について共有持分に応じた権利を取得することになる。したがって、相続時には譲渡所得としての課税問題は生じないが、その後、その共有物を分割した場合には、原則として、共有持分の交換（譲渡）があったものとして譲渡所得の課税問題が生じてくる。ただし、共有に係る一の土地をその持分に応じて現物で分割した場合には、その土地の全体に及んでいた所有権が単独所有することになったその土地の部分に集約されたにすぎないという点に着目して、分割による資産の譲渡はなかったものとして取り扱うこととされている（所基通33－１の６）。

裁判例の紹介

財産分与と譲渡所得

財産分与としてされた不動産の譲渡は、譲渡所得課税の対象となるとされた事例

（160第一審名古屋地裁昭和45年４月11日判決・民集29巻５号649頁）
（161控訴審名古屋高裁昭和46年10月28日判決・民集29巻５号655頁）
（162上告審最高裁昭和50年５月27日第三小法廷判決・民集29巻５号641頁）[97]

〔事案の概要〕

医者であるＸ（原告・控訴人・上告人）は、土地、建物を昭和29年５月31日名古屋市から買い受けてその所有権を取得し、所有権移転登記を了しており、当該土地、建物はＸの特有財産である（民762①）。

昭和42年５月10日、Ｘとその妻Ｋとの間にＸの所有するかかる土地建物を離婚に基づく慰謝料として、ＸがＫに譲渡する旨の調停が成立し、Ｘは、その履

97）判例評釈として、佐藤義行・判評202号28頁（1975）、浅沼潤三郎・民商77巻２号274頁（1977）、石井健吾・曹時30巻11号1835頁（1978）、竹下重人・租税百選〔３〕66頁（1992）、渋谷雅弘・戦後重要租税判例の再検証87頁（2003）、鬼塚太美・租税百選〔４〕80頁（2005）、金丸和弘・租税百選〔７〕88頁（2021）など参照。

行のために昭和42年５月20日慰謝料による譲渡を原因として同年12月８日同土地建物の所有名義をＫに移転する登記手続を了した。

Ｘは昭和42年分の所得税について法定申告期限内に税務署長Ｙ（被告・被控訴人・被上告人）に対し確定申告をしたところ、Ｙは、上記不動産の譲渡につきこれを譲渡所得として、更正処分並びに過少申告加算税の賦課決定処分をした。

Ｘはかかる処分の取消しを求めて提訴した。

〔争点〕

財産分与としてされた不動産の譲渡は譲渡所得課税の対象となるか。

〔判決の要旨〕

1　第一審**名古屋地裁昭和45年４月11日判決**及び控訴審**名古屋高裁昭和46年10月28日判決**ともに、慰謝料及び財産分与契約に基づく債務の履行としての不動産の譲渡においても譲渡所得が発生する旨判示した。

2　最高裁昭和50年５月27日第三小法廷判決

「譲渡所得に対する課税は、資産の値上りによりその資産の所有者に帰属する増加益を所得として、その資産が所有者の支配を離れて他に移転するのを機会に、これを清算して課税する趣旨のものであるから、その課税所得たる譲渡所得の発生には、必ずしも当該資産の譲渡が有償であることを要しない（最高裁昭和41年（行ツ）第102号同47年12月26日第三小法廷判決・民集26巻10号2083頁参照）。したがって、所得税法33条１項にいう『資産の譲渡』とは、有償無償を問わず資産を移転させるいっさいの行為をいうものと解すべきである。そして、同法59条１項（昭和48年法律第８号による改正前のもの）が譲渡所得の総収入金額の計算に関する特例規定であって、所得のないところに課税譲渡所得の存在を擬制したものでないことは、その規定の位置及び文言に照らし、明らかである。

ところで、夫婦が離婚したときは、その一方は、他方に対し、財産分与を請求することができる（民法768条、771条）。この財産分与の権利義務の内容は、当事者の協議、家庭裁判所の調停若しくは審判又は地方裁判所の判決をまって具体的に確定されるが、右権利義務そのものは、離婚の成立によって発生し、実体的権利義務として存在するに至り、右当事者の協議等は、単にその内容を具体的に確定するものであるにすぎない。そして、財産分与に関し右当事者の協議等が行われてその内容が具体的に確定され、これに従い金銭の支払い、不動産の譲渡等の分与が完了すれば、右財産分与の義務は消滅するが、この分与義務の消滅は、それ自体一つの経済的利益ということができる。したがって、財産分与として不動産等の資産を譲渡した場合、分与者は、これによって、分与義務の消滅という経済的利益を享受したものというべきである。

してみると、本件不動産の譲渡のうち財産分与に係るものがＸに譲渡所得を生ずるものとして課税の対象となるとした原審の判断は、その結論において正当として是認することができる。」

〔コメント〕

夫婦が離婚したことに伴い、その一方が他方に対して財産分与（民768）をしたことは譲渡所得にいう「資産の譲渡」に当たるか否かという点が本件の最大の争点であった。財産分与の性質については、①婚姻中の夫婦財産関係の清算説、②離婚後における一方配偶者の扶養説、③生前相続説、④制裁説、⑤損害賠償説（特に慰謝料説）などの諸説がある。

財産分与の性質を①の清算のみであると捉えれば、財産分与は譲渡所得に該当しないと解することもできるが、かような観察は妥当であろうか。

最高裁昭和46年７月23日第二小法廷判決（民集25巻５号805頁）は、離婚における財産分与制度の性質を次のように論じている。すなわち、「離婚における財産分与の制度は、夫婦が婚姻中に有していた実質上共同の財産を清算分配し、かつ、離婚後における一方の当事者の生計の維持をはかることを目的とするものであって、分与を請求するにあたりその相手方たる当事者が離婚につき有責の者であることを必要とはしないから、財産分与の請求権は、相手方の有責な行為によって離婚をやむなくされ精神的苦痛を被ったことに対する慰藉料の請求権とは、その性質を必ずしも同じくするものではない。したがって、すでに財産分与がなされたからといって、その後不法行為を理由として別途慰藉料の請求をすることは妨げられないというべきである。もっとも、裁判所が財産分与を命ずるかどうかならびに分与の額および方法を定めるについては、当事者双方におけるいっさいの事情を考慮すべきものであるから、分与の請求の相手方が離婚についての有責の配偶者であって、その有責行為により離婚に至らしめたことにつき請求者の被った精神的損害を賠償すべき義務を負うと認められるときには、右損害賠償のための給付をも含めて財産分与の額および方法を定めることもできると解すべきである。」というのである。

このように、最高裁判例では、財産分与につき上記①②が性質として認められており、⑤の性質とは異なるものとしながらも、その要素をも含めて財産分与の額及び方法を定めることができるとしている[98)]。

財産分与とは、実質的には妻の潜在的権利を顕在化させたにすぎないともいえるし、財産分与により資産を取得した者は、財産分与請求権と引換えに資産を取得したとみることもできる。その分与によって取得した財産が分与額として相当なものであれば贈与税の対象としないのであるから（相基通９－８）、これらの点からみれば、本件最高裁判決の判断には疑問の余地もある。財産分与が「資産の

98）注解所得税法研究会・注解761頁。

譲渡」に当たるかどうかは、見解の分かれるところである。

なお、課税実務では、財産分与による資産の移転が行われると、分与者が財産を分与した時の価額により資産を譲渡したことになるとしている（所基通33－1の4）。

裁判例の紹介

サンヨウメリヤス事件

借地権の設定に際して土地所有者が支払を受ける権利金は、明らかに所有権の権能の一部を譲渡した対価としての経済的実質を有するものでない限り譲渡所得に当たると解することはできないとされた事例

（**163**第一審東京地裁昭和39年５月28日判決・民集24巻11号1628頁）[99]
（**164**控訴審東京高裁昭和41年３月15日判決・民集24巻11号1638頁）[100]
（**165**上告審最高裁昭和45年10月23日第二小法廷判決・民集24巻11号1617頁）[101]
（**166**差戻控訴審東京高裁昭和46年12月21日判決・民集24巻11号1638頁）

〔事案の概要〕

X（原告・被控訴人・被上告人）は、メリヤス生地編織事業開始のため、S株式会社を設立して、その代表取締役となり、同社に対し、同社工場の敷地として、X所有の土地を、普通建物の所有を目的とし、期間20年で賃貸し、右借地権設定の対価（いわゆる権利金）として、100万円を同社より受領した。Xは、この100万円は、借地権設定の対価として取得したものであるから、譲渡所得に当たるものとして、修正申告書を提出したところ、所轄税務署長は、これを不動産所得と更正した。Xは、これを不服として再調査請求したところ、Y国税局長（被告・控訴人・上告人）がこれを棄却したため、提訴に及んだ。

〔争点〕

借地権の設定に際して土地所有者が支払を受ける権利金は譲渡所得に該当するか。

99）判例評釈として、金子宏・判評75号18頁（1964）、須貝脩一・シュト30号１頁（1964）など参照。

100）判例評釈として、竹下重人・シュト59号７頁（1967）、須貝脩一・税法200号３頁（1967）、高島良一・租税百選80頁（1968）など参照。

101）判例評釈として、新井隆一・ジュリ482号36頁（1971）、村井正・租税百選〔２〕62頁（1983）、松澤智・ひろば24巻６号47頁（1971）、清永敬次・民商65巻３号83頁（1971）、高野幸大・租税百選〔５〕66頁（2011）など参照。

〔判決の要旨〕

1　第一審**東京地裁昭和39年５月28日判決**及び控訴審**東京高裁昭和41年３月15日判決**はＸを勝訴させたため、Ｙが上告した。

2　最高裁昭和45年10月23日第二小法廷判決

「借地権設定に際して土地所有者に支払われるいわゆる権利金の中でも、右借地権設定契約が長期の存続期間を定めるものであり、かつ、借地権の譲渡性を承認するものである等、所有者が当該土地の使用収益権を半永久的に手離す結果となる場合に、その対価として更地価格のきわめて高い割合に当たる金額が支払われるというようなものは、経済的、実質的には、所有権の権能の一部を譲渡した対価としての性質をもつものと認めることができるのであり、このような権利金は、昭和34年法律第79号による改正前の旧所得税法の下においても、なお、譲渡所得に当たるものと類推解釈するのが相当である。

もっとも、右所得税法９条１項〔筆者注：現行33条１項〕が、譲渡所得については８号〔筆者注：現行所得税法施行令79条〕の規定により計算した金額の２分の１に相当する金額を課税標準とする旨定めているのは、普通の所得に対して資産の譲渡による所得を特に優遇するものであるから、その適用範囲を解釈によってみだりに拡大することは許されないところであり、右のような類推解釈は、明らかに資産の譲渡の対価としての経済的実質を有するものと認められる権利金についてのみ許されると解すべきであって、必ずしもそのような経済的実質を有するとはいいきれない、性質のあいまいな権利金については、法律の用語の自然な解釈に従い、不動産所得として課税すべきものと解するのが相当である。」

3　差戻控訴審東京高裁昭和46年12月21日判決

「本件借地権設定の際既にその自由譲渡性が承認されていたものと断定することもできず、ほかに右事実ないしＸが本件借地権の設定により本件土地の使用収益権を半永久的に手離す結果となったような事情を認めるに足りる証拠はない。」

「借地権設定に際して土地所有者に支払われるいわゆる権利金の中でも、右借地権設定契約が長期の存続期間を定めるものであり、かつ借地権の譲渡性を承認するものである等、所有者が当該土地の使用収益権を半永久的に手離す結果となる場合に、その対価として更地価格のきわめて高い割合に当たる金額が支払われるというようなものは、経済的、実質的には、所有権の権能の一部を譲渡した対価としての性質をもつものと認めることができるのであり、このような権利金は、旧所得税法の下においても、なお、譲渡所得に当たるものと類推解釈するのが相当である。もっとも、旧所得税法９条１項が、譲渡所得については8号の規定により計算した金額の2分の1に相当する金額を課税標準とする旨定めているのは、普通の所得に対して資産の譲渡による所得を特に優遇するものであるから、その適用範囲を解釈によってみだりに拡大することは許されないところであり、右のような類推解釈は、明らかに資産の譲渡の対価としての経済的実質を有するものと認められる権利金についてのみ許されると解すべきであって、必ずしもそのような経済的実質を有するとはいいきれない、性質のあいまいな権利金については、法律の用語の自然な解釈に従い、不動産所得として課税すべきものと解するのが相当である。」

〔コメント〕

本件において、最高裁は、経済的実質という点から権利金の課税上の取扱いが法定されている旨を判示しており、差戻控訴審もその点を踏まえた判断を展開している。現行所得税法施行令79条《資産の譲渡とみなされる行為》が2分の1に相当する金額を譲渡所得に当たるか否かの判定基準としている理由はここにあるといえよう。

権利金は一般に賃料の前払い的性質を有するものであるがゆえに、原則的には不動産所得に区分されるところであるが、その例外的な取扱いとして譲渡所得に区分されることがあり得るという点を確認することができる。

本件において、最高裁は、類推解釈の限界を論じているものの、租税法の解釈において類推解釈が許される場合があることを認めてもいる。この点から、本件最高裁判決は、租税法の解釈において類推解釈の余地を認めた判決であるといわれることがある（酒井・レクチャー67頁）。

なお、現行法上の取扱いは、次のとおりである。

借地権や地役権の設定により他人に土地を長期間にわたって使用させる場合に収受した権利金は、不動産の貸付けによる対価に該当するから、原則として不動産所得になる。ただし、その例外として、建物又は構築物の所有を目的とする借地権の設定に伴い、その対価として権利金を取得した場合で、権利金の額が土地の更地としての価額の2分の1を超えるなど一定の要件を満たしているときは、譲渡所得（営利を目的として継続的に行われると事業所得又は雑所得）として課税することとしている（所令79①、94②）。つまり、借地権等の設定により建物等が建築されると、地主は、単に底地の利用に供する対価として地代収受権を有するにとどまり、その土地の更地価額のうち土地の利用権に当たる部分を半永久的に譲渡したものと異ならないことから、不動産所得ではなく譲渡所得等に該当するものとされているのである。

なお、この場合の借地権等の設定行為が資産の譲渡とみなされるのは、次の要件を満たすものをいい、権利金の額が地代の年額の20倍に相当する金額を超えないときは、その権利金は不動産所得に該当するものと推定する（所令79①③）。

① 譲渡所得の対象となる借地権等とは、(i)建物や構築物の所有を目的とする地上権若しくは賃借権（借地権）と、(ii)特別高圧架空電線の架設、特別高圧地中電線若しくは高圧のガスを通ずる導管の敷設、飛行場の設置、ケーブルカーやモノレールの施設、砂防施設である導流堤又は遊砂地の設置、公共施設の設置、特定街区内における構築物の建築等の目的のために設置される地役権で、建造物の設置を制限するものに限られる。借地権の設定には、借地権が設定されている土地を転貸する場合も含まれる。

② 借地権等の設定の対価として受け取る権利金は、その土地の更地価額（借地の転貸の場合は、その借地権部分の価額）の２分の１（その設定が地下又は空間について上下の範囲を定めた借地権・地役権の設定である場合は４分の１）に相当する金額を超える場合に限られる。

また、借地権等の設定をしたことに伴い、通常の場合の金銭の貸付条件に比べて特に有利な条件による金銭の貸付けその他特別の経済的利益を受ける場合には、その経済的な利益の額を権利金の額に加算し、その加算した後の金額をもって、上記の要件に当たるかどうかを判定することになる（所令80）。

裁判例の紹介

預託金返還請求権の行使と資産の譲渡

納税者が申告した譲渡損失について、ゴルフクラブ退会時に預託金の返還を受けたものであって、ゴルフ会員権の譲渡に当たらないとされた事例

（167第一審東京地裁平成19年６月７日判決・税資257号順号10724）

〔事案の概要〕

Ｘ（原告）は、訴外会社が経営する本件ゴルフクラブのゴルフ会員権（以下「本件ゴルフ会員権」という。）を2,398万5,000円で購入した。

本件ゴルフ会員権は、預託金会員制の会員権であり、本件ゴルフ会員権に係る預託金（本件ゴルフクラブでは「入会保証金」と称される。以下「本件預託金」という。また、本件ゴルフクラブのゴルフ会員権に係る「入会保証金」一般を単に「預託金」ということもある。）は1,320万円であった。

Ｘは、平成14年分の所得税について、譲渡所得の金額の計算上生じた損失の金額1,080万450円があるとして、所得税法69条《損益通算》１項の規定を適用し、その損失の金額を事業所得及び不動産所得の金額から控除した確定申告書を処分行政庁に提出した。これに対して、所轄税務署長は、Ｘが行ったのは本件ゴルフクラブを退会したことにより、本件預託金の返還を受けたものであって、それは、Ｘの本件経営法人に対する金銭債権の行使であり、所得税法33条に規定する資産の譲渡に当たらないことから、総合長期譲渡所得の金額に損失額は発生せず、当該所得は零円となるとして、更正処分を行った。
　Xは国Y（被告）を相手取り処分の取消しを求めて提訴した。

〔争点〕
　預託金返還請求権が行使された場合に資産の譲渡に当たるといえるか。

〔判決の要旨〕
○　東京地裁平成19年6月7日判決
「所得税法33条1項に定める資産の譲渡によって生じた譲渡所得に対する課税は、資産の値上がりによりその資産の所有者に帰属する増加益を所得として、その資産が所有者の支配を離れてほかに移転するのを機会に、これを清算して課税する趣旨のものと解される。こうした課税の趣旨にかんがみると、同条項にいう資産とは、一般にその経済的価値が認められて取引の対象とされ、資産の増加益の発生が見込まれるようなすべての資産を含むと解され、そこにいう譲渡とは、有償又は無償であるとを問わず、一般に所有権その他の権利の移転を広く含むものと解される。預託金会員制のゴルフクラブの会員権は、ゴルフ場設備の優先利用権、年会費納入義務、預託金返還請求権等の権利義務関係が一体となった契約上の地位であると解されるところ、会員が、これを取引の対象として第三者に譲渡した場合は、上記資産の譲渡に当たるというべきである。
　他方、預託金会員制ゴルフクラブの会員がゴルフ場経営会社に対し、ゴルフクラブを退会する旨の意思表示をして預託金返還請求権を行使した場合には、当該会員のゴルフ場設備優先利用権や退会の意思表示後の会費納入義務等の権利義務関係は消滅し、ゴルフ場経営会社に据え置かれていた預託金の返還請求権という金銭債権のみが、ゴルフ会員権の内容として残り、当該会員は、ゴルフクラブの経営会社に対する金銭債権としての預託金返還請求権を行使することになると解するのが相当である。そして、このように、預託金返還請求権が行使された場合には、契約上の地位としてのゴルフ会員権が移転するわけではないので、これを、上記資産の譲渡に当たるということはできない。」

〔コメント〕
　預託金会員制のゴルフクラブの会員権は、ゴルフ場設備の優先利用権、年会費納入義務、預託金返還請求権等の権利義務関係が一体となった契約上の地位であると解されるところ、会員が、これを取引の対象として第三者に譲渡した場合は、上記資産の譲渡に当たるとしている。他方で退会の場合には、既に退会後のゴルフ場設備優先利用権は消滅してしまうので、ゴルフ会員権はあくまで金銭債権である預託金返還請求権のみに変容してしまうと考えらえる。

そこで、本件東京地裁は、退会に伴う金銭債権の行使による金銭授受があったとしても、それはキャピタル・ゲインを生ずる資産の譲渡ではないとしているのである。

裁判例の紹介

ゴルフ会員権の譲渡損失と損益通算

ゴルフ会員権に係る損失の金額が、譲渡所得の損失とされた事例

（168第一審東京地裁平成18年4月18日判決・税資256号順号10368）
（169控訴審東京高裁平成19年3月27日判決・税資257号順号10670）

〔事案の概要〕

X（原告・被控訴人）は、従業員ないし役員として勤務していた会社の親会社である米国法人から付与されたストック・オプションを平成12年及び平成13年に行使して権利行使益を得た。これにつき、Xは、平成12年分の所得税の確定申告において、これを給与所得として申告をしたが、その後、ゴルフ会員権に係る譲渡（以下「本件譲渡」という。）の損失につき計上漏れがあり、また、本件権利行使益は一時所得に当たるとして更正の請求をしたところ、所轄税務署長が、ゴルフ会員権に係る譲渡損失についてはその一部を認め、減額更正処分をするとともに、その余の更正の請求には理由がない旨の通知処分をした。

本件は、Xが、所轄税務署長によるゴルフ会員権に係る譲渡損失の算定方法には誤りがあり、また、本件権利行使益を一時所得とすべきところを誤って給与所得とした違法があるなどと主張して、国Y（被告・控訴人）を相手取り本件通知処分の一部の取消しを求めた事案である。

Xは、平成6年10月31日、訴外D株式会社（以下「D社」という。）が経営するE倶楽部（以下「旧倶楽部」という。）の会員権（以下「旧会員権」という。）を購入し、同年11月4日、同会員権の購入代金2,300万円、名義書換料103万円、取扱手数料35万5,350円及び年会費8,240円の合計2,439万3,590円を訴外F株式会社に支払った。

訴外株式会社G（以下「G社」という。）は、平成12年7月25日、D社から旧倶楽部のゴルフ場用地等の資産全部の譲渡を受け、同月24日に設立された株式会社H倶楽部（以下「H倶楽部」という。）が同ゴルフ場資産を借り受けて新たにU倶楽部（以下「新倶楽部」という。）の運営をすることとした。

Xは、同年9月1日、H倶楽部に対し新倶楽部に係る入会申込証を提出するとともに、同月22日、旧会員権を譲渡した（以下「本件譲渡」という。）。本件譲渡については、H倶楽部からXに宛てて同日付で旧会員権を30万円の買取価格で買い取ったとの「会員権買取報告書」が作成されている。また、Xは、同社から同年10月1日付けの「U倶楽部会員資格保証金証書」(会員資格保証金の額は30万円）及び「入会承諾書」を受領して、新倶楽部の会員権（以下「新会員権」という。）を取得した（以下「本件入会」といい、本件譲渡から本件入会に至る一連の取引を「本件取引」という。)。

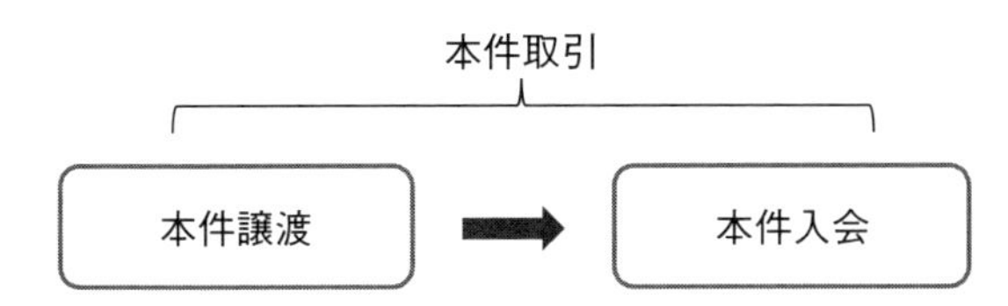

本件譲渡に先立ち、D社は自社が経営する旧倶楽部のゴルフ場施設をG社に譲渡していた。このことから、Yは、XはD社に対して、同ゴルフ場施設の優先的利用権を対抗することができなかったから、既に同権利は実質的に消滅していたものというべきであると主張した。また、同譲渡時において、H倶楽部はいまだXの入会承諾の意思表示をしていなかったのであるから、XのH倶楽部に対するゴルフ場施設の優先的利用権も発生していないことから、本件譲渡時において旧会員権はD社に対する預託金返還請求権という金銭債権に転化していたとも主張した。金銭債権の譲渡は、譲渡所得の基因となる資産の譲渡には該当しないから、Xによる同譲渡に係る損失の金額は雑所得の金額の計算上生じた損失の金額となるというのがYの主張である。

〔争点〕

ゴルフ会員権に係る損失の金額は、譲渡所得と雑所得のいずれの金額の計算上生じたものと解すべきか。

〔判決の要旨〕

1　東京地裁平成18年4月18日判決

「旧会員権の本件譲渡による所得金額については、…〈1〉旧会員権は、それが新倶楽部によるゴルフ場のオープン後に新会員権に転化する地位が保障されていたからこそ、本件譲渡の時点において250万円を下らない取引相場が形成されていたものと推認されること、〈2〉それゆえ、旧倶楽部の会員は、新会員権の交付を受けられるという保障がなければ、旧会員権を30万円という価額で手放すことはなかったものと推認され、その意味において、本件譲渡時において旧会員権と新会員権は250万円の価額で対価関係にあったものと認められること、〈3〉旧倶楽部の会員とH倶楽部との間では、同会員が新会員権の付与を受けずに旧会員権の譲渡対価である30万円を受領するという事態は全く想定されていなかったこと、〈4〉H倶楽部が旧倶楽部の会員に示した文書においても、旧会員権を同社に30万円で譲渡することが新会員権を交付する条件となることが明示されていたことが認められる。

これらの諸点に照らせば、Xは、旧会員権の本件譲渡によって新会員権の経済的価値に相当する権利ないし経済的利益を収入したものというべきであり、本件譲渡による所得額（損失額）は、本件譲渡時の旧会員権の時価である250万円から、旧会員権の購入代金（2,300万円）、名義書換料（103万円）及び取扱手数料（35万5,350円）の合計額2,438万5,350円の取得費を控除した残額である△2,188万5,350円と認めるのが相当である。

なお、所得税法の解釈との関連で、①本件取引は、法形式の上では本件譲渡と本件入会とによって構成されているものの、上記のように、本件取引を誘引する文書において本件譲渡が本件入会の条件であることが明示されていたこと、本件譲渡なくして本件入会を認めたり、本件入会なくして本件譲渡をしたりする事態を当事者は全く想定していなかったこと、そして、本件譲渡時において旧会員権と新会員権は経済的にも250万円の価額において対価関係に立っていたことなどの諸点に照らし、実質的には、250万円相当の旧会員権と新会員権とを交換する契約又はこれに類似する無名契約とみることができないものではなく、むしろ、そのように解釈することが当事者の意思解釈として合理性を有するものと認めることができる。他方、これを、②本件取引は本件譲渡と本件入会により構成されているものの、所得税法上、譲渡所得は、資産の譲渡『による』所得とされ（同法33条１項）、権利又は経済的利益『をもって』収入した場合の収入金額は、その権利又は経済的利益を享受する時における時価とされているにとどまることから（同法36条１、２項）、譲渡所得の計算上は、所得の原因となる行為と権利又は経済的利益の帰属の原因となる行為とが形式上別個の法律行為によりなされる場合を含み得るものであり、本件における本件譲渡と本件入会との間の上記のような密接関連性、時期的近接性その他当事者の合理的意思等に照らせば、少なくとも所得税法上の本件譲渡による譲渡収入の金額の計算上、本件入会によってXが取得した新会員権の価額を考慮することは許されるものと解釈することもできよう。そのいずれの解釈を選択するかは、説明の仕方の相違にすぎないものと解される。」

2　控訴審**東京高裁平成19年３月27日判決**は原審判断を維持した。

〔コメント〕

ゴルフ会員権は、預託金返還請求権という金銭債権のみならず、ゴルフ場施設優先利用権及び年会費支払義務という権利義務を含む複合的な契約上の地位であるところ、ゴルフ場の破たんなどで、ゴルフ場施設優先利用権がなくなってしまっていれば、既に、かかるゴルフ会員権は預託金返還請求権としての性質しか有せず、また、その預託金返還請求権は金銭債権であるところ、金銭債権は譲渡所得の基因となる資産には該当しないと解されている。そのような場合、金銭債権たるゴルフ会員権の譲渡によって生じた損失は雑所得に該当することとされるため、雑所得の金額の計算上生じた損失の金額として、他の各種所得の金額との損益通算をすることができないことになる（酒井・レクチャー75頁）。

本件は、ゴルフ場の破たんのケースではなく、ゴルフ場施設の譲渡があった事例である。

本件東京地裁は、本件譲渡と本件入会との間の密接関連性、時期的近接性その他当事者の合理的意思等に照らせば、少なくとも所得税法上の本件譲渡による譲渡収入の金額の計算上、本件入会によってXが取得した新会員権の価額を考慮することは許されるものと解釈することもできようとする。本件は、「密接関連性、時期的近接性」などを斟酌した上で譲渡所得の金額の計算を行っているという事案であり、事実認定の論点であるとみることもできよう。判決文において認定されている〈1〉ないし〈4〉がなければ、結論を異にしていたことが優にうかがえる事案である。

なお、平成26年度税制改正により、平成26年4月1日以後に行ったゴルフ会員権の譲渡により生じた損失については他の所得と損益通算することができないこととされた（所令178①二）。

4　職務発明

職務発明とは、企業の従業員等が行った発明で、使用者等の業務の範囲に属し、その発明をするに至った行為がその従業員等の現在又は過去の職務に属するものをいう（特許法35①）。平成27年改正前の特許法では、職務発明に基づく特許権は従業員等にあるとされてきたことから、従業員等が企業に特許権を譲った場合には、その代償として「相当の対価」を得る権利を取得できた（旧特許法35④）。そこで、課税実務では、次のように取り扱われてきた。

業務上有益な発明、考案等をした役員又は使用人が使用者から支払を受ける報償金、表彰金、賞金等の金額は、次に掲げる区分に応じ、それぞれ次に掲げる所得に係る収入金額又は総収入金額に算入するものとする（所基通23～35共－1）。

①　業務上有益な発明、考案又は創作をした者が当該発明、考案又は創作に係る特許を受ける権利、実用新案登録を受ける権利若しくは意匠登録を受

ける権利又は特許権、実用新案権若しくは意匠権を使用者に承継させたことにより支払を受けるもの……これらの権利の承継に際し一時に支払を受けるものは譲渡所得、これらの権利を承継させた後において支払を受けるものは雑所得

② 特許権、実用新案権又は意匠権を取得した者がこれらの権利に係る通常実施権又は専用実施権を設定したことにより支払を受けるもの……雑所得

③ 事務若しくは作業の合理化、製品の品質の改善又は経費の節約等に寄与する工夫、考案等（特許又は実用新案登録若しくは意匠登録を受けるに至らないものに限る。）をした者が支払を受けるもの……その工夫、考案等がその者の通常の職務の範囲内の行為である場合には給与所得、その他の場合には一時所得（その工夫、考案等の実施後の成績等に応じ継続的に支払を受けるときは、雑所得）

④ 災害等の防止又は発生した災害等による損害の防止等に功績のあった者が一時に支払を受けるもの……その防止等がその者の通常の職務の範囲内の行為である場合には給与所得、その他の場合には一時所得

⑤ 篤行者として社会的に顕彰され使用者に栄誉を与えた者が一時に支払を受けるもの……一時所得

上記の取扱いに従えば、従業員等が企業から受ける職務発明の対価は、上記①に該当することとなる。すなわち、次の裁判例からも分かるように、その特許を受ける権利等を従業員等から企業に承継させた際に支払を受けるものは譲渡所得に該当することとなる。

裁判例の紹介

職務発明に係る相当の対価を巡る和解金の譲渡所得該当性

特許法35条3項に基づく本件和解金は譲渡所得ではなく、雑所得に該当するとされた事例

（170第一審大阪地裁平成23年10月14日判決・訟月59巻4号1125頁）[102]
（171控訴審大阪高裁平成24年4月26日判決・訟月59巻4号1143頁）[103]

〔事案の紹介〕

職務発明について当時の使用者に対し特許法（平成16年法律第79号による改正前のもの。）35条3項の「相当の対価」の支払を求める訴えを提起し和解金3,000万円（本件和解金）を受領したX（原告・控訴人）は、同収入を最初雑所得として申告した後、譲渡所得に当たるとして更正請求（本件更正請求）をした。これに対して所轄税務署長は、本件和解金は雑所得に該当し譲渡所得には該当しないとして更正すべき理由がない旨の通知処分（本件通知処分）を行った。本件は、Xが、国Y（被告・被控訴人）を相手取り、本件和解金が譲渡所得に当たる旨を主張して、本件通知処分の取消しを求めた事案である。

〔争点〕

本件和解金は譲渡所得に該当するか。

〔判決の要旨〕

1　大阪地裁平成23年10月14日判決

「譲渡所得とは、資産の譲渡による所得（所得税法33条1項）であるところ、資産の譲渡所得に対する課税は、資産の値上がりによりその資産の所有者に帰属する増加益（キャピタルゲイン）を所得として、その資産が所有者の支配を離れて他に移転するのを機会に、これを清算して課税する趣旨のものであり、売買交換等によりその資産の移転が対価の受入を伴うときは、その増加益は対価のうちに具体化されるので、これを課税の対象としてとらえたのが所得税法33条1項の規定である（最判昭和43年10月31日・裁判集民事92号797頁参照）。そして、年々に蓄積された当該資産の増加益が所有者の支配を離れる機会に一挙に実現したものとみる建前から、累進税率のもとにおける租税負担が大となるので、同条3項2号に係るいわゆる長期譲渡所得（資産の譲渡でその資産の取得の日以後5年経過後にされたものによる所得など）については、その租税負担の軽減を図る目的で、同法22条2項2号により、長期譲渡所得の金額の2分の1に相当する金額をもって課税標準とされている（最判昭和47年12月26日・民集26巻10号2083頁…参照）。

また、譲渡所得の金額は、その年中の当該所得に係る総収入金額から当該所得の基因となった資産の取得費及びその資産の譲渡に要した費用の額の合計額

102）判例評釈として、図子善信・速報判例解説12号〔法セ増刊〕209頁（2013）参照。
103）判例評釈として、神山弘行・ジュリ1469号120頁（2014）、池本征男・税務事例46巻7号50頁（2014）など参照。

を控除し、その残額の合計額から譲渡所得の特別控除額（50万円）を控除した金額とするものとされているが（同法33条3項、4項）、所得税法上、同一の原因に基づく譲渡所得が複数年度にわたる場合の控除の方法について定めた規定はない。そして、仮に複数年度にわたり資産の取得費等が控除されるとすれば、二重控除となり課税の公平を害する不合理な結果となることも踏まえると、所得税法は、そもそも、同一の原因に基づく譲渡所得が複数年度にわたり計上されることを想定していないと解するのが合理的である。」

「譲渡所得に係る課税の趣旨や制度の仕組みなどからすれば、ある所得が譲渡所得に該当するためには、その所得が『当該資産の増加益が所有者の支配を離れる機会に一挙に実現したもの』であること、すなわち、資産の所有権その他の権利が相手方に移転する機会に一時に実現した所得であることを要すると解するのが相当である〔。〕」

「本件和解金は、本件職務発明に係る特許法35条3項の『相当の対価』として支払われたものである…。ところで、特許法35条3項は、従業者等は、契約、勤務規則その他の定により、職務発明について使用者等に特許を受ける権利等を承継させたときは、相当の対価の支払を受ける権利を有する旨規定し、同条4項は、上記対価の額は、その発明により使用者等が受けるべき利益の額及びその発明がされるについて使用者等が貢献した程度を考慮して定めなければならない旨規定するところ、上記各規定の文言、特に、相当の対価の額を定める考慮事項として『その発明により使用者等が受けるべき利益』とされていることなどに照らすと、相当の対価支払請求権は、理論上、特許を受ける権利等を承継させたときに発生するものと解される。

しかし、特許を受ける権利等の承継時においては、そもそもその特許を受ける権利（職務発明）につき特許出願がされるのかどうか、特許出願をした場合に特許が付与されるかどうかなどは不確定であり、特許が付与されたとしても、現実に使用者が得る利益は、当該使用者の資本、設備、営業能力、経営判断、その時々の景気、需要者の嗜好の変化、代替技術の出現等によって大きく左右されるから、実際には、特許を受ける権利等の承継時に『相当の対価』の額を的確に算定することは極めて困難である…。

このような『相当の対価』の算定の困難性に照らすと、特許を受ける権利等が承継された時（相当の対価支払請求権が発生した時）においては、その機会に現実に金銭が支払われた（又は将来支払われる具体的な金額が確定している）部分を除き、当該特許を受ける権利等の承継に係る『相当の対価』につき所得が実現したと評価することはできない。」

2　大阪高裁平成24年4月26日判決

「所得税法33条1項は、譲渡所得について『資産の譲渡…による所得』と規定するが、その意味内容は、条文の文理のみならず、制度の趣旨、他の規定との整合性等を総合的に勘案して解釈によってこれを確定するのが相当である。
　しかるところ、譲渡所得課税は、資産の増加益に対し『その資産が所有者の支配を離れて他に移転するのを機会に、これを清算して課税する趣旨のもの』と解されるものである（最高裁判所昭和43年10月31日第一小法廷判決・裁判集民事92号797頁）。そして、所得税法は、譲渡所得の計算上控除すべき費用が複数年度にわたる場合の規定を置いていないから、同一の原因に基づく譲渡所得が複数年度にわたって計上されることを想定していないと解され、また収入金額の権利確定の時期（所得税法36条）は、当該資産の所有権その他の権利が相手方に移転する時であるとし、贈与等の場合には譲渡所得の金額の計算については、その事由が生じた時に、その時における価額に相当する金額により資産の譲渡があったものとみなす（所得税法59条１項）としている。以上の事情に照らすと、譲渡所得とは、『譲渡に基因して譲渡の機会に生じた所得』と解するのが相当である（原判決は、譲渡所得を『資産の所有権そのほかの権利が相手方に移転する機会に一時に実現した所得』とするが、当裁判所の見解と同趣旨のものと解される。)。
　なお、このような解釈は、法文の正当な解釈の方法に基づくものであるから、これが租税法律主義に反するものではない。」
「収入金額の計算について『収入すべき金額』によるとしている所得税法36条は、現実の収入がなくても、その収入の原因となる権利が確定した場合には、その時点で所得の実現があったものとして右権利確定の時期の属する年分の課税所得を計算するという建前を採用しているものと解される（昭和40年法律第33号による改正前の所得税法〔昭和22年法律第27号〕10条に関する最高裁判所昭和53年２月24日第二小法廷判決・民集32巻１号43頁参照）。そして資産の譲渡によって発生する譲渡所得についての収入金額の権利確定の時期は、当該資産の所有権その他の権利が相手方に移転する時であるとされている（最高裁判所昭和40年９月24日第二小法廷判決・民集19巻６号1688頁参照）から、権利移転の機会に実現した所得が譲渡所得に該当し、移転時に確定していなかった『相当の対価』は譲渡所得に該当するということはできないというべきである。」

〔コメント〕
　本件地裁及び高裁判決は、ある所得が譲渡所得に該当するためには、資産の所有権その他の権利が相手方に移転する機会に一時に実現した所得であることが必要であるという要件を明確に論じた点に意義があるといえよう。
　両判決は、譲渡所得の課税のタイミングが、当該資産の所有権その他の権利が相手方に移転する時であるとされているという点に関心を置いて、「ある所得が譲渡所得に該当するためには、当該資産の所有権等が相手方に移転する機会に一時に実現した所得である」とするところから、本件和解金がそのような性質のものではないとして、譲渡所得に該当しないという結論を導出している。

後述する252最高裁昭和47年12月26日第三小法廷判決（543頁参照）や前述の162最高裁昭和50年５月27日第三小法廷判決（370頁参照）は、譲渡所得には無償の譲渡も含まれると判示しているところ、前述の所得税基本通達が「一時に支払を受けるもの」についてのみ譲渡所得と通達している点には疑問が残る。本件地裁及び高裁判決は譲渡代金の一時的流入性を論じているのではなく、一時点実現性を論じているものであることからすれば、通達の考え方と必ずしも同じ考え方であるとまではいえそうにない。

知的財産の適切な保護及び活用により我が国のイノベーションを促進するため、平成27年に特許法が改正された。この特許法改正のポイントは次のとおりである。

① 権利帰属の不安定性を解消するために、職務発明については、契約、勤務規則その他の定めにおいてあらかじめ使用者等に特許を受ける権利を取得させることを定めたときは、その特許を受ける権利は、その発生した時から使用者等に帰属するものとする（特許法35③）。

② 従業者等は、特許を受ける権利等を取得等させた場合には、相当の金銭その他の経済上の利益（これを「相当の利益」という。）を受ける権利を有するものとする（特許法35④）。

③ 契約、勤務規則その他の定めにおいて相当の利益について定める場合には、相当の利益の内容を決定するための基準の策定に際して使用者等と従業者等との間で行われる協議の状況、策定された当該基準の開示の状況、相当の利益の内容の決定について行われる従業者等からの意見の聴取の状況等を考慮して、その定めたところにより相当の利益を与えることが不合理であると認められるものであってはならない（特許法35⑤）。

④ 経済産業大臣は、発明を奨励するため、産業構造審議会の意見を聴いて、相当の金銭その他の経済上の利益の内容を決定するための手続に関する指針を定める（特許法35⑥）。

⑤ 相当の利益についての定めがない場合又はその定めたところにより相当

の利益を与えることが上記③（特許法35⑤）の規定により不合理であると認められる場合には、従業者等の受けるべき「相当の利益」の内容は、その発明により使用者等が受けるべき利益の額、その発明に関連して使用者等が行う負担、貢献及び従業者等の処遇その他の事情を考慮して定めなければならない（特許法35⑦）。

このような法律改正を前提とすると、上記のように、職務発明による特許を受ける権利はその発生した時から使用者等に帰属されることとなり、これまで職務発明の対価を譲渡所得と捉えてきた従来の考え方に影響を及ぼす可能性も否定できず、給与所得に該当する余地もあるように思われる（なお、酒井克彦「新しい『職務発明』と税務—平成27年特許法改正の所得税法への影響—」速報税理2016年３月１日号28頁（2016）、同「職務発明対価に係る所得区分（上・中・下－１、２、３）」税務事例48巻５号１頁、６号１頁、７号１頁（2016）、同49巻４号１頁、５号１頁（2017）も参照）。

もっとも、課税当局は、かかる「相当の利益」の所得区分について、給与所得でも譲渡所得でもなく、雑所得になると解しているようである。すなわち、名古屋国税局は、平成29年１月27日付けで事前照会に対する文書回答事例として「職務発明による特許を受ける権利を使用者に原始的に帰属させる制度を導入した場合の『相当の利益』に係る税務上の取扱いについて」を公表しているが、そこでは、次のような見解に対して、「貴見のとおりで差し支えありません。」としている。議論のあるところであろう。

3　照会者の求める見解となることの理由

（…略…）

(1)　所得区分

現行の所得税基本通達23から35共－１《使用人等の発明等に係る報償金等》においては、使用人が発明等により支払を受ける報償金等について、特許を受ける権利の承継の際に一時に支払を受けるものは譲渡所得、特許を受ける権利を承継させた後において支払を受けるものは雑所得として取り扱う旨を定めているところです。

しかしながら、本件各補償金は、従業員等から当社へ特許を受ける権利を移転させることにより生ずるものでないことから、譲渡所得には該当しません。また、本件各補償金は、発明者である従業員等が当社から支払を受けるものですが、使用人としての地位に基づいて支払を受けるものではなく、特許法の規定により「発明者」としての地位に基づいて支払を受けるものであり、当該従業員等が退職した場合や死亡した場合でも当該従業員等やその相続人へ継続して支払われることから、給与所得にも該当しません。更には、本件各補償金は、あらかじめ定めた当社の職務発明規程等に基づき、特許法第35条第4項に規定する「相当の利益」として支払を受けるものであり、当社に職務発明に係る特許を受ける権利を原始的に取得させることによって生ずるものであることから、臨時・偶発的な所得である一時所得にも該当しません。

そうすると、本件各補償金は、利子所得、配当所得、不動産所得、事業所得、給与所得、退職所得、山林所得、譲渡所得及び一時所得のいずれにも該当しないことから、雑所得に該当すると考えられます（所得税法第35条）。

裁判例の紹介

特許権の持分譲渡

特許権の持分譲渡に係る所得が雑所得とされた事例

（172第一審大阪地裁平成27年12月18日判決・訟月63巻4号1183頁）[104]
（173控訴審大阪高裁平成28年10月6日判決・訟月63巻4号1205頁）[105]
（174上告審最高裁平成29年6月29日第一小法廷決定・税資267号順号13029）

〔事案の概要〕

1　概観

本件は、X（原告・控訴人・上告人）が、B社との間で締結した特許を受ける権利の譲渡に関する契約（以下「本件譲渡契約」という。）に基づいてB社から支払を受けた金員（平成23年2月に支払を受けた「本件金員1」と、平成24年11月に支払を受けた本件金員2。本件金員1と併せて「本件各金員」という。）につき、雑所得とする確定申告をした後、上記金員が一時所得に該当するとして更正の請求をしたが、所轄税務署長から、更正をすべき理由がない旨の通知を受けたことから、国Y（被告・被控訴人・被上告人）を相手取り、同通知処

104）判例評釈として、中野浩幸・近畿大学法学67巻1＝2号105頁（2019）参照。
105）判例評釈として、佐藤修二・ジュリ1509号10頁（2017）参照。

分の取消しを求めた事案である。

2　具体的事実

医学博士であるXは、B社と新規化合物の共同研究開発を行い、平成17年6月にその成果である発明に関する特許を共同出願した。

Xは、平成18年3月9日、本件譲渡契約に基づいて本件持分をB社に譲渡し、同年5月22日、本件持分の譲渡の対価としてB社から金員の支払を受けた。

B社は、平成18年4月18日、米国の製薬会社であるC社との間で、本件特許の実施を許諾する旨の契約（以下「別件実施許諾契約」という。）を締結した。別件実施許諾契約では、本件特許の実施許諾に関し、C社からB社に対する金員の支払条件が定められているところ、その概要は、次のとおりである。

C社は、平成22年12月24日、別件実施許諾契約における「フェーズ3臨床治験における患者に対する最初の投薬」を達成したことから、平成23年1月27日、B社に対し、金員を支払った。そして、B社は、本件譲渡契約に基づき、同年2月21日、Xに対し、平成22年12月分として、本件金員1を支払った。

C社は、平成24年10月15日、別件実施許諾契約における「米国における最初の新薬申請書類が米国食品医薬局によって審査受理されたとき」を達成したことから、同年11月19日、B社に対し、金員を支払った。そして、B社は、本件譲渡契約に基づき、同月30日、Xに対し、同年10月分として、本件金員2を支払った。

〔争点〕

本件各金員の所得区分如何。

〔判決の要旨〕

1　大阪地裁平成27年12月18日判決

「(1)　譲渡所得とは、資産の譲渡による所得（所得税法33条1項）であるところ、資産の譲渡所得に対する課税は、資産の値上がりによりその資産の所有者に帰属する増加益（キャピタルゲイン）を所得として、その資産が所有者の支配を離れて他に移転するのを機会に、これを清算して課税する趣旨のものであり、売買交換等によりその資産の移転が対価の受入れを伴うときは、その増加益は対価のうちに具体化されるので、これを課税の対象として捉えたのが所得税法33条1項の規定である（最高裁昭和43年10月31日第一小法廷判決・集民92号797頁参照）。そして、年々に蓄積された当該資産の増加益が所有者の支配を離れる機会に一挙に実現したものとみる建前から、累進税率のもとにおける租税負担が大となるので、同条3項2号のいわゆる長期譲渡所得（資産の譲渡でその資産の取得の日以後5年経過後にされたものによる所得など）については、その租税負担の軽減を図る目的で、同法22条2項2号により、長期譲渡所得の金額の２分の１に相当する金額をもって課税標準とされている（最高裁昭和47年12月26日・民集26巻10号2083頁参照）。

また、譲渡所得の金額は、その年中の当該所得に係る総収入金額から当該所得の基因となった資産の取得費及びその資産の譲渡に要した費用の額の合計額を控除し、その残額の合計額から譲渡所得の特別控除額（50万円）を控除した金額とするものとされているが（所得税法33条３項及び４項）、所得税法上、同一の原因に基づく譲渡所得が複数年度にわたる場合の控除の方法について定めた規定はなく、仮に複数年度にわたり資産の取得費等が控除されるとすれば二重控除となり課税の公平を害する不合理な結果となることを考慮すると、同法は、同一の原因に基づく譲渡所得が複数年度にわたり計上されることを想定していないと解するのが合理的である。

以上のような譲渡所得に係る課税の趣旨や制度の仕組み等からすれば、ある所得が譲渡所得に該当するためには、その所得が譲渡に基因して譲渡の機会に生じたものであることを要するというべきである。

⑵　そこで、いかなる場合に譲渡に基因して譲渡の機会に生じた所得といえるかについて検討するに、所得税法36条１項は、その年分の各種所得の金額の計算上収入金額とすべき金額又は総収入金額に算入すべき金額につき、原則として、その年において『収入すべき金額』とする旨を定めていることからすると、同法は、現実の収入がなくても、その収入の原因となる権利が確定的に発生した場合には、その時点で所得の実現があったものとして、当該権利発生の時期の属する年度の課税所得を計算するという建前（いわゆる権利確定主義）を採用しているものと解される（最高裁昭和49年３月８日第二小法廷判決・民集28巻２号186頁、最高裁昭和53年２月24日第二小法廷判決・民業32巻１号43頁参照）。そして、資産の譲渡によって発生する譲渡所得について収入の原因たる権利が確定的に発生するのは、当該資産の所有権その他の権利が相手方に移転する時であり（最高裁昭和40年９月24日第二小法廷判決・民集19巻６号1688頁参照）、収入の原因となる権利が確定的に発生したというためには、それが納税者に具体の所得税の納税義務を課する基因となる事由であることを考慮すると、単に権利の発生要件が満たされたというだけでは足りず、客観的にみて権利の実現が可能な状態になったことを要するというべきである。したがって、当該資産の所有権その他の権利が相手方に移転する時に客観的に実現が可能になったということのできない権利は、当該資産に係る譲渡所得に当たらないというべきである。

⑶　これを本件についてみると、…ＸがＢ社に本件持分を譲渡した平成18年３月９日当時、いまだ別件実施許諾契約は締結されていなかったのであるから、本件持分の移転時に本件各金員それ自体の支払請求権が発生していたということはできない。また、本件各金員は、別件実施許諾契約に定められたマイルストンペイメントの一部がＸに支払われたものであるところ、…マイルストンペ

イメントの支払の有無は、医薬品開発に関する技術的状況、C社の経営状況、所管庁の方針、市場の動向等によって左右されるものと認められ、本件持分の移転時に客観的に権利の実現が可能になったということはできない。これらの諸点に照らすと、本件各金員は、本件持分の譲渡に基因して譲渡の機会に生じたものということはできず、本件持分の譲渡による譲渡所得には当たらないというべきである。

2　本件各金員の一時所得該当性

(1)　所得税法は、所得税額の計算に当たり、所得を利子所得、配当所得、不動産所得、事業所得、給与所得、退職所得、山林所得、譲渡所得、一時所得又は雑所得に区分し、これらの所得の金額の計算方法を個別的に規定しているが、同法が上記のような所得区分を定めて税額計算等に差異を設けているのは、応能負担の原則の下、所得の発生原因又は発生形態の相違による担税力の相違を考慮したものである。この点、一時所得については、所得がある以上は担税力があるとして昭和22年の所得税法改正において課税対象とされることとなったものの、臨時的又は偶発的に発生する所得であるため一般的には担税力が低いと考えられることから、課税標準としての総所得金額に加えられる額が制限され（所得税法22条2項2号）、他方で、一時所得の範囲を臨時的又は偶発的な所得に限定するために非対価性要件が定められ、『労務その他の役務又は資産の譲渡の対価としての性質』を有する所得は一時所得から除外するものとされている。このように、同法34条1項が資産の譲渡の対価としての性質を有する所得を一時所得から除外する趣旨は、そのような性質を有する所得は臨時的又は偶発的に生じたものとはいえないことにあると解されるのであり、このような同項の趣旨に照らすと、同項の『資産の譲渡の対価としての性質』を有する所得には、資産の譲渡と反対給付の関係にあるような給付に限られるものではなく、資産の譲渡と密接に関連する給付であってそれがされた事情に照らし偶発的に生じた利益とはいえないものも含まれると解するのが相当である。このように解することが、『資産の譲渡の対価「としての性質」を有しない』とした同項の文言にも整合する。

(2)　これを本件についてみると、前記前提となる事実及び弁論の全趣旨によれば、〈1〉本件譲渡契約上、本件各金員は、本件持分の譲渡の対価として支払われるものであること、〈2〉B社は、Xから本件持分の譲渡を受けることによりC社との間で本件特許の実施を許諾する別件実施許諾契約を締結したこと、〈3〉本件各金員は、別件実施許諾契約に基づいてB社に支払われたマイルストンペイメントの一部がXに支払われたものであることが認められ、これらの事実に照らすと、本件各金員は、本件持分の譲渡を基礎とする契約関係から生じた金員が本件持分の譲渡の対価としてXに支払われたものということができる。そうすると、本件各金員の支払は、本件持分の譲渡と密接に関連するものであってそれがされた事情に照らし偶発的に生じた利益とはいえないものであり、

『資産の譲渡の対価としての性質』を有する所得であるということができるから、本件各金員は、非対価性要件を満たすものではなく、一時所得には当たらないというべきである。」

「以上のとおり、本件各金員は、譲渡所得に該当せず、一時所得にも該当しない。そして、本件各金員が利子所得、配当所得、不動産所得、事業所得、給与所得、退職所得及び山林所得のいずれにも該当するとは認められない（当事者間に争いがない。）から、本件各金員は、雑所得（所得税法35条１項）に該当すると認められる。」

２　大阪高裁平成28年10月６日判決

「ア　Ｘは、非対価性要件は、短期保有山林の伐採又は譲渡による所得を一時所得から除外することを目的として定められたものであることに照らすと、山林以外の資産の譲渡の対価については非対価性要件が適用されることはなく、本件各金員について非対価性要件が適用されることはないから、本件各金員は一時所得に該当する旨主張する。

そこで、検討するに、…昭和39年の所得税法改正により一時所得の定義につき非対価性要件が付加されたのは、短期保有山林の伐採又は譲渡による所得を一時所得から除外するために法文の技術的な整備を行ったものにすぎず、非対価性要件の付加は一時所得の範囲に変更を生じさせるものではないことが認められる。そして、所得税法34条１項が、『資産の譲渡の対価としての性質を有しないもの』として、資産の範囲を限定することなく非対価性要件について規定していること、一時所得として課税対象となる所得の範囲を一般的に担税力が低いと考えられる臨時的又は偶発的な所得に限定するという非対価性要件の趣旨は、山林以外の資産の譲渡の対価にも妥当することを併せ考慮すると、上記の所得税法改正において、短期保有山林の伐採又は譲渡による所得を一時所得から除外するために、一時所得の定義に非対価性要件を付加するとの条文上の手当てがされたからといって、そのことから直ちに、非対価性要件が短期保有山林の伐採又は譲渡による所得のみを一時所得から除外することになるものではないというべきである。そうすると、山林以外の資産の譲渡の対価については非対価性要件が適用されないと解することはできない。

したがって、本件各金員について非対価性要件が適用されることはないとのＸの主張は採用できない。

イ　Ｘは、所得税法33条１項の『資産の譲渡による所得』と同法34条１項の『資産の譲渡の対価』とは統一的に解釈されるべきであり、これらを別異に解釈することは租税法律主義に反するところ、本件各金員が資産の譲渡による所得に当たらない以上、資産の譲渡の対価としての性質を有しないというべきであるから、本件各金員は一時所得に該当する旨主張する。

しかし、…原判決認定の譲渡所得と一時所得の課税根拠の相違に照らすと、譲渡所得該当性と一時所得における非対価性要件とを統一的に解釈すべきであるということはできないし、これらを別異に解釈することが租税法律主義に反するということもできない。そして、本件各金員は、本件持分の譲渡に基因して譲渡の機会に生じたものということができないことから、譲渡所得に当たらないとされるとともに、本件持分の譲渡と密接に関連するものであってそれがされた事情に照らし偶発的に生じた利益とはいえず、非対価性要件を満たすものではないことから、一時所得にも当たらないとされたものである。そうすると、本件各金員が資産の譲渡による所得に当たらないからといって資産の譲渡の対価としての性質を有しないということはできない。

したがって、Xの上記主張は採用できない。

ウ　Xは、本件各金員は、本件譲渡契約の締結時において支払の有無が将来の不確実な事実に基因するものであり、偶発的に生じた所得であることは明白であるところ、資産の譲渡の対価としての性質を有するものとはいえず、本件各金員については非対価性要件を満たすということができるから、本件各金員は一時所得に該当する旨主張する。

しかし、本件各金員が、非対価性要件を満たすものではなく、一時所得に当たらないことは、これまでに認定説示したとおりである。ある所得が一時所得に当たるかどうかは、所得税法34条1項の規定に基づき、除外要件、非継続性要件及び非対価性要件の三つの要件により判断されるべきであり、将来の不確実な事実に基因するものであるか否かによって判断されるべきものではない。

したがって、Xの上記主張も採用できない。

3　本件通知処分1及び本件通知処分2の適法性

以上のとおり、本件各金員は、譲渡所得に該当せず、一時所得にも該当しない。そして、本件各金員が利子所得、配当所得、不動産所得、事業所得、給与所得、退職所得及び山林所得のいずれにも該当するとは認められないから、本件各金員は、雑所得（所得税法35条1項）に該当すると認められる。」

3　上告審**最高裁平成29年6月29日第一小法廷決定**は、上告棄却、上告不受理とした。

〔コメント〕

本件各金員は、別件実施許諾契約に定められたマイルストンペイメントの一部がXに支払われたものであったが、本件大阪地裁は、マイルストンペイメントの支払につき、❶本件特許に係る新規化合物（新薬）について臨床治験の実施、所管庁の審査受理等の段階に至ったときに支払われるものであることや、❷新薬の研究開発には多大な費用を要する上、開発後も発売までに安全性、有効性等に対する様々な試験を実施する必要があるため製品化されない場合があることを認めている。このことからすれば、単なる資産の譲渡によるキャピタル・ゲインとみることはできそうにない。

また、一時所得該当性については、本件大阪高裁が、昭和39年の所得税法改正により一時所得の定義につき非対価性要件が付加されたのが短期保有山林の伐採又は譲渡による所得を一時所得から除外するために法文の技術的な整備を行ったものであるとするXの主張を認めつつも、そのことの故をもって、非対価性要件が短期保有山林の伐採又は譲渡による所得のみを一時所得から除外することになるものではないとしている点については、所得税法34条の沿革を理解する上では参考になろう。

5　非課税の譲渡所得

次に掲げる譲渡所得については、所得税が課税されない。

① 生活に通常必要な動産の譲渡による所得（所法９①九）

② 資力を喪失して債務を弁済することが著しく困難な場合における強制換価手続による資産の譲渡による所得その他これに類する所得（所法９①十）

③ 特定子会社の株式を特定親会社の新株と交換又は移転したことによる所得（所法57の４）

④ 貸付信託の受益権等の譲渡による所得（措法37の15）

⑤ 国又は地方公共団体等に財産を寄附した場合の譲渡所得（措法40）

⑥ 国又は地方公共団体に重要文化財等を譲渡した場合の所得（措法40の２）

⑦ 物納による譲渡所得（措法40の３）

⑧ 債務処理計画に基づき資産を贈与した場合の所得（措法40の３の２）

なお、保証債務を履行するために行う資産の譲渡のうち、その履行に伴う求償権の全部又は一部を行使することができないときは、その行使できない金額はなかったものとみなされる（所法64②）。

6　みなし譲渡課税と取得価額の引継ぎ

所得税法は、みなし譲渡課税という制度を規定している（所法59①）。これは、一定の無償の譲渡（法人に対する贈与及び遺贈、限定承認に係る相続及び包括遺贈）

や著しく低い対価による法人への譲渡があった場合に、時価による譲渡があったものとみなして課税をするという「みなし」課税制度である。

譲渡所得に対する課税は、資産の値上りによりその資産の所有者に帰属する増加益を所得とし、これを清算して課税する趣旨のものであるから（増加益清算課税説）、その課税所得たる譲渡所得の発生には必ずしも当該資産の譲渡が有償であることを要しない（252最高裁昭和47年12月26日第三小法廷判決。543頁参照）。無償の資産の譲渡とは、すなわち、贈与や相続、遺贈もこれに含まれることになるから、上記の考え方によれば、これらによって資産の移転があった場合にも、時価により資産の譲渡があったものとして譲渡所得が生ずることになる。

もっとも、現行の所得税法は、①法人に対して贈与又は遺贈をした場合、②法人に対して時価の２分の１未満の対価で譲渡した場合のほか、③個人については限定承認に係る相続又は包括遺贈による資産の移転があった場合にのみ、時価により資産の譲渡があったものとみなして譲渡所得課税を行うこととしており、その範囲には一定の制限をかけている（所法59①）。

ここで「限定承認」とは、相続によって得た財産の限度においてのみ、被相続人の債務を弁済することを条件に相続の承認をするものである（民922）。仮に、限定承認に係る相続等の場合において、上記のようなみなし譲渡課税を行わずに取得価額の引継ぎをするとしたときは、その相続人が債務の弁済のために取得した相続財産を譲渡すると、その譲渡による所得は、相続人の所得として課税されることになる。そうすると、結果的に、本来被相続人に課されるべき所得税（被相続人の資産保有期間中のキャピタル・ゲインに係る所得税相当額）が、相続人の負担へと転嫁されるということになる。こうした不都合を回避するため、限定承認に係る相続等については、相続時に被相続人に対して譲渡所得として課税することとしたものであると説明されている（池本・所得税法111頁）。

なお、ここにいう「著しく低い対価」というのは、資産の譲渡時の価額の２分の１に満たない金額のことをいう（所令169）。

なぜ、このような法人に対するもの等に限定したみなし譲渡課税が規定されているのであろうか。そもそも、増加益清算課税説に従えば、有償無償の如何にかかわらず資産を支配している者の手を離れた際に、資産に内在する増加益（キャピタル・ゲイン）が実現したものとして課税を行うことは、理論的に問題ないはずである。増加益清算課税説とは、キャピタル・ゲインに対する課税こそが譲渡所得課税の本質であると捉える見解であり、譲渡した際に収受した金銭等を所得と認識して課税するという考え方でないことは前述のとおりである。したがって、無償による資産の譲渡であっても、資産を手放した者に対して、これまで課税されず繰り延べられてきた増加益が実現したものとして譲渡所得課税を行うことに問題はないということになり、現行法の限定的なみなし譲渡課税規定は、むしろ、増加益清算課税説本来の思考と整合性が保たれていないのではなかろうか。

しかしながら、増加益清算課税説の考え方に従えば、当然に無償で資産を譲渡した者に譲渡所得課税がなされる一方、無償で資産を譲り受けた者の側には贈与税の課税がなされることになるため、資産を譲った側（所得税）にも譲り受けた側（贈与税）にも時価課税がなされることに対する国民の納得を得にくいという問題が発生する。そこで、この点を立法的に解決するために、無償による譲渡に対する課税に制限を設けて、特に「法人に対する贈与及び遺贈」のみを課税の対象としたと理解するのである。

したがって、増加益清算課税説の考え方に従えば、無償による資産の譲渡に対して課税をするのは本来の所得税法の考え方に合致するものであるから、ここにいうみなし譲渡課税自体は何ら例外的な取扱いを規定したものではないということになろう。

他方、必ずしもこのように考えるべきではないとする見解もある。あくまでも、所得税法は、資産の譲渡により収入として実現したキャピタル・ゲインに対してのみ課税するのが原則であるとする見地からからみれば、一定の無償譲渡に課税をするみなし譲渡課税制度は、例外的取扱いということにもなる。

裁判例の紹介

タキゲン事件

所得税法59条1項2号にいういわゆる低額譲渡に該当するか否かは、「その時における価額」によって判断することとされているが、株式譲渡前の議決権を基礎として取引相場のない株式を評価すべきとした納税者の主張が排斥された事例

（175 第一審東京地裁平成29年8月30日判決・訟月66巻12号1945頁）
（176 控訴審東京高裁平成30年7月19日判決・訟月66巻12号1976頁）[106)]
（177 上告審最高裁令和2年3月24日第三小法廷判決・集民263号63頁）[107)]
（178 差戻控訴審東京高裁令和3年5月20日判決・判例集未登載）

〔事案の概要〕

T製造株式会社（以下「T製造」という。）の代表取締役であった被相続人Lは、自身の有していた同社の株式のうち72万5,000株（以下「本件株式」という。）を、平成19年8月1日、有限会社S会に対して譲渡した（以下「本件株式譲渡」という。）。これにつき、同年12月26日に死亡したLの相続人であり相続によりLの平成19年分の所得税の納付義務を承継したX（原告・控訴人・被上告人）は、本件株式譲渡に係る譲渡所得の収入金額を譲渡対価と同じ1株当たり75円（配当還元方式により算定した価額に相当する金額）として、Lの上記所得税の申告をした。

本件は、これに対して、C税務署長が、本件株式譲渡の譲渡対価はその時における本件株式の価額である1株当たり2,990円（類似業種比準方式により算定した価額）の2分の1に満たないから、本件株式譲渡は所得税法59条1項2号の低額譲渡に当たるとして、Xに対し、更正処分及び過少申告加算税の賦課決定処分をしたため、Xが、国Y（被告・被控訴人・上告人）を相手に、上記更正処分の各取消しを求めた事案である。

106）判例評釈として、渡辺徹也・ジュリ1535号124頁（2019）、酒井克彦・税務事例51巻5号94頁（2019）など参照。

107）判例評釈として、増田英敏・税弘68巻7号128頁、同8号103頁、同10号140頁（2020）、藤谷武史・ジュリ1548号10頁（2020）、大淵博義・税弘68巻11号113頁（2020）、渡辺充・税理63巻10号170頁（2020）、小山浩＝加藤裕之＝鷹尾征哉・会計・監査ジャーナル32巻6号84頁（2020）、長島弘・税務事例52巻10号33頁（2020）、中尾隼大・税務事例52巻6号97頁（2020）など参照。

所得税基本通達59－6《株式等を贈与等した場合の「その時における価額」》

法第59条第1項の規定の適用に当たって、譲渡所得の基因となる資産が株式…である場合の同項に規定する「その時における価額」とは、23～35共－9に準じて算定した価額による。この場合、23～35共－9の(4)二に定める「1株又は1口当たりの純資産価額等を参酌して通常取引されると認められる価額」とは、原則として、次によることを条件に、昭和39年4月25日付直資56、直審（資）17「財産評価基本通達」（法令解釈通達）の178から189－7まで《取引相場のない株式の評価》の例により算定した価額とする。

(1)　財産評価基本通達188の(1)に定める「同族株主」に該当するかどうかは、株式を譲渡又は贈与した個人の当該譲渡又は贈与直前の議決権の数により判定すること。

(2)～(4)　省略

財産評価基本通達188《同族株主以外の株主等が取得した株式》

178《取引相場のない株式の評価上の区分》の「同族株主以外の株主等が取得した株式」は、次のいずれかに該当する株式をいい、その株式の価額は、次項の定めによる。

(1)　同族株主のいる会社の株式のうち同族株主以外の株主の取得した株式

この場合における「同族株主」とは、課税時期における評価会社の株主のうち、株主の1人及びその同族関係者（法人税法施行令第4条《同族関係者の範囲》に規定する特殊の関係のある個人又は法人をいう。以下同じ。）の有する議決権の合計数がその会社の議決権総数の30％以上（その評価会社の株主のうち、株主の1人及びその同族関係者の有する議決権の合計数が最も多いグループの有する議決権の合計数が、その会社の議決権総数の50％超である会社にあっては、50％超）である場合におけるその株主及びその同族関係者をいう。

(2)　中心的な同族株主のいる会社の株主のうち、中心的な同族株主以外の同族株主で、その者の株式取得後の議決権の数がその会社の議決権総数の5％未満であるもの（課税時期において評価会社の役員（社長、理事長並びに法人税法施行令第71条第1項第1号、第2号及び第4号に掲げる者をいう。以下この項において同じ。）である者及び課税時期の翌日から法定申告期限までの間に役員となる者を除く。）の取得した株式

この場合における「中心的な同族株主」とは、課税時期において同

族株主の１人並びにその株主の配偶者、直系血族、兄弟姉妹及び一親等の姻族（これらの者の同族関係者である会社のうち、これらの者が有する議決権の合計数がその会社の議決権総数の25％以上である会社を含む。）の有する議決権の合計数がその会社の議決権総数の25％以上である場合におけるその株主をいう。

(3)　同族株主のいない会社の株主のうち、課税時期において株主の１人及びその同族関係者の有する議決権の合計数が、その会社の議決権総数の15％未満である場合におけるその株主の取得した株式

…

(4)　中心的な株主がおり、かつ、同族株主のいない会社の株主のうち、課税時期において株主の１人及びその同族関係者の有する議決権の合計数がその会社の議決権総数の15％以上である場合におけるその株主で、その者の株式取得後の議決権の数がその会社の議決権総数の５％未満であるもの（(2)の役員である者及び役員となる者を除く。）の取得した株式

この場合における「中心的な株主」とは、課税時期において株主の１人及びその同族関係者の有する議決権の合計数がその会社の議決権総数の15％以上である株主グループのうち、いずれかのグループに単独でその会社の議決権総数の10％以上の議決権を有している株主がいる場合におけるその株主をいう。

〔争点〕

本件株式譲渡が所得税法59条１項２号にいういわゆる低額譲渡に該当するか否か。

〔判決の要旨〕

１　第一審**東京地裁平成29年８月30日判決**は、Ｘの請求を棄却したため、Ｘがこれを不服として控訴した。

２　東京高裁平成30年７月19日判決

東京高裁は、所得税基本通達59－６が定める条件の下に適用される評価通達に定められた評価方法が、取引相場のない株式の譲渡時における客観的交換価値を算定する方法として一般的な合理性を有するものであれば、これによって算定された価額は、原則として所得税法59条１項にいう「その時における価額」として適正なものと認められ、評価通達において定められた評価方法自体は一般的な合理性を有するとした上で、次のとおり判示して、Ｘらの請求を一部認容した。

「通達の意味内容については、課税に関する納税者の信頼及び予見可能性を確保する見地から、その文理に忠実に解釈するのが相当であり、評価通達188の⑵～⑷の『株主が取得した株式』などの文言を『株主が譲渡した株式』などと殊更に読み替えることは許されない。そうすると、譲渡所得に対する課税においても、評価通達188の⑵～⑷の少数株主に該当するかどうかは、その文言どおり株式の取得者の取得後の議決権の割合により判定されるというべきであり、所得税基本通達59－６はこのことを定めたものとして合理性を有するところ、本件株式の譲受人であるＣは評価通達188の⑶の少数株主に該当するから、本件株式の価額は配当還元方式によって算定した１株当たり75円であると認められる。したがって、本件株式譲渡が低額譲渡に当たらないにもかかわらず、これに当たるとしてされた本件各更正処分等は違法である。」

３　最高裁令和２年３月24日第三小法廷判決

「原審の上記判断は是認することができない。その理由は、次のとおりである。

⑴　譲渡所得に対する課税は、資産の値上がりによりその資産の所有者に帰属する増加益を所得として、その資産が所有者の支配を離れて他に移転するのを機会に、これを清算して課税する趣旨のものである（最高裁昭和41年（行ツ）第８号同43年10月31日第一小法廷判決・裁判集民事92号797頁、最高裁同41年（行ツ）第102号同47年12月26日第三小法廷判決・民集26巻10号2083頁等参照）。すなわち、譲渡所得に対する課税においては、資産の譲渡は課税の機会にすぎず、その時点において所有者である譲渡人の下に生じている増加益に対して課税されることとなるところ、所得税法59条１項は、同項各号に掲げる事由により譲渡所得の基因となる資産の移転があった場合に当該資産についてその時点において生じている増加益の全部又は一部に対して課税できなくなる事態を防止するため、『その時における価額』に相当する金額により資産の譲渡があったものとみなすこととしたものと解される。

⑵　所得税法59条１項所定の『その時における価額』につき、所得税基本通達59－６は、譲渡所得の基因となった資産が取引相場のない株式である場合には、同通達59－６の⑴～⑷によることを条件に評価通達の例により算定した価額とする旨を定める。評価通達は、相続税及び贈与税の課税における財産の評価に関するものであるところ、取引相場のない株式の評価方法について、原則的な評価方法を定める一方、事業経営への影響の少ない同族株主の一部や従業員株主等においては、会社への支配力が乏しく、単に配当を期待するにとどまるという実情があることから、評価手続の簡便性をも考慮して、このような少数株主が取得した株式については、例外的に配当還元方式によるものとする。そして、評価通達は、株式を取得した株主の議決権の割合により配当還元方式を用いるか否かを判定するものとするが、これは、相続税や贈与税は、相続等により財産を取得した者に対し、取得した財産の価額を課税価格として課されるもので

あることから、株式を取得した株主の会社への支配力に着目したものということができる。
　これに対し、本件のような株式の譲渡に係る譲渡所得に対する課税においては、当該譲渡における譲受人の会社への支配力の程度は、譲渡人の下に生じている増加益の額に影響を及ぼすものではないのであって、前記の譲渡所得に対する課税の趣旨に照らせば、譲渡人の会社への支配力の程度に応じた評価方法を用いるべきものと解される。
　そうすると、譲渡所得に対する課税の場面においては、相続税や贈与税の課税の場面を前提とする評価通達の前記の定めをそのまま用いることはできず、所得税法の趣旨に則し、その差異に応じた取扱いがされるべきである。所得税基本通達59－6は、取引相場のない株式の評価につき、少数株主に該当するか否かの判断の前提となる『同族株主』に該当するかどうかは株式を譲渡又は贈与した個人の当該譲渡又は贈与直前の議決権の数により判定すること等を条件に、評価通達の例により算定した価額とする旨を定めているところ、この定めは、上記のとおり、譲渡所得に対する課税と相続税等との性質の差異に応じた取扱いをすることとし、少数株主に該当するか否かについても当該株式を譲渡した株主について判断すべきことをいう趣旨のものということができる。
　ところが、原審は、本件株式の譲受人であるＣが評価通達188の(3)の少数株主に該当することを理由として、本件株式につき配当還元方式により算定した額が本件株式譲渡の時における価額であるとしたものであり、この原審の判断には、所得税法59条１項の解釈適用を誤った違法がある。」

4　差戻控訴審**東京高裁令和３年５月20日判決**は、Ｘの請求を棄却し、更正処分等を適法と判断した。

〔コメント〕
　本件東京高裁は、財産評価基本通達188の(2)及び(4)の「株式取得後」との文言を「株式譲渡前」と、同(2)から(4)までの「取得した株式」との文言を「譲渡した株式」と、それぞれ読み替えることを所得税基本通達59－6の(1)が定めたものと理解すること（②説示部分）について、「通達の意味内容についてもその文理に忠実に解釈するのが相当であり、通達の文言を殊更に読み替えて異なる内容のものとして適用することは許されないというべきである。」として、法律の解釈姿勢である文理解釈を通達においても適用すべきと判示していた。
　そもそも、所得税基本通達59－6の記載振りを考えるに当たっては、大分地裁平成13年９月25日判決（税資251号順号8982）の事例をも念頭に置く必要があるかもしれない。

他方、本件最高裁は、これまでの最高裁判例が採用してきた増加益清算課税説の立場から、譲渡所得を資産の値上がり益に対して、かかる資産が所有者の支配を離れて他に移転するのを機会にこれを清算して課税する趣旨のものとし、それゆえ、所得税法59条１項２号の規定の適用においても、資産を所有者が手放す直前の資産価値を念頭に置いた上で、かかる譲渡が著しく低い価額の対価による譲渡であるか否かを検討しなければならないとした。すなわち、本件東京高裁が通達の記載振りを重視して判断したのに対して、本件最高裁は、所得税法上の譲渡所得課税の趣旨を示した上で、譲渡直前の資産価値によって低額譲渡の如何を判断すべきであるとし、通達の記載振りには拘泥していない。

なお、最高裁では、宇賀克也裁判官が通達には法源性がない旨の補足意見を、宮崎裕子裁判官が、「所得税法適用のための通達の作成に当たり、相続税法適用のための通達（財産評価基本通達）を借用し、しかもその借用を具体的にどのように行うかを必ずしも個別に明記しないという所得税基本通達59－６で採られている通達作成手法には、通達の内容を分かりにくいものにしているという点において問題がある」との補足意見が提出されている。

いずれにしても、通達とは、行政官によって採用された表現振りによって示達されるものである。このことは、上記に示した所得税基本通達34－１⑵に係る注書きの表現も同様である。あくまでも通達の表現については国民が自己同意したものではないのである。条文については、国民がかかる条文表現を自己同意したからこそ文理を尊重しなければならないという解釈手法たる文理解釈が採用されるべき理由は、通達においては存在しないのである。

CHECK！　通達の文理解釈

本件においては、東京高裁が通達の文理解釈を重視したのに対して、最高裁が通達を文理解釈するような同高裁の判断を否定した点が注目される。

そこで、通達の文理解釈というようなものがあり得るのかという点について考えてみたい。

１　法条の解釈において文理解釈が要請される理由

しばしば、租税法の解釈においては文理解釈が重要であるといわれる。それは、そもそも、憲法が財産権を保障することを原則としているところ（憲29）、租税法規は財産権の侵害規範ともいわれるとおり、財産権侵害は原則に対する例外であるから、例外規定は厳格に解釈されなければ原則である財産権保障が棄損されてしまうおそれがあるという点に大きく由来する。

この考え方は、自由主義的観念に合致したものであるといえよう。いわば、国民の自由を制約する刑罰に関して、罪刑法定主義が前提とする文理解釈論と近接した議論がそこには所在するのである。

もっとも、租税法の解釈において文理解釈が要請される理由はそれだけではない。

文理解釈は納税者の予測可能性を担保するという趣旨からも承認され得るし、そのことが、行政裁量の働く余地を狭くし、恣意的な課税を防止することにも、納税者の自己に都合のよい解釈を防止することにも資することから、文理解釈は目的論的解釈に優先されるべきと考えられているのである。

租税法律主義が要請する法的安定性と予測可能性からみれば、文理解釈が優先されるべきであることは理解を得られやすいといえよう。

そもそも、租税法律主義は、自由主義的視角である財産権保障という文脈で論じられるだけではなく、民主主義的手法によって確定された実定法を重視するという観点からも肯定される。すなわち、議会で国民の代表者が決定した法条について、国民が何に自己同意したかというと、それは、かかる条文に示された文言を前提として、かかる条文に同意を示したのであるから、あくまでも、条文に示された文言から解釈を出発させるべきとする発想は、民主主義的視角からも承認され得るのである。

2　通達の本質

通達は行政官庁内部における上意下達の命令手段である。上司から名宛人である部下への命令であるから、本件のような所得税基本通達や財産評価基本通達にあっては、国家公務員法が示す服務命令義務違反のルールの下で、下級行政庁職員を拘束する機能を有している。すなわち、制定法は国民が代表者を通じて決定されたものであって、国民が自己同意をしたことに伴う拘束力があるのに対し、通達は、その制定過程における審議決定に参画していない国民を拘束する法的根拠が一切存在しないのであるから、国民は通達の規定に拘束されることはない。何よりも、通達は、国税庁長官の部下でない国民に対して発遣するものではないから、国民からすれば、通達の内容について知っておくべき義務がないこともいうまでもない。

中央省庁等改革基本法において、現在は通達の内容がつまびらかにされてはいるものの（同法20五）、そのことと、国民が知っておくべきか否かは別問題である。いわば、通達を発遣しているから予測可能性が担保されていると考えること自体、通達の外部的効果に依存しすぎた議論であるかもしれない。もちろん、通達が国税庁のホームページ等によって公表されている現状からすれば、通達を発遣することが国民の予測可能性に資するということ自体を否定するものではないが、通達を発遣してさえいれば国民の予測可能性を保障することになるということにはならないのは、次の諸点からみても当然であるといわねばならない。

すなわち、まず、前述のとおり、通達は実定法ではないので、国民はこれを知るべき義務も責任もないのである。それは、実定法が官報への掲載という「公布」をもって、当然に国民が知るべきルールであるのとは大きく異なる。影響力があるからといって予測可能性を担保するものと位置付けることには大きな乖離がある。

次に、あくまでも、税務通達は、租税法規についての国税庁としての有権解釈を示すものであって、通達自体には何ら法源性はないのである。したがって、通達が何か法的な意味合いを有するとすれば、それは、国家行政組織法上の命令手段として、下級行政庁職員が服務命令に反するか否かといった部面における法的意義を有するにすぎず、国民に対しては、せいぜい租税法規の解釈の参考になる以上の意味は有していないと考えるのが本筋であるはずである。

3　通達の名宛人

一般的に国税庁長官通達は、全国の各国税局長及び沖縄国税事務所長ないし、税務大学校長や国税不服審判所長宛てに発遣される。本件の所得税基本通達ないし財産評価基本通達も、全国の各国税局長及び沖縄国税事務所長を名宛人としている。すなわち、前述のとおり、国税庁長官が行政命令の名宛人としているのは、国民ではないのである。そうであるとすれば、一般の国民に対して発遣されたものではない通達をもってして、「納税者の信頼及び予測可能性を確保」できるとのロジックを構成するとすれば、そこには若干の不安が湧出する。換言すれば、国民への周知の方法の一つとして数えることができる国税庁のホームページに通達が公表されることは、国民周知という見地からみれば、国税庁が発行するチラシやパンフレットと同様の意味を有するにすぎないのである。もちろん、その効果の度合いが異なることは承知の上であるが、この文脈ではそのことを問題とすべきではない。

そうであるとすると、通達に示された文言に拘る理由は必ずしも判然としない。やや極端にいうことが許されるとすれば、それは、国税庁のチラシやパンフレットに示された文章の文言に拘るようなものであるといってもよいからである。

また、通達がいわば予測可能性の道具の一つであるとすれば、通達を国民に分かりやすく、誤解のないように示す必要があるが、そもそも、通達は下級行政庁職員への命令であるから、名宛人である下級行政庁職員が分かるように命令文書を記載することが第一義である。もちろん、外部に公表されるものであるし、多くの国民がこれをみて、実務等における参考にするであろうことが予想されているのであるから、国民に誤解されないように記載することが重要であることは否定しないが、さりとて、通達の目的はあくまでも上意下達の命令であるから、下級行政庁職員への示達として十分かつ必要な記載のみを示せば足りるのである。ここでは、通達前文においても通達の形式的解釈や硬直的解釈におちいることのないよう「命令」しているのであるから、それに基づいて通達運営がなされることを前提として、通達が発遣されていることを忘れてはなるまい。国民への情報提供という機能は否定されないものの、それはいわば副次的なものである。

国民への周知という意味では、むしろ、通達よりも、同じホームページであれば、質疑応答やタックスアンサーなどの方がより優れており、下級行政庁職員への示達たる通達よりよほど分かりやすく、一般国民にも誤解のないような説明がなされるよう配意されているであろう。かような意味では、チラシやパンフレットも同様である。

これら、質疑応答やタックスアンサー、チラシ、パンフレット等の文章の内容につき、文章表現に問題があるとすれば、それはむしろ次にみる信義則の問題として取り上げられるべき事柄であるようにも思われるのである。

4　自己同意のない通達

納税義務が国民に課されることの理由として、国民が租税法規の制定・改正等について、代表者による議会での議論を通じて自己同意したことを挙げることができる。すなわち、国民は、議会を通じて、実定法規に規定された文言を前提として、納税義務の発生ルールを承認したと解されるのである。そうであるがゆえに、国民は自分たちが承認した条文の文言についても、ある一定の責任を有することになるし、国民ないしは裁判所はすべからくかかる条文の拘束を受けることになる。ここにこそ、文理解釈が第一義とされるもう一つの趣旨がある。

すなわち、一般的には、前述したとおり、文理解釈は、租税法が要請する厳格な解釈の代表的手法として、租税法規に財産権の侵害規範としての意味を見出し、侵害規範は憲法の要請する財産権保障の例外に位置付けられるところ、例外であるからには厳格な解釈が展開されるべきであるとか、予測可能性を担保する必要があるとか、恣意的な課税や自己に都合のよい解釈を排除する必要があるなどという点から説明されることが多い。他方で、上述のように、国民は実定法を前提としてこれを国会において承認したのであるから、ルールブックに書いた内容についてのみ自己同意したとみることもできるのである。そこに、文理解釈の意義を見出すこともできよう。

他方で、国民の代表議会での議論を経ていない通達には、その文言に何ら国民は責任を有してもいなければ、規定された文言を遵守しなければならない義務も有していないのである。そもそも、国民は、いかなる表現（使用する概念・表現振り等）によって通達を発遣するかについて、その決定過程に関与していないし、知るすべもないのであるから（これはパブリックコメントが行われたとしても同様である。）、その表現振りに責任を有することができるはずのものではないのは当然である。

そうであれば、かかる通達の文言になぜ拘束される必要があるのか。言い換えれば、通達の文理に拘って解釈をすべきといった考え方などあり得るのであろうか。

裁判例の紹介

限定承認とみなし譲渡所得

相続が限定承認に係る相続に当たるとされ、所得税法59条1項1号の規定が適用された事例

（179第一審東京地裁平成13年2月27日判決・税資250号順号8845）
（180控訴審東京高裁平成13年8月8日判決・税資251号順号8957）

（181上告審最高裁平成14年２月12日第三小法廷決定・税資252号順号9068）

〔事案の概要〕

被相続人の死亡に伴い、Ｘ（原告・控訴人・上告人）を含む同人の共同相続人らは、家庭裁判所に対して限定承認をする旨申述し、これが受理されたところ、Ｙ（被告・被控訴人・被上告人）は、限定承認に係る相続による譲渡所得の基因となる資産の移転については、所得税法59条《贈与等の場合の譲渡所得等の特例》１項１号により、相続開始時点における価額に相当する金額により譲渡があったものとみなされるとして、被相続人に係る所得税の決定処分及びこれに対する無申告加算税の賦課決定処分を行った。

本件は、Ｘが、このような場合には、所得税法59条１項１号を形式的に適用すべきではなく、また、Ｘは、相続財産を私に消費したことによって単純承認をしたものとみなされ（民921三）、所得税法59条１項１号が適用される前提を欠いていると主張して、右決定処分及び無申告加算税賦課決定処分の各取消しを求めた事案である。

〔争点〕

所得税法59条１項１号の適用如何。

〔判決の要旨〕

１　東京地裁平成13年２月27日判決

「本件規定〔筆者注：所得税法59条〕は、限定承認に係る相続について、当該相続により譲渡所得の基因となる資産の移転があった場合には、相続開始時点における価額に相当する金額により譲渡があったものとみなして、みなし譲渡所得課税を行うこととしているが、その趣旨は、次のようなものであると解される。

すなわち、民法は、相続債務が相続財産を超えるか否かが常に明白であるとは限らないこと、相続債務の弁済には堪えられないが営業等の名義は継続したいとの要請があり得ることから、単純承認、相続放棄のほかに、限定承認制度を設け、限定承認をした場合には、相続債務が相続財産を超えていても、相続人は、相続によって得た財産の限度でのみ責任を負えば足り、残債務を自己の固有財産で弁済する必要がないこととしている。

ところで、単純承認による相続があった場合には、相続による資産の移転については譲渡所得の課税は行わず、相続人が取得費及び取得時期を引き継ぐこととし、その後に相続人が相続財産を譲渡したときに、被相続人の所有期間中に発生した資産の値上がり益を含めて、相続人の譲渡所得として課税することとしているが、限定承認に係る相続の場合にも同様の課税を行うこととすれば、被相続人が本来的には納付すべき被相続人の所有期間中に発生した資産の値上がり益に対する課税を、相続人が納付することとなり、結果として相続財産の限度を超えて相続人の固有財産から納付しなければならない事態も生じかねない。
　そこで、本件規定は、限定承認制度が設けられた趣旨を尊重し、被相続人の所有期間中における資産の値上がり益を被相続人の所得として課税し、これに係る所得税額を被相続人の債務として清算するために、当核相続財産のうち、譲渡所得の基因となる資産については相続開始時点におけるその価額に相当する金額による譲渡があったものとみなして被相続人に対する譲渡所得課税を行うこととし、これにより、相続人は、右によって課税された所得税を含めた相続債務を弁済する義務を負うものの、相続財産が相続債務を超えるか否かにかかわらず、相続財産の限度を超えて被相続人の債務を負担することはないこととしている（通則法５条１項後段）。」
「本件についても、本件相続人らは、前記のとおり、東京家庭裁判所に対して限定承認をする旨の申述を行い、これを受理されたものであるから、本件相続は、限定承認に係る相続に当たり…、本件規定が適用されて、本件相続人らに対する本件宅地及び本件家屋等の譲渡があったものとみなされ、本件被相続人に対して右の各資産の譲渡に係る譲渡所得税が課されることとなるものというべきである。」

2　控訴審**東京高裁平成13年８月８日判決**においても原審判断が維持され、上告審**最高裁平成14年２月12日第三小法廷決定**において上告は棄却されている。

〔コメント〕
　所得税法59条１項１号は、限定承認に係る相続に限ってみなし譲渡課税を行うことで、その時点においてキャピタル・ゲインの清算をすることとしているが、その理由はどこにあるのであろうか。この点、本件東京地裁は、限定承認に係る相続の場合にも単純承認の場合と同様の課税を行うこととすれば、被相続人が本来的には納付すべき被相続人の所有期間中に発生した資産の値上がり益に対する課税を、相続人が納付することとなり、結果として相続財産の限度を超えて相続人の固有財産から納付しなければならない事態も生じかねないところに、所得税法59条１項１号の規定の趣旨があると説示している。
　なお、所得税法59条１項は、民法のように相続財産が相続債務を超えるか否かにかかわらず、相続人に不利益が生じないように考慮された規定とはなっていない。そのため、本件においてＸは、相続財産が相続債務を超えることが判明した場合にも、所得税法上、右の超過分の財産についても課税されることになるという点などからすれば、限定承認をしたために課税額が増加するなど、相続人に不利益を生じさせることになると主張したが、この点について、本件東京地裁は、「民法は、相続人は相続によって得た財産の限度でのみ責任を負えば足り、残債務を自己の固有財産で弁済する必要がないこととするために限定承認制度を設けたものであるところ、前記のとおり、本件規定が適用されることによって、相続人は相続により取得した財産の範囲内で、みなし譲渡課税により課税された所得税を含めた相続債務を弁済する義務を負うにすぎないこととなり、相続財産が相続債務を超えるか否かにかかわらず、限定承認をした相続人が相続財産の限度を超えて負担することはなくなるのであるから、右民法の趣旨に反して相続人に不利益を課すものとまではいえないことは明らかである。」と反論している。

7　取得費

所得税法38条《譲渡所得の金額の計算上控除する取得費》1項では、譲渡所得の金額の計算上控除する資産の取得費として、別段の定めがあるものを除き、①その資産の取得に要した金額、②設備費の額、③改良費の額の合計額とする旨を規定している。

ここでは、①その資産の取得に要した金額に、借入金の利子が含まれるか否かが争われた事例を三つ確認してみたい。借入金利子の取得費該当性に係る考え方としては積極説・消極説・中間説があるが、順番に裁判例をみてみよう。

裁判例の紹介

借入金利子と取得費①

譲渡資産の取得に要した借入金の利子について、消極説を採用した事例と積極説を採用した事例

（182第一審東京地裁昭和52年8月10日判決・訟月23巻11号1961頁）[108]
（183控訴審東京高裁昭和54年6月26日判決・行集30巻6号1167頁）[109]

108）判例評釈として、植松守雄・ジュリ678号155頁（1978）参照。

109）判例評釈として、北野弘久・税理21巻6号131頁（1978）、同・税通34巻10号9頁（1979）、品川芳宣・税弘28巻1号143頁（1980）、木村弘之亮・判評259号147頁（1980）、横山茂晴・租税百選〔2〕78頁（1983）、水野忠恒・税務事例12巻4号7頁（1980）、一杉直・戦後重要租税判例の再検証126頁（2003）など参照。

〔事案の概要〕

X（原告・控訴人）は、昭和43年7月29日訴外Bほか2名から農地法の許可を条件として本件土地を代金874万4,400円で買い受け、同年11月21日同条の許可を受けて、同年12月3日本件土地につき共有者全員持分全部移転登記を経由した上、同月10日訴外K市信用金庫のため本件土地につき抵当権を設定して、同月11日抵当権設定登記を経由した後、同月14日右信用金庫から250万円を利息日歩8厘4毛の約定で借り受け、同日かかる借入金250万円と合わせ574万4,400円を訴外Bらに支払って本件土地の買受残代金を完済し、同日から昭和46年11月1日までの間に借入金利子62万8,629円を右信用金庫に支払った。

Xは、借入金利子支払分である62万8,629円を、譲渡所得の金額の計算上控除することはできないとした税務署長Y（被告・被控訴人）の行った更正処分の取消しを求めて提訴した。

〔争点〕

借入金利子支払分である62万8,629円を、譲渡所得の金額の計算上控除することができるか否か。

〔判決の要旨〕

1　東京地裁昭和52年8月10日判決

「資産を購入するための借入金に対する利子は、当該資産の購入に付随して直接支出するという性質のものではなく、資産の購入に要する支出にあてるための資金を他から借り入れたことによって支出するものであるから、資産の購入との関係ではそれはあくまで間接的な支出にすぎないというべきであり、これをもって資産を取得するために直接必要とした支出ということはできないし、また、負債利子は一般に原価性を有しないと解されていること…から考えても、借入金利子は所得税法38条1項にいう『資産の取得に要した費用』には当たらないと解するのが相当である。そして、借入金利子が設備費や改良費に当たらないことはその性質上いうまでもないから、結局、借入金利子は、現行法上、譲渡所得の金額の計算上譲渡収入金額から控除すべき取得費には含まれないというべきである。」

2　東京高裁昭和54年6月26日判決

「資産を交換取得する場合に反対給付物を他から入手するのに要した相当額の対価支払は、交換取得との間に相当因果関係があるとして、右対価を『取得に要した金額』に含めるべきものと解するのが相当であると同様に、有償取得の通常手段である買受代金支払に引き当てるべき金額を入手するための対価としての相当額の支出もまた資産取得との間に相当因果関係が認められるところ、右金額を他から借り入れた場合に支払われる相当額の借入金利子は正に右金額獲得の対価としての支出金額と見ることができるから、これを当該資産の『取得に要した金額』に含めるべきものと解してなんら不合理はない。
　資産取得のための出費が右取得との間に相当因果関係をもつといえるか否かは、当該取得のための支出の必要性の度合を考量し、かつ、その出費額を取得金額から控除することが当該租税負担の合理性、衡平性の観点から相当であるか否かを考慮して決せられるべきことがらであって、取得と出費との間にＹ主張のように直接因果関係の存する場合に限定しなければならない理由は見出し難い。直接因果関係のある支出であっても、不相当な支出金額は『取得に要した金額』ということができない反面、因果関係が必ずしも直接的でなくても相当因果関係を認める余地があるものといわなければならない。手持資金によって資産が取得される場合との対比を考えれば、借り入れた資金による取得の場合の借入金利子支払額は、その借入及び利子支払が必要相当であったと認められるかぎり、『取得に要した金額』として課税所得から控除することが租税負担の衡平性のうえから妥当であり合理的であるといわなければならない。」
「借入金利子支払分として認定した62万8,629円を控除した金額522万8,301円…を超えて右分離短期譲渡所得の金額を583万6,290円と算出してなした本件更正処分は…所得過大認定の違法があ〔る。〕」

〔コメント〕
　本件において、東京地裁が、借入金利子につき、所得税法38条１項にいう「取得に要した金額」に該当しないとする消極説に立ったのに対して、東京高裁は「取得に要した金額」に該当するとして、積極説に立った判断を行っている。

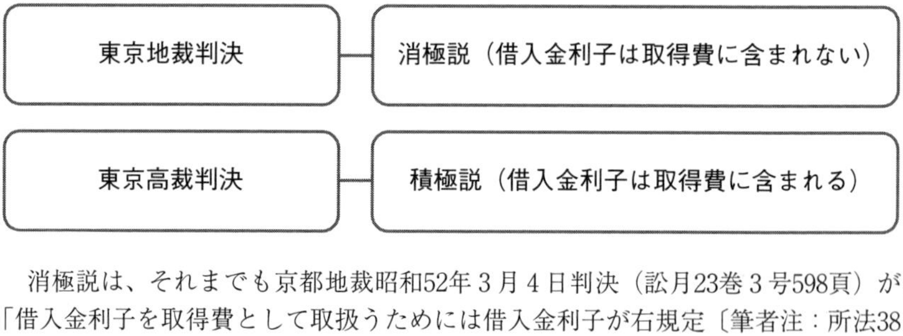

東京地裁判決	消極説（借入金利子は取得費に含まれない）
東京高裁判決	積極説（借入金利子は取得費に含まれる）

　消極説は、それまでも京都地裁昭和52年３月４日判決（訟月23巻３号598頁）が、「借入金利子を取得費として取扱うためには借入金利子が右規定〔筆者注：所法38条１項〕に該当することを要するところ、借入金利子は、その性質上、設備費や改良費に該当しないことは言うまでもなく、『資産の取得に要した金額』という文言が通常意味する範囲においてこれに含まれると解することもできない」と判示するなど、同様の判決もあったが、東京高裁がこれを覆したことで、その後の課税実務も大きく影響を受けることになった。

すなわち、現行所得税基本通達38－８《取得費等に算入する借入金の利子等》は、「固定資産の取得のために借り入れた資金の利子…のうち、その資金の借入れの日から当該固定資産の使用開始の日（当該固定資産の取得後、当該固定資産を使用しないで譲渡した場合においては、当該譲渡の日…）までの期間に対応する部分の金額は、…当該固定資産の取得費又は取得価額に算入する。」として、括弧書きにおいて、未使用のまま譲渡した場合には、譲渡の日までの期間の借入金利子を取得費に算入する旨通達しているのである。

もっとも、その後、消極説か積極説かという対立ではなく、中間説の考え方を判決が示しているので、みておくこととしよう。

裁判例の紹介

借入金利子と取得費②

居住用不動産に係る譲渡所得の金額の計算上、当該不動産を取得するための借入金の利子のうち、当該不動産の使用開始の日以前の期間に対応するものは、所得税法38条１項にいう「資産の取得に要した金額」に含まれるが、当該不動産の使用開始の日の後のものはこれに含まれないとされた事例（譲渡資産の取得に要した借入金の利子について、中間説を採用した事例①）

（**184**第一審東京地裁昭和60年５月30日判決・行集36巻５号702頁）[110)]

（**185**控訴審東京高裁昭和61年２月26日判決・行集37巻１＝２号177頁）[111)]

（**186**上告審最高裁平成４年９月10日第一小法廷判決・集民165号309頁）

〔事案の概要〕

Ｘ（原告・控訴人・上告人）は、本件資産の取得に際し、昭和49年12月９日Ｆバンクから767万7,000円を借り受け、その元金、利息の返済、支払を行った。Ｘは、本件資産の購入に伴う借入金利子を譲渡所得の取得費として申告したが、税務署長Ｙ（被告・被控訴人・被上告人）は、本件資産の購入に伴う借入金利子については、資産の使用開始の日までの期間に対応する部分しか、取得費に算入せずに更正処分を行った。

これは、昭和45年７月１日付国税庁長官通達直審（所）30「所得税基本通達」38－８（昭和54年10月26日付国税庁長官通達直資３－８「所得税基本通達の一

110）判例評釈として、大淵博義・税通40巻11号195頁（1985)、碓井光明・判評329号22頁（1986)、佐藤英明・ジュリ874号98頁（1986）など参照。

111）判例評釈として、岩﨑政明・税務事例19巻12号４頁（1987)、遠藤きみ・租税百選〔３〕68頁（1992）など参照。

部改正（譲渡所得関係）について」による改正後のもの。以下「取扱通達」という。）における、「固定資産の取得のために借り入れた資金の利子のうち、当該固定資産の使用開始の日（当該固定資産の取得後、当該固定資産を使用しないで譲渡した場合には、譲渡の日）までの期間に対応する部分の金額は、…取得費又は取得価額に算入する」との定めに従ったものであった。かかる取扱通達は、借入金をもって取得した固定資産の使用開始前の借入金利子に係る法人税の取扱いとのバランスを図っている個人の業務用資産の取扱いと個人の非業務用資産についての取扱いとの権衡を図る意図の下に非業務用の固定資産についても当該固定資産の使用開始の日までの期間に対応する部分の借入金の利子を取得費に算入する取扱いをするものであり、また、「使用開始の日」についても、これは、社会通念上その資産を本来の用途に従って使用をなし得る状態に至った日、すなわち資産をその取得目的に供する時を意味するものということができるものであって、所得税法38条1項の規定の趣旨に適合するとの考えの下での更正処分であった。

〔争点〕

本件資産の譲渡所得を計算するにつき、これを購入するために借り入れた金員の利子として支払った金員のうち、Xが右資産に居住するようになった日である日の翌日から本件資産を譲渡し借入金を返済した日までの分は、所得税法38条1項の「資産の取得に要した金額」に含まれるか否か。

〔判決の要旨〕

1　第一審**東京地裁昭和60年5月30日判決**は、Xの主張を斥け、請求を棄却した。

2　東京高裁昭和61年2月26日判決

「右規定〔筆者注：所得税法38条1項〕が、資産の取得のために支出した費用を時期的に区分し、資産取得時以前の支出にかかるものは控除の対象とし、資産取得時以後の支出にかかるものは控除の対象としない、というような内容を定めたものと解すべきではない。

そうすると、資産取得のための借入金の利息は、その性質上資産の取得のために実質上欠かせない費用に当たるとみるべきこと前記のとおりであるから、これが現実に支払われたのが資産取得の前後いずれであるかを問わず、原則として『資産の取得に要した金額』に当たるといって差し支えない。」

「しかしながら、資産を取得した者が、現にこれを自己の居住の用に供するなどしてその使用を開始した後において、なお引き続き支払っている借入金利息については、これを『資産の取得に要した金額』に当たるといえるかどうかにつき問題がある。

…このような費用は、資産を自ら所有することによって生ずべき利益（他から借り受けて同様の目的に使用するとすれば負担すべきこととなる賃料相当の金額の支出を免れることによる利益）に対応する費用の性質を有すると解されるから、このような利益（帰属所得）に対して所得税が課される制度の下においては、これに対応して右費用も控除の対象とされるはずのものであるが、現行所得税法においては右のような制度は設けられていないので、右費用を控除する根拠を欠くことになる。そうすると、取得された資産が現に使用に供された後に支払われる借入金の利息は、もはや『資産の取得に要した金額』に当たるということはできず、譲渡所得金額の算定に当たってこれを控除することは許されないと解すべきである。」

3　最高裁平成4年9月10日第一小法廷判決

「個人の居住の用に供される不動産の譲渡による譲渡所得の金額の計算上、当該不動産の取得のために代金の全部又は一部の借入れをした場合における借入金の利子のうち、当該不動産の使用開始の日以前の期間に対応するものは、所得税法38条1項にいう『資産の取得に要した金額』に含まれるが、当該不動産の使用開始の日の後のものはこれに含まれないと解するのが相当である（最高裁昭和61年（行ツ）第115号平成4年7月14日第三小法廷判決参照）。」

「Xは、資金767万7,000円を借り入れることにより、自己の居住の用に供するため本件不動産を買い受けて取得し、昭和50年1月31日これを自己の居住の用に供したというのであるから、右借入金に対する借入れ後同日までの期間に対応する利子の額である4万9,786円は、Xの昭和54年分に係る本件不動産の譲渡による譲渡所得の金額の計算上、右にいう『資産の取得に要した金額』に該当するが、昭和50年2月1日以降のものはこれに該当しない〔。〕」

〔コメント〕

本件最高裁判決は、非事業用不動産の使用開始の日以前の期間に対応する借入金の利子が「資産の取得に要した金額」に含まれる旨判示している。

同判決には、味村治裁判官の意見及び橋元四郎裁判官の反対意見が付されている。その主要な部分のみを確認しておきたい。

【味村裁判官の意見】

「個人がその居住の用に供するため不動産を取得するに際して、代金の全部又は一部の支払のため借入れをした場合、借入金の利子は、借入金の利用の対価であるから、利子の支払の必要性は、借入金に利用の必要性に帰する。右の借入れの当初の目的は、不動産を取得するための資金を得ることにあるが、借入金は借入れの時から弁済の時まで借主によって利用されるから、その利用の必要性は、弁済の時まで継続する。そして、借主は、借入金の弁済の期限を約定するについては、通常、自己の収入、家族構成、生活状況、借入金の利率等を考慮し、弁済により生活の維持に支障が生ずることのないよう配慮することが示しているように、右の借入れは生活を維持しつつ、不動産を取得するために行われるもので、借入金の利用は、不動産の取得と生活の維持とのために必要であると考えられる。しかし、借主が不動産を取得した後は、その取得の必要性は消滅するから、借入金の利用、したがってまた、利子の支払は、不動産の取得のためではなく、その代金に支出によっても生活の維持に支障が生じないように行われるものとなり、借入金の利子は、むしろ、生活費にすぎないものとなるというべきである。」

「個人の不動産取得の目的がその居住のためであるときは、その不動産がその個人の住居として使用できる状態にならなければ、不動産取得の目的は達成されないから、不動産が右の状態になる日（以下『使用可能日』という。）までは、不動産の取得は完了せず、契約等により、代金の全部又は一部を当該不動産の使用可能日前に支払わなければならない場合には、代金の支払後も、使用可能日までは、不動産の取得は完了しないというべきである。したがって、この場合において、代金の支払のため借入れをするときは、使用可能日までの間借入金を利用し、その間の利子を支払うことは、不動産の取得のため必要であるというべきであるから、借入金の利子のうち、使用可能日以前の期間に対応するものは、不動産の取得に要した金額に含まれる。」

「使用可能日後における借入金の利用は、上述したところにより、不動産の取得のためでなく、生活の維持のために行われるものというべきであるから、借入金の利子のうち、使用可能日後の期間に対応するものは、不動産の取得のため必要な金額ということはできない。多数意見は、使用開始の日以前の期間に対応するものは、不動産の取得に要した金額に含まれるとするが、使用可能日後は、当該不動産を使用するか否かは、これを取得した個人の意思にかかるから、賛成することができない。」

「以上の理由により、私は、右の借入金の利子のうち、当該不動産の使用可能日以前の期間に対応するものは、所得税法38条１項の『資産の取得に要した金額』に含まれ、その余の利子はこれに含まれないと解すべきであると考える。」

　このように、味村裁判官は、本件最高裁判決と同様に中間説に立ちながらも、その基準日を「使用日」ではなく、「使用可能日」とすべきとの意見を提出している（なお、この点は、本件東京高裁判決のわずか１か月後に、同じく東京高裁でなされた昭和61年３月31日判決が指摘しているところである。かかる事例については次に記載するが、同じ東京高裁の中で、わずか１か月の間に「使用開始日」と「使用可能日」という似て非なる見解が示されたことは興味深い。）。

　他方、橋元裁判官は、本件最高裁及び味村裁判官の中間説に対して、積極説を採用している。

【橋元裁判官の反対意見】

「私は、多数意見と異なり、個人の居住の用に供する不動産の取得に充てるための借入金の利子は、当該不動産の取得のためにその借入れ及び利子の支払が実質的に欠かせないものと認められる限り、当該不動産の使用開始の日以前の期間に対応するものだけでなく、右使用開始の日の後の期間に対応するものも、所得税法38条1項にいう『資産の取得に要した金額』に当たると解するのが相当であると考える。」

「譲渡所得に対する課税は、資産の値上りによりその資産の所有者に帰属する増加益を所得として、その資産が所有者の支配を離れて他に移転するのを機会に、これを清算して課税する趣旨のものであるが、譲渡所得の金額の算定について、所得税法の規定が、総収入金額から控除し得る費目を当該資産の客観的価額を構成すべき取得代金の額のみに限定せず、その他の取得費用等をも控除し得ることとしているものと解されることからすると、資産の取得のために実質的に欠かせないものとして投下された資本あるいはコストは、すべて、右にいう『資産の取得に要した金額』に含まれるものと考えるのが相当である。

そうすると、借入金の利子についても、当該不動産の取得のために右の借入れ及び利子の支払が実質的に欠かせないものである場合には、それを、当該不動産の使用開始の日以前の期間に対応するものだけでなく、右使用開始の日の後の期間に対応するものも含めて、右の『資産の取得に要した金額』に当たるものと解することに支障はないものというべきである。借入金の利子は、当該不動産の取得のための資金の借入れに対する対価としての性質を有するものであり、この性質は、当該不動産の居住使用の開始の日の前後を通じて何ら変ずるものではないのである。多数意見も、個人の居住の用に供する不動産の取得のための借入金の利子のうち、少なくとも当該不動産の使用開始の日以前の期間に対応するものは、右の『資産の取得に要した金額』に当たるとするのであるから、その理論的根拠はともかく、結論として、右借入金の利子が右の『資産の取得に要した金額』に当たることを本質的に否定しているとは解されない。」

これまでみたとおり、譲渡所得の金額の計算上、借入金の利子が「資産の取得に要した金額」に当たるか否かに関しては、①消極説（借入金の利子は「資産の取得に要した金額」に含まれないとする見解）、②積極説（含まれるとする見解）、③本件最高裁の採用する中間説（取得資産の使用開始日までの分は含まれるが同日の後の分は含まれないとする見解）、④味村裁判官の指摘する中間説（取得資産の使用可能日までの分は含まれるが同日の後の分は含まれないとする見解）が存したわけであり、それらの見解の対立があったが、この点につき、橋元裁判官は、「いずれの見解を採っても不明瞭ないし疑問の点が残ることは避け難いところである。この点は、本来、立法により明確にして解決すべき事柄であろう。」と指摘している。

理論的には帰属家賃（インピューテッド・インカム）による説明が説得的であろうが、本件最高裁はこの考え方を直接には採用していない。

なお、課税実務では、「使用開始の日」（資産の取得後、使用しないで譲渡した場合には、譲渡の日）までの期間に対応する借入金の利子が取得費に算入されるとしており、本件最高裁の考え方を取り入れている（所基通38－８）。

裁判例の紹介

借入金利子と取得費③

居住用不動産取得のために借入れをした場合における借入金利子は、不動産の使用開始の日以前の期間に対応するものに限り、所得税法38条１項にいう「資産の取得に要した金額」に含まれるとされた事例（譲渡資産の取得に要した借入金の利子について、中間説を採用した事例②）

（187第一審東京地裁昭和60年５月30日判決・民集46巻５号504頁）
（188控訴審東京高裁昭和61年３月31日判決・行集37巻３号557頁）
（189上告審最高裁平成４年７月14日第三小法廷判決・民集46巻５号492頁）[112]

〔事案の紹介〕

Ｘ（原告・控訴人・上告人）は、昭和46年４月16日、Ａから自己の居住の用に供するために本件土地及び本件建物を一括して買い受けて取得し、同年６月６日にこれを自己の居住の用に供した。Ｘは、同年４月17日、Ｎ銀行から、本件土地建物を取得するために、3,500万円を年利率9.2パーセントで借り入れ、昭和54年８月16日右借入金の全額を完済したが、右借入金のうち本件土地建物の取得のために使用したのは3,000万円であり、右3,000万円に対する借入れ後本件土地建物を自己の居住の用に供した日までの期間（51日間）に対応する利子の額は38万5,643円であった。Ｘは、昭和53年１月７日本件土地の一部甲土地を分筆し、また、本件建物のうち甲土地上にある部分を取り壊して甲土地を更地とした上、同月31日これをＢ外１名に代金4,800万円で譲渡した。次いで、Ｘは、翌54年８月22日本件土地のうち、甲土地を除くその余の部分乙土地及び本件建物のうち乙土地上にある部分をＳ建設株式会社に代金１億784万8,000円で譲渡した。

Ｘは、譲渡所得の金額の計算において借入金利子の全額が所得税法38条１項の「資産の取得に要した費用」に該当するとして申告したところ、税務署長Ｙ

112）判例評釈として、福岡右武・平成４年度最高裁判所判例解説〔民事篇〕266頁（1995）、品川芳宣・税研48号36頁（1993）、中里実・租税21号252頁（1993）、同・租税百選〔７〕90頁（2021）、増井良啓・法協111巻７号1094頁（1994）など参照。

（被告・被控訴人・被上告人）は、「資産の取得に要した費用」に含まれるべき借入金利子は、借入れ後居住の用に供することとなった日までの期間に対応する部分のみであるとして更正処分を行った。Xはこれを不服として提訴した。

〔争点〕

本件土地等の譲渡所得の金額を計算するにつき、これを購入するために借り入れた金員の利子のうち、Xが本件土地等に居住するようになった日である昭和46年6月6日の翌日から本件土地等を譲渡し、借入金を返済した日である昭和54年8月16日までの分を、所得税法38条1項の「資産の取得に要した金額」に該当するとすべきか否か。

〔判決の要旨〕

1　東京地裁昭和60年5月30日判決

「譲渡所得課税は、いうまでもなく、資産の保有期間中の値上りによる所得について、その譲渡の際に清算して課税するものであり、資産の保有期間中これを使用する利益を考慮に入れるものではないところ、資産を保有する前記の目的のうち、交換価値を支配する目的のための借入金利子の支払は、当該資産の交換価値を支配すること及びその支配を一定期間継続することを可能とさせ、その結果、当該期間内における資産の値上りによる所得をもたらしたものとして、譲渡所得の計算上これを『取得に要した費用』と解することが可能であると考えられるが、使用価値を現に支配する目的のための借入金利子の支払は、資産の値上りとは何ら関連性を有しないから、譲渡所得の計算において費用として控除しえないというべきである（この分は、仮に資産の自らによる使用の利益（いわゆる帰属所得）に課税される制度がとられるとすれば、その所得についての費用として控除されることとなるものというべきである。）。」

2　東京高裁昭和61年3月31日判決

「固定資産の取得にあたり、必要とされる資金は、それが手持ちの自己資金であれ、借入資金であれ、所得税法38条1項所定の『資産の取得に要した金額』に当たることは明らかである。そして、借入資金の場合は、その利用の対価として、資金元本返済までの期間中の約定利子を支払わなければならないことは法律上自明のことであるから、借入金利子も右資金元本と併せ『資産の取得に要した費用』そのものに当たると解すべきであり、右資金借入れについての必要経費又は当該資産の保有に伴う維持管理費等とはその性質を異にするものといわなければならない。

しかしながら、借入資金が、その元本利用の対価として右利用期間中において借入金利子という負担を生ぜしめるのに対応して、借入資金によって取得した固定資産は、その保有期間中右資産の自己使用による対価としていわゆる帰属所得という利益を生む。そして、右資産の自己使用開始可能の日時から資産譲渡による資金元本回収の時点（資金元本の返済可能時）までに支払われた借入金利子は、社会通念上その期間中の帰属利益と等価とみなされるべきである（民法575条参照）から、資産譲渡時に回収すべき投下資本額は結局借入金元本額に帰着することとなるのであって、借入金利子はそこに包含されないといわざるを得ない（ただし、資金借入時から資産を取得して利用可能になる時点までに支払われた利子は取得費に含まれる。）。」

3　最高裁平成4年7月14日第三小法廷判決

「右〔筆者注：所得税法38条1項〕にいう『資産の取得に要した金額』の意義について考えると、譲渡所得に対する課税は、資産の値上りによりその資産の所有者に帰属する増加益を所得として、その資産が所有者の支配を離れて他に移転するのを機会にこれを清算して課税する趣旨のものであるところ（最高裁昭和41年（行ツ）第102号同47年12月26日第三小法廷判決・民集26巻10号2083頁、同昭和47年（行ツ）第4号同50年5月27日第三小法廷判決・民集29巻5号641頁参照）、…同法33条3項が総収入金額から控除し得るものとして、当該資産の客観的価格を構成すべき金額のみに限定せず、取得費と並んで譲渡に要した費用をも掲げていることに徴すると、右にいう『資産の取得に要した金額』には、当該資産の客観的価格を構成すべき取得代金の額のほか、登録免許税、仲介手数料等当該資産を取得するための付随費用の額も含まれるが、他方、当該資産の維持管理に要する費用等居住者の日常的な生活費ないし家事費に属するものはこれに含まれないと解するのが相当である。

ところで、個人がその居住の用に供するために不動産を取得するに際しては、代金の全部又は一部の借入れを必要とする場合があり、その場合には借入金の利子の支払が必要となるところ、一般に、右の借入金の利子は、当該不動産の客観的価格を構成する金額に該当せず、また、当該不動産を取得するための付随費用に当たるということもできないのであって、むしろ、個人が他の種々の家事上の必要から資金を借り入れる場合の当該借入金の利子と同様、当該個人の日常的な生活費ないし家事費にすぎないものというべきである。そうすると、右の借入金の利子は、原則として、居住の用に供される不動産の譲渡による譲渡所得の金額の計算上、所得税法38条1項にいう『資産の取得に要した金額』に該当しないものというほかはない。しかしながら、右借入れの後、個人が当該不動産をその居住の用に供するに至るまでにはある程度の期間を要するのが通常であり、したがって、当該個人は右期間中当該不動産を使用することなく利子の支払を余儀なくされるものであることを勘案すれば、右の借入金の利子のうち、居住のため当該不動産の使用を開始するまでの期間に対応するものは、当該不動産をその取得に係る用途に供する上で必要な準備費用ということができ、当該個人の単なる日常的な生活費ないし家事費として譲渡所得の金額の計

> 算のらち外のものとするのは相当でなく、当該不動産を取得するための付随費用に当たるものとして、右にいう『資産の取得に要した金額』に含まれると解するのが相当である。
> 以上のとおり、右の借入金の利子のうち、当該不動産の使用開始の日以前の期間に対応するものは、右にいう『資産の取得に要した金額』に含まれ、当該不動産の使用開始の日の後のものはこれに含まれないと解するのが相当である。」

〔コメント〕

借入資金によって購入した非事業用不動産を譲渡した場合、その借入金の利子が譲渡所得の金額の計算上「資産の取得に要した金額」に当たるかについては、積極説と消極説のほか、当該資産の使用開始の日の前後によって区分し、使用開始の日までの部分についてのみ「資産の取得に要した金額」を構成するという中間説がある。

本件東京地裁及び本件東京高裁は、この点について「中間説」を採用したが、前掲**185**東京高裁昭和61年２月26日判決（411頁参照）の後、同じ中間説に立ちながらも、本件東京高裁では異なる判断が示された。すなわち、同高裁は、上記引用のとおり「借入資金が、その元本利用の対価として右利用期間中において借入金利子という負担を生ぜしめるのに対応して、借入資金によって取得した固定資産は、その保有期間中右資産の自己使用による対価としていわゆる帰属所得という利益を生む。」として、「右の考えによれば、固定資産の取得によりその引渡を受け、これを利用し得た時期以後の借入金利子は、本来、当該資産を現実に利用したか否かにかかわりなく、取得費の中に算入されるべきではないこととなるが、本件において、現実に資産の利用を開始した時期以前に利用を開始し得た旨の主張立証がないので、Xが本件土地等を居住の用に供した日時であることが当事者間に争いのない昭和46年６月６日を以て利用開始可能の日時と解すべきものとする。」と判示したのである。

前述の東京高裁昭和61年２月26日判決が資産の使用を開始した日以後の借入金の利子は「資産の取得に要した金額」に含まれないとしたのに対して、同年に下された本件東京高裁判決は、資産の使用開始可能の時以後に支払われた借入金の利子は取得費に算入できないとしたのである。

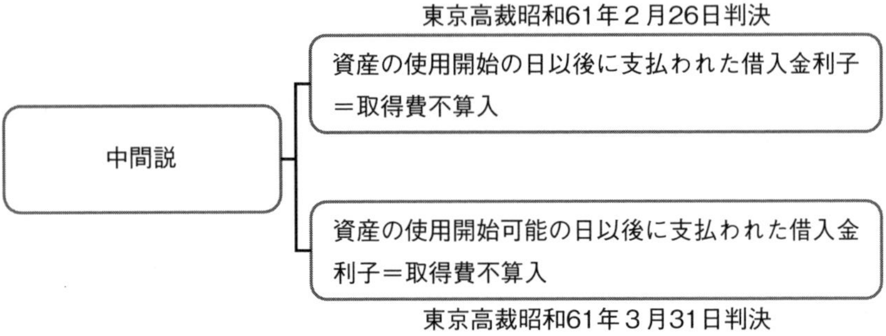

東京高裁昭和61年2月26日判決

中間説	資産の使用開始の日以後に支払われた借入金利子＝取得費不算入
	資産の使用開始可能の日以後に支払われた借入金利子＝取得費不算入

東京高裁昭和61年3月31日判決

その後、本件最高裁判決が、上記のとおり、東京高裁昭和61年2月26日判決と同様、資産の使用開始の日以後に支払われた借入金利子については取得費に算入できない旨判示したので、この問題については一定の解決をみるに至ったのである。なお、先に確認したとおり、186最高裁平成4年9月10日第一小法廷判決（411頁参照）においても「使用開始日」を基準とした判断がなされており、課税実務がこれに従っていることも既に述べたとおりである（したがって、本件高裁判決や、前掲味村裁判官による補足意見のような「使用可能日」を判断基準とする考え方は採用されるに至っていない。）。

裁判例の紹介

右山事件

ゴルフ会員権の贈与を受けた者が名義書換手数料を支払って正会員となった後に、当該ゴルフ会員権を譲渡した場合、当該手数料の額を取得費に加算できるとされた事例

（190第一審東京地裁平成12年12月21日判決・税資249号1238頁）[113]
（191控訴審東京高裁平成13年6月27日判決・判タ1127号128頁）
（192上告審最高裁平成17年2月1日第三小法廷判決・集民216号279頁）[114]

113） 判例評釈として、石倉文雄・ジュリ1225号108頁（2002）参照。

114） 判例評釈として、品川芳宣・TKC 税研情報14巻4号133頁（2005）、同・税研122号80頁（2005）、一高龍司・民商133巻3号151頁（2005）、高野幸大・ジュリ1319号182頁（2006）、神山弘行・租税百選〔5〕83頁（2011）、小塚真啓・租税百選〔7〕92頁（2021）、右山昌一郎・租税訴訟5号225頁（2012）など参照。

〔事案の概要〕

本件は、父親からゴルフ会員権の贈与を受けた際に名義書換手数料を支払ったX（原告・控訴人・上告人）が、上記ゴルフ会員権を第三者に譲渡し、譲渡所得金額の計算上、上記手数料を取得費に含めて所得税の確定申告を行ったところ、税務署長Y（被告・被控訴人・被上告人）が、上記手数料を資産の取得費として譲渡所得に係る総収入金額から控除することはできないとして、更正処分及び過少申告加算税の賦課決定処分をしたため、XがYに対し、本件各処分の取消しを求めた事案である。

本件の事実の概要はおおむね次のとおりである。

(1)　Xの父親であるAは、昭和63年11月18日、本件ゴルフクラブを経営するH企画開発から、本件ゴルフクラブの会員権（以下「本件会員権」という。）を代金1,200万円で取得し、本件ゴルフクラブの正会員となった。Xは、平成5年7月1日、Aから本件会員権の贈与を受け、H企画開発に名義書換手数料として82万4,000円（以下「本件手数料」という。）を支払い、本件ゴルフクラブの正会員となったが、平成9年4月3日、株式会社Nゴルフに対し、本件会員権を代金100万円で譲渡した。

(2)　Xは、Yに対し、平成10年3月3日、平成9年分の所得税の確定申告書を提出した。Xは、同申告書において、本件会員権の上記(1)の譲渡に係る所得金額（以下「本件譲渡所得金額」という。）の計算上、AがH企画開発に支払った本件会員権の取得代金（1,200万円）及びXがH企画開発に支払った本件手数料（82万4,000円）の合計額1,282万4,000円を、総合課税の長期譲渡所得に係る取得費として計上した。

(3)　Yは、Xに対し、平成10年11月25日付けで、本件手数料は、本件譲渡所得金額の計算上、資産の取得費として譲渡所得に係る総収入金額から控除することはできないとして、本件各処分をした。

〔争点〕

①　本件手数料は、所得税法38条《譲渡所得の金額の計算上控除する取得費》1項にいう「譲渡所得の金額の計算上控除する資産の取得費」に該当するか。

②　本件手数料は、所得税法33条3項にいう「資産の譲渡に要した費用」に該当するか。なお、この争点については省略する。

〔判決の要旨〕

1　東京地裁平成12年12月21日判決

本件手数料は、所得税法38条1項にいう「譲渡所得の金額の計算上控除する資産の取得費」に当たらず、同法33条3項の「資産の譲渡に要した費用」にも当たらないから、本件各処分は適法であると判示し、Xの請求を棄却した。

2　東京高裁平成13年６月27日判決

「(1)　所得税法は、譲渡所得の金額について、総収入金額から資産の取得費及び譲渡に要した費用を控除する旨を規定し（33条３項）、上記資産の取得費は、別段の定めがあるものを除き、当該資産の取得に要した金額並びに設備費及び改良費の額の合計額であると規定している（38条１項）。

譲渡所得の本質は、キャピタル・ゲイン、すなわち、所有資産の価値の増加益であって、譲渡所得に対する課税は、資産の値上がりによりその資産の所有者に帰属する増加益を所得と見て、その資産が譲渡によって所有者の支配を離れて他に移転するのを機会に、その所有期間中の増加益を清算して課税しようとするものである。そして、所得税法33条３項が、総収入金額から控除することができるものとして、当該資産の客観的価格を構成すべき金額のみに限定せず、取得費と並んで譲渡に要した費用をも掲げていることからすると、『資産の取得に要した金額』には、当該資産の客観的価格を構成すべき取得代金の額のほか、登録免許税、仲介手数料等当該資産を取得するための付随費用の額も含まれると解される。

(2)　また、所得税法は、贈与による資産の所有権移転の場合には、その段階において譲渡所得課税を行わず、受贈者が当該資産を譲渡したときに、その譲渡所得金額の計算において、その者が当該資産を贈与前から引き続き所有していたものとみなすと規定し（59条、60条）、贈与による資産の所有権移転の場合における譲渡所得課税を繰り延べ、その後、当該資産が受贈者の支配を離れて他に移転する機会をとらえ、贈与者の取得の時以来清算されることなく蓄積されてきた資産の増加益を課税の対象としているのであるから、贈与者が当該資産を取得するのに要した費用は、受贈者の譲渡所得金額の計算において、資産の取得費としてその譲渡所得金額から控除されることになる。したがって、本件譲渡所得金額の計算において、ＡがＨ企画開発に支払った本件会員権の取得代金（1,200万円）は、資産の取得費として譲渡所得に係る総収入額から控除されることになる。

上記のように、所得税法が、贈与の時点において譲渡所得課税を繰り延べ、受贈者が当該資産を譲渡する機会に課税することとしたのは、贈与のような無償譲渡行為により所有権が移転する場合には、移転の時点における資産の客観的な価額が移転の対価として具現することはなく、贈与者の下における資産の増加益が顕在化しないのであるから、その時点では清算を行わず、後日受贈者が増加益が顕在化するような譲渡行為をした時点で清算を行おうとしたものであり、同法60条は、この趣旨を明らかにしたものに他ならない。そうすると、受贈者が当該資産を譲渡した場合の譲渡所得金額は、当然に贈与者が所有していた当時と受贈者の所有当時を通算した期間において生じた増加益、すなわち、贈与者が取得した時点における資産の価額と受贈者の譲渡時点における価額との差額ということになるから、上記増加益の算出上、受贈者が当該資産を譲渡したことによる収入金額から控除すべき『資産の取得に要した金額』とは、贈与者の取得の時において当該資産の客観的価格を構成すべき取得代金の額及び当該資産を取得するための付随費用と解すべきことになる。

そこで、本件手数料が、このような『資産の取得に要した金額』に当たるか否かを検討するに、…本件会員権は、XがAから贈与を受けたものであり、本件手数料は、本件会員権の名義をAからXに書き換える際の名義書換手数料であるから、贈与者であるAが本件会員権を取得した時点における本件会員権の客観的価格を構成するものではないし、Aが本件会員権を取得するための付随費用でもない。したがって、本件手数料は、本件会員権との関係で、所得税法38条1項にいう資産の取得費に当たると解することはできない。

⑶　さらに、所得税法60条1項は、贈与等により資産を取得した者が当該資産を譲渡した場合における譲渡所得の金額の計算において、『その者が引き続きこれを所有していたものとみなす。』という強い表現を使用しており、その趣旨が、贈与による資産の所有権移転の場合における譲渡所得課税を繰り延べ、当該資産が受贈者の支配を離れて他に移転する機会に資産の増加益を課税の対象として清算する旨を明らかにしたものであることは、上記⑵のとおりである。このように、受贈者が所有する資産についての譲渡所得課税においては、所得税法60条1項により、贈与の前後を通じて贈与者が引き続き当該資産を所有していたものとみなされるのであるから、課税庁としては、譲渡所得金額を算定するに当たり、中間の贈与の事実はなかったものと扱う以外になく、そうであれば、受贈者が自己への所有権移転のために支払った費用があったとしても、それを一切無視せざるを得ないことになる。

そうすると、本件譲渡所得金額の計算においては、XがAから本件会員権の贈与を受けた事実も、その際にXが本件手数料を支払った事実も、一切なかったものとみなすことになる〔。〕」

3　最高裁平成17年2月1日第三小法廷判決

「譲渡所得の金額について、法〔筆者注：所得税法。以下同じ。〕は、総収入金額から資産の取得費及び譲渡に要した費用を控除するものとし（33条3項）、上記の資産の取得費は、別段の定めがあるものを除き、その資産の取得に要した金額並びに設備費及び改良費の額の合計額としている（38条1項）。この譲渡所得に対する課税は、資産の値上がりによりその資産の所有者に帰属する増加益を所得として、その資産が所有者の支配を離れて他に移転するのを機会にこれを清算して課税する趣旨のものである（最高裁昭和41年（行ツ）第102号同47年12月26日第三小法廷判決・民集26巻10号2083頁、最高裁昭和47年（行ツ）第4号同50年5月27日第三小法廷判決・民集29巻5号641頁参照）。そして、上記『資産の取得に要した金額』には、当該資産の客観的価格を構成すべき取得代金の額のほか、当該資産を取得するための付随費用の額も含まれると解される（最

高裁昭和61年（行ツ）第115号平成４年７月14日第三小法廷判決・民集46巻５号492頁参照)。

他方、法60条１項は、居住者が同項１号所定の贈与、相続（限定承認に係るものを除く。）又は遺贈（包括遺贈のうち限定承認に係るものを除く。）により取得した資産を譲渡した場合における譲渡所得の金額の計算について、その者が引き続き当該資産を所有していたものとみなす旨を定めている。上記の譲渡所得課税の趣旨からすれば、贈与、相続又は遺贈であっても、当該資産についてその時における価額に相当する金額により譲渡があったものとみなして譲渡所得課税がされるべきところ（法59条１項参照)、法60条１項１号所定の贈与等にあっては、その時点では資産の増加益が具体的に顕在化しないため、その時点における譲渡所得課税について納税者の納得を得難いことから、これを留保し、その後受贈者等が資産を譲渡することによってその増加益が具体的に顕在化した時点において、これを清算して課税することとしたものである。同項の規定により、受贈者の譲渡所得の金額の計算においては、贈与者が当該資産を取得するのに要した費用が引き継がれ、課税を繰り延べられた贈与者の資産の保有期間に係る増加益も含めて受贈者に課税されるとともに、贈与者の資産の取得の時期も引き継がれる結果、資産の保有期間（法33条３項１号、２号参照）については、贈与者と受贈者の保有期間が通算されることとなる。

このように、法60条１項の規定の本旨は、増加益に対する課税の繰延べにあるから、この規定は、受贈者の譲渡所得の金額の計算において、受贈者の資産の保有期間に係る増加益に贈与者の資産の保有期間に係る増加益を合わせたものを超えて所得として把握することを予定していないというべきである。そして、受贈者が贈与者から資産を取得するための付随費用の額は、受贈者の資産の保有期間に係る増加益の計算において、『資産の取得に要した金額』（法38条１項）として収入金額から控除されるべき性質のものである。そうすると、上記付随費用の額は、法60条１項に基づいてされる譲渡所得の金額の計算において『資産の取得に要した金額』に当たると解すべきである。」

「前記事実関係によれば、本件手数料は、Ｘが本件会員権を取得するための付随費用に当たるものであり、Ｘの本件会員権の保有期間に係る増加益の計算において『資産の取得に要した金額』として収入金額から控除されるべき性質のものということができる。したがって、本件譲渡所得金額は、本件手数料が『資産の取得に要した金額』に当たるものとして、これを計算すべきである。」

〔コメント〕

資産の贈与等があった場合については、前所有者の取得価額及び取得時期を引き継ぐのが所得税法の考え方であるが、受贈者が贈与者から資産を取得するために要した付随費用がある場合に、かかる付随費用の額を取得費に加算することができるかどうかは文理上は明らかでない。この点について、本件最高裁は、「法60条１項の規定の本旨は、増加益に対する課税の繰延べにあるから、この規定は、受贈者の譲渡所得の金額の計算において、受贈者の資産の保有期間に係る増加益に贈与者の資産の保有期間に係る増加益を合わせたものを超えて所得として把握することを予定していない」と論じて、両者の保有期間に係る増加益の合計額を越えた課税を行う趣旨ではないとした上で、受贈者の保有期間に係る増加益の計算では、取得費に本件手数料が含まれるとした。このようにして解釈論上の不分明を解決した。

贈与者の資産の保有期間における増加益	＋	受贈者の資産の保有期間における増加益

所得税法60条１項の「その者が引き続きこれを所有していたものとみなす」との規定にいう「その者」について、控訴審が、「贈与者」を指していたと解したのに対して、最高裁がどのように解したのかが必ずしも判然とはしていない。ここにいう「その者」については、受贈者を指すとの見解もあるが、「引き続きこれを所有」という規定振りからすれば、控訴審が示すように「贈与者」とするのが素直な解釈であろう。そうであるとするならば、「その者が引き続きこれを所有していたものとみなす」という規定について、最高裁はどのように解したのかが判然としていないように思われる。また、最高裁の判断については、所得税法60条全体をみた場合、文理上解釈の困難性を指摘せざるを得ない。すなわち、同条２項は、居住者が限定承認に係る相続及び包括遺贈（所法59①一）により取得した資産を譲渡した場合における事業所得の金額、山林所得の金額、譲渡所得の金額又は雑所得の金額の計算については、その者が当該資産をその取得の時における価額に相当する金額により取得したものとみなす」としており、この規定からすれば、資産取得者が名義書換料を支払ったとしても、これを取得価額に含むと解することは文理上困難である。所得税法60条１項と２項との整合性を考えると、本件最高裁判決には疑問も残るといわざるを得ない。

なお、国税庁では、この判決を受けて、贈与又は相続に際して支払った不動産登記費用や名義書換手数料などは当該資産の取得費に含める旨の取扱いを明らかにしている（所基通60－２）。

裁判例の紹介

浜名湖競艇場用地事件

負担付贈与により資産の譲渡があった場合において所得税法60条１項による取

得価額の引継ぎは認められないとされた事例
（193 第一審静岡地裁昭和60年3月14日判決・行集36巻3号307頁）[115]
（194 控訴審東京高裁昭和62年9月9日判決・行集38巻8＝9号987頁）
（195 上告審最高裁昭和63年7月19日第三小法廷判決・判時1290号56頁）[116]

〔事案の概要〕

Ｓは、昭和52年1月10日付証書により、Ｘ（原告・控訴人・上告人）ら3名との間で、次のとおりの内容の土地所有権移転契約（以下「本件土地所有権移転契約」という。）を締結した。

⑴　X_1関係

別紙物件目録（省略）記載①の土地の2分の1の共有持分を同日付でX_1に譲渡する。X_1は、Ｓの第三者に対する債務のうち1,000万円の債務につき、Ｓに代わって支払う。

⑵　X_2関係

別紙物件目録（省略）記載②の土地の2分の1の共有持分を同日付でX_2に譲渡する。X_2は、Ｓの第三者に対する債務のうち800万円の債務につき、Ｓに代わって支払う。

⑶　X_3関係

別紙物件目録記載②の土地の2分の1の共有持分を同日付でX_3に譲渡する。X_3は、Ｓの第三者に対する債務のうち800万円の債務につき、Ｓに代わって支払う。

同年4月7日別紙物件目録記載①の土地につき、上記⑴の契約に基づく贈与を原因とする所有権移転登記が経由され、同月8日別紙物件目録記載②の土地につき、上記の⑵⑶各契約に基づく贈与を原因とする所有権移転登記が、それぞれ経由された。

その後、Ｘらは、訴外Ｈ競艇企業団との間で、本件土地所有権移転契約によってＳから譲り受けた土地の各共有持分（以下「本件土地」という。）を、X_1は代金5,874万288円で、X_2及びX_3はいずれも代金4,901万8,378円で、それぞれＨ競艇企業団に売却する旨の契約（以下「本件売買契約」という。）を締結し、同競艇企業団から代金の支払を受けた。

そして、Ｘらは、同月24日までに、本件土地所有権移転契約中の前記負担の

115）判例評釈として、北野弘久・税理28巻6号2頁（1985）、吉村典久・ジュリ863号107頁（1986）など参照。

116）判例評釈として、増井和男・ジュリ923号62頁（1998）、吉良実・民商100巻4号698頁（1989）、山田二郎・昭和63年度主要民事判例解説〔判タ臨増〕328頁（1989）、下山芳晴・租税百選〔3〕64頁（1992）、岩﨑政明・租税百選〔6〕80頁（2016）、奥谷健・租税百選〔7〕86頁（2021）など参照。

特約に基づいて、Ｓの第三者に対する債務の弁済をした。

Ｘらは、所得税法60条１項によれば、居住者が贈与によって取得した資産を譲渡した場合における譲渡所得金額の計算については、その者が引き続き当該資産を所有していたものとみなされるところ、本件土地所有権移転契約は負担付贈与契約であるから、まさに同条項が適用されて、Ｘら３名は、本件土地を売却したことによって生じた譲渡所得金額の計算につき、贈与者であるＳが本件土地を取得した時点から引き続き本件土地を所有していたものとみなされるはずであると考えた。すなわち、Ｓは、昭和44年１月１日より前に本件土地を取得していたから、本件売買契約によるＸら３名の譲渡所得については租税特別措置法31条所定の長期譲渡所得の課税の特例が適用されるべきであるとの認識の下、Ｘらは昭和52年分の分離長期譲渡所得金額として、長期譲渡所得の特別控除額100万円を控除して申告したところ、税務署長Ｙ（被告・被控訴人・被上告人）による更正処分を受けた。Ｘらはこれを不服として提訴した。

〔争点〕

負担付贈与により資産の譲渡があった場合において、所得税法60条１項による取得価額の引継ぎは認められるか。

〔判決の要旨〕

1　第一審**静岡地裁昭和60年３月14日判決**は、Ｘらの主張を斥け、請求を棄却した。

2　東京高裁昭和62年９月９日判決

「所得税法33条１項の譲渡所得課税は、資産の値上りによりその資産の所有者に帰属する増加益を所得として、その資産が所有者の支配を離れて他に移転するのを機会に、これを清算して課税する趣旨のものであるから、同条項にいう資産の譲渡は、有償譲渡に限られるものではなく、贈与その他の無償の権利移転行為を含むものと解することができる（最高裁昭和50年５月27日判決民集29巻５号641頁参照）。ところで、同法60条１項は、これについて１つの例外として、同項各号に定める場合（ただし、同法59条１項の規定と対比すれば、法人に対するものを除くことは明らかである。以下同じ。）を認めた。すなわち、同法60条１項は、同項各号に定める場合にその時期には譲渡所得課税をしないこととし、その資産の譲受人が後にこれを譲渡し、譲渡所得課税を受ける場合に、譲渡所得の金額を計算するについて、譲受人が譲渡人の取得時から引続きこれを所有していたものとみなして、譲渡人が取得した時にその取得価額で取得したものとし、いわゆる取得価額の引き継ぎによる課税時期の繰り延べをすることとした。したがって、右の課税時期の繰り延べが認められるためには、資産の譲渡があっても、その時期に譲渡所得課税がされない場合でなければならない。ところが、負担付贈与においては、贈与者に同法36条１項に定める収入すべき金額等の経済的利益が存する場合があり、この場合には、同法59条２項に該当するかぎりは、同項に定めるところに従って譲渡損失も認められない代りに、同法60条１項２号に該当するものとして、譲渡所得課税を受けないが（つまり、この時期において資産の増加益の清算をしないのであるが）、それ以外は、一般原則に従いその経済的利益に対して譲渡所得課税がされることになるのであるから、右の課税時期の繰り延べが認められないことは明らかである。そこで、同項１号の『贈与』とは、単純贈与と贈与者に経済的利益を生じない負担付贈与をいうものといわざるを得ない。」

「以上のとおりであるから、負担付贈与により資産の譲渡があった場合において、贈与者に収入すべき金員その他の経済的利益があるときは、同法60条１項１号の適用はなく、同項２号の適用の有無が問題となるにすぎないものと解することができる。」

3　最高裁昭和63年７月19日第三小法廷判決

「所得税法60条１項１号にいう『贈与』には贈与者に経済的な利益を生じさせる負担付贈与を含まないと解するのを相当とし、かつ、右土地所有権（共有持分）移転契約は同項２号の譲渡に当たらないから、Ｘらの昭和52年分の譲渡所得については、同項が適用されず、結局、租税特別措置法（昭和55年法律第９号による改正前のもの）32条所定の短期譲渡所得の課税の特例が適用されるとして、本件更正処分及び過少申告加算税の賦課決定処分に違法はないとした原審の認定判断は、…正当として是認することができる。」

〔コメント〕

本件の争点は、所得税法59条１項１号及び同法60条１項１号にいう「贈与」に負担付贈与が含まれるか否かという点にあったが、この点について否定をしたのが本件のポイントである。

本件静岡地裁判決において、Ｘらの請求は排斥されている。すなわち同地裁は、①所得税法59条１項１号にいう「贈与」は、資産の譲渡者側に収入すべき金銭その他の経済的利益が全くない場合のみを指すとした上で、受贈者の負う負担が贈与者に対して経済的利益をもたらすような負担付贈与は含まないと述べた上で、②同条項号の「贈与」と同法60条１項１号の「贈与」の意義は同義であって、③負担付贈与により資産の譲渡があった場合に贈与者側に収入すべき金銭その他の経済的利益があるときは、当該移転につき所得税法60条１項１号の適用はないとしたのである。

本件は、このような考え方が最高裁まで通貫して採用された事例であったといえるが、これら所得税法59条や60条の規定にいう「贈与」の意義を民法における「贈与」の意義よりも狭く解している点に特徴がある。すなわち、私法からの借用概念ではなく、所得税法上の固有概念として、これらの「贈与」概念を捉えているのである。

なお、負担付贈与が所得税法59条１項１号ないし同法60条１項１号にいう「贈与」に該当しないとしても、低額譲渡に該当する余地は十分にあり得る（負担付贈与における負担額が著しく低い対価に該当し、かつ、当該対価の額が当該資産の取得費及び譲渡費用の額の合計額に満たない場合）。その場合には、所得税法60条１項２号に該当し、取得価額及び取得費の引継ぎが行われよう。

このような理解を前提にすれば、所得税法59条にいうみなし譲渡課税制度とは、本来資産の譲渡に当たらないものを譲渡とみなす規定ではなく、資産の移転があったときに、時価で譲渡があったものとみなす規定であると考えるべきであり、この点からすれば、所得税法60条は収入金額に関する一般規定である同法36条の「別段の定め」であると理解することが妥当であろう。

裁判例の紹介

時効取得した資産の取得費

時効取得による資産の取得費は時効援用時の時価によるとされた事例
（196第一審東京地裁平成４年３月10日判決・訟月39巻１号139頁）[117]

〔事案の概要〕
省略。

〔争点〕
時効取得した不動産の譲渡に係る譲渡所得の金額の計算上控除することができる当該資産の取得費の額如何。その他の論点は省略。

〔判決の要旨〕
○　東京地裁平成４年３月10日判決
「土地の時効取得による利得は、所得税法上、一時所得として所得税の課税の対象となり、その場合の収入金額は、当該土地の所有権取得時期である時効援用時の当該土地の価額であると解すべきである（同法36条１項、２項）。そうすると、当該土地の時効援用時までの値上り益は、右一時所得に係る収入金額と

117）判例評釈として、吉村典久・租税22号149頁（1994）、田中治・租税百選〔４〕86頁（2005）、望月爾・租税百選〔５〕87頁（2011）、佐藤孝一・税通47巻15号218頁（1992）など参照。

して所得税の課税の対象とされることになるから、時効取得した土地を譲渡した場合のその譲渡所得に対する課税は右時効援用時以降の当該土地の値上り益に対して行われることになり、したがって、右譲渡所得の計算上、その取得費の額は、右一時所得に係る収入金額すなわち時効援用時の当該土地の価額によるべきこととなる。」

〔コメント〕

本件は、譲渡所得の金額の計算上控除することとなる取得費の額を巡る訴訟である。譲渡所得の性質を巡っては、譲渡益説と増加益清算課税説の対立がある。前者は、譲渡所得によって得た総収入金額と譲渡や取得に要した費用の額との差額が譲渡益として課税される所得を譲渡所得と説明する。これに対して、後者は、資産の保有期間にわたって課税が繰り延べられてきた資産の含み益を、かかる資産を譲渡したタイミングで清算して課税するものが譲渡所得と説明する。

本件判決は、増加益清算課税説を採用し、時効により原始取得するに当たっては、特段の対価の支払はないものの、その時の価額と譲渡時の価額との差額こそが増加益であり譲渡所得課税の対象であると解する。したがって、取得費とは取得時に支払った対価を意味するのではなく、取得時の資産価値を指すという立場を採用しているのである。

裁判例の紹介

分与を受けた財産の取得費

離婚に伴う財産分与により取得した資産を譲渡した場合の譲渡所得の金額の計算上控除する資産の取得費は、財産分与請求権の価額と同額であるとされた事例

（197第一審東京地裁平成3年2月28日判決・行集42巻2号341頁）[118)]

〔事案の概要〕

省略。

〔争点〕

財産分与によって譲渡された資産の取得費の算定方法如何。

118）判例評釈として、山田二郎・判時1394号176頁（1991）、岩﨑政明・ジュリ992号147頁（1991）、岸田貞夫・税務事例25巻3号4頁（1993）、安部勝一・税研106号124頁（2002）、遠藤みち・税通58巻9号203頁（2003）、柴由花・租税百選〔4〕83頁（2005）など参照。

〔判決の要旨〕

○　東京地裁平成３年２月28日判決

「譲渡所得の金額の計算上控除する資産の取得費とは、その資産の取得に要した金額等をいうものと定められている（所得税法38条１項）が、離婚に伴う財産分与として資産を取得した場合には、取得者は、財産分与請求権という経済的利益を消滅させる代償として当該資産を取得したこととなるから、その資産の取得に要した金額は、原則として、右財産分与請求権の価額と同額になるものと考えるのが相当である。そして、財産分与を命ずる判決等において、当該財産分与請求権の金額が明示されているときは、その金額がそのままその価額となることは明らかであるし、また、財産分与として分与される資産の価額が明示されている場合も、その資産の価額がそのまま財産分与請求権の価額になるものと推認することができる。」

「しかしながら、…和解によって分与される資産が決定されたものの、その価額や財産分与請求権の金額が和解調書上明示されていないときは、もともと離婚に伴う財産分与の価額等が第一次的には当事者間の協議によって確定されるものとされていることからして、当該和解において当事者がどの程度の金額の財産を分与することに合意し、あるいは当該資産をどのような価額を持つものと認識してこれを分与することと合意したのかを、当該和解の手続において考慮されたと考えられる具体的な事情に基づいて推認することによって、右財産分与請求権の価額、更には分与される資産の価額を認定すべきものと考えられる。」

〔コメント〕

譲渡所得を通説判例が採用する増加益清算課税説の立場からすれば、無償で資産を取得したとしても、当該資産の譲渡に係る譲渡所得の金額の計算上控除することとなる取得費は、資産の取得の時における時価と解釈されることになる。

本件判決は、かような理解の上に立ったものであろうか。そこで、財産分与に係る譲渡所得が認定された162最高裁昭和50年５月27日第三小法廷判決（370頁参照）を再確認すると、同最高裁は、❶譲渡所得は有償譲渡か無償譲渡かにかかわらず生ずるとした増加益清算課税説に立ちながらも、その後の説示において、❷財産分与者は、財産分与義務の消滅という経済的利益を得ていると認定している。❶において譲渡所得課税が肯定されるのであれば、❷の説示の意義は奈辺にあったのかという点での関心が寄せられるところであるが、本件東京地裁は、かかる最高裁判決の❷の部分を前提とした判断であるように思われる。

すなわち、本件東京地裁は、「離婚に伴う財産分与として資産を取得した場合には、取得者は、財産分与請求権という経済的利益を消滅させる代償として当該資産を取得したこととなるから、その資産の取得に要した金額は、原則として、右財産分与請求権の価額と同額になるものと考えるのが相当である。」とするのである。

この説示部分は、最高裁昭和50年判決と同様に解釈しづらい点である。すなわち、時効取得によって得た資産を譲渡した場合の当該資産の取得費は、当該資産を取得したときの時価によるとの196東京地裁平成4年3月10日判決（429頁参照）のように、増加益清算課税説の立場から、取得した時の時価と譲渡した時の時価の差額が譲渡所得であるとの説明であれば、シンプルに取得費は財産分与時の資産の時価であると理解することは容易であるのにもかかわらず、そのような論理構成は採用せず、上記❷と同様、消滅した財産分与請求権をあたかも「支払」ったかのような構成で取得費を観念しているのである。最高裁昭和50年判決の反射的な理解であるというべきであろうか。

そして、本件判決の考え方は、課税実務においても採用されている。すなわち、所得税基本通達38－6《分与財産の取得費》は、「民法第768条《財産分与》（同法第749条及び第771条において準用する場合を含む。）の規定による財産の分与により取得した財産は、その取得した者がその分与を受けた時においてその時の価額により取得したこととなることに留意する。」としている。この通達について、逐条解説では、「離婚に伴い、当事者の一方から他方に対し、財産分与義務の履行として譲渡所得の基因となる資産を給付した場合には、その給付した者は、その資産を譲渡してその財産の分与義務の消滅という経済的利得を得たものであるということができる。したがって、その譲渡については、その資産のその分与時における時価の額を譲渡収入金額として譲渡所得の課税が行われる（基通33－1の4参照）ことから、財産分与により資産を取得した者については、財産分与請求権と引換えにその資産を取得したということができるので、その資産の取得費は、その財産分与請求権の額、具体的には、その分与時における分与財産の時価の額となる。」と説明している[119]。

CHECK！　相続により取得した配偶者居住権の取扱い

近年、高齢化社会の進展により、相続開始時点で被相続人の配偶者が既に高齢になっているケースが増加傾向にあるが、平均寿命の伸長に伴い、かかる配偶者がその後長期間にわたって生活を継続することも少なくない。そこで、残された配偶者の保護を目的として、平成30年7月、民法（相続法）の大幅な改正が行われた（「民法及び家事事件手続法の一部を改正する法律」（平成30年法律第72号））。ここでは、遺留分侵害額請求や遺産分割、特別受益、遺言制度といった種々の項目につき規定の見直しや創設がなされたが、とりわけ「配偶者居住権」の創設は租税法領域にも大きな影響を与えることとなった（これらの詳細については、酒井・キャッチアップ相続法参照）。

119）樫田明ほか『所得税基本通達逐条解説〔令和3年版〕』388頁（大蔵財務協会2021）。

配偶者居住権とは、残された配偶者が被相続人の所有する建物に居住していた場合で、一定の要件を満たすとき、被相続人が亡くなった後も、残された配偶者が、賃料の負担なくその建物に住み続けることができる権利である（民1028①）。残された配偶者は、被相続人の遺言や遺産分割協議等によって、配偶者居住権を取得することができる。配偶者居住権は、第三者へ譲渡することや、所有者に無断で建物を賃貸したりすることはできないが、その分、建物の所有権を取得するよりも低い価額で居住権を確保することができることから、遺言や遺産分割の際の選択肢の一つとして、配偶者が、配偶者居住権を取得することによって、預貯金等のその他の遺産をより多く取得することができるというメリットがあると理解されている。

かかる民法改正を受け、所得税法も改正され、配偶者居住権の消滅と取得費の計算については次によることとされた（所法60②③、所令169の２）。

① 相続等により取得した配偶者居住権の目的となっている建物又は配偶者居住権の目的となっている建物の敷地の用に供される土地（土地の上に存する権利を含む。以下「居住建物等」という。）を譲渡したときにおける譲渡所得の金額の計算上控除する居住建物等の取得費については、その建物に配偶者居住権が設定されていないとしたならば居住建物等を譲渡した時においてその取得費の額として計算される金額から、居住建物等を譲渡した時において配偶者居住権が消滅したとしたならば配偶者居住権の取得費とされる金額を控除する。

② 配偶者居住権又は配偶者居住権の目的となっている建物の敷地の用に供される土地を配偶者居住権に基づき使用する権利（以下「配偶者居住権等」という。）が消滅した場合における譲渡所得の金額の計算については、相続等により配偶者居住権を取得した時において、その時に居住建物等を譲渡したとしたならば居住建物等の取得費の額として計算される金額のうち、その時における配偶者居住権等の価額に相当する金額に対応する部分の金額として一定の計算をした金額により配偶者居住権を取得したものとし、当該金額から配偶者居住権の存続する期間を基礎として一定の計算をした金額を控除した金額をもって配偶者居住権の取得費とする。

8　譲渡費用の範囲

所得税法33条３項は、譲渡所得の金額の計算に当たり、その年中の当該所得に係る総収入金額から当該所得の起因となった資産の取得費及びその資産の譲渡に要した費用の額を控除するとしている。以下では、「資産の譲渡に要した費用」、すなわち、譲渡費用の範囲について争われた事例を確認してみたい。

裁判例の紹介

弁護士費用の譲渡費用該当性

裁判上の和解により土地を売却処分した場合に支払った弁護士費用が所得税法33条3項にいう「資産の譲渡に要した費用」に当たらないとされた事例

（198第一審大阪地裁昭和60年7月30日判決・訟月32巻5号1094頁）[120]
（199控訴審大阪高裁昭和61年6月26日判決・税資152号540頁）

〔事案の概要〕

X（原告・控訴人）の先代Wは本件土地を訴外Kに賃貸していた。その後相続により本件土地1の所有権を取得したXと訴外Kの相続人である訴外K_1、K_2との間において、本件土地1に対する賃貸借の存否等について争いが生じたので、Xは、N弁護士に委任をし、同弁護士を通じ、K_1らに対し、第一次的には本件土地1の返還を求め、それができない場合には、正式に本件土地1についての賃貸借契約を締結することにして、その紛争を解決しようとした。Xは、N弁護士に委任をして、訴外K_1、K_2を被告として、本件土地1の上の建物を収去してかかる土地の明渡しを求める訴訟を提起したところ、K_1らはXの請求を争った。

この事件については、その後裁判所から和解の勧告がなされたので、Xは、和解交渉の一切の権限をN弁護士に授与してその交渉を委任し、同弁護士を通じて訴外K_1らと和解交渉をした結果、Xは、訴外K_2に対し、本件土地1を代金1,190万円で売り渡すこと等を内容とした裁判上の和解が成立し、その後その履行がなされた。そして、Xは、同事件に対する報酬等として、N弁護士に対し、金219万円を支払った。

次に、本件土地2は、Xが相続により、その所有権を取得したものであるところ、Xは訴外Mに対し、不法占有を理由に、本件土地2の明渡しを求め、N弁護士に事件を委任した。ところが、訴外Tほか3名が所有権を主張して、訴外Mに対し明渡しを求め、訴外Mを相手方として、かかる土地明渡しの調停を申し立てた。その後、訴外Mは、Xに対し、本件土地2を明け渡したので、Xは、訴外Tに対し、本件土地2は、Xの所有であること等を通告した。Xは、その後N弁護士に委任をして訴外Tほか3名を相手方として、本件土地2の使用妨害排除の仮処分申請をし、これと同時に訴外Mと同Tらとの間の調停に利害関係人として参加した。調停手続の示談交渉で解決をすることとなり、Xは、N弁護士に委任をし、同弁護士を通じて、訴外Tらと交渉した結果、Xが、訴外

120）判例評釈として、碓井光明・ジュリ878号118頁（1987）参照。

Ｂ建設株式会社に対し、本件土地２を、代金2,568万1,500円で売却し、右事件の紛争を解決した。そして、Ｘは、この事件に対する報酬として、Ｎ弁護士に対し、213万円を支払った。

Ｘは、本件土地１及び２の譲渡に関し、Ｎ弁護士に支払った弁護士費用金332万円を控除して申告したが、税務署長Ｙ（被告・被控訴人）はこれを否認した上で更正処分を行った。Ｘはかかる処分の取消しを求めて提訴した。

〔争点〕

Ｎ弁護士に支払った弁護士報酬は、所得税法33条３項所定の「譲渡に要した費用」に該当するとして、これを本件土地の譲渡所得金額から控除することができるか。

〔判決の要旨〕

1　大阪地裁昭和60年７月30日判決

「譲渡所得税は、資産の譲渡によって、当該譲渡者が、資産の保有期間中に得た増加益に対して課税をするものであるから、譲渡所得税の課税の対象となるのは、その譲渡価格から、当該譲渡資産の取得費、その資産の譲渡に要した費用その他を控除した額である（所得税法33条３項）。そして、右にいわゆる資産の譲渡に要した費用とは、譲渡を実現するために必要な経費に限られ、当該資産の修繕費、固定資産税、その他当該資産の維持管理に要した費用はこれに含まれないと解すべく、したがって例えば、譲渡のための仲介手数料、登記登録料、借家人を立退かせるための立退料等は、これに該当するが、譲渡資産に設定された抵当権を消滅させるために被担保債権を弁済した弁済金、山林所有権の帰属をめぐって第三者との紛争があり、その所有権確認のために要した訴訟費用、遺産分割の処理のために要した弁護士報酬等は、いずれも資産の譲渡に要した費用には、当らないものと解すべきである（最高裁判所昭和36年10月13日判決民集15巻９号2332頁、同昭和50年７月17日判決・訟務月報21巻９号1966頁、東京地方裁判所昭和54年３月28日判決・行政事件裁判例集30巻３号654頁等各参照）。」

⑴本件土地１につき、ＸがＮ弁護士に支払った219万円は、「訴外K_1らに対する本件土地１の明渡等の請求、その一環としてなされた右K_1らからの申請に基づく本件土地１の処分禁止の仮処分命令に対する異議の申立、訴外K_1、K_2らに対する本件土地１の明渡請求訴訟の提起及びその遂行、右事件の裁判上の和解における交渉等…とこれによる紛争解決によってＸに一定の利益がもたらされたことに対する報酬として支払われたもの」であり、⑵本件土地２につき、ＸがＮ弁護士に支払った113万円は、「訴外Ｍに対する本件土地２の明渡請求、訴外Ｔ外３名に対する本件土地２の使用妨害排除仮処分の申請事件、訴外Ｍと右Ｔ外３名との間の土地明渡調停事件に対する参加申出、紛争解決の前提とし

て…本件土地2の売買交渉等…とこれによる紛争解決によってXに一定の利益がもたらされたことに対する報酬として支払われたものであって、本件土地の譲渡のみに対する報酬として支払われたものではないと認めるのが相当であ〔る。〕」

「そうとすれば、右弁護士費用は、本件土地の譲渡を実現するための必要な費用とは認め難いし、また、仮に、右弁護士費用のなかに、本件土地の譲渡に関するものが含まれているにしても、…それは、右弁護士費用の一部分に過ぎず、かつ、本件における全証拠によるも、その額を確定することはできないから、結局、右弁護士費用の全額につき、これを本件土地の譲渡に要した費用として控除することは相当でないと解すべきである。」

2　大阪高裁昭和61年6月26日判決

大阪高裁は原審判断を維持しているが、次の点を付け加えている。

「Xは、当審において弁護士に対する報酬を、事件処理と売却に区分したと主張…するが、…譲渡費用に該当するか否かは諸般の事情から客観的に判断すべきであり、かつ、通常一般的に直接必要と認められる経費であることを要するものであって、納税者が主観的に区分することによって経費該当の存否が決せられるものではない。本件において、…本件各土地は、その占有あるいは境界をめぐって紛争があり、Xはこれが解決を目的として弁護士に委任したものであり、それぞれ訴訟法上の手続を経た後紛争解決の方法として売却され〔た〕…これらの事情を考慮すると、右区分された売却処分に対する報酬が譲渡費用に該当するとは解し難い。」

〔コメント〕

本件大阪地裁及び本件大阪高裁は、納税者が土地所有権に係る紛争解決を委任したことによって支払った弁護士費用は、譲渡の実現のために必要なものではないし、仮に土地の譲渡に関する部分がその弁護士費用の中に含まれているとしても、その部分を明らかにすることができないから、結局、所得税法33条3項にいう「その資産の譲渡に要した費用の額」に含めることはできないと判示した。

譲渡所得の金額の計算は、事業所得、不動産所得、山林所得及び雑所得の金額の計算のように必要経費を控除するのではなく、その年中の資産の譲渡に係る総収入金額から当該資産の取得費と「その資産の譲渡に要した費用の額」を控除して計算する（所法33③）。ここにいう、「その資産の譲渡に要した費用」には、その譲渡の際に支出する契約費用、売買仲介人の仲介手数料、登記費用等のほか、借家人の立退料、有利な条件により譲渡するため売買契約を解約した場合に支出する違約金、土地を譲渡するために建物等を取り壊した場合の取壊し費用や取壊しによる建物等の損失などが含まれると解されている（所基通33－7、33－8）。

このように、必要経費の範囲に比して、譲渡所得の金額の計算上控除される金額が、取得費と「その資産の譲渡に要した費用」に限定されているのは、譲渡所得が資産の価値の増加益に対する課税であるという性質に由来するものである。そして、本件のように、「その資産の譲渡に要した費用」の解釈に当たっては、厳格な解釈がこれまで採られてきた。すなわち、本件大阪地裁は、弁護士費用が譲渡を実現するに当たって必要であったか否かという観点から論じているのである。さらに、本件大阪高裁が、「譲渡費用に該当するか否かは諸般の事情から客観的に判断すべきであり、かつ、通常一般的に直接必要と認められる経費であることを要する」と説示している点も注目される。

裁判例の紹介

土地改良法に基づく決済金と譲渡費用①

土地改良区の組合員が土地を譲渡するに当たって土地改良法に基づいて支払った決済金が、所得税法33条3項にいう資産の譲渡に要した費用に当たらないとされた事例

（200第一審新潟地裁平成8年1月30日判決・行集47巻1＝2号67頁）

〔事案の概要〕

不動産賃貸を業とするX（原告）は、新潟県に対し、本件各土地を譲渡し、その際、訴外K土地改良区に対し、本件決済金を支払った。Xは、平成3年分所得税の申告に当たり、本件決済金を本件各土地の譲渡費用として収入金額から控除し、分離課税の長期譲渡所得金額を算出して確定申告をした。これに対し、税務署長Y（被告）は、本件更正処分等をしたので、Xは、その取消しを求めて提訴した。

なお、土地改良法は、土地改良区の組合員がその資格に係る権利の目的である土地についてその資格を喪失した場合において、その者が有する土地改良区の事業に関する権利義務の移転がないときは、組合員及び土地改良区は右権利義務について必要な決済をしなければならない旨規定している。右規定が地区内の農用地が農用地以外のものに転用される場合を指すことは明らかであるが、これを受けて、K土地改良区では、「K土地改良区地区除外等処理規程」を定め、この規程に基づいて決済金の賦課徴収を行っている。本件決済金は、この規程に従って算出されたものである。ちなみに、本件決済金の大部分は土地改良施設の将来の維持管理費及び事務費であり、他は、県常事業の分担金あるいは借入金の返済に充当すべき将来の負担金等である。

〔争点〕

本件決済金は、所得税法33条３項に規定されている譲渡費用に該当するか否か。

〔判決の要旨〕

○　新潟地裁平成８年１月30日判決

「所得税法33条３項は、譲渡所得の課税標準につき、譲渡所得金額は、総収入金額から、当該所得の基因となった資産の取得費及びその資産の譲渡に要した費用の額（いわゆる譲渡費用）を控除し、更に特別控除額を控除したものである旨規定している。ところで、譲渡所得とは資産の譲渡による所得をいい、譲渡所得に対する課税は、資産が譲渡によって所有者の手を離れるのを機会に、その所有期間中の増加益（キャピタルゲイン）を清算して課税するものである。よって、譲渡費用も、右のような譲渡所得に対する課税の本質からみて収入金額から控除することが課税の衡平上相当なものであることを要し、具体的には、当該資産の譲渡を実現するために直接かつ通常必要な費用に限定されると解するのが相当である。」

「土地改良法42条２項に基づく決済は、土地改良区の組合員たる資格の喪失に際し、土地改良区の事業に関する権利義務の移転がない場合に、右権利義務を清算するために行われるのであって、組合員たる資格に係る権利の目的たる土地の譲渡とは直接の関係がないことが明らかである。すなわち、決済金は、土地を譲渡することなく農用地以外のものに転用する場合は徴収される反面、土地を譲渡しても転用をともなわない場合には徴収されないのであり、現に、本件決済金も、土地改良施設の維持管理費を主とするものであるから、本件各土地の譲渡を実現するために直接かつ通常必要な費用とは到底認められない。」

〔コメント〕

Ｘは、本件決済金の実質は、土地改良施設の将来の維持管理費を一括前払いするものであるから、本来は将来の収益に対応する費用であるところ、土地の譲渡により、将来の収益を生ずべき資産がなくなるのであるから、本件決済金は譲渡費用として認めるべきであると主張したが、それはもはや譲渡費用とはいえないものといわざるを得ない。

この点について、本件判決は、「譲渡費用とは、資産の譲渡という事実を実現するために直接かつ通常必要であるという点において特定の収入と個別具体的に対応する関係にあるものに限られるべきことは当然であって、継続的事業における販売費や一般管理費のように、特定の収入との対応関係が明らかでなく、期間的に対応させるしかない費用とは異なる。」とするのである。同判決のいう「直接かつ通常必要」という解釈が実定法上どのように導出できるのかという点では疑問である。もっとも、「直接かつ通常」必要性でこれを判断すべきかどうかという点を措けば、資産の譲渡と対応関係がない維持管理費のような期間対応費用が、譲渡費用に当たらないとする点はこれまでの判決の流れをくむものであろう。

すると、問題は、直接必要性や通常必要性が譲渡費用の要件であるかという点に行きつくように思われる。本件のような決済金が譲渡費用に該当するか否かについては、最高裁判決がこれを肯定しているので、次にみておきたい。

裁判例の紹介

土地改良法に基づく決済金と譲渡費用②

土地改良区の組合員が土地を譲渡するに当たって土地改良法に基づいて支払った決済金が、所得税法33条3項にいう資産の譲渡に要した費用に当たるとされた事例

（201第一審新潟地裁平成14年11月28日判決・訟月53巻9号2703頁）
（202控訴審東京高裁平成15年5月15日判決・訟月53巻9号2715頁）
（203上告審最高裁平成18年4月20日第一小法廷判決・訟月53巻9号2692頁）[121]
（204差戻控訴審東京高裁平成18年9月14日判決・訟月53巻9号2723頁）

〔事案の概要〕

X（原告・控訴人・上告人）は、平成10年分の所得税の確定申告及び修正申告において、長期譲渡所得の金額の計算上、S土地改良区へ支払った決済金等113万6,171円（以下「本件決済金等」という。）は譲渡費用に当たるとして、この金額を収入金額から控除して申告したところ、税務署長Y（被告・被控訴人・被上告人）は、これを否認し更正処分等を行った。

本件は、Xが、本件決済金等は譲渡費用に当たるとして、本件更正のうち修正申告額を超える部分及び本件賦課決定の取消しを求めた事案である。

なお、土地改良法42条2項を受けて、S土地改良区は、その地区内の農地の転用に伴う権利義務の決済等について定めるため、地区除外等処理規程（以下「本件処理規程」という。）を制定している。本件処理規程によれば、S土地改良区の組合員は、その地区内の土地につき、農地法の許可の申請を行う場合には、同土地改良区に対し、転用許可の申請をする旨の通知をするとともに、地区除外の申請をしなければならず、同土地改良区は、地区除外の申請がされたときは、除外すべき土地に係る決済金の額を所定の決済金算定基準により確定し、速や

121）判例評釈として、渡辺充・判評577号184頁（2007）、渡辺裕泰・ジュリ1334号257頁（2007）、一高龍司・民商136巻1号63頁（2007）、松村一成・平成18年度主要民事判例解説〔判タ臨増〕254頁（2007）、高橋祐介・税研148号70頁（2009）など参照。

かにその決済をするものとされている。そして、上記決済金算定基準においては、決済金の額は、Ｓ土地改良区が当該組合員から徴収すべき金銭の額と同土地改良区が当該組合員に対し支払うべき金銭の額との差額とされていた。

また、Ｓ土地改良区は、土地改良施設を他の目的に使用させるときの取扱い等について定めるため、施設等使用規程（以下「本件使用規程」という。）を制定している。同規程によれば、Ｓ土地改良区に関係する区域内において開発行為を行おうとする者は、同土地改良区から土地改良施設を使用することにつき許可を受けなければならず、同土地改良区の理事長は、上記の許可の申請のあったときは、開発行為による農地及び土地改良施設への影響を検討し、Ｓ土地改良区施設等使用負担金徴収規程（以下「本件徴収規程」という。）に基づいて定める施設等の使用負担金を一時金として徴収した上、土地改良施設の使用を承諾することができるとされていた。

〔争点〕

本件決済金等は、所得税法33条３項の譲渡費用に該当するか否か。

〔判決の要旨〕

１　第一審**新潟地裁平成14年11月28日判決**はＸの請求を棄却した。

２　東京高裁平成15年５月15日判決

本件決済金等は、本件土地の転用による組合員資格の喪失に伴いＳ土地改良区との間でその事業に関する権利義務につき一時に決済が必要となった清算金にすぎず、その支払が農地法５条の転用移転の許可自体の法律上の手続に不可欠なものとなっているわけではない。また、本件協力金等は、転用された土地につきＳ土地改良区内の土地改良施設を将来にわたって使用するための負担金にすぎない。本件決済金等は、本件土地の譲渡を実現するために直接必要な支出として実質的関連性があるものではなく、譲渡に際しての増加益のために必要な支出として合理的関連性があるものでもないから、本件土地の譲渡費用に当たらない。

３　最高裁平成18年４月20日第一小法廷判決

「所得税法上、抽象的に発生している資産の増加益そのものが課税の対象となっているわけではなく、原則として、資産の譲渡により実現した所得が課税の対象となっているものである。そうであるとすれば、資産の譲渡に当たって支出された費用が所得税法33条３項にいう譲渡費用に当たるかどうかは、一般的、抽象的に当該資産を譲渡するために当該費用が必要であるかどうかによって判断するのではなく、現実に行われた資産の譲渡を前提として、客観的に見てその譲渡を実現するために当該費用が必要であったかどうかによって判断すべきものである。」

「本件売買契約は農地法等による許可を停止条件としていたというのであるから、本件売買契約においては、本件土地を農地以外の用途に使用することができる土地として売り渡すことが契約の内容となっていたものである。そして、…Xが本件土地を転用目的で譲渡する場合には土地改良法42条2項及びこれを受けて制定された本件処理規程により本件決済金の支払をしなければならなかったのであるから、本件決済金は、客観的に見て本件売買契約に基づく本件土地の譲渡を実現するために必要であった費用に当たり、本件土地の譲渡費用に当たるというべきである。ただし、前記事実関係等によれば、転用目的での農地の譲渡に伴う決済に当たりS土地改良区が組合員から徴収すべき金銭の中には決済年度以前の年度に係る賦課金等の未納入金が含まれているところ、仮に本件決済金の中に本件土地を転用目的で譲渡するか否かにかかわらず決済の時点で既に支払義務が発生していた賦課金等の未納入金が含まれていた場合には、本件決済金のうち上記未納入金に係る部分は本件土地の譲渡費用に当たらないというべきである。」

4　差戻控訴審**東京高裁平成18年9月14日判決**は上告審と同旨の判断を下した。

〔コメント〕

本件最高裁判決は、資産の譲渡に当たって支出された費用が所得税法33条3項にいう譲渡費用に当たるかどうかは、一般的、抽象的に当該資産を譲渡するために当該費用が必要であるかどうかによって判断するのではなく、「現実に行われた資産の譲渡を前提として、客観的に見てその譲渡を実現するために当該費用が必要であったかどうか」によって判断すべきとした。

前述の**200**新潟地裁平成8年1月30日判決（437頁参照）との違いは、同地裁が、直接かつ通常必要であるもののみが所得税法33条3項にいう譲渡費用に該当するとしたのに対して、本件最高裁は、上記のとおり、通常性などという一般的、抽象的な基準を認めず、現実の譲渡を前提として判断を行うべきとした点にある。そして、この点こそが本件最高裁判決の重要な意義であるといえよう。

9　国外転出をする場合の譲渡所得等の特例

(1)　国外転出時課税

いわゆる国外転出時課税とは、国外転出をする一定の居住者が、その国外転出時において有価証券等を保有する場合に、その者の事業所得の金額、譲渡所得の金額又は雑所得の金額の計算について、その国外転出の時にかかる有価証券等の譲渡があったものとみなして所得税を課税することとする制度である。

イ　有価証券等に対する課税

次の区分に応じて、その有価証券等の譲渡があったものとみなして所得税が課税される（所法60の２①）。

① その国外転出をする日の属する年分の確定申告書の提出の時までに、

(i) 納税管理人の届出（通法117②）をした場合
(ii) 納税管理人の届出をせずに、国外転出をした日以後にその年分の確定申告書を提出する場合
(iii) その年分の所得税につき決定がされる場合

上記(i)～(iii)の場合…その国外転出時における有価証券等の金額に相当する金額

② 上記①以外の場合…国外転出の予定日から起算して３か月前の日における有価証券等の価額に相当する金額

ロ　未決済信用取引等に対する課税

国外転出をする居住者が、その国外転出時において未決済信用取引等に係る契約を締結している場合には、その者の事業所得の金額又は雑所得の金額の計算については、その国外転出時に、次の区分に応じて、それぞれに示す金額の利益の額又は損失の額が生じたものとして所得税が課税される（所法60の２②、所規37の２②③）。

① 上記イ①の場合…国外転出時にその未決済信用取引等を決済したものとみなして次の区分に応じて算出した利益の額又は損失の額に相当する金額

(i) 信用取引又は発行日取引の方法により有価証券の売付けをしている場合…その売付けをした有価証券のその売付けに係る対価の額からその国外転出時において有している有価証券の時価評価額にその有価証券の数を乗じて計算した金額を控除した金額

(ii) 信用取引又は発行日取引の方法により有価証券の買付けをしている場合…その買付けをした有価証券の時価評価額にその有価証券の数を乗じて計算した金額から、その有価証券の買付けに係る対価の額を控除した金額

②　上記イ②の場合…国外転出の予定日から起算して3か月前の日（同日後に契約の締結をした未決済信用取引等にあっては締結時）にその未決済信用取引等を決済したものとみなして上記(i)及び(ii)に準じて算出した利益の額又は損失の額に相当する金額

ハ　未決済デリバティブ取引に対する課税

国外転出をする居住者が、その国外転出時において次のような未決済デリバティブ取引に係る契約を締結している場合には、その者の事業所得の金額又は雑所得の金額の計算については、その国外転出時に、一定のルールに従って利益の額又は損失の額が生じたものとして所得税が課税される（所法60の2③、所規37の2④⑤）。

①　市場デリバティブ取引等

②　先渡取引等

③　金融商品オプション取引

④　金融商品取引法2条《定義》20項に規定するデリバティブ取引のうち、①から③までに掲げる取引以外の取引

ニ　国外転出時に課税された対象資産の取得価額等の調整

国外転出の日の属する年分の所得税につき、上記イからハまでの課税の特例の適用を受けた個人（その相続人を含む。）が、その課税の特例の適用を受けた国外転出時に有していた有価証券等を実際に譲渡した場合又は国外転出時に契約を締結していた未決済信用取引等若しくは未決済デリバティブ取引について実際に決済をした場合における事業所得の金額、譲渡所得の金額又は雑所得の金額の計算については、一定のルールの下、これら有価証券等や取引等に係る利益の額若しくは損失の額の調整をすることとされている（所法60の2④）。

ホ　特例の対象とならない者

この規定は、①その国外転出時における有価証券等の金額に相当する金額及び未決済デリバティブ取引等の決済をしたものとみなして算出した利益の額若しくは損失の額の合計が1億円未満である居住者、②国外転出をする日前10年

以内に国内に住所又は居所を有していた期間の合計が５年以下である居住者については、適用しない（所法60の２⑤）。

ヘ　５年（10年）以内に帰国した場合の課税の取消し

国外転出の日の属する年分の所得税につき、上記イからハまでの課税の特例の適用を受けるべき個人がその国外転出時に有していた対象資産のうち、その国外転出の日から５年を経過する日までに帰国をするなどした場合には、その帰国時まで引き続き有している対象資産については、上記イからハの全てがなかったものとすることができる（所法60の２⑥。なお、所定の納税猶予を受けているものについては、10年を経過する日まで（同⑦））。なお、その場合は、帰国等の日から４か月を経過する日までに更正の請求を行うことになる。

ト　譲渡等により対象資産の価額が下落した場合の再計算

国外転出の日の属する年分の所得税について、上記イからハまでの課税の特例の適用を受けた個人で納税の猶予を受けている者（その相続人を含む。）が、その納税の猶予に係る期限までに、その国外転出時から引き続き有している対象資産について、譲渡や決済等が生じることとなった場合には、上記課税の特例を受けたことによる課税所得については、修正（再計算）をすることができる（所法60の２⑧）。

チ　納税の猶予に係る期間の満了日において価格が下落している場合の再計算

国外転出の日の属する年分の所得税について、上記イからハまでの課税の特例の適用を受けた個人で納税の猶予を受けている者（その相続人を含む。）が、同日から５年を経過する日（一定の場合には10年を経過する日）においてその国外転出時から引き続き保有している対象資産について、下落するなど一定の事由に該当することとなった場合には、上記特例の適用を受けたことによる課税所得について、修正（再計算）をすることができる（所法60の２⑩）。

(2)　贈与等により非居住者に資産が移転した場合の特例

贈与者、被相続人又は遺贈者であり、上記(1)の国外転出をする場合の譲渡所得等の特例の適用対象者である居住者の有する有価証券等が、贈与等により非居住者に移転した場合には、その居住者の事業所得の金額、譲渡所得の金額又は雑所得の金額の計算については、その贈与等の時に、その時における有価証券等の価額に相当する金額により、その移転した有価証券等の譲渡があったものとみなして所得税が課税される（所法60の３①）。

このように、制度設計は、上記(1)の国外転出をする場合の譲渡所得等の特例に類似している。

X　一時所得

1　一時所得の意義

一時所得とは、利子所得から譲渡所得までの８種類の所得以外の所得で、営利を目的とする継続的行為から生じた所得や労務その他の役務又は資産の譲渡対価としての性質を有しない一時の所得をいう（所法34①）。もともとは、戦前の制限的所得概念（所得源泉説）の時代に課税対象とされなかった非回帰的な一時の所得は、包括的所得概念の採用によって課税対象とされるに至ったが、その所得区分が一時所得である。したがって、いわゆる所得の源泉としての性質を有しない種類の所得であるという性格を有するのである。所得税法上の所得区分は10に分けられるが、これまで述べてきた利子所得ないし譲渡所得以外の所得については、二つのカテゴリーに分類される。すなわち、一時所得と雑所得である。一時所得と雑所得を切り分ける要件こそが一時所得の要件の最も重要なポイントとなる。後述するが、それは、①営利を目的とする継続的行為から生じた所得以外の一時の所得であることと、②労務その他の役務又は資産の譲渡としての性質を有しないものであることの二つの要件が満たされると一時所得に該当し、そうでない場合には、雑所得に該当することになる。

具体的には、競馬や競輪の払戻金、生命保険や損害保険契約の満期返戻金、賞金や懸賞の当選金、遺失物拾得の報労金などの所得がこれに当たる（所基通

34－1)。

$$\text{一時所得の金額} = \left(\text{総収入金額} - \text{収入を得るために支出した金額}\right) - \text{特別控除（最高50万円）（所法34②）}$$

一時所得については、2分の1が総合課税の対象となる（所法22②二）。

一時所得とは、「利子所得、配当所得、不動産所得、事業所得、給与所得、退職所得、山林所得及び譲渡所得以外の所得のうち、営利を目的とする継続的行為から生じた所得以外の一時の所得で労務その他の役務又は資産の譲渡としての性質を有しないものをいう。」と定義されている（所法34①）。したがって、ある所得が一時所得に該当するかどうかを判断するには、次の全ての要件が満たされることが必要となる。

① 利子所得から譲渡所得までの8種類の所得に該当しないこと

② 営利を目的とする継続的行為から生じた所得以外の一時の所得であること

③ 労務その他の役務又は資産の譲渡としての性質を有しないものであること

もっとも、この要件②については、更に「営利を目的とする継続的行為から生じた所得以外の所得であること」と、「一時の所得であること」の二つに分けることが可能である。

そこで、一時所得の要件は、次のようになる。

① 利子所得から譲渡所得までの8種類の所得に該当しないこと

② 営利を目的とする継続的行為から生じた所得以外の所得であること

③ 一時の所得であること

④ 労務その他の役務又は資産の譲渡としての性質を有しないものであること

一時所得の典型的なものには、法人からの贈与による利益、懸賞の当選金品、遺失物の拾得報労金などがあるが（所基通34－1）、このほかの主要なものを掲げると、次のとおりである。

① 厚生年金基金や適格退職年金又は確定給付企業年金などの企業年金制度において、従業員が退職に基因して受け取る一時金は、みなし退職所得に該当するが（所法31）、厚生年金基金の解散や確定拠出年金からの脱退など、退職以外の理由で受け取る一時金は、一時所得になる（所令76④参照）。事業主の負担した掛金が原資となっている一時金であり、従業員の地位に基づいて受け取るものではあるが、給与所得とはされない。

② 生命保険契約等に基づく一時金のうち、保険料の負担者自身が受け取る死亡保険金、満期保険金、解約一時金は、一時所得に該当する（所令183②、184②、所基通34－1(4)）。自ら負担した保険料の運用益に相当する部分も含まれる。ただし、業務に関して受けるものは一時所得ではなく、事業所得となる。

③ 被相続人の死亡により相続人等が受け取る退職手当等については、(i)被相続人の死亡後3年以内に支給が確定したものは相続財産とみなされるが（相法3①二）、(ii)被相続人の死亡後3年を経過して支給が確定したものは一時所得として取り扱われる（所基通34－2）。被相続人の勤労に由来する所得であるが、給与所得や退職所得には該当しない。

④ 競馬の馬券の払戻金、競輪の車券の払戻金等は、原則として、一時所得として取り扱われる（所基通34－1(2)）。クイズ等の懸賞金も同様である（所基通34－1(1)）。

⑤ 人格のない社団等の解散により受ける清算分配金又は脱退により受ける持分の払戻金は、一時所得に該当する（所基通34－1(6)）。

⑥ 借家人が賃貸借の目的とされている家屋の立退きに際して受け取る立退料は、借家権の消滅の対価としての性質を有するもの及び収益の補償としての性質を有するものを除いて、一時所得に該当する（所基通34－1(7)）。

⑦ 土地の時効取得による利益は、時効の援用時にそれまでの土地の値上り

益（キャピタル・ゲイン）が一時に実現するものとして、一時所得に該当する。

裁判例の紹介

特許権の譲渡対価

大学教授が大学法人から受領した特許に関わる金員につき、一時所得に該当しないとされた事例

（205第一審東京地裁平成28年5月27日判決・税資266号順号12859）[122)]
（206控訴審東京高裁平成28年11月17日判決・税資266号順号12934）
（207上告審最高裁平成29年4月18日第三小法廷決定・税資267号順号13012）

〔事案の概要〕

本件は、国立大学法人Ｉ大学の設置するＩ大学の教授であるＸ（原告・控訴人・上告人）が、同大学法人の成立前に国に対して譲渡した特許を受ける権利について特許が付与され、同大学法人が同特許権を譲渡して収入を得たことを契機として、同大学法人から受領した金員5,544万444円（以下「本件金員」という。）を、雑所得に該当するとして平成23年分の所得税の確定申告をした後、本件金員は一時所得に該当するから、総所得金額の計算に際し、本件金員から特別控除額を控除した残額の2分の1に相当する金額をもって計算すべきであるとして、更正をすべき旨の請求をしたところ、処分行政庁であるＢ税務署長から、更正をすべき理由がない旨の本件通知処分を受けたことから、本件通知処分が違法であるとして、国Ｙ（被告・被控訴人・被上告人）に対し、その取消しを求めた事案である。

〔争点〕

本件金員の所得区分の一時所得該当性如何。

〔判決の要旨〕

1　東京地裁平成28年5月27日判決

「1⑴ア　所得税法は、一時所得について、利子所得ないし譲渡所得以外の所得のうち、営利を目的とする継続的行為から生じた所得以外の一時の所得で労務その他の役務又は資産の譲渡の対価としての性質を有しないものをいう旨を定め（34条1項）、その2分の1に相当する金額を総所得金額に算入する旨を定

122）判例評釈として、長戸貴之・ジュリ1515号128頁（2018）、谷口智紀・速報判例解説24号〔法セ増刊〕215頁（2019）など参照。

める（22条1項2号）。また、同法は、雑所得について、利子所得ないし譲渡所得及び一時所得のいずれにも該当しない所得をいう旨を定め（35条1項）、その金額を総所得金額に算入する旨を定める（22条1項1号）。

所得税法が上記のように所得を区分しているのは、所得は、その性質や発生の態様によって担税力が異なるという前提に立って、租税負担の公平を図るため、各種類の所得について、それぞれの担税力の相違を踏まえ、その性質に応じた金額の計算方法を定め、また、その発生の態様に応じた課税方法を定めるためであると解される。

イ　ところで、一時所得については、上記のように『営利を目的とする継続的行為から生じた所得以外の一時の所得』であって、かつ、『労務その他の役務又は資産の譲渡の対価としての性質を有しないもの』をいうとされ、一時的かつ偶発的な所得に限定されているところ、これは、このような所得については、その性質上、担税力が低いとの考慮によるものと解される。そして、同法34条1項が『資産の譲渡の対価としての性質』を有する所得を一時所得から除外している趣旨が、そのような性質を有する所得は偶発的に生じたものとはいえないことにあることからすれば、上記にいう『資産の譲渡の対価としての性質』を有する所得については、資産の譲渡と反対給付の関係にあるような給付に限られるものではなく、資産の譲渡と密接に関連する給付であってそれがされた事情に照らし偶発的に生じた利益とはいえないものも含まれると解するのが相当である。

ウ　本件においては、本件金員が一時所得と雑所得のいずれに該当するかについて専ら争われており、本件金員が、利子所得ないし譲渡所得のいずれにも該当しないことは当事者間に争いがなく、これらのいずれかに該当すると解すべき事情も見当たらないから、以上に述べたところを前提に、本件金員が一時所得と雑所得のいずれに該当するのかを検討する。

⑵ア　…事実及び弁論の全趣旨によれば、〈1〉旧I大学の助教授又は教授であったXは、他の共同発明者と共に本件各発明をし、旧I大学長に対し、本件各発明に係る特許を受ける権利の譲渡を申し出て、国に対し、これらを無償で譲渡したこと、〈2〉旧I大学長は、国の機関として、特許庁長官やアメリカ合衆国特許商標庁に対し、本件各発明について特許出願をし、平成16年3月31日以前にあっては国の機関として旧I大学長が、平成16年4月1日以降にあっては国の権利等を承継した大学法人I大学が特許権の設定の登録などを受けたこと、〈3〉大学法人I大学は、国から、本件各発明に係る特許を受ける権利及び特許権を承継したこと、〈4〉大学法人I大学は、F電機に対し、本件譲渡契約により、本件各特許権を譲渡し、その対価として2億5000万円（消費税を含め2億6250万円）の支払を受けたこと、〈5〉大学法人I大学は、本件譲渡契約による対価を原資として、新発明規程及び本件補償細則の算定基準を考慮してXに支払うべき金額を算定し、Xに対し、新発明規程9条の規定により補償金を

支払う旨を担当者名義で通知した上で、本件金員を含む補償金6927万0558円の支払をし、Ｘは、Ｊ及びＫに対し、支払を受けた金員のうちから、本件各発明に係る貢献度に応じて金員を支払ったことが認められる。

以上のような事実関係に照らせば、Ｘが他の共同発明者と共に本件各発明をし、本件各発明に係る特許を受ける権利として、これを国に譲渡し、その後特許権の設定の登録などを受けた本件各特許権について、これらを承継ないし取得した大学法人Ｉ大学において、譲渡収入を原資とし、新発明規程の算定基準によるべきものとして、発明者に対して支払うべき金員を算定した上で、Ｘに対して本件金員を支払っているのであるから、本件金員のＸへの支払は、本件各発明に係る特許を受ける権利の国への譲渡と密接に関連する給付であるというべきであり、その事情に照らし、偶発的に本件金員が支払われたとはいえないものというべきである。したがって、本件金員は、所得税法34条１項にいう『労務その他の役務又は資産の譲渡の対価としての性質』を有するものに当たり、一時所得に該当するものとはいえず、雑所得に該当するというべきである。」

2　控訴審**東京高裁平成28年11月17日判決**もおおむね原審を維持し、上告審**最高裁平成29年４月18日第三小法廷決定**は、上告棄却、上告不受理の決定をした。

〔コメント〕

本件東京地裁判決は、本件金員のＸへの支払は、本件各発明に係る特許を受ける権利の国への譲渡と密接に関連する給付であると認定し、その点からすれば、本件金員は、「偶発的に」支払われたとはいえないと断じている。

同判決は、所得税法34条１項にいう「対価としての性質を有する」か否かを検討する上では、本件金員の給付を巡る諸事情を考慮しており、これはＹの主張に通じるものであるといえよう。

裁判例の紹介

馬券訴訟（大阪事件）

３年間に30億円超もの競馬による収入を得ていた者の所得は一時所得に該当するか否かが争点とされた事例

（**208**第一審大阪地裁平成25年５月23日判決・刑集69巻２号470頁）[123)]

123）判例評釈として、佐藤英明・ジュリ1459号８頁（2013）、髙橋祐介・法教398号38頁（2013）など参照。

（209 控訴審大阪高裁平成26年5月9日判決・刑集69巻2号491頁）[124]
（210 上告審最高裁平成27年3月10日第三小法廷判決・刑集69巻2号434頁）[125]

〔事案の概要〕

Y（被告人）は、インターネットで勝馬投票券（以下「馬券」という。）を購入しA口座で決済するサービスと競馬予想ソフトや競馬情報配信サービスを利用して馬券購入を多数回反復することによって、当たり馬券の払戻しに係る多額の収入（平成19年分から平成21年分の払戻金合計額30億979万2,980円）を得ていた。

やや詳細にみると、Yは、自宅のパソコン等を用いてインターネットを介してチケットレスでの購入が可能で代金及び当たり馬券の払戻金の決済を銀行口座で行えるという日本中央競馬会が提供するサービスを利用し、馬券を自動的に購入できる市販のソフトを使用して馬券を購入していた。Yは、同ソフトを使用して馬券を購入するに際し、馬券の購入代金の合計額に対する払戻金の合計額の比率である回収率を高めるように、インターネット上の競馬情報配信サービス等から得られたデータを自らが分析した結果に基づき、同ソフトに条件を設定してこれに合致する馬券を抽出させ、自らが作成した計算式によって購入額を自動的に算出していた。この方法により、Yは、毎週土日に開催される中央競馬の全ての競馬場のほとんどのレースについて、数年以上にわたって大量かつ網羅的に、一日当たり数百万円から数千万円、一年当たり10億円前後の馬券を購入し続けていた。Yは、このような購入の態様をとることにより、当たり馬券の発生に関する偶発的要素を可能な限り減殺しようとするとともに、購入した個々の馬券を的中させて払戻金を得ようとするのではなく、長期的に見て、当たり馬券の払戻金の合計額と外れ馬券を含む全ての馬券の購入代金の合計額との差額を利益とすることを意図し、実際に本件の公訴事実とされた平成19年から平成21年までの3年間は、平成19年に約1億円、平成20年に約2,600万円、平成21年に約1,300万円の利益を上げていた。

本件は、Yが、馬券払戻しによる収入を所得とする確定所得申告書を提出しなかったとして、所得税法違反に問われた事案である。

124）判例評釈として、手塚貴大・ジュリ1474号8頁（2014）、図子善信・速報判例解説16号〔法セ増刊〕217頁（2015）など参照。

125）判例評釈として、佐藤英明・ジュリ1482号10頁（2015）、田中治・租税百選〔6〕88頁（2016）、山田二郎・アコード・タックス・レビュー8号13頁（2016）、髙橋祐介・法教421号42頁（2015）、楡井英夫・曹時68巻2号258頁（2015）、同・ジュリ1489号101頁（2016）、中村和洋・法セ61巻3号10頁（2016）、今井康介・法時87巻11号169頁（2015）、酒井克彦・税通70巻7号97頁（2015）など参照。なお、同事件を取り上げたものとして酒井克彦・中央ロージャーナル12巻3号99頁（2015）も参照。

検察官は、〈1〉馬券購入による払戻金は一時所得（所法34①）に該当し、〈2〉当たり馬券の購入費用だけが、所得計算上控除される（同条２項の「その収入を得るために支出した金額（その収入を生じた行為をするため又はその収入を生じた原因の発生に伴い直接要した金額）」に当たる。）という解釈に基づいて、Ｙの平成19年分から平成21年分の総所得金額及び所得税額を計算し、Ｙはこれらを申告しなかったとして公訴を提起した。

〔争点〕

① 当たり馬券の払戻金は所得税法上の一時所得に当たるか雑所得に当たるか。
② 外れ馬券の購入代金は所得税法上の必要経費に当たるか否か。

〔判決の概要〕

1　第一審**大阪地裁平成25年５月23日判決**及び控訴審**大阪高裁平成26年５月９日判決**は、一般的には馬券購入による払戻金は一時所得に該当すると認めた上で、〈１〉Ｙの本件馬券購入行為から生じた所得は雑所得（所法35①）に該当し、〈２〉外れ馬券を含めた全馬券の購入費用と競馬予想ソフトや競馬データ等利用料も所得計算上控除される（所法35②二）、として、所得税法37条１項の「必要経費（当該総収入金額を得るため直接に生じた費用及びこれらの所得を生ずべき業務について生じた費用）」に当たると解釈し、上記総所得金額及び所得税額を計算し、公訴事実から縮小した額を認定した。

2　**最高裁平成27年３月10日第三小法廷判決**

「所得税法34条１項は、一時所得について、『一時所得とは、利子所得、配当所得、不動産所得、事業所得、給与所得、退職所得、山林所得及び譲渡所得以外の所得のうち、営利を目的とする継続的行為から生じた所得以外の一時の所得で労務その他の役務又は資産の譲渡の対価としての性質を有しないものをいう。』と規定している。そして、同法35条１項は、雑所得について、『雑所得とは、利子所得、配当所得、不動産所得、事業所得、給与所得、退職所得、山林所得、譲渡所得及び一時所得のいずれにも該当しない所得をいう。』と規定している。

したがって、所得税法上、営利を目的とする継続的行為から生じた所得は、一時所得ではなく雑所得に区分されるところ、営利を目的とする継続的行為から生じた所得であるか否かは、文理に照らし、行為の期間、回数、頻度その他の態様、利益発生の規模、期間その他の状況等の事情を総合考慮して判断するのが相当である。

これに対し、検察官は、営利を目的とする継続的行為から生じた所得であるか否かは、所得や行為の本来の性質を本質的な考慮要素として判断すべきであり、当たり馬券の払戻金が本来は一時的、偶発的な所得であるという性質を有することや、馬券の購入行為が本来は社会通念上一定の所得をもたらすものとはいえない賭博の性質を有することからすると、購入の態様に関する事情にかかわらず、当たり馬券の払戻金は一時所得である、また、購入の態様に関する事情を考慮して判断しなければならないとすると課税事務に困難が生じる旨主張する。しかしながら、所得税法の沿革を見ても、およそ営利を目的とする継続的行為から生じた所得に関し、所得や行為の本来の性質を本質的な考慮要素として判断すべきであるという解釈がされていたとは認められない上、いずれの所得区分に該当するかを判断するに当たっては、所得の種類に応じた課税を定めている所得税法の趣旨、目的に照らし、所得及びそれを生じた行為の具体的な態様も考察すべきであるから、当たり馬券の払戻金の本来的な性質が一時的、偶発的な所得であるとの一事から営利を目的とする継続的行為から生じた所得には当たらないと解釈すべきではない。また、画一的な課税事務の便宜等をもって一時所得に当たるか雑所得に当たるかを決するのは相当でない。よって、検察官の主張は採用できない。

以上によれば、Yが馬券を自動的に購入するソフトを使用して独自の条件設定と計算式に基づいてインターネットを介して長期間にわたり多数回かつ頻繁に個々の馬券の的中に着目しない網羅的な購入をして当たり馬券の払戻金を得ることにより多額の利益を恒常的に上げ、一連の馬券の購入が一体の経済活動の実態を有するといえるなどの本件事実関係の下では、払戻金は営利を目的とする継続的行為から生じた所得として所得税法上の一時所得ではなく雑所得に当たるとした原判断は正当である。」

「雑所得については、所得税法37条1項の必要経費に当たる費用は同法35条2項2号により収入金額から控除される。本件においては、外れ馬券を含む一連の馬券の購入が一体の経済活動の実態を有するのであるから、当たり馬券の購入代金の費用だけでなく、外れ馬券を含む全ての馬券の購入代金の費用が当たり馬券の払戻金という収入に対応するということができ、本件外れ馬券の購入代金は同法37条1項の必要経費に当たると解するのが相当である。」

〔コメント〕

本件は、当たり馬券から得られる所得を雑所得と判断した点に意義がある。これまでの課税実務においては、馬券から得られる所得については、一時所得に該当するとし、所得税基本通達34－1《一時所得の例示》もそのことを明示していたのであるが、本件は第一審から上告審まで一貫して、そのような取扱いが妥当するとはいえないとしたのである。

本件において最高裁は、一時所得の要件を前述したとおり、次のように考えていると思われる。

① 利子所得から譲渡所得までの8種類の所得に該当しないこと
② 営利を目的とする継続的行為から生じた所得以外の所得であること
③ 一時の所得であること

④　労務その他の役務又は資産の譲渡としての性質を有しないものであること

なぜなら、最高裁は、「所得税法上、営利を目的とする継続的行為から生じた所得は、一時所得ではなく雑所得に区分される」としているからである。すなわち、最高裁は、②によって、一時所得か雑所得が分かれると論じているのである。

また、その「営利を目的とする継続的行為から生じた所得であるか否か」は、「文理に照らし、行為の期間、回数、頻度その他の態様、利益発生の規模、期間その他の状況等の事情を総合考慮して判断するのが相当である。」とも説示している。具体的には、「行為の期間、回数、頻度その他の態様、利益発生の規模、期間その他の状況等の事情を総合考慮」するというのである。

その総合考慮の結果、最高裁は、本件においては、「営利を目的とする継続的行為から生じた所得」に該当すると判断している。

本件最高裁判決の射程範囲については、更に今後の議論として残されることになろう。

なお、一時所得は、一時的で、偶発的な所得であるところから、長期保有資産の譲渡所得と同様に、50万円を限度とする特別控除後の2分の1相当額を総合課税の対象としているが（所法34②③、22②二）、その趣旨は、一時的、偶発的ないし変動の大きい所得についての累進税負担の緩和を図るためにあり、所得税法では、①退職所得、譲渡（長期）所得、一時所得の各所得については、その所得の2分の1を課税所得とし、②山林所得及び変動所得や臨時所得については、それぞれ多少異なる方法の平均課税（いわゆる5分5乗方式）を採用しているのである（所法22②二、89①、90①）。

裁判例の紹介

馬券訴訟（札幌事件）

大量の馬券の購入によって得られたいわゆる馬券所得が雑所得に該当し、外れ馬券の購入費用を必要経費に算入することができるとされた事例

（211第一審東京地裁平成27年5月14日判決・民集71巻10号2279頁）[126)]

126）判例評釈として、山田二郎・アコード・タックス・レビュー8号13頁（2016）、漆さき・ジュリ1499号127頁（2016）、長島弘・税務事例47巻7号36頁（2015）、同・税務事

(212控訴審東京高裁平成28年４月21日判決・民集71巻10号2356頁) [127)]
(213上告審最高裁平成29年12月15日第二小法廷判決・民集71巻10号2235頁) [128)]

〔事案の概要〕

本件は、長期間にわたり馬券を購入し、当たり馬券の払戻金を得ていたX（原告・控訴人・被上告人）が、平成17年分から同22年分までの所得税の確定申告をし、その際、当たり馬券の払戻金に係る所得（以下「本件所得」という。）は雑所得に該当し、外れ馬券の購入代金が必要経費に当たるとして、総所得金額及び納付すべき税額を計算したところ、所轄税務署長から、本件所得は一時所得に該当し、外れ馬券の購入代金を一時所得に係る総収入金額から控除することはできないとして、上記各年分の所得税に係る各更正並びに同17年分から同21年分までの所得税に係る無申告加算税及び同22年分の所得税に係る過少申告加算税の各賦課決定を受けたことから、国Y（被告・被控訴人・上告人）を相手に、上記各更正のうち確定申告額を超える部分及び上記各賦課決定の取消しを求めた事案である。

〔争点〕

本件所得の所得区分は一時所得あるいは雑所得のいずれに該当するか。仮に、雑所得に該当するとした場合に外れ馬券の購入費用が必要経費に該当するか否か。

〔判決の要旨〕

1　東京地裁平成27年５月14日判決

「Xによる馬券の購入は、Xの陳述によっても、レースの結果を予想して、予想の確度に応じて馬券の購入金額を決め、どのように馬券を購入するのかを個別に判断していたというものであって、その馬券購入の態様は、一般的な競馬愛好家による馬券購入の態様と質的に大きな差があるものとは認められず、結局のところ、レース毎に個別の予想を行って馬券を購入していたというもので

例48巻８号20頁（2016）、酒井克彦・中央ロー・ジャーナル12巻３号99頁（2015）、同・税通70巻７号97頁（2015）、ファルクラム租税法研究会＝同・税弘63巻10号133頁、同12号109頁（2015）など参照。

127）判例評釈として、今本啓介・速報判例解説19号〔法セ増刊〕249頁（2016）、長島弘・税務事例48巻６号25頁（2016）など参照。

128）判例評釈として、三宅知三郎・平成29年度最高裁判所判例解説〔民事篇〕〔下〕764頁（2020）、木村弘之亮・ジュリ1537号127頁（2019）、渡辺充・ジュリ1519号10頁（2018）、木山泰嗣・判評723号137頁（2019）、田中啓之・民商154巻５号201頁（2018）、長島弘・税務事例50巻１号53頁（2018）など参照。

あって、自動的、機械的に馬券を購入していたとまではいえないし、馬券の購入履歴や収支に関する資料が何ら保存されていないため、Ｘが網羅的に馬券を購入していたのかどうかを含めてＸの馬券購入の態様は客観的には明らかでないことからすると…、Ｘによる一連の馬券の購入が一体の経済活動の実態を有するというべきほどのものとまでは認められない。

そうすると、本件競馬所得は、結局のところ、個別の馬券が的中したことによる偶発的な利益が集積したにすぎないものであって、営利を目的とする継続的行為から生じた所得に該当するということはできない。」

2　東京高裁平成28年４月21日判決

「Ｘは、平成17年から平成22年までの６年間にわたり、多数の中央競馬のレースにおいて、各レースごとに単一又は複数の種類の馬券を購入し続けていたにもかかわらず、上記各年における回収率がいずれも100％を超え、多額の利益を恒常的に得ていたことが認められるのであり、この事実は、Ｘにおいて、期待回収率が100％を超える馬券を有効に選別し得る何らかのノウハウを有していたことを推認させるものである。そして、このような観点からすれば、Ｘが具体的な馬券の購入を裏付ける資料を保存していないため、具体的な購入馬券を特定することはできないものの、馬券の購入方法に関する…Ｘの陳述をにわかに排斥することは困難であり、Ｘは、おおむね前記…のとおりの方法により、その有するノウハウを駆使し、十分に多数のレースにおいて期待回収率が100％を超える馬券の選別に成功したことにより、上記のとおり多額の利益を恒常的に得ることができたものと認められる。

以上を要するに、Ｘは、期待回収率が100％を超える馬券を有効に選別し得る独自のノウハウに基づいて長期間にわたり多数回かつ頻繁に当該選別に係る馬券の網羅的な購入をして100％を超える回収率を実現することにより多額の利益を恒常的に上げていたものであり、このような一連の馬券の購入は一体の経済活動の実態を有するということができる。なお、別件最高裁判決に係る別件当事者による馬券の購入状況等は、原判決…記載のとおり…と認められるが、これによれば、別件当事者〔筆者注：大阪事件の納税者〕が馬券を自動的に購入するソフトを使用する際に用いた独自の条件設定と計算式も、期待回収率が100％を超える馬券を有効に選別し得る独自のノウハウといい得るものであり、Ｘと別件当事者の馬券の購入方法に本質的な違いはないものと認められる。

したがって、本件競馬所得は、『営利を目的とする継続的行為から生じた所得』として、一時所得ではなく雑所得に該当するというべきである。」

3　最高裁平成29年12月15日第二小法廷判決

「所得税法上、利子所得、配当所得、不動産所得、事業所得、給与所得、退職所得、山林所得及び譲渡所得以外の所得で、営利を目的とする継続的行為から生じた所得は、一時所得ではなく雑所得に区分されるところ（34条１項、35条１項）、営利を目的とする継続的行為から生じた所得であるか否かは、文理に照らし、行為の期間、回数、頻度その他の態様、利益発生の規模、期間その他の状況等の事情を総合考慮して判断するのが相当である（最高裁平成26年（あ）第948号同27年３月10日第三小法廷判決・刑集69巻２号434頁参照）。

これを本件についてみると、Ｘは、予想の確度の高低と予想が的中した際の配当率の大小の組合せにより定めた購入パターンに従って馬券を購入することとし、偶然性の影響を減殺するために、年間を通じてほぼ全てのレースで馬券を購入することを目標として、年間を通じての収支で利益が得られるように工夫しながら、６年間にわたり、一節当たり数百万円から数千万円、一年当たり合計３億円から21億円程度となる多数の馬券を購入し続けたというのである。このようなＸの馬券購入の期間、回数、頻度その他の態様に照らせば、Ｘの上記の一連の行為は、継続的行為といえるものである。

そして、Ｘは、上記６年間のいずれの年についても年間を通じての収支で利益を得ていた上、その金額も、少ない年で約1,800万円、多い年では約２億円に及んでいたというのであるから、上記のような馬券購入の態様に加え、このような利益発生の規模、期間その他の状況等に鑑みると、Ｘは回収率が総体として100％を超えるように馬券を選別して購入し続けてきたといえるのであって、そのようなＸの上記の一連の行為は、客観的にみて営利を目的とするものであったということができる。

以上によれば、本件所得は、営利を目的とする継続的行為から生じた所得として、所得税法35条１項にいう雑所得に当たると解するのが相当である。」

「所得税法は、雑所得に係る総収入金額から控除される必要経費について、雑所得の総収入金額に係る売上原価その他当該総収入金額を得るため直接に要した費用の額等とする旨を定めているところ（35条２項２号、37条１項）、本件においては、上記…のとおり、Ｘは、偶然性の影響を減殺するために長期間にわたって多数の馬券を頻繁に購入することにより、年間を通じての収支で利益が得られるように継続的に馬券を購入しており、そのような一連の馬券の購入により利益を得るためには、外れ馬券の購入は不可避であったといわざるを得ない。したがって、本件における外れ馬券の購入代金は、雑所得である当たり馬券の払戻金を得るため直接に要した費用として、同法37条１項にいう必要経費に当たると解するのが相当である。」

〔コメント〕

外れ馬券の購入代金を必要経費として控除できると示した最高裁判決には本件のほか**210**最高裁平成27年３月10日第三小法廷判決（451頁。以下「大阪事件最高裁判決」という。）があるが、これらの最高裁判断はマスコミでも報道されるなど世間の注目を集めたところである。もっとも、かような最高裁判断は、従来一時所得として課税されてきた馬券の払戻金に係る所得区分の多くを雑所得へと方向転換するようなものではなく、本件のような特殊な購入態様に限って雑所得該当性を認める傾向にあり、実際、後の同種の裁判例の多くは、雑所得該当性（又は事業所得該当性）を否定しているところである。以下では二つの最高裁判決のロジックを確認し一時所得の判断基準について示すとともに、これらの判例性についても触れておくこととしよう。

1　一時所得の要件と営利目的性・継続的行為性

所得税法34条1項に従えば、一時所得とは、「①利子所得、配当所得、不動産所得、事業所得、給与所得、退職所得、山林所得及び譲渡所得以外の所得のうち、②営利を目的とする継続的行為から生じた所得以外の③一時の所得で④労務その他の役務又は資産の譲渡の対価としての性質を有しないもの」という4つの要件を満たした場合の所得区分であるといえよう。

さて、本件最高裁は、上記下線部のとおり、「一連の行為は、継続的行為といえる」とか「一連の行為は、客観的にみて営利を目的とするものであった」などとして、要件②を充足しないことから一時所得該当性を否定しているものと位置付けられる。この点、その前提として、本件最高裁は、「営利を目的とする継続的行為から生じた所得であるか否かは、文理に照らし、行為の期間、回数、頻度その他の態様、利益発生の規模、期間その他の状況等の事情を総合考慮して判断するのが相当である」と示しているが、かような判断は、大阪事件最高裁判決において示された判断枠組みである。すなわち、当該箇所は、「営利を目的とする継続的行為から生じた所得」という要件事実を間接事実によって基礎付けることを論じている部分であるが、大阪事件最高裁判決は、文理に照らして、「❶行為の期間、回数、頻度その他の態様、❷利益発生の規模、期間その他の状況」等の事情を掲げていることが分かる（以下、❶を「行為の態様」といい、❷を「利益発生の状況」という。）。更にいえば、条文上「Ⓐ営利を目的とするⒷ継続的行為から生じた…」とされているように、ここでは、Ⓐ営利目的性とⒷ継続的行為性の二つの要件が抽出されるともいい得るところ、大阪事件最高裁判決は、Ⓐ営利目的性を基礎付ける間接事実として❷利益発生の状況があり、Ⓑ継続的行為性を基礎付ける間接事実として❶行為の態様があると捉えているのであろうか。

【大阪事件最高裁判決の理解（仮）】

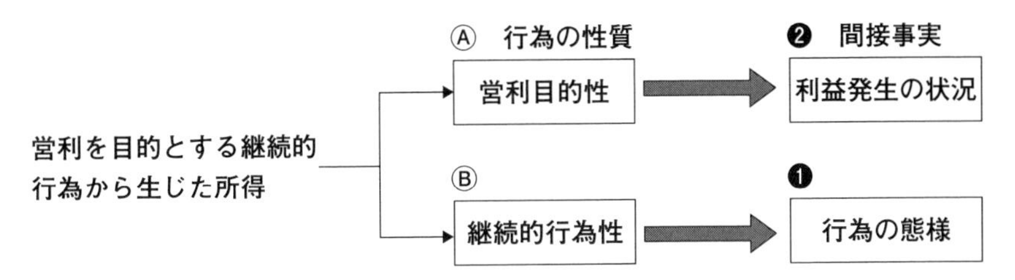

しかしながら、かような理解には疑問も浮かぶ。なぜなら、所得税法34条１項は「営利を目的とする」と規定しているのであって、「営利が生じる」といった規定振りでないことを踏まえれば、結果として利益が発生しているかどうかには関心を寄せていないと解されるのであるが、そうすると、Ⓐ営利目的性を、❷利益発生の状況という結果たる間接事実で基礎付ける捉え方は文理に反しているように思われる。大阪事件最高裁判決は「文理に照らし」とするが、かような理解が文理に照らしたものとは思えない。そもそも、仮に、上記のように、Ⓐ営利目的性とⒷ継続的行為性の二つの要件を抽出し、かかる間接事実を示すのであれば、❶行為の態様と、❷利益発生の状況は、順序を逆とした方が自然であり、上記図のように、Ⓐに❷を当てて、Ⓑに❶を当てるというのは不自然さが否めない。

そうであるとすると、「営利を目的とする継続的行為から生じた所得」の要件を、ことさら「Ⓐ営利目的性」と「Ⓑ継続的行為性」とに分解した上で、それぞれに、❷利益発生の状況と❶行為の態様という間接事実を提示したというわけではないと考えるのが素直な解釈ではなかろうか。つまり、大阪事件最高裁判決は、「営利を目的とする継続的行為から生じた所得」という要件につき、行為の態様や利益発生の状況等から「総合考慮して判断」するとしているにすぎないとみるべきであって、「利益発生の状況」は、「営利を目的とする継続的行為から生じた所得」全体の間接事実であるとみるべきではなかろうか[129)]。すなわち、「利益発生の状況」は継続的行為性を基礎付ける間接事実としても作用すると解されるのである。

以上を踏まえ、かつ、所得税法が「営利を目的とする継続的行為から生じた所得」を雑所得と規定しているのではなく、「営利を目的とする継続的行為から生じた所得以外」の「一時の所得」が一時所得に該当すると規定していることからすると、下記のような整理となろう。

---

129)　なお、かような指摘は、「営利を目的とする継続的行為から生じた所得」という要件について、営利目的性と継続的行為性の二つに分解して理解することを否定しているわけではない。あくまでも、大阪事件最高裁判決を読むに、営利目的性と継続的行為性のそれぞれに、別個の間接事実を示しているとは見受けられないと述べているにすぎない。

(a)　**営利目的の非継続的行為　から生じた所得 ＋ 非「一時の所得」→　雑所得**
(b)　**非営利目的の非継続的行為 から生じた所得 ＋ 非「一時の所得」→　雑所得**
(c)　**非営利目的の継続的行為　から生じた所得 ＋ 非「一時の所得」→　雑所得**
(d)　**営利目的の継続的行為　から生じた所得 ＋　→　雑所得【最高裁】**

2　網羅的購入

ところで、本件東京地裁判決は、「Xによる馬券の購入は、…どのように馬券を購入するのかを個別に判断していたというものであって、その馬券購入の態様は、一般的な競馬愛好家による馬券購入の態様と質的に大きな差があるものとは認められ」ないとし、「自動的、機械的に馬券を購入していたとまではいえないし、馬券の購入履歴や収支に関する資料が何ら保存されていないため、Xが網羅的に馬券を購入していたのかどうかを含めてXの馬券購入の態様は客観的には明らかでない」などと述べ、課税処分に違法はない、すなわち、一時所得該当性を肯定している。本件東京地裁判決は、大阪事件最高裁判決の後に出たものであるから、当然、大阪事件最高裁判決を意識して判示されているわけであるが、この点、本件東京地裁は、「自動的、機械的に馬券を購入していたとまではいえない」ことや、「Xが網羅的に馬券を購入していたのかどうか…明らかでない」としていることからも明らかなとおり、本件は、大阪事件のような「網羅的購入」でないから雑所得には該当しないとするのが基本的なロジックと見受けられる。

これは、一見すると、大阪事件最高裁判決が「個々の馬券の的中に着目しない網羅的な購入をして当たり馬券の払戻金を得ることにより多額の利益を恒常的に上げ、一連の馬券の購入が一体の経済活動の実態を有するといえるなどの本件事実関係の下では」、かかる払戻金は雑所得に当たると判断したところに従った判断のようにも思われる。しかし、このようなロジックは妥当であろうか。なるほど、大阪事件最高裁判決によれば、「網羅的な購入」であれば一時所得非該当性が肯定され雑所得になるとの整理ができるであろうが、逆に、網羅的な購入でなければ雑所得とはならないということまでを読み込むことができるであろうか。この点、大阪事件最高裁判決が、網羅的な購入の場合においてのみ一時所得非該当性が認められるとの判断を示したものと理解する向きがあるが、かような理解は、判決を読み違えているといわざるを得ない。

本件の納税者Xが行っていた行為は、自己の知見やノウハウ及びデータ分析能力を駆使したコンピュータ処理に基づく購入行為である。単なる偶発性に寄りかかっていたものではなく、むしろ、投資とリターンを分析した上で、レースによっては、自身の独自の観察眼で購入しない場合もあり得る。全国全レースの馬券を購入していたかどうかという点は、一時所得非該当性の重要な間接事実にはなり得ないし、むしろ利益を得るために自己の計算に基づく購入行為を行っていたのであって、平たくいえば負ける勝負には参戦しないという意味で、大阪事件の納税者と比較して「より計算高い」ともいえよう。いうなれば、一時所得該当性を裏付ける偶発性の排除がなされているともいえはしないか。網羅的購入形態は、上記1でいうところの「Ⓐ営利目的性」や「Ⓑ継続的行為性」の間接事実にはなり得ないのであって、かかる購入形態を重視した本件東京地裁判決には疑問を抱く。これは、次に見る大阪事件最高裁判決の判例性の議論と通じるところである。

もっとも、網羅的購入形態というメルクマールは客観性の観点では優れていることから、行政執行上の防波堤的意味（少なくとも網羅的であれば一時所得非該当性を判断することができるという意味での防波堤）までは否定しないが、行政執行の困難性への配慮は課税要件の解釈に織り込むべきものではなく、かような配慮によった解釈論が展開されたとすればそれは誤りといわざるを得ないのである。

CHECK！　大阪事件最高裁判決の判例性

大阪事件最高裁判決の判示のうち、先例拘束力のある部分はどこであろうか。

この点については、そもそも理由付け命題に判例があるとする見解から、結論命題にこそ判例があるとする見解など種々のものがあり、一概に確定しづらい。

理由付け命題に判例があるとする見解には、理由付け命題のうち、結論を直接導き出す命題こそが判例となり得るとの見解が有力である。すると、大阪事件最高裁判決の判示のうち、「営利を目的とする継続的行為から生じた所得であるか否かは、文理に照らし、行為の期間、回数、頻度その他の態様、利益発生の規模、期間その他の状況等の事情を総合考慮して判断するのが相当である。」とする部分や、「いずれの所得区分に該当するかを判断するに当たっては、所得の種類に応じた課税を定めている所得税法の趣旨、目的に照らし、所得及びそれを生じた行為の具体的な態様も考察すべきであるから、当たり馬券の払戻金の本来的な性質が一時的、偶発的な所得であるとの一事から営利を目的とする継続的行為から生じた所得には当たらないと解釈すべきではない。」とする部分が判例であるとみることができる。

これに対して、結論命題こそが判例だとする見解からすれば、「馬券を自動的に購入するソフトを使用して独自の条件設定と計算式に基づいてインターネットを介して長期間にわたり多数回かつ頻繁に個々の馬券の的中に着目しない網羅的な購入をして当たり馬券の払戻金を得ることにより多額の利益を恒常的に上げ、一連の馬券の購入が一体の経済活動の実態を有するといえるなどの本件事実関係の下では、払戻金は営利を目的とする継続的行為から生じた所得として所得税法上の一時所得ではなく雑所得に当たる」とする部分が判例であるということができる。

この点、後者の見解に立つと、大阪事件最高裁判決の事例のような購入方式で馬券を購入している場合以外のケースにおいては同判決の射程は及ばないことになるが、同判決が出た後、国税庁は、平成27年5月29日付けで所得税基本通達34－1《一時所得の例示》を次のように改正して、㈲1を記載している。ここでは、同判決の判示が、ほぼそのまま通達化されていることに着目したい。

【平成27年５月29日付け課個２－８ほか改正後】
所得税基本通達34－１《一時所得の例示》

次に掲げるようなものに係る所得は、一時所得に該当する。

⑵　競馬の馬券の払戻金、競輪の車券の払戻金等（営利を目的とする継続的行為から生じたものを除く。）

㈲１　馬券を自動的に購入するソフトウエアを使用して独自の条件設定と計算式に基づいてインターネットを介して長期間にわたり多数回かつ頻繁に個々の馬券の的中に着目しない網羅的な購入をして当たり馬券の払戻金を得ることにより多額の利益を恒常的に上げ、一連の馬券の購入が一体の経済活動の実態を有することが客観的に明らかである場合の競馬の馬券の払戻金に係る所得は、営利を目的とする継続的行為から生じた所得として雑所得に該当する。

２　上記㈲１以外の場合の競馬の馬券の払戻金に係る所得は、一時所得に該当することに留意する。

つまり、国税庁は、上記でいうところの後者の見解（結論命題こそが判例と解する立場）にいるようであるが、これは大阪事件最高裁判決の射程を極めて狭く解するものであって妥当ではなかろう。本件東京地裁判決は、正にこのような制限的な理解に立って、納税者の主張を排斥しているものと思われるが、かかる判断は控訴審及び上告審で覆された。そこで、国税庁は、さらに上記㈲１を改正して、現在では以下のとおりとなっている。

㈲１　馬券を自動的に購入するソフトウエアを使用して定めた独自の条件設定と計算式に基づき、又は予想の確度の高低と予想が的中した際の配当率の大小の組合せにより定めた購入パターンに従って、偶然性の影響を減殺するために、年間を通じてほぼ全てのレースで馬券を購入するなど、年間を通じての収支で利益が得られるように工夫しながら多数の馬券を購入し続けることにより、年間を通じての収支で多額の利益を上げ、これらの事実により、回収率が馬券の当該購入行為の期間総体として100％を超えるように馬券を購入し続けてきたことが客観的に明らかな場合の競馬の馬券の払戻金に係る所得は、営利を目的とする継続的行為から生じた所得として雑所得に該当する。

今度は、札幌事件最高裁判決の説示をほぼそのまま通達に組み込んでいるわけであるが、果たしてかような通達改正が正しいのかは言を俟たないところであろう。判例の射程範囲が、予見可能性を担保するという意味における事案の類似性を前提とした上で論じられるべきであることはいうまでもないが、他方で、必要以上に個別具体的な範囲に狭小化することも妥当でない。昨今の2度の通達改正は、二つの最高裁判決の射程を個別具体的な範囲に制限するものといわざるを得ないのである。

現在の所得税基本通達34－1は以下のとおりとなっている。

【平成30年6月29日付け課個2－17ほか改正後】
所得税基本通達34－1《一時所得の例示》

次に掲げるようなものに係る所得は、一時所得に該当する。

(1)　懸賞の賞金品、福引の当選金品等（業務に関して受けるものを除く。）
(2)　競馬の馬券の払戻金、競輪の車券の払戻金等（営利を目的とする継続的行為から生じたものを除く。）

(注)1　馬券を自動的に購入するソフトウエアを使用して定めた独自の条件設定と計算式に基づき、又は予想の確度の高低と予想が的中した際の配当率の大小の組合せにより定めた購入パターンに従って、偶然性の影響を減殺するために、年間を通じてほぼ全てのレースで馬券を購入するなど、年間を通じての収支で利益が得られるように工夫しながら多数の馬券を購入し続けることにより、年間を通じての収支で多額の利益を上げ、これらの事実により、回収率が馬券の当該購入行為の期間総体として100％を超えるように馬券を購入し続けてきたことが客観的に明らかな場合の競馬の馬券の払戻金に係る所得は、営利を目的とする継続的行為から生じた所得として雑所得に該当する。

2　上記(注)1以外の場合の競馬の馬券の払戻金に係る所得は、一時所得に該当することに留意する。

3　競輪の車券の払戻金等に係る所得についても、競馬の馬券の払戻金に準じて取り扱うことに留意する。

((3)以下は省略)

2　一時所得の金額の計算

一時所得の金額は、その年中の総収入金額からその収入を得るために支出した金額の合計額を控除し、その残額から「一時所得の特別控除額」（最高50万円）を差し引いて計算するが（所法34②③）、総収入金額から控除する「支出した金額」は、その収入を生じた行為をするため、又はその収入を生じた原因の発生に伴い直接要した金額に限るものとされている（所法34②）。ここでいう

「その収入を生じた行為をするため、又はその収入を生じた原因の発生に伴い直接要した金額」とは、例えば、次のようなものがこれに当たる（所基通34－3、34－4参照）。

① 借家の立退きに際して要した費用（立退料収入から控除）

② 懸賞クイズ等の当選金の一部を他に寄附することとされている場合の寄附金など（当選金収入から控除）

③ 車券、馬券の購入費用（競輪、競馬の払戻金から控除）は、原則として収入を獲得したレースごとに「支出した金額」を計算することになる。もっとも、事案の内容によって例外もあり得る。

④ 過去において支払った生命保険料等の総額（生命保険等の満期返戻金等から控除）

〔生命保険契約等に基づく一時金の所得計算（所令183②④、184②③）〕

一時金又は解約返戻金等 ＋ 支払開始日以後に支払われる剰余金等 － （保険料等の金額 － 支払開始日前に支払われる剰余金等）

なお、前述のとおり、一時所得の金額は、長期譲渡所得の金額とともに、各種所得の金額を総合して総所得金額を計算する際、その金額の２分の１を課税対象とすることとしている（所法22②二）。あくまでも「一時所得の金額」とは、総収入金額から「収入を得るために支出した金額」及び「特別控除額」を差し引いた金額をいうのであって、課税対象金額の２分の１の金額ではない。

裁判例の紹介

法人の損金に算入された法人負担の保険料（逆ハーフタックスプラン）

法人の支払った保険料が、個人が受け取った保険金に係る一時所得の金額の計算上控除できるか否かが争われた事例

（214第一審福岡地裁平成22年３月15日判決・税資260号順号11396）
（215控訴審福岡高裁平成22年12月21日判決・税資260号順号11578）
（216上告審最高裁平成24年１月16日第一小法廷判決・集民239号555頁）[130]
（217差戻控訴審福岡高裁平成25年５月30日判決・税資263号順号12224）[131]

〔事案の概要〕

本件は、Ｘ（原告・被控訴人・上告人）の経営する医療法人（以下「本件法人」という。）が契約者となり保険料を支払った養老保険契約（被保険者が保険期間内に死亡した場合には死亡保険金が支払われ、保険期間満了まで生存していた場合には満期保険金が支払われる生命保険契約をいう。以下同じ。）に基づいて満期保険金の支払を受けたＸが、その満期保険金の金額を一時所得に係る総収入金額に算入した上で、本件法人の支払った上記保険料の全額が一時所得の金額の計算上控除し得る「その収入を得るために支出した金額」（所得税法34条２項）に当たるとして、所得税（平成17年分）の確定申告をしたところ、上記保険料のうちその２分の１に相当するＸに対する役員報酬として損金経理がされた部分以外は上記「その収入を得るために支出した金額」に当たらないとして、更正処分及び過少申告加算税賦課決定処分を受けたため、Ｘが、上記各処分（更正処分については申告額を超える部分）の取消しを求めた事案である。

なお、最高裁が基礎とした本件の事実関係の概要は次のとおりである。

⑴　Ｘが理事長として経営する本件法人は、平成12年12月１日、生命保険会社との間で、被保険者をＸの子ら、満期日を平成17年11月30日、被保険者が満期前に死亡した場合の死亡保険金合計3,000万円の受取人を本件法人、被保険者が満期日まで生存した場合の満期保険金合計3,000万円の受取人をＸとする３口の養老保険契約（以下「本件契約」という。）を締結した。

本件法人は、本件契約に基づき3,110万円余の保険料（以下「本件支払保険料」という。）を支払ったが、うち２分の１の部分については、本件法人においてＸに対する役員報酬として損金経理がされ、Ｘにその給与として課税された（以下、当該部分を「本件報酬経理部分」という。）。他方、その余の部分については、本件法人において保険料として損金経理がされた（以下、当該部分を「本件保険料経理部分」という。）。そして、本件契約の満期日において、被保険者が生存していたため、Ｘは、合計3,000万円の満期保険金（以下「本件保険金」という。）の支払を受けた。

⑵　Ｘは、平成17年分の所得税につき、本件保険金の金額を一時所得に係る総収入金額に算入した上で、本件支払保険料の全額が、所得税法34条２項にい

130）判例評釈として、高野幸大・判評651号146頁（2013）参照。

131）判例評釈として、木山泰嗣・税通69巻５号176頁（2014）、佐藤孝一・税務事例46巻１号32頁（2014）、石川緑・税務事例45巻10号34頁（2013）など参照。

う「その収入を得るために支出した金額」に当たり、一時所得の金額の計算上控除し得るとして確定申告書を所轄税務署長に提出したが、所轄税務署長は、本件支払保険料はその全額がこれに当たらず、一時所得の金額の計算上控除できないとして、更正処分及び過少申告加算税賦課決定処分をした。

Xは、上記各処分を不服として提訴した。

〔争点〕

個人の一時所得の金額の計算において、同人を役員とする会社が支払った保険料を控除することは許されるか否か。

〔判決の要旨〕

1　第一審**福岡地裁平成22年3月15日判決**ではXが勝訴したのに対し、控訴審**福岡高裁平成22年12月21日判決**ではYが勝訴した。

2　最高裁平成24年1月16日第一小法廷判決

「1　所得税法は、23条ないし35条において、所得をその源泉ないし性質によって10種類に分類し、それぞれについて所得金額の計算方法を定めているところ、これらの計算方法は、個人の収入のうちその者の担税力を増加させる利得に当たる部分を所得とする趣旨に出たものと解される。一時所得についてその所得金額の計算方法を定めた同法34条2項もまた、一時所得に係る収入を得た個人の担税力に応じた課税を図る趣旨のものであり、同項が『その収入を得るために支出した金額』を一時所得の金額の計算上控除するとしたのは、一時所得に係る収入のうちこのような支出額に相当する部分が上記個人の担税力を増加させるものではないことを考慮したものと解されるから、ここにいう『支出した金額』とは、一時所得に係る収入を得た個人が自ら負担して支出したものといえる金額に限られると解するのが上記の趣旨にかなうものである。また、同項の『その収入を得るために支出した金額』という文言も、収入を得る主体と支出をする主体が同一であることを前提としたものということができる。

したがって、一時所得に係る支出が所得税法34条2項にいう『その収入を得るために支出した金額』に該当するためには、それが当該収入を得た個人において自ら負担して支出したものといえる場合でなければならないと解するのが相当である。

なお、所得税法施行令183条2項2号についても、以上の理解と整合的に解釈されるべきものであり、同号が一時所得の金額の計算において支出した金額に算入すると定める『保険料…の総額』とは、保険金の支払を受けた者が自ら負担して支出したものといえる金額を指すと解すべきであって、同号が、このようにいえない保険料まで上記金額に算入し得る旨を定めたものということはできない。所得税法基本通達34－4も、以上の解釈を妨げるものではない。

2　これを本件についてみるに、本件支払保険料は、本件契約の契約者である本件法人から生命保険会社に対して支払われたものであるが、そのうち2分の1に相当する本件報酬経理部分については、本件法人においてXに対する役員報酬として損金経理がされ、Xに給与課税がされる一方で、その余の本件保険料経理部分については、本件法人において保険料として損金経理がされている。これらの経理処理は、本件契約において、本件支払保険料のうち2分の1の部分がXが支払を受けるべき満期保険金の原資となり、その余の部分が本件法人が支払を受けるべき死亡保険金の原資となるとの前提でされたものと解され、Xの経営する本件法人においてこのような経理処理が現にされていた以上、本件契約においてこれと異なる原資の割合が前提とされていたと解するのは相当でない。そうすると、本件報酬経理部分については、Xが自ら支払を受けるべき満期保険金の原資としてその役員報酬から当該部分に相当する保険料を支払った場合と異なるところがなく、Xにおいて当該部分に相当する保険料を自ら負担して支出したものといえるのに対し、本件保険料経理部分については、このように解すべき事情があるとはいえず、当該部分についてまでXが保険料を自ら負担して支出したものとはいえない。当該部分は上記のとおり本件法人において損金経理がされていたものであり、これを一時所得の金額の計算上も控除し得るとすることは、二重に控除を認める結果を招くものであって、実質的に見ても不相当といわざるを得ない。

したがって、本件支払保険料のうち本件保険料経理部分は、所得税法34条2項にいう『その収入を得るために支出した金額』に当たるとはいえず、これを本件保険金に係る一時所得の金額の計算において控除することはできないものというべきである。これと同旨の原審の判断は、正当として是認することができる。論旨は採用することができない。」

3　差戻控訴審福岡高裁平成25年5月30日判決

差戻控訴審は、国税通則法65条4項が定める「正当な理由があると認められる」場合に該当するかを争点とした上で、「真に納税者の責めに帰することのできない客観的な事情があり、過少申告加算税の趣旨に照らしてもなお納税者に過少申告加算税を賦課することが不当又は酷になるものとまでは認めることができず、『正当な理由があると認められる』場合に該当するとはいえない。」とした。

〔コメント〕

1　判決の出発点―解釈論の起し

上記のように本件最高裁は、所得税法が個人の「担税力」に応じた課税を行うものであるという点から、支出した金額とは、その当該納税者が支出した金額をいうと解するのが相当である旨の判断を示したのである。

もっとも、本件最高裁も文理を無視したわけではない。同最高裁は、「同項の『その収入を得るために支出した金額』という文言も、収入を得る主体と支出をする主体が同一であることを前提としたものというべきである。」と論じているのである。このような説示はあるものの、やはり文理解釈を強調した本件地裁判決と比べると趣旨に重きを強く置いた判断を示したといってよいであろう。すなわち、目的論的解釈を展開したとみるべきであろう。

2　法の趣旨と目的論的解釈

本件最高裁判決を少し丁寧にみると、所得税法34条《一時所得》2項にいう「『支出した金額』とは、一時所得に係る収入を得た個人が自ら負担して支出したものといえる金額をいうと解するのが上記の趣旨にかなう」として、「趣旨にかなう」と述べていることからすれば、これが趣旨に重きを置いた解釈すなわち目的論的解釈であることが分かる。

本件最高裁は、目的論的解釈によって、所得税法34条2項にいう「支出した金額」を「一時所得に係る収入を得た個人が自ら負担して支出したものといえる金額」と解釈し直したのである。つまり、単に「支出した金額」と規定されているけれども、その文理にのみ縛られるのではなく所得税法の趣旨に併せて、「支出した金額」の範囲を狭く解釈して、一時所得を得た「個人が自ら負担して支出した」金額と解しているのである。これが縮小解釈である（酒井・レクチャー64頁）。

支出した金額　⇒　一時所得に係る収入を得た個人が自ら負担して支出したものといえる金額

ここで分かることは、文理解釈が重視されるべきとしても、その文理解釈によって得られる結論が、法の趣旨を没却してしまうようなものである場合には、法の趣旨に沿った解釈がなされるべきということである。ここで重要なのは、趣旨に沿った目的論的解釈を展開するとしても、それはあくまでも、法の「趣旨」から逸脱することができないということである。

目的論的解釈とは、前述したとおり法の趣旨や目的に応じた解釈を行うものであるから、趣旨を超えた縮小解釈や拡張解釈は許されない。

なお、下級審は「厳格な文理解釈」に立ち、最高裁は「緩やかな文理解釈」に立ったとの見方もある（占部裕典・ジュリ1453号207頁（2013））。もっとも、政令や通達の文言による法律の解釈論を展開することには限界があり（形式的効力の原則）、下級審がこのような視角から行った解釈を文理解釈として承認できるか否かという点についても議論の余地はありそうである。

このような争訟の発生を受けて、平成23年度税制改正において、生命保険契約等に基づく一時金に係る一時所得の金額の計算上、事業主が負担した保険料等は給与所得に係る収入金額に算入された金額に限って控除することができると明定された（所令183④三、184③一）。

なお、上記判決後にも、類似の事例が発生しているが、そこでも本件最高裁判決の考え方が承継されている（例えば、逓増定期保険契約の例として、静岡地裁平成29年３月９日判決（税資267号順号12991）、東京高裁平成29年７月20日判決（税資267号順号13035）など参照）。

XI　雑所得

1　雑所得の意義

雑所得は、利子所得から一時所得までの９種類のいずれの所得にも該当しない所得をいう（所法35①）。所得税法には、二つのバスケットカテゴリーがある。一つは一時所得であり、もう一つが雑所得である。雑所得が最後のバスケットカテゴリーといってもよい。

雑所得には、上記のバスケットカテゴリーとしてのものと、それとは別に公的年金等がある。いわば、前者の消極的性質を有するものと、後者の積極的性質を有するものが雑所得であり、二つの所得区分が内包されているといってもよい。

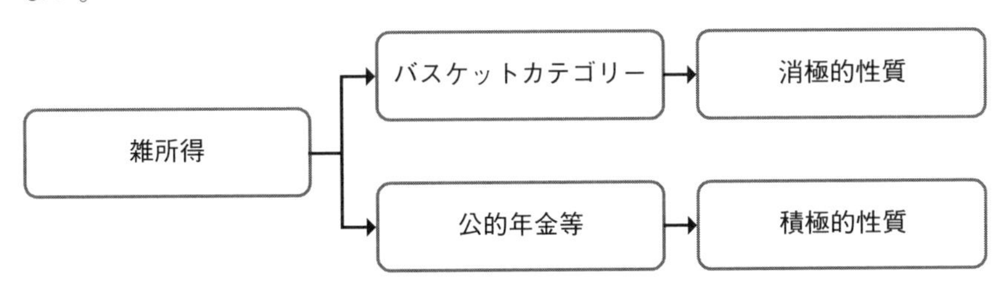

2　バスケットカテゴリーとしての雑所得（公的年金等以外の雑所得）

バスケットカテゴリーとしての雑所得に該当するか否かは、その消極的性質ゆえに、他の所得区分に該当しないという点によってのみ判断されることになる（所基通35－１、35－２参照）。

(1)　所得税基本通達の例によるもの

所得税基本通達は、雑所得の例示として、次のようなものを掲げている（所基通35－１）。

①　法人の役員等の勤務先預け金の利子で利子所得とされないもの

②　いわゆる学校債、組合債等の利子

③　定期積金に係る契約又は銀行法２条《定義等》４項の契約に基づくいわゆる給付補填金

④　国税通則法58条《還付加算金》１項又は地方税法17条の４《還付加算金》第１項に規定する還付加算金

⑤　土地収用法90条の３《加算金の裁決》第１項３号に規定する加算金及び同法90条の４《過怠金の裁決》に規定する過怠金

⑥　人格のない社団等の構成員がその構成員たる資格において当該人格のない社団等から受ける収益の分配金（いわゆる清算分配金及び脱退により受ける持分の払戻金を除く。）

⑦　法人の株主等がその株主等である地位に基づき当該法人から受ける経済的な利益で、所得税基本通達24－２《配当等に含まれないもの》により配当所得とされないもの

✍　所得税基本通達24－２は、次のように通達している。

　法人が株主等に対してその株主等である地位に基づいて供与した経済的な利益であっても、法人の利益の有無にかかわらず供与することとしている次に掲げるようなもの（これらのものに代えて他の物品又は金銭の交付を受けることができることとなっている場合における当該物品又は金銭を含む。）は、法人が剰余金又は利益の処分として取り扱わない限り、配当等には含まれないものとする。

(1)　旅客運送業を営む法人が自己の交通機関を利用させるために交付する株主優待乗車券等

(2)　映画、演劇等の興行業を営む法人が自己の興行場等において上映する映

画の鑑賞等をさせるために交付する株主優待入場券等

(3)　ホテル、旅館業等を営む法人が自己の施設を利用させるために交付する株主優待施設利用券等

(4)　法人が自己の製品等の値引販売を行うことにより供与する利益

(5)　法人が創業記念、増資記念等に際して交付する記念品

⑧　所得税法施行令183条《生命保険契約等に基づく年金に係る雑所得の金額の計算上控除する保険料等》1項、同184条《損害保険契約等に基づく年金に係る雑所得の金額の計算上控除する保険料等》1項、同185条《相続等に係る生命保険契約等に基づく年金に係る雑所得の金額の計算》及び同186条《相続等に係る損害保険契約等に基づく年金に係る雑所得の金額の計算》の規定の適用を受ける年金

⑨　役務の提供の対価が給与等とされる者が支払を受ける所得税法204条《源泉徴収義務》1項7号に掲げる契約金

⑩　就職に伴う転居のための旅行の費用として支払を受ける金銭等のうち、その旅行に通常必要であると認められる範囲を超えるもの

⑪　役員又は使用人が自己の職務に関連して使用者の取引先等からの贈与等により取得する金品

また、事業から生じたと認められない所得で雑所得に該当するものの例として、所得税基本通達は次のような例示を掲げている（所基通35－2）。

①　動産（所得税法26条《不動産所得》1項に規定する船舶及び航空機を除く。）の貸付けによる所得

②　工業所有権の使用料（専用実施権の設定等により一時に受ける対価を含む。）に係る所得

③　温泉を利用する権利の設定による所得

④　原稿、さし絵、作曲、レコードの吹込み若しくはデザインの報酬、放送謝金、著作権の使用料又は講演料等に係る所得

⑤　採石権、鉱業権の貸付けによる所得

⑥　金銭の貸付けによる所得

⑦　不動産の継続的売買による所得

⑧　保有期間が5年以内の山林の伐採又は譲渡による所得

(2)　その他―注意すべきもの

その他、次に掲げる所得も雑所得に該当するものとされている。

①　政治家の政治資金収入

②　タックスヘイブンにある特定外国子会社等の発行済株式の10%以上を有する居住者に対して、その特定外国子会社等が留保している所得のうちその株式に応ずる所得（措法40の4）

③　暗号資産

CHECK!　暗号資産に関する税務上の取扱い

暗号資産（仮想通貨）とは、インターネット上で流通するバーチャルな財産的価値であり、「資金決済に関する法律」において、次の性質を持つものと定義されている（資金決済2⑤）。

①　物品を購入し、若しくは借受け、又は役務の提供を受ける場合に、これらの代価の弁済のために不特定の者に対して使用することができ、かつ、不特定の者を相手方として購入及び売却を行うことができる財産的価値（電子機器その他の物に電子的方法により記録されているものに限り、本邦通貨及び外国通貨並びに通貨建資産を除く。以下同じ。）であって、電子情報処理組織を用いて移転することができるもの

②　不特定の者を相手方として①に掲げるものと相互に交換を行うことができる財産的価値であって、電子情報処理組織を用いて移転することができるもの

平成28年頃から急速に利用が広まった暗号資産であるが、税務上の取扱いには不明確な部分も多く、解釈に委ねられているところも少なくない。例えば、暗号資産の譲渡益に係る所得区分については、学説上譲渡所得に該当するとの見解もあるが、課税実務は原則として雑所得に該当するとしている。また、現在は累進税率による総合課税の対象であるが、他の金融所得課税と平仄を合わせ、申告分離課税をすべきといった声もある。

令和元年度税制改正では、暗号資産を棚卸資産の範囲から除外するとともに（所法2①十六括弧書き）、取得価額の計算方法の明確化が図られている（総平均法又は移動平均法。所法48の2①②、所令119の2～7）。

また、国税庁は、令和2年12月付けで「暗号資産に関する税務上の取扱いについて（FAQ）」を公表している。以下にその一部を記載する。

《所得税・法人税共通関係》

1　暗号資産を売却した場合

> **問**　次の暗号資産取引を行った場合の所得の計算方法を教えてください。
> （例）・4月2日　4,000,000円で4BTCを購入した。
> 　　・4月20日　0.2BTCを210,000円で売却した。
> 　（注）上記取引において暗号資産の売買手数料については勘案していない。

答　上記（例）の場合の所得金額は、次の計算式のとおりです。

【計算式】

210,000円［譲渡価額］－（（4,000,000円÷4BTC）［1BTC当たりの価額（注1）］×0.2BTC［売却した数量］）［譲渡原価］＝10,000円（注2）［所得金額］

（注）1　総平均法又は移動平均法のうちいずれか選択した方法（選択しない場合、個人においては総平均法、法人においては移動平均法）により計算した金額となります。

2　その他の必要経費がある場合には、その必要経費の額を差し引いた金額となります。

保有する暗号資産を売却（日本円に換金）した場合の所得金額は、その暗号資産の譲渡価額とその暗号資産の譲渡原価等との差額となります。

《所得税関係》

7　暗号資産取引による所得の総収入金額の収入すべき時期

> **問**　暗号資産取引を行ったことにより生じた利益について、いつの年分の収入とすべきですか。

答　原則として売却等をした暗号資産の引渡しがあった日の属する年分となります。

ただし、選択により、その暗号資産の売却等に関する契約をした日の属する年分とすることもできます。

暗号資産取引により生じた損益については、原則として雑所得に区分されますが（「8　暗号資産取引の所得区分」参照）、雑所得に区分される所得の総収入金額の収入すべき時期は、その収入の態様に応じて、他の所得の総収入金額の収入すべき時期の取扱いに準じて判定した日の属する年分とされています。

したがって、暗号資産取引により生じた所得の総収入金額の収入すべき時期は、その収入の態様を踏まえ、資産の譲渡による所得の収入すべき時期に準じて判定します。

8　暗号資産取引の所得区分

問　暗号資産取引により生じた利益は、所得税法上の何所得に区分されますか。

答　暗号資産取引により生じた利益は、所得税の課税対象になり、原則として雑所得に区分されます。

暗号資産取引により生じた損益（邦貨又は外貨との相対的な関係により認識される損益）は、

・　その暗号資産取引自体が事業と認められる場合（注1）

・　その暗号資産取引が事業所得等の基因となる行為に付随したものである場合（注2）

を除き、雑所得に区分されます。

(注) 1　「暗号資産取引自体が事業と認められる場合」とは、例えば、暗号資産取引の収入によって生計を立てていることが客観的に明らかである場合などが該当し、この場合は事業所得に区分されます。

2　「暗号資産取引が事業所得等の基因となる行為に付随したものである場合」とは、例えば、事業所得者が、事業用資産として暗号資産を保有し、棚卸資産等の購入の際の決済手段として暗号資産を使用した場合が該当します。

9　暗号資産の必要経費

問　暗号資産の売却による所得を申告する場合、どのような支出が必要経費となりますか。

答　暗号資産の売却による所得の計算上、必要経費となるものには、例えば次の費用があります。

・　その暗号資産の譲渡原価

・　売却の際に支払った手数料

このほか、インターネットやスマートフォン等の回線利用料、パソコン等の購入費用などについても、暗号資産の売却のために必要な支出であると認められる部分の金額に限り、必要経費に算入することができます。

暗号資産の売却による所得は、原則として雑所得に区分されますので、その所得金額は、総収入金額から必要経費を控除することにより算出します（「8　暗号資産取引の所得区分」参照）。

この必要経費に算入できる金額は、①暗号資産の譲渡原価その他暗号資産の売却等に際し直接要した費用の額及び②その年における販売費、一般管理費その他その所得を生ずべき業務について生じた費用の額です。

裁判例の紹介

日通課長事件―雑所得か一時所得か―

取引先の会社から受けた歳暮などの雑所得該当性が肯定された事例

（218第一審東京地裁昭和45年4月7日判決・判時600号116頁）[132)]

（219控訴審東京高裁昭和46年12月17日判決・判タ276号365頁）[133)]

〔事案の概要〕

N社の管財課課長であり、なおN社の関連会社であるN開発株式会社及びN不動産株式会社の各取締役をも兼ねていたY（被告人）が、給与所得及び配当所得のほか、N社の取引先等から供与を受けた金品等による雑所得があったにもかかわらず、不法に自己の所得税を免れる目的で、家屋増改築につき、契約代金を実際額より少なく仮装する等の不正な方法により、所得を秘匿して逋脱したという事実が認定され、原審はYを懲役6月執行猶予2年及び罰金1,000万円に処した。これを不服として、Yより控訴の申立てがあったのが、本件である。

〔争点〕

関連会社等により中元、歳暮としてYが贈与を受けたものや、業者らにより昇進祝、住宅改築祝、訪米の餞別等としてYが贈与を受けたものは一時所得か雑所得か。

〔判決の要旨〕

1　第一審**東京地裁昭和45年4月7日判決**は、Yが受けた経済的利益の供与は

132）判例評釈として、竹下重人・シュト109号7頁（1971）参照。

133）判例評釈として、島村芳見・税務事例9巻10号17頁（1977）参照。

雑所得に該当する旨判示した。

2　東京高裁昭和46年12月17日判決

「検討すべきは、一時所得と雑所得との区別いかんということである。…所得税法第34条第１項に規定する一時所得とは、イ、利子所得、配当所得、不動産所得、事業所得、給与所得、退職所得、山林所得および譲渡所得以外の所得であること、ロ、営利を目的とする継続的行為から生じた所得以外の所得であること、ハ、労務その他の役務または資産の譲渡の対価としての性質を有しないものであること並びにニ、その性質が一時のものであることの４つの要件をすべて満たした所得であり、…所得税法第35条第１項に規定する雑所得とは右の利子所得、配当所得、不動産所得、事業所得、給与所得、退職所得、山林所得、譲渡所得および一時所得のいずれにも該当しない所得である。そして、法がこのような区別を設け、その税額の計算に差異を認めるのは、所得税法が応能負担の原則を建前とするというその性格に由来するものと考えられる。

問題は、右ロの『継続的行為』とハの『役務の対価』の意味いかんである。そこで、検討するに、右の継続的行為とは、量的な概念ではなくて、質的な概念であり、それは必らずしも規則的・不可不的に発生するものであることを要せず、不規則的・不許不的に発生するものであることをもって足りるものと解すべく、また役務の対価とは、狭く給付が具体的・特定的な役務行為に対応・等価の関係にある場合に限られるものではなくて、広く給付が抽象的、一般的な役務行為に密接・関連してなされる場合をも含むものと解するのが相当である。」

「右の諸供与は、それがリベートであると、将たまた中元および歳暮並びに昇進祝、新築祝、餞別および香奠であるとを問わず、すべて、これを所得税法にいう雑所得に当るものと解するのが相当である。蓋し、これらの諸供与は、なる程、唯だ個別的・表面的にのみこれをみれば、一過的または一回限りの様相を呈するのであるが、よく全体的・実質的にこれをみれば、その趣旨および内容よりして、Ｙの地位や職務を離れては全くあり得ないものであることが理解され、巷間個人間において社交儀礼的になされる細やかな中元、歳暮、祝儀および香奠の類いとは自ら異質のものであることが明らかであるばかりでなく、右のような諸供与は、これを各業者とＹとの年間における金品授受の関係として全体的に考察すれば、各目はそれが中元、歳暮、祝儀、餞別または香奠であっても、決して唯だ一過性または一回限りのものではなくて、炯眼な業者らが敏感にそれぞれの機会を捉えては、Ｙの愛顧や恩寵を得るために、営々と反覆継続してなした供与の一環ないしは一駒にほかならないものということができるからである。」

〔コメント〕

所得税法34条の定義規定から分かるように、一時所得は、他の８つの所得に該当しないもののうち、「営利を目的とする継続的行為から生じた所得以外の一時の所得」及び「労務その他の役務又は資産の譲渡の対価としての性質を有しないもの」に該当する所得である。このように、一時所得とは、「他の所得の非該当性」、「非継続性」、「非対価性」といった消極的要件により判断される所得類型であるといえる。

この点、阿南主税氏は、一時所得について、「消極的に消去方法を採らざるを得ない」とし、「これが利子所得ないし譲渡所得以外の偶発的所得と規定した法規範の意義であって雑所得を規定した次条における、いずれにも該当しない所得という網羅的立法趣旨とは異なる」と説明される（同『所得税法体系』649頁（ビジネス教育出版1969））。

一時所得と雑所得との分類上の基準の一つが「非対価性」である。

一時所得にいう「対価性」とはいわば見返りのようなものをも広く包摂していると解するべきではなかろうか。なぜなら、一時所得は「対価」というにとどまらず「対価としての性質を有するもの」として、その性質を有するものにまでわざわざ拡張しているからである。

かような意味では、文理に忠実に従えば、必ずしも見返りとの関連性が明確ではなかったとしても見返りのような性質を有していさえすれば、一時所得から離脱する要件である非対価性を認めることは妥当ではないというべきであろう。かような判断は、親会社ストック・オプション訴訟（232頁参照）においても看取される一時所得該当性に対する解釈姿勢である。

本件高裁判決が示す解釈は一時所得（所法34①）の範囲を縮小したものであろうか。そもそも、一時所得にいう「対価性」とはいわば見返りのようなものをも広く包摂していると解するべきではなかろうか。なぜなら、一時所得は「対価」というにとどまらず、「対価としての性質を有しないもの」としてその性質を有するか否かにまでわざわざ拡張しているからである。かような意味では、文理に忠実に従えば、必ずしも見返りとの関連性が明確ではなかったとしても見返りのような性質を有していさえすれば、一時所得の要件である非対価性を認めることは妥当ではないというべきであろう。本件高裁判決が、「Ｘの愛顧や恩寵を得るために」と認定しているように、本件歳暮等の供与については、見返りといった広い対価性が認められるため一時所得には該当せず、すなわち、雑所得に該当するとの判断がなされたものと解される。かような判断は、親会社ストック・オプション訴訟においても看取される一時所得該当性に対する解釈姿勢であるといえよう。

もっとも、本件高裁判決は受け取った金品につき「対価としての性質」を認めた上で、一時所得該当性を否定したのではなく、継続的行為に着目をしているように思われる。そこで注意すべきは、継続的行為を行った者は「炯眼な業者ら」であることを前提として議論を展開しており、金品を受け取ったＸの側の継続的行為が直接に論じられているわけではないように思われる。その点において、本件高裁判決には、説示内容に不安が残るといわざるを得ない。

(3) 公的年金等以外の雑所得の金額の計算

所得金額の計算は以下による。

公的年金等以外の雑所得の金額 ＝ 総収入金額 － 必要経費（所法35②二）

なお、生命保険契約等に基づく年金については、次の算式により所得金額を計算する（所令183①④、184①）。

〔生命保険契約等に基づく年金の所得計算〕

$$\text{生命保険等に係る年金} + \text{支払開始日以後に支払われる剰余金等} - \left\{ \frac{\text{その年に支払を受ける年金の額} \times \left(\text{保険料等の総額} - \text{支払開始日前に支払われる剰余金等} \right)}{\text{年金の支払総額又は支払総額の見込額}} \right\}$$

＝ 雑所得の金額

✍ 上記の計算に当たって、年金のほかに一時金の支払がある場合には、保険料等の総額を次により計算する。

$$\frac{\text{保険料等の総額} \times \text{年金の支払総額又は支払総額の見込額（A）}}{\text{（A）}} + \text{一時金の額}$$

✍ 相続等に係る生命保険契約等に基づく年金の雑所得の金額の計算については、いわゆる年金二重課税事件**43**最高裁平成22年7月6日第三小法廷判決（94頁参照）後に発出された、平成22年10月29日付け国税庁個人課税課情報3号「相続等に係る生命保険契約等に基づく年金に係る雑所得の計算について（情報）」が参考となる。

〔新相続税法対象年金（生保年金）の総収入金額の計算〕

<table>
<tr><th></th><th>種　類</th><th>総収入金額算入額（課税所得）の計算</th></tr>
<tr><td></td><td>①　確定年金
（所令185②一）</td><td>相続税評価割合で区分した上で、
支払総額と残存期間年数を基に所得金額を計算</td></tr>
<tr><td rowspan="4">支払開始日に支払総額が確定していない年金</td><td>②　終身年金
（所令185②二）</td><td>相続税評価割合で区分した上で、
支払総額見込額と余命年数を基に所得金額を計算</td></tr>
<tr><td>③　有期年金
（所令185②三）</td><td>以下のａとｂの年数のいずれか短い方の年金として、所得金額を計算
ａ　支払期間（有期の期間）の年数……①の確定年金として計算
ｂ　余命年数……②の終身年金として計算</td></tr>
<tr><td>④　特定終身年金
〔保証期間付終身年金〕
（所令185②四）</td><td>以下のａとｂの年数のいずれか長い方の年金として、所得金額を計算
ａ　保証期間の年数……①の確定年金として計算
ｂ　余命年数……②の終身年金として計算</td></tr>
<tr><td>⑤　特定有期年金
〔保証期間付有期年金〕
（所令185②五）</td><td>第一段階（支払期間との関係）
以下のａとｂの年数のいずれか短い方の年金として、所得金額を計算
ａ　支払期間（有期の期間）の年数……①の確定年金として課税
ｂ　余命年数　⇒　第二段階へ

第二段階（保証期間との関係）
以下のｂとｃの年数のいずれか長い方の年金として、所得金額を計算
ｂ　余命年数……②の終身年金として課税
ｃ　保証期間の年数……①の確定年金として課税</td></tr>
</table>

㈱　なお、平成22年税制改正後の相続税法24条の規定の適用がある年金を「新相続税法対象年金」という。

イ　確定年金の総収入金額算入額の計算

その年に支払を受ける確定年金の額（年金の支払開始日以後に当該年金の支払の基礎となる生命保険契約等に基づき分配を受ける剰余金又は割戻しを受ける割戻金の額を除く。）のうち、その相続税評価割合に基づく次の①又は②に掲げる確定年金の区分に応じそれぞれ次に定める算式により計算した金額に係る支払年金対応額の合計額は、その年分の雑所得に係る総収入金額に算入する（所令185②一）。

☞「相続税評価割合」とは、その居住者に係る年金の支払総額のうちにその年金に係る権利について相続税法24条の規定により評価された額の占める割合をいう（所令185③三）。

①　相続税評価割合が50％を超える確定年金

一課税単位当たりの金額(注)×経過年数

(注)　一課税単位当たりの金額＝確定年金の支払総額×課税割合（a）÷課税単位数（b）

a　課税割合は、相続税評価割合に応じそれぞれ次のとおりである（所令185③四）。

相続税評価割合	課税割合	相続税評価割合	課税割合	相続税評価割合	課税割合
50%超 55%以下	45%	75%超 80%以下	20%	92%超 95%以下	5％
55%超 60%以下	40%	80%超 83%以下	17%	95%超 98%以下	2％
60%超 65%以下	35%	83%超 86%以下	14%	98%超	0
65%超 70%以下	30%	86%超 89%以下	11%	—	—
70%超 75%以下	25%	89%超 92%以下	8％	—	—

b　課税単位数＝残存期間年数×（残存期間年数－1年）÷2

②　相続税評価割合が50％以下の確定年金

その支払を受ける日に応じて次のa又はbの算式により計算

a　その支払を受ける日が特定期間（注1）内の日である場合

…………1単位当たりの金額（注2）×経過年数

b　その支払を受ける日が特定期間の終了の日後である場合

…………1単位当たりの金額×特定期間年数（注3）－1円

（注1）「特定期間」とは、年金の支払開始日から特定期間年数を経過する日までの期間をいう。

（注2）　1単位当たりの金額＝確定年金の支払総額÷総単位数
総単位数＝特定期間年数×残存期間年数

（注3）　特定期間年数は、残存期間年数に相続税評価割合の次に掲げる場合の区分に応じそれぞれ次に定める割合を乗じて計算した年数から1年を控

除した年数（１年未満の端数切上げ）をいう。

相続税評価割合	割合	相続税評価割合	割合
10%以下	20%	30%超　40%以下	80%
10%超　20%以下	40%	40%超　50%以下	100%
20%超　30%以下	60%	—	—

ロ　終身年金の総収入金額算入額の計算

その年に支払を受ける終身年金の額（年金の支払開始日以後に当該年金の支払の基礎となる生命保険契約等に基づき分配を受ける剰余金又は割戻しを受ける割戻金の額を除く。）のうち、その相続税評価割合に基づく次の①又は②に掲げる終身年金の区分に応じそれぞれ次に定める算式により計算した金額に係る支払年金対応額の合計額は、その年分の雑所得に係る総収入金額に算入する（所令185②二）。

☞「相続税評価割合」とは、その居住者に係る年金の支払総額見込額のうちにその年金に係る権利について相続税法24条の規定により評価された額の占める割合をいう（所令185③三）。

①　相続税評価割合が50%を超える終身年金

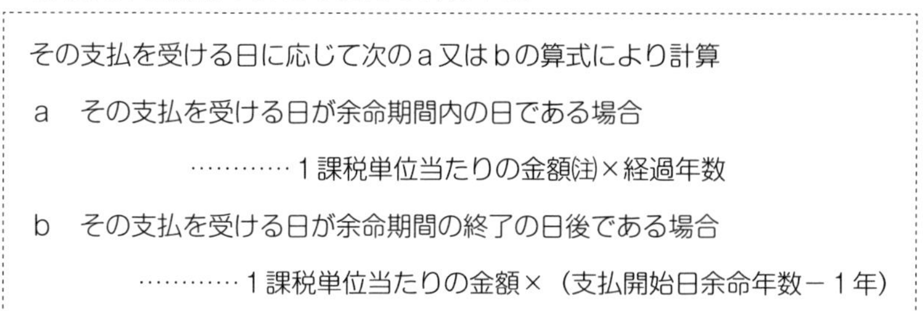

その支払を受ける日に応じて次のａ又はｂの算式により計算

ａ　その支払を受ける日が余命期間内の日である場合

…………１課税単位当たりの金額(注)×経過年数

ｂ　その支払を受ける日が余命期間の終了の日後である場合

…………１課税単位当たりの金額×（支払開始日余命年数－１年）

(注)　１課税単位当たりの金額＝年金支払総額見込額×課税割合÷課税単位数
　課税単位数＝支払開始日余命年数×（支払開始日余命年数－１年）÷２

②　相続税評価割合が50％以下の終身年金

その支払を受ける日に応じて次のａ又はｂの算式により計算

ａ　その支払を受ける日が特定期間（注１）内の日である場合

…………１単位当たりの金額（注２）×経過年数

ｂ　その支払を受ける日が特定期間の終了の日後である場合

…………１単位当たりの金額×（特定期間年数（注３）－１円）

（注１）「特定期間」とは、年金の支払開始日から特定期間年数を経過する日までの期間をいう。

（注２）　１単位当たりの金額＝年金支払総額見込額÷総単位数
総単位数＝特定期間年数×支払開始日余命年数

（注３）　特定期間年数は、支払開始日余命年数に相続税評価割合の次に掲げる場合の区分に応じそれぞれ次に定める割合を乗じて計算した年数から１年を控除した年数（１年未満の端数切上げ）をいう。

相続税評価割合	割合	相続税評価割合	割合
10％以下	20％	30％超　40％以下	80％
10％超　20％以下	40％	40％超　50％以下	100％
20％超　30％以下	60％	—	—

3　公的年金等としての雑所得

国民年金、厚生年金、公務員の共済年金、恩給などの公的年金は雑所得に含まれる（所法35①）。

公的年金等に係る雑所得の金額の計算は次による。

公的年金等の雑所得の金額 ＝ 公的年金等の支給額 － 公的年金等控除額（所法35②一）

ここにいう「公的年金等」とは、次のようなものをいう（所法35③）。

①　社会保険又は共済の制度に基づく公的な制度から支給される年金

例えば、国民年金法、厚生年金保険法、国家公務員共済組合法、地方公

務員等共済組合法、私立学校教職員共済組合法、旧船員法及び旧農林漁業団体職員共済組合法並びに独立行政法人農業者年金基金法に基づく年金など（所法35③一、所令82の2①）。

② 恩給及び過去の勤務に基づき使用者であった者から支給される年金

③ 社外積立型の企業年金又は外部拠出性の企業年金

例えば、確定給付企業年金法に基づいて支給される年金、確定拠出年金法に規定する企業型年金規約又は個人型年金規約に基づいて老齢給付金として支給される年金、適格退職年金契約に基づいて支給される退職年金、特定退職金共済団体からの年金、外国年金、中小企業退職金共済法に基づく分割退職金及び小規模企業共済法に基づく分割共済金など（所法35③三、所令82の2②）。

〔公的年金等控除〕

公的年金等控除額の速算表は、次表のとおりである（所法35④、措法41の15の3）。令和元年分までは控除額に上限がなかったことから、高所得の年金所得者に有利な税制となっていたが、世代内・世代間の公平性を確保する観点から、平成30年度改正によって上限が設けられ、控除額が引き下げられている。

受給者の年齢	公的年金等の収入金額（A）	公的年金等に係る雑所得以外の所得の合計		
		1,000万円以下	1,000万円超 2,000万円以下	2,000万円超
65歳未満	130万円未満	60万円	50万円	40万円
	130万円以上 410万円未満	（A）×25% +275,000円	（A）×25% +175,000円	（A）×25% +75,000円
	410万円以上 770万円未満	（A）×15% +685,000円	（A）×15% +585,000円	（A）×15% +485,000円
	770万円以上 1,000万円未満	（A）×５% +1,455,000円	（A）×５% +1,355,000円	（A）×５% +1,255,000円
	1,000万円以上	1,955,000円	1,855,000円	1,755,000円
65歳以上	130万円未満	110万円	100万円	90万円
	130万円以上 410万円未満	（A）×25% +275,000円	（A）×25% +175,000円	（A）×25% +75,000円
	410万円以上 770万円未満	（A）×15% +685,000円	（A）×15% +585,000円	（A）×15% +485,000円
	770万円以上 1,000万円未満	（A）×５% +1,455,000円	（A）×５% +1,355,000円	（A）×５% +1,255,000円
	1,000万円以上	1,955,000円	1,855,000円	1,755,000円

（参考）令和元年分までの公的年金等控除額

〔年齢65歳以上の者〕

公的年金等の収入金額	公的年金等控除額
330万円以下	1,200,000円
330万円超410万円以下	収入金額×25%＋375,000円
410万円超770万円以下	収入金額×15%＋785,000円
770万円超	収入金額×５%＋1,555,000円

〔年齢65歳未満の者〕

公的年金等の収入金額	公的年金等控除額
130万円以下	700,000円
130万円超410万円以下	収入金額×25%＋375,000円
410万円超770万円以下	収入金額×15%＋785,000円
770万円超	収入金額×５%＋1,555,000円

なお、雑所得の金額は、次の①と②の合計額（②が赤字の場合は①の金額より差し引かれる。）である。

①　公的年金等の収入金額－公的年金等控除額

②　公的年金等以外の総収入金額－必要経費

〔所得金額調整控除〕

給与所得と年金所得の双方を有する者で次の要件に該当する者については、所得金額調整控除が設けられており、総所得金額を計算する場合に、所得金額調整控除額を給与所得から控除することとされている（所得金額調整控除については給与所得の節を参照）。

①　適用対象者

その年分の給与所得控除後の給与等の金額と公的年金等に係る雑所得の金額がある給与所得者で、その合計額が10万円を超える者

②　所得金額調整控除額

（給与所得控除後の給与等の金額（10万円超の場合は10万円）＋公的年金等に係る雑所得の金額（10万円超の場合は10万円））－10万円＝控除額

第３章　収入金額・必要経費

Ⅰ　収入金額の意義

1　所得税法36条１項

所得税法36条《収入金額》１項は、「その年分の各種所得の金額の計算上収入金額とすべき金額又は総収入金額に算入すべき金額は、別段の定めがあるものを除き、その年において収入すべき金額とする。」と規定する。ここにいう「収入金額」とは、利子所得、配当所得、給与所得及び退職所得の金額の計算における用語であり、「総収入金額」とは、不動産所得、事業所得、山林所得、譲渡所得、一時所得及び雑所得の金額における用語である（182頁参照）。

また、同条項括弧書きは、「金銭以外の物又は権利その他経済的な利益をもって収入する場合には、その金銭以外の物又は権利その他経済的な利益の額とする。」旨を規定している。そして、ここでいう「収入すべき金額」とは、その年中に現実に収入する金額（現金入金）をいうのではなく、未収入金や売掛金などのように、その年中に現実に収入してはいないが収入することが確実になっている金額をいうのであり、その収入の基因となった行為が適法であるかどうかを問わない（所基通36－１）。

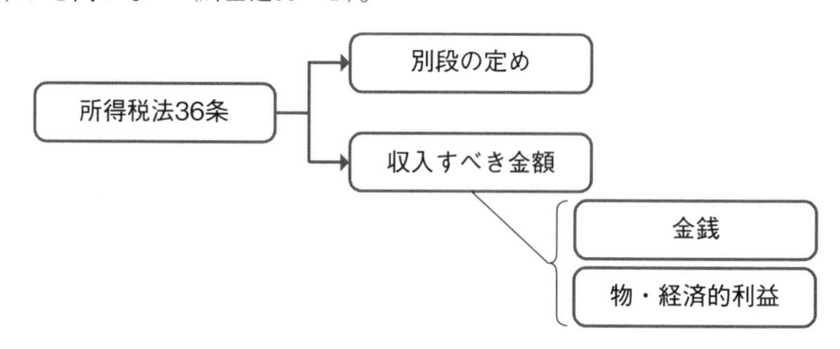

なお、不動産所得、事業所得、山林所得又は雑所得の金額の計算上、次の金額は、総収入金額に算入されることとされている（所令94①）。

①　棚卸資産、山林、工業所有権等又は著作権等について損失を受けたことにより取得する保険金、損害賠償金、見舞金等

②　業務の全部又は一部の休止、転換又は廃止等により、その業務の収益の補償として取得する休業補償金、転換補償金、廃業補償金等

また、契約等に基づき譲渡所得の基因となる資産が消滅したことなどに伴い、その消滅につき一時に受ける補償金等は、譲渡所得に係る総収入金額とされる（所令95）。

所得税法は、「収入金額」あるいは「総収入金額」について、明文の定義規定を置いていない。また、所得税法36条は、「収入金額」あるいは「総収入金額」に算入すべき金額しか規定しない。この点、同条項が「収入」という用語を用いていることから、「収入金額」あるいは「総収入金額」を、外部からの経済的価値の流入を指すものとする見解が有力である。もっとも、「収入」という用語が外部からの経済的価値の流入と捉えることまで要しないとする立論もあり得る。前者の有力説に従えば、「別段の定め」のない限り、保有資産の価値の増加益などの未実現の利得を含まないと解されている（後者の見解に従ったとしても、実現したもののみを課税所得と考えることは可能である。）。

経済的利益については、上記のとおり、所得税法36条２項が「経済的利益の額による」としている。次の三つについて規定されているものの、その他のものについては、解釈に委ねられている。

①　譲渡制限付株式

個人が法人から役務の提供の対価として特定譲渡制限付株式（リストリクテッド・ストック）等を交付された場合の経済的利益の価額は、譲渡制限が解除された日の価額による（所令84①②）（244頁参照）。

②　株式等を取得する権利

次の株式等を取得する権利については、権利行使により取得した株式等

の権利行使日の価額から権利行使価額（権利行使に係る株式等の譲渡価額又は当該権利の取得価額にその行使に際し払い込む額を加算した金額）を控除した金額による（所令84③）。

(i)　ストック・オプションを付与された場合の株式譲渡請求権、新株引受権又は有利発行による新株予約権

(ii)　株式と引換えに払い込むべき額が有利な金額である場合における当該株式を取得する権利

✍　ストック・オプションを行使することにより取締役等が受ける経済的利益のうち、税制適格ストック・オプションに係るものについては、権利行使時に課税されずに、株式を譲渡するまでその課税が繰り延べられる（措法29の2）。

③　法人等の資産を専属的に利用することにより受ける経済的利益は、その資産の利用について通常支払うべき使用料その他その利用の対価に相当する額によることとされている（所令84の2）。

2　通達の取扱い

所得税法36条2項にいう経済的利益の額については、上記のとおり規定があるもののほかは、課税実務上、例えば、次のようなものをいうとされている（所基通36－15）。

①　物品その他の資産の無償又は低額譲受け

②　土地、家屋その他の現金以外の資産の無償又は低額借受け

③　金銭の無利息又は低利息借受け

④　福利厚生施設の利用などの用役の無償又は低額享受

⑤　買掛金その他の債務の免除又は他人による債務の肩代わりなどの享受

具体的には、次によって評価することと通達している。

①　有価証券（所基通36－36）……支給時の価額

②　保険契約等に関する権利（所基通36－37）……解約返戻金の額

③　食事（所基通36－38）

(i)　調理して支給する場合は、主食、副食費などの直接材料費に相当する額

(ii)　飲食店から購入して支給する場合は、購入価額に相当する金額

④　商品、製品（所基通36－39）

(i)　使用者が通常他に販売する物品である場合は、その使用者の通常の販売価額

(ii)　他に販売する物品でない場合は、その物品の通常売買される価額

⑤　利息相当額（所基通36－49）

(i)　他から借入れて貸し付けたものであることが明らかな場合は、その借入金の利率

(ii)　その他の場合は租税特別措置法93条《利子税の割合の特例》2項に規定する利子税特例基準割合による利率（令和3年現在1.0％）

3　家事消費（自家消費）

パン屋が売り物のパンを自宅で食した場合、なぜ売上に計上しなければならないのであろうか。パンを仕入れた時の購入代価が仕入れとして費用計上されているのであるから、自宅の食費を「仕入額」に混入させることは、家事費の必要経費不算入（所法45①一）の考え方から否定されるべきとの理解がその根底にあるのであろうか。そうであれば、費用計上を否認すれば済むはずである。ここには、帰属所得（インピューテッド・インカム）の理解が必要となる。

例えば、自宅や自家用車を有する者に家賃相当額あるいはレンタカー使用料相当額の帰属所得があったとして、家賃相当額あるいはレンタカー使用料相当額の課税対象所得を認定した上で課税を行うという帰属所得課税を我が国の所得税法は採用していない。しかし、家事消費についてだけは帰属所得課税を行うこととしている。すなわち、棚卸資産（準棚卸資産を含む。）を家事のために消費した場合又は山林を伐採して家事のために消費した場合には、その消費し

た時における価額（通常の販売価額）について帰属所得を認定して課税することとしているのである。所得税法39条《たな卸資産等の自家消費の場合の総収入金額算入》は、家事消費があった場合には、その消費した日の属する年分の事業所得の金額、山林所得の金額又は雑所得の金額の計算上、総収入金額に算入すると規定する。この取扱いについては、帰属所得課税ではなく、そもそも、棚卸資産の購入代金は、売上原価を通じて事業所得の必要経費に算入されているから、棚卸資産の家事消費があった場合に、その通常の販売価額をもって事業所得の総収入金額に算入する処理と捉える見解もあり得るが、そうであるとすれば、原価相当額を自己否認すればよいはずである。所得税法が総収入金額に計上することを要請しているのは、帰属所得に対する課税として説明するのが妥当であろう。

裁判例の紹介

所得税法39条の趣旨

所得税法39条にいう資産の価額とは、原則として、通常の販売価額を指すものであるとされた事例

（220 第一審大阪地裁昭和50年4月22日判決・税資81号277頁）

〔事案の概要〕

本件は、税務署長Y（被告）が行った更正処分の適法性を巡る訴訟である。

本件において、X（原告）は、「売上金額の算定にあたって、売上総収入金額から控除されるべき金額として、…自家消費分につき販売価額と仕入価額との差額（所得税法第39条の総収入金額に算入する資産の価額に相当する金額とは、販売価額に相当する金額ではなく、仕入価額に相当する金額のことをいうと解すべきである。けだし、右のように解さないと、販売による利益がないのに、利益をあげたものと擬制して課税することになるからである）、および従業員の消費分が計上されるべきである。」と主張した。

〔争点〕

所得税法39条の規定の適用如何。

〔判決の要旨〕

○　大阪地裁昭和50年４月22日判決

「所得税法第39条は、たな卸資産の自家消費分について、その価額に相当する金額を事業所得の計算上総収入金額に算入する旨規定するところ、Xは、右規定にいう価額とは販売価額でなく仕入価額を指すと解すべきであるから、本件において、自家消費分については販売価額と仕入価額との差額を前項の売上総収入金額から控除すべきであると主張するので、判断するに、右の自家消費分がいかほど存在するかについては明らかでないが、それはともかく、たな卸資産を自家消費した場合には、顧客に販売したのではないから、現実に収益が生じているものではないのに、右規定がこれを総収入金額に算入すべきものとしているのは、たな卸資産は通常販売価額で譲渡されるものであって、自家消費の場合にも、経済的には、当該商品を顧客に販売したうえ、右売上金で同一商品を他の販売業者から購入した場合とその効果を一にするからであると解される（右の場合に、販売価額による売上収入があったものとされることは明らかであろう）。したがって、所得税法第39条の資産の価額とは、原則として、通常の販売価額を指すものと解すべきであるから、Xの主張は失当である。

また、従業員の消費分についても、右に説示したところと同様に解すべきであり、ただ、それが同法第37条第１項所定の費用に該当すれば、同額が必要経費として計上されることになるのである。」

〔コメント〕

本件判決の上記引用箇所では、前述した所得税法39条の考え方がそのまま説示されている。すなわち、納税者が自己の事業において扱う商品等の消費について、いわば事実関係の擬制的手法を用いて経済的利益を観念するという構成が示されている。

なお、課税実務においては、家事のために消費した棚卸資産について、帳簿書類に取得価額（取得価額が通常の販売価額のおおむね70％未満であるときは、通常の販売価額のおおむね70％相当額）で計算した金額を収入金額として記載しているときは、その記載している金額によることができると通達している（所基通39－２）。

4　贈与等の場合の総収入金額

(1)　棚卸資産

棚卸資産（事業所得の基因となる山林、有価証券及び準棚卸資産を含む。）を贈与（死因贈与を除く。）又は遺贈（包括遺贈及び相続人に対する特定遺贈を除く。）した場合には、その贈与等の時における価額（通常の販売価額）をその贈与等の日の属する年分の事業所得の金額又は雑所得の金額の計算上、総収入金額に算入する（所法40①一）。なお、暗号資産（所法48の２）もこの取扱いが適用される（所令87）。

また、棚卸資産等を著しく低い価額の対価で譲渡した場合には、その対価の額と譲渡の時における価額（通常の販売価額）との差額のうち実質的に贈与したと認められる金額をその譲渡の日の属する年分の事業所得の金額又は雑所得の金額の計算上、総収入金額に算入する（所法40①二）。

課税実務では、「著しく低い価額の対価」とは、通常の販売価額のおおむね70％相当額に満たない対価をいい、「実質的に贈与したと認められる金額」は、通常の販売価額のおおむね70％相当額からその対価の額を差し引いた金額とすることができると通達されている（所基通40－２、40－３）。

(2)　山林又は譲渡所得の基因となる資産

山林（事業所得の基因となる山林を除く。）又は譲渡所得の基因となる資産につき、次の場合には、その事由が生じたときに、その時における価額（時価）により、これらの資産の譲渡があったものとみなし、その事由が生じた年分の山林所得の金額、譲渡所得の金額又は雑所得の金額の計算上、総収入金額に算入する（所法59①）。

①　法人に対して贈与又は遺贈した場合

②　限定承認に係る相続又は個人に対する包括遺贈のうち限定承認に係る遺贈があった場合

③　法人に対して著しく低い価額（時価の２分の１に満たない金額）で譲渡し

た場合

5　農産物の収穫基準

本来であれば、収穫した農産物については、かかる農産物を市場等で売却した段階で所得が実現したとして、これを課税するはずのものであるが、農業所得者については、家事消費がなされることが想定されるため、収穫段階で所得課税をする特例が規定されている。すなわち、農業を営む者が農産物を収穫した場合には、その収穫した時におけるその農産物の価額（生産者販売価額）を収穫日の属する年分の事業所得の金額の計算上、総収入金額に算入するのである（所法41①）。農産物を収穫した時点でいったん総収入金額に算入し、次にこれを販売等した際に、その時点で売上金額に計上するとともに、収穫時の生産者販売価額を必要経費に算入する（所法41②）。

この規定を資産の譲渡所得の考え方になぞらえて、支配者の手から資産が手放される日をもって資産に内在した価値が清算されて課税されるのと同様の理解を示したものと説明することも不可能ではない。しかし、そのような清算課税説でこの規定を説明することは沿革に合致しない。

6　発行法人から与えられた株式を取得する権利を譲渡した場合

株式を無償又は有利な価額により取得することができる権利を発行法人から与えられ、その権利を発行法人に譲渡したときは、譲渡対価の額から権利の取得価額を控除した金額が、事業所得、給与所得、退職所得、一時所得又は雑所得に係る収入金額とみなされる（所法41の２）。

7　国庫補助金等の総収入金額不算入

居住者が、各年において固定資産（山林を含む。以下同じ。）の取得又は改良に充てるため国庫補助金等の交付を受け、その年においてその国庫補助金等をもってその交付の目的に適合した固定資産の取得又は改良をした場合には、その国庫補助金等の返還を要しないことがその年12月31日までに確定した場合に限り、その国庫補助金等のうちその固定資産の取得又は改良に充てた部分の金額に相当する金額は、その者の各種所得の金額の計算上、総収入金額に算入しない（所法42①）。国庫補助金等に代えて固定資産を交付された場合も同様である（所法42②）。

ここにいう国庫補助金等とは、国や地方公共団体からの補助金又は給付金をいう。

なお、国庫補助金等で取得等をした固定資産については、取得等に要した金額からその国庫補助金等のうち返還を要しないこととされた金額を差し引いた金額が取得費となり（所法42⑤、43⑥、所令90、91②）、減価償却費の計算を経て、毎年の必要経費に算入されることになる。これは、国庫補助金等収入について課税を繰り延べることで、補助目的の達成を図るものである。法人税法で用いられている圧縮記帳（法法42）と同様の効果を有する。

8　条件付国庫補助金等の総収入金額不算入

上記の国庫補助金等の交付を受けた場合で、その年の12月31日までに国庫補助金等の返還を要しないことが確定していないときは、国庫補助金等相当額を総収入金額に算入しない（所法43①）。また、返還を要しないことが確定した際に、その交付の目的に適合した固定資産の取得等に充てられなかった部分の金額については、これを総収入金額に算入することとされている（所法43②）。

9　移転等の支出に充てるための交付金の総収入金額不算入

国又は地方公共団体から資産の移転、移築、除却等の費用に充てるために交付を受けた補助金等は、各種所得の金額の計算上総収入金額に算入しない（所法44）。土地収用法の規定による収用その他これらに類する行為に伴い資産の移転等に充てるために交付を受けた場合も同様である（所法44）。

裁判例の紹介

建物移転補償金の総収入金額該当性

居宅の曳行移転費用を負担していないとして、建物移転補償金につき所得税法44条の適用を受ける部分は存在しないとした事例

（221第一審山形地裁平成20年１月15日判決・訟月58巻２号416頁）
（222控訴審仙台高裁平成20年８月28日判決・訟月58巻２号409頁）
（223上告審最高裁平成22年３月30日第三小法廷判決・集民233号327頁）[1)]
（224差戻控訴審仙台高裁平成22年12月８日判決・税資260号順号11568）
（225差戻上告審最高裁平成24年４月12日第一小法廷決定・税資262号順号11928）

〔事案の概要〕

山形県は、土地収用法３条１号所定の事業である一般県道整備事業の用に供するため、X（原告・控訴人・上告人）所有地の本件土地を必要としたことから、平成13年11月30日、Xに対し、本件土地の買取りと地上物件の移転の申出をした。Xは、これに応じ、同県との間で、Xが本件土地を代金481万4,040円で同県に売却するとともに、その上に存する物件を移転し、同県がその移転及び損失の補償としてXに対し建物移転補償金6,624万1,000円（本件建物移転補償金）を含む合計8,324万3,600円の補償金（本件各補償金）を支払う旨の本件補償契約を締結し、同県からその支払を受けた。

Xは、本件土地等の代替資産として、平成13年12月７日、別の土地を取得し、その代金として7,783万997円を支払った。

他方で、Xは、平成14年５月22日、訴外Aらに対し、X所有地から本件土地を除いた残地の一部330.58平方メートル（本件残地）を本件居宅とともに代金1,200万円で売却する旨の本件売買契約を締結し、その代金の支払を受けた。Aらは、本件土地と本件残地にまたがって存在していた本件居宅を、同年８月５日、本件残地の上に曳行（えいこう）移転した（既存の建物をジャッキアップし、居宅が建ったままそのままスライドさせて移動させた。）。本件居宅は、現在まで取り壊されずに本件残地の上に存在し、本件居宅から分割登記された本件物置・車庫も、Xの所有物として、現在まで取り壊されずに存在している。

所得税法44条《移転等の支出に充てるための交付金の総収入金額不算入》を適用したXの平成14年分の所得税の申告に対し、所轄税務署長は、更正処分をした。本件は、Xが、国Y（被告・被控訴人・被上告人）に対し、本件処分に

1）判例評釈として、駒宮史博・民商143巻３号121頁（2010）、岩﨑政明・判評637号178頁（2012）、森稔樹・速報判例解説７号〔法セ増刊〕315頁（2010）など参照。

は所得税法44条等の解釈適用を誤った違法等があると主張して、本件処分のうちその申告に係る税額等を超える部分の取消しを求めた事案である。

〔争点〕

本件建物移転補償金につき、租税特別措置法33条《収用等の場合の譲渡所得の特別控除等》１項、３項又は所得税法44条の適用を受ける部分があるか否か。

〔判決の要旨〕

1　第一審**山形地裁平成20年１月15日判決**はＸの主張を排斥したため、Ｘが控訴した。これに対し、控訴審**仙台高裁平成20年８月28日判決**は、本件建物移転補償金の対象となった地上建物は、第三者に譲渡された後、当該第三者によって曳行移転され、取り壊されずに現存しているから、所得税法44条の適用の前提を欠くから、その全額を一時所得の金額の計算上総収入金額に算入すべきであるとし、第一審の判断を支持してＸの控訴を棄却した。

2　最高裁平成22年３月30日第三小法廷判決

「Ｘは、山形県が施行する土地収用法３条１号所定の道路事業の用地としてその所有する本件土地を買い取られ、これに伴い、同県に対して本件土地上に存する物件を移転することを約し、その移転及び損失の補償として同県から本件建物移転補償金等の支払を受けたものであるところ、少なくとも本件居宅については、これをＡらに譲渡して本件残地上に曳行移転させることによって、上記の移転義務を果たしたものということができるから、本件建物移転補償金のうちに上記曳行移転の費用に充てた金額がある場合には、当該金額については、所得税法44条の適用を受けるものというべきである。」

「本件居宅は、取り壊されてはいないものの、個人であるＡらに対して無償で譲渡され、本件土地上から移転されたことになるから、これによりＸには本件居宅の取壊しに準ずる損失が生じたものということができ、Ｘは、本件建物移転補償金の交付の目的に従い、これをもって上記の損失を補てんするとともに、移転先として本件居宅に代わる建物を建築して取得したものということができる。そうであるとすれば、本件建物移転補償金のうち、少なくとも本件居宅に係る部分については、〔1〕取壊し工事費に相当する部分等のうちに上記曳行移転の費用に充てられた部分があるときは、当該部分は、実質的に交付の目的に従って支出されたものとして、所得税法44条の適用を受け、また、〔2〕それ以外の部分についても、…同条又は措置法33条１項の適用を受ける部分があり得るものというべきである。」

3　差戻控訴審仙台高裁平成22年12月８日判決

「Ｘは、山形県が施行する土地収用法３条１号所定の事業である一般県道整備事業の用地として、その所有する本件土地を山形県に売り渡したことに伴い、同県に対し、本件土地上に存する本件居宅及びその附属建物であった本件物置・車庫を移転することを約し、その移転及び損失の補償として、同県から本件建物移転補償金の支払を受けたものであるところ、かかる本件建物移転補償金は、本来、Xの一時所得の収入金額と見るべきものである。」

「もっとも、上記物件のうち、少なくとも本件居宅については、XはAらにこれを譲渡し、本件土地上から本件残地上に曳行移転させることにより、上記移転義務を果たしたものということができるから、仮に、Xにおいて、上記曳行移転の費用の全部又は一部を負担したものとすれば、その負担した金額は、本件建物移転補償金のうちからその交付の目的に従って移転等の費用に充てた金額として、所得税法44条の適用を受けるべきものとなる。

しかしながら、Xが本件居宅の曳行移転費用を負担していないことは、当事者間に争いがないから、本件建物移転補償金のうち、移転等の費用に充てた金額として、所得税法44条の適用を受けるべき部分は結局存在しないことになる。」

4　差戻上告審**最高裁平成24年4月12日第一小法廷決定**はXの上告を棄却し、上告不受理とした。

〔コメント〕

所得税法44条は、「行政目的の遂行のために必要なその者の資産の移転、移築若しくは除却その他これらに類する行為」の費用に充てるための交付金を対象としているのであるから、必ずしも、資産が除却されている必要はない。資産の移転の形式や形態についても要件を付加しているわけではなく、それが、行政目的遂行のために必要であるか否かのみが問題とされるはずである。かような意味では同条項の規定の適用を肯定している本件最高裁判決は妥当であるといえよう。もっとも、差戻控訴審では、Xが本件居宅の曳行移転費用を負担していないということから同条の適用を受けるべき部分が結果においてないと判断されている。

10　免責許可の決定等により債務免除を受けた場合の経済的利益の総収入金額不算入

平成26年度税制改正により、居住者が、破産法の免責許可の決定又は民事再生法の再生計画認可の決定があった場合その他資力を喪失して債務を弁済することが著しく困難である場合にその有する債務の免除を受けたときは、その免除により受ける経済的な利益の額については、その者の各種所得の金額の計算上、総収入金額に算入しない制度が創設された（所法44の2①）。

ただし、居住者が債務の免除を受けた場合において、その債務の免除により受ける経済的な利益の額のうちその居住者の次の損失の金額がある場合には、次に掲げる場合の区分に応じ、それぞれ次に定める金額の合計額に相当する部分については、この制度を適用せず、総収入金額に算入することとされている（所法44の2②）。

① 不動産所得を生ずべき業務に係る債務の免除を受けた場合……当該免除を受けた日の属する年分の不動産所得の金額の計算上生じた損失の金額

② 事業所得を生ずべき事業に係る債務の免除を受けた場合……当該免除を受けた日の属する年分の事業所得の金額の計算上生じた損失の金額

③ 山林所得を生ずべき業務に係る債務の免除を受けた場合……当該免除を受けた日の属する年分の山林所得の金額の計算上生じた損失の金額

④ 雑所得を生ずべき業務に係る債務の免除を受けた場合……当該免除を受けた日の属する年分の雑所得の金額の計算上生じた損失の金額

⑤ 純損失の繰越控除により、当該債務の免除を受けた日の属する年分の総所得金額、退職所得の金額又は山林所得の金額の計算上控除する純損失の金額がある場合……当該控除する純損失の金額

これは、旧所得税基本通達36－17において、同旨が通達されていた内容を法定化したものである。

〔免責許可の決定等により債務免除を受けた場合の経済的利益の総収入金額不算入（所法44の２）〕

破産法又は民事再生法に基づく法的整理その他資力を喪失して債務を弁済することが著しく困難と認められる場合により債務免除を受けた場合には、その債務免除益については、原則として総収入金額に算入しないこととされました。
(注)　本制度は、旧所基通36－17の取扱いを法令化したものです。

《債務免除を受けた年において当該債務を生じた業務に係る損失の金額等がある場合の計算例》

【ケース１】
債務免除益が損失の金額と純損失の繰越控除の金額の合計額を下回る場合

債務免除益全額が総収入金額に算入されます。

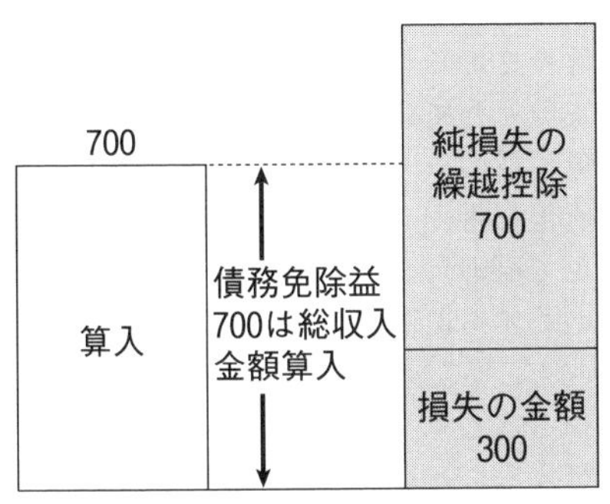

【ケース２】
債務免除益が損失の金額と純損失の繰越控除の金額の合計額を上回る場合

債務免除益のうち事業所得に係る損失の金額と純損失の繰越控除の金額の合計額までが総収入金額に算入されます。

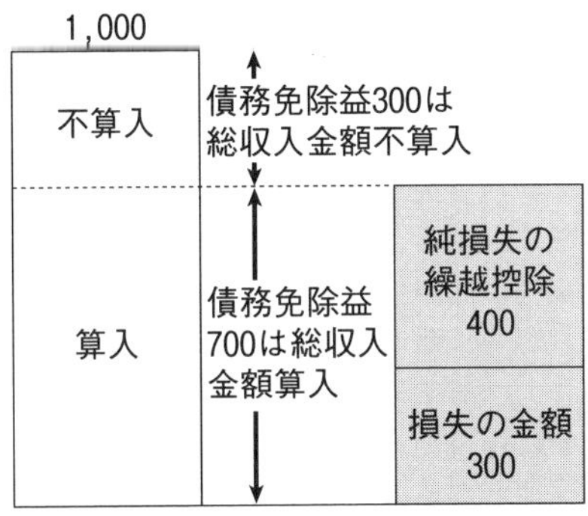

（出所）国税庁 HP より

裁判例の紹介

倉敷青果市場事件―債務免除益に対する源泉徴収義務

旧所得税基本通達36－17の適用によって源泉徴収義務が否定された事例

（226第一審岡山地裁平成25年３月27日判決・民集72巻４号336頁）
（227控訴審広島高裁岡山支部平成26年１月30日判決・訟月62巻７号1287頁）[2]

2）判例評釈として、豊田孝二・速報判例解説18号〔法セ増刊〕213頁（2016）など参照。

（228上告審最高裁平成27年10月８日第一小法廷判決・集民251号１頁）[3]
（229差戻控訴審広島高裁平成29年２月８日判決・民集72巻４号353頁）
（230差戻上告審最高裁平成30年９月11日第三小法廷決定・税資268号順号13184）
（231差戻上告審最高裁平成30年９月25日第三小法廷判決・民集72巻４号317頁）[4]

〔事案の概要〕

前掲（271頁）参照。

〔争点〕

本件債務免除益について、源泉徴収義務が発生するか否か。

〔判決の要旨〕

１　岡山地裁平成25年３月27日判決

「債権者から債務免除を受けた場合、原則として、所得税法36条１項にいう『経済的な利益』を受けたことになり、免除の内容等に応じて事業所得その他の各種所得の収入となるものであるが、例えば、事業所得者が、経営不振による著しい債務超過の状態となり、経営破綻に陥っている状況で、債権者が債務免除をしたなどという場合には、債務者は、実態としては、支払能力のない債務の弁済を免れただけであるから、当該債務免除益のうちその年分の事業損失の額を上回る部分については、担税力のある所得を得たものとみるのは必ずしも実情に即さず、このような債務免除額に対して原則どおり収入金額として課税しても、徴収不能となることは明らかで、いたずらに滞納残高のみが増加し、また、滞納処分の停止を招くだけであり、他方、上記のような事情がある明らかに担税力のない者について課税を行わないこととしても、課税上の不公平が問題となることはなく、むしろ、課税を強行することについて一般の理解は得られないものと考えられることから、このような無意味な課税を差し控え、積極的な課税をしないこととしたものである。

⑵ア　本件通達の定めにおいて用いられている『資力を喪失して債務を弁済することが著しく困難』であるとの文言は、所得税法９条１項10号及び所得税

3）判例評釈として、木山泰嗣・税通71巻１号189頁（2016）、今本啓介・ジュリ1489号10頁（2016）、占部裕典・平成27年度重要判例解説〔ジュリ臨増〕203頁（2016）、長島弘・税務事例51巻２号38頁（2019）など参照。

4）判例評釈として、木山泰嗣・税通73巻14号170頁（2018）、岸田貞夫・税理62巻１号４頁（2019）、西本靖宏・ジュリ1528号10頁（2019）、荒谷謙介・ジュリ1533号100頁（2019）、同・曹時72巻１号155頁（2020）、碓井光明・ジュリ1533号128頁（2019）、佐藤英明・民商155巻３号84頁（2019）、渡辺充・判時2421号148頁（2019）、橋本彩・平成30年度重要判例解説〔ジュリ臨増〕194頁（2019）など参照。

法施行令26条の各規定において用いられている文言と同じであり、これらの各規定における当該文言の意義については、所得税基本通達９－12の２において、『債務者の債務超過の状態が著しく、その者の信用、才能等を活用しても、現にその債務の全部を弁済するための資金を調達することができないのみならず、近い将来においても調達することができないと認められる』場合をいうとされているから、本件通達の定めにおいても、当該文言が上記と同じ意義を有するものとして用いられているものと解される。

すなわち、本件通達〔筆者注：旧所得税基本通達36－17〕は、上記のような場合に受けた債務免除益への非課税を規定したものと解されるのであり、このような規定の内容及び上記認定のとおりのその趣旨からすれば、本件通達による上記非課税の取扱いは、所得税法等の実定法令に反するものとはいえず、相応の合理性を有するものということができる。そして、もとより本件通達が法令そのものではなく、これによらない取扱いが直ちに違法となるものではないとしても、本件通達が相応の合理性を有する一般的な取扱いの基準として定められ、広く周知されているものである以上は、課税庁においてこれを恣意的に運用することは許されないのであって、本件通達の適用要件に該当する事案に対して合理的な理由もなくその適用をしないとすることは、平等取扱いの原則に反し、違法となるというべきである。

なお、本件通達は、上記のような場合に受けた債務免除益については、『各種所得の金額の計算上収入金額又は総収入金額に算入しないものとする』とのみ定めているが、この定めは、給与所得に係る源泉所得税額の計算上給与等の金額に算入しないとする趣旨も含むものと解される。

イ　これを本件についてみるに、前記事実関係によれば、本件債務免除の当時において、乙理事長は、48億3682万1235円の本件債務を含む合計52億7766万4092円の債務を負っていた。これに対し、本件債務免除当時の乙理事長の資産は２億8222万5622円にすぎなかったのであるから、乙理事長の負債はその資産の実に20倍に迫る金額に達しており、債務超過の状態が著しいものであったといえる。

乙理事長は、年間収入として不動産収入や役員報酬等合計3746万5786円を得ているが、上記債務の額が多額であることに鑑みれば、これらをもって近い将来において本件債務全額を弁済することが可能であるということもできない。また、乙理事長は、本件債務免除を受けた後も、Ｄ株式会社から貸付けを受けているが、乙理事長は、本件債務免除の時点で、同社に対し既に8000万円の借入金債務を負っており、本件債務免除後の貸付けは乙理事長の返済能力を超えるものであった疑いがある上に、その借入金を投入した有価証券取引及び有価証券先物取引において乙理事長が利益を上げた事実も認められないから、これをもって乙理事長に近い将来において本件債務を弁済するだけの資金を調達する能力があったということもできない。

以上の事実に鑑みれば、本件債務免除益にも、本件通達の適用があるものと認めるのが相当である。

なお、Ｙは、本件債務免除の実質が、Ｘを実質的に支配していた乙理事長においてＸに本件債務免除を強いたというものであることを理由に、本件債務免除益が本件通達の要件に該当しないと主張する。しかしながら、Ｙの主張は、本件債務免除益が『債務者が資力を喪失して債務を弁済することが著しく困難である場合に受けたもの』に該当するか否かとは異なる視点からの主張であり、本件通達の要件該当性を判断する上で、意味のある主張とはいえないから、失当である。また、担税力のない者に課税することで将来生じ得る行政上の不必要なコストを回避するという前記のような本件通達の趣旨は、本件においても当てはまることが明らかであるから、上記のような理由が本件通達を適用しないことの合理的な理由になるともいえない。

⑶　したがって、仮に本件債務免除益が給与等に該当するとしても、本件債務免除益に本件通達を適用せず、源泉取得税額の計算上これを給与等の金額に算入すべきものとしてされた本件各処分は、本件通達を適用しなかったことについての合理的な理由が示されていない以上、平等取扱いの原則に反し違法であるというほかなく、取り消されるべきである。」

2　広島高裁岡山支部平成26年１月30日判決

広島高裁岡山支部は、本件債務免除は、役員の役務の対価とみることは相当ではなく、「給与等」に該当するということはできないから、本件債務免除益について、Ｘに源泉徴収義務はないというべきである旨判示し、Ｘの主張を容認した。

3　最高裁平成27年10月８日第一小法廷判決

「所得税法28条１項にいう給与所得は、自己の計算又は危険において独立して行われる業務等から生ずるものではなく、雇用契約又はこれに類する原因に基づき提供した労務又は役務の対価として受ける給付をいうものと解される（最高裁昭和52年（行ツ）第12号同56年４月24日第二小法廷判決・民集35巻３号672頁、最高裁平成16年（行ヒ）第141号同17年１月25日第三小法廷判決・民集59巻１号64頁参照）。そして、同項にいう賞与又は賞与の性質を有する給与とは、上記の給付のうち功労への報償等の観点をも考慮して臨時的に付与される給付であって、その給付には金銭のみならず金銭以外の物や経済的な利益も含まれると解される。

前記事実関係によれば、乙は、Ｘから長年にわたり多額の金員を繰り返し借り入れ、これを有価証券の取引に充てるなどしていたところ、Ｘが乙に対してこのように多額の金員の貸付けを繰り返し行ったのは、同人がＸの理事長及び専務理事の地位にある者としてその職務を行っていたことによるものとみるのが相当であり、Xが乙の申入れを受けて本件債務免除に応ずるに当たっては、Xに対する乙の理事長及び専務理事としての貢献についての評価が考慮されたことがうかがわれる。これらの事情に鑑みると、本件債務免除益は、乙が自己の計算又は危険において独立して行った業務等により生じたものではなく、同人がXに対し雇用契約に類する原因に基づき提供した役務の対価として、Xから功労への報償等の観点をも考慮して臨時的に付与された給付とみるのが相当である。

したがって、本件債務免除益は、所得税法28条1項にいう賞与又は賞与の性質を有する給与に該当するものというべきである。」

「以上と異なる原審の前記判断には、判決に影響を及ぼすことが明らかな法令の違反がある。論旨は理由があり、原判決は破棄を免れない。そして、本件債務免除当時に乙が資力を喪失して債務を弁済することが著しく困難であったなど本件債務免除益を同人の給与所得における収入金額に算入しないものとすべき事情が認められるなど、本件各処分が取り消されるべきものであるか否かにつき更に審理を尽くさせるため、本件を原審に差し戻すこととする。」

4　差戻控訴審広島高裁平成29年2月8日判決

広島高裁は、要旨以下のように判示し、また、本件債務免除につきXが錯誤無効を主張できるかという争点について次のとおり判断している。

本件債務免除益は所得税法28条1項にいう賞与又は賞与の性質を有する給与に該当するとした上で、乙理事長の資産の状況に照らし、本件債務免除により乙理事長が得た経済的な利益は12億8479万1053円であり、乙理事長に係る平成19年12月分の源泉所得税の額は4億8573万4304円であるとし、…各処分（ただし、納税告知処分については審査請求に対する裁決による一部取消し後のもの）中、納税告知処分のうち上記源泉所得税の額を超えない部分及び不納付加算税の賦課決定処分のうち同部分に係る部分（以下「本件各部分」という。）は適法であるとした。

申告納税方式の下では、同方式における納税義務の成立後に、安易に納税義務の発生の原因となる法律行為の錯誤無効を認めて納税義務を免れさせることは、納税者間の公平を害し、租税法律関係を不安定にすることからすれば、法定申告期限を経過した後に当該法律行為の錯誤無効を主張することは許されないと解される。源泉徴収制度の下においても、源泉徴収義務者が自主的に法定納期限までに源泉所得税を納付する点では申告納税方式と異なるところはなく、かえって、源泉徴収制度は他の租税債権債務関係よりも早期の安定が予定された制度であるといえることからすれば、法定納期限の経過後に源泉所得税の納付義務の発生原因たる法律行為につき錯誤無効の主張をすることは許されないと解すべきである。

5　差戻上告審最高裁平成30年９月25日第三小法廷判決

「給与所得に係る源泉所得税の納付義務を成立させる支払の原因となる行為が無効であり、その行為により生じた経済的成果がその行為の無効であることに基因して失われたときは、税務署長は、その後に当該支払の存在を前提として納税の告知をすることはできないものと解される。そして、当該行為が錯誤により無効であることについて、一定の期間内に限り錯誤無効の主張をすることができる旨を定める法令の規定はなく、また、法定納期限の経過により源泉所得税の納付義務が確定するものでもない。したがって、給与所得に係る源泉所得税の納税告知処分について、法定納期限が経過したという一事をもって、当該行為の錯誤無効を主張してその適否を争うことが許されないとする理由はないというべきである。

…以上と異なる見解の下に、Ｘが法定納期限の経過後に本件債務免除の錯誤無効を主張することは許されないとした原審の判断には、法令の解釈適用を誤った違法があるものといわざるを得ない。しかしながら、Ｘは、本件債務免除が錯誤により無効である旨の主張をするものの、…納税告知処分が行われた時点までに、本件債務免除により生じた経済的成果がその無効であることに基因して失われた旨の主張をしておらず、したがって、Ｘの主張をもってしては、本件各部分が違法であるということはできない。そうすると、本件各部分が適法であるとした原審の判断は、結論において是認することができる。論旨は、結局、採用することができない。」

〔コメント〕

本件では、第一審、控訴審、上告審において給与所得該当性や債務免除益に対する課税の是非が議論され、差戻控訴審、差戻上告審では錯誤無効の主張の可否が争われた。後者の論点には、差戻上告審において錯誤無効の主張が認められるとしても、納税告知処分が行われた時点までに、本件債務免除により生じた経済的成果がその無効であることに基因して失われた旨の主張がなされていないとしてかかるＸの主張は採用されなかった。

ここでは、前者の給与所得該当性について考えることとしよう。

本件最高裁は、権利能力のない社団であるＸの理事長及び専務理事の地位にあった乙が当該社団から借入金債務の免除を受けることにより得た利益は、①乙がＸから長年にわたり多額の金員を繰り返し借り入れていたところ、Ｘがこのような貸付けを行ったのは乙が上記の地位にある者としてその職務を行っていたことによるものとみるのが相当であること、②Ｘが乙の申入れを受けて上記借入金債務の免除に応ずるに当たってはＸに対する乙の貢献についての評価が考慮されたことがうかがわれることなどの事情の下においては、所得税法28条１項にいう賞与又は賞与の性質を有する給与に該当する旨判断した。

このように本件最高裁は、給与所得該当性を肯定したものの、そこでは、所得税法183条《源泉徴収義務》にいう「支払」の存否については論じていない。具体的な説示はないものの、債務免除を行うことが「支払」に該当することが前提とされていると解されることからすれば、同最高裁は「支払」概念を広く認める立場に立っているといえよう。

次に、本件通達（旧所基通36－17）の位置付けをどのように考えるべきかという点についても考える必要がある。

この点は、次の大阪地裁平成24年２月28日判決が参考となろう。

裁判例の紹介

債務を弁済することが著しく困難であると認められる場合の意義

債務免除益につき旧所得税基本通達36－17の適用が認められた事例

（232 第一審大阪地裁平成24年２月28日判決・税資262号順号11893）

〔事案の概要〕

本件は、病院事業を営むＸ（原告）が、株式会社Ａ（以下「Ａ」という。）及びＢ（Ｂの地位は独立行政法人Ｃに承継された。以下、承継の前後を問わず「Ｃ」といい、Ａと併せて「Ａ等」という。）から受けた総額24億1,033万1,186円の債務免除（以下「本件債務免除」という。）に係る債務免除益（以下「本件債務免除益」という。）を事業所得の総収入金額に算入せずに平成17年分の所得税の確定申告をしたところ、処分行政庁からその一部である10億2,116万5,891円を事業所得として総収入金額に加算する内容の更正処分（以下「本件更正処分」という。）及び過少申告加算税の賦課決定処分（以下「本件賦課決定処分」といい、本件更正処分と併せて「本件更正処分等」という。）を受けたため、本件債務免除益には所得税基本通達36－17の適用があるから上記加算は許されないと主張し、国Ｙ（被告）を相手取り本件更正処分等の取消しを求めた事案である。

〔争点〕

本件債務免除益に対して所得税基本通達36－17の適用があるか否か。

〔判決の要旨〕

○　大阪地裁平成24年２月28日判決

「相続税法８条本文は、個人からの債務免除によって利益を受けた者は、当該債務免除があった時において、当該債務免除に係る債務金額に相当する金額を、当該債務免除をした者から贈与により取得したものとみなす旨規定し、所得税法9条1項16号は、個人からの贈与により取得する所得については、所得税を課さない旨規定する。このように、個人が個人に対して債務免除をしたときは、これにより債務者が得た経済的利益（債務免除益）については所得税は課されず、その代わりに相続税法の規定に従って贈与税が課される。

ところで、相続税法8条ただし書1号は、同条本文の例外として、債務者が資力を喪失して債務を弁済することが困難である場合において、当該債務の全部又は一部の免除を受けたときは、その贈与により取得したものとみなされた金額のうちその債務を弁済することが困難である部分の金額については、同条本文の規定を適用しない旨を規定する。これは、債務者が経済的破綻状態に至った場合においてやむを得ず、又は道義的に行われた債務免除にまで贈与税が課されることは適当でないとの考えに基づいて定められた規定であるところ、債務者が資力を喪失して債務を弁済することが困難であるか否かの判断時期が債務免除の直前であることは、同規定の趣旨からも、またその文言からも明らかである。そうすると、個人から受けた債務免除益については、債務免除の直前の状況を前提に資力を喪失して債務を弁済することが困難であったが、債務免除の結果、債務者が資力を回復したというような場合でも、一定の範囲で贈与税が課されないことになる（かかる場合において、所得税も課されないことは明らかである。）。

ところで、基本通達36－17は、所得税法9条1項16号が適用されない債務免除益、すなわち、法人が個人に対してした債務免除等に係る債務免除益に適用される規定であるところ、債務免除を行った者が個人であるか法人であるかといった債権者の属性によって、債務免除益に課税するか否かについて差異を設ける合理的な理由があるとは認め難い。そうすると、法人である債権者から債務免除を受けた場合、当該債務免除後においても、債務者が資力を喪失して債務を弁済することが著しく困難である場合でなければ、全く基本通達36－17の適用がないとすることは、個人から債務免除を受けた場合と比して均衡を失するものといえる。他方、法人である債権者から債務免除を受ける前において、債務者が資力を喪失して債務を弁済することが著しく困難であれば、当該債務免除の結果債務者が資力を回復した場合であっても、当然に債務免除益全額を収入金額に算入しないというのも、個人から債務免除を受けた場合と比してやはり均衡を失するものといえる。

所得税法9条1項10号は、資力を喪失して債務を弁済することが著しく困難である場合における強制換価手続による資産の譲渡による所得その他これに類するものとして政令で定める所得については所得税を課さない旨規定し、所得税法施行令26条は、上記の『政令で定める所得』を、資力を喪失して債務を弁済することが著しく困難であり、かつ、強制換価手続の執行が避けられないと認められる場合における資産の譲渡による所得で、その譲渡に係る対価が当該債務の弁済に充てられたものと規定するところ、基本通達9－12の2は、これらの『資力を喪失して債務を弁済することが著しく困難』である場合とは、債務者の債務超過の状態が著しく、その者の信用、才能等を活用しても、現にその債務の全部を弁済するための資金を調達することができないのみならず、近い将来においても調達することができないと認められる場合をいい、これに該当するかどうかは、これらの規定に規定する資産を譲渡した時の現況により判定するとしている。これらの規定が、一定の要件の下に強制換価手続等による資産の譲渡による所得を非課税所得としているのは、資力を喪失して債務を弁済することが著しく困難であるために強制換価手続等が行われる者から所得税を徴収することが困難であることや、強制換価手続等による資産の譲渡が本人の意思に基づかない強制的な譲渡であり、あるいはそれと同視できるものであること等を考慮したことによるものと解される。

そして、所得税法施行令26条は、その文言上、『資力を喪失して債務を弁済することが著しく困難』であるという要件と『強制換価手続の執行が避けられない』という要件とを並列に扱うと共に、これら各要件が認められる『場合における資産の譲渡』と規定していることからすると、同条は、債務者が資力を喪失して債務を弁済することが著しく困難か否かの判断を、強制換価手続の執行が避けられないことに基づきした資産の譲渡の直前の財産状況を前提に行うものとしていると解されるところであって、所得税法９条１項10号も、同号自体が『資力を喪失して債務を弁済することが著しく困難である場合における（中略）強制換価手続による資産の譲渡による所得』と、『これに類するものとして』上記所得税法施行令26条が定める所得を非課税とする旨規定していることに照らせば、債務者が資力を喪失して債務を弁済することが著しく困難であるか否かの判断を、当該強制換価手続等による資産の譲渡が行われる直前の財産状況を前提に行うものとしていると解するのが相当である。

そうすると、所得税法９条１項10号や所得税法施行令26条と同様に、債務者が『資力を喪失して債務を弁済することが著しく困難』である場合という文言を用いる基本通達36－17においても、債務者が資力を喪失して債務を弁済することが著しく困難であるか否かの判断は、債務免除が行われる直前の財産状況を前提に行うことを予定していると理解するのが自然である。

加えて、法人税法59条１項１号は、内国法人について更生手続開始の決定があった場合において、その内国法人が当該更生手続開始の決定があった時においてその内国法人に対し政令で定める債権を有する者から当該債権につき債務の免除を受けた場合に該当するときは、その該当することとなった日の属する事業年度前の各事業年度において生じた欠損金額で政令で定めるものに相当する金額のうちその債務の免除を受けた金額の合計額に達するまでの金額は、当該適用年度の所得の金額の計算上、損金の額に算入する旨規定し、同条２項１号は、内国法人について再生手続開始の決定があったことその他これに準ずる政令で定める事実が生じた場合において、その内国法人がこれらの事実の生じた時においてその内国法人に対し政令で定める債権を有する者から当該債権につき債務の免除を受けた場合に該当するときは、その該当することとなった日の属する事業年度前の各事業年度において生じた欠損金額で政令で定めるものに相当する金額のうちその債務の免除を受けた金額の合計額に達するまでの金額は、当該適用年度の所得の金額の計算上、損金の額に算入する旨規定する。

このように、会社更生手続又は民事再生手続が開始された法人が受けた債務免除益については、法人税法上、これを益金に算入する扱い自体に変更はないものの、当該債務免除額を限度として、通常の繰越控除の適用期間を経過した欠損金の損金算入を認めるものとされており、法人の再建をより容易にする趣旨の規定が設けられているということができる。これに対し、民事再生手続が開始された個人が受けた債務免除益については、所得税法上、個人の再建を支援する趣旨の特別の規定は設けられていない。これは、民事再生手続が開始された個人の再建を支援することについては、基本通達36－17がその役割を果たしていることによるものと解することもできよう。」

「以上に検討したところに加え、基本通達36－17が、『債務免除益のうち、債務者が資力を喪失して債務を弁済することが著しく困難であると認められる場合に受けたもの』と規定しており、その文言からは、債務免除を受ける直前の状態において、債務者が資力を喪失して債務を弁済することが著しく困難であることを要件としていると理解するのが自然であることに照らすと、基本通達36－17は、債務免除を受ける直前において、債務者が資力を喪失して債務を弁済することが著しく困難である場合には、当該債務免除益を各種所得の金額の計算上収入金額又は総収入金額に算入しない旨の取扱いをする旨を定めているものと解すべきである。」

「通達は、上級行政機関がその内部的権限に基づき、下級行政機関や職員に対し発する行政組織内部の命令にすぎず、国民の権利義務に直接の法的影響を及ぼすものではなく、このことは、通達の内容が法令の解釈や取扱いに関するものであっても同様であるから、通達に従った税務処理が適法であるというためには、当該通達がそのよって立つ法令に整合するものであることが必要である。そこで、上記に述べた基本通達36－17の解釈が、所得税法の解釈に整合するものか否かが問題となる。

そこで検討するに、所得税法は、23条ないし35条において、所得をその源泉ないし性質によって10種類に分類し、それぞれについて所得金額の計算方法を定めているところ、これらの計算方法は、個人の収入のうちその者の担税力を増加させる利得に当たる部分を所得とする趣旨に出たものと解される。このことに鑑みると、同法36条１項が、経済的な利益をもって収入する場合にはその利益の価額を各種所得の計算上収入金額又は総収入金額に算入する旨規定しているのは、当該経済的な利益のうちその者の担税力を増加させる利得に当たる部分を収入金額及び総収入金額に算入する趣旨をいうものと解すべきである。

そして、債務免除を受ける直前において、債務者が資力を喪失して債務を弁済することが著しく困難であり、債務者が債務免除によって弁済が著しく困難な債務の弁済を免れたにすぎないといえる場合には、当該債務免除という経済的利益によって債務者の担税力が増加するものとはいえない。そうすると、基本通達36－17本文は、当該債務免除の額が債務者にとってその債務を弁済することが著しく困難である部分の金額の範囲にとどまり、債務者が債務免除によって弁済が著しく困難な債務の弁済を免れたにすぎないといえる場合においては、これを収入金額に算入しないことを定めたものと解するのが相当であり、このような解釈は、所得税法36条の趣旨に整合するものというべきである。（なお、前記のとおり債務免除益は経済的利益に当たるものであるから、基本通達36－17本文の趣旨は、債務免除益が当該債務免除を受けた債務者の担税力を増加させない場合に積極的に課税をすることを避けようというものにとどまるというべきである。したがって、関連業務に係る損失の控除等によって課税が生じない範囲では原則どおり当該債務免除益を収入金額に算入するという基本通達36－17ただし書の取扱いは、上記に説示した同本文の解釈と矛盾しないものといえる。）」。

〔コメント〕

本件判決は、所得税法36条の「経済的利益」を「経済的利益のうち、納税者の担税力を増加させるもの」と解釈しているように思われる。けだし、大阪地裁は、債務免除益を経済的利益に当たるとした上で、それでも、債務免除益が債務免除を受けた債務者の担税力を増加させない場合に課税を避けるという趣旨であれば、同条の趣旨に整合するとしているからである。

このように、所得税法36条の「経済的利益」を担税力の観点から解釈をするという手法はこれまで課税実務においてもしばしば採用されてきた。もっとも、担税力を増加させない場合という要件を付加することが、安定的な解釈という点で疑問が残る判断であるといわざるを得ない。なお、前述のとおり、所得税法44条の２が創設されて、立法により解決された。

11　外国所得税額の減額

外国税額控除の適用を受けた年の翌年以後７年内の各年に外国所得税が減額（外国政府からの還付）された場合には、減額された年分の外国税額控除を調整することになるので、その調整に充てられた部分の金額は、不動産所得、事業所得、山林所得、一時所得又は雑所得の金額の計算上、総収入金額に算入しない（所法44の３）。

Ⅱ　収入金額の計上時期

1　権利確定主義

所得税法は、原則として、暦年単位での所得を対象に超過累進税率を適用して課税することとしているから（所法89①）、いつの年分の収入とするかによってその負担額に大きな差が生ずることになる。そこで、所得税法では、収入金額の計上時期について、別段の定めがあるものを除き、その年において「収入すべき金額」であると規定している（所法36①）。そして、「別段の定め」については、①リース譲渡に係る収入金額、②工事の請負に係る収入金額、及び③小規模事業者に係る現金主義の明文の規定を置いているが（所法65①～67①）、「収入すべき金額」の一般的な意義については、所得税法上何ら明確な規定がなく、専ら解釈に委ねられている。

この点に関する実務の取扱いは、かつて「収入金額とは収入すべき金額をいい、収入すべき金額とは収入する権利の確定した金額をいうものとする。」（旧所基通194）として、いわゆる権利確定主義を標榜し、「詐欺又は強迫により取得した財物は一応所有権が移転するものであるから、当該財物から生ずる所得」及び「賭博による収入」に対しては原則として課税するが、「窃盗・強盗又は横領により取得した財物については、所得税を課さない。」としていたところである（旧所基通148）。その後、右取扱いは、「収入すべき金額又は総収入金額に算入すべき金額は、その収入の基因となった行為が適法であるかどうかを問わない。」に改められ（所基通36－１）、課税所得は、「法律上の権利」に拘泥せずに、経済的・実質的に把握すべきであるという考え方に基づいて、「権利の確定」という文言は通達の上では削除されている。

しかしながら、「収入すべき金額」の解釈について、判例上は、権利確定主義の考え方が定着しているところであり、例えば、235最高裁昭和49年３月８

日第二小法廷判決（514頁参照）では、「所得税は経済的な利得を対象とするものであるから、究極的には実現された収支によってもたらされる所得について課税するのが基本原則であり、ただ、その課税に当たって常に現実収入のときまで課税できないとしたのでは、納税者の恣意を許し、課税の公平を期し難いので、徴税政策上の見地から、収入すべき権利の確定したときを捉えて課税することとしたものであ〔る。〕」と判示する（このほか、最高裁昭和40年9月8日第二小法廷判決（刑集19巻6号630頁）、最高裁昭和40年9月24日第二小法廷判決（民集19巻6号1688頁）、241最高裁昭和53年2月24日第二小法廷判決（522頁参照）などがある。）。このように、収入すべき時期については、解釈上、現実の収入がなくても、法律上権利が確定したときに課税となるという意味での「権利確定主義」がとられているが、この収入すべき時期について、金子宏教授は、「権利の確定という『法的基準』ですべての場合を律するのは妥当でなく、場合によっては、利得が納税者のコントロールのもとに入ったという意味での『管理支配基準』を適用するのが妥当な場合もある。」と指摘する（金子・租税法312頁）。

2　各種所得ごとの収入金額の計上時期

所得税法上の収入金額計上時期については、いわゆる権利確定主義がとられていると解されているが、現行の実務では、次のとおり、各種の所得ごとにその計上基準を明らかにしている。

(1)　利子所得の収入金額の計上時期（所基通36－2）

①　定期預金の利子……預入期間の満了の日

②　普通預金の利子……支払を受ける日又は元本への繰入日

③　通知預金……その払出しの日

④　公社債投資信託、公募公社債等運用投資信託、合同運用信託の収益の分配（無記名のものを除く。以下、公社債の利子、配当等について同じ。）……収益計算期間の満了の日

⑤　公社債の利子……支払開始日と定められた日

(2)　配当所得の収入金額の計上時期（所基通36－4）

①　剰余金の配当、利益の配当、剰余金の分配、基金利息……当該剰余金の配当等について定めたその効力を生ずる日。ただし、その効力を生ずる日を定めていない場合は、当該剰余金等の配当等を行う法人の社員総会その他正当な権限を有する機関の決議があった日

②　投資信託（公社債投資信託及び公募公社債等運用投資信託を除く。）の収益の分配……信託期間中のものについては収益計算期間の満了の日、信託の終了又は解約によるものについてはその終了又は解約の日

✍　源泉徴収選択口座内配当等については、その年に交付を受けた日が収入計上時期となる（措法37の11の6⑧）。

(3)　不動産所得の総収入金額の計上時期（所基通36－5～36－7）

①　契約や慣習により支払日が定められている場合……その支払日

②　契約や慣習により支払日が定められていない場合……支払を受けた日

✍　事業的規模による不動産の貸付による所得にあっては、継続記帳に基づき前受収益、未収収益等の経理を行っているときは、期間に応じて収入金額に計上できる（昭和48年直所2－78通達）。

③　賃貸借契約の存否の係争がある場合……和解等のあった日

④　賃貸料の額に係争がある場合……(i)供託されている部分の賃貸料は支払日、(ii)新旧差額部分の賃貸料は和解等のあった日

⑤　頭金、権利金、名義書換料、更新料等……(i)資産の引渡しを要するものは、引渡しのあった日（契約の効力が発生した日でも可）、(ii)資産の引渡しを要しないものは、契約の効力が発生した日

⑥　敷金、保証金等……返還を要しないこととなった日

(4)　事業所得の総収入金額の計上時期（所基通36－8）

①　棚卸資産の販売収入……引渡しの日、試用販売の場合は相手方が購入の

意思表示をした日、委託販売の場合は受託者が委託品を販売した日

② 請負による収入……目的物を相手方に引き渡した日、引渡しを要しないものは役務提供を完了した日

③ 人的役務の提供による収入……人的役務の提供を完了した日

④ 資産の貸付による賃貸料（その年に対応するもの）……その年の末日

⑤ 金銭の貸付による利息（その年に対応するもの）……その年の末日

(5) 給与所得の収入金額の計上時期（所基通36－９）

① 給料、賃金等……(i)支給日が定められている場合は、その支給日、(ii)支給日が定められていない場合は、支給を受けた日

② 役員に対する賞与等……株主総会の決議等があった日、決議等が支給総額だけを定めた場合は、各人ごとの支給額が具体的に定められた日

③ 給与規程の改訂により既往の期間に対応して支払われる新旧給与との差額相当額……(i)支給日が定められている場合は、その支給日、(ii)支給日が定められていない場合は、その改訂の効力が生じた日

(6) 退職所得の収入金額の計上時期（所基通36－10）

① 原則……退職の日

② 役員の退職給与等……株主総会の決議等があった日、決議等が支給することだけを定めた場合は、その金額が具体的に定められた日

(7) 山林所得又は譲渡所得の総収入金額の計上時期（所基通36－12）

山林等の引渡しがあった日、山林等の譲渡に関する契約の効力が発生した日によることもできる。

(8) 一時所得の総収入金額の計上時期（所基通36－13）

支払を受けた日、支払を受けるべき金額が支払前に通知されているものについては、その通知を受けた日

(9) 雑所得の総収入金額の計上時期（所基通36－14）

① 公的年金等以外の雑所得……その収入内容に応じて、他の所得の収入計上時期に準ずる。

② 公的年金等の雑所得……原則として、法令等に定められた支給の日

✍ 過去の年金記録の修正等により支給漏れ年金の一部について、一括支払を受けた場合には、当該年金の計算の対象とされた期間に係る各々の支給日において収入金額に算入されることになる（所基通36－14参照）。

裁判例の紹介

権利確定主義

権利確定主義によって収入金額が計上されるべきところ、課税関係の是正措置がなくとも不当利得が成立するとされた事例

（233第一審東京地裁昭和41年６月30日判決・民集28巻２号200頁）[5]
（234控訴審東京高裁昭和42年12月26日判決・民集28巻２号214頁）[6]
（235上告審最高裁昭和49年３月８日第二小法廷判決・民集28巻２号186頁）[7]

〔事案の概要〕

Ｘ（原告・被控訴人・被上告人）は貸付金利息について、権利確定主義に従

5）判例評釈として、金子宏・自研45巻７号170頁（1969）、成田頼明・租税百選156頁（1968）、松富善行・税通21巻13号229頁（1966）、須貝脩一・シュト54号１頁（1966）、同・判評95号12頁（1966）など参照。

6）判例評釈として、波多野弘・シュト73号12頁（1968）参照。

7）判例評釈として、中川一郎・シュト152号１頁（1974）、金子宏・ジュリ590号32頁（1975）、同・自研45巻７号181頁（1969）、佐藤繁・ジュリ567号57頁（1974）、同・昭和49年度最高裁判所判例解説〔民事篇〕198頁（1977）、同・曹時28巻１号120頁（1976）、兼子仁・ジュリ444号158頁（1970）、堺澤良・税通33巻14号226頁（1978）、碓井光明・行政百選Ⅰ84頁（1979）、芝池義一・租税百選〔２〕148頁（1983）、森田寛二・行政百選Ⅰ〔５〕76頁（1987）、遠藤博也・民商72巻１号113頁（1975）、阿部泰隆・判評203号141頁（1976）、加藤雅信・租税百選〔５〕180頁（2011）、太田匡彦・租税百選〔７〕200頁（2021）、高橋靖・税研106号33頁（2002）、板垣勝彦・行政百選Ⅰ〔７〕68頁（2017）、酒井克彦・税理54巻１号50頁（2011）など参照。

い収入の原因たる権利が確定的に発生した段階で所得として認識し、昭和28年分の雑所得として申告をしたが、その後、この雑所得として申告したものの一部が、昭和36年に裁判上の和解により貸倒れとなり放棄され、回収不能となった。

係争当時、権利が確定的に発生して課税対象とされた後に債権が貸倒れとなった際、かかる債権が事業所得を構成する場合には、貸倒れ額を貸倒れ発生年分の損失として、事業所得の金額の計算上控除することができるが、雑所得のような継続性のない所得の場合には、これについての格別の調整・救済方法が定められていなかったため問題となったものである[8]。

〔争点〕

更正の請求などによる救済が図れない上記のようなケースでは、確定した納付すべき税額の変更を期待することができるか否か。

〔判決の要旨〕

1　東京地裁昭和41年6月30日判決

「所得税法は、所得の算定方法につきいわゆる発生主義をとっていることは明らかであるところ、所得算定方法としての発生主義は、現実収入の原因たる権利の発生（確定）の時期と現実収入の時点との間に時間的ずれのある場合に、課税上、現実収入の時点の属する年度の所得としてではなく、権利発生の時期の属する年度の所得としてこれを算定すべきものとする方式であって、所得を年度ごとに正確、確実に捕捉する方式として、極めて便宜、有用な技術的方法であることは争いえないところである。しかしながら、発生主義は、債権についていえば、現実の回収が行なわれない前の時点において、現実の収入があったのと同様に課税することを許すものであるから、後に現実の回収の不可能であることが確定した場合には、実質上、結局において所得なくして課税を行なったに等しい不公正な結果を招来するという危険、弊害を内包する主義、方式であることも否定できないところである。したがって、所得算定方法としての発生主義は、この主義をとることによって必然的に生ずる右の弊害を除去するための、なんらかの適切な調整方法とあいまって初めて公正、合理的な方式として是認しうるものであって、この調整方法を伴なうのでなければ、無条件にその合理性を承認することのできないものである。」

「譲渡所得や雑所得のような一回かぎりの所得について、発生主義を厳格に貫き後に被課税者本人の責に帰すべからざる事由により回収不能が生じた場合においてもおよそなんらの調整方法を講ずる必要がないとすることは、実質上、結局において、所得なくして課税するに等しい不公平、不公正を是認する結果となり、この場合に生ずる不公平、不公正は、事業所得につき貸倒れ発生の場

8）現行所得税法64条及び152条参照。

合に遡及的、個別的調整を認めないこととすることにより生ずる不公正に比してはるかに顕著なものであることは明らかであってかような不公正に対しなんらの救済方法も許されないとすることは、徴税の便宜のために正義、公正の基本原理を無視するものといわねばならない。したがって、立法府の立法政策上の裁量権をもってしても、かような顕著な不公正の受忍を個人に強いることは許されないものと解すべきであり、所得税法がかような場合につき救済方法を定めなかったのは、当時の所得税法が徴税の合目的性、便宜性を主眼として立案されたため、かような場合の救済方法につき適切、周到な配慮を欠いたことによるもので、立法府がかような場合につきおよそなんらの救済方法も認めらるべきでないとする態度をとっているものとは解されない。」

「所得税の本質と正義、公平の基本原理とに照らせば…〔貸倒れの発生が判明した以後においては〕徴税当局が課税処分の取消…による租税還付の措置をとらないでいることが違法となる〔。〕」

2　東京高裁昭和42年12月26日判決

「公法関係特に租税関係について一切不当利得法理の適用を否定するのでないかぎり…本件の場合に原課税処分の効力を論ずるのは無意味と考えられる。何となれば、本件は単なる過誤納、すなわち確定した課税処分の誤りを事後に主張して税金の返還を求めるのと異なり、発生主義ないし権利確定主義により一たん課税、徴収…したことは正当、有効でありながら、その後貸倒れの発生によって不当利得が成立すると判断される場合だからである。発生主義が『収入すべき金額』に税金を課する制度である以上、それは収入されることを予定し前提とする立場に立つものというべく…、後にその収入されないことが客観的に判明した場合には、右の前提が失われて利得保有の根拠を欠くに至り、不当な利得となるといわなければならない。私法上の不当利得にあっても、強いて給付行為が無効あるいは取消されなくても成立し得るのであって…、公法関係において異なる考えをとらなければならない理由はない。従って本件において単に課税処分の存在、有効をもって法律上の原因であるとし、不当利得の成立を否定するのは誤った考え方であり、利得を返還するのに原処分が遡って無効となると考える必要も、これを取消す必要もないわけである。したがって行政処分の公定性と牴触したり、法的安定性が害されることにはならない。」

3　最高裁昭和49年３月８日第二小法廷判決

「もとより、いったん適法、有効に成立した課税処分が、後発的な貸倒れにより、遡って当然に違法、無効となるものではないが、その貸倒れによって前記の意味の課税の前提が失われるに至ったにもかかわらず、なお、課税庁が右課税処分に基づいて徴収権を行使し、あるいは、既に徴収した税額をそのまま保有することができるものとすることは、所得税の本質に反するばかりでなく、事業所得を構成する債権の貸倒れの場合とその他の債権の貸倒れの場合との間にいわれなき救済措置の不均衡をもたらすものというべきであって、法がかかる結果を是認しているものとはとうてい解されないのである。

そこで、以上の見地に立って考察するに、所得税法は、具体的な租税債権及びその数額が法規の定める課税要件の充足と税額計算方法によって自動的に確定するものとはしないで、課税所得及び税額の決定ないし是正を課税庁の認定判断にかからしめているのであるから、かような制度のもとでは、債権の後発的貸倒れの場合にも、貸倒れの存否及び数額についてまず課税庁が判断し、その債権確定時の属する年度における実所得が貸倒れにより回収不能となった額だけ存在しなかったものとして改めて課税所得及び税額を算定し、それに応じて先の課税処分の全部又は一部を取消したうえ、既に徴税後であればその部分の税額相当額を納税者に返還するという措置をとることが最も事理に即した是正の方法というべく…、課税庁としては、貸倒れの事実が判明した以上、かかる是正措置をとるべきことが法律上期待され、かつ、要請されているものといわなければならない。

しかしながら、旧所得税法には、課税庁が右のごとき是正措置をとらない場合に納税者にその是正措置を請求する権利を認めた規定がなかったこと、また、所得税法が前記のように課税所得と税額の決定を課税庁の認定判断にかからしめた理由が専ら徴税の技術性や複雑性にあることにかんがみるときは、貸倒れの発生とその数額が格別の認定判断をまつまでもなく客観的に明白で、課税庁に前記の認定判断権を留保する合理的必要性が認められないような場合にまで、課税庁自身による前記の是正措置が講ぜられないかぎり納税者が先の課税処分に基づく租税の収納を甘受しなければならないとすることは、著しく不当であって、正義公平の原則にもとるものというべきである。それゆえ、このような場合には、課税庁による是正措置がなくても、課税庁又は国は、納税者に対し、その貸倒れにかかる金額の限度においてもはや当該課税処分の効力を主張することができないものとなり、したがって、右課税処分に基づいて租税を徴収しえないことはもちろん、既に徴収したものは、法律上の原因を欠く利得としてこれを納税者に返還すべきものと解するのが相当である。」

〔コメント〕

不当利得の制度は、歴史的、沿革的にはまず私法の分野において発達した制度である。

民法703条《不当利得の返還義務》

法律上の原因なく他人の財産又は労務によって利益を受け、そのために他人に損失を及ぼした者…は、その利益の存する限度において、これを返還する義務を負う。

民法上の不当利得の要件は、(1)紛争の対象となる財貨移転等を特定するための要件として、①「受益」、②「損失」、③受益と損失の「関連性（因果関係）」（財貨特定3要件）と、(2)「法律上の原因」の欠缺である。(2)の「法律上の原因」の欠缺要件をどのように理解すべきかについては、民法学説上も大きな議論を呼んでおり、必ずしも明確にされているわけではない。そのようなことから民法学説上において統一的な理解を諦める見解さえあるが（非統一把握説）、伝統的な学説としては衡平説[9]が挙げられている[10]。なお、類型説も近時の有力な学説である[11]。

ここにいう「衡平説」とは、不当利得制度の基礎を衡平の観念に求め、事態が衡平といえるか否かということに求めるものである[12]。判例は、法律上の原因は、正義公平の観念上、正当とされる原因をいうとしている（大審院昭和11年1月17日判決・民集15巻101頁）。

本件東京地裁は、この制度が租税法律関係においても適用し得るかについては、次のような見地から肯定をした。すなわち、「法の支配の原則をとり、私法分野のみならず、ひろく公法分野の事件についても裁判所に審判権の認められた現行制度の下では、不当利得の制度は、利得の保有が正義、公平の基本原理に照らし是認しえない場合に対する個別的救済の法理として、公法、私法を通ずる基本的法理と解さるべきものである（私法上の不当利得の制度は、この基本法理の私法分野における発現形態として理解さるべきものである。）から、…課税処分の取消による租税還付の措置をとらないでいることが正義、公平の基本原理に照らし許されないと解されるような場合であって、しかも制定法上これに対す救済手続が定められていない場合には、裁判所が不当利得の法理による個別救済の役割を引受けることを妨げるべきなんらの理由はなく、かえって裁判所がこの役割を果さないことこそ新憲法下の裁判所の地位にふさわしいものというべきである。」としたのである。

上記のとおり、不当利得の成立は、「法律上の原因なく」ということが要件とされているから、本件の課税処分をもって「法律上の原因」とみることになると、不当利得は成立しないことになる。

そこで、この点について、本件東京地裁は、本来取り消されるべきことが期待され、要請されている処分の存在をもって「法律上の原因」とみることはできないと構成したのである。これに対して、本件大阪高裁は、私法上の不当利得についても給付行為が無効あるいは取り消されなくても成立し得るから、課税処分の存在や有効であることをもって「法律上の原因」であるとするのは誤った考え方

9）我妻栄『債権各論〔下巻一〕』938頁（岩波書店1972）。
10）加藤雅信「不当利得」『民法講義6不法行為等』39頁（有斐閣1979）
11）川井健『民法概論4債権各論』363頁（有斐閣2007）。
12）加藤雅信「不当利得」鎌田薫ほか編『民事法Ⅲ』249頁（日本評論社2006）。

であるとして、疑問を払拭している。本件最高裁は、この点、「正義公平の原則」に反する限度で課税庁は課税処分の効力を主張することができないとした上で、この延長線上に効力を有しない課税処分が「法律上の原因」とはなり得ないと構成したのである。

本件最高裁判決が不当利得の成立を認めるために捻出した課税処分の効力の主張制限という構成は、他方で、所得税の本質論からも裏付けが施されているのである。すなわち、貸倒れが生じているにもかかわらず徴収税額が滞納されたままであると観念すること自体、「所得税の本質に反する」というくだりの部分がそれである。

ところで、本件最高裁判決は衡平説を採用したように思われるが、その「正義公平の原則」に反するかどうかのメルクマールはどこにあるのであろうか。同最高裁判決から抽出することができるそれは、「貸倒れの発生とその数額が格別の認定判断をまつまでもなく客観的に明白」な場合という部分であろう[13)]。不当利得の本質は、特定の当事者の間に生じた財産の変動をその変動に関係した当事者の間だけのそれとして考察するときは、法の他の理想である公平の要請に反するものとして否認されなければならない、という矛盾に存する[14)]。そして、かかる場合に、財産の取得者に価値返還を命ずることによって、かかる矛盾に解決を与えようとするものが不当利得制度である。このように不当利得とは財産変動に対する「調節者としての機能」を営むものであると理解されていることからすると、本件最高裁判決は妥当なものであったというべきであろう。

また、最高裁昭和40年９月８日第二小法廷決定（刑集19巻６号630頁）[15)]は、「所得税法10条１項にいう収入すべき金額とは、収入すべき権利の確定した金額をいい、その確定の時期は、いわゆる事業所得にかかる売買代金債権については、法律上これを行使することができるようになったときと解するのが相当である。」とし、「所論売買契約にもとづく１億2,000万円の代金債権は、昭和34年度に行使することができるようになったものであるから、これを同年度に収入すべき金額であるとした原審の判断は、結論において正当であるといわなければならない。」とした上で、「所論2,000万円は、原審の認定した事実によると、いわゆる解約手附として受取ったものであるところ、解約手附は、両当事者が契約の解除権を留保するとともに、これを行使した場合の損害賠償額となるものとして、あらかじめ授受するに過ぎないものであって、それを受取ったからといって、それを受取るべき権利が確定しているわけではないから、そのままでは、前記収入すべき権利の

13）森田・前掲７）77頁。

14）松坂佐一『民法提要〔第５版〕』249頁（有斐閣1993）。

15）判例評釈として、坂本武志・曹時17巻11号171頁（1965）、山田二郎・税弘14巻３号139頁（1966）、植松守雄・租税百選104頁（1968）、須貝脩一・シュト49号10頁（1966）など参照。

確定した金額には当らないものと解するのが相当である。」とする。

同判決は、最高裁が権利確定主義を明言した最初の判断[16]であるといわれている。

その後、ある収入がどの年度の所得として課税されるべきかを決定する基準として、この判決以降のこれまでの判例は、いわゆる権利確定主義を採用してきたのである。

例えば、最高裁昭和40年９月24日第二小法廷判決（民集19巻６号1688頁）[17]は、「資産の譲渡によって発生する譲渡所得についての収入金額の権利確定の時期は、当該資産の所有権その他の権利が相手方に移転する時であるが、任意競売における所有権移転の時期は競落代金納付の時と解するのが相当である（大審院昭和７年２月29日判決、民集11巻697頁参照）から、競売による譲渡所得については、代金納付の時に権利が確定する、というべきである。」とする。

この点、本件最高裁判決が、権利確定主義をどのように捉えているのか、先に引用した判示の前の部分を確認してみよう。

裁判例の紹介

権利確定主義（続き）

貸倒れとなった利息損害金債権の計上時期が争われた事例

（236第一審東京地裁昭和41年６月30日判決・前掲）[18]
（237控訴審東京高裁昭和42年12月26日判決・前掲）[19]
（238上告審最高裁昭和49年３月８日第二小法廷判決・前掲）[20]

〔事案の概要〕

本件は、訴外Ａらに金を貸していたところ、そこに発生した利息損害金債権が雑所得として課税処分を受けたＸは、その債権が貸倒れとなったものの救済方法が定められていないことから、貸倒れとなった利息損害金債権に相当する雑所得は存在せず、その部分に相当する納付税額が不当利得に当たるとして国に返還を求めた訴訟である。

16）碓井光明「賃料増額請求にかかる増額賃料等の計上時期」判時896号135頁（1978）。

17）判例評釈として、吉田富士雄・租税百選78頁（1968）、山田二郎・ひろば19巻１号46頁（1966）、清永敬次・民商54巻５号89頁（1966）、渡部吉隆・曹時17巻11号161頁（1965）、町谷勇次・税通33巻14号124頁（1978）、藤田宙靖・法協84巻４号162頁（1966）、須貝脩一・シュト53号１頁（1966）など参照。

18）判例評釈については、前掲５）参照。

19）判例評釈については、前掲６）参照。

20）判例評釈については、前掲７）参照。

〔争点〕

収入金額に計上すべき時期如何。

〔判決の要旨〕

1　第一審**東京地裁昭和41年6月30日判決**及び控訴審**東京高裁昭和42年12月26日判決**は、Xの不当利得返還請求を認めた。

2　**最高裁昭和49年3月8日第二小法廷判決**

「按ずるに、旧所得税法は、一暦年を単位としてその期間ごとに課税所得を計算し、課税を行うこととしている。そして、同法10条が、右期間中の総収入金額又は収入金額の計算について、『収入すべき金額による』と定め、『収入した金額による』としていないことから考えると、同法は、現実の収入がなくても、その収入の原因たる権利が確定的に発生した場合には、その時点で所得の実現があったものとして、右権利発生の時期の属する年度の課税所得を計算するという建前（いわゆる権利確定主義）を採用しているものと解される。この建前のもとにおいては、一般に、一定額の金銭の支払を目的とする債権は、その現実の支払がされる以前に右支払があったのと同様に課税されることとなるので、課税後に至りその債権が貸倒れ等によって回収不能となった場合には、現実の収入がないにもかかわらず課税を受ける結果となることを避けられない。この場合、旧所得税法の解釈として、右貸倒れにかかる債権が事業所得を構成するものであるときは、事業上の貸倒れが事業遂行に伴う不可避的損失であることから、その損失額を当該貸倒れ発生年度の事業所得の計算上必要経費に算入することが許されるが、非事業上の債権の貸倒れの場合については、右のごとき措置は認められず、ほかに同法には格別の救済方法が定められていなかったのである。しかし、そのことのゆえに、非事業上の債権の貸倒れの場合について同法がなんらの救済も認めない趣旨であったと解するのは相当でない。

もともと、所得税は経済的な利得を対象とするものであるから、究極的には実現された収支によってもたらされる所得について課税するのが基本原則であり、ただ、その課税に当たって常に現実収入のときまで課税できないとしたのでは、納税者の恣意を許し、課税の公平を期しがたいので、徴税政策上の技術的見地から、収入すべき権利の確定したときをとらえて課税することとしたものであり、その意味において、権利確定主義なるものは、その権利について後に現実の支払があることを前提として、所得の帰属年度を決定するための基準であるにすぎない。換言すれば、権利確定主義のもとにおいて金銭債権の確定的発生の時期を基準として所得税を賦課徴収するのは、実質的には、いわば未必所得に対する租税の前納的性格を有するものであるから、その後において右の課税対象とされた債権が貸倒れによって回収不能となるがごとき事態を生じた場合には、先の課税はその前提を失い、結果的に所得なきところに課税したものとして、当然にこれに対するなんらかの是正が要求されるものというべく、それは、所得税の賦課徴収につき権利確定主義をとることの反面としての要請であるといわなければならない。」

〔コメント〕

本件最高裁判決は、課税所得の認識の時期の判断基準として、権利確定主義を採用したものではあるが、権利確定主義を所得の実現時期の到来という観点から判示したものではない。むしろ、それどころか、「後に現実の支払があることを前提として、所得の帰属年度を決定するための基準であるにすぎない」としており、権利確定主義の下での課税について、「実質的には、いわば未必所得に対する租税の前納的性格を有するもの」と表現しているのである。本件最高裁判決を判決文に示されているとおりに捉えることが妥当であるか否かについては、その後この判決を引用する最高裁判決の判示と併せて検討する必要があろう。

裁判例の紹介

賃料増額請求事件

賃料増額請求に係る増額分の賃料の支払を命じた仮執行宣言付判決に基づき支払を受けた金員は、その受領の日の属する年分の収入金額に算入されるべきであるとされた事例

（239第一審仙台地裁昭和45年７月15日判決・民集32巻１号64頁）[21]
（240控訴審仙台高裁昭和50年９月29日判決・民集32巻１号70頁）[22]
（241上告審最高裁昭和53年２月24日第二小法廷判決・民集32巻１号43頁）[23]

21）判例評釈として、宮村素之・税弘19巻１号98頁参照（1971）。

22）判例評釈として、中野昌治・税理19巻８号139頁（1976）、村山文彦・税通31巻１号204頁（1976）など参照。

23）判例評釈として、中里実・法協96巻11号1483頁（1979）、碓井光明・判評236号134頁（1978）、同・租税百選〔２〕100頁（1983）、仲江利政・判タ366号86頁（1978）、植松守雄・租税百選〔３〕92頁（1992）、清永敬次・戦後重要租税判例の再検証110頁（2003）、宮谷俊胤・民商80巻２号195頁（1974）、筧康生・ひろば32巻１号76頁（1979）、越山安久・曹時33巻12号275頁（1981）、一高龍司・租税百選〔５〕122頁（2011）、渡辺徹也・租税百選〔７〕132頁（2021）、北武雄・税理21巻10号213頁（1978）、同・税通33巻14号134頁（1978）など参照。

〔事案の概要〕

X（原告・控訴人・被上告人）は、賃料増額に関する別件訴訟が確定する前に２回にわたって訴外賃借人から金員を受け取っていたことにつき、税務署長Y（被告・被控訴人・上告人）から、それらは当該金員を受けた各年分の収入金額に該当するものとして所得税の更正処分等を受けた。これに対し、Xが、権利の確定時期は、賃料増額意思表示の時、賃料相当の損害賠償請求権の成立の時ないしは別訴仮執行宣言付第一審判決言渡しの時であると主張し、その取消しを求めた事案である。

〔争点〕

増額分賃料等の収入金額への計上時期如何。

〔判決の要旨〕

1　第一審**仙台地裁昭和45年７月15日判決**は、当事者間で借地契約の存続ないし地代の金額について係争中の場合の賃料又は賃料相当使用損害金の収入すべき金額は、貸主が仮執行宣言付判決を受けただけでは権利が確定したものとはいえないとしてXの主張を排斥したため、Xが控訴した。これに対し、控訴審**仙台高裁昭和50年９月29日判決**は、第一審判決を覆し、「収入すべき金額」として確定するのは仮執行宣言に基づき金員の支払がされたときではなく、同判決の確定時であると判示した。

2　**最高裁昭和53年２月24日第二小法廷判決**

「旧所得税法は、一歴年を単位としてその期間ごとに課税所得を計算し課税を行うこととしているのであるが、同法10条１項が右期間中の収入金額の計算について『収入すべき金額』によるとしていることから考えると、同法は、現実の収入がなくても、その収入の原因となる権利が確定した場合には、その時点で所得の実現があったものとして右権利確定の時期の属する年分の課税所得を計算するという建前（いわゆる権利確定主義）を採用しているものと解される（最高裁昭和39年（あ）第2614号同40年９月８日第二小法廷決定・刑集19巻６号630頁、同昭和43年（オ）第314号同49年３月８日第二小法廷判決・民集28巻２号186頁）。そして、右にいう収入の原因となる権利が確定する時期はそれぞれの権利の特質を考慮し決定されるべきものであるが、賃料増額請求にかかる増額賃料債権については、それが賃借人により争われた場合には、原則として、右債権の存在を認める裁判が確定した時にその権利が確定するものと解するのが相当である。けだし、賃料増額の効力は賃料増額請求の意思表示が相手方に到達した時に客観的に相当な額において生ずるものであるが、賃借人がそれを争った場合には、増額賃料債権の存在を認める裁判が確定するまでは、増額すべき事情があるかどうか、客観的に相当な賃料額がどれほどであるかを正確に判断することは困難であり、したがって、賃貸人である納税者に増額賃料に関し確定申告及び納税を強いることは相当でなく、課税庁に独自の立場でその認定をさせることも相当ではないからである。また、賃料増額の効力が争われている間に賃貸借契約が解除されたような場合における原状回復義務不履行に基づく賃料相当の損害賠償請求権についても右と同様に解するのが相当である。
　ところで、旧所得税法がいわゆる権利確定主義を採用したのは、課税にあたって常に現実収入のときまで課税することができないとしたのでは、納税者の恣意を許し、課税の公平を期しがたいので、徴税政策上の技術的見地から、収入の原因となる権利の確定した時期をとらえて課税することとしたものであることにかんがみれば、増額賃料債権又は契約解除後の賃料相当の損害賠償請求権についてなお係争中であっても、これに関しすでに金員を収受し、所得の実現があったとみることができる状態が生じたときには、その時期の属する年分の収入金額として所得を計算すべきものであることは当然であり、この理は、仮執行宣言に基づく給付として金員を取得した場合についてもあてはまるものといわなければならない。けだし、仮執行宣言付判決は上級審において取消変更の可能性がないわけではなく、その意味において仮執行宣言に基づく金員の給付は解除条件付のものというべきであり、これにより債権者は確定的に金員の取得をするものとはいえないが、債権者は、未確定とはいえ請求権があると判断され執行力を付与された判決に基づき有効に金員を取得し、これを自己の所有として自由に処分することができるのであって、右金員の取得によりすでに所得が実現されたものとみるのが相当であるからである。」

〔コメント〕
　本件最高裁判決においては、前述の最高裁昭和49年判決とは異なり、権利確定主義を「所得の実現」という概念を用いて説明している。にもかかわらず、かかる説示箇所部分では最高裁昭和49年判決を引用しているのである。本件最高裁判決によると、権利の確定の時期に所得の実現があったものとみるのが権利確定主義であるが、この主義の趣旨からすれば、「所得の実現があったとみることができる状態が生じたとき」には、課税の時期が到来していると考えることができるとしているのである。よって、仮執行宣言に基づく給付として金員を取得した場合には、本来の権利の確定はないから、所得の実現があったとはいえないものの、「所得の実現があったとみることができる状態が生じたとき」に該当することから、権利確定主義の趣旨からみれば、課税の時期が到来したものと解することができるというのである。このような判断は、最高裁昭和49年判決の判断と同じものではなく、延長線上にあるものというべきではなかろうか。また、本件最高裁判決は、金員を「有効に」取得し、これを「自己の所有として自由に処分」することができるということが、「所得の実現があったとみることができる状態が生じたとき」

に該当することの判断要素としているが、かように、管理支配し得る状態にある金員の「有効な」取得をもって、権利確定主義における課税の時期の判断を行うという手法も、最高裁昭和49年判決にはなかったものであるといえよう。

このようにみてくると、判例は、権利確定主義を、画一的な基準を設けることによって、納税者の恣意を排除し、課税の公平を期するために法が採用する徴税技術上の所得の帰属年度決定のための基準であると捉えているようである。水野忠恒教授は、権利確定主義が採用される理由として、現金主義が妥当するのが零細企業のみであるという点のほか、「現金を収受するまでは課税されないことにするのでは、納税者の恣意的な課税の繰延べや、所得分割などの税負担を回避する操作が行われうるため、そのような租税回避を許さないようにする必要がある」という点を挙げられる24)。かように考えると、その契機がどうであれ、通達が根拠となる議論などでは決してなく、純粋に法律論によって展開すべき議論であり、それゆえ裁判所がこの考え方に依拠してきたのであるから、当然ながら、所得税基本通達の改正によって、権利確定主義は終焉を迎えたという議論になる性質のものではないはずである。

裁判例の紹介

制限超過利息事件

利息制限法による制限超過の利息・損害金は、その約定の履行期が到来してもなお未収である限り、課税の対象となるべき所得を構成しないとされた事例

(242第一審福岡地裁昭和42年3月17日判決・民集25巻8号1131頁)25)
(243控訴審福岡高裁昭和42年11月30日判決・民集25巻8号1153頁)26)
(244上告審最高裁昭和46年11月9日第三小法廷判決・民集25巻8号1120頁)27)

---

24) 水野・大系285頁。
25) 判例評釈として、清永敬次・企業法研究150号44頁(1967)参照。
26) 判例評釈として、清永敬次・シュト73号7頁(1968)参照。
27) 判例評釈として、中川一郎・シュト117号1頁(1971)、中里実・租税百選〔3〕42頁(1992)、北野弘久・ジュリ509号49頁(1972)、可部恒雄・曹時24巻10号218頁(1972)、堺澤良・税弘23巻5号33頁(1975)、同・税通27巻4号201頁(1972)、山田二郎・税務事例4巻1号4頁(1972)、松澤智・ひろば25巻2号53頁(1972)、同・税理15巻3号167頁(1972)、桜井四郎・税務通信1206号13頁(1972)、清永敬次・民商67巻4号563頁(1973)、竹下重人・判評158号17頁(1972)、藤浦照生・税通33巻14号144頁(1978)、藤谷武史・租税百選〔4〕56頁(2005)、渋谷雅弘・租税百選〔7〕66頁(2021)、酒井・ブラッシュアップ162頁など参照。

〔事案の概要〕

本件は、金融業及び質屋業を営むX（原告・被控訴人・被上告人）が、利息制限法の制限を超える利息のうち未収分についても含めてなされた更正処分につき、当該未収分は違法のものとして請求できないから、これを課税の対象から除外すべきである旨主張した事例である。

〔争点〕

収入金額の計上時期はいつか。

〔判決の要旨〕

1　第一審**福岡地裁昭和42年3月17日判決**及び控訴審**福岡高裁昭和42年11月30日判決**は、利息制限法所定の制限を超過する利息・損害金は、約定の履行期が到来しても未収である限り、旧所得税法10条1項にいう「収入すべき金額」に当たらないと判示した。

2　最高裁昭和46年11月9日第三小法廷判決

「当事者間において約定の利息・損害金として授受され、貸主において当該制限超過部分が元本に充当されたものとして処理することなく、依然として従前どおりの元本が残存するものとして取り扱っている以上、制限超過部分をも含めて、現実に収受された約定の利息・損害金の全部が貸主の所得として課税の対象となるものというべきである。」

「一般に、金銭消費貸借上の利息・損害金債権については、その履行期が到来すれば、現実にはなお未収の状態にあるとしても、旧所得税法10条1項にいう『収入すべき金額』にあたるものとして、課税の対象となるべき所得を構成すると解されるが、それは、特段の事情のないかぎり、収入実現の可能性が高度であると認められるからであって、これに対し、利息制限法による制限超過の利息・損害金は、その基礎となる約定自体が無効であって（前記大法廷判決〔筆者注：最高裁昭和39年11月18日大法廷判決・民集18巻9号1868頁〕参照）、約定の履行期の到来によっても、利息・損害金債権を生ずるに由なく、貸主は、ただ、借主が、大法廷判決によって確立された法理にもかかわらず、あえて法律の保護を求めることなく、任意の支払を行なうかも知れないことを、事実上期待しうるにとどまるのであって、とうてい、収入実現の蓋然性があるものということはできず、したがって、制限超過の利息・損害金は、たとえ約定の履行期が到来しても、なお未収であるかぎり、旧所得税法10条1項にいう『収入すべき金額』に該当しないものというべきである（もっとも、これが現実に収受されたときは課税の対象となるべき所得を構成すること、前述のとおりであって、単に所得の帰属年度を異にする結果を齎すにすぎないことに留意すべきである。）。」

〔コメント〕

全ての裁判例が権利確定主義を全面に出して課税の帰属年度を画してきたかというと、必ずしもそうではない。

本件最高裁判決は、課税の時期を実現概念に近づけてはいるものの、実現主義によるべきとしているわけではないという点については注意を要する。すなわち、収入実現ではなく、あくまでも「収入実現の蓋然性」をメルクマールとしているのである[28)]。

そもそも、権利確定主義は、その用語の意味する内容が不明確であり、税法上の基準としては不適当であるから、実現（realization）の概念を法律用語として取り入れることが適当であるとする批判[29)]があるのも理解できる。しかしながら、前述の最高裁昭和53年判決は、「実現があったとみることができる状態が生じたとき」を課税の時期と捉えているし、また、本件最高裁判決も、「収入実現の可能性」や「収入実現の蓋然性」という概念を用いるのみで、実現主義の採用をしておらず、結果的に支配可能性の考え方に接近しているように思われる。

この「収入実現の可能性」や「収入実現の蓋然性」といったもので課税の時期を捉える立場は、「市場価値による測定可能性」や「現実性」という要素で所得を認識する考えに合致する。渡辺伸平氏は、この点について、「権利確定主義における『確定』概念とは、財産価値の変動がそのような状態にあることを判断するための内容をもつものと考えるべきで、その具体的な内容としては、『市場価値による測定可能性』や『現実性』ということが挙げられ、経済取引における諸要素がこれらの観点から評価されなければならない。」とされる（以下、便宜上「渡辺説」という。）[30)]。権利確定主義を「市場価値による測定可能性」や「現実性」で捉える見解は、現状に合致した現実的な考え方であるといえよう。

また、課税の時期について、現金換価価値の観点から捉える可能性については、親会社ストック・オプション訴訟**108**最高裁平成17年１月25日第三小法廷判決（232頁参照）が参考となろう。そこでは、市場の存在を前提とした譲渡可能性の有無

---

28) なお、長崎地裁昭和39年２月21日判決（民集19巻６号1691頁）は、「収入すべき金額とは、法律上収入する権利の確定した金額を指称し、事実上収入の見込みのない債権であっても、その支払期が到来したにもかかわらず、放棄又は免除をせずなお法律上の請求権を留保している状態にある以上、税法上収入する権利の確定した金額というを妨げない。」と判示する。疑問である。この考え方は、控訴審福岡高裁昭和39年９月29日判決（民集19巻６号1702頁）及び上告審最高裁昭和40年９月24日第二小法廷判決（民集19巻６号1688頁）においても維持されている。

29) 例えば、忠佐一「権利確定主義の発想批判」税通19巻７号48頁（1964）以下、同「権利確定主義からの脱皮」税通20巻11号65頁（1965）以下参照。

30) 渡辺伸平「税法上の所得をめぐる諸問題」司法研究報告書第２第19輯１号91頁（1967）以下。

を課税の時期のメルクマールとしているようである[31]。この場合においては、権利の譲渡可能性も支配可能性あるいは現実性を考える重要な判断要素となり得ると考える。

「所得」とは担税力の指標であると説明されるが[32]、「担税力」というからには、その把握に当たっては、租税債権の源泉に相応しい何らかの経済力が把握されていることが必要であろう。この租税債権の源泉に相応しい何らかの経済力は、これまでも担税力を「購買力」として捉える考え方として紹介されてきたところである[33]。

例えば、租税法上の所得というためには、単に経済上の所得というだけでは足りず、さらにその利得が消費及び測定可能なもので、結局において新たな「購買力」を組成するに足る程度のものでなければならず、そのような状態にある利得であってこそ、租税債権の源泉として相応なものと認められるとの見解がある[34]。

もっとも、ここでは、担税力の指標を購買力に置き換えることができたとしても、「市場価値による測定可能性」や「現実性」といった概念から課税時期を判断することを、購買力を観念できることに代置することができるのかという疑問も同時に生じる。「市場価値による測定可能性」や「現実性」のあるものが購買力のあることを意味するとすれば、認識の問題を測定の問題で判断しようとしているようにも思えるからである。しかしながら、この見解はかかる欠缺を包蔵するものでは決してない。渡辺説は、権利確定主義における「確定」の内容として、「市場価値による測定可能性」や「現実性」を挙げているのであるから、むしろ、同氏の見解と「購買力」概念とを併せ理解すれば、「市場価値による測定可能性」や「現実性」のある購買力こそが担税力の指標としての所得を認識するに足るものであると捉えるアプローチであるともいえよう。これは「所得」という概念が経済的成果と親和性を有することからすれば分かりやすい。このことは法的有効性を有するものこそが所得であるとする見解に対する反論としても理論的武器となり得る。すなわち、「所得」とは、現実的な購買力を示す経済的観念であるから、その

31）酒井克彦「親会社ストック・オプションの権利行使益に係る所得区分―東京高裁判決（平成16年２月19日判決）の検討を中心にして―（下）」税務事例36巻６号１頁（2004）以下。

32）長野地裁昭和27年10月21日判決（行集３巻10号1967頁）は、「租税は国民の資力（担税力）に応じて、国家財政上必要な経費を国民に分担せしめることを目的とするものであり、所得に課税する各税法は、所得をもって納税義務の担税力を測定し得べき経済事実と見て、これを課税物件にしているものである」と判示する。

33）阿南主税氏は、所得を「一定期間において、特定人に新たに帰属した絶対的価値の増加で、自由に処分することの可能な購買力である」と主張される（阿南『所得税法体系』539頁（ビジネス教育出版社1969））。

34）碓井・前掲23）租税百選、100頁。

原因行為の法的有効性を論ずる必要はないと反論し得るであろう。けだし、「財産価値の変動」が「市場価値による測定可能性」や「現実性」を帯びているかどうかという点こそが権利確定主義にいう「確定」を意味するのであって、法的有効性の観念の介入する隙間はないからである。例えば、このような観点から理論構成する司法判断として、名古屋高裁昭和41年1月27日判決（行集17巻1号23頁）がある。これは、いわゆる高利貸の所得が事業所得であるとされた事例であるが、同高裁は、「所得税法上、所得の概念は、もっぱら経済的に把握すべきであり、所得税法は、一定期間内に生じた経済的利得を課税の対象とし、担税力に応じた公平な税負担の分配を実現しなければならないので、所得の発生原因たる債権の成否とは無関係に、いやしくも納税義務者が経済的にみて、その利得を現実に支配管理し、自己のためこれを享受しうる可能性の存するかぎり、課税の対象たる所得を構成するものと解するのが相当である。もっともこのような制限超過の利息、損害金もその後、事実上回収不能に帰したときは、その事実が確定した日の属する年分の事業所得の計算においては、いわゆる貸倒損失金として必要経費に計上しうることはいうまでもない。しかしそれ以前においては、たとえ回収上にどのような困難があるとしても、遡及してまで課税所得金額を再計算することは許されない。このように解するのでなければ、国民の担税力に応じた公平な税負担は期すべくもないからである。しからば、本件各債権につき、その旧利息制限法、現行利息制限法上の効力にかかわらず、これを課税の対象とした本件課税処分はもとより正当であるといわねばならない。」とし、所得を専ら経済的側面から捉え、その認定に当たって法的有効性の有無との切断をしているのである。

そうであるとすれば、そもそも、「有効な」法的効果を基軸として課税の時期を考慮に入れる必要などないはずである。にもかかわらず、権利確定主義を採用するいわゆる賃料増額請求事件**241**最高裁昭和53年2月24日第二小法廷判決（522頁参照）は、金員を「有効に」自己の所有として自由に処分できる状態に至った段階をもって課税の時期が到来したと判示しているし、本件最高裁判決は、「利息制限法による制限超過の利息・損害金はその基礎となる約定自体が無効」であるから、「とうてい、収入実現の蓋然性があるものということはできない」などと判示しており、いずれも法的有効性に立脚した判断を展開しているのである。

法的有効性の要件は「所得」概念成立上の要件ではないはずである。この整合性はいかに矛盾なく整理されるべきなのであろうか。

裁判例の紹介

退職所得の権利確定主義

退職所得としての退職手当は免職処分がされた年に算入されるべきとされた事

例

（245第一審東京地裁平成29年１月13日判決・税資267号順号12954）
（246控訴審東京高裁平成29年７月６日判決・税資267号順号13032）

〔事案の概要〕

１　概観

本件は、Ｘ（原告・控訴人）が、東京都から上記分限免職処分に基づく退職手当を平成16年に供託され、その際、所得税を源泉徴収されたが、分限免職処分を追認することになるから上記取消訴訟係属中は当該退職手当の支払を受けることはできなかったものであり、同退職手当は同訴訟の判決が確定した平成24年分の所得であるとして、所轄税務署長に対し、控除しきれない源泉徴収税額が還付されるべきであるとする内容の平成24年分の所得税の申告をしたところ、同税務署長（処分行政庁）が、Ｘに対し、同退職手当は平成16年分の収入であり、平成24年分の退職所得として源泉徴収税額を控除することはできないとして、同年分の所得税について更正及び過少申告加算税賦課決定の処分をしたため、Ｘが、処分行政庁の所属する国Ｙ（被告・被控訴人）に対し、更正処分のうち申告額を上回る部分及び過少申告加算税賦課決定の取消しを求めた事案である。

２　具体的事実

ア　Ｘは、東京都Ｋ市立中学校教諭として東京都の職員たる地方公務員であったが、東京都教育委員会から平成16年２月付けで地方公務員法（平成26年法律第34号による改正前のもの。以下同じ。）28条《降任、免職、休職等》１項３号に基づく分限免職処分（以下「本件免職処分」という。）を受けた。

イ(ア)　東京都は、本件免職処分により、Ｘに対して、「職員の退職手当に関する条例」（以下「退職手当条例」という。）に従った退職手当1,364万8,456円（以下「本件退職手当」という。）の債務を負うべきところ、Ｘは、これについて「退職所得の受給に関する申告書」を提出しなかった。

(イ)　東京都は、本件退職手当から、源泉徴収するとともに、住民税及び支給済みの解雇予告手当等も差し引いた金額をＸに提供しようとしたが、平成16年５月20日、Ｘからその受領を拒否されたとして、同日、民法494条《供託》に基づき、Ｘのために同額を東京法務局に供託した。

(ウ)　東京都は、その頃、上記のとおりＸの所得税として徴収した金額（以下「本件源泉徴収税額」という。）を国に納付した。

ウ　免職処分についての係争

(ア)　Ｘは、この間、地方公務員法49条の２《審査請求》第１項に基づき、東京都人事委員会に対し、本件免職処分の取消しを求めて審査請求したが、東京都人事委員会は、平成19年１月26日付けで、これを棄却する旨の裁決をした。

(イ)　Xは、上記裁決を不服として、その頃、本件免職処分の取消しを求める訴えを東京地裁に提起したが、同裁判所は、平成22年4月28日、Xの請求を棄却する旨の判決を言い渡した。

Xは、上記第一審判決に対して控訴したが、東京高裁は、平成23年6月30日、その控訴を棄却する旨の判決を言い渡した。

Xは、上記控訴審判決に対して上告及び上告受理の申立てをしたが、最高裁は、平成24年2月16日付けで、その上告を棄却するとともに上告審として受理しない旨決定してXに通知し、これにより、上記第一審判決が確定した（以下、この(イ)の一連の訴訟を「別訴」といい、上記の最高裁の決定を「別訴最高裁決定」という。）。

エ　Xによる退職手当の受領と納税申告

(ア)　Xは、平成24年中に上記の本件退職手当に係る供託金の還付を受けた。

(イ)　Xは、本件退職手当は平成24年分の所得であるとする内容の同年分の所得税の確定申告書を、管轄税務署長に提出した（以下「本件申告」という。）。

〔争点〕

本件退職手当はXの所得金額の計算上、平成16年と平成24年のいずれにおいて収入すべき金額か。

〔判決の要旨〕

1　東京地裁平成29年1月13日判決

「所得税法36条1項が、その年分の各種所得の金額の計算上収入金額とすべき金額は、別段の定めがあるものを除き、その年において収入すべき金額とするとしている趣旨は、現実の収入がなくても、その収入の原因となる権利が確定した場合には、その時点で所得の実現があったものとしてその権利確定の時期の属する年分の課税所得を計算するという建前（いわゆる権利確定主義）を採用しているものと解される。所得税法がこのような権利確定主義を採用したのは、もともと所得税は経済的な利得を対象とするものであるから、究極的には実現された収支によってもたらされる所得について課税するのが基本原則ではあるが、その課税に当たって常に現実収入の時まで課税することができないとしたのでは、納税者の恣意を許し、課税の公平を期し難いので、徴税政策上の技術的見地から、収入の原因となる権利の確定した時期をとらえて徴税することとしたものであり、その意味において、権利確定主義は、その権利について後に現実の支払があるであろうことを前提として、所得の帰属年度を決定するための基準であるにすぎない。権利確定主義の下において所得税を賦課徴収した後、課税対象が存在しないような事態が生じた場合には、結果的に所得なきところに課税したものとして、何らかの是正が要求されることとなるが、これは所得税の賦課徴収につき権利確定主義を採ることの反面であるといえる。(最高裁判所昭和49年３月８日第二小法廷判決・民集28巻２号186頁参照)

そして、いかなる時期に収入の原因となる権利が確定するかについては、所得税法や関係法令に特に規定がなく、収入の原因となる権利の発生の態様に様々なものがあることにも照らすと、収入の原因となる権利が確定する時期は、それぞれの権利の特質を考慮し決定されるべきものである（最高裁判所昭和53年２月24日第二小法廷判決・民集32巻１号43頁参照）ところ、現実の収入がなくても、収入となるべき権利が発生する原因となる事実関係が外観上存在し、かつ、当該権利を法律上行使することができ、権利実現の可能性を客観的に認識することができる状態に至ったときは、権利が確定したといい得るものと解することが相当である。」

「これを本件についてみるに、Ｘの本件退職手当に係る権利は、退職手当条例に基づくものであるところ、同条例によれば、上記権利は、退職したという事実があれば、同条例３条及び関連規定に従い、その支給時期と支給額が自動的に定まるものである…。

しかるに、…東京都教育委員会は、Ｘに対し、平成16年２月23日付けで本件免職処分を行い、Ｘを免職する旨の発令通知書…を発したことから、外観上、Ｘについては、退職手当条例に基づき、退職手当を請求する権利が発生することとなった。また、…上記の退職手当の支給額は、退職手当条例に基づき、普通退職の場合の退職手当の規定（退職手当条例５条）に従って1364万8456円（本件退職手当）と定まるものであったところ、東京都は、上記の本件退職手当の金額から必要な控除をした金員につき、Ｘからその受領を拒否されたとして、同年５月20日、Ｘのために東京法務局に供託した。」

「本件退職手当に係る権利の特質や、本件免職処分から本件退職手当の供託に至るまでの経緯に照らすと、本件退職手当については、Ｘの収入となるべき権利が発生する原因となる本件免職処分の存在という事実関係が外観上存在しており、かつ、その後になされた上記の供託の時点では、Ｘの本件退職手当に係る権利は一応の実現をみたことが客観的に認識することができる状態に至ったということができる。

したがって、本件退職手当の債権は、税法上は、本件免職処分がされたのと同じ平成16年中に確定したというべきであり、本件退職手当は、Ｘの退職所得の金額の計算上、同年において収入すべき金額であると認められる。」

2　控訴審**東京高裁平成29年７月６日判決**は第一審の判断を維持した。

〔コメント〕

本件は、権利確定主義に基づく判断が展開された事例ではあるが、権利確定主義の考え方として、「❶収入となるべき権利が発生する原因となる事実関係が外観上存在し、かつ、❷当該権利を法律上行使することができ、権利実現の可能性を客観的に認識することができる状態に至ったときは、権利が確定したといい得る」とする点が注目される。ここにいう、権利実現の可能性の客観的認識というのは、前述の制限超過利息事件244最高裁昭和46年11月9日第三小法廷判決（525頁）が示した「収入実現の蓋然性」を基礎付ける観念として位置付けることもできそうである。また、権利実現の可能性の客観性は、❶原因事実の外観上の存在と❷権利の法律上の行使可能性の二つによって、認識できるという点にも関心を寄せたい。

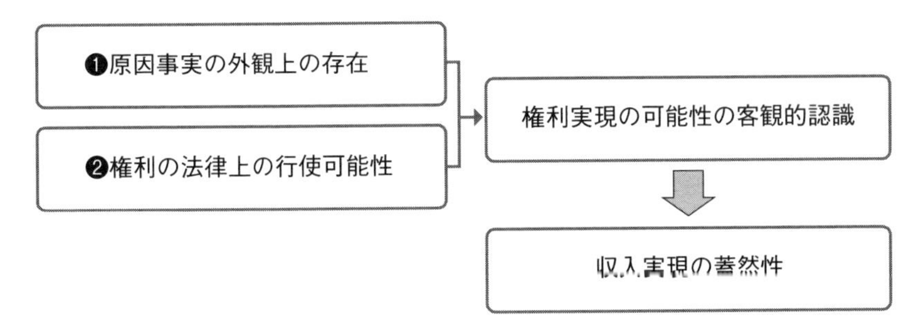

❶原因事実の外観上の存在と❷権利の法律上の行使可能性の二つの判断要素によって権利実現の可能性の客観的認識を図るという考え方は、収入金額の内容が訴訟中の場合の権利確定主義の適用事例などとして、例えば、前述の賃料増額請求事件241最高裁昭和53年2月24日第二小法廷判決（522頁）が採用したロジックに類似しているように思われる。すなわち、同最高裁は「賃料増額請求にかかる増額賃料債権については、それが賃借人により争われた場合には、原則として、右債権の存在を認める裁判が確定した時にその権利が確定するものと解するのが相当である。」と判示しており、判決の確定時に収入計上するのが妥当であると判断されている。同最高裁は、この判断をする根拠を「増額賃料債権の存在を認める裁判が確定するまでは、①増額すべき事情があるかどうか、②客観的に相当な賃料額がどれほどであるかを正確に判断することは困難」であることを理由としている。

最高裁昭和53年判決ではより具体的に「収入金額」の具体性を念頭に置いた判断が展開されていたのに対して、本件では、賃料増額請求事件とは異なり、退職金の額の多寡が別訴において争点とされていたものではない。その意味で、本件は、権利実現の可能性の客観的認識を軸足にした判断が展開されたものというべきであろう。

もっとも、同じく権利確定主義を判断に用いた235最高裁昭和49年3月8日第二小法廷判決（514頁）は、権利確定主義が所得税法において採用されている理由を、①納税者の恣意性の排除と②課税の公平を期すとする見地に求めており、より具体的には、「権利確定主義なるものは、その権利について後に現実の支払があることを前提として、所得の帰属年度を決定するための基準であるにすぎない。」と論じ、「実質的には、いわば未必所得に対する租税の前納的性質を有する」と説示しているのであるが、そのような視角から本件を眺めたときに、果たして、平成16年の段階において、❶原因事実の外観上の存在があるとしても、そもそも、その原因事実自体が争われていたのであるから、本当に、本件退職手当が未必所得としての性質を有していたとまでいえるかという点については不安も残るところである。

裁判例の紹介

ロールオーバーの際のFX取引

ロールオーバーにより生じた差損益等に係る利益の計上時期が争われた事例

（247第一審大阪地裁平成31年4月12日判決・訟月66巻9号1163頁）
（248控訴審大阪高裁令和2年1月24日判決・訟月66巻9号1133頁）
（249上告審最高裁令和2年9月3日第一小法廷決定・判例集未登載）

〔事案の概要〕

給与所得者であるX（原告・控訴人・上告人）は、平成22年～平成26年の間、外国為替保証金（証拠金）取引（取引業者に保証金（証拠金）を預けることにより信用の供与を受けて行う外貨取引。以下「FX取引」といい、Xが行ったFX取引を「本件FX取引」という。）を行っていたところ、税務調査を受け、本件FX取引による損益につき、期限後申告の勧奨を受けて、平成22年分～平成24年分の所得税並びに平成25年分及び平成26年分の所得税等の各期限後申告（以下「本件各期限後申告」という。）をしたものの、本件各期限後申告のうち、平成25年分及び平成26年分の本件FX取引に係る収入は確定したものではなく、収入すべき金額に該当しないなどとして当該年分の所得税等について各更正の請求（以下「本件各更正の請求」という。）をした。

その後、Xは、所轄税務署長から、〈1〉平成25年分及び平成26年分の所得税等の各期限後申告に係る無申告加算税の各賦課決定処分、〈2〉本件各更正の請求について更正をすべき理由がない旨の各通知処分等を受けた。本件は、Xが、各処分の取消しを求めた事案である。

なお、本件FX取引は、次のようなものであった。

ア　本件FX取引を行う顧客は、A証券の外国為替保証金取引口座に取引保証金を預託し、A証券が提供するオンライン・トレードシステムを通じて、本件FX取引に係る売買注文を行い、A証券との間で相対取引を行う。

イ 〈1〉建玉（外国為替保証金取引の約定後に反対売買等による決済が行われていない未決済取引）は、顧客の発注により反対売買による差金決済又は現引き（買い建玉を保有している場合に買付代金相当額を交付して買付通貨を引き取ることをいう。）がされた場合、決済される（以下「顧客発注決済」という。）が、〈2〉顧客発注決済が行われない場合、当該建玉に関し、その決済日（当該建玉に係る外国為替保証金取引の約定日から２営業日目）の前営業日に、当該営業日の翌々営業日（当該決済日の翌営業日）を決済日とする新たな建玉へ乗り換え、決済日を１営業日繰り延べる取引（以下「本件ロールオーバー」という。）が自動的に行われる。

ウ 本件ロールオーバーが行われた際、〈1〉新たな建玉に乗り換えられることに伴い、当該建玉の約定価格については、当該本件ロールオーバー時点のＡ証券の提示する為替レートを用いて値洗い計算が行われ、これに伴って為替差損益金（以下「本件差損益金」という。）が発生するとともに、〈2〉建玉の決済日が繰り延べられることに伴い、実質的には、売り付けた通貨を借り入れ、買い付けた通貨を預け入れたこととなることから、取引通貨間の借入金利と預入金利との間の金利差損益金であるスワップポイント（以下「本件スワップポイント」といい、本件差損益金と併せて「本件差損益金等」という。）が発生する。

エ 顧客発注決済がされる前であっても、〈1〉本件ロールオーバーによる本件差損益金等は、直ちに、預託保証金の金額に加算又は減算され、顧客は、〈2〉本件ロールオーバーにより本件差損益金等に係る利益が生じた場合には、直ちに、当該利益に相当する額を取引保証金として使用することができるほか、〈3〉預託保証金の額が本件ロールオーバー後の建玉に基づき必要な取引保証金等の額を上回る場合（建玉余力がある場合）には、直ちに、Ａ証券に対し、当該上回る額の範囲内において、預託保証金を自己の証券総合口座に振り替えるよう請求した上、同口座から、本件差損益金等のうち同口座に振り替えられた金額を引き出すことができる。

オ Ａ証券は、取引の都度、取引状況が記載されたもの並びに１か月間の入出金の各合計額、当該期間終了後の未決済建玉及び預託保証金の状況が記載されたもの（月次取引残高報告書）を作成し、顧客に対し、電子的に通知する。

〔争点〕

本件差損益金等は本件各係争年分におけるＸの所得の収入すべき金額であるか否か。

なお、租税特別措置法41条の14《先物取引に係る雑所得等の課税の特例》（平成26年法律第10号による改正前のもの。以下同じ。）の規定（以下「本件規定」という。）は、要旨、居住者又は国内に恒久的施設を有する非居住者が、金融商品取引法２条《定義》22項１号所定の店頭デリバティブ取引を含む金融商品先物取引等をし、かつ、当該金融商品先物取引等の決済をした場合には、当該決済に係る当該金融商品先物取引等による雑所得については、所得税法22条《課税標準》及び89条《税率》並びに165条《組合課税に係る所得税の課税標準、税額等の計算》の規定にかかわらず、他の所得と区分し、その年中の当該先物取引等による雑所得の金額として政令で定めるところにより計算した金額（先物取引に係る雑所得等の金額）に対し、先物取引に係る課税所得等の金額の100分の15に相当する金額に相当する所得税を課する旨を規定する。

〔判決の要旨〕

1　大阪地裁平成31年４月12日判決

⑴　本件規定は所得税法36条１項にいう「別段の定め」に該当するか

「…本件規定は、〈１〉居住者に対して課する所得税の課税標準（所得税法22条）及び税率（同法89条）、〈２〉非居住者に対して課する所得税の総合課税の課税標準及び税額等の計算（同法165条）の特例を規定する一方で、所得税法36条１項には何ら言及せず、同項所定の『収入金額とすべき金額』又は『総収入金額に算入すべき金額』と異なる内容を定める文言も有しないのであるから、同項にいう『別段の定め』に該当しないことは明らかである。

…したがって、本件規定は、所得税法36条１項にいう『別段の定め』に該当しないというべきであり、本件規定所定の『取引』の『決済』によって生じた収益のみを課税の対象とする趣旨の規定であるということもできない。」

⑵　本件差損益金等が所得税法36条１項の「収入すべき金額」に該当するか

「ア　…本件差損益金等がXの所得の収入すべき金額であるか否かについては、所得税法36条１項に照らして判断することとなるので、以下、検討する。

イ　所得税法36条１項は、その年分の各種所得の金額の計算上収入金額とすべき金額又は総収入金額に算入すべき金額は、別段の定めがあるものを除き、その年において『収入すべき金額』と定め、収入した金額によるとしていないことに照らすと、同法は、現実の収入がなくても、その収入の原因となる権利が確定した場合には、その時点で所得の実現があったものとして当該権利確定の時期の属する年分の課税所得を計算するという建前（いわゆる権利確定主義）を採用しているものと解される（最高裁昭和39年（あ）第2614号同40年９月８日第二小法廷決定・刑集19巻６号630頁、同昭和43年（オ）第314号同49年３月８日第二小法廷判決・民集28巻２号186頁、最高裁昭和53年判決参照）。

そして、いかなる場合に前記の収入の原因となる権利が確定するかについては、所得税法やその他関係法令に特段の定めはなく、収入の原因となる取引行為には様々な種類の取引があり得ることからすると、各種の取引ごとにその特質を考慮して決定すべきものと解されるが、現実の収入がなくても、収入となるべき権利が発生した後、これを法律上行使することができるようになり、権利実現の可能性を客観的に認識することができる状態になったときは、収入となるべき権利が確定したものというべきである。

ウ　これを本件についてみると、〈1〉本件ロールオーバーによる本件差損益金等、すなわち本件差損益金及び本件スワップポイントは、それぞれ、本件ロールオーバーが行われた際、値洗い計算によって生じる為替差損益金及び取引通貨間の金利差損益金であって、顧客発注決済がされる前であっても、直ちに、預託保証金の金額に加算又は減算され、顧客は、〈2〉本件差損益金等に係る利益が生じた場合には、直ちに、当該利益に相当する額を取引保証金として使用することができるほか、〈3〉預託保証金の額が本件ロールオーバー後の建玉に基づき必要な取引保証金等の額を上回る場合（建玉余力がある場合）には、直ちに、A証券に対し、当該上回る額の範囲内において、預託保証金を自己の証券総合口座に振り替えるよう請求した上、同口座から、本件差損益金等のうち同口座に振り替えられた金額を引き出すことができる…。

そうすると、本件差損益金等については、本件ロールオーバーが行われた時点において、収入となるべき権利が発生した後、これを法律上行使することができるようになり、権利実現の可能性を客観的に認識することができる状態になったと認められ、収入となるべき権利が確定したものということができる。

エ　これに対し、Xは、〈1〉本件差損益金等は、実際に売買取引を行った結果として生じた結果ではなく、机上の計算値にすぎず、建玉の決済によって最終的に確定した損益ではない、〈2〉本件差損益金等は、預託保証金に加減されるとしても、建玉を保有している限り、その後の評価見込み額の変動により預託保証金を増減させるものであるから、収入となるべき権利が確定しているとはいえない旨を主張する。

しかしながら、前記ウに説示したとおり、本件差損益金等に係る利益が生じた場合には、顧客発注決済がされる前であっても、直ちに、当該利益に相当する額を取引保証金として使用することができるほか、顧客は、建玉余力の額の範囲内において、預託保証金を自己の証券総合口座に振り替えた上で、同口座から、本件差損益金等のうち同口座に振り替えられた金額を引き出すことができるのであるから、収入の原因となる権利が確定したものというべきである。また、本件差損益金等が収入となるべき権利として確定する以上、その後、未決済建玉の保有を継続することによって、建玉の評価見込み額の変動により預託保証金が増減するとしても、前記のとおり本件差損益金等が収入となるべき権利として確定した結果が左右されるものとはいえない。

したがって、Xの前記主張はいずれも採用することができない。」

2　大阪高裁令和2年1月24日判決

大阪高裁は、次のような追加説示をしたものの、課税のタイミングについての判断は維持した。

「Xは、〈1〉本件ロールオーバーは、本件FX取引に付随して行われる投資性のない行為であって、未決済建玉の評価替えをするものにすぎず、売買を行った代金差額を授受するものではないこと、〈2〉本件ロールオーバーは、本件FX取引のために拠出した資金・保証金を用いて建玉を買い付けた際に行われる建玉の乗換え処理であり、決済日の繰延べを目的として、A証券によって自動的にA証券が定めた日時、為替レートで行われるにすぎないのであって、顧客が行うものではなく、本件FX取引の手仕舞い（取引結了）をするものではないこと、〈3〉本件ロールオーバーは、外形上、買い付けた通貨を売戻しすると同時に、売り付けた通貨を買い戻すという双方向の行為を、一対の行為として同時に行っているものであるから、通貨の売買取引ではなく、通貨のスワップ取引に当たるところ、スワップ取引は、そもそも租税特別措置法の対象外とされていること、〈4〉本件ロールオーバーを機に本件スワップポイントが発生するが、スワップポイントは、建玉の乗換え処理であるロールオーバーの結果として、取引通貨間の借入金利と預入金利との間の金利差損益金にすぎず、その発生をもって本件ロールオーバーが『取引』であるということはできないことを根拠に、本件ロールオーバーは、本件規定にいう『取引』には当たらない旨主張する。

しかし、上記〈1〉の点については、…ロールオーバーは、直物為替取引（スポット取引)」〔ママ〕を基礎としながら、為替差益及び金利差益を得ることを目的とするFX投資家の需要に応じて決済日の先延ばしをするという目的を実現する仕組みとして利用されているものであるところ、本件ロールオーバーにより、通貨の売買取引が行われ、その売買の際にA証券とXとの間で本件差損益金等が預託保証金の金額に加算又は減算されることで代金差金等の収受又は支払が行われているのであるから、本件ロールオーバーについて、それが本件FX取引に付随する投資性を欠くものであるとか未決済建玉の単なる評価替えであるということはできない。上記〈2〉の点については、XとA証券は、顧客発注決済が行われない場合に本件ロールオーバーという自動的な処理がされることを前提として本件FX取引を行い、本件ロールオーバーによる代金差金等の収受又は支払が行われているのであるから、本件ロールオーバーは、XとA証券とが行った『取引』ということができる。上記〈3〉の点については、…本件ロールオーバーにおいては、売戻し又は買戻しの処理を行った上で、従前と同じ建玉を新たに建てるという仕組みが採られているのであるから、これを通貨のスワップ取引に当たるということはできない。上記〈4〉の点については、本件スワップポイントの発生は、本件ロールオーバーにおいて金利の差がある通貨間の売買が行われたことによって生じるものということができる。

したがって、Xの上記主張は採用することができない。他に、本件ロールオーバーが本件規定所定の『取引』に当たるという上記判断を左右する事情は認められない。」

3　上告審**最高裁令和2年9月3日第一小法廷決定**は上告棄却、上告不受理とした。

〔コメント〕

そもそも、本件ロールオーバーは本件規定所定の「取引」及び「決済」に該当するか否かという問題があった。この点、本件大阪高裁は、本件ロールオーバーは、建玉に関し顧客発注決済が行われない場合に、その決済日（当該建玉に係る外国為替保証金取引の約定日から2営業日目）の前営業日に、当該営業日の翌々営業日（当該決済日の翌営業日）を決済日とする新たな建玉へ乗り換え、決済日を自動的に1営業日繰り延べる「取引」であるとしている。

そして、本件ロールオーバーが行われた際、①新たな建玉に乗り換えられることに伴い、当該建玉の約定価格については、当該本件ロールオーバー時点のA証券の提示する為替レートを用いて値洗い計算が行われ、これに伴って為替差損益金（本件差損益金）が発生するとともに、②建玉の決済日が繰り延べられることに伴い、実質的には、売り付けた通貨を借り入れ、買い付けた通貨を預け入れたこととなることから、取引通貨間の借入金利と預入金利との間の金利差損益金であるスワップポイント（本件スワップポイント）が発生し、また、顧客発注決済がされる前であっても、①本件ロールオーバーによる本件差損益金等は、直ちに、預託保証金の金額に加算又は減算され、顧客は、②本件ロールオーバーにより本件差損益金等に係る利益が生じた場合には、直ちに、当該利益に相当する額を取引保証金として使用することができるほか、③預託保証金の額が本件ロールオーバー後の建玉に基づき必要な取引保証金等の額を上回る場合（建玉余力がある場合）には、直ちに、A証券に対し、当該上回る額の範囲内において、預託保証金を自己の証券総合口座に振り替えるよう請求した上、同口座から、本件差損益金等のうち同口座に振り替えられた金額を引き出すことができる。このような本件ロールオーバーの内容、実態等などを考慮すると、本件ロールオーバーは、本件ロールオーバーの時点において存する建玉に係る外国為替の「取引」（金融商品取引法2条22項1号所定の売買の当事者が将来の一定の時期において金融商品及びその対価の授受を約する売買であって、当該売買の目的となっている金融商品の売戻し又は買戻しをしたときは差金の授受によって決済することができる取引）について、いったん、「決済」（同号所定の当該売買の目的となっている金融商品の売戻し又は買戻しを通じた差金の授受による決済。本件差損益金等の授受）をした上で、当該「取引」と同内容の「取引」（ただし、約定価格については、当該時点のA証券の提示する為替レートを用いたものである。）を自動的に行うものであると評価することができるとした。

3　無記名公社債の利子等

無記名の公社債の利子、無記名株式等の剰余金の配当、無記名の貸付信託又は投資信託若しくは特定受益証券発行信託の受益証券に係る収益の分配については、現実に支払を受けた年分の利子所得又は配当所得の収入金額に計上する（所法36③）。

なお、無記名の公社債であっても振替記載等又は登録したものについては、記名式の公社債と同様に取り扱われて利払期が収入金額の計上時期となる（所基通36－３）。

4　所得概念の把握の問題と課税時期の問題との交錯

賃料増額請求事件241最高裁昭和53年２月24日第二小法廷判決（522頁参照）や制限超過利息事件244最高裁昭和46年11月９日第三小法廷判決（525頁参照）をみると、所得概念の把握についての法律的把握説と経済的把握説の対立のうち前者に立った判断のようにも思われる。すなわち、前者の法律的把握説は、「納税義務者がその利得を法律上有効に保有しうる場合にのみ所得税の課税物件たる所得と見る考え方」であり、後者の経済的把握説とは、「利得者が有効にそれを保有しうるものであるか否かとは無関係に、経済的にみて利得者が他の有効に保有しうる利得に対すると同じようにその利得に対して現実にコントロールを及ぼしており、自己のためそれを享受している限り、課税対象たる所得」であるとする考え方をいうが[35)]、賃料増額請求事件最高裁判決がいうように、「有効に」自己の所有として自由に処分できる状態に至った段階をもって課税の時期が到来したとみるのであれば、それは、前者の立場に立った議論であるようにも思われる。

35）金子宏「テラ銭と所得税」ジュリ316号31頁（1965）。

しかしながら、経済的成果を課税対象としている租税においては、経済的生活現象がいかに法的に規律されているからといっても、必ずしも法的に有効なもののみによって経済的成果が構成されているわけではないことは異論のないところであり、かような見地からすれば、所得概念の把握そのものは、経済的把握という観点から観察されるべきものであることは通説・判例の認めるところであるはずである。

では、権利確定主義というものが法律的な観点からリーガル・テストとしての意味を有するということと、所得概念が経済的把握によるものという点についての整合性のある理解はどのように見出し得るのであろうか。

松澤智教授は、租税法における所得概念につき、経済的効果又は経済的実質という漠然とした判定基準を放棄して、所得となるか否かを法的基準で判定すべきという考え方の妥当性を強調された上で、この考え方は二つに分かれるとして、「その一つは所得概念自体を法律的に把握し、法的権利に裏付けられた利得のみを所得として課税対象として把握する見解と、他の一つは所得概念自体は従来と同様に経済的利得であることを肯定しながらも、その構成要素である収益の発生時期に法的制約を課して、その結果をなるべく法的所得概念に近づけようとする」見解に分かれるとし、後者は法的基準を権利確定主義に求めるとする。ここで注目したいのは、同教授が次のように述べられるところである。すなわち、「従来、所得概念の法的把握ということを強調した論者は、このように所得自体を法的利得をみるか経済的利得とみるかという対立の問題と、他面経済的利得であることに争いはないが、その範囲を所得の帰属時期の問題として捉えて、いわゆる権利確定主義を持ち込み、収益概念に法的なしぼりをかけることによって一つの基準をたてる（収益を法的基準でしぼりをかければ、論理的にその結果『所得』も法的利得となりえようとする）とする問題とを区別せずに論争してきたきらいがあったように思われる。」と述べられている[36)]。

36）松澤智『租税実体法〔増補版〕』97頁以下（中央経済社1980））。

そして、同教授は、租税法が所得自体の定義を規定しておらず、所得の決定が、収益と費用との差引概念で理解されているのであるから、収入金額の範囲決定こそが実は所得の意味を画する決定因子となると論じられるのである。すなわち、「収益を法的基準たる権利確定（発生主義）で捉える限り、所得概念に法的色彩を帯びる筈であって、全く所得が経済上の概念であるというためには、権利確定主義を法的基準とする考えを追放しなければならなくなるのではなかろうか。換言すれば、所得はもともと経済上の概念ではあるが、その所得を構成する損益の帰属時期の判定にあたって法的権利の存在を判断の基礎としているために、それが所得概念に投影し、法的色彩を所得が帯びることになるのではなかろうか。」とされるのである[37]。

この辺りについては、そもそも所得概念の法律的把握に対する過度の期待があるのではないかという視角から考え直してみたい。すなわち、違法あるいは無効な契約を基礎として成立する所得についての議論でもそうであったが、所得概念を法律的に把握するということが、短絡に法律上保護された権利に裏付けられないような利得は所得を構成しないかのような立論から出発している点には問題があるように思えるのである。この点、松澤智教授は、「法で保護された権利とは、必ずしもあるべき権利ではなくとも、在る権利、換言すると、一定の事実状態が継続している場合に、法は権利が如何にあるべきかではなく現に在る占有管理状態を尊重するのも法の目的であり、法の保護すべきであるから〔ママ〕（占有権（民法180条））、準占有（同205条））、従って、かかる考えに立脚し、若しくは準用して一定の経済的成果（利得）を支配管理する継続された事実状態があれば、所有権（本権）の有無を基準とせずに、その準占有、占有権の取得を法的基準として捉えことできるのではなかろうか。換言すれば、たとえ本権を有せずとも、観念的ではなく現実に経済的利得を事実上支配し享受していとき、つまり社会的にみて権利を有していると認められるような客観

37）松澤・前掲36）100頁。

的事情の存するときに、始めてその経済的利益が担税力を認めうる程度に支配享受されているといえるのではなかろうか。」と論じられ、「経済的利益の法的支配説」と名付けられる[38]。このような見地は、課税実務や裁判例が採用するところの、占有の移転を前提とする「引渡基準」のよりどころともなるはずである。

この経済的利益の法的支配説とは、いわゆる管理支配基準と同質の考え方ではないかと思われる。次に、管理支配基準について考えてみたい。

裁判例の紹介

権利確定主義と現金主義

分割払い方式の譲渡所得の金額の計算において現金主義の主張が排斥された事例

（250第一審熊本地裁昭和38年2月1日判決・行集14巻2号257頁）[39]
（251控訴審福岡高裁昭和41年7月30日判決・訟月12巻10号1457頁）[40]
（252上告審最高裁昭和47年12月26日第三小法廷判決・民集26巻10号2083頁）[41]

〔事案の概要〕

X（原告・被控訴人・上告人）の被相続人Aは、昭和33年11月27日、Tに対し本件不動産を代金3,055万2,000円で売り渡し、代金は手附金として即日100万円、残金は同年12月から毎月50万ずつ支払を受ける旨約し、即日手附金100万円を受領し、かつ本件不動産の所有権移転登記を了した。Aは同年11月28日死亡したので、Xは、Aの相続人の代表者として、売買代金3,055万2,000円をAの昭和33年度の総収入金額として確定申告書を税務署長Y（被告・控訴人・被上告人）に対し提出した。しかし、Xは、Aが昭和33年度中に取得し得べき金額は150万円だけであるから右申告は誤りであると主張して、Aの昭和33年度の総収入金額は150万円であることを前提とする所得税確定申告の更正請求書をYに対し提

38）松澤・前掲36）100頁以下。
39）判例評釈として、清永敬次・シュト15号1頁（1963）参照。
40）判例評釈として、忠佐市・租税百選106頁、清永敬次・シュト56号16頁（1966）など参照。
41）判例評釈として、清永敬次・民商69巻1号159頁（1973）、一杉直・税通33巻14号150頁（1978）、同・税通39巻15号76頁（1984）、堺澤良・税通28巻6号209頁（1973）、渡辺徹也・租税百選〔4〕74頁（2005）、小塚真啓・租税百選〔5〕74頁（2011）、中野浩幸・租税百選〔7〕82頁（2021）など参照。

出したが、Ｙはこれを却下した。
　Ｘはこれを不服として、更正決定取消請求訴訟を提起した。

〔争点〕

　分割払い方式の譲渡所得の金額の計算において現金主義を採ることは許されるか。

〔判決の要旨〕

１　熊本地裁昭和38年２月１日判決

「法は所得を把握するのに、原則として、金銭、物、権利を現実に取得できたときでなく、金銭、物、権利を取得できる地位即ち権利を取得したときをもって損益発生のときとしているものと言うことができる（いわゆる権利確定主義）。この建前からすれば、売買により資産を譲渡したときは代金債権を取得したときに譲渡所得が発生したものとみるべきことになる。」

「いま前記原則にしたがい本件をみれば、本件売買契約が成立し目的不動産の所有権移転登記がされたのは昭和33年11月27日であるという当事者間に争いがない事実から前同日に代金債権も発生したものとみるべきであるから、一応Ａの譲渡所得は同日生じたものと言わなければならないことになる。
　しかしながら、右の権利確定主義によるとの原則も常に絶対的なものではなく、衡平の見地から所得の実態に即応してその適用をゆるめ更には現実収入主義による方が妥当であると考えられる場合もあろうから、そのような場合には例外的に右原則の適用を排除すべきものと考える。
　本件について、右原則をそのままに適用してよいかどうかについて考えてみる。

①　納税人の負担能力の面からみると、営業的な継続収入のある場合は格別、本件のように単に一回限りの資産譲渡の場合には現実に取得できる金額より高額な税金を払わなければならないようなまことに不合理なことが生じることが考えられる。
　また、前記のとおり法が権利の実現年度（履行期）を問題にしていないとみられるとしても、本件のように数年の長期にわたらなければ完全に履行し終えないような異例なものまでを予想しているものとは考えられない。

②　数年にわたらないと現金化できない権利と即時あるいは発生年度内に全部が現金化できる権利とでは、たとい債権額が同額であっても当該発生年度における実質的価格はおのずから差異が生ずべきものであるから、本件のように数年にわたり分割されて履行期が来る権利についてその額面どおりの価格をもつて所得全額の基礎とすることは所得を過重評価する結果となり公平を失することになる。

③　…当事者間に争いのない事実によれば、本件売買は、支払条件の点を除き、典型的、単純な一回限りの資産譲渡であり、かつ、その契約内容、各年度に

おける収入の金額時期等が明確で完全にこれらを把握できる状態にあることが明らかであり、従って各年度別の現実収入につき課税すべきものとしても、その事務上殊更煩瑣さを増すものとは考えられない。

…売主であるＡが特に一時に代金全額を必要としない事情にあったことから本件のように長期にわたる分割支払を希望し、かつ右支払条件を考慮に容れて代金額が決定され、本件契約が成立したものと認められ、売買当事者間で格別に税金逋脱の意思を有していたとは認められない。以上の諸理由を合わせ考えると、本件においては権利確定主義の原則をそのままに適用すべきものではなく、例外的に現実収入主義を適用すべき場合であると認めるのが相当である。」

「本件のような場合は、社会経済生活上稀なことであろうから、法も予想していないところとみられ、特別控除額金15万円を毎年控除することを避け得る規定がないので、この点は不公平にならざるを得ないし、累進税率になっている関係上所得の分散により税率が低くなるものと考えられるが、これらも前記諸理由と合わせ考えると納税人の権利保護のうえからして現行法上止むを得ないものとせざるを得ない。

また、脱税を目的として長期の支払を約したようなことが明らかな場合には、原則にもどって権利発生時の所得として更正課税することが可能であろう。このような事態が生ずることだけをおそれて本件のように真に脱税を目的としないで必要上代金分割払とされた売買についてさえも画一的に原則を貫くことは、納税人に余りに苛酷な取扱と言うべきである。」

2　福岡高裁昭和41年７月30日判決

「資産の譲渡における所得に対し所得税を課する所以は、資産の値上りによる利益を所得と観念し、所得者がその資産につき売買その他の譲渡行為をしたとき、これを契機として資産の値上りによる所得を把握し、これを課税の対象とするものであると考える。したがって、課税の対象たる譲渡所得は、資産を譲渡しその対価を取得することによって発生するものでなく、資産の値上りという形で既に発生しているものであり、このいわば潜在的な所得が譲渡行為によって顕在化したときに、課税の対象たる譲渡所得として把握されるものであると考える。譲渡所得の本質はこのように理解される。そうすると、譲渡所得の発生には、現実に譲渡の対価を取得したか否かを問わないものということができる。そして、通常の例である資産の有償譲渡についていえは、所得税法の…規定は、金銭収入だけでなく権利による収入をも『収入すべき金額』に含んでいることから明らかなように、譲渡の対価（これは金銭である）を現実に取得したときでなく、譲渡の対価を取得しうる権利（これは代金債権である）を取得したときをもって譲渡所得発生の時としているものと解される（この規定は、前述の譲渡所得の本質に立脚しているものと理解される）。ところで右にいう『譲渡の対価を取得しうる権利の取得』は確定的でなければならないと考えられる。何故なら、右の権利の取得が確定的でなければ、譲渡所得があるものとして課税するに適しないからである。したがって、所得税法第10条第１項の『収入すべき金額』とは『収入する権利の確定した金額』をいうものと解すべきであり、…基本通達の見解は正当として是認することができる。なお、権利確定の時期については、事案に即し具体的に判定すべきものと解する。以上の理由にもとづき、資産の売買の場合における『収入すべき金額』は、履行期の如何にかかわらず（ただし権利の確定を要する）売買代金額をいうものと解すべきであり、右権利確定の時期を基準として譲渡所得の帰属年度を決すべきものと解する。

以上の理由によって本件をみるに、…本件売買契約は昭和33年11月27日締結され、同日代金の一部が支払われ、かつ、所有権移転登記がなされているから、同日確定的に成立したものというべく、したがって、本件売買契約にもとづくＡの代金債権は同日確定したものといわねばならない。であるから、本件不動産の譲渡によるＡの譲渡所得は右同日全額が発生したものであり、この譲渡所得の属する年度は昭和33年度である。」

3　最高裁昭和47年12月26日第三小法廷判決

「本件課税処分は、本件不動産上のＡの持分の譲渡による所得を対象とするものであるが、一般に、譲渡所得に対する課税は、資産の値上りによりその資産の所有者に帰属する増加益を所得として、その資産が所有者の支配を離れて他に移転するのを機会に、これを清算して課税する趣旨のものと解すべきであることは、当裁判所の判例とするところである（昭和41年（行ツ）第８号昭和43年10月31日第一小法廷判決・裁判集民事92号797頁）。したがって、譲渡所得の発生には、必ずしも当該譲渡が有償であることを要せず、…年々に蓄積された当該資産の増加益が所有者の支配を離れる機会に一挙に実現したものとみる建前から、累進税率のもとにおける租税負担が大となるので、法は、その軽減を図る目的で、…計算した金額の合計金額から15万円を控除した金額の10分の５に相当する金額をもつて課税標準とした…のである。

以上のような譲渡所得に対する課税制度の本旨に照らして考察すると、所論のように、代金の支払方法が長期にわたる割賦弁済によるときは、特定の年度に集中して課税することなく、割賦金の支払またはその弁済期毎にその都度資産の譲渡があるとみて、当該弁済期等の属する年度毎に個別的に課税すべきであるとする見解は、とうてい採用し難いのである。もっとも、割賦払いの期間が長期にわたるときは、売主は、初年度において現実に入手した代金額が過少であるにもかかわらず、より多額の納税を一時的に必要とすることになるわけで、これはもとより好ましいことではないが、前述のように、年々に蓄積された増加益が一挙に実現したものとみる制度の建前からして、やむをえないところといわなければならない。」

〔コメント〕

課税の時期の判定基準については、これを現金の収受などの外部からの流入の時点で判断すべきとする現金主義（cash method）とそれを待たずに収入時期を画すべきとする発生主義（accrual method）に分かれ得る。我が国所得税法においては、原則として発生主義が採用されているともいわれている42）。ただし、発生主義における「発生」の意義は多義的であることから、課税の時期の判定を巡っては議論が絶えないが、一般的にはこれまでも述べてきたように、所得税法では権利確定主義が妥当すると解されてきた。

しかしながら、権利確定主義そのものも捉え方によって必ずしも学説上の見解が一致しているわけではない。例えば、権利確定主義を「大体の場合律しうる原則的」な基準と捉えた上で、一部必要に応じてその修正を加えるべき場面があるという見解がある。他方、そもそも権利確定主義自体を所得の態様に応じて柔軟に対応することができる基準とする見解もあり得る。この立場は、必要に応じた修正自体が権利確定主義に包摂されており、その内容の一部を構成するとする考え方である。筆者はこの見解に魅力を感じるが、いずれの立場を採るにしても、租税法が権利確定主義を原則的基準としているという点においては変わりがなく、その部分的修正をどのように行うべきかという観点からの論理的な工夫に違いがあるということである。

もっとも、そうであれば、必ずしも管理支配基準につき検討を加える必要性はそれほど高いものではないようにも思えるが、管理支配基準の捉え方によっては、権利確定主義の見え方にも差異が出てくることにもなるのである。そこで、ここでは、いくつかの裁判例において管理支配基準がどのように評価されてきたかという点を確認した上で、権利確定主義と管理支配基準との関係及びかかる基準の意義について検討することとする。

中里実教授は、「裁判例は、しばしば権利確定主義という語を用いているが、単に抽象的に権利確定主義が妥当することを述べるだけではなく、それに続いて、収入すべき権利の確定する時期を、当該事案で問題となっている所得類型あるいは取引類型に即して明らかにしている場合が多い」とし、「これを機能的に考案するならば、裁判所は、権利確定主義という包括的名称を用いて、個々の事案の具

42）所得税法は、例外的に、無記名公社債の利子や無記名株式の配当等に係る利子所得の金額又は配当所得の金額の収入すべき金額、小規模事業者についての青色申告を条件とした現金主義の例外を認めている（所法36③、67の２）。なお、米国では(1)～(4)まで選択可能である（IRC446(c)）。

(1)　現金の受領と支払による方法（主義）

(2)　発生主義

(3)　このチャプターで認められるその他の方法

(4)　長官による規定の下認められた先述した方法の組合せ

体的な事情に応じた妥当な解決をはかっている、といえるのではなかろうか…。会計学でいう発生主義や実現主義は、それ自体決して法的なものではなく、また、裁判上の基準として言われているわけでもない。その意味では、それらは、所得計上時期に関する租税法上の原則というわけではない。したがって、会計学上の収益計上時期に関する原則を、そのまま、租税法における所得計上時期についての基準として用いることはできない。そこで、裁判所は、所得類型あるいは取引類型に即して、事案ごとに課税敵状に達した時期を確定するあるメルクマールを見出し、これを、『権利の確定した時期』という包括的名称で呼んでいるのである。」とされる[43)]。

すると、同教授が指摘されるように、「権利確定主義」が統一的なものではないことを「それほど重視する必要はない」ということになろう。ただ、事案ごとにどのようにして、権利確定主義なる「リーガル・テスト」が機能するのかという点を考察し、ある程度の包括的なルールを発見することには意義があると考えるところである。そして、この立場からは、収入実現の蓋然性をも含めた包括的なリーガル・テストとして権利確定主義が意味を有すると捉えることができるのである（このような用語として、「リーガル・テスト」という表現を採用することが金子宏教授の説と合致しているかどうかは措くこととする。）。

金子宏教授は、権利確定主義を最も妥当な判断基準としつつも、「権利確定主義は、大体の場合を律しうる原則的基準として妥当性を認められるべきである」として、権利確定主義が妥当し得ない例外として、「利得が納税者のコントロールのもとに入ったという意味」での管理支配基準が妥当する場合があると論じられる[44)]。

同教授は、管理支配基準が妥当する例として、①横領や窃盗による不法な利得を得た場合、次に②農地の譲渡についての知事の許可が必要な場合、更に③対価についての争いがある場合を示される。

まず、第一の横領や窃盗による不法な利得については、法律上無効な利得であり、被害者に返還しなければならないものであるから、権利確定主義によってその実現時期を判定することは、そもそも不可能である。第二に、権利確定主義によれば、知事の許可がなされるまでは所得の実現があり得ないことになるが、知事の許可に先立ち引渡しと代金の授受が完了し、譲渡人が自らそれを所得として申告しているような場合には、管理支配基準を適用してよいとされるのである。そして、第三のケースでは、継続的役務提供契約に基づいて役務提供がなされている場合に対価について争いが生じている際には和解なり確定判決なりを通じて最終的に結着したときに権利が確定するが、例えば、下級審裁判所の仮執行宣言付判決に基づいて最終的な決着に先立ち対価の支払があった場合には、管理支配基準を適用すべきとされる。

43）中里・前掲23）135頁以下。

44）金子・租税法312頁。

裁判例の紹介

農地譲渡に関する知事の許可

農地の譲渡に関し、知事の許可がされる前に譲渡代金の全額が支払われたときは、その支払時の属する年分の収入金額として課税することができるとされた事例

（253 第一審名古屋地裁昭和54年1月29日判決・行集30巻1号80頁）
（254 控訴審名古屋高裁昭和56年2月27日判決・訟月27巻5号1015頁）
（255 上告審最高裁昭和60年4月18日第一小法廷判決・訟月31巻12号3147頁）[45]

〔事案の概要〕

省略。

〔争点〕

農地の譲渡に関し、知事の許可がされる前に譲渡代金の全額が支払われたときには、その支払時の属する年分の収入金額として、課税することが妥当か否か。

〔判決の要旨〕

1　第一審**名古屋地裁昭和54年1月29日判決**及び控訴審**名古屋高裁昭和56年2月27日判決**においても、農地の譲渡に関し、知事の許可がされる前に譲渡代金が支払われたときは、その支払時の属する年分の収入金額として、所得を計算することができると判示された。

すなわち名古屋高裁は次のように判示した。

「旧所得税法がいわゆる権利確定主義を採用したのは、課税に当って常に現実収入のときまで課税することができないとしたのでは、納税者の恣意を許し、課税の公平を期しがたいので、徴税政策上の技術的見地から、収入の原因となる権利の確定した時期をとらえて課税することにしたものであることにかんがみれば、農地の売買について農地法所定の知事の許可のある前であっても、すでに契約に基づき代金を収受し、所得の実現があったとみることができる状態が生じたときには、その時期の属する年分の収入金額として所得を計算することは違法ではないというべきである。」

2　**最高裁昭和60年4月18日第一小法廷判決**

「農地法所定の知事の許可がされていなくても、…譲渡所得の実現があったも

45）判例評釈として、鈴木博・税務事例18巻8号17頁（1986）、同9号21頁（1986）、川野辺充子・税弘35巻4号178頁（1987）など参照。

のとして、右収受した代金に対し課税することができるとした原審の判断は、正当」としている。

〔コメント〕

不法利得の課税の時期について参考となる司法判断としては、前述の制限超過利息事件244最高裁昭和46年11月9日第三小法廷判決（525頁）がある。同最高裁は、「利息制限法による制限超過の利息、損害金は、その基礎となる約定自体が無効であって…、約定の履行期の到来によっても、利息・損害金債権を生ずることに由なく、貸主は、ただ、借主が…任意の支払いを行うかも知れないことを、事実上期待しうるにとどまるのであって、とうてい、収入実現の蓋然性があるものということはできず、したがって、制限超過の利息・損害金はたとえ約定の履行期が到来しても、なお未収である限り、旧所得税法10条1項にいう『収入すべき金額』に該当しないものというべきである」と判示する。

このように、無効な行為を前提とする利得について、これを課税対象から除外するということはないとされており、学説上かかる判断に正面から反論を立てる見解は見当たらない。同判決は管理支配基準による判断を下した判決であるとも説明されている。この点で、適法利得は未収段階において課税されるにもかかわらず、不法な利得については約定の履行期が到来しても未収である限り課税されないとするのでは、公平的取扱いの観点から問題であるという見方もできる。適法と不適法という切り口ではなく収入実現の蓋然性如何によって課税の時期を捉えるべきであると考えれば、同基準で判断をする限りかような結論になることはやむを得ないと思われるが、この点を税務調査上の問題と絡めて議論する見解もある。

本件では、権利確定主義を前提とした上で、上記判示がなされている点について注意が必要である。この点は、管理支配基準を採用したとされる前述の制限超過利息事件最高裁判決が権利確定主義によるとはいわずに説示を展開しているのとはその構成において差異を見せているといえよう。もっとも、権利確定主義を採用した理由が「納税者の恣意を許し、課税の公平を期しがたいので、徴税政策上の技術的見地から、収入の原因となる権利の確定した時期をとらえて課税することにした」ということに鑑みれば、権利確定主義の射程範囲から外れたとしても、知事の許可のある前に、既に、所得の実現があったとみることができる状態が生じたといい得ることから、権利確定主義の考え方から乖離しているわけではないという判断を下したのか、あるいは、所得の実現があったとみることができる状態が生じたといい得る場合に課税をすることが権利確定主義の考え方であるとしたのかについては、必ずしも判然とはしない。

裁判例の紹介

対価についての争いがある場合

訴訟上の和解により確定した和解金は、その和解が成立した日の属する年分の総収入金額に算入すべきであるとされた事例

（256第一審札幌地裁平成10年６月29日判決・税資232号937頁）
（257控訴審札幌高裁平成11年４月21日判決・税資242号218頁）
（258上告審最高裁平成11年10月26日第三小法廷判決・税資245号130頁）

〔事案の概要〕

省略。

〔争点〕

弁護士の報酬請求権を巡って、仲介に関する契約がX（原告・控訴人・上告人）との間で締結されたかどうかなど、そもそもX主張の報酬請求権の存否自体に争いがあった場合の報酬の計上の時期如何。

〔判決の要旨〕

1　第一審**札幌地裁平成10年６月29日判決**は、平成６年に訴訟上の和解が成立したことによりその報酬の請求権が確定したものであり、本件不動産仲介報酬は同年分の事業所得の総収入金額に算入すべきであるとして、Xの主張を排斥した。

2　札幌高裁平成11年４月21日判決

「所得税法36条１項は『その年分の各種所得の金額の計算上収入金額とすべき金額又は総収入金額に算入すべき金額は、別段の定めがあるものを除き、その年において収入すべき金額とする』と定めており、ここにいう『収入すべき金額』とは収入すべき権利の確定した金額をいい、その確定の時期は法律上これを行使することができるようになったときと解するのが相当である。」とした上で、「認定した事実によれば、XとAらとの間にはX主張の報酬請求権の存否自体に争いがあってその存否を確定することができない状態にあったものであるところ、これが別の訴訟の控訴審における平成６年２月23日の和解期日に成立した和解によりXのAらに対する4,500万円の報酬等請求権の存在することが確定し、法律上これを行使することができるようになったものということができる。そうするとこの4,500万円（本件報酬金）の収入は和解の成立した日の属する年である平成6年の総収入金額に算入すべきものである。」

3　上告審**最高裁平成11年10月26日第三小法廷判決**は、Xの上告を棄却し、上告不受理とした。

〔コメント〕

本件は、弁護士の報酬請求権そのものの存否が問題とされた事例であり、権利の存否が不明確な状況においては、収入実現の蓋然性は未だ低いといわざるを得ないため、所得税法36条にいう権利確定主義の考え方からすれば、「収入すべき金額」に該当しないということになるとした判断であり、権利確定主義が正面から妥当する問題である[46]。

他方、前述の賃料増額請求事件**241**最高裁昭和53年2月24日第二小法廷判決（522頁参照）は、「増額賃料債権又は契約解除後の賃料相当の損害賠償請求権についてなお係争中であっても、これに関しすでに金員を収受し、所得の実現があったとみることができる状態が生じたときには、その時期の属する年分の収入金額として所得を計算すべきものであることは当然」であるとする。そして、この考え方は、仮執行宣言に基づく給付として金員を取得した場合についても当てはまるというのである。なぜなら、「仮執行宣言付判決は上級審において取消変更の可能性がないわけではなく、その意味において仮執行宣言に基づく金員の給付は解除条件付のものというべきであり、これにより債権者は確定的に金員の取得をするものとはいえないが、債権者は、未確定とはいえ請求権があると判断され執行力を付与された判決に基づき有効に金員を取得し、これを自己の所有として自由に処分することができるのであって、右金員の取得によりすでに所得が実現されたものとみるのが相当であるから」とする。この考え方はまさに管理支配基準によるものといえよう。

裁判例の紹介

管理支配基準を採用した事例①

歯科医師が受領した歯列矯正料は、矯正装置装着の日（治療開始日）の属する年分の収入金額に計上するものとされた事例

（**259**第一審徳島地裁平成7年4月28日判決・行集46巻4＝5号463頁）[47]

46）水野・大系259頁参照。

47）判例評釈として、新井隆一・租税25号146頁（1997）、田川博・税通51巻1号233頁（1996）など参照。

（260控訴審高松高裁平成８年３月26日判決・行集47巻３号325頁）

〔事案の概要〕

省略。

〔争点〕

歯科医師Ｘ（原告・控訴人）が歯列矯正の治療に伴い受領した歯科矯正料の収入計上時期如何。なお、接待交際費の支出の必要経費性については、585頁参照。

〔判決の要旨〕

1　徳島地裁平成７年４月28日判決

「所得税法36条１項は、『その年分の各種所得の金額の計算上収入金額とすべき金額又は総収入金額に算入すべき金額は、別段の定めがあるものを除き、その年において収入すべき金額とする。』と規定しているところ、右にいう『その年において収入すべき金額』とは、その年において収入すべきことが確定し、相手方にその支払を請求しうることとなった金額、換言すれば、納税者が収入金額として管理・支配しうることになった金額をいうものと解される。したがって、当該金額がこれにあたるか否かは、専ら現実に利得を管理し、それを享受しているかどうかという事実関係に着目して判断すべきである。

これを本件についてみるに、前記認定の事実によれば、Xは、検査・診断の際、その結果に基づいて矯正料金規定を示し、矯正治療契約を締結し、同時に矯正料を請求してそれを一括して受領しているものであり、…矯正歯科契約に基づき受領した矯正料は、患者等のやむを得ない事情（転勤等）がある場合には治療の進行状態に応じて一部返金するとされているものの、このようなことは全体の１パーセント強にすぎず、また患者等の一方的都合により治療の中断や中止をした場合及び治療予定期間の70パーセントを経過したときは返金されないことされている上、Ｘは、治療装置装着後に行われる治療・調節等については別途、治療の都度その内容に応じた対価を受領しているというのであるから、本件矯正料は、遅くとも矯正装置の装着日にはXにおいて収入金額として管理・支配しうることになったものであり、その時点において収入すべき権利が確定したと認めるのが相当である。」

2　高松高裁平成８年３月26日判決

高松高裁は、「その年において収入すべき金額」とは、その年において収入すべきことが確定し、相手方にその支払を請求し得ることとなった金額、換言すれば、納税者が収入金額として管理・支配し得ることになった金額をいうものと解されるとしている。

〔コメント〕

本件徳島地裁判決の判断では管理支配基準が採用されたのであるが、そこでは、権利確定主義とは別の概念として同基準が位置付けられているわけではないように思われる。

管理支配基準は権利確定主義と別の概念と解するのではなく、権利確定主義の枠内において理解する考え方が説得的であろう。すなわち、権利確定主義を収入実現の蓋然性テストとして柔軟に捉えた上で、管理支配基準を収入実現の蓋然性テストの一つとして位置付けることも可能であるように解される。また、司法判断においても、権利確定主義と管理支配基準との関係については、これらを明確に区別していない判決も多いようにも思われる。

本件徳島地裁判決では、所得税法36条１項にいう「収入すべき金額」を「納税者が収入金額として管理・支配しうることになった金額」と解釈しているところが最も注目すべき点である。ここでは、管理支配基準を権利確定主義の補完的あるいは例外的に位置付けるものでは決してない。さらに、「収入金額として管理・支配しうることになったものであり、その時点において収入すべき権利が確定したと認める」としているのであって、権利確定主義をいわば大体の場合律し得る原則的基準といった意味にとどめた上で、その例外的な場面で管理支配基準を適用するというルールからは完全に離脱した判断であるといえよう。

なお、本件高松高裁判決においても同様の判断が示されている。

裁判例の紹介

管理支配基準を採用した事例②

駐留米軍用地としての使用裁決に伴って国から受領した損失補償金は、その払渡しを受けた日の属する年における総収入金額に算入すべきとされた事例

（261 第一審那覇地裁平成６年12月14日判決・行集47巻10号1094頁）[48]

（262 控訴審福岡高裁那覇支部平成８年10月31日判決・行集47巻10号1067頁）[49]

（263 上告審最高裁平成10年11月10日第三小法廷判決・集民190号145頁）[50]

48）判例評釈として、山田二郎・判評446号185頁（1996）、同・租税25号144頁（1997）など参照。

49）判例評釈として、高須要子・平成９年度主要民事判例解説〔判タ臨増〕232頁（1998）参照。

50）判例評釈として、佐藤英明・平成10年度重要判例解説〔ジュリ臨増〕31頁（1999）、石島弘・民商121巻４＝５号179頁（2000）、田中治・税研106号81頁（2002）など参照。

〔事案の概要〕

省略。

〔争点〕

駐留米軍用地として使用するために10年間の強制使用裁決がなされたことに伴って国から受領した損失補償金の所得の計上時期如何。

〔判決の要旨〕

1　第一審**那覇地裁平成6年12月14日判決**は、損失補償金の計上時期は、その全額を受領した年分の所得として計上するのではなく、実際に使用された期間に対応する金額をその年分の所得として計上すべきものとし、X（原告・被控訴人・上告人）の請求を認容した。

2　福岡高裁那覇支部平成8年10月31日判決

「『収入の原因となる権利の確定』（前出の最高裁判決〔筆者注：最高裁昭和53年2月24日第二小法廷判決・民集32巻1号43頁参照）。〕）とは、収入の原因となる法律関係が成立し、この法律関係に基づく収入を事実上支配管理しうる事実の生じたことをいい、将来における不確定な事情によって、権利の全部又は一部が消滅することなく、終局的に確定していることまでも要するものではないと解される。したがって、これを本件についていえば、権利取得裁決により、国は、定められた権利取得時期に土地の使用権原を原始取得し、右土地の所有者であるXらは、国から本件損失補償金の一括支払を受けているというのであるから、Xらは、右支払を受けた日以後は、本件損失補償金全額を事実上支配管理しうる状況に至ったというべきであり、右『権利の確定』を判断するに当たっては、将来国から使用期間満了前に使用土地が返還された場合に、Xらが本件損失補償金のうち未使用期間に相当するものを国に返還する義務が発生するか否かといった事情は考慮する必要がないのである。」

「以上にみてきたように、収用法72条の補償金は使用する土地そのものに対するものであり、国は、権利取得の時期までに右の補償金を払い渡すことを条件として右の時期において当該土地を使用する権利を取得し、他方、土地所有者は、右の時期までに右の補償金の払渡しを受けることができ、土地所有者としては、明渡しの期限までに当該土地を明け渡しさえすれば、その後は他の一般国民と同様に国の使用権の行使を受忍する義務を負うのみであって、そこには継続的な役務の提供行為を観念することはできず、また、右明渡しの不履行でさえ収用法72条の補償金の保持に影響するものではない。このような収用法72条の補償金ないし右補償金に係る権利の特質に徴すると、本件損失補償金は、国からみれば、当該土地に対する国による使用権取得の対価であり、土地所有者からみれば、使用権の設定それ自体による当該土地に対する損失補償金の性質を有するものというべきであって、本件損失補償金の払渡しは右権利取得の時期より前にされたものではあるがこれを収入すべき権利ないし保持する権利は、権利取得裁決において定められた権利取得の時期において確定したものであり、それゆえに、Xらは、特段の事情のない限り、本件損失補償金全額について、返還の必要に迫られることなくこれを自由に管理支配できるのであるから、右権利取得の時期において右補償金に係る所得の実現があったものと解するのが相当であり、したがって、本件損失補償金は昭和62年分の総収入金額に算入されるべきものである。」

3　上告審**最高裁平成10年11月10日第三小法廷判決**は、損失補償金は所得税法36条1項に基づき、その払渡しを受けた日の属する年における収入すべき金額として所得の金額の計算上総収入金額に算入すべきものと解するのが相当であるとして、Xの上告を棄却した。

〔コメント〕

本件高裁判決は前述の賃料増額請求事件**241**最高裁昭和53年2月24日第二小法廷判決（522頁参照）を踏襲し、「所得税法36条1項は権利確定主義を採用したものである」とした上で、「収入の原因となる権利が確定する時期はそれぞれの権利の特質を考慮して決定されるべきものである」とする。そして、同最高裁判決にいう「収入の原因となる権利の確定」について、「収入の原因となる法律関係が成立し、この法律関係に基づく収入を事実上支配管理しうる事実の生じたことをいい、将来における不確定な事情によって、権利の全部又は一部が消滅することなく、終局的に確定していることまでも要するものではないと解される。」として、「返還の必要に迫られることなくこれを自由に管理支配できる」という時点で、権利確定主義にいう権利の確定といい得るとしているのである。

管理支配基準は、これらの裁判例においては、むしろ権利確定主義に包摂されたものとして理解されているといえよう。

これらの捉え方の違いは、権利確定主義を厳格に権利の確定として理解するのか、あるいはより柔軟に理解するのかの相違であるように思われる。これまでの裁判例を見る限り、それらが権利確定主義を必ずしも明確に権利の確定という考え方に立って理解してきたとは思えない。むしろ、裁判所の採ってきた立場は後者であるように思われる。

これまでの多くの裁判例は、収入実現の蓋然性というレベルにまで確定の意義を緩めて解釈しているのであり、かような立場に立つ限りは、管理支配基準も権利確定主義の傘の下で理解されるということになろう。すなわち、権利確定主義の下での管理支配基準の適用として理解することができる。

かような整理は、水野勝氏が、「収入の計上時期については、所有権の移転又は役務の提供があったときとする、いわゆる権利確定主義を採用しているものと考えられる。ただ、その意味は、文字どおり『権利の確定』したときを収入の計上時期とするというのではなく、もっぱら現実に利得を管理し、それを享受しているかどうかという事実関係に着目して判断していくべきものと考えられる」とされるのと同様の立場に立つものといえよう[51)]。

もっとも、管理支配基準を権利確定主義にいう「法的基準」ではなく経済的観点をも取り込んだ判断基準として捉えれば、これらの位置付けは別の様相を帯びてくる。なるほど、例えば、賃料増額請求事件最高裁判決についてみると、同判決は経済的観点をも取り込んで判断されたものであるともいえる。かように考えると、同判決の判示は、法的基準たる権利確定主義を採用した判断ではなく、経済的観点からの視点をも取り込んだ基準としての管理支配基準を採用した判断であると説明することもできよう。金子宏教授が、管理支配基準を「権利の確定という『法的基準』ですべての場合を律するのは妥当ではな〔い〕」[52)]としていることからすれば、いわば「法的基準」に対するものとして管理支配基準が示されているともいえよう。ここでは、管理支配基準に経済的観点からの観察を許容する根拠としての意味を汲み取ることも可能であるように思われる。権利確定主義を法的基準として、法的基準によることに不都合な場合には、管理支配基準により経済的基準をも許容するという観点から、これらの収入計上基準を捉え直すこともできそうである。すなわち、それは、法的基準のみで判断した場合には正確に担税力の指標となる所得を認定し得ない場合に、経済的基準をも取り込むものとして管理支配基準を捉えるという立場である。

このように考えると、金子教授が、不法な利得がいかなる範囲で所得を構成し得るかの考察に当たって示される２つの考え方のうち、所得概念を法律的把握に基づいて説明する立場から私法上有効に成立し得る利得のみに課税すべきとする考え方を採用せず、経済的観点から利得者が現実にそれを支配し、自己のために享受している限り、不法な利得も課税対象たる所得を構成するとする考え方を採用すべきと主張されている点[53)]とも親和性を有する。

すなわち、前述の制限超過利息事件**244**最高裁昭和46年11月９日第三小法廷判決（525頁参照）が不法な利得の所得を課税対象とし、管理支配基準によって課税の時期を律するというのは、所得範囲の議論としても課税時期の議論としてもいずれも経済的な観点からの観察を基礎としているということで整合的であるといえよう。

51）水野勝『租税法』187頁（有斐閣1993）。

52）金子・前掲44）312頁。

53）金子・前掲44）196頁以下。

裁判例の紹介

返還不要の保証金に係る収入計上時期

建物を賃貸する際にいわゆる保証金として受領した金員のうち、特約により返還を要しないとした部分は、賃貸人の受領した年における不動産所得の収入金額であるとされた事例

（264第一審大阪地裁昭和50年９月18日判決・訟月21巻11号2359頁）
（265控訴審大阪高裁昭和51年10月29日判決・訟月22巻12号2880頁）
（266上告審最高裁昭和52年５月２日第二小法廷判決・訟月22巻12号2880頁）

〔事案の概要〕

省略。

〔争点〕

建物賃貸保証金の返還を要しない部分は、受領した年の不動産所得を構成するか否か。

〔判決の要旨〕

1　第一審**大阪地裁昭和50年９月18日判決**は、建物賃貸保証金の返還を要しない部分の所得としての計上時期は、賃貸借契約を締結し、建物を引き渡し、これと前後して保証金を収受した時であるとして、X（原告・控訴人・上告人）の主張を排斥した。

2　大阪高裁昭和51年10月29日判決

「保証金のうち返還不要特約をした部分についても場合によりこれを返還しなければならないときが存すること、そのような場合とは、一つは『法律又は命令、或は公共事業施行のため本物件の取扱い又は使用禁止等の事由が発生した時』であり…、いま一つは賃貸人であるX側の都合で解約するときであること」が認められると認定した上で、「しかし、現行借家法の建前等に照らすと、前記のような場合は極めて稀であることが当裁判所に顕著であるのみならず、このようにして返還不要特約をしたにもかかわらず保証金の全額を返還しなければならないとした趣旨を経済的、実質的にみると、それはいずれも賃借人にとって不測の事由によって移転を余儀なくされる場合であるが故に特にその補償金または立退料の趣旨で返還するものであると解するのが相当である…。したがって、例外的に稀に返還不要の保証金を返還するのは、実質上、通常の保証金返還の場合とは異なり、賃貸借解消または終了の対価として必要となった支出と解するのが相当で（それゆえ、支出年度における不動産所得計算上必要経費として計上すべきものである。）、叙上のような稀な場合の存することを根拠としてXの前記主張を肯認することはできない。」とした。

3　上告審**最高裁昭和52年5月2日第二小法廷判決**は、原審判断を維持した。

〔コメント〕

ここでは、返還不要特約が付されていても例外的に返還しなければならない場合があることを認定した上で、しかしながら、そのような場合は稀であり、その名が保証金であっても実質はいわゆる権利金に等しく、賃貸人としては「賃貸家屋を引渡しこれを収受したとき自由に使用収益処分できる性質の金員であるから、結局、本件保証金のうち右返還を要しない部分は収受の時収入すべき権利が確定したものということができる。」として、自由な使用収益処分に着目しているとおり、管理支配基準に即した判断がなされているといえよう。

裁判例の紹介

前受家賃の収入計上時期

当月分の家賃を前月末までに支払うという前家賃制における家賃の収益計上時期は、その前家賃に相当する月が経過した時であるとされた事例

（267第一審東京地裁昭和52年3月24日判決・訟月23巻4号794頁）[54]
（268控訴審東京高裁昭和53年10月31日判決・訟月25巻2号535頁）
（269上告審最高裁昭和54年6月18日第二小法廷判決・税資105号725頁）

〔事案の概要〕

省略。

〔争点〕

契約により前家賃制を採用している場合の、かかる家賃収入の計上時期如何。

54）判例評釈として、植松守雄・ジュリ728号138頁（1980）、伊東稔博・税大論叢12号349頁（1978）、同・税理21巻4号151頁（1978）など参照。

〔判決の要旨〕

1　東京地裁昭和52年3月24日判決

「X〔筆者注：原告・控訴人・上告人〕が前家賃制を採用していることは当事者間に争いがないところ、Y〔筆者注：被告・被控訴人・被上告人〕は前家賃制の場合には前月末に当月分の家賃を請求し得るから、前月末に収入すべき権利が確定すると主張する。しかしながら、家賃は賃借建物の使用収益の対価として支払われるものであるから、翌月には賃借しないとすれば前月末に支払う必要のないものであり、また翌月の中途で契約が解除されればその月分として支払った家賃のうち解除日以後の日数に対応する部分は返還を受けることができる筋合のものであるから、前家賃は単に契約上の支払時期を定めることによって前月末に請求できるというに過ぎないものと解すべきである。したがって、前家賃を収益として計上すべき時期は、当該前家賃に相当する月が経過した時であって、それまでは前家賃は前受金たる性質を有するものと解すべきである。そうすると、Xの家賃収入は家賃月額に賃借人が昭和41年中において実際に賃借していた月数を乗じて計算（月の途中の場合は日割計算）するのが相当であり、ただ入退居等に際し特に賃借人の承諾の下に収入すべき金額として受領した金員があるときに限り、これをも収入とし、また同様にその際支払を免じた金員があるときは、これを収入から除外すべきである。」

2　第一審の判断は控訴審**東京高裁昭和53年10月31日判決**及び上告審**最高裁昭和54年6月18日第二小法廷判決**でも維持されている。

〔コメント〕

本件では、家賃は賃借建物の使用収益の対価として支払われるものであるから、翌月には賃借しないとすれば前月末に支払う必要のないものであり、また翌月の中途で契約が解除されればその月分として支払った家賃のうち解除日以後の日数に対応する部分は返還を受けることができる筋合いのものであるから、前家賃は単に契約上の支払時期を定めることによって前月末に請求できるというにすぎないものと解すべきとして、前受金たる性質が認定されている。

本件地裁判決において、「ただ入退居等に際し特に賃借人の承諾の下に収入すべき金額として受領した金員があるときに限り、これをも収入とし」とされているとおり、入居の際の保証金や権利金等の金員については、前掲**266**最高裁昭和52年5月2日第二小法廷判決（558頁参照）と同様に原則として収入計上すべきとされているように思われる。

他方で、前家賃については、あくまでも前受金としての性質が認定されていることは既述のとおりであり、この点、本件地裁判決は、「前家賃は単に契約上の支払時期を定めることによって前月末に請求できるというに過ぎないものと解すべきである。したがって、前家賃を収益として計上すべき時期は、当該前家賃に相当する月が経過した時であって、それまでは前家賃は前受金たる性質を有するものと解すべきである。」と判示し、「前家賃制の場合には前月末に当月分の家賃を請求し得るから、前月末に収入すべき権利が確定する」というYの主張を排斥しており、権利確定主義に基づく判断の妥当性が示されているのである。

すると、それぞれの事例に係る取引や契約内容に応じた「権利の確定」の時期が模索された結果であると思われる。

かように、本件の判断においても、権利の確定を「法律上権利の行使ができるようになった時」と理解しており、このフレーズは、次の最高裁昭和40年9月8日第二小法廷決定の判示に示されたものである。

裁判例の紹介

解約手付金の収益計上時期

売買代金債権は、法律上これを行使することができるようになった時に、旧所得税法10条1項後段にいう「収入すべき金額」となるとされた事例

（270 第一審名古屋地裁昭和39年3月31日判決・税資49号266頁）
（271 控訴審名古屋高裁昭和39年11月9日判決・判タ170号256頁）
（272 上告審最高裁昭和40年9月8日第二小法廷決定・刑集19巻6号630頁）[55]

〔事案の概要〕
省略。

〔争点〕
省略。

〔判決の要旨〕
1　第一審**名古屋地裁昭和39年3月31日判決**は、Y（被告人）の主張を斥け有罪とし、控訴審**名古屋高裁昭和39年11月9日判決**も第一審判断を維持した。

2　**最高裁昭和40年9月8日第二小法廷決定**
「所得税法10条1項にいう収入すべき金額とは、収入すべき権利の確定した金

55）判例評釈として、坂本武志・曹時17巻11号171頁（1965）、山田二郎・税弘14巻3号139頁（1966）、吉良実・税通33巻14号148頁（1978）、植松守雄・租税百選104頁（1968）、須貝脩一・シュト49号10頁（1966）など参照。

額をいい、その確定の時期は、いわゆる事業所得にかかる売買代金債権については、法律上これを行使することができるようになったときと解するのが相当である。そして、原審の認定した事実によると、所論売買契約にもとづく1億2,000万円の代金債権は、昭和34年度に行使することができるようになったものであるから、これを同年度に収入すべき金額であるとした原審の判断は、結論において正当であるといわなければならない。また、所論2,000万円は、原審の認定した事実によると、いわゆる解約手附として受取ったものであるところ、解約手附は、両当事者が契約の解除権を留保するとともに、これを行使した場合の損害賠償額となるものとして、あらかじめ授受するに過ぎないものであって、それを受取ったからといって、それを受取るべき権利が確定しているわけではないから、そのままでは、前記収入すべき権利の確定した金額には当らないものと解するのが相当である。」

〔コメント〕

本件最高裁は、「いわゆる事業所得にかかる売買代金債権については、法律上これを行使することができるようになったときと解するのが相当である。」としている。この説示は、権利確定主義の基礎となるものであるが、この「法律上これを行使することができるようになったとき」との説示が初めて示されたのが本件最高裁判決である。

このフレーズの意味するところは必ずしも明確ではなく、それぞれの個別状況に応じて下級審判決において適用されているのが実態である。すなわち、「法律上権利の行使ができるようになった時」については、しばしば蓋然性判断をも包摂して使用されているような状況にあることはこれまで述べてきたとおりである。この理由について、植松守雄氏は、「『権利確定主義』における『権利確定』とは、本判決の考えるように厳格なものではなく、『蓋然性』の判断を容れるものと考えるべきである。けだし継続的、反覆的になされる取引に対する税法上（ないし企業会計上）の収入経常基準としては、当然にある程度の画一性が前提とされ、その点は『権利確定主義』についても、税法上の収入計上基準と標榜する以上、同様と考えられるからである。」と論じられるところである[56)]。

56）植松守雄「前家賃制における家賃収入の計上時期」ジュリ728号141頁（1980）。

Ⅲ 必要経費の計算

1　必要経費の意義

所得税法は、収入の稼得に寄与する支出等や関連して負担をした支出等を収入から控除することによって、担税力の指標としての所得を算出する仕組みを採用している。この収入を稼得する等のために要した金額を必要経費というが、所得税法は、全ての所得区分について必要経費を観念するのではなく、各種所得のうち不動産所得、事業所得、山林所得及び雑所得（公的年金等に係る雑所得を除く。）についてのみ、総収入金額から必要経費の額を差し引いて所得金額を計算することとしている。したがって、所得税法上の「必要経費」とは、不動産所得、事業所得、山林所得及び雑所得に係る業務について生じた費用をいう。そして、所得税法に規定する必要経費は、①不動産所得、事業所得及び雑所得（山林の伐採又は譲渡による所得以外の事業所得及び雑所得をいう。以下同じ。）と、②山林の伐採又は譲渡に係る事業所得、山林所得及び雑所得とに区分した上で、別段の定めがあるものを除き、それぞれ次によることとされている（所法37①②）。

(1)　不動産所得、事業所得及び雑所得の必要経費

不動産所得、事業所得及び雑所得の必要経費には大別して次の二つがある。

①　売上原価のように、収入金額に直接対応する費用（個別対応の費用）

②　販売費、一般管理費のようにその年分の業務について生じた費用（期間対応の費用）

これらの所得に係る必要経費は、収入を得る上で直接因果関係があるもののほか、業務の遂行上直接又は間接的に必要な費用（業務の遂行に不可欠ないし適切なもの、不可避的に生ずる損失も含む。）も含まれることになる。

なお、上記②の必要経費に算入すべき償却費以外の費用は、原則として、その年の12月31日現在で債務の確定しているものに限られる（債務確定主義）。こ

こに債務の確定とは、その年の12月31日までに、①債務が成立していること、②給付をすべき原因となる事実が発生していること、③金額が合理的に算定できることの要件を満たしている場合をいうと解されている（所基通37－2）。

(2) 山林の伐採又は譲渡による所得（事業所得、山林所得及び雑所得）の必要経費

山林の植林費、取得に要した費用、管理費、伐採費その他その山林の育成又は譲渡に要した費用など、山林の伐採又は譲渡による収入金額に直接対応する費用（個別対応の費用）は必要経費に算入される。山林の伐採又は譲渡による所得は、植林から伐採に至るまでの長期間にわたって生じた所得が一時に実現するものであるから、収入金額が発生した段階で過去の費用を控除するのである。

裁判例の紹介

不動産所得の必要経費と主張立証責任

ある支出が不動産所得の金額の計算上必要経費として控除されるためには、当該支出が所得を生ずべき業務（不動産賃貸業）と合理的な関連性を有し、かつ、当該業務の遂行上必要であることを要すると解するのが相当であるとされた事例

（273第一審大阪地裁平成29年9月7日判決・税資267号順号13051）
（274控訴審大阪高裁平成30年5月18日判決・税資268号順号13154）

〔事案の概要〕

省略。

〔争点〕

本件地代家賃等の金額は、X（原告・控訴人）の本件各年分に係る不動産所得の計算上、必要経費に算入することができるか。その他の争点については省略する。

〔判決の要旨〕

1　大阪地裁平成29年9月7日判決

「1　本件地代家賃等の金額は、Xの本件各年分に係る不動産所得の計算上、必要経費に算入することができるか（争点〈1〉）

(1)　必要経費の判断基準等

所得税法26条2項は、不動産所得の金額は、その年中の不動産所得に係る総収入金額から必要経費を控除した金額とする旨規定し、同法37条1項は、その年分の不動産所得の金額の計算上必要経費に算入すべき金額は、別段の定めがあるものを除き、当該所得の総収入金額に係る売上原価その他当該総収入金額を得るため直接に要した費用の額及びその年における販売費、一般管理費その他当該所得を生ずべき業務について生じた費用の額とする旨規定する。

そして、上記の『総収入金額を得るため直接に要した費用』及び『所得を生ずべき業務について生じた費用』という文言に加え、所得を稼得するための投下資本の回収部分に課税が及ぶことを避けるという必要経費の控除の趣旨にも照らすと、ある支出が不動産所得の金額の計算上必要経費として控除されるためには、当該支出が所得を生ずべき業務（不動産賃貸業）と合理的な関連性を有し、かつ、当該業務の遂行上必要であることを要すると解するのが相当である。そして、上記の判断は、単に事業主の主観的判断によるのではなく、当該業務の内容、当該支出（費用）の性質及び内容など個別具体的な諸事情に即し、社会通念に従って客観的に行われるべきである。

(2)　必要経費の立証責任

課税処分の取消訴訟においては、原則として、Y〔筆者注：被告・被控訴人〕（課税庁）がその課税要件事実について主張立証責任を負い、不動産所得の金額の計算上控除する必要経費についても、その主張する金額を超えて存在しないことにつき主張立証責任を負うものと解される。しかし、必要経費は、所得算定の減算要素であって納税者に有利な事柄である上、納税者の支配領域内の出来事であるから、必要経費該当性（支出の存在及び数額並びに業務との合理的関連性及び業務遂行上の必要性）の主張立証は、通常、納税者たるXの方がYよりもはるかに容易である。したがって、必要経費該当性につき争いのある支出については、Xにおいて、当該支出の具体的内容を明らかにし、その必要経費該当性について相応の立証をする必要があるというべきであり、Xがこれを行わない場合には、当該支出が必要経費に該当しないことが事実上推認されるというべきである。」

2　控訴審**大阪高裁平成30年5月18日判決**においても第一審判断が維持されている。

〔コメント〕

本件は、不動産所得の必要経費性が争点とされた事例であるが、本件大阪地裁は、❶「当該支出が所得を生ずべき業務（不動産貸付業）と合理的な関連性を有し」ていること、❷号外支出が「当該業務の遂行上必要であることを要すること」を必要とすると説示している。

そして、必要経費の主張立証責任は、これを否認する課税庁の側にあるとしている。これは、法律要件分類説の考え方にのっとったものであるといえよう。

2　家事費及び家事関連費の必要経費不算入

所得税法では、事業所得等の所得金額の計算に当たって、総収入金額から必要経費を控除するとともに、家事費及び家事関連費については必要経費に算入しないこととしている（所法45①一）。家事費は、家事上の経費であるから、事業所得や山林所得、雑所得の金額の計算上必要経費に算入されないことは法上の規定を待つまでもなく明らかであると思われる。にもかかわらず、所得税法45条《家事関連費等の必要経費不算入等》１項１号は、「家事費」を必要経費に算入しない旨を規定している。これは、所得税法34条《一時所得》２項にいう一時所得の金額の計算上、控除されるべき金額が家事費であることから反射的に、事業所得等の金額の計算においては必要経費に算入されないことを明確にするための確認的規定であると思われる。なお、「家事費」を必要経費に算入しないと規定するとともに、必要経費の要素と家事費の要素とが混在している「家事関連費」については、次のものに限って必要経費に算入することとしている（所令96）。

①　家事関連費の主たる部分が不動産所得、事業所得、山林所得又は雑所得を生ずべき業務の遂行上必要であり、かつ、必要な部分を明らかに区分できる場合……その明らかに区分できる部分の金額

✍　主たる部分が業務の遂行上必要であるかどうかは、その支出する金額のうちその業務の遂行上必要な部分が50％を超えるかどうかにより判定するが、その必要な部分が50％以下であっても、その必要な部分を明らかに区分できる場合には、その必要である部分の金額を必要経費に算入して差し支えないこととされている（所基通45－２）。

② 青色申告者の場合……取引の記録等に基づいて不動産所得、事業所得又は山林所得を生ずべき業務の遂行上直接必要であったことが明らかにされる部分の金額

3　売上原価の計算

事業所得の金額は、原則として一暦年における総収入金額から売上原価その他の必要経費の額を控除して計算するのであるが（所法27②、37①）、この場合の売上原価の計算は、期首及び期末の棚卸資産の価額とその期中の仕入金額に基づいて、次の算式で計算する。

（期首棚卸高　＋　その期中の仕入高　－　期末棚卸高　＝　売上原価）

所得税法では、以下のとおり、棚卸資産について具体的な取扱いを定めている（所法47）。

☞ 棚卸資産とは、①商品又は製品（副産物及び作業くずを含む。）、②半製品、③仕掛品（半成工事を含む。）、④主要原材料、⑤補助原材料、⑥消耗品で貯蔵中のもの、⑦その他上記の各資産に準ずるものをいい、有価証券、暗号資産及び山林を除く（所法２①十六、所令３）。

(1)　棚卸資産の取得価額

棚卸資産の取得価額は、その取得の区分に応じて、それぞれ次により計算する（所令103①）。

① 購入した棚卸資産……(i)その購入の代価（引取運賃、荷役費、運送保険料、購入手数料、関税などを含む。）、及び(ii)その資産を消費し又は販売の用に供するために直接要した費用（検収や選別の費用、荷造費、保管費など）の合計額

② 自己が製造等をした棚卸資産……(i)原材料費、労務費などの製造原価、及び(ii)その資産を消費し又は販売の用に供するために直接要した費用の合計額

③　その他の方法で取得した棚卸資産……(i)取得の時におけるその資産の取得のために通常要する価額、及び(ii)その資産を消費し又は販売の用に供するために直接要した費用

✍ 棚卸資産のうち、①災害によって著しく損傷したもの、②著しく陳腐化したもの、③これらに準ずる特別の事実が生じたことにより通常の価額では販売できないような場合（破損、型くずれ、棚ざらし、品質変化など）には、これを他の棚卸資産と区分し、処分可能価額をもって取得価額とすることができる（所令104）。

(2)　棚卸資産の評価方法

棚卸資産の評価方法には、(a)原価法（個別法、先入先出法、総平均法、移動平均法、最終仕入原価法、売価還元法の６種）、(b)低価法（青色申告者に限る。）、(c)特別な評価方法（税務署長の承認が必要である。）がある（所令99、99の２）。

①　個別法……棚卸商品の全部について個々の取得価額により計算する。

②　先入先出法……年末棚卸商品は、年末に最も近い日に仕入れたものから順に存在しているとみなして計算する。

③　総平均法……次の算式によって計算する。

$$\frac{（期首の在庫高）＋（期中の仕入高）}{（期首の在庫数量）＋（期中の仕入数量）} ＝ 平均単価$$

$$（平均単価）×（年末の在庫数量）＝ 年末在庫高$$

④　移動平均法……商品を仕入れた都度、在庫高と仕入高とをその総量で平均し、単価を改定して計算する。

⑤　最終仕入原価法……年末に最も近い時期に仕入れた際の仕入単価を年末の在庫数量に乗じて計算する。

⑥　売価還元法……年末の在庫品について通常の差益率の異なるごとに区分し、次の算式により計算する。

$$\left(\begin{array}{l}\text{年末在庫}\\\text{の販売価}\\\text{額の総額}\end{array}\right)\times\frac{(\text{期首在庫高})+(\text{その年中の仕入総額})}{(\text{年末在庫の販売価額の総額})+(\text{その年中の売上総額})}=\text{年末在庫高}$$

⑦　低価法……次の二つを比較して、いずれか低い価額で計算する。

(i)　原価法のうちいずれかの方法により評価した価額

(ii)　その年12月31日におけるその取得のために通常要する価額（時価）

(3)　評価方法の選定

①　新たに事業を開始した場合……事業を開始した日の翌年３月15日までに評価方法を選定して税務署長に届け出る（所法47①、所令100②一）。

②　法定評価方法……届出をしない場合又は届け出た方法によらない場合は、最終仕入原価法によって評価する（所法47①、所令102①）。

③　評価方法の変更……新たな評価方法を採用しようとする年の３月15日までに申請をして、税務署長の承認を受けなければならない（所令101①②）。

4　有価証券の譲渡に係る取得費等

資産の譲渡による所得に係る所得金額の計算においては、資産の取得価額をどのように計算するかが重要となる。このことは、有価証券の譲渡に関しても同様である。

事業所得の金額の計算上必要経費に算入される有価証券の譲渡原価は、棚卸資産の場合と同様に、その種類及び銘柄を同じくするものごとに期首と期末の有価証券の評価を基に計算する。

株式等の譲渡による所得の金額の計算上控除する取得価額の計算方法は、その所得が事業所得に該当する場合と譲渡所得又は雑所得に該当する場合とでは、次のように異なっている（所法48①③）。

(1)　事業所得の基因となる有価証券

有価証券の種類ごとに総平均法及び移動平均法のうち、あらかじめ選定して届け出た方法によって評価する（所法48①②、所令105、106）。評価方法の届出がない場合又は届け出た方法によって評価しなかった場合には、総平均法により評価した金額を期末の有価証券の評価額とする（所令108）。

なお、申告分離課税の株式等の譲渡による事業所得の金額の計算に当たっては、移動平均法の規定を適用しないこととされている（措令25の８⑧）。

(2)　譲渡所得又は雑所得の基因となる有価証券

２回以上にわたって取得した同一銘柄の有価証券の取得費又は必要経費に算入する金額は、その有価証券を最初に取得した時（その後既にその有価証券を譲渡している場合には、直前の譲渡の時）からその譲渡の時までの期間を基礎として、その最初に取得した時において有していた有価証券及びその期間内に取得した有価証券につき、総平均法に準ずる方法によって算出した1単位当たりの金額により計算する（所法48③、所令118）。

(3)　信用取引等による株式の取得価額

信用取引、発行日取引又は有価証券先物取引の方法によって株式の売買を行い、株式の売付けと買付けによってその取引の決済を行っている場合には、これらの取引においてその買付けに係る株式を取得するために要した金額（個別原価）をその年分の事業所得の金額又は雑所得の金額の計算上必要経費に算入する（所令119）。

(4)　国外転出時課税の対象となる有価証券

国外転出時課税制度（441頁参照）の下において、有価証券については、時価評価がされる。ここにいう時価評価とは、例えば、取引所売買有価証券であれば、金融商品取引所において公表されたその国外転出の日若しくは国外転出の予定日から起算して３か月前の日又は贈与の日若しくは相続の開始の日におけるその取引所売買有価証券の最終の売買価格をいう。なお、公表された同日における最終の売買価格がない場合には、公表された同日における最終の気配相場の価格とし、その最終の売買の価格又は最終の気配相場の価格が公表された日でその国外転出の日若しくは国外転出の予定日から起算して３か月前の日等の日における最終の売買価格又はその最終の気配相場の価格とする（所規37の２②③）。

5　暗号資産の譲渡原価等

(1)　暗号資産の評価方法

事業所得又は雑所得の金額の計算上必要経費に算入する金額を算定する場合における算定の基礎となるその年12月31日において有する暗号資産の価額は、①総平均法又は②移動平均法により算出した取得価額をもって評価した金額とする（所法48の２、所令119の２）。令和元年度税制改正において、暗号資産に関する所得税法上の取得価額の計算方法が明確化されたものであるが、第２章の CHECK！ **暗号資産に関する税務上の取扱い**（472頁）と併せて参照されたい。

①　総平均法

暗号資産をその種類の異なるごとに区別し、その種類の同じものについて、その年１月１日において有していた種類を同じくする暗号資産の取得価額の総額とその年中に取得をした種類を同じくする暗号資産の取得価額の総額との合計額をこれらの暗号資産の総数量で除して計算した価額をその一単位当たりの取得価額とする方法をいう。

$$\frac{（年初の取得価額の総額）＋（期中の取得価額の総額）}{（年初の総量）＋（期中の総量）}＝平均単価$$

（平均単価）×（期末の総量）＝期末暗号資産の評価額

②　移動平均法

暗号資産をその種類の異なるごとに区別し、その種類の同じものについて、当初の一単位当たりの取得価額が、再び種類を同じくする暗号資産の取得をした場合にはその取得の時において有するその暗号資産とその取得をした暗号資産との数量及び取得価額を基礎として算出した平均単価によって改定されたものとみなし、以後種類を同じくする暗号資産の取得をする都度同様の方法により一単位当たりの取得価額が改定されたものとみなし、その年12月31日から最も近い日において改定されたものとみなされた一単位当たりの取得価額をその一単位当たりの取得価額とする方法をいう。

（平均単価）×（期末の総量）＝期末暗号資産の評価額

✍ なお、上記に規定する取得には、暗号資産を購入し、若しくは売却し、又は種類の異なる暗号資産に交換しようとする際に一時的に必要なこれらの暗号資産以外の暗号資産を取得する場合におけるその取得を含まないものとされている（所令119の2②）。

⑵　評価方法の選定等

暗号資産の評価の方法は、その種類ごとに選定しなければならないとされ、取得の日の属する年分の所得税に係る確定申告期限までに、選定した評価方法を所轄税務署長に届け出なければならない（所令119の3①②）。また、評価方法を変更する場合は、所轄税務署長の承認を受けなければならない（所令119の4①）。

⑶　法定評価方法

上記⑵によって評価方法を選定しなかった場合又は選定した方法により評価をしなかった場合には、総平均法により算出した取得価額とする（所令119の5①）。

⑷　暗号資産の取得価額

暗号資産の取得価額を定める所得税法施行令119条の6《暗号資産の取得価額》をまとめると以下のとおりである。

①　購入した暗号資産……購入の代価（購入手数料その他暗号資産の購入のために要した費用がある場合には、その費用の額を加算した金額）

② 贈与又は遺贈により取得した暗号資産（③の場合を除く。）……取得の時における暗号資産の取得のために通常要する価額

③ 死因贈与、相続又は包括遺贈又は相続人に対する特定遺贈により取得した暗号資産……被相続人の死亡の時において、その被相続人がその暗号資産につきよるべきものとされていた評価方法により評価した金額

④ 著しく低い価額の対価により取得した暗号資産……対価の額と実質的に贈与をしたと認められる金額の合計額

なお、所得税基本通達48の2－4《暗号資産の取得価額》は、「暗号資産を売買した場合における事業所得の金額又は雑所得の金額の計算上必要経費に算入する金額は、法第37条第1項及び第48条の2の規定に基づいて計算した金額となるのであるが、暗号資産の売買による収入金額の100分の5に相当する金額を暗号資産の取得価額として事業所得の金額又は雑所得の金額を計算しているときは、これを認めて差し支えないものとする。」としており、いわゆる譲渡価額の5％基準を通達している。

(5) 信用取引による暗号資産の取得価額

居住者が暗号資産信用取引の方法による暗号資産の売買を行い、かつ、その暗号資産信用取引による暗号資産の売付けと買付けとにより暗号資産信用取引の決済を行った場合には、その売付けに係る暗号資産の取得に要した経費としてその者のその年分の事業所得の金額又は雑所得の金額の計算上必要経費に算入する金額は、暗号資産信用取引において買付けに係る暗号資産を取得するために要した金額とされている（所令119の7）。

☞ 暗号資産信用取引とは、資金決済に関する法律2条《定義》7項に規定する暗号資産交換業を行う者から信用の供与を受けて行う暗号資産の売買をいう。

6　販売費、一般管理費等の必要経費

所得税法37条1項は、「必要経費に算入すべき金額」につき、「別段の定め」があるものを除き、次の2種類の費用を規定する。

① 総収入金額に係る売上原価その他当該総収入金額を得るために直接要した費用の額
② その年における販売費、一般管理費その他これらの所得を生ずべき業務について生じた費用（償却費以外の費用でその年において債務の確定しないものを除く。）の額

このように、販売費、一般管理費等については、期間対応を通じて、その発生年分の必要経費に算入することとされている。

したがって、未払費用であっても、その支払うべき原因や事実が存在し、近いうちに支払うことが確実なものは、その事実が生じた日の属する年分の必要経費に算入できるが、前払費用のように翌年以後の期間に対応する部分の金額は、支払った日の属する年分の必要経費に算入することができない。また、別段の定めがない限り、費用の見越計上は認められない（例えば、各種引当金の計上は、別段の定めにより認められた費用の見越し計上の例外である（所法52等）。）。

なお、販売費、一般管理費等の中に、家事関連費が含まれている場合には、業務用の部分を合理的に算定して必要経費に算入することになる（所法45①一、所令96）。

✍ 課税実務において、短期前払費用については、継続適用を要件に、支払った日の属する年分の必要経費に算入することが認められているが（所基通37－30の２）、法人税法22条４項のような「一般に公正妥当と認められる会計処理の基準」に従うことが宣明されていない所得税法の領域では、その法的根拠が必ずしも明らかではない。

(1) 租税公課

所得税法は、居住者が納付する所得税（所法45①二）、所得税以外の国税に係る延滞税、各種加算税、過怠税（同三）、道府県民税、市町村民税（同四）、地方税法上の延滞金、各種加算金（同五）、罰金、科料、課徴金（延滞金を含む。）（同六～十二）などについて、必要経費への算入を認めていない（所法45①）。他方、業務の用に供される資産に係る固定資産税、登録免許税（登録に要する

費用を含み、その資産の取得価額に算入されるものを除く。)、不動産取得税、地価税、特別土地保有税、事業所税、自動車取得税等は、当該業務に係る各種所得の金額の計算上必要経費に算入する（所基通37－5）。ここにいう業務の用に供される資産には、相続、遺贈又は贈与により取得した資産を含む。ただし、特許権、鉱業権のように登録により権利が発生する資産に係る登録免許税は、資産の取得費に算入する（所基通37－5、49－3）。

また、農業協同組合、水産加工業協同組合、中小企業協同組合、商工会議所、医師会等の組合員又は会員が法令又は定款その他これらに類するものの規定に基づき業務に関連して賦課される費用は、繰延資産に該当する部分の金額を除き、その支出の日の属する年分の当該業務に係る所得の金額の計算上必要経費に算入する（所基通37－9）。

なお、各種所得の金額の計算上必要経費に算入する国税及び地方税は、その年12月31日（年の中途において死亡し又は出国をした場合には、その死亡又は出国の時。以下同じ。）までに申告等により納付すべきことが具体的に確定したものとする。ただし、次に掲げる税額については、それぞれ次による（所基通37－6）。

① 製造場から移出された物品に係る酒税等でその年12月31日までに申告等があったもののうち、同日までに販売されていない物品に係る税額……当該物品が販売された日の属する年分の必要経費に算入する。

② その年分の総収入金額に算入された酒税等のうち、その年12月31日までに申告期限が到来しない税額……当該税額として未払金に計上された金額のうち、その年分の確定申告期限までに申告等があった税額に相当する金額は、当該総収入金額に算入された年分の必要経費に算入することができる。

③ 賦課税方式による租税のうち納期が分割して定められている税額……各納期の税額をそれぞれ納期の開始の日又は実際に納付した日の属する年分の必要経費に算入することができる。

④　地価税……地価税法28条《納付》１項及び３項並びに同条５項の規定により読み替えて適用される国税通則法35条《申告納税方式による国税等の納付》２項に定めるそれぞれの納期限の日（同日前に納付した場合には実際に納付した日）の属する年分の必要経費に算入することができる。

⑤　利子税……納付の日の属する年分の必要経費に算入する。ただし、その年12月31日までの期間に対応する税額を未払金に計上した場合には、当該金額をその年分の必要経費に算入することができる。

（利子税の額）　×　$\dfrac{\text{事業的規模の不動産所得、事業所得、山林所得の金額}}{\text{各種所得の合計額（給与所得及び退職所得を除く。）}}$

なお、外国所得税の額は、不動産所得、事業所得、山林所得、雑所得又は一時所得の金額の計算上、必要経費や支出した金額に算入するか又は外国税額控除を適用するかの選択が認められるが、その外国所得税の額の一部について、外国税額控除を受けたり還付を受けると、外国所得税の額の全額が必要経費等に算入することができない（所法46、所基通46－１）。

裁判例の紹介

贈与税の必要経費性

不動産所得を生ずべき賃貸業務の用に供される不動産を贈与により取得した場合に納付する贈与税は、当該賃貸業務との関連性を欠くから必要経費に算入することはできないとされた事例

（275第一審大阪地裁平成29年３月15日判決・訟月64巻２号260頁）
（276控訴審大阪高裁平成29年９月28日判決・訟月64巻２号244頁）[57]
（277上告審最高裁平成30年４月17日第三小法廷決定・税資268号順号13142）

〔事案の概要〕

Ｘ（原告・控訴人・上告人）は、土地及び各建物（以下、同土地を「本件土

57）判例評釈として、阿部雪子・ジュリ1527号140頁（2019）など参照。

地」、同各建物を「本件各建物」といい、本件土地と本件各建物を併せて「本件土地建物」という。）の贈与を受け、本件土地建物の価額の合計額を課税価格とする平成22年分の贈与税（以下「本件贈与税」という。）を納付した上で、本件各建物を賃貸して賃料収入を得ていた。そして、Xは、本件各建物の賃貸による不動産所得の金額の計算上、本件贈与税の金額を必要経費に算入することなく、納付すべき税額を算出した平成23年分及び平成24年分の所得税の確定申告書をそれぞれ提出した。

本件は、Xが、上記提出後、本件贈与税の金額は、平成23年分の本件各建物の賃貸による不動産所得の金額の計算上、必要経費に算入すべき金額に該当し、平成23年分の所得税の金額の計算上生じる純損失の金額を平成24年分の所得税の金額の計算上控除すべきであるとして、平成23年分及び平成24年分の所得税の更正の請求をしたところ、所轄税務署長から、各更正の請求について、更正をすべき理由がない旨の本件各通知処分を受けたことから、本件各通知処分は、本件贈与税が本件各建物の賃貸による不動産所得の必要経費に該当するにもかかわらずされたものである旨主張して、国Y（被告・被控訴人・被上告人）に対し、本件各通知処分の取消しを求めた事案である。

〔争点〕

本件贈与税の金額が、平成23年分の本件各建物の賃貸による不動産所得の金額の計算上、必要経費に算入すべき金額に該当するか否か。

〔判決の要旨〕

1　大阪地裁平成29年3月15日判決

「同項〔筆者注：所得税法37条1項〕は、いわゆる費用収益対応の原則（必要経費は、それが生み出すことに役立った収入と対応させ、その収入から控除しなければならないという原則）により、特定の収入との対応関係を明らかにできる費用についてはそれが生み出した収入の帰属する年度の必要経費とすべきであり（以下、これを『個別対応』という。）、特定の収入との対応関係を明らかにできない費用についてはそれが生じた年度の必要経費とすべきである（以下、これを『一般対応』という。）ことから、必要経費を二つに区分し、個別対応の費用に相当するものと…、一般対応の費用に相当するものと…をそれぞれ定めたものと解される。

そして、上記のとおり同項が、個別対応の費用について、不動産所得の総収入金額を得るため『直接に要した』費用と規定し、一般対応の費用について、不動産所得を生ずべき『業務について』生じた費用と規定していることからすれば、ある費用が不動産所得に係る個別対応の費用又は一般対応の費用に該当するといえるためには、少なくとも、当該費用が不動産の賃貸業務と関連することを要するものと解される。」

「不動産所得を生ずべき賃貸業務の用に供される不動産を贈与により取得した場合には、当該贈与につき贈与税の納税義務が生ずることとなる。しかし、…贈与税は、財産の価額に相当する経済的価値を課税対象とするものであって、個々の贈与財産を課税対象とするものではないから、上記不動産の贈与に係る贈与税は、上記賃貸業務における具体的な不動産の取得と関連性を有するものということはできない。また、贈与税は、贈与を課税原因とするものであって、上記賃貸業務を課税原因とするものではないから、上記不動産の贈与に係る贈与税が、上記賃貸業務との関連性を有するということもできない。以上によれば、不動産所得を生ずべき賃貸業務の用に供される不動産を贈与により取得した場合に納付する贈与税は、当該賃貸業務との関連性を欠くものというべきであり、Ｘが、その父によって賃貸業務の用に供されていた本件各建物及びその敷地である本件土地を贈与により取得した際に納付した本件贈与税も、本件各建物の賃貸業務との関連性を認めることはできない。」

2　大阪高裁平成29年９月28日判決

「⑴　所得税法は、所得概念の定義規定を置いていないが、同法の規定を通覧すれば、一定期間内に自然人について生じた純資産の増加を所得とするものと解される（一般財団法人大蔵財務協会『五訂版注解所得税法』211頁参照）。

Ｘは、平成22年４月１日、父親から5649万1495円と評価される本件土地建物の贈与（以下『本件贈与』という。）を受け、かつ、同日以降、本件各建物の賃貸業務を行って賃料を収受したから、平成22年中において、Ｘには、贈与による純資産の増加と賃貸業務による純資産の増加という二つの所得が生じる状況があったということができる。

ところが、所得税法９条１項16号は、贈与による純資産の増加も所得であるとしながら、贈与により生じた所得（以下『贈与所得』という。）に対しては所得税を課さないものとしている。これは、贈与が相続税回避の手段として濫用されることを防止するため、贈与所得に対しては、所得税法所定の計算方法や税率によって課税するよりも、相続税と同様の計算方法や税率によって課税する必要がある（贈与税を相続税を補完する租税と位置付ける必要がある。）と考え、そのような租税政策が採用されたためである。その結果、贈与所得とそれ以外の所得とでは、法律上当然に分離され、それぞれ、異なる手法で計算された課税標準に、異なる税率を乗じて得られる額の租税が賦課されることになる。Ｘの平成22年分の贈与所得と不動産所得についてみると、贈与所得に係る課税標準は相続税法により、不動産所得に係る課税標準は所得税法により計算されるのである。

⑵　不動産取得税と登録免許税は、所有権が移転した事実又はその旨の登記がされた事実それ自体を課税原因とするのであって、所有権移転に伴って純資産が増加したかどうかを問わないで課税される租税である。つまり、それら租

税は、純資産増加に担税力を認めて課税されるのではない。したがって、他人の不動産の譲渡を受けて賃貸人たる地位を取得しようとする場合、どのような方法で当該不動産を取得しても（適正な対価を支払って不動産を取得しても、全額借入金で取得費用を賄ったとしても）支出を避けることができない費用となる。したがって、それら租税は、所得税法37条１項所定の『不動産所得の…総収入金額を得るため直接に要した費用』であり、かつ、同法45条１項で必要経費に算入することが禁止されていないから、Ｘの不動産所得の計算において必要経費として控除される。

(3) これに対し、贈与税は、贈与に伴う所有権移転を課税原因とするのではなく、贈与に伴う純資産の増加を課税原因とするのであって、社会経済的な観点からみれば、他人の不動産の譲渡を受けて賃貸人たる地位を取得しようとする場合に避けられない費用ではない。贈与以外の手段で当該不動産を取得すれば支払う必要がないからである。

また、本件贈与に伴う純資産の増加（贈与所得）と、不動産賃貸収入を得ることによる純資産の増加（不動産所得）とは、別個の税目の租税が賦課される所得であるから、法的な観点からみても、それぞれ別個独立に所得金額を計算する必要があり、前者に関する支出が後者の必要経費となると解することは困難である。

さらに言えば、仮に相続税法に基づき賦課される租税が所得税法37条１項所定の必要経費に当たるとの解釈を採用した場合、所得税の減少という形で贈与税又は相続税の負担を一部免れることを是認する結果となるが、そのような結果は、贈与税及び相続税の納税者間に著しい不公平をもたらすのみならず、贈与や相続による純資産の増加に対しては相続税を、それ以外の純資産の増加に対しては所得税を、それぞれ別々に計算される課税標準と税率をもって賦課しようとする我が国の租税法体系に混乱をもたらすものである。

したがって、本件贈与税は、所得税法37条１項所定の必要経費（『不動産所得の…総収入金額を得るため直接に要した費用』又は『不動産所得…を生ずべき業務について生じた費用』）に該当しないから、同法45条１項の算入禁止費用に当たるどうかを詮索するまでもなく、Ｘの平成23年分不動産所得の計算において必要経費となる余地がないというべきである。」

3 上告審**最高裁平成30年４月17日第三小法廷決定**は上告棄却、上告不受理とした。

〔コメント〕

本件は、贈与による資産を取得した際に負担した贈与税は不動産所得の金額の計算上、必要経費に算入されないと判断された事例であるが、本件大阪地裁及び本件大阪高裁は、所得税と贈与税が異なる課税物件に対する租税であるから、これらの税額の計算において影響をさせることをしないとするのが、所得税法及び相続税法の建付けであるかのような説示を展開している。

しかしながら、例えば、租税特別措置法39条《相続財産に係る譲渡所得の課税の特例》は、相続又は遺贈による財産の取得をした個人について、譲渡所得に係る取得費は、当該取得費に相当する金額に当該相続税額のうち一定額を加算した金額とするとし、所得税法上の譲渡所得の計算の際、対象資産を相続で取得した際の相続税額を取得費に加算することとしている。

このように考えると、所得税法９条《非課税所得》１項16号を根拠に贈与所得と不動産所得を厳格に区別すべきとの見解の説得力には不安も残る。

また、本件大阪高裁は、贈与税は、「贈与以外の手段で当該不動産を取得すれば支払う必要がない」という点を必要経費否認の根拠にしているが、何も必要経費は絶対的なミニマムを追求するものでもなく、事業上無駄な費用がかさんだとしても、無駄であるとか非効率であることの故をもって必要経費性を否定するようなものではないはずである。贈与のほかに資産取得の途があったか否かなど必要経費該当の議論において関係のない問題である。

そう考えると、やはり本件大阪地裁判決が示すように、費用収益対応の原則を論拠とする方が分かりやすいように思われる。

(2)　水道光熱費、通信費、損害保険料、地代家賃、借入金利子など

業務のために使用した水道光熱費及び通信費、業務用資産に係る損害保険料及び地代家賃、業務のための借入金の利子などは、必要経費に算入される。店舗兼住宅で事業を営む場合の建物に係る諸経費（固定資産税、水道光熱費、損害保険料、地代家賃等）については、使用面積、使用時間、使用頻度など適切な基準によって店舗部分（業務用部分）と住宅部分（家事部分）に合理的に按分した場合に限って、その店舗部分の費用を必要経費に算入することができる（所令96一、所基通45－２）。なお、業務の用に供する借地権又は地役権の存続期間を更新するに当たって更新料を支払った場合には、次の算式によって計算した金額を更新時の必要経費に算入する（所令182）。

(A ＋ B － C) × D/E ＝借地権等の取得費の必要経費算入額

A……借地権又は地役権の取得費

B……この更新前に支出した改良費（前回までの更新料を含む。）の額

C……取得費のうち前回までに必要経費に算入した額

D……借地権又は地役権の更新料

E……借地権又は地役権の更新時の価額

(3)　海外渡航費等

イ　事業を営む者等の海外渡航費

事業を営む者が自己の海外渡航に際して支出する費用は、その海外渡航が当該事業の遂行上直接必要であると認められる場合に限り、その海外渡航のための交通機関の利用、宿泊等の費用（家事上の経費に属するものを除く。）に充てられたと認められる部分の金額を必要経費に算入するものとする（所基通37－16)。この場合、その海外渡航が旅行期間のおおむね全期間を通じ明らかに当該事業の遂行上直接必要であると認められるものであるときは、その海外渡航のためにその事業を営む者が支出した費用又は支給した旅費については、社会通念上合理的な基準によって計算されているなど不当に多額でないと認められる限り、その全額を旅費として必要経費に算入することができる（所基通37－18)。以下、ロにおいても同じ。

ロ　使用人に支給する海外渡航旅費

事業を営む者がその使用人（事業専従者を含む。）の海外渡航に際し支給する旅費（支度金を含む。）は、その海外渡航が事業を営む者の当該事業の遂行上直接必要であり、かつ、当該渡航のため通常必要と認められる部分の金額に限り、旅費として必要経費に算入する（所基通37－17)。

✍ 事業の遂行上直接必要と認められない海外渡航の旅費の額及び当該事業の遂行上直接必要であると認められる海外渡航の旅費の額のうち通常必要と認められる金額を超える部分の金額は、その支給を受ける者に対して支給した給与等又は役務の報酬として必要経費に算入する。

では、事業の遂行上直接必要な海外渡航の判定はどのように行うのであろうか。課税実務上、事業を営む者又はその使用人（事業を営む者と生計を一にする親族を含む。）の海外渡航が当該事業の遂行上直接必要なものであるかどうかは、その旅行の目的、旅行先、旅行経路、旅行期間等を総合勘案して実質的に判定するものとされているが、次に掲げる旅行は、原則として、当該事業の遂行上直接必要な海外渡航に該当しないものとされている（所基通37－19）。

①　観光渡航の許可を得て行う旅行

②　旅行あっせんを行う者等が行う団体旅行に応募してする旅行

③　同業者団体その他これに準ずる団体が主催して行う団体旅行で主として観光目的と認められるもの

また、同伴者の旅費については、課税実務上、事業を営む者が当該事業の遂行上直接必要と認められる海外渡航に際し、その親族又はその事業に常時従事していない者を同伴した場合のその同伴者に係る費用は、必要経費に算入しないと解されている（所基通37－20）。もっとも、その同伴が、例えば、次に掲げる場合のように、明らかにその海外渡航の目的を達するために必要な同伴と認められるときのその旅行について通常必要と認められる費用は、この限りでない。

①　自己が常時補佐を必要とする身体障害者であるため、補佐人を同伴する場合

②　国際会議への出席等のために配偶者を同伴する必要がある場合

③　その旅行の目的を遂行するため外国語に堪能な者又は高度の専門的知識を有する者を必要とするような場合に、使用人のうちに適任者がいないため、自己の親族又は臨時に委嘱した者を同伴する場合

事業の遂行上直接必要と認められる旅行の認定に不明確性が伴うのは、事業の遂行に必要と認められる旅行と認められない旅行とを併せて行った場合が最たるケースであろう。その場合、その海外渡航に際して支出した費用又は支給した旅費を当該事業の遂行上直接必要と認められる旅行の期間と認められない旅行の期間との比等によってあん分し、当該事業の遂行上直接必要と認められる旅行に係る部分の金額は、旅費として必要経費に算入することとして取り扱われている（所基通37－21）。ただし、海外渡航の直接の動機が特定の取引先との商談、契約の締結等当該事業の遂行のためであり、その海外渡航を機会に観

光を併せて行ったものである場合には、その往復の旅費（当該取引先の所在地等その事業を遂行する場所までのものに限る。）は当該事業の遂行上直接必要と認められる旅費として必要経費に算入し、その海外渡航に際して支出した費用又は支給した旅費の額から当該往復の旅費を控除した残額につき上記の取扱いを適用することとされている。

裁判例の紹介

慰安旅行費用の必要経費性

サラリーマン家庭が一般的に行っている家族旅行と異ならないような家族従業員の慰安旅行の費用の必要経費性が否認された事例

（278第一審名古屋地裁平成５年11月19日判決・税資199号819頁）[58]
（279控訴審名古屋高裁平成７年３月30日判決・税資208号1089頁）

〔事案の概要〕

青色申告の承認を受けて看板等の製作や店舗等の改装工事の請負を業としていたＸ（原告・控訴人）は、その妻（青色事業専従者）及び子２名を同伴して昭和62年から平成元年まで各年に１回ずつ軽井沢方面に旅行し、その旅行に要した費用のうち子２名の分として昭和62年分については成人の半額と見積もった分を、昭和63年分と平成元年分については子２名の宿泊費に相当すると見積もった分のみをそれぞれ控除した残額（以下「本件各慰安旅行費用」という。）を所得計算上の必要経費（福利厚生費）に計上して確定申告をした。これに対して、税務署長Ｙ（被告・被控訴人）は、かかる旅行費用はいずれも家事上の経費であるとして各年の所得税につき更正をした。Ｘは、その解釈ないし認定を不服として、各更正処分の一部取消を求めて提訴した。

〔争点〕

慰安旅行のための支出として計上された費用の必要経費算入の可否。

〔判決の要旨〕

１　名古屋地裁平成５年11月19日判決

「法37条１項は、『その年分の不動産所得の金額、事業所得の金額又は雑所得の金額…の計算上必要経費に算入すべき金額は、別段の定めがあるものを除き、

58）判例評釈として、田川博・税通50巻14号252頁（1995）参照。

これらの所得の総収入金額に係る売上原価その他当該総収入金額を得るため直接に要した費用の額及びその年における販売費、一般管理費その他これらの所得を生ずべき業務について生じた費用…の額とする』と規定しているが、同項の『その他これらの所得を生ずべき業務について生じた費用』とは、『業務について生じた費用』という規定の文言及びこれが『必要経費に算入すべき金額』であるとされていることからして、業務の遂行上必要なものでなければならないことは明らかである。また、事業所得に関しては、ある支出が業務の遂行上必要なものであったか否かは、事業主の主観的意図のみにより決すべきものではなく、客観的に決すべきものである。したがって、従業員の慰安のためとして行われた旅行に関する費用が右の意味での必要経費に当たるか否かは、当該旅行の目的、規模、行程、参加者等を考慮した上、社会通念に従い、業務の遂行上必要か否かにより決するのが相当である。

そこで、右のような観点から本件について見るに、本件各旅行は、… Xがその妻、未成年の子２人の合計４人で子の夏休み期間中に観光地を訪れたというものであるから、Xにおいて青色事業専従者である妻を慰安するという趣旨で企画実行したものであったとしても、客観的には、生計を一にする夫婦、親子がその良好な家族関係を維持発展すべく企画実行したものであり、事業主であるXが、従業員の勤労意欲を高め、もって自己の事業に資するためといった、経済的合理性に基づき、使用者としての立場から主催したものとはいえない。換言すれば、本件各旅行は、その内容からして、社会通念上使用者が使用人の慰安旅行として一般的に行っていると認められる旅行ではなく、サラリーマンの家族が行ういわゆる家族旅行と異なるものではない。したがって、その費用をもって、業務の遂行上必要なものであったということはできない。

そうすると、本件各旅行費用は、『その他これらの所得を生ずべき業務について生じた費用』には該当しないというべきである。」

2　控訴審**名古屋高裁平成７年３月30日判決**も原審判断を維持している。

〔コメント〕

家族従業員であるからという理由のみで、業務上必要な海外旅行に要した費用の必要経費性が否定されることはない。しかしながら、課税実務は種々の通達を発遣して、この辺りの取扱いを明確にしている。課税実務上の取扱いは、単なる家事費の混入を排除しようとする趣旨にでたものと思われるが、本件判決も家事費の混入のおそれを回避する趣旨で判決が下されているといえよう。そこでは、「サラリーマンの家族が行ういわゆる家族旅行と異なるものではない。」としていることからすれば、給与所得者との公平的取扱いの考え方が背景にあることを看て取ることができよう。

(4)　寄附金、交際費等

法人税法の取扱いにおいては、寄附金や交際費等に該当することは、場合によっては損金算入の制限を受けることを意味するが、所得税法の取扱いにおいてはそのような規定は設けられていない。

所得税法や租税特別措置法等においては、所得控除の中に寄附金控除を設けているが（所法78、措法41の18の２、41の18の３等）、同控除とは別に寄附金や交際費が必要経費に算入できるかどうかについては、その支出の内容等に従って個別に業務関連性を判断することになる（必要経費に算入した寄附金を寄附金控除の対象とすることはできない。）。もっとも、寄附金や交際費は、その性格上、事業遂行上が必ずしも明確であるとはいえないものが多く、家事費が混入されやすい費用勘定であるということもできる。

法人税法が寄附金の損金算入につき、①国又は地方公共団体に対する寄附金及び指定寄附金の全額を損金に算入するが、②それ以外の寄附金は一定の限度額までの金額に限って損金に算入することとしているのとは異なっている（法法37①③④）。

また、交際費等についても、冗費、濫費を抑制し、租税負担の不当軽減を防止するいう観点から、租税特別措置法には法人の交際費等の損金不算入制度が設けらているが（措法61の４）、所得税法関係の法律にはこのような規定はない。

裁判例の紹介

歯列矯正を診療科目とする歯科医の接待交際費等

歯科医のゴルフに要した費用の必要経費性が否認された事例

（280第一審徳島地裁平成７年４月28日判決・行集46巻４＝５号463頁）[59]

（281控訴審高松高裁平成８年３月26日判決・行集47巻３号325頁）

59）判例評釈として、新井隆一・租税25号146頁（1997）、田川博・税通51巻１号233頁（1996）など参照。

〔事案の概要〕

歯列矯正を診療科目とする歯科医であるX（原告・控訴人）が確定申告において必要経費とした以下の金額の接待交際費につき、税務署長Y（被告・被控訴人）は否認した上で、更正処分等を行った。Xは、この処分の取消し等を求めて提訴した。

昭和61年分　82万2,983円
昭和62年分　93万6,710円
昭和63年分　101万1,306円

Yは、Xの事業の態様からみてこのような接待交際費の支出は事業遂行上必要であるとは認められないとして、Xが主張する支出の中に、事業との関連性が全くないということができないものがあったとしても、所得税法上の必要経費は「専ら業務の遂行上の必要から支出されたものと認められるか否かを基準として判断すべきものである」と解されているから、Xが主張する程度の事業との関連性をもって、必要経費に当たるということはできない旨主張した。

これに対し、Xは、患者については一般の歯科医からの紹介が最も多く、また友人・知人の関係で紹介を受けることも多く、いわゆる飛び込みの客は皆無であり、このような実情からして患者の獲得について歯科医だけでなく友人・知人との交際接待が重要な意味を持つのであるから、このような接待交際費の支出が事業遂行上必要であると主張した。

〔争点〕

接待交際費の支出の必要経費性如何。なお、歯科矯正料の収入計上時については、552頁参照。

〔判決の要旨〕

1　徳島地裁平成７年４月28日判決

「法人税も所得税も所得に対し課税するものではあるが、法人の場合と違って個人の場合には活動の全てが利益追求活動ではなく、所得獲得活動のほかにいわゆる消費生活があるので、個人の支出の中には収入を得るために支出される費用とは言い難い、むしろ所得の処分としての性質を有しているというべきものがある。例えば食費・住居費等がその代表である。所得税法はこれらを家事費と呼び必要経費に含めないことを明記している（所得税法45条１項）。しかし、ある支出が家事上の経費であるかそれとも事業上の経費であるか明確に区分けできない場合も多く、また例えば店舗兼用住宅の減価償却費のように家事上の経費と事業上の経費とが混在している場合も少なくない。そこで、所得税法は両方の要素を有している支出を家事関連費と呼び、必要経費になる部分が明らかでないためこれを原則として必要経費に含めないとしつつ、事業の遂行上必要であることが明らかにできる一定部分に限ってこれを必要経費に算入することを認めた（所得税法45条、所得税施行令96条）。このように所得税法は明確に事業の経費といえないものは原則として必要経費としないこととしているのである。」

「Xは、一般の歯医者から患者の紹介を受けることが最も多く、友人知人の関係で紹介を受けることも多くあり、患者の獲得について歯科医のみならず友人知人との交際が重要な意味をもっているとして、これらが必要経費に該当すると主張する。

しかしながら、大学医学部の関係者らを接待する費用や歯科医師会の会合費用等は、その目的や金額が相当な範囲のものである場合には必要経費にされるものの、別表5〔省略〕記載の接待交際費は、単なる情報交換の会食や二次会の費用、慶弔、贈答等であって、これらによって患者の紹介を受けうるなど医院経営に有益なものと期待されることがあるとしても、右支出はいずれも家事関連費に該当し必要経費にならないものというべきである。また、ゴルフの費用について、X本人尋問の結果及び弁論の全趣旨によれば、Xは、複数のゴルフ会員権を有し、定期的にゴルフ場でプレーしており、ゴルフ場主催の大会等への参加が多く、体調の悪いときはゴルフをせず、しかも少額で自己のプレー代を負担しているにすぎず、接待の部分のないものが多いことが認められるのであって、これらの点に照らすと、Xはゴルフを個人の趣味・娯楽として行っているものと認められるから、Xが事業の遂行上の必要性からゴルフを行っていると認めることはできない。そして、本件においては、他に格別の主張立証もないから、…交際費はいずれも必要経費にあたらないものというべきである。」

2　控訴審**高松高裁平成8年3月26日判決**もおおむね原審判断を維持した。

〔コメント〕

本件は、Xのゴルフに要した費用は、「ゴルフを個人の趣味・娯楽として行っているものと認められる」と判断された事例である。所得税法上の家事費ないし家事関連費の認定には困難を伴うものが少なくないが、本件のように趣味を実益に結び付けている場合には、裁判官の心証形成としては、やはり趣味のためのものが業務に関連しているだけだという認定になることが多いであろう。

これは、家事関連費であるとすれば、その部分を明確に峻別することが納税者の側に求められることになるという所得税法施行令96条のいわば実質的な意味での証明責任の転換が働く場面である。

裁判例の紹介

ロータリークラブの年会費の必要経費性

ロータリークラブの年会費は、弁護士の事業所得の金額の計算上、必要経費に算入することはできないとされた事例

（282第一審長野地裁平成30年９月７日判決・訟月65巻11号1634頁）
（283控訴審東京高裁令和元年５月22日判決・訟月65巻11号1657頁）
（284上告審最高裁令和２年６月26日第二小法廷決定・判例集未登載）

〔事案の概要〕

本件は、弁護士であるＸ（原告・控訴人・上告人）が、Ａロータリークラブ（以下「本件クラブ」という。）の年会費（以下「本件会費」という。）を諸会費又は接待交際費として、Ｘの事業所得の金額の計算上必要経費に算入して、平成24年分ないし平成26年分（以下、これらを併せて「本件各年分」という。）の所得税又は所得税及び復興特別所得税（以下「所得税等」という。）の確定申告及び修正申告をしたところ、所轄税務署長が、本件会費は、Ｘの事業所得の金額の計算上必要経費とは認められないとして、更正処分等をしたことから、Ｘが、国Ｙ（被告・被控訴人・被上告人）に対し、本件各更正処分の一部の取消しを求めた事案である。

なお、本件クラブの目的は、次のとおりである。

「ロータリーの目的は、意義ある事業の基礎として奉仕の理念を奨励し、これを育成し、特に次の事項を鼓吹、育成することにある。

㈠ 奉仕の機会として知り合いを広めること。

㈡ 事業及び専門職務の道徳的水準を高めること。あらゆる有用な業務は尊重されるべきであるという認識を深めること。そしてロータリアン各自が業務を通じて、社会に奉仕するために、その業務を品位あらしめること。

㈢ ロータリアン全てが、その個人生活、事業生活及び社会生活に常に奉仕の理想を適用すること。

㈣ 奉仕の理想に結ばれた、事業と専門職務に携わる人の世界的親交によって、国際間の理解と親善と平和を推進すること。」

〔争点〕

本クラブの年会費について、Ｘの弁護士に係る事業所得の金額の計算上、必要経費に算入することができるか否か。

〔判決の要旨〕

1　長野地裁平成30年9月7日判決

「XはA市内で弁護士業を営む者であり、弁護士は、当事者その他関係人の依頼又は官公署の委嘱によって、訴訟事件、非訟事件及び審査請求、再調査の請求、再審査請求等行政庁に対する不服申立事件に関する行為その他一般の法律事務を行うことを職務とし（弁護士法3条1項）、その対価として報酬を得ているのであるから、Xの事業所得を生ずべき業務とは、上記法律事務を行う経済活動である。そして、本件会費が、Xの事業所得の金額の計算上必要経費に算入されるためには、上記法律事務を行う弁護士としての経済活動と直接に関連し、かつ、客観的にみて当該経済活動の遂行上必要であることを要する。

…本件クラブの会員は本件会費を納入する義務を負っており、本件会費を納入しなければ、本件クラブの会員としての地位を失うこと、…本件会費の大半が、本件クラブの運営費及び委員会運営費として用いられていたことからすれば、本件会費は、本件クラブの会員が本件クラブで活動するために納入されるものということができる。そして、…本件クラブの会員は、奉仕の理念の奨励という目的に従って、各種の奉仕活動を行うとともに、会員に義務付けられている例会への出席、所属する委員会での活動、会員同士の親睦を深めるためのレクリエーション活動、各種行事に参加しており、Xも、本件クラブの会員として、上記例会等へ参加し、また、…本件各会計年度において、本件クラブの委員会に所属し、各委員会の事業計画にあるような活動を行っていたと認められる。したがって、Xが支出した本件会費は、Xが本件クラブにおいて、上記のような活動をするために納入されたものであり、上記のXの本件クラブでの活動の目的及び内容に照らせば、本件会費の支出は、法律事務を行う弁護士としてのXの経済活動と直接の関連を有し、客観的にみて当該経済活動の遂行上必要なものということはできない。

そして、…Xの本件クラブでの活動の目的及び内容に照らせば、本件会費は、弁護士の経済活動の一環として支出されるものではなく、消費経済の主体である一個人として行われる消費支出として、家事費に該当するというべきである。

また、本件クラブにおいてXが活動することによって、本件クラブの他の会員が所属する企業との法律顧問契約を締結する契機となり得ることから、仮に本件クラブにおけるXの活動の一部が、Xの弁護士としての経済活動と直接の関連性を有するものと解した上で…、本件会費が、必要経費と家事費の性質を併有しており、本件会費にXの業務の遂行上必要なものが一部含まれていて、家事関連費に該当するとしても、本件クラブの会員としての活動は、本件クラブの掲げる奉仕の理念に従い、奉仕活動を行うことや懇親を深めることに主眼が置かれるものであるから、本件会費はその主たる部分がXの弁護士としての事業所得を生ずべき業務の遂行上必要なものということはできない。さらに、本件会費のうちXの弁護士としての業務の遂行上必要である部分を明らかに区別することはできず、他にかかる区分を可能ならしめるに足りる証拠もない。したがって、仮に、本件会費が、その中にＸの業務の遂行上必要なものが一部含まれていて、家事関連費に該当すると解したとしても、これを事業所得の金額の計算上必要経費に算入することはできない。」

2　控訴審**東京高裁令和元年５月22日判決**も原審を維持し、上告審**最高裁令和２年６月26日第二小法廷決定**は上告棄却、上告不受理とした。

〔コメント〕

本件は、典型的な家事費混入事案であるといえよう。しばしば類似の訴訟が頻発するのは、家事費についての積極的な定義が所得税法上には存在しないことがその原因にあるともいえよう。

(5)　損害賠償金など

不動産所得、事業所得、山林所得又は雑所得を生ずべき業務に関連して、故意又は重大な過失によって他人の権利を侵害したことにより支払う損害賠償金、慰謝料、示談金等は、必要経費に算入することはできない（所法45①七、所令98、所基通45－７）。これは、納税者本人の「故意又は重大な過失」によって支払う損害賠償金は、義務違反に対する制裁として科される罰金等と同様に、個人の責任に帰せられる個人的費用であると解されているからである。このように、課税実務は、損害賠償金等を必要経費に算入することができるかどうかは、納税者本人に「故意又は重大な過失」があるか否かを判断基準としている。したがって、損害賠償金等が従業員等の「故意又は重大な過失」に起因して支払われるものであったとしても必要経費性は否定されるわけではない。もっとも、その損害賠償金等について、納税者本人に「故意又は重大な過失」があれば必要経費性は否定されよう（所基通45－６）。

また、所得税法では、立法的にパブリック・ポリシー（公序の理論）を導入し、賄賂、罰金や故意又は重大な過失による損害賠償金等を必要経費に算入しない旨の規定を置いている（所法45②）。このような定めがない「違法な支出」、すなわち、納税者が業務に関連して違法な行為を行い、それに伴い支出した金員が必要経費に算入されるかどうかについては議論があるが、租税法が他の法律の違法性には拘泥しない態度を示している他の取扱いとの平仄からみても、違法支出の必要経費性が否定されるということは原則としてないと考えるべきであろう。パブリック・ポリシーは実定法の根拠がない限り解釈論では展開され得ないと解するべきであろう。

裁判例の紹介

高松市塩田宅地分譲事件

宅地建物取引業法違反の支払報酬額についての「譲渡に要した費用の額」該当性が争われた事例

（285第一審高松地裁昭和48年６月28日判決・行集24巻６＝７号511頁）[60]

（286控訴審高松高裁昭和50年４月24日判決・行集26巻４号594頁）

〔事案の概要〕

Ｘ（原告・控訴人）の譲渡所得に係る申告について、税務署長Ｙ（被告・被控訴人）は、以下の理由のとおり、その一部を否認した。

すなわち、Ｙは、仲介人に報酬を支払ったものについて、原則として、Ｘも譲渡価額の３％を報酬として仲介人に支払ったものとした。その理由は、仲介人は、契約を成立させた場合、売主、買主双方からほぼ同額の報酬を受けるのが通例であるところ、本件取引当時施行の宅地建物取引業法によるとその額は売買金額1,000万円まではその３％以内と定められており、かかる法律は罰則をもって所定率以上の報酬を受けることを禁止しているので、買主が売買価額の３％を支払った場合はＸの支払った額も３％とし、買主がこれを超える金額を支払った場合もＸが支払った額は３％とみなすべきであるとして、譲渡所得の金額の計算上、「譲渡に要した費用の額」の一部を否認した処分等を行った。かかる処分の取消しを求めて、Ｘは提訴した。

〔争点〕

業法違反の報酬金額を支払った場合に、同額を譲渡所得の金額の計算上控除できるか否か。その他の争点については省略する。

60）判例評釈として、和田正明・税大論叢９号207頁（1975）、同・税理18巻３号156頁（1975）、河村幸登・税弘21巻100頁（1973）など参照。

〔判決の要旨〕

1　高松地裁昭和48年６月28日判決

「本件各取引当時施行されていた宅地建物取引業法17条および同法施行細則（昭和27年香川県規則第60号）によれば、宅地建物取引業者が宅地等の取引について一方の当事者を代理した場合に受けることのできる報酬額の限度は、取引金額1,000万円まで（本件取引は総て1,000万円未満である。）は取引金額の６％とされているので、Ｘは右各取引において、法規の許容する限度を上廻る報酬額を支払ったことになる。

この点について、Ｙは、法規の許容する限度を上廻る部分については、必要経費としてＸの収入金額から控除すべきでないとの趣旨の主張をしているが、右法律（これに基づく細則を含む。以下この項において同じ。）の規定の趣旨は、不動産仲介業者が不動産取引における代理ないしは仲介行為によって不当の利益を収めることを禁止するところにあると解され、したがって、右法律に違反する報酬契約の私法上の効力いかんは問題であるとしても、現実に右法律所定の報酬額以上のものが支払われた場合には、所得税法上は右現実に支払われた全額を経費（右報酬の支払いを受けた不動産仲介業者については所得）として認定すべきものである。」

2　（ここで取り上げない争点につきＸから控訴がなされたが）控訴審**高松高裁昭和50年４月24日判決**においても、上記の原審判断部分は維持されている。

〔コメント〕

本件にはいくつかの争点があるが、ここで取り上げる内容については、Ｘの主張が原審において採用されており、控訴審においても維持されている。

本件では、業法違反の報酬を支払ったとしても、その部分は受領者側からみれば所得を構成し、支払者側からすれば必要経費（本件の場合、譲渡所得の金額の計算上控除される「譲渡に要した費用」）に算入されるという考え方が採用されている。

⑹　弁護士費用など

業務に関連して紛争が生じた場合に、その解決のために支出する弁護士報酬などの費用は、その係争等の内容に従って個別に必要経費に算入されるかどうかが判断されるべきであるが、課税実務上は、民事事件と刑事事件に区分した上で、次のように取り扱うこととされている。

① 民事事件

民事事件に関する費用については、次に掲げるようなものを除き、その支出した日（山林所得の場合は、当該山林の伐採又は譲渡の日）の属する年分の必要経費に算入することとされている（所基通37－25）。

(i) 資産の取得の時において既に紛争の生じているもの、資産の取得後紛争が生ずることが予想されるもの（資産の取得費に該当する。）

(ii) 山林又は譲渡所得の基因となる資産の譲渡に関するもの（譲渡費用に該当する。）

(iii) 係争の本体が必要経費に算入されない租税公課や損害賠償金に関するもの（家事費に該当する。）

② 刑事事件

刑事事件に関する費用については、処罰を受けないこととなった場合（違反がないとされたり、処分を受けないこととなったり、又は無罪の判決が確定した場合）に限り、必要経費に算入することとされている（所基通37－26）。

裁判例の紹介

課税処分の取消訴訟に要した弁護士費用等の必要経費性

雑所得たる還付加算金の必要経費として、当該還付加算金の基礎となる還付請求権を争った裁判費用を算入することができないとされた事例

（287第一審東京地裁平成28年11月29日判決・訟月64巻9号1387頁）[61]

（288控訴審東京高裁平成29年12月6日判決・訟月64巻9号1366頁）

（289上告審最高裁平成31年3月28日第一小法廷決定・判例集未登載）

〔事案の概要〕

本件は、平成16年分ないし平成18年分の所得税に係る各更正処分及び過少申告加算税の各賦課決定処分（以下、これらの処分を併せて「別件各更正処分等」

61）判例評釈として、馬場陽・税法580号103頁（2018）、首藤重幸・速報判例解説23号〔法セ増刊〕233頁（2018）など参照。

という。）を取り消す旨の判決（以下「前訴判決」といい、前訴判決に係る訴訟を「前訴」という。）を受けたＸ（原告・控訴人・上告人）が、所得税及び地方税に係る過納金（以下「本件過納金」という。）の還付を受けるとともに、国税通則法58条１項及び地方税法17条の４第１項に規定する還付加算金（以下「本件還付加算金」という。）の支払を受けたため、平成25年分の所得税及び復興特別所得税（以下「所得税等」という。）について、本件還付加算金を雑所得とする確定申告をした後、前訴に係る弁護士費用が雑所得に係る総収入金額から控除されるべき必要経費に該当するとして更正の請求をしたところ、所轄税務署長から更正をすべき理由がない旨の通知処分（以下「本件通知処分」という。）を受けたことから、前訴に係る弁護士費用の金額を本件過納金と本件還付加算金の各金額に応じて按分した本件還付加算金に対応する金額（以下「前訴弁護士費用按分額」という。）は必要経費に当たると主張して、国Ｙ（被告・被控訴人・被上告人）を相手取り、本件通知処分の取消しを求めた事案である。

〔争点〕

前訴に要した弁護士費用等が、還付加算金の必要経費として認められるか否か。

〔判決の要旨〕

1　東京地裁平成28年11月29日判決

「ア　…更正処分等の取消訴訟は、当該更正処分等が違法であるか否かを審理の対象とし、納税申告書の提出があった国税及び過少申告加算税に係る納付すべき税額の存否ないし多寡を争い、当該納付すべき税額を確定させる効力を否定することを目的として提起されるものというべきであり、当該更正処分等を取り消す旨の判決により納税者が受ける直接の経済的利益は、当該判決により取消しの対象とされた納付すべき税額に相当する金額であるといえる。

そして、更正処分等の取消訴訟の訴訟追行に係る事務を弁護士に委任する場合も、このような目的のために当該取消訴訟の提起がされることに変わりはなく、当該取消訴訟を提起する前に当該更正処分等により確定した国税（附帯税を含む。）の納付が既にされているか否かによって上記委任事務の内容や弁護士費用の性質が異なるものではないというべきである。

イ　上記アに説示したところに照らすと、前訴も、別件各更正処分等が違法であるか否かを審理の対象とし、Ｘの平成16年分ないし平成18年分の所得税及び過少申告加算税に係る納付すべき税額の存否ないし多寡を争い、当該納付すべき税額を確定させる効力を否定することを目的として提起されたものというべきであり、これを別異に解すべき事情は認められない。

そうすると、本件委任契約はＸが本件弁護士に対し本件業務を委任するものであるから…、前訴弁護士費用は、Ｘが本件弁護士に対しこのような目的のために提起される前訴の訴訟追行に係る事務を委任し、当該事務が遂行されたことに対する報酬として支払われたものとみるのが相当である。」

「本件還付加算金も、Xが別件各更正処分等に基づく所得税及びこれに伴う地方税（いずれも附帯税を含む。）として合計7321万5800円を納付していたところ…、前訴判決により別件各更正処分等が取り消されたことによって本件過納金が生じたことから、国税通則法58条1項及び地方税法17条の4第1項に基づき、本件過納金の還付を受けた際に、一種の利子としての性格を有する金員として法律上当然に加算して支払われたものである。

このように、Xが本件還付加算金の支払を受けることとなったのは、Xが前訴判決を受ける以前に上記7321万5800円の納付をしていたところ、前訴判決の効力によって本件過納金が生じ、本件過納金の支払決定によりその還付を受けることになったことなど法定の還付加算要件を満たしたことによるものであって、前訴判決の直接の効力によって本件還付加算金が生じたものではない。

…本件還付加算金は、前訴弁護士費用や前訴判決との間に間接的な関連性を有するということはできるものの、前訴弁護士費用と直接の対応関係を有するものということはできないというべきである。

(3)　以上によれば、前訴弁護士費用の一部である前訴弁護士費用按分額は、本件還付加算金と直接の対応関係を有するものではないというべきである。

したがって、前訴弁護士費用按分額は、所得税法37条1項前段に規定する『総収入金額を得るため直接に要した費用』に該当するとはいえない。」

「本件還付加算金は、国税通則法58条1項及び地方税法17条の4第1項により法律上当然に加算され支払われたものであって、…検討したところに照らせば、前訴の提起及びその訴訟追行が雑所得である本件還付加算金を生ずべき『業務』に該当するものということはできず、他に雑所得である本件還付加算金を生ずべき『業務』に該当するものがあるということもできない…。

したがって、前訴弁護士費用按分額は、所得税法37条1項後段に規定する『その年における販売費、一般管理費その他これらの所得を生ずべき業務について生じた費用…の額』に該当するとはいえない。」

2　控訴審**東京高裁平成29年12月6日判決**は原審判断を維持し、上告審**最高裁平成31年3月28日第一小法廷決定**は上告を不受理とした。

〔コメント〕

1　還付加算金の法的性質

還付加算金が業務活動との関連性を有するものであるかどうかは、還付加算金がいかなるものであるのか、その性質を見極め、そしてその利得が何らかの業務活動によって得られるものであるか否かという点を考察しておく必要がある。

ドイツ連邦共和国の法人である原告が、都民税等の減額更正により生じた過納金の還付を受けたところ、その際に支払われた還付加算金は起算日を誤って算定されており、正当な金額の一部しか支払われていないとして、被告に対し、還付加算金の残額等の支払を求めた事案において、東京地裁平成18年7月14日判決（民集62巻9号2458頁）は、「還付加算金は、過納金の性質が課税主体と納税者との間における不当利得に類するものであり、これを納税者に還付する場合には、これを保持していた課税主体において、その期間に対応した利子に相当するものを納税者に支払うのが衡平にかなうものとして定められたものということができる」として、還付加算金を期間に対応した利子に相当するものと位置付けている。この事案は控訴され控訴審において判断が覆っているものの、還付加算金が利子ないし利息の性質を有していることについては争いがない。

そのほか、東京高裁平成21年7月15日判決（裁判所HP）は、「還付加算金制度は、地方団体の徴収金に関する不当利得の返還に伴う民法上の利息の特則であると解される。」としている。

また、被控訴人が納税者である控訴人に対してした法人事業税及び法人都民税の減額更正・決定処分により生じた過納金の還付に際し、被控訴人が、還付加算金の算定の起算日について上記減額更正・決定処分の日の翌日から1か月を経過する日の翌日とし、還付加算金を過少申告加算金のみを対象として算出したとして、控訴人が、還付加算金の起算日は納付の日の翌日と解した上で、その支払を求めた事案として、東京高裁平成21年5月20日判決（裁判所HP）がある。この事件において、控訴人は、還付加算金のほか、これに対する訴状送達の日の翌日から年5分の割合による遅延損害金の支払を求めたのであるが、これに対して同高裁は、「還付加算金は、還付金につき生じる利息の性質を有するものであるから、これに対して生じる遅延損害金は民法405条《利息の元本への組入れ》の重利に該当するところ（なお、租税法律関係についても、それを排除する明文の規定あるいは特段の理由がない限り、私法規定が適用ないし準用されると解される。）、本件において、同条の規定に基づいて元本組入れがなされたことについての主張、立証はされていないから、控訴人の遅延損害金に係る請求は理由がないというべきである。」と断じている。

これらは地方税法上の還付加算金の事案であるが、国税における事案においても、例えば、静岡地裁昭和47年6月30日判決（訟月18巻10号1560頁）は、「還付金に附する一種の利子」としている。

学説においても、例えば金子宏教授が、「還付金等が還付されまたは充当される場合は、利息として、国または地方団体がそれを保有していた期間…の日数に応じ、その金額に年7.3%…の割合で計算した金額が加算される…。これを、還付加算金という。」としているとおり（金子・租税法840頁）、上記裁判例の理解と学説の通説の理解は、還付加算金を利息とみているという点では一致している。

このように還付加算金の法的性質は利息であると解するべきであろう。

2　利子収入に関する所得の必要経費性

所得税法23条《利子所得》２項は、「利子所得の金額は、その年中の利子等の収入金額とする。」と規定しており、そもそも時間価値（time value）である利子所得は時の経過によって自動的に所得が発生するものであることから、必要経費を観念し得ないであろう。

佐藤英明教授は、担税力に応じた計算をすることを予定している所得税法が何らかの経費・損失も控除しないとしていることは、「利子所得を、その稼得にまったく経費等を必要としない所得と考えていることがわかる」と述べられる（佐藤「利子所得の意義と変則的な利子に関する課税方法」税務事例研究10号40頁（1991））。

このように所得税法は利子に対する必要経費を観念していないのであるが、その理由は必ずしも判然としないものの、他の所得に比して時間的価値という同所得の性格論から、稼得のためのリスクや犠牲が観念できないと考えられているのである。

3　国税通則法58条

上記のとおり、還付加算金の法的性質は利息であるといえよう。この点は、国税通則法の立法担当者も、同法58条《還付加算金》について、「この条は、還付金等を還付し、又は充当する場合に、その還付金等に付する一種の還付利子である還付加算金について規定する。」と述べるとおりである（荒井・精解662頁）。

そうであるとすると、還付加算金は時の経過に応じて得られるtime valueであって、その所得源泉はあくまでも時間の経過であるから、業務によって得られた利得と性格付けることは困難であると思われる。すなわち、税務署長が納税者の所得の申告を増額する更正決定をしたところ、それが取り消されたときは、税務署長はその過納金をすみやかに還付しなければならないのであり、その還付は一種の不当利得の返還といえよう。そして、還付加算金は、当該税金が納付された日の翌日から還付のための支払決定の日までの日数に応じ、その金額に年7.3％の割合を乗じて算出される。それは再言すれば、国が不当利得を返還するに当たって還付金に付する一種の利子であるからである。このことは、還付加算金の金額の計算が、日数に応じて計算される点からも明らかである。

還付加算金が利息であって業務活動によって得られたものではないということにとどまらず、国税通則法58条の還付加算金の計算期間の始期について考えると、還付加算金が還付請求権の発生時から過納金返還までの期間利息であることは明らかであるから、計算期間の途中に発生する訴訟費用が還付加算金を得るために直接要する費用に当たるとする解釈は困難であるといわざるを得ない。

4　所得税法37条１項の要件事実と「業務」該当性

本件において、Ｘは、行政行為に公定力がある以上、Ｘらが別件取消訴訟を遂行し、別件取消判決の確定という結果を勝ち得なければ、本件還付加算金を得ることはなかった旨主張するとした場合、還付加算金が納税者の業務によって得られたものといえるのであろうか。

ところで、所得税法上は、「業務」についての定義規定を置いていない。また、業務という用語の意味を条文の文脈から無理なく導き出すことはできない。となると、一般に租税法上の概念はこれを固有概念又は借用概念として捉えた上で、解釈論を展開することが通常であるが、そのいずれにも該当しない場合には、一般概念として理解され得る。固有概念については、租税法律主義の要請する法的安定性や予測可能性の見地から同概念該当性については慎重な判断が求められるが、管見するところ、「業務」を固有概念と承認する見解は見当たらない。また、私法上の概念からの借用としてこれを捉えることが考えられるが、私法上の概念としても業務の概念は判然としない。

5　所得税法―訴訟費用の必要経費性が争われた事例

そこで、一般概念としてこれを理解することが考えられる。一般の辞書によれば、「業務」とは、「1　職業や事業などに関して、継続して行う仕事。」、「2　法律で、社会生活において反復・継続して行う活動のこと。」（デジタル大辞泉）とされている。いずれにしても、反復あるいは継続してなされる職業上の仕事と理解されているようである。

所得税法上「業務」についての定義規定がない上、特段、私法上定義された概念の借用ではないと思われるところ、一般概念としてこれを理解し、上記のような解釈によることが妥当であるように思われる。このように考えると、「業務」該当性を確認させる間接事実は、「反復性ないし継続性のある職業上の仕事であること」ということになりそうである。このような理解によれば、単なる time value である還付加算金の取得は、継続性のある職業上の仕事という性質を有していないことから業務と認定することは困難であるように思われるのである。

⑺　修繕費と資本的支出

資産に加えた加工等のための支出のうち、その資産の価値を増加させるものを資本的支出といい、単に維持・修理のために支出する修繕費との間に取扱上の差異を設けている。

業務用の建物、機械、装置、器具備品、車両などの修繕に要した費用は、必要経費に算入できるが、資産の価値を増加したり、使用可能期間を延長したりする支出は、資本的支出として減価償却の対象とされるから、支出した年分の必要経費に算入することができない（所令181）。すなわち、修繕費等とは、固定資産の通常の維持管理のため、又は災害等により毀損した固定資産を現状に服するために要した費用をいい、資本的支出の金額を含まないのである（所基通37－11）。もっとも、課税実務においては、資本的支出であっても、一の計画に基づき同一資産について行う修理、改良等の費用が少額（20万円未満）であるか、又はその支出周期が短いもの（おおむね３年以内）については、その修理、改良等に要した金額を修繕費として必要経費に算入して差し支えないこととされているが、重要性の原則のような考え方を実定法の根拠なしに所得税法の解釈の中に織り込むことができるのかについては、疑問も残る（所基通37－12）。

なお、資本的支出の金額は次により計算する（所令181）。

①　使用期間を延長させる部分に対応する金額

$$\text{支出金額} \times \frac{\text{支出後の使用可能年数} - \text{支出しなかった場合の残存使用可能年数}}{\text{支出後の使用可能年数}}$$

$$= \text{資本的支出の金額}$$

②　価値を増加させる部分に対応する金額

$$\text{支出後の時価} - \text{通常の管理又は修理をしていた場合の時価} = \text{資本的支出の金額}$$

✍　資本的支出に該当するものには、①建物の避難階段の取付けなど物理的に付加した部分に係る金額、②用途変更のための模様替えなど改造又は改装に直接要した金額、③機械の部品を特に品質又は性能の高いものに取り替えた場合のその取替えに要した金額のうち、通常の取替えの場合にその取替えに要すると認められる金額を超える部分の金額などがある（所基通37－10）。

なお、課税実務上は、修繕費か資本的支出かの判定が困難であるため、形式基準等が設けられている（所基通37－13、37－14）。

7　減価償却費の計算

建物、機械及び装置等の固定資産は、時の経過や使用などのために徐々に資産価値が減少していくことになる。そこで、このような資産を取得するために要した費用は、その取得時に費用計上するのは合理的でなく、その資産を使用することによって得られる収益に対応して、使用期間に配分すべきである（減価償却）。企業会計上は、適正な損益を計算するために、一般に認められる所定の方法によって、資産価値の減少分を計画的かつ規則的に費用計上するが、所得税法や法人税法では、税負担の公平を図る見地から、減価償却資産の範囲や減価償却の方法等を法定している。

なお、法人の場合は損金経理を要件として償却費の額を損金に算入するが（法法31①）、所得税法では、納税者の選択如何にかかわらず、法の規定に従って計算される償却費の額が必要経費に算入されることになる（強制償却：所法49①）。

(1)　減価償却資産の範囲

減価償却の対象となる資産のことを「減価償却資産」という。これは、次に掲げる資産で、不動産所得若しくは雑所得の基因となるもの、又は不動産所得、事業所得、山林所得若しくは雑所得の業務の用に供されるものをいう（所法2①十九、所令6）。

①　有形固定資産……建物及び附属設備、構築物、機械及び装置、船舶、航空機、車両及び運搬具、工具、器具及び備品

②　無形固定資産……鉱業権、漁業権、水利権、特許権、実用新案権、意匠権、商標権、ソフトウエア、営業権等

③　生物……牛、馬、果樹等

ただし、(a)少額減価償却資産（耐用年数が1年未満のもの又は取得価額が10万円未満のもの）、(b)減耗しない資産（土地、借地権等、電話加入権、書画こっとう等）、(c)棚卸資産及び建設中の資産は、減価償却の対象とされない（所令6、138、所基通2－14～2－17）。

✍　少額減価償却資産は、その取得価額の全額を業務の用に供した年の必要経費に

算入できるし（所令138）、また、一括償却資産（業務用の減価償却資産で取得価額が20万円未満のもの、リース資産を除く。）は、取得価額の合計額の３分の１に相当する金額について、その資産を業務の用に供した年以後３年間の各年にわたって必要経費に算入できる（所令139①）。

なお、一定の中小企業者（常時使用する従業員の数が1,000人以下）に該当する青色申告者にあっては、令和４年３月31日までに取得価額が30万円未満の減価償却資産を取得等して業務の用に供すると、その業務の用に供した年にその取得価額の全額を必要経費に算入することができる。ただし、その年中における少額減価償却資産の取得価額の合計額が300万円を超える場合は、300万円までとする（措法28の２①）。

(2)　減価償却の方法

減価償却費は、次の方法の中から、その減価償却資産の区別に応じて選定した方法で計算することとされている。なお、その際、税務署長に届出書を提出する必要がある。

ただし、平成10年４月１日以後に取得した建物のほか、営業権やソフトウエアなどの無形固定資産又は生物については、旧定額法又は定額法に限られる（所令120①、120の２①）。

①　定額法

取得価額　×　定額法による償却率　＝　償却費の額

②　定率法

（取得価額　－　前年までの償却費の合計額）　×　定率法による償却率　＝　償却費の額（「調整前償却額」ともいう。）

✍　定率法による償却率は、①平成19年４月１日から同24年３月31日までの間に取得された減価償却資産の場合、定額法の償却率の2.5倍、②平成24年４月１日以後に取得された減価償却資産の場合、定額法の償却率の２倍とされている（所令120の2①）。

なお、調整前償却額がその減価償却資産の取得価額に「保証率」（耐令別表十）を乗じて計算した金額に満たない場合には、最初に満たないこととなる年の期首未償却残高を「改定取得価額」として、次により計算する。

改定取得価額　×　改定償却率　＝　償却費の額

③　生産高比例法

$$\frac{\text{取得価額}}{\text{総採掘予定量}} \times \text{各年の採掘量} = \text{償却費の額}$$

④　リース期間定額法

$$\frac{\text{（取得価額－残価補償額）}}{\text{リース期間の総月数}} \times \text{その年におけるリース期間の月数} = \text{償却費の額}$$

✍　所有権移転外リース取引に係る賃借人が取得したものとされる減価償却資産の償却方法である。所有権移転外リース取引とは、リース期間の終了時又は中途において、①リース取引の目的とされている資産（目的資産）が無償又は名目的な対価の額で賃借人に譲渡されるもの、②目的資産を著しく有利な価額で買い取る権利が賃借人に与えられているもの、③目的資産がその使用可能期間中賃借人によってのみ使用されると見込まれるもの等に該当するものをいう（所令120の2②五）。また、残価保証額とは、リース期間終了の時に、リース資産の処分価額が所有権移転外リース取引に係る契約において定められている保証額に満たない場合に、その満たない部分の金額を当該取引に係る賃借人がその賃貸人に支払うこととされている場合における当該保証額をいう（所令120の2②六）。

なお、その他、取替法（レール、まくら木、電柱、電線のように多量に同一目的に使用される減価償却資産などに適用される。税務署長の承認が必要である。）、及び特別な償却率による方法（国税局長の認定）のほか、特別な償却方法（税務署長の承認が必要である。）がある（所令120の3～122）。

(3) 償却方法の選定

① 新たに業務を開始した場合……業務を開始した日の翌年３月15日までに償却方法を選定して税務署長に届け出る（所令123①②一）。

② 償却方法を選定している資産以外の減価償却資産を取得した場合……資産を取得した日の翌年３月15日までに償却方法を選定して税務署長に届け出る（所令123②二）。

③ 法定償却方法……届出をしない場合は、(i)鉱業用減価償却資産及び鉱業権については生産高比例法（又は旧生産高比例法）、(ii)それ以外の資産は定額法（又は旧定額法）によって償却する（所令125）。

④ 償却方法の変更……新たな償却方法を採用しようとする年の３月15日までに申請をして、税務署長の承認を受けなければならない（所令124①②）。

(4) 減価償却資産の取得価額

減価償却資産の取得価額は、その取得の区分に応じて、それぞれ次により計算する（所令126①②）。

① 購入した資産……(i)その購入の代価（引取運賃、荷役費、運送保険料、購入手数料、関税などを含む。）、(ii)業務の用に供するために直接要した費用（搬入費、据付費など）の合計額により計算する。

② 自己が建設等をした資産……(i)原材料費、労務費などの経費、(ii)業務の用に供するために直接要した費用の合計額により計算する。

✍ 自己が成育させた生物や成熟させた果樹は、購入の代価、種付費、飼料代、種苗費、肥料代などをもとに、これに準じて計算する。

③ その他の方法で取得した資産……(i)取得の時におけるその資産の取得のために通常要する価額、(ii)業務の用に供するために直接要した費用の合計額

④ 贈与、相続（限定承認以外のもの）、遺贈等（包括遺贈のうち限定承認以外のもの）又は著しく低い対価の額で譲り受けた資産……その資産を取得し

た者が引き続き所有していたものとみなして計算する。

⑤　昭和27年12月31日以前から引き続き所有していた非業務用資産を業務の用に供した場合……昭和28年１月１日の相続税評価額とその後に支出された設備費及び改良費の合計額（所令128）により計算する。

⑥　平成19年４月１日以後に資本的支出があった場合……支出の対象となった減価償却資産と種類及び耐用年数を同じくする減価償却資産を新たに取得したものとして定額法又は定率法等により償却費の額を計算する（所令127①）。

(5)　減価償却費の計算

①　各年分の償却費の計算（所令131①）……その資産について納税者が採用している償却の方法に基づいて計算する。

②　年の中途で業務の用に供した資産の償却費（所令132①②）

$$\text{その年分の償却費の額} \times \frac{\text{業務の用に供した月数（１月未満切上げ）}}{12}$$

③　償却累積額による償却費の特例（所令134①②）

(i)　減価償却資産……耐用年数経過時に備忘価額（１円）まで償却することができる。

(ii)　無形固定資産……取得価額の100％まで償却することができる。

④　青色申告者……(i)通常の使用時間を超えて使用される機械及び装置の償却費の特例（所令133）、(ii)陳腐化した減価償却資産の償却費の特例（所令133の２）がある。

(6)　特別償却

特別償却は、減価償却資産の早期償却を認めることにより特定の政策目的を達成しようとする特別措置であって、通常の減価償却費のほかに特別償却費を必要経費に算入することができる。この特別償却には、①その適用対象資産を取得して事業の用に供した最初の年において、その取得価額の一定割合の特別償却を認めるもの（特別償却）と、②その適用対象資産を取得して事業の用に供した最初の年から一定期間について、その各年分の償却費の額に一定割合を割り増して償却することを認めるもの（割増償却）とがある。これらの特別償却には、①中小企業者が機械等を取得した場合の特別償却（措法10の３）、②特定設備等の特別償却（措法11）、③障害者を雇用する場合の特定機械装置の割増償却（措法13）など多数のものが租税特別措置法に設けられているが、ここでは、代表的なものとして中小企業者が機械等を取得した場合等の特別償却について概要を述べることとする。

なお、特別償却制度の多くは、青色申告者に限って認められている。

○　中小企業者が機械等を取得した場合等の特別償却

青色申告書を提出する中小企業者（常時使用する従業員数が1,000人以下の個人）が、製作後使用されたことのない一定の資産を取得等して、これを製造業、建設業、農林漁業、鉱業、一定の飲食業、サービス業などの事業の用に供した場合には、通常の減価償却費に、取得価額の30％相当額を加算して必要経費に算入することができる（措法10の３、措令５の５）。

裁判例の紹介

未経過固定資産税に係る清算金

不動産貸付業を営む個人が貸付業務用の土地建物を購入した年の当該土地建物に係る固定資産税及び都市計画税の税額のうち日割計算による未経過分に相当する金額で上記購入の際に納税者（購入者）が支払うことに同意した清算金の全額を不動産所得の金額の計算上必要経費に算入することができないとされた事例

（290第一審東京地裁平成25年10月22日判決・訟月60巻11号2423頁）
（291控訴審東京高裁平成26年４月９日判決・訟月60巻11号2448頁）

（292上告審最高裁平成27年８月26日第一小法廷決定・判例集未登載）

〔事案の概要〕

X（原告・控訴人・上告人）は、共同住宅等の貸付けを業とする者であり、平成19年から平成21年までの間、貸付けの業務の用に供する目的で、貸付業務用の物件ＡないしＥの不動産（以下「本件各物件」という。）を購入し、不動産仲介業者に対し、仲介手数料（以下「本件各仲介手数料」という。）を支払い、物件Ａを除く本件各物件の売主に対し、購入年の固定資産税及び都市計画税（以下「固定資産税等」という。）の税額に相当する金額のうち日割計算による未経過分に相当する金額で上記購入の際にXが支払うことに合意した清算金（以下「本件各清算金」という。）を支払った。

Xは、平成19年から平成21年までの所得税について、本件各仲介手数料の全額と本件各清算金の全額を、各年分の不動産所得の金額の計算上必要経費に算入して、確定申告及び平成21年分の所得税の修正申告をした。

これに対し、所轄税務署長は、本件各仲介手数料及び本件各清算金の額は貸付業務用の不動産の取得価額に含まれ、建物の取得価額に係る減価償却費となる金額のみが各年分の不動産所得の金額の計算上必要経費に算入される（所得税法37条１項、49条１項、２項、所得税法施行令126条１項１号イ）として、所得税の各更正処分（以下「本件各更正処分」という。）及び過少申告加算税の各賦課決定処分（以下「本件各賦課決定処分」という。）をした。

本件は、Xが国Y（被告・被控訴人・被上告人）に対し、本件各更正処分及び本件各賦課決定処分（以下「本件各更正処分等」という。）が違法である旨を主張して、その取消しを求めた事案である。

〔争点〕

①　本件各仲介手数料の全額をそれが乗じた各年分の不動産所得の必要経費に算入することができるか。

②　本件各清算金の金額をそれが生じた各年分の不動産所得の必要経費に算入することができるか。

〔判決の要旨〕

1　東京地裁平成25年10月22日判決

(1)　争点①

「(1)　減価償却資産である建物に係る本件各仲介手数料について

ア　所得税法37条１項は、その年分の不動産所得の金額の計算上必要経費に算入すべき金額は、別段の定めがあるものを除き、所得の総収入金額に係る売上原価その他当該総収入金額を得るため直接に要した費用の額及びその年における販売費、一般管理費その他所得を生ずべき業務について生じた費用（償却費以外の費用でその年において債務の確定しないものを除く。）の額とする旨規定する。

さらに、所得税法49条１項及び２項は、不動産所得の金額の計算上必要経費に算入すべき減価償却資産の償却費に関する計算及びその償却の方法について規定するところ、同条に基づき、償却費の計算の基礎となる減価償却資産の取得価額について規定する所得税法施行令126条は、同条１項１号において、購入した減価償却資産の取得価額は、当該資産の購入の代価（引取運賃、荷役費、運送保険料、購入手数料、関税（中略）その他当該資産の購入のために要した費用がある場合には、その費用の額を加算した金額）及び当該資産を業務の用に供するために直接要した費用の額の合計額とする旨規定する。

そして、本件各仲介手数料は、同号イの『購入手数料』に該当することが明らかである。

そうすると、上記の法令の定めによれば、本件各仲介手数料のうち本件各物件の建物に係る部分は、本件各物件の建物に関する取得価額に算入され、その取得価額に基づいて算定される減価償却費の額が、爾後、各年分の不動産所得の必要経費に算入されることになる。」

「(2)　非減価償却資産である土地に係る本件各手数料について

ア　非減価償却資産である土地自体の購入の代価は、所得税法49条１項及び２項、所得税法施行令126条１項１号が適用されず、土地の購入の代価を基礎とした減価償却費が、不動産所得の必要経費として算入されることはない。そして、土地自体の購入の代価は、それが将来譲渡された際、所得税法38条１項が定める『資産の取得に要した金額』に含まれ、譲渡所得の金額の計算上『取得費』として控除される。

他方、土地の購入の際に支出した仲介手数料は、…直接的には資産の取得に伴って生じた支出であり、当該資産が不動産所得を生ずべき業務の用に供されるか否かとは関係なく支出されるものであるから、その本来的な性質は資産の所有権取得についての対価と観念すべきである。また、所得税法38条１項にいう『取得費』とは、同条２項にいう『取得費』と同一の概念であるところ、同条２項にいう『取得費』のうち『資産の取得に要した金額』（同条１項参照）は、所得税法施行令126条１項にいう『取得価額』の内容と統一的に理解すべきことからすると、所得税法38条１項にいう『取得費』のうち『資産の取得に要した金額』も、所得税法施行令126条１項にいう『取得価額』の内容と統一的に理解すべきことになるから、所得税法38条１項にいう『取得費』のうち『資産の取得に要した金額』には、所得税法施行令126条１項にいう『取得価額』として同項１号イにおいて購入の代価に含まれるものとされている購入手数料（仲介手数料）が含まれると解することが相当である。そうすると、土地を購入した際に支払った仲介手数料は、土地の客観的価格を構成すべき金額ではないが、所得税法38条１項が定める『資産の取得に要した金額』に含まれるものとして、譲渡所得の金額の計算上取得費として控除されると解される（最高裁昭和61年（行ツ）第115号平成４年７月14日第三小法廷判決・民集46巻５号492頁参照）。

以上のとおり、土地の購入の際に支出した仲介手数料は、直接的には資産の取得に伴って生じた支出であり、当該資産が不動産所得を生ずべき業務の用に供されるか否かとは関係なく支出されるものであって、土地を将来譲渡した際、その全額が、譲渡所得の取得費として取り扱われるべきものであることからすると、所得税法37条１項にいう『所得を生ずべき業務について生じた費用』には該当せず、不動産所得の必要経費に算入されないものと解することが相当である。」

(2)　争点②

「(1)　固定資産税は、固定資産の所有の事実に担税力を認めて課される一種の財産税であり、都市計画税は、都市計画事業等によって土地又は家屋の所有者がそれらの利用価値の増大、価格の上昇等の利益を受けることに着目して課される目的税であって、いずれも、各年ごとに、その賦課期日（当該年度の初日の属する年の１月１日）における土地又は家屋の所有者を納税義務者として課されるもの（地方税法343条１項、２項、359条、702条、702条の６）であり、当該年度の賦課期日後に所有者の異動が生じたとしても、新たに所有者となった者が当該賦課期日を基準として課される固定資産税等の納税義務を負担することはない。

したがって、賦課期日とは異なる日をもって固定資産の売買契約を締結するに際し、買主が売主に対し、売主が納税義務を負担することになる固定資産税等の税額のうち売買契約による所有権移転後の期間の部分に相当する金額を支払うことを合意した場合、この合意に基づく金額の支払は、固定資産税等に係る買主の納税義務に基づくものではないことが明らかである。そして、この合意は、固定資産の売買契約を締結するに際し、売主が１年を単位として納税義務を負う固定資産税等につき買主がこれを負担することなく当該固定資産を購入するという期間があるという状況を調整するために個々的に行われるものであることからすると、この合意に基づく金額は、実質的には、当該固定資産の購入の代価の一部を成すものと解することが相当である。」

「なお、Ｘは、固定資産の名義上の所有者と実質上の所有者とに齟齬があったときは、固定資産税等の負担について不当利得返還請求権が発生するとして、固定資産税等の未経過分に相当する金額の清算金が資産の購入の代価の一部ではない旨主張する。この点、私人間において固定資産税等を最終的に負担すべき者は誰かという観点から、固定資産税等の性質を考慮して、不当利得の問題を解決すべき場合があることは否定できないが、本件はそのような場合ではなく、固定資産の売買契約に際して、未経過の固定資産税等の支払について合意がある場合であるから、この場合における清算金の性質を、不当利得の問題として解決すべき場合と同様に解しなければならないとはいえない。したがって、Xの主張は採用することができない。

(3)　以上によれば、本件各清算金のうち、建物に係る固定資産税等の未経過分に相当する金額の清算金の額は、実質的には資産の購入の代価の金額の一部であると解され、所得税法施行令126条1項1号イの購入の代価に該当することになるから、所得税法26条2項、37条1項並びに49条1項及び2項並びに所得税法施行令126条1項1号イの規定により、これを建物の取得価額に算入し、当該取得価額に係る減価償却費の額のみを各年分の不動産所得の必要経費に算入すべきこととなる。」

2　控訴審**東京高裁平成26年4月9日判決**は原審判断を維持し、上告審**最高裁平成27年8月26日第一小法廷決定**は上告棄却、上告不受理とした。

〔コメント〕

1　所得税法の規定

所得税法第2編《居住者の納税義務》第2章《課税標準及びその計算並びに所得控除》第2節《各種所得の金額の計算》第2款《所得金額の計算の通則》には、同法36条《収入金額》、37条《必要経費》及び38条《譲渡所得の金額の計算上控除すべき取得費》の3条が規定されている。ここにいう37条は、必要経費について、不動産所得、事業所得、山林所得、雑所得に関する規定が用意されており、38条は、取得費について、譲渡所得に関する規定が用意されている。

ところで、所得税法37条は、「別段の定め」がある場合には、かかる別段の定めに従うことを規定しているところ、減価償却資産（所法49）に係る償却費の計算規定等を「別段の定め」と解すると、この委任を受けた所得税法施行令126条には資産の取得価額の算定が規定されており、優先的に適用されることになる。もっとも、土地のような非減価償却資産については、「別段の定め」がないことから土地の取得価額の算定に係る問題が残る。また、所得税法49条《減価償却資産の償却費の計算及びその償却の方法》を同法37条の「別段の定め」ではなく、37条の補充的規定と解するとしても、49条と37条の優先的適用問題の議論になるし、土地に関する適用規定不存在の問題に直面する。

2　本件仲介手数料

本件地裁判決は、減価償却資産たる建物に係る本件各仲介手数料は、所得税法施行令126条《減価償却資産の取得価額》1項1号イにいう「購入手数料」に該当することが「明らか」であるとする。そこでは、所得税法49条の規定の適用が優先され、かかる規定の委任を受けた所得税法施行令126条の適用が優先されるということから所得税法37条の適用が劣後になるという構成が成立しているようである。

もっとも、所得税法38条2項との整合的理解という点では理解しやすいし、取得のための一回的支出であることからすれば、資産の所有権取得についての対価と観念し得るとする判決は妥当であると思われる。

次に、非減価償却資産たる土地に係る本件各仲介手数料について、Yは、所得税法施行令126条を準用すべきと主張した。すなわち、土地に関しては、所得税法37条に優先適用されるような「別段の定め」はない。すると、同法37条を適用すべきかあるいは同法38条を適用すべきかという問題が惹起されることになるが、両条文ともに並列と解せば、いずれの規定の優先劣後は判然としない（同法38条2項は関係ないのではないか。）。

この点、本件地裁判決は、189最高裁平成4年7月14日第三小法廷判決（416頁参照）があることから、かかる判例を根拠に所得税法38条を適用すべきと判示した。本件地裁判決は、「準用」とはせずに同法38条の規定の適用を認めている点に注意が必要であろう。

3　本件各清算金

本件各清算金については、固定資産税等の性質を念頭に議論が展開され得る。固定資産税は固定資産の「所有者」に課税されるが、地方税法343条《固定資産税の納税義務者等》2項は、この所有者につき、「土地又は家屋については、登記簿又は土地補充課税台帳若しくは家屋補充課税台帳に所有者…として登記又は登録されている者」を指している。そして、その基準日は、当該年度の初日の属する年の1月1日とされている（地法359）。最高裁は、その年度の1月1日に家屋台帳に所有者として登録されていれば、納期において所有者であってもなくても、その年の4月1日に始まる年度の固定資産税の納税義務を負うと判断している[62)]。かような台帳課税方式が租税法の「建て前」である[63)]。すなわち、固定資産税の納税義務者は、本件の場合、あくまでも売主の側であってXではないことになる。すなわち、本件各清算金は、Xが納税義務者として納付したものではなく、当事者の契約によって取り決められた代金の一部であると考えられる。

他方、最高裁昭和47年1月25日第三小法廷判決（民集26巻1号1頁）をどのように理解すべきかという問題が残されている[64)]。同事件は、真実は不動産の所有

62）最高裁昭和30年3月23日大法廷判決（民集9巻3号336頁）参照。判例評釈として、金子宏・租税百選〔2〕10頁（1983）、杉村章三郎・租税百選8頁（1968）、松澤智・税通39巻15号270頁（1984）など参照。

63）千種秀夫・曹時24巻4号781頁（1972）。

64）判例評釈として、山田二郎・ジュリ512号141頁（1972）、同・租税百選〔3〕114頁（1992）、中里実・行政百選Ⅰ〔2〕48頁（1987）、水野武夫・租税百選〔4〕176頁（2005）、千種秀夫・昭和47年度最高裁判所判例解説〔民事編〕1頁（1974）、谷口知平・民商67巻3号403頁（1972）、新井隆一・税通39巻15号280頁（1984）、畠山武道・行政百選Ⅰ52頁（1979）、平川英子・租税百選〔5〕170頁（2011）、谷口勢津夫・租税百選

者でない者が、登記簿上その所有者として登記されているために、不動産に対する固定資産税を課せられ、これを納付した場合には、所有名義人は「真の所有者」に対して不当利得として、かかる納付税額に相当する金員の返還を請求することができるとしている。しかしながら、同事件は、登記の無断移転のケースである。判示にいう「真の所有者」とは、同事件のような無効な登記原因により登記名義人と実体上の所有者とが食い違った場合の実体上の所有者の意味に解すべきであると思われるから、事案を異にしているというべきであろう。

他方、不動産の取得に伴い納付した登録免許税、不動産取得税等がその不動産が業務の用に供される場合に不動産所得、事業所得等の金額の計算上必要経費に算入すべきとした東京高裁平成17年6月29日判決（税資255号順号10066）との整合的な理解が問題となり得よう。

また、資産の取得価額を算定する場合に、譲渡所得の規定を適用することが合理的であるか否かという問題がある。この点、法人税法の事例ではあるが、東京地裁平成22年3月5日判決（税資260号順号11392）及びその控訴審東京高裁平成22年12月15日判決（税資260号順号11571）は、「法人の収益の額を算定する前提として、株式の価額を算定する場合においても、株式譲渡損益の計算に関する規定を用いるのが合理的である」と判示しており、所得課税法に通底した考え方であるとみることもできる。

8　繰延資産の償却費の計算

繰延資産とは、不動産所得、事業所得、山林所得又は雑所得を生ずべき業務に関し個人が支出する費用のうち支出の効果がその支出の日以後1年以上に及ぶもので政令で定めるものをいう（所法2①二十）。また、ここにいう「政令で定める費用」とは、個人が支出する費用（資産の取得に要した金額とされるべき費用及び前払費用を除く。）のうち次に掲げるものをいう（所令7①）。

☞「前払費用」とは、個人が一定の契約に基づき継続的に役務の提供を受けるために支出する費用のうち、その支出する日の属する年の12月31日（年の中途において死亡し又は出国をした場合には、その死亡又は出国の時）においてまだ提供を受けていない役務に対応するものをいう（所令7②）。

① 開業費（不動産所得、事業所得又は山林所得を生ずべき事業を開始するまでの間に開業準備のために特別に支出する費用をいう。）

② 開発費（新たな技術若しくは新たな経営組織の採用、資源の開発又は市場の

〔7〕186頁（2021）など参照。

開拓のために特別に支出する費用をいう。）

③　①②に掲げるもののほか、次に掲げる費用で支出の効果がその支出の日以後１年以上に及ぶもの

(i)　自己が便益を受ける公共的施設又は共同的施設の設置又は改良のために支出する費用

(ii)　資産を賃借し又は使用するために支出する権利金、立退料その他の費用

(iii)　役務の提供を受けるために支出する権利金その他の費用

(iv)　製品等の広告宣伝の用に供する資産を贈与したことにより生ずる費用

(v)　(i)から(iv)までに掲げる費用のほか、自己が便益を受けるために支出する費用

繰延資産は、次の算式により計算した償却費の額を必要経費に算入する（所法50①、所令137①）。ただし、開業費又は開発費にあっては、その支出した金額のうち任意の金額を償却費として必要経費に算入することができる（所令137①）。また、開業費又は開発費以外の繰延資産についても、支出した費用が20万円未満である場合には、その全額を支出した日の属する年分の必要経費とすることができる（所令139の２）。

〔繰延資産の償却費の計算〕

$$\text{繰延資産の支出額} \times \frac{\text{その年中における業務期間の月数}}{\text{償却期間の月数}} = \text{償却費の額}$$

✍「その年中における業務期間の月数」は、繰延資産を支出した年分にあっては、支出した日からその業務を行っていた期間の月数とし、１か月未満の端数がある場合は、１か月とする（所令137②）。

〔主要な繰延資産の範囲とその償却期間（所令137、所基通50－3）〕

種　類	内　容	償却期間
①　開業費	事業を開始するまでの間に開業準備のために特別に支出する費用（開業までの広告宣伝費、給料等）	５年
②　開発費	新たな技術、新たな経営組織の採用、資源開発又は市場の開拓のために特別に支出する費用	
③　共同的施設の負担金	協会等の会館を建設する負担金等	耐用年数の70％
	商店街アーケード、日よけ、すずらん灯、アーチ等の設置に係るもの	５年（耐用年数が５年より短い施設はその耐用年数）
④　建物を賃借するための権利金、立退料その他の費用	賃借建物の新築に際して賃借部分の建築費用の大部分を占める額を支払うものであって、建物の存続期間中賃借できるもの	その建物耐用年数の70％
	明渡しの際に借家権として転売できるもの	その建物の賃借後の見積耐用年数の70％
	その他のもの	５年（賃借期間が５年未満のものは、その期間）
⑤　同業者団体の加入金		５年

（出所）池本・所得税法188頁より引用

Ⅳ　必要経費の計算の特則

1　資産損失の必要経費算入

所得税法は、37条の通則的規定において必要経費の一般的な規定を設けるほか、資産損失については、51条《資産損失の必要経費算入》を用意し必要経費に算入する旨規定している。所得税法51条を同法37条の「別段の定め」と解するべきか否かについては議論のあるところである。「別段の定め」ではなく、補充的規定であると考えると、例えば、現金過不足や業務用資産の盗難・災害といった51条に規定されていない資産損失についても37条の規定の適用により必要経費性が認められることになるが、「別段の定め」と解すると資産損失のうち必要経費に算入されるべき金額は51条に掲げられるものに限られるとされることから、このような解釈は許されないことになりそうである。このように考えると、所得税法37条の「別段の定め」として51条を解釈することは妥当ではないのではなかろうか。そのことが、更に、所得税法37条にいう債務確定基準の射程範囲に関する論点にも関わりを持つことになる。

⑴　事業用固定資産の損失

不動産所得、事業所得又は山林所得を生ずべき事業の用に供される固定資産又は繰延資産について、取壊し、除却、滅失（損壊による価値の減少を含む。）、その他の事由によって生じた損失の金額は、これらの所得の金額の計算上、その損失の生じた日の属する年分の必要経費に算入する（所法51①）。ただし、保険金、損害賠償金などにより補てんされる部分の金額は、損失の金額から除かれ、また、資産の譲渡又はこれに関連して生じた損失は、その資産の譲渡による所得から控除されるので（所基通33－８）、不動産所得、事業所得又は山林所得の金額の計算上は必要経費に算入できない（所法51①）。

✍　スクラップ化していた資産の譲渡損失は必要経費に算入できる（所基通51－４）。

必要経費に算入される損失の金額は、次の算式によって計算する（所令142、所基通51－２）。

（固定資産の取得価額、繰延資産の支出額 － 固定資産の減価償却費の累積額、繰延資産の償却費の累積額 － 廃材の処分可能価額 － 保険金や損害賠償金などで補てんされる金額 ＝ 資産損失の金額）

(2) 債権の貸倒れ等の損失

不動産所得、事業所得又は山林所得を生ずべき事業の遂行上生じた売掛金、貸付金、前渡金その他これらに準ずる債権（以下「貸金等」という。）の貸倒れその他の事由による損失は、これらの所得の金額の計算上、その損失を生じた日の属する年分の必要経費に算入する（所法51②）。貸倒れ以外の事由として、次のものがある（所令141）。

① 販売した商品の返戻又は値引（これらに類する行為を含む。）により収入金額が減少することとなったこと

② 保証債務の履行に伴う求償権の全部又は一部を行使することができないこととなったこと

③ 不動産所得の金額、事業所得の金額若しくは山林所得の金額の計算の基礎となった事実のうちに含まれていた無効な行為により生じた経済的効果がその行為の無効であることに基因して失われ、又はその事実のうちに含まれていた取り消すことのできる行為が取り消されたこと

✍ 貸倒れが生じた場合とは、債務者の資産状態や支払能力等からみて、貸金等の全額を回収できないことが明らかになった場合をいうのであるが、①会社更生法の規定による更生計画認可の決定等、又は債権者集会の協議決定で切り捨てられることとなった部分の金額、及び②債務者の債務超過の状態が相当期間継続し、その貸金等の弁済を受けることができないと認められる場合において、その債務者に対し書面により明らかにされた債務免除額のほか、③債務者との取引の停止後1年以上経過した場合において、売掛債権の額から備忘価額を差し引いた残額などを貸倒れとしたときは、その計算が認められることとされている（所基通51－11～51－13）。

(3) 山林の損失

災害、盗難又は横領により山林について生じた損失は、その損失を生じた日の属する年分の事業所得又は山林所得の金額の計算上、必要経費に算入する（所法51③）。必要経費に算入される損失額は、損失の日までに支出した山林の植林費、取得に要した費用、管理費その他その山林の育成に要した費用の合計

額から、保険金、損害賠償金などにより補てんされる部分の金額を差し引いた残額である（所令142二）。

⑷　事業と称するに至らない業務用資産の損失

事業と称するに至らない程度の不動産所得若しくは雑所得を生ずべき業務の用に供され又はこれらの所得の基因となる資産（山林及び生活に通常必要でない資産を除く。以下「業務用資産」という。）の損失の金額は、その損失を生じた日の属する年分の不動産所得又は雑所得の金額を限度として、これらの所得の金額の計算上、必要経費に算入する（所法51④）。ただし、①保険金、損害賠償金などにより補てんされる部分の金額、及び②資産の譲渡又はこれに関連して生じた損失は除かれる（所法51④）。

なお、災害、盗難又は横領により業務用資産について受けた損失は、雑損控除の対象となるので（所法72①）、条文上は必要経費に算入できないのであるが（所法51④）、課税実務上、納税者が雑損控除の適用を受けるのではなく、不動産所得又は雑所得の金額の計算上必要経費に算入した場合には、これを認めることとされている（所基通72－１）。

〔資産損失の取扱いの概要〕

資産の種類	損失の発生事由	損失の取扱い	翌年以後の繰越し	損失の評価
事業用固定資産	取壊し、除却、滅失、その他の事由	損失の生じた日の属する年分の不動産所得、事業所得又は山林所得の金額の計算上、必要経費に算入される（所法51①）	被災事業用資産の損失は、青色申告者以外の者であっても翌年以降３年間繰越控除される（所法70②）。	１　その資産の取得価額等からその損失の基因となった事実の発生直後におけるその資産価額及び発生資材（例えば廃材等）の価額の合計額を控除した残額に相当する金額（所令142、143、178、所基通
棚卸資産	事由の如何を問わず	損失の生じた日の属する年分の事業所得の金額の計算上、（必要経費に算入される（所法37①）。		
山林	災害、盗難、横領	損失の生じた日の属する年分の事業所得又は山林所得の金額の計算上、必要経費に算入される（所法51③）。		

生活に通常必要でない資産	災害、盗難、横領	損失の生じた日の属する年分又はその翌年分の譲渡所得の金額の計算上、控除すべき金額とみなされる（所法62）。	損失の生じた日の属する年分の譲渡所得の金額の計算上控除しきれない部分の金額は、翌年分の譲渡所得の金額の計算上控除される(所法62)。	51－２）。 2　保険金、損害賠償金等で補てんされる部分の金額は、除かれる(所法51､62)。
事業以外の業務用資産	災害、盗難、横領以外の事由	損失の生じた日の属する年分の不動産所得又は雑所得の金額を限度として、必要経費に算入される（所法51④）。	（損益通算、繰越控除の適用なし）	
	災害、盗難、横領	雑損控除の対象（所法72①） ただし、業務用資産の損失については、「災害、盗難、横領以外の事由」の場合に準ずる取扱いを選択することもできる(所基通72－１)。	翌年以降３年間繰越控除される(所法71)。	1　損失の生じた日の時価により計算する(所令205③)。 2　保険金、損害賠償金等で補てんされる部分の金額は、除かれる(所令206②)。
その他の資産	災害、盗難、横領			

（出所）池本・所得税法192頁より引用

裁判例の紹介

不正請求診療報酬返還債務の金額の必要経費算入の可否

所得税法51条２項、同法施行令141条３号の各規定は、債務確定主義を採っており、返還債務の金額を、本件未履行債務の金額も含めて必要経費に算入することができる旨の主張が排斥された事例

（293 第一審東京地裁平成22年12月17日判決・税資260号順号11576）[65]

〔事案の概要〕

X（原告）は、自らの経営する病院において不正又は不当な診療報酬請求をし

65）判例評釈として、堀口和哉・税務事例45巻３号10頁（2013）、図子善信・速報判例解説10号〔法セ増刊〕223頁（2012）など参照。

てこれを受領したとして、その返還債務を負うとともに、健康保険法等に基づき、不正請求に係る加算金を課された。そこで、Xは、平成16年分、同17年分及び同19年分の所得税の申告において、上記返還債務及び上記加算金の額を、事業所得の金額の計算上、総収入金額から控除し、又は必要経費に算入するなどした。これに対し、所轄税務署長が、上記返還債務のうち現実に履行していない部分の金額及び上記加算金の金額を総収入金額から控除し、又は必要経費に算入することはできないなどとして、本件各年分につきそれぞれ更正処分及び過少申告加算税賦課決定処分をしたことから、Xが、上記各処分の取消しを求め、更に、上記各処分に係る審査請求に対して国税不服審判所長がした裁決には手続上の瑕疵があるなどと主張して、国Y（被告）を相手取り同裁決の取消しを求めた事案である。

〔争点〕

本件返還債務のうちいまだ現実に履行していない部分（以下「本件未履行債務」という。）の金額を、事業所得の金額の計算上必要経費に算入することの可否。

〔判決の要旨〕

○　東京地裁平成22年12月17日判決

「(ア)　…所得税法51条２項、同法施行令141条３号は、事業所得等の金額のうちに含まれていた無効な行為により生じた経済的成果がその行為の無効であることに基因して失われたことにより生じた損失の金額は、その損失の生じた日の属する年分の事業所得等の金額の計算上、必要経費に算入する旨規定しているところ、Xは、上記各規定は債務確定主義を採っており、本件返還債務を現実に履行しなくても、これが債務として確定したことをもって、その経済的成果が失われたとしてこれを必要経費に算入できる旨主張し、その根拠として、同法37条１項が債務確定主義を採用していることや、債務確定主義が税法上重要な基本概念であることなどを挙げる。

しかし、本件未履行債務の金額を必要経費に算入できるか否かは、無効な行為により生じた経済的成果がその行為の無効であることに基因して失われたことにより損失が生じたといえるのはどの時点であるかという、専ら所得税法51条２項及び同法施行令141条３号の解釈の問題であるというべきところ、上記各規定は、同法37条１項にいう『別段の定め』であると解されるから、同法37条１項が債務確定主義を採っているとしても、そのことから当然に、同法51条２項及び同法施行令141条３号を債務確定主義の観点から解釈すべきことにはならないのであり、飽くまでも、上記各規定の文言等を基に、無効な行為があった場合の損失の発生時期をどのようにとらえることが相当であるかという観点から解釈すべきである。

（イ）…無効な行為により生じた所得であっても、納税者が現実にその利得を支配管理し、自己のためにそれを享受して、その担税力を増加させている以上は、課税の対象とされるのであるが、本来、無効な行為は、当事者の意思表示等を必要とせず当然にその効力が当初から否定されるものであるから、取消しの場合等と異なり、その行為が無効であることによる利得の返還義務等の発生時期を観念することは困難であり、また、その行為が無効であることが当事者において認識されるに至る経緯や態様も種々あり得るところであって、これによる損失の発生時期を『債務の確定』という基準で律することは、適切でないものといわざるを得ない。そこで、所得税法施行令141条３号は、無効な行為があった場合において、その行為が無効であることに基因して損失が生じると認められる明確なメルクマールの１つである、利得の返還義務等が現実に履行されたことをもって、必要経費に算入できる損失の発生の要件としたものと考えられるのであり、このことを、『無効な行為により生じた経済的成果がその行為の無効であることに基因して失われ』たとの文言で表したものと解するのが相当である。

（ウ）　本件において、Xは本件各返還同意書を提出するなどしており、他方各保険者からはXに対する返還請求が行われているのであるから、Xが本件返還債務を負っていることは、当事者間において既に確認されているものといえるのであるが、このことのみで、Xが診療報酬の不正請求等をしたことにより生じた経済的成果が失われたということはできないのであり、Xが本件返還債務を現実に履行した場合に初めて、その部分についてその経済的成果が失われたものとして、その履行した日の属する年分の事業所得等の金額の計算上、必要経費に算入することができるものというべきである。

（エ）　よって、本件返還債務の金額を、本件未履行債務の金額も含めて必要経費に算入することができる旨のXの主張は、採用できない。」

〔コメント〕

本件は、損失に係る必要経費の可否を争点とするものである。

所得税法施行令141条《必要経費に算入される損失の生ずる事由》３号規定の対象は、法的に無効な行為等に基づく「利益」を失ったことによる「損失」を対象としている。これはそもそも、権利義務関係で規律されるところの他の一般的な必要経費計上論と同義に解するべき問題であるのかというのが素朴な疑問なのである。

この点は、所得税法のみならず、法人税法においても同様である。無効な行為等に基づく利得が取り消されることによって、「利得が失われる＝損失」と観念できるのは、そもそも、無効な行為等に基づく利得を「利得」として認識するからであって、その理解は法律的な観点ではなく、極めて経済的な視角からの説明を基礎とする。すると、権利確定主義や債務確定基準の理論上の説明領域の尽きた場面での「利得」であり「損失」であるから、債務確定基準によって論じること自体に限界があるというべきではなかろうか。すなわち、いわば権利確定主義に内在する管理支配基準という経済的基準に従った利得であり、かかる利得の喪失であるから、経済的基準で規律せざるを得ず、そこに債務確定基準の原則的基準を当てはめようにも無理があるというべきであろう。

すると、「利得の返還義務等が現実に履行されたことをもって、必要経費に算入できる損失の発生の要件としたものと考えられる」とする、極めて経済的基準によって説明せざるを得ず、かかる観点から、本件判決の説示するところは妥当であると解されるのである。

2　各種引当金等

必要経費に算入すべき償却費以外の費用は、その年の12月31日現在で債務の確定しているものに限られ（債務確定基準：所法37①②）、原則として費用の見越し計上を認めないのであるが、費用の期間配分及び租税負担の平準化の見地から、別途、将来発生する費用や損失額の見込みについて各種引当金の設定が認められており、その繰入額を必要経費に算入することとしている（所法52～54）。

また、租税特別措置法では、青色申告者の事業所得等の計算につき、各種の準備金に関する規定が設けられており、その積立額を必要経費に算入することとしている（措法20～24の２）。これらは、所得税法37条の「別段の定め」であると思われる（酒井克彦「租税特別措置法は法人税法22条にいう『別段の定め』か」中央ロー・ジャーナル12巻２号153頁（2015）参照）。

(1)　貸倒引当金

貸倒引当金には、個別に評価する金銭債権（個別評価金銭債権）に係るものと一括して評価する金銭債権（一括評価金銭債権、個別に評価する金銭債権に係るものを除く。）に係るものがあり、一定の方法で引当金を設定することができる（所法52）。

イ　個別評価金銭債権

不動産所得、事業所得又は山林所得を生ずべき事業を営む者は、その事業の遂行上生じた売掛金、貸付金、前渡金その他これらに準ずる金銭債権（債権に表示されるべきものを除く。次のロも同じ。以下「貸金等」という。）の貸倒れその他これに類する事由による損失の見込み額として、次の金額に達するまでの金額を貸倒引当金に繰り入れることができる（所法52①、所令144、所規35の２）。

なお、必要経費に算入した貸倒引当金は、その繰入れをした年の翌年において事業所得の金額の計算上、総収入金額に算入する（洗替方式：所法52③）。

①　会社更生法等の規定による更生計画認可の決定、民事再生法の規定による再生計画認可の決定、会社法の規定による特別清算に係る協定の認可の決定等の事由により、貸金等が弁済を猶予され又は賦払により弁済されることとなった場合

その事由が生じた年の翌年１月１日から５年を経過する日までに弁済されることとなっている金額以外の金額（取立て等の見込みがあると認められる金額を除く。）

②　債務超過の状態が相当期間継続し、その営む事業に好転の見通しがないこと等により、その貸金等の一部の金額につき、その取立て等の見込みがないと認められる場合

その取立て等の見込みがないと認められる金額

③　会社更生法等の規定による更生手続開始の申立て、民事再生法の規定による再生手続開始の申立て、破産法の規定による破産手続開始の申立て、会社法の規定による特別清算開始の申立て、手形交換所による取引停止処分等の事由が生じている場合

（貸金等の額－取立て等の見込みがあると認められる金額）×50%

④　外国の政府等に対する貸金等のうち、長期にわたる債務の履行遅滞によりその経済的価値が著しく減少し、かつ、その弁済を受けることが著しく困難であると認められる事由が生じている場合

（貸金等の額－取立て等の見込みがあると認められる金額）×50%

ロ　一括評価金銭債権

青色申告書を提出する事業所得者は、その事業に関して生じた売掛金、未収金、受取手形、貸付金その他これらに準ずる金銭債権（個別に評価する金銭債権を除く。以下「一括評価貸金」という。）の貸倒れによる損失の見込み額として、次の金額に達するまでの金額を貸倒引当金に繰り入れることができる（所法52②、所令145）。

（期末において有する一括評価損金の額 － 実質的に債権とみられないもの）× 55/1,000 （金融業の場合 33/1,000）

⑵　返品調整引当金

出版業、出版取次業又は医薬品等、農薬、化粧品、既製服、レコード、テープレコーダー等により音声を再生することができる磁気テープ等の製造業や卸売業（以下「指定事業」という。）を営む青色申告者のうち、販売した商品を買い戻す特約などを締結している者は、買戻しによる損失の見込額として、次のいずれかの方法により計算した金額を返品調整引当金とすることができる（旧所法53①、旧所令148、150）。なお、必要経費に算入した返品調整引当金は、その繰入れをした年の翌年において事業所得の金額の計算上、総収入金額に算入する（洗替方式：所法53②）。

①　12月31日現在の指定業種の売掛金合計額×返品率×売買利益率

②　12月31日以前2か月間の指定業種の売掛金合計額×返品率×売買利益率

返品調整引当金は、平成30年度税制改正において廃止されているが、経過措

置として、平成30年から令和12年までの各年分について所要の措置が講じられている（平成30年所法等改正附則５）。

(3)　退職給与引当金

退職給与規程等を定めている青色申告者は、従業員の退職に際して支給する退職金に充てるため、次のいずれかの方法により計算した金額のうち最も低い金額を退職給与引当金とすることができる（所法54①、所令153、154）。

①　期末退職給与の要支給額　－　前期末から引続き在職する全従業員の前期末における退職給与の要支給額

②　期末退職給与の要支給額の20/100相当額（累積限度額）　－　期末における前年から繰り越された退職給与引当金の金額

③　年末現在に在職する全従業員に対するその年中の給与総額　×　６/100

✍　労働協約による退職給与規程がある者については、上記の③を適用することができない。

なお、従業員が退職した場合や青色申告の承認が取り消された場合等には、その従業員に係る前期末退職給与の要支給額相当額の退職給与引当金を取り崩し、その取り崩すこととなった日の属する年分において事業所得の金額の計算上、総収入金額に算入しなければならない（所法54②③）。

3　同一生計内親族間の収入金額・必要経費の特例

所得税法56条《事業から対価を受ける親族がある場合の必要経費の特例》は、①居住者と生計を一にする配偶者その他の親族がその居住者の営む不動産所得、事業所得又は山林所得を生ずべき事業に従事したことその他の事由によりその事業から対価の支払を受ける場合には、その対価の金額は、その事業に係る不動産所得、事業所得又は山林所得の金額の計算上、必要経費に算入しないとし、②その親族のその対価に係る各種所得の金額の計算上必要経費に算入されるべき金額は、その居住者のその事業に係る不動産所得、事業所得又は山林所得の金額の計算上、必要経費に算入するが、③その親族の受ける対価の額はないものとみなし、④その親族の受ける対価に係る各種所得の金額の計算上、本来親族が必要経費に算入されるべき金額となるものについてはないものとみなす旨規定している。

例えば、生計を一にする弁護士である妻が夫の弁護士の事業の手伝いをして、夫から報酬を受けているとする。妻は家族法を専門としており、租税訴訟を専門とする夫が家族法上の問題について調査研究を妻に依頼しているとした場合、①夫が妻に支払った報酬を夫の必要経費に算入しないこととし、②その作業のために妻が書籍を購入し研究をした場合に、本来妻の弁護士業に係る事業所得の金額の計算上必要経費に算入される書籍購入費用は、夫の事業所得の金額の計算上必要経費とすることとし、さらに、③妻が夫から得た報酬については、妻の所得金額の計算上なかったものとし、④妻が本来必要経費に算入すべき書籍購入費用は妻の事業所得の金額の計算上なかったものとする、というのがこの規定である。

この規定は、昭和25年のシャウプ勧告により、個人単位課税が採用されたことに伴い、家族ぐるみで事業に従事する場合の事業所得等について給与支給等の方法による家族間での恣意的な所得分割を防止するために、納税者と生計を一にする配偶者等の親族が、当該事業に従事したことその他の事由により当該事業から給与、地代、家賃等の支払を受けても必要経費に算入しないとしたものである。

なお、この所得税法56条は、上記④のとおり、妻（事業に従事する者）が本来自己の事業所得等の金額の計算上必要経費に算入すべき額を夫（居住者）の必要経費に算入することとしていることから、いわばこの場合、妻が導管されて、あたかも費用の支出を夫が行ったかのような課税上の取扱いとなっている（所得税法56条における導管理論）点に注意が必要である。加えて、同条は、夫（居住者）の所得が相対的に高額であって、妻（事業に従事する者）の所得が相対的に低額であるケースのみに適用されるものでもない。かような意味では、租税回避否認規定としての意味が常に働いているわけでもないという点にも関心が寄せられよう。夫（居住者）が相対的に低額所得者であって、妻（事業に従事する者）の所得が相対的に高額であるケースにも適用されるが、その場合にはむしろ夫婦で合算した場合の所得税の負担は同法により軽減されることになるのである（これらの諸点については、酒井・論点研究356頁参照）。

裁判例の紹介

所得税法56条―弁護士・弁護士事件

弁護士の夫が弁護士である妻に支払った役務提供対価につき所得税法56条が適用された事例

（294第一審東京地裁平成15年６月27日判決・税資253号順号9382）[66]
（295控訴審東京高裁平成15年10月15日判決・税資253号順号9455）[67]
（296上告審最高裁平成16年11月２日第三小法廷判決・訟月51巻10号2615頁）[68]

〔事案の概要〕

本件は、弁護士業を営むＸ（原告・控訴人・上告人）が、平成９年分ないし平成11年分の所得税の申告に対して税務署長Ｙ（被告・被控訴人・被上告人）がした更正及び過少申告加算税賦課決定の各処分につき、所得税法56条の適用によりＸが妻であるＢ弁護士に対して支払った報酬を必要経費として算入することを認めなかったのは、同条の解釈適用を誤った違法なものであるなどと主張して、本件各処分の取消しを求めた事案である。

〔争点〕

ＸとＢ弁護士のように生計を一にする夫婦がそれぞれ独立した事業主として

66）判例評釈として、三木義一＝市木雅之・税通58巻13号211頁（2003）、大野重國・税理46巻13号126頁（2003）など参照。

67）判例評釈として、高野幸大・ジュリ1277号146頁（2004）参照。

68）判例評釈として、品川芳宣・税研124号81頁（2005）、同・TKC税研情報14巻６号38頁（2005）、渋谷雅弘・ジュリ1314号165頁（2006）、佐々木潤子・民商133巻２号118頁（2005）、石村耕治・税弘53巻11号137頁（2005）、浦野広明・判評561号188頁（2005）、牛嶋勉・租税百選〔第５版〕58頁（2011）、清水誠・租税百選〔７〕64頁（2021）など参照。

事業を営む場合において、一方配偶者が他方配偶者の事業に従事したことにより他方配偶者の事業から対価（本件弁護士報酬）の支払を受けたときに、他方配偶者に当たるXの各年分の事業所得の金額の計算上、本件弁護士報酬の支払につき所得税法56条の適用があるか否か。

〔判決の要旨〕

1　第一審**東京地裁平成15年6月27日判決**、控訴審**東京高裁平成15年10月15日判決**ともにXの主張を排斥したため、Xは上告した。

2　最高裁平成16年11月2日第三小法廷判決

「所得税法56条は、事業を営む居住者と密接な関係にある者がその事業に関して対価の支払を受ける場合にこれを居住者の事業所得等の金額の計算上必要経費にそのまま算入することを認めると、納税者間における税負担の不均衡をもたらすおそれがあるなどのため、居住者と生計を一にする配偶者その他の親族がその居住者の営む事業所得等を生ずべき事業に従事したことその他の事由により当該事業から対価の支払を受ける場合には、その対価に相当する金額は、その居住者の当該事業に係る事業所得等の金額の計算上、必要経費に算入しないものとした上で、これに伴い、その親族のその対価に係る各種所得の金額の計算上必要経費に算入されるべき金額は、その居住者の当該事業に係る事業所得等の金額の計算上、必要経費に算入することとするなどの措置を定めている。」

「同法56条の上記の趣旨及びその文言に照らせば、居住者と生計を一にする配偶者その他の親族が居住者と別に事業を営む場合であっても、そのことを理由に同条の適用を否定することはできず、同条の要件を満たす限りその適用があるというべきである。」

〔コメント〕

1　租税回避要件説と租税回避非要件説

納税者と生計を一にする親族が、その納税者の営む事業に従事したこと等の理由で、対価の支払を受ける場合は、その対価の金額は、当該納税者の事業所得等の金額の計算上必要経費に算入されない。これに対して、その親族のその対価に係る所得金額の計算上必要経費に算入されるべき金額は、当該納税者の事業所得等の金額の計算上必要経費に算入され、また、その親族が支払を受けた対価の額及び支出した必要経費の額はなかったものとみなされる。これが所得税法56条の規定である。通説はこの規定を「家族構成員の間に所得を分割して税負担の軽減を図ることを防止することを目的とする制度である」とする[69)]。

69）金子・租税法318頁。

このように所得税法56条を租税回避否認規定と位置付けることについては、学説においてもおおむね異論はないと思われる。しかしながら、租税回避否認規定であるとするならば、本来同条の適用は租税回避のおそれのある場合にのみ適用されるべきとする見解（以下「租税回避要件説」という。）と、租税回避否認規定ではあっても、租税回避のおそれがある場合のみならず、必要経費の特例として一定の要件さえ充足されれば適用されるべきとする見解（以下「租税回避非要件説」という。）との対立が存する。本件における争点は、まさに租税回避要件説に立つXと租税回避非要件説に立つYとの対立であった。

所得税法56条は租税回避防止のために設けられた規定ではあるものの、「所得税の負担を不当に減少させる結果となると認められる」場合に適用される同法157条《同族会社等の行為又は計算の否認等》とは異なる規定であると理解すべきであろう。所得税法56条の文理に従えば具体的に租税回避の生ずるおそれのある場合の規定と解することはできず、また沿革からも租税回避の例に限定して適用すべきとする理解には繋がらないことからすれば、本件最高裁判決の判断は妥当なものといえよう。

2　支配従属関係限定説と支配従属関係非限定説

所得税法56条の適用に当たっては、同条が親族間の支配従属関係を前提とした規定であるか否かについても議論されるところである。すなわち、所得税法56条の「事業に従事したことその他の事由」の意義を支配従属関係を前提としたものであるとする見解（以下「支配従属関係限定説」という。）と、支配従属関係に限定しないとする見解（以下「支配従属関係非限定説」という。）との論争である。

本件においては、一貫して支配従属関係非限定説が採用されたが、次に紹介する類似事例のいわゆる弁護士・税理士事件297東京地裁平成15年7月16日判決（後掲）は、所得税法56条が「シャウプ勧告の内容とは異なるものを含む」とした上で、「同条のうちシャウプ勧告と異なる部分については、当時の所管官庁の理解からしても親族等が事業自体に参加又は雇用されて得た対価に限定されるものと解すべき」とし、独立事業者である親族がその事業の一環として納税者たる事業者との取引に基づき役務を提供して対価の支払を受ける場合には、同条の適用はないとした。すなわち、所得税法56条の「事業に従事したことその他の事由」の「従事」については、従たる立場で業務に当たるという意味と解するのが相当であり、また、「その他の事由」についても「従事」という例示によって限定されるとして、支配従属関係限定説の立場から支配従属の関係にない独立した夫婦間に同条は適用すべきではないとの考え方が示されているのである[70)]。

他方、その控訴審298東京高裁平成16年6月9日判決（後掲）において、控訴人

70) 専門性・独立性が高い高度職業専門家夫婦であることに着目して所得税法56条の射程範囲を画そうとする論稿として、三木＝市木・前掲65) 214頁、朝倉洋子・税務事例34巻4号23頁（2002）以下参照。

（税務署長）らは、「法56条の文言に忠実に即してみれば、事業の形態がいかなるものか、事業から対価の支払を受ける事業者の親族がその事業に従属的に従事しているか否か…といった個別の事情によって、同条の適用が左右されることをうかがわせる文言は全く存在しない。」と主張した。同高裁は、「法56条には、対価の内容に関して何らかの限定をすることをうかがわせる文言が全く見当たらない。」とした上で、所得税法56条の適用要件について、「あくまでも従属的な立場で労務又は役務の提供を行う場合及びこれらに準ずるような場合のみを指すものと解することはでき」ないと判示し、支配従属関係非限定説を採っている[71]。この支配従属関係非限定説は、同事件の上告審299最高裁平成17年７月５日第三小法廷判決（後掲）においても維持されている。

租税法の他の箇所では「従事」という用語は広く役務提供全般を示すものとされており（所令62②、法法２十五など）、他の条文との整合的理解をも考慮に入れれば、従属的な立場での役務提供を指すと限定的に解することは困難であろう。

また、本件控訴審も、「事業の一員として参加するとか、あるいは事業者に雇用され従業員として労務を提供する等従たる立場で当該事業に関係し、ないしそのような従属的な立場で当該事業に関係する場合に限定されると解すべき根拠は、規定の文言上何ら見当たらない」として、支配従属関係非限定説に立っており、上告審においても、この立場は維持されているのである。

このように、本件の最高裁及び次にみる弁護士・税理士事件最高裁判決ともに、支配従属関係非限定説を採ったことになり、最高裁の判断として確立したものといえよう。

裁判例の紹介

所得税法56条―弁護士・税理士事件

弁護士の夫が税理士の妻に対価を支払った場合に所得税法56条が適用された事例

（297第一審東京地裁平成15年７月16日判決・判時1891号44頁）[72]
（298控訴審東京高裁平成16年６月９日判決・判時1891号18頁）[73]

71）支配従属関係非限定説の立場から論じるものとして、品川・前掲67）TKC税研情報45頁参照。

72）判例評釈として、増田英敏・税務事例35巻12号１頁（2003）、品川芳宣・税研113号103頁（2004）、同・TKC税研情報13巻１号38頁（2004）、渡邉徹也・税通62巻５号111頁（2007）など参照。

73）判例評釈として、増田英敏・税務事例36巻９号１頁（2004）参照。

（299上告審最高裁平成17年７月５日第三小法廷判決・税資255号順号10070）[74]

〔事案の概要〕

弁護士業を営む夫が独立した事業者（税理士）である妻に支払った報酬について、所得税法56条の適用の有無が争われた事案である。

X（原告・被控訴人・上告人）は、弁護士業を営む者であり、その妻D（以下「訴外D」という。）は税理士業を営んでいるところ、平成７年から平成９年までの間、同人との間で、顧問税理士契約を締結し税理士報酬等を支払ったため、上記各年分に係るXの税務申告の際、同報酬を弁護士報酬を得るための経費として申告した。これに対し、所轄税務署長は、Xが、訴外Dに支払った報酬は、所得税法56条の規定する「生計を一にする配偶者」に対して支払ったものに該当するから、経費として認められないこと等を理由として各更正の決定（以下「本件各更正決定」という。）をした。そこで、Xは、これを不服として国Y（被告・控訴人・被上告人）に対し、訴外Dに支払った報酬をXの経費として認められないことにより、Xが負担させられた金額について誤納金として返還するよう請求するとともに、東京都Y（被告・控訴人・被上告人）に対し、同様の理由によりXが負担させられた税額の一部について、誤納金の返還を請求している事案である。

〔争点〕

所得税法56条の適用如何。

〔判決の要旨〕

1　東京地裁平成15年７月16日判決

「法〔筆者注：所得税法〕56条の『従事したことその他の事由により（中略）対価の支払を受ける場合』とは、親族が、事業自体に何らかの形で従たる立場で参加するか、又は事業者に雇用され、従業員としてあくまでも従属的な立場で労務又は役務の提供を行う場合や、これらに準ずるような場合を指し、親族が、独立の事業者として、その事業の一環として納税者たる事業者との取引に基づき役務を提供して対価の支払を受ける場合については、同条の上記要件に該当しないものというべきである。」

「ところで、税理士法１条は、『税理士は、税務に関する専門家として、独立した公正な立場において、申告納税制度の理念にそって、納税義務者の信頼にこたえ、租税に関する法令に規定された納税義務の適正な実現を図ることを使命とする。』と規定し、税理士が、税務の専門家として、独立した立場に立ち業

74）判例評釈として、渡辺充・税弘53巻11号８頁（2005）、依田孝子・税研148号80頁（2009）など参照。

務を行うことを明らかにした上、税理士という資格を国家の資格として公認し、法の定める者にのみその資格を与えるとともに（同法３条）、これに税理士事務を独占させている（同法52条）。そうすると、税理士は、依頼者からの依頼に応じ、依頼者の指揮監督に基づかず、独立した立場で、その意思と能力に基づき裁量を持って独占的に業務を行うものと解されるのである。このような業務の性質や、…同人の業務の形態…に照らすと、訴外Ｄは、Ｘとは別個独立の事業者として、その事業の一環としてＸと取引を行い、その対価を取得したものと認めることができ、法56条の適用を受けるものではないと解するべきである。」

２　東京高裁平成16年６月９日判決

「従事したことその他の事由により当該事業から対価の支払を受ける場合」とは、親族が、事業自体に何らかの形で従たる立場で参加する場合、事業者に雇用されて従業員としてあくまでも従属的な立場で労務又は役務の提供を行う場合及びこれらに準ずるような場合のみを指すものと解することはできず、親族が、独立の事業者として、その事業の一環として納税者たる事業者との取引に基づき役務を提供して対価の支払を受ける場合も、上記の要件に該当するというべきであり、事業の形態・事業から対価の支払を受ける親族がその事業に従属的に従事しているか否か、対価の支払事由、対価の額の妥当性などといった個別の事情によって、同条の適用が左右されるものとは解されないとして、第一審の判断を覆した。

「生計を一にする親族間で支払われる対価に相当する金額については、支払を受けた者ではなく、支払をした者の所得に対応する累進税率によって所得税を課税すべき担税力を認めたものと理解される。」

３　上告審**最高裁平成17年７月５日第三小法廷判決**は上告棄却とした。

〔コメント〕

「生計を一にする」という用語は、所得税法56条のほか、同一生計配偶者、源泉控除対象配偶者、ひとり親、扶養親族の定義や雑損控除、医療費控除等の所得控除に関する規定においても用いられている。この場合の「生計を一にする」とは、一般的には、家族と共に生活をし（同一の生活共同体に属し）、消費生活を共同（日常生活の資を共通）しているものをいい、必ずしも同一家屋に起居していることをいうものではなく、勤務の都合上妻子と別居し、又は就学や療養中の子弟等と日常の起居を共にしていないような場合であっても、常に生活費や学資金又は療養費等を送金している場合、あるいは日常の起居を共にしていない親族が勤務や就学の余暇に納税者等の下で起居を共にすることを常例としている場合には、生計を一にするものとされる（所基通２－47）。親族が同一家屋内に起居している場合にあっては、明らかに互いに独立して生活を営んでいると認められる場合を除き、これらの親族は生計を一にするものと解される。

4　青色事業専従者給与等

青色申告書を提出することにつき税務署長の承認を受けている居住者と生計を一にする配偶者その他の親族（年齢15歳未満である者を除く。）で「専ら」その居住者の営む不動産所得、事業所得又は山林所得を生ずべき「事業」に従事するもの（以下「青色事業専従者」という。）がかかる事業から一定の書類に記載されている方法に従いその記載されている金額の範囲内において給与の支払を受けた場合には、上記の所得税法56条にかかわらず、必要経費に算入することができる（所法57①）。

その際、必要経費に算入することができるのは、その給与の金額でその労務に従事した期間、労務の性質及びその提供の程度、その事業の種類及び規模、その事業と同種の事業でその規模が類似するものが支給する給与の状況その他の政令で定める状況に照らしその労務の対価として相当であると認められるものに限ることとされている。

なお、青色事業専従者に該当するには、①年を通じて６か月を超える期間について、専ら青色申告者の事業に従事していること（ただし、年の中途で開業した場合など一定の事由に該当するときは、その事業に従事できると認められる期間の２分の１を超える期間に専ら従事すれば足りる。）、②「青色専従者給与に関する届出書」（専従者給与の額、支給期などを記載したもの）をその年の３月15日までに税務署長に提出していることが必要である（所法57①②、所令165、所規36の４）。

また、青色申告者以外の者（いわゆる白色申告者）と生計を一にする配偶者やその他の親族（15歳未満の者を除く。）で専らその事業に従事する者（以下「事業専従者」という。）がある場合には、その事業者の不動産所得の金額、事業所得の金額又は山林所得の金額の計算上、次の①と②のうち、いずれか低い金額が必要経費とみなされる（所法57③）。

① 配偶者の場合は86万円、配偶者以外の親族の場合は50万円

② 事業専従者控除額の控除前の所得金額÷（事業専従者＋１）

なお、これら必要経費に算入された金額は、青色事業専従者又は事業専従者の給与所得に係る収入金額とされる（所法57①④）。

裁判例の紹介

専従者の労務対価と給与

青色事業専従者給与として必要経費に算入していた金額が、労務の対価として不相当であるとされた事例

（300第一審鳥取地裁平成27年12月18日判決・税資265号順号12775）
（301控訴審広島高裁松江支部平成29年３月27日判決・税資267号順号13002）

〔事案の概要〕

本件は、税理士業を営むＸ（原告・控訴人・上告人）が、〈１〉その妻乙を青色事業専従者として乙に対し支給した平成20年分ないし同22年分（以下「本件各年分」という。）の給与（以下「本件各専従者給与」という。）の額並びに〈２〉Ｘの平成16年分ないし同18年分の事業所得に関する各更正処分及び過少申告加算税の各賦課決定処分の取消しを求める課税処分取消訴訟に要した弁護士費用等（以下、同訴訟を「前件訴訟」、これに要した費用を「前件訴訟費用等」という。）を、それぞれ事業所得の金額の計算上必要経費に算入してした各確定申告について、所轄税務署長（以下「処分行政庁」ともいう。）が、Ｘに対して、本件各専従者給与のうち乙の労務の対価として相当であると認められる金額を超える部分及び前件訴訟費用等を必要経費に算入することはできないとして、各更正処分及び過少申告加算税の各賦課決定処分を行ったことに対し、本件各処分は違法であるとして、国Ｙ（被告・被控訴人・被上告人）を相手取り、本件各処分の取消しを求めた事案である。

〔争点〕

本件の争点は、①本件各専従者給与の額は乙の労務の対価として相当であるか、すなわち本件各専従者給与の全額を、Ｘの事業所得の金額の計算上、必要経費に算入してよいか（争点１）、②前件訴訟費用等を必要経費に算入してよいか（争点２）である。ここでは、争点２は省略し、争点１についての裁判所の判断

を取り上げる。

〔判決の要旨〕

1　鳥取地裁平成27年12月18日判決

「(1)　所得税法57条1項は、青色申告書を提出することにつき税務署長の承認を受けている居住者と生計を一にする配偶者等で専らその居住者の営む事業に従事するもの（青色事業専従者）が給与の支払を受けた場合、その給与の金額でその労務に従事した期間、労務の性質及びその提供の程度、その事業の種類及び規模、その事業と同種の事業でその規模が類似するものが支給する給与の状況その他の政令で定める状況に照らしその労務の対価として相当であると認められるものは、同法56条の規定にかかわらず、その居住者の当該事業における事業所得の金額の計算上必要経費に算入することとし、『その他の政令で定める状況』について、所得税法施行令164条1項は、〈1〉所得税法57条1項に規定する青色事業専従者の労務に従事した期間、労務の性質及びその提供の程度(同項1号)、〈2〉その事業に従事する他の使用人が支払を受ける給与の状況及びその事業と同種の事業でその規模が類似するものに従事する者が支払を受ける給与の状況（同項2号)、〈3〉その事業の種類及び規模並びにその収益の状況（同項3号）と規定している（要素〈1〉ないし〈3〉)。

以上のように、青色事業専従者に支給した給与の額が、その労務の対価として相当であるといえる場合に、例外的に必要経費としての算入を認めていることからすれば、当該給与が必要経費として認められるためには、提供された労務との対価関係が明確であることが必要であるというべきである。」

「乙の労務の性質及びその提供の程度（要素〈1〉）について検討するに、乙が担当する業務のうち、会計帳簿や納税申告書の作成については、本件各使用人が担当するものと大きく変わるものとまではいえない。Xは、医療法人及び学校法人の会計業務の特殊性を主張するところ、…医療法人の会計帳簿は、通常の法人と多少勘定科目が異なる部分はあるものの、それゆえに何らかの専門的かつ特殊な知識が必要とされているかどうかまでは判然としないし、学校法人における補助金申請業務についても、書類を整えるなどの煩雑さはあるかもしれないが、上記のような知識が必要とされているものとまでは認められない。」

「次に、その事業に従事する他の使用人が支払を受ける給与の状況及びその事業と同種の事業でその規模が類似するものに従事する者が支払を受ける給与の状況（要素〈2〉）についてみるに、乙の本件各年分の給与（本件各専従者給与）は、本件各使用人の給与の平均額と比較し、平成20年分は約3.1倍、同21年分は約2.6倍、同22年分は約2.8倍であり、本件各使用人のうち勤続年数が最も長い丙と比較すると…、平成20年分は約2.5倍、同21年分及び同22年分はそれぞれ約2.2倍となっている。他方、Xの事業所得との比較でみると、平成20年分は約0.81倍、同21年分は約0.61倍、同22年分は約0.62倍となっている。

…乙の労務の性質及びその提供の程度には、本件各使用人のそれとは質的な差異がある一方で、税理士業務やこれに付随する財務に関する事務に関する限りは、本件各使用人と同様、税理士補助の事務としての域を超えるものではない。このことを考えると、…本件各使用人〔の〕２倍を上回る本件各専従者給与は、Ｘの事業所得との差異が相当程度あること…を考慮してもなお、提供された乙の労務との対価関係の明確性について、全面的にこれを肯定することには躊躇が感じられるところである。そこで、進んで、類似同業者の給与と比較する必要があるというべきである。」

「…以上によれば、比較すべき青色事業専従者給与の平均額は、平成20年分が、651万円…に、同21年分が、607万2500円…に、同22年分が、597万3333円…となる。

乙の本件各年分の給与（本件各専従者給与）は、以上の平均額と比較すると、平成20年分は約1.78倍、同21年分は約1.65倍、同22年分は約1.67倍となり、いずれの年においても著しく高額である。」

「そして、上記各平均額は、本件各使用人の本件各年分における平均給与はもちろん、その中で一番高い丙〔筆者注：従業員〕の給与を上回る額であることも考慮し、上記各平均額の限度で、乙の労務との対価関係の明確性を肯定できるというべきである。他方、乙が、本件通達により抽出された類似同業者のうち上位半分（類似同業者数が奇数の場合は過半数）の類似同業者における青色事業専従者と比較して労務の対価としての相当額が高いことを裏付ける証拠はないことに加え、これらの青色事業専従者の給与が労務の対価として相当な額であるとされているわけではないこと…からすれば、この額を超える部分について、乙の労務の対価関係が明確になっているとまではいえず、乙の労務の対価としては不相当であり、必要経費に算入することはできないというべきである。」

２　広島高裁松江支部平成29年３月27日判決

広島高裁は原審判断を維持したが、次のような説示も加えている。

「Ｘは、労務費（使用人の給与）の性質からすれば、事業者の合理的な裁量の入り込む余地が大きく、直接的な対価関係は必ずしも明確とは限らず、特に使用人の地位及び責任が大きくなればなるほど、仕事との対価関係は不明瞭になるのが通常であるから、労務との対価関係の明確性を過度に要求することは誤っている旨主張する。

しかしながら、所得税法56条及び57条１項並びに同法施行令164条１項の趣旨は、親族に対する給与はとかく労働との対価性の有無を問わず高額になりがちであって、無制限にこれを必要経費として認めると課税の適正公平を損なう危険性が高いことから、原則として必要経費に算入することを禁止し、例外的に青色事業専従者に限り、かつ、その給与が労務の対価として相当であると認められる場合に限って、必要経費として事業所得の金額の算定に際して控除することを認めたものであることに鑑みれば、事業者による恣意・裁量を排除し、業務の内容等から客観的に給与の相当額を算定することが所得税法の趣旨に適うというべきである。

また、Xは、所得税法57条の趣旨等に照らせば、青色事業専従者に支給した給与と提供された労務との対価関係が明確であることまでは要求されておらず、これを要求することは租税法律主義に反する旨主張する。しかし、そもそも所得税法37条は、『必要経費』として控除される範囲を、事業活動と直接の関連性をもち、事業の遂行上必要な費用に限定していると解されるし、また同法57条1項が親族に対する給与の事業所得における必要経費への算入禁止（同法56条）の例外に位置付けられることに鑑みれば、労務との対価関係が明確な範囲に限って必要経費として認めることは、同法が当然に予定しているところというべきであって、租税法律主義に反するものとはいえない。

Xの上記主張はいずれも採用できない。」

〔コメント〕

本件鳥取地裁判決は、所得税法施行令164条《青色事業専従者給与の判定基準等》1項が示す、〈1〉青色事業専従者の労務に従事した期間、労務の性質及びその提供の程度（同項1号。要素1）、〈2〉その事業に従事する他の使用人が支払を受ける給与の状況及びその事業と同種の事業でその規模が類似するものに従事する者が支払を受ける給与の状況（同項2号。要素2）、〈3〉その事業の種類及び規模並びにその収益の状況（同項3号。要素3）に基づいて、各要素ごとに分析を加える形で判断を展開している。

同施行令は、給与所得者としての事業専従者をある種の均一的業務提供者とみて、親族ゆえの加重な責任とか、一般の従業員には頼めない勤務時間を超過した作業の存在といった特殊性を排除する姿勢を見せているようにも思われる。そもそも、所得税法施行令164条は所得税法57条の委任を受けている政令であるところ、同条は、同法56条の例外規定であることからすれば、親族従業員に対する人件費はそもそも必要経費に算入されないことが原則であり、その例外として青色事業専従者制度が構築されていると考えると、親族だけを特別扱いするようないわゆる裁量的な人件費の支給については、少なくとも所得金額の計算の上では反映されないということになるのであろう。

5　青色申告特別控除

不動産所得又は事業所得を生ずべき事業を営む青色申告者（現金主義の適用を受ける者を除く。）は、これらの所得の金額の計算上、総収入金額から必要経費を控除した上で、次の青色申告特別控除額（これらの所得の黒字の金額の合計額を限度とする。）を控除することができる。

取引を正規の簿記の原則に従って記録している者		その他の者
令和元年分まで	令和２年分から	
65万円	55万円	10万円

✍ 取引を正規の簿記の原則に従って記録している者であって、①その年分の事業に係る一定の帳簿について、電子計算機を使用して作成する国税関係帳簿書類の保存方法等の特例に関する法律に規定する電磁的記録等の備付け及び保存を行い、又は②その年分の所得税の確定申告書、貸借対照表及び損益計算書等の提出をその提出期限までに電子情報処理組織（e-Tax）を使用している場合には、令和２年分以後においても、65万円の青色申告特別控除額が適用される（措法25の２④、平成30年所法改正附則70②）。

この青色申告特別控除は、必要経費ではなく、青色申告の一層の普及・奨励を図り、適正な記帳慣行を確立し申告納税制度の実を上げるとともに、事業経営の健全化を推進する観点から設けられているのである。

なお、上記表のとおり、従来の青色申告特別控除額は65万円だったが、平成30年度税制改正によって55万円に引き下げられた。これは、同改正において、給与所得控除の最低保障額が65万円から55万円に引き下げられたことと平仄を合わせたものと説明されている（財務省「平成30年度税制改正の解説」141頁）。その一方で、帳簿保存や確定申告の電子化を促進する観点からのインセンティブとして、上記✍に掲げる要件を充足する場合には、従来どおり65万円の青色申告特別控除が認められている。

裁判例の紹介

還付加算金の必要経費

課税処分の前件訴訟に要した費用等は、還付加算金の必要経費に算入されないとされた事例

（302第一審広島地裁平成23年７月20日判決・税資261号順号11717）

（303控訴審広島高裁平成24年３月１日判決・税資262号順号11901）[75]
（304上告審最高裁平成24年12月20日第一小法廷決定・税資262号順号12121）

〔事案の紹介〕

X（原告・控訴人・上告人）は、別件の所得税更正処分取消請求訴訟（前件訴訟）で一部勝訴し、国Y（被告・被控訴人・被上告人）らから還付加算金1,436万7,300円（本件還付加算金）の支払を受けたため、これを雑所得に計上して所得税の確定申告をしたが、その後、同訴訟に要した訴訟費用等（前件訴訟費用等）が必要経費になると主張して更正の請求をした。これに対し、処分行政庁は、前件訴訟費用等が必要経費となることを認めず、それを前提として、本件更正処分をした。

Xは、前件訴訟の訴訟費用等を本件還付加算金の必要経費と認めなかった本件更正処分は違法であるとして、Yに対し本件更正処分の取消しを求めた。

〔争点〕

課税処分の前件訴訟に要した費用等は、還付加算金の必要経費に算入されるか否か。

〔判決の要旨〕

1　広島地裁平成23年７月20日判決

「(1)　本件還付加算金は、雑所得にあたるところ、雑所得の計算における必要経費（所得税法37条１項）といえるためには、『所得の総収入金額に係る売上原価その他当該収入金額を得るため直接に要した費用』（前段）と、『その年における販売費、一般管理費その他これらの所得を生ずべき業務について生じた費用』（後段）のいずれかに該当する必要がある。

(2)　還付加算金は、還付金等を還付する場合に、その保有期間に応じて当然に発生するものであり、業務によって生じたものではないから、Xが主張する前件訴訟費用等が、『その年における販売費、一般管理費その他これらの所得を生ずべき業務について生じた費用』にあたる余地はない。

(3)　そこで、Xが主張する前件訴訟費用等が、本件還付加算金との関係で、『所得の総収入金額に係る売上原価その他当該収入金額を得るため直接に要した費用』にあたるかを検討する。

ここで『直接要した費用』とは、その文言及び同条項が、収入と個別に対応する費用（前段）と収入の年に対応する費用（後段）で構成されていることからすれば、当該所得との関係で個別的に対応した費用を指すものと解すべきことは明らかである。

75）判例評釈として、神谷善英・民研675号43頁（2013）参照。

しかし、還付加算金は、過納金の還付に当たり、租税を滞納した場合に延滞税等が課されることとの均衡から、過納金の納付の翌日から還付の日までの期間に応じて当然に支払われる一種の利子と解するのが相当である。したがって、本件還付加算金も、前件訴訟によって得られたものではなく、本件還付加算金の取得に前件訴訟費用等を要したとの対応関係は認められない。

また、本件還付加算金発生の前提となる本件過納金も、前件訴訟によって当然に得られたものではない。すなわち、前件訴訟の効果は、別件各更正処分等が取り消され、取り消された処分が当初からなかったのと同じ状態になるところにあるのであって、当該処分に基づく納付金があった場合に、これが還付されるのは、前件訴訟の反射的効果にすぎない。

このように、前件訴訟によって本件過納金が生じたとはいえず、本件還付加算金が生じたともいえない以上、Xの主張する前件訴訟費用等は、本件還付加算金を得るため直接に要した費用に当たらない。

これに対し、Xは、更正処分取消訴訟を提起し、処分の公定力を排除しなければ、過納金の返還を受けることはできなかったこと、過納金の返還を受けるためには、前件訴訟費用等が必要であったこと、還付加算金は過納金の損害賠償金であるから、過納金と一体となるものであること、したがって、結局、還付加算金の取得のためには、前件訴訟費用等が必要であり、前件訴訟費用等は、本件還付加算金を得るため必要経費にあたると主張する。

しかしながら、還付加算金は、課税処分の誤りの理由を区別することなく、還付金等に一律に付せられることからすれば、その性質は利子と解するほかはないし、還付加算金の取得が、前件訴訟費用との間に個別的に対応するとまではいえないことは、前記のとおりである。所得税法は、そのような個別的に対応するとまではいえない費用については、事業との関連性がある場合を除けば、たとえ所得との関連性があっても必要経費とは認めないとする租税政策を採用したものと解される以上、前件訴訟との関連性がある費用というだけでは、所得税法上の必要経費ということはできない。

したがって、仮にXが主張するように、前件訴訟費用等全てが、前件訴訟に関連する費用と認められるとしても、前件訴訟に関連する費用は、本件還付加算金の必要経費ということはできず、その他、前件訴訟費用等が、本件還付加算金と個別的に対応した費用とうかがわれる事情もない。したがって、その余の点について判断するまでもなく、前件訴訟費用等は本件還付加算金の必要経費にはあたらない。」

2　広島高裁平成24年3月1日判決

「ア　Xは、前件訴訟費用等は所得税法37条1項前段の問題となるところ、前段の『直接に要した費用』とは、社会的にみて、ある収入を得るために支出したと当然に認められる関係があれば足りるから、所得税法37条1項前段により、前件訴訟費用等は本件還付加算金の必要経費になると主張する。

しかし、雑所得の必要経費等を規定した所得税法37条1項は、その文言等からして、必要経費を、いわゆる費用収益対応の原則によって、計上する時期に関連して二つに区分し、売上原価のように収入に直接対応させる費用（個別対応）と販売費、一般管理費のようにその年分の費用（期間対応）とに分けて規定しているものと解される上、『売上原価』に加えて、売上原価に当たらない『総収入金額を得るため直接に要した費用の額』と規定しているものであるから、『直接に要した費用』とは、収入金額に対し何らかの関連性があればよいというものではなく、直接的な関連姓が認められなければならないというべきである。

そうすると、前件訴訟の判決の効果は、別件各更正処分等の一部を当初からなかったものにする効果があるにすぎず、本件過納金は、Xが別件各更正処分等により生じた所得税、過少申告加算税及び延滞税を全額納付していた事実を前提に、前件訴訟の判決によって別件各更正処分等の一部が当初からなかったものとなったことの、いわば反射的な効果として発生したものにすぎない上、本件還付加算金の法的な性格は、一種の利子と解すべきものであるから、前件訴訟費用等は、本件還付加算金の発生と計算に何らの影響を及ぼしておらず、本件還付加算金と前件訴訟費用等との間には直接的な対応関係はないというほかない。

したがって、前件訴訟費用等は、所得税法37条1項前段の適用において、本件還付加算金の必要経費とは認められないから、Xの上記主張は採用することができない。

イ　Xは、法人税法22条3項1号、2号と所得税法37条1項前段、後段との対比を理由にして、本件還付加算金の必要経費は所得税法37条1項後段の問題となるところ、『直接に要した費用』や『業務について生じた費用』という要件を考慮する必要がないから、前件訴訟費用等は、同項後段により、本件還付加算金の必要経費になると主張する。

しかし、所得税法37条1項前段、後段と法人税法22条3項1号、2号の各規定は異なるから、同様に解することはできないというべきである。そうすると、所得税法37条1項後段は、『その年における販売費、一般管理費その他これらの所得を生ずべき業務について生じた費用の額』と明記しているところ、本件還付加算金は、一種の利子と解すべきであって、『業務について生じた』ものでないことは明らかであるから、本件還付加算金について、同項後段が適用されることはないというほかない。

したがって、Xの上記主張は用することができない。」

3　上告審**最高裁平成24年12月20日第一小法廷決定**は、上告棄却、上告不受理とした。

〔コメント〕

本件地裁判決は、所得税法37条1項の必要経費を二つに分けて、それぞれについて、還付加算金の必要経費該当性を論じている。

所得税法37条1項の「これらの所得の総収入金額に係る売上原価その他当該総収入金額を得るため直接に要した費用の額及びその年における販売費、一般管理費その他これらの所得を生ずべき業務について生じた費用（償却費以外の費用でその年において債務の確定しないものを除く。）の額」を①売上原価、「その他」、②当該総収入金額を得るため直接に要した費用の額、③販売費、一般管理費、「その他」、④これらの所得を生ずべき業務について生じた費用の額と四つに分ける解釈も、「その他の」ではなく、並列である「その他」が使用されていることからすれば可能であるようにも一見思える。しかしながら、次のような理由から、四つに分けて解釈をするのは問題であると思われる。

❶　①②及び③④と規定されていることになり、「及び」の位置が不自然であること

❷　①の額、②の額、③の額、④の額とするのではなく、「の額」という語が、②と④の後にしかかからないことになり不自然であること

❸　債務確定基準（「償却費以外の費用でその年において債務の確定しないもの」を除く。）が④にのみかかることとなるが、③についてもかかると解さないとこれまでの一般的な解釈と整合しないこと

❹　「償却費以外の費用で」との債務確定基準が償却費を外す必要があるのは、一般管理費である償却費にも当然に及ぶと解されるから、③に債務確定基準が及ばないとするのは文理にも反すると解されること

すると、大きく分けて前者①②は、収入と直接対応する費用、後者③④は、収入との期間対応をする費用と分けることが可能となる。

①②　直接対応費用		③④　間接対応費用
（売上原価やそれ以外の業務に直接要した費用）	及び	（販売費及び一般管理費やそれ以外の業務について生じた費用）

後者の費用は、「業務」を前提としているので、本件の対象とはならず、前者は収入との関係が直接的な対応関係にあるものであるから、やはり還付加算金はこれに当たらないとするのが本件地裁及び高裁の判断である。そこでは、還付加算金は損害賠償金ではなく利子の性質を有するものであると指摘されているが、この点、利子所得に必要経費が認められていないのは、利子がタイムバリューであることから、収入獲得の価値擬制を観念しづらいところにある。

裁判例の紹介

直接業務関連性と必要経費

直接業務関連性要件を肯定した事例
（305第一審神戸地裁平成９年２月17日判決・税資222号456頁）[76]
（306控訴審大阪高裁平成10年１月30日判決・税資230号337頁）
（307上告審最高裁平成12年７月17日第一小法廷判決・税資248号343頁）

〔事案の概要〕
長男Ｘ（原告・控訴人・上告人）は、実父Ｈから賃貸業用土地の贈与を受けた（以下「本件贈与」という。）。Ｘは贈与時に支出した登録免許税及び不動産取得税はＸの不動産所得の金額の計算上、必要経費に算入されるとして確定申告したものの、税務署長Ｙ（被告・被控訴人・被上告人）は、これを否認して更正処分等を行った。本件は、Ｘがかかる処分の取消しを求めた事例である。

〔争点〕
所得税法37条に規定する必要経費は、直接業務関連性を有するもののみか。

〔判決の要旨〕
1　神戸地裁平成９年２月17日判決
「Ｈが本件贈与の当時85歳という高齢であったことは前記のとおりであり、…Ｘは、本件贈与及び平成７年のＨからの相続により同人所有の不動産を全部取得したことになること、及び本件土地の一部はＨからの借入れを返済するために売却する予定であったことが認められるから、本件贈与は、将来の相続人に対する相続財産の前渡しとして行われたものと解するのが相当である。
そうすると、本件贈与は、家事に関して行われたものであり、このことは、本件土地が不動産賃貸の用に供されていたとしても何ら異ならないというべきである。」
「以上によれば、本件贈与に伴い支出された本件費用は、所得税法37条１項にいう総収入金額を得るために直接要した費用及び業務について生じた費用であるとはいえず、また、所得税法45条１項１号及び同法施行令96条１号にいう家事上の経費に当たるが、その主たる部分が業務の遂行上必要なものであるともいえない。
したがって、本件費用は、不動産所得の計算上必要経費には含まれないもの

76）判例評釈として、中嶋明伸・税通52巻16号228頁（1997）参照。

というべきである。」

２　大阪高裁平成10年１月30日判決

「所得税法においては、ある支出が必要経費として控除され得るためには、それが客観的にみて事業活動と直接の関連をもち、事業の遂行上直接必要な費用でなければならないというべきである。」

「本件費用は、Ｘが実父Ｈから本件土地の贈与を受けたことに伴い生じた費用ということができる。そして、贈与は、財産の移転自体を目的とする無償行為であるから、贈与によって資産を取得する行為そのものは、所得を得るための収益活動とみることはできないというべきである。Ｘが本件土地の贈与を受けたことが、不動産賃貸事業の用に供する目的であり、その後同事業の用に供されたからといって、贈与によって本件土地を取得した行為そのものの性格に変化はなく、収益活動となるものということはできない。」

３　上告審**最高裁平成12年７月17日第一小法廷判決**は原審判断を維持した。

〔コメント〕

本件高裁判決は、必要経費該当性の判断にあっては、①業務との直接関連性を有すること、②業務の遂行上必要な費用であることの２要件で論じている。

このように、業務関連性については直接関連性が要請されるとする判決が多い。

例えば、水戸地裁昭和58年12月13日判決（税資134号387頁）は、「当該支出が必要経費として控除されるためには、それが事業活動と直接の関連をもち、事業の遂行上必要な支出であることを要する」と判示しているし[77]、福岡地裁平成５年５月18日判決（税資195号365頁）も、「ある支出が右必要経費として特定事業の総収入金額から控除されているためには、客観的にみてそれが当該事業の業務と直接関係をもち、かつ、業務遂行上通常必要な支出であることを要する」とする。

また、清永敬次教授は、納税者が納付した所得税を必要経費として控除できない理由について（所法45①二）、「所得税は納税者の人的事情をも考慮して課税されるものであるから事業活動との結びつきは必ずしも直接的なものでないことなどから、必要経費としての控除を認めないものと思われる。」とされる[78]。業務関連性が直接的でなければならないという考え方は、業務を営む者の同業者に対する見舞金の支出のうち、その業務との関連性が希薄であれば必要経費に算入することができないとする課税実務にも通じよう（所基通37－９の６）[79]。

77）広島地裁平成13年２月22日判決（税資250号順号8843）も同旨。

78）清永・税法105頁。

79）森谷義光ほか『所得税基本通達逐条解説〔平成26年版〕』352頁（大蔵財務協会2014）に

①　直接業務関連・直接必要費用		②　直接業務関連・間接必要費用
（売上原価やそれ以外の業務に直接要した費用）	及び	（販売費及び一般管理費やそれ以外の業務について生じた費用）

裁判例の紹介

仙台弁護士会事件

弁護士が弁護士会等の役員としての活動に伴い支出した懇親会費等の一部が、その事業所得の計算上必要経費に算入することができるとされた事例

（308 第一審東京地裁平成23年８月９日判決・判時2145号17頁）[80)]
（309 控訴審東京高裁平成24年９月19日判決・判時2170号20頁）[81)]
（310 上告審最高裁平成26年１月17日第二小法廷決定・税資264号順号12387）

〔事案の概要〕

弁護士業を営み、仙台弁護士会会長や日本弁護士連合会（以下「日弁連」という。）副会長等の役員を務めたX（原告・控訴人）は、これらの役員としての活動に伴い支出した懇親会費等（以下「本件懇親会費等」という。）を事業所得の金額の計算上必要経費に算入し、また、消費税及び地方消費税（以下「消費税等」という。）の額の計算上課税仕入れに該当するとして、所得税及び消費税等の確定申告をした。これに対して、処分行政庁である所轄税務署長は、これらの費用については、所得税法37条１項に規定する必要経費に算入することはできず、また、消費税法２条１項12号に規定する課税仕入れには該当しないな

示されている所得税基本通達37－９の６の解説参照。

80）判例評釈として、山田二郎・税法566号463頁（2011）、豊田孝二・速報判例解説12号〔法セ増刊〕205頁（2013）など参照。

81）判例評釈として、長島弘・税務事例44巻12号29頁（2012）、山下清兵衛・税理55巻15号２頁（2012）、佐藤孝一・税務事例45巻２号１頁（2013）、金子友裕・税務事例45巻２号31頁（2013）、林仲宣＝谷口智紀・税弘61巻２号142頁（2013）、三木義一・青山法学論集54巻４号11頁（2013）、伊川正樹・税法569号15頁（2013）、末永英男・会計専門職紀要〔熊本学園大学大学院〕４号３頁（2013）、堀招子・税通69巻４号175頁（2014）、林仲宣・ひろば67巻４号74頁（2014）、山田麻未・税法571号233頁（2014）、堀口和哉・税務事例46巻12号42頁（2014）など参照。

どとして、所得税及び消費税等の更正処分並びに過少申告加算税の賦課決定処分を行った。

本件は、Xが、これらの支出の大部分が事業所得の金額の計算上必要経費に当たり、また、消費税等の額の計算上課税仕入れにも該当すると主張して、国Y（被告・被控訴人）上記各処分の一部の取消しを求めた事案である。

なおXは、仙台市内に事務所を構え、弁護士業を営んで事業所得を得ている者であり、仙台弁護士会の会員である。Xは、平成13年6月から平成16年6月まで日弁連の弁護士業務改革委員会副委員長兼パラリーガル検討プロジェクトチームリーダーを、平成15年4月1日から平成17年3月31まで東北弁護士会連合会（以下「東北弁連」という。）の理事を、平成15年4月1日から平成16年3月31日まで仙台弁護士会の常議員を務めていた。Xは、平成16年4月1日から平成17年3月31日まで仙台弁護士会会長及び日弁連理事を務め、同年4月1日から平成18年3月31日まで日弁連副会長を務めていた。

〔争点〕

本件懇親会費等を所得税法37条1項に規定する必要経費に算入することができるか否か。

〔判決の要旨〕

1　東京地裁平成23年8月9日判決

東京地裁は、本件懇親会費等は所得税法37条1項に規定する必要経費に算入することができないとして、Xの請求を棄却した。

2　東京高裁平成24年9月19日判決

「Xの弁護士会等の役員等としての活動がXの『事業所得を生ずべき業務』に該当しないからといって、その活動に要した費用がXの弁護士としての事業所得の必要経費に算入することができないというものではない。なぜなら、Xが弁護士会等の役員等として行った活動に要した費用であっても、これが、… Xが弁護士として行う事業所得を生ずべき業務の遂行上必要な支出であれば、その事業所得の一般対応の必要経費に該当するということができるからである。

そこで検討するに、…弁護士会及び日弁連は、弁護士等及び弁護士会の指導、連絡及び監督に関する事務を行うことを目的とするものであり、東北弁連は、仙台高等裁判所の管轄区域内の弁護士会の連絡及びこれらの弁護士会所属会員相互間の協調、共済並びに懇親に関する事項等を行うことを目的とするものである。そして、弁護士会等は、弁護士法に定められている弁護士の資格審査又は懲戒についての事務を行うほか、…平成16年度から平成17年度にかけて、国選弁護報酬や民事法律扶助制度への補助金の増額に関する国会議員等への働きかけ、弁護士倫理の遵守を目的とした弁護士職務基本規程の制定、弁護士新人研修制度の充実のための資料作成、弁護士補助職認定制度の創設に向けた準備等の活動を行っており、これらが弁護士の使命の実現並びに我が国の社会秩序の維持及び法律制度の改善（弁護士法１条参照）のためであることはいうまでもない。

また、弁護士となるには日弁連に備えた弁護士名簿に登録されなければならず（同法８条）弁護士名簿に登録された者は、当然入会しようとする弁護士会の会員となり（同法36条１項）、弁護士は、当然、日弁連の会員となる（同法47条）とされているとおり、弁護士については、弁護士会及び日弁連へのいわゆる強制入会制度が採られている。そのため、弁護士が、弁護士としての事業所得を生ずべき業務を行うためには、弁護士会及び日弁連の会員でなければならない上、弁護士会等の役員等は、その団体の性質上、会員である弁護士の中から選任するのが一般的であり、少なくとも、仙台弁護士会、東北弁連及び日弁連の役員並びに仙台弁護士会常議員会の常議員は、会則等において、その会員である弁護士の中から選任することとされている…。要するに、上記のような弁護士会等の活動は、すべてその役員等に選任された弁護士が現実に活動することによって成り立っているものである（弁護士法24条、弁護士職務基本規程79条参照）。

そして、弁護士会等は、独自に資産を有し、会員や所属の弁護士会から会費を徴収すること等により、その活動に要する費用を支出している…ものの、そのすべてを弁護士会等が支出するものではなく、弁護士会等が支出しない分は、弁護士会等の役員等に選任された個々の弁護士が自ら支出しているのが実情である…。

以上によれば、弁護士会等の活動は、弁護士に対する社会的信頼を維持して弁護士業務の改善に資するものであり、弁護士として行う事業所得を生ずべき業務に密接に関係するとともに、会員である弁護士がいわば義務的に多くの経済的負担を負うことにより成り立っているものであるということができるから、弁護士が人格の異なる弁護士会等の役員等としての活動に要した費用であっても、弁護士会等の役員等の業務の遂行上必要な支出であったということができるのであれば、その弁護士としての事業所得の一般対応の必要経費に該当すると解するのが相当である。」

3　上告審**最高裁平成26年１月17日第二小法廷決定**は上告不受理とした。

〔コメント〕

本件東京高裁は、Ｘが弁護士会等の役員等として行う活動は、Ｘの「事業所得を生ずべき業務」に該当すると認めることはできないとしている。しかしながら、判決はここで終わらず、次のように続いている。

> 「もっとも、Xの弁護士会等の役員等としての活動がXの『事業所得を生ずべき業務』に該当しないからといって、その活動に要した費用がXの弁護士としての事業所得の必要経費に算入することができないというものではない。なぜなら、Xが弁護士会等の役員等として行った活動に要した費用であっても、これが、…Xが弁護士として行う事業所得を生ずべき業務の遂行上必要な支出であれば、その事業所得の一般対応の必要経費に該当するということができるからである。」

Xの弁護士会役員活動がXの「事業所得を生ずべき業務」に該当しなくても、そこでの費用がXの「事業所得を生ずべき業務の遂行上必要な支出」であれば、必要経費に該当するとの考え方は理論的でもある。平たく言えば、かかる役員活動が弁護士業務ではなくとも、その活動において支出したものが弁護士業務の遂行上必要な支出であればよいとしているのである。

東京高裁は、このように論じて、結局、「Xが弁護士として行う事業所得を生ずべき業務の遂行上必要な支出であれば、その事業所得の一般対応の必要経費に該当するということができる」として、Xが支払った弁護士会の役員活動として参加した懇親会費等の多くの部分について必要経費性を認めている（二次会費用については否認している。）。

ここでのロジックは、①所得税法37条1項には「直接」業務関連費であることを要求する直接の記載振りはないこと、②所得税法施行令96条の記載振りから、「業務に関連」していれば必要経費算入が許容されると解釈できることに基づいていると思われる。

すなわち、所得税法37条1項の要件を、同法45条の委任規定である所得税法施行令96条《家事関連費》の反対解釈から導出しているようである。

この判決は最高裁判決ではないため、「判例」とは呼べないとしても、今後の所得税法37条1項の解釈に大きな影響を及ぼすものであると思われる。

V　収入金額及び必要経費等の計算の特例

1　生活に通常必要でない資産の災害等による損失

「生活に通常必要でない資産」に当たらない資産の災害又は盗難若しくは横領による損失は必要経費に算入されるか（所法51）、あるいは雑損控除の対象となる（所法72①）。では、災害又は盗難若しくは横領により、「生活に通常必要でない資産」について生じた損失はどのように扱われるのであろうか。それについては、保険金、損害賠償金その他これらに類するものにより補てんされる部分の金額を除き、その損失を受けた日の属する年分又はその翌年分の譲渡所得の金額の計算上控除すべき金額とみなされることとなる（所法62①）。生活に通常必要でない資産の災害等による損失は、雑損控除の対象から除かれているが（所法72①）、譲渡所得の金額がある場合には、その所得金額を限度として損益の通算を認めるのである。

ここで、生活に通常必要でない資産とは、次に掲げる資産をいう（所令178①、25）。

① 競走馬（その規模、収益の状況等に照らし事業と認められるものの用に供されるものを除く。）その他射こう的行為の手段となる動産

② 通常自己及び自己と生計を一にする親族が居住の用に供しない家屋で主として趣味、娯楽、保養又は観賞の目的で所有する資産

なお、平成26年度税制改正の前は、この②は別荘等の「不動産」のみを対象としていたが、これが「資産」全般を対象として改正されたところから、ゴルフ会員権もここに含まれることとなった。

③ 生活の用に供する動産のうち、次に掲げるもので1個又は1組の価額が30万円を超えるもの（生活に通常必要でない動産）

(i)「貴石、半貴石、貴金属、真珠」（原産品）及び「これらの製品、べっこう製品、さんご製品、こはく製品、ぞうげ製品並びに七宝製品」（加工製品）

(ii) 書画、こっとう及び美術工芸品

✍ 生活に通常必要でない資産の災害等による損失は、その損失を生じた日の属する年分の譲渡所得の金額から控除し（短期譲渡所得の金額と長期譲渡所得の金額がある場合には、短期譲渡所得の金額から先に控除する。）、なお控除しきれない損失の金額があるときは、これを翌年分の譲渡所得の金額から控除する（所令178②）。

2　資産の譲渡代金が回収不能となった場合の所得計算の特例

所得税法36条にいう「収入すべき金額」とは現金主義ではなく、権利確定主義に従うこととされていることから、譲渡代金の全部又は一部が未収となっていたとしても、その未収金を含めたところで譲渡所得の金額を計算することになる。しかしながら、かかる未収金の全部又は一部を回収することができなくなったときに、譲渡所得としての課税を是正するルートが必要となる。そこで、所得税法では、各種所得の金額のうち、不動産所得、事業所得又は山林所得を生ずべき事業に係る所得を除き、その収入金額の回収不能が生じた場合（一定の事由により収入金額の全部又は一部を返還することとなった場合を含む。）には、回収不能に係る部分の所得はなかったものとみなすこととしている（所法64①、所令180）。

この条文が、未収金のまま回収不能となったことに基因して、結局のところ、所得を享受していないという面を考慮して設けられた規定と解釈するか、あるいは、政策的に担税力の減殺要因に配慮して設けられた規定と解釈するかは見解の分かれ得るところであろう。前者の理解は、収入とは外部からの経済的価値の流入をいい、譲渡所得とは、資産の譲渡代金の流入を基礎に観念されるものとの理解に繋がりやすい。これに対して、後者は、譲渡所得とは内在していた資産の含み益（キャピタル・ゲイン）に対する課税を資産を手放す機会に清算して行うものであるから（増加益清算課税説）、譲渡時点において既に所得を享受した後の問題であれば、本来的には未収金であるか否かは譲渡所得課税の本質には何ら影響を及ぼさないところであるが、政策的に未収金の回収不能に対する配慮を所得税法が設けたものと考えるのである。

ここで、総収入金額の全部又は一部を回収することができなくなった場合とは、課税実務上、会社更生法等の規定により債権の全部又は一部が切り捨てられた場合のほか、債務者の資産状況、支払能力等からみて債権回収の見込みのないことが確実となった場合などをいうこととされている（所基通64－1、51－11、51－12）。

なお、確定申告書を提出し又は決定があった後に資産の譲渡代金が回収不能となった場合には、その事由が生じた日の翌日から２か月以内に後発的な事由による更正の請求をすることになる（所法152）。

裁判例の紹介

劣後的更生債権に係る所得税法64条１項の適用

譲渡代金の回収不能ははじめから予測できていたとして、所得税法64条の適用が否定された事例

（311第一審大阪地裁昭和57年７月16日判決・行集33巻７号1558頁）[82]
（312控訴審大阪高裁昭和58年11月30日判決・行集34巻11号2120頁）
（313上告審最高裁昭和60年12月20日第二小法廷判決・税資147号768頁）

〔事案の概要〕

X（原告・控訴人・上告人）は、T観光に対し本件物件を代金５億641万7,200円で売り渡したが、本件物件には主債務者H紡績、権利者I銀行とする極度額４億円の根抵当権が設定されていた。Xがこの根抵当権を抹消しないでT観光に本件物件を売り渡したところ、T観光は、売買代金のうち４億円の支払を留保する一方、本件物件の第三取得者として担保権を抹消するためにI銀行に４億円を弁済してH紡績に対する４億円の求償債権を取得し、これを売買代金の弁済に代えてXに譲渡した。かかる４億円の求償債権は、H紡績とJ紡績との会社更生手続の関係では、H紡績に対する３億660万円の劣後的更生債権（(イ)の更生債権）とJ紡績に対する9,340万円の劣後的更生債権（(ロ)の更生債権）として取り扱われたが、各更生債権は弁済しないことにするとの内容の更生計画案が可決認可された。その結果、Xは、かかる債権合計４億円の支払を受けることができなくなった。したがって、Xは、本件売買代金のうち４億円を回収することの不可能であることが確定的になった。

〔争点〕

回収することが不可能であることが確定的になった劣後的更生債権について、所得税法64条１項の適用があるか否か。

82）判例評釈として、清永敬次・税務事例15巻８号２頁（1983）参照。

〔判決の要旨〕

1　大阪地裁昭和57年７月16日判決

「所得税法64条１項は、『各種所得の金額…の計算の基礎となる収入金額…の全部若しくは一部を回収できないことになった場合』には、『その回収することができないこととなった金額…に対応する部分の金額は、当該各種所得の金額の計算上、なかったものとみなす』旨定めているが、その趣旨は、有償譲渡の対価の全部又は一部がやむを得ない事情で回収不能となったときには、回収不能となった部分の金額だけ低い価額の対価で譲渡したのと同様になり、それだけ譲渡所得の金額も減縮されるべきであるというにある。

そうすると、譲渡代金の回収が不可能であることをはじめから知りながらあえて資産を譲渡したような場合は、ここにいう『やむを得ない事情』に該当しないから、同条項を適用することはできないと解するのが相当である。

そして、所得の金額計算の基礎となる収入金額が回収できない場合とは、資産の譲渡代金それ自体が回収不能になった場合だけではなく、譲渡代金の弁済に代えて給付を受けた債権が回収不能になった場合も含まれるが…、この場合も、弁済に代えて給付を受ける債権が回収不能になることをはじめから予測しながらあえて代物弁済契約を締結したときには、自ら債権放棄をしたに等しいものであるから、同条項にいう『回収することができないこととなった』場合には該当しないと解するのが相当である。」

「そこで、本件についてこれをみると、Ｘが代物弁済をうけて回収不能になったと主張する債権は、いずれも劣後的更生債権であって、当初からその回収が期待できないものであったことは弁論の全趣旨…によって明らかである。」

2　控訴審**大阪高裁昭和58年11月30日判決**及び上告審**最高裁昭和60年12月20日第二小法廷判決**においても、第一審の判断は維持された。

〔コメント〕

所得税法64条《資産の譲渡代金が回収不能となった場合等の所得計算の特例》１項は、「回収することができないこととなった場合」と規定していることからすれば、当初は回収することができたはずのものが後の事情により、「回収することができないこととなった場合」のみを指すと解釈することができる。本件地裁判決はこのような条文の文理にそった考え方に従い、「弁済に代えて給付を受ける債権が回収不能になることをはじめから予測しながらあえて代物弁済契約を締結したときには、自ら債権放棄をしたに等しい」本件においては同条項の適用がないとしたのである。

このような文理解釈を展開する判断は多くの訴訟においてもみられるところである。

3　保証債務を履行するために資産を譲渡した場合の所得計算の特例

譲渡所得は、資産が支配者の手を離れるのを機会に、その保有期間中の価値の増加益（キャピタル・ゲイン）に相当する所得が実現したものとして一時に課税するものである。したがって、保証債務の履行のために資産を譲渡した場合であっても、譲渡所得の課税が行われるのであるが、他方、所得税法では、前述のとおり、資産の譲渡代金が回収不能となった場合、回収不能に係る部分の所得はなかったものとみなす旨の規定を置いている（所法64①）。

他人（本来債務者）の債務を保証していた者が資産を譲渡し、その譲渡代金を保証債務の履行に充てたところ、その履行に伴う求償権（本来債務者に対する請求権）の全部又は一部を行使できなくなった場合には、譲渡先から代金を回収することができなくなったわけではないが、その求償権を行使できなくなったことに配慮をするという考え方があり得るところである。そこで、所得税法64条２項は、保証債務を履行するために譲渡所得の基因となる資産の譲渡をし、その履行に伴う求償権の全部又は一部の行使ができなくなった場合には、その求償権の行使ができないこととなった金額に対応する所得はなかったものとして、譲渡所得の課税を行わないことを規定している。もっとも、この規定についても、所得税法64条１項と同様、単なる政策的な配慮と捉えるのではなく、そもそも、求償権を行使できなくなった金額に相当する所得を享受していないという点から説明することも理論的には可能であるが、前述のとおり、譲渡所得の本質を増加益（キャピタル・ゲイン）の清算と捉えるか否かにより、見解の対立のあり得るところであろう。

ここにいう「保証債務の履行」があった場合とは、次のような場合が含まれると解されている（所基通64－４）。

①　民法446条《保証人の責任等》に規定する保証人の債務

②　民法454条《連帯保証の場合の特則》に規定する連帯保証人の債務の履行

があった場合

③　不可分債務の債務者の債務の履行があった場合

④　連帯債務者の債務の履行があった場合

⑤　合名会社又は合資会社の無限責任社員による会社の債務の履行があった場合

⑥　身元保証人の債務の履行があった場合

⑦　他人の債務を担保するため質権若しくは抵当権を設定した者がその債務を弁済し又は質権若しくは抵当権を実行された場合

⑧　法律の規定により連帯して損害賠償の責任がある場合において、その損害賠償金の支払があったとき

なお、保証債務の履行のため資産を譲渡した場合の所得計算の特例は、その年分の確定申告書、修正申告書又は更正請求書に所定の事項を記載し、一定の書類を添付して申告することが適用要件とされており（所法64③）、その求償権の行使することができなくなった事実の発生が確定申告書を提出し又は決定があった後に生じたときは、その事由が生じた日の翌日から２か月以内に後発的な事由による更正の請求をすることになる（所法152）。

裁判例の紹介

混同による求償権の消滅と所得税法64条２項の適用

主債務者に対する連帯保証人の求償権は自己を債務者とする債権として成立することになり、混同によって直ちに消滅するから、求償権を行使できない場合に当たらないとされた事例

（314第一審静岡地裁平成５年11月５日判決・訟月40巻10号2549頁）[83]

（315控訴審東京高裁平成７年９月５日判決・税資213号553頁）

（316上告審最高裁平成９年12月18日第一小法廷判決・税資229号1047頁）

83）判例評釈として、木村弘之亮・ジュリ1082号192頁（1996）参照。

〔事案の概要〕

本件は、X（原告・控訴人・上告人）が行った保証債務履行のための資産譲渡につき、所得税法64条２項の規定の適用があるとしてなした確定申告に対して、同条項の適用はないとした税務署長Y（被告・被控訴人・被上告人）の更正処分等の適法性が争われた事例である。

Xは次のように事実を主張して、更正処分等の所得税法64条２項の適用を主張した。

X、その夫であるM及びXとMとの間の二男であるKは、昭和63年２月26日付けで、XとMとの共有に係る本件１土地、Xの所有する本件２土地、Kの所有する本件３土地並びにX、M及びKの共有に係る本件４建物（本件１土地、本件２土地、本件３土地及び本件４建物を総称して「本件資産」という。）を、代金総額11億2,450万円で売り渡した（以下「本件売買契約」という。）。本件売買契約によるXの譲渡収入金額は、本件資産の代金総額の２分の１に当たる５億6,225万円である。

Hは、昭和62年９月30日、C社から３億7,000万円を借り入れたが、その際、X及びMは、それぞれその消費者貸借契約に基づくHのC社に対する債務（以下「本件借入金債務」という。）につき連帯保証する旨をC社に約し、また、Xは本件２土地につき、Hは本件１土地につき、更に同２名及びKは本件４建物の各３分の１の共有持分権につき、それぞれ本件借入金債務を担保するためC社に対し抵当権を設定した。

その後、Hが死亡したことにより、X及びMは、それぞれ２分の１の割合の相続分によりHの権利義務を相続した。

Mは、保証債務を履行するため、住宅流通センターから、５億5,000万円を借り入れたが、その際、X及びKは、消費貸借契約に基づくMの住宅流通センターに対する債務につき連帯保証する旨を住宅流通センターに約し、また、XはX各資産につき、MはHから相続取得した本件１土地の２分の１の共有持分権及び本件４建物の６分の１の共有持分権（以下、Mの各共有持分権を「M各資産」という。）につき、Kは本件３土地及び本件４建物の３分の１の共有持分権につき、それぞれ消費貸借契約に基づくMの住宅流通センターに対する債務を担保するため住宅流通センターに対し抵当権を設定した。

Mは、C社に対し、上の借入金のうちから、Mの保証債務の履行として、本件借入金債務の残債務額に相当する３億6,475万9,179円を弁済した。その後、X、M及びKは、本件売買契約を締結し、Mは、本件売買契約の売買代金のうちから住宅流通センターに対する借入金債務を弁済した。

Mは、住宅流通センターからの借入金のうちからC社に対するMの保証債務３億6,475万9,179円の弁済をしたものであるが、その約３か月後にX、M及びKは、住宅流通センターに対する借入金を弁済するため、本件資産を譲渡したものである。したがって、MがMの保証債務を履行するために、M各資産を譲渡したものであって、かかる譲渡が所得税法64条２項所定の保証債務を履行するための資産の譲渡に該当することは明らかである。

他方、ＸはＭがＭの保証債務履行のため住宅流通センターから金員の借入をするに当たり、Ｘ各資産に抵当権を設定した上、借入金の弁済のためにＸ各資産を譲渡したものであるが、Ｘの保証債務の履行に当たる現実の出捐をしてはいない。しかしながら、以下のとおり、ＭのしたＣ社に対するＭの保証債務３億6,475万9,179円の弁済は、その２分の１に相当する１億8,237万9,589円についてはＸの保証債務の履行とみるべきであり、ＸのしたＸ各資産の譲渡は、同項所定の保証債務を履行するための資産の譲渡に該当すると解すべきである。

複数の連帯保証人のうちの一人が債権者から連帯保証債務全額の弁済を求められた場合、請求を受けた連帯保証人はこれを全額弁済する義務があり、その弁済がなされた場合には、他の連帯保証人はその負担部分に応じた求償債務を負うことになるから、法的には、他の連帯保証人においても、その保証債務を同時に弁済したのと同じ効果を生ずるものというべきである。

〔争点〕

連帯保証人の求償権に係る所得税法64条２項の適用如何。

〔判決の要旨〕

１　静岡地裁平成５年11月５日判決

「所得税法64条２項の趣旨は、保証人が、たとえ将来保証債務の履行をすることになったとしても、求償権を行使することによって最終的な経済的負担は免れ得るとの予期のもとに保証契約を締結したにもかかわらず、一方では、保証債務の履行を余儀なくされたために資産を譲渡し、他方では、求償権行使の相手方の無資力その他の理由により、予期に反してこれを行使することができないというような事態に立ち至った場合に、その資産の譲渡に係る所得に対する課税を求償権が行使できなくなった限度で差し控えようとするものであると解される。

そうだとすれば、同項が適用されるためには、保証債務の履行に伴う経済的負担を回復するために法律上付与された権利のいずれもが実効性を有さない場合であることを必要とし、したがって、保証債務の履行により、主たる債務者に対する求償権のほか、共同保証人に対する求償権が成立する場合においては、主たる債務者に対する求償権はもとより、共同保証人に対する求償権もこれを行使することできないことを要するものと解すべきである。また、弁済のほか、相殺、混同など弁済と同視すべき事由によって求償権が消滅したときには、求償権を行使することができない場合に当たらないから、同項の適用がないことも明らかである。」

「しかして、本件において、Ｘが、連帯保証人としての地位に基づいて、Ｃ社に対するXの保証債務全額を弁済したとすれば、Xは主たる債務者に対して右弁済額全部につき求償権を取得することになる……。

Xの保証債務に係る主たる債務に当たるものは本件借入金債務であるところ、本件借入金債務は、その債務者であるHの死亡に伴い、相続によりX …に各2分の1の割合で承継されたのであるから、Xの主たる債務者に対する求償権のうち2分の1は自己を債務者とする債権として成立することとなり、混同によって直ちに消滅するものである。したがって、右部分については、求償権を行使することができない場合には当たらないから、所得税法64条2項の適用がないことは明らかである。」

2　東京高裁平成7年9月5日判決

「連帯保証人が、死亡した主たる債務者の債務の保証債務を履行するために連帯保証人の資産を譲渡した場合において、死亡時の主たる債務者の資産が債務超過であるからといって、当然に、所得税法64条2項にいう『求償権を行使することができない』場合にあたるとはいえない」。

3　上告審**最高裁平成9年12月18日第一小法廷判決**は原審判断を維持した。

〔コメント〕

本件地裁判決は、所得税法64条2項は求償権の行使をすることができなくなった場合に適用されるものであるとする。したがって、保証債務の履行により、主たる債務者に対する求償権のほか、共同保証人に対する求償権が成立する場合においては、主たる債務者に対する求償権はもとより、共同保証人に対する求償権もこれを行使することできないことを要するものと解すべきであるとする。同条項は、「保証債務を履行するため資産…の譲渡…があった場合において、その履行に伴う求償権の全部又は一部を行使することができないこととなったとき」と規定しているのであるから、「その履行に伴う」とは、「保証債務を履行」を指していることは明らかである。すなわち、「(本来債務者の) 保証債務の履行に伴う」と読めるように思われる。しかしながら、求償権を行使することができないこととなったときとは、本来債務者の保証債務の履行に「係る」と規定しているのではなく、履行に「伴う」と規定しているのである。

さすれば、保証債務に伴って共同保証人に対する求償権があるのであれば、かかる求償権も、本来債務者の保証債務の履行に「伴う」求償権と理解することができるし、そのように解釈することが同判決の説示する同条項の趣旨にも合致すると考えられる。すなわち、同判決は、同条項の趣旨を、「求償権行使の相手方の無資力その他の理由により、予期に反してこれを行使することができないというような事態に立ち至った場合に、その資産の譲渡に係る所得に対する課税を求償権が行使できなくなった限度で差し控えようとするもの」とするのであるから、かかる趣旨にも合致するといえよう。

裁判例の紹介

やむにやまれぬ資産の譲渡

所得税法64条２項の適用は、「余儀なくされる」状況下でやむにやまれず資産を譲渡した場合でなければならないとまでは限定されないとされた事例

（371第一審さいたま地裁平成16年４月14日判決・判タ1204号299頁）[84)]

〔事案の概要〕

有限会社Ｚは、Ｓ信金から、400万円、1,000万円、4,780万円、2,440万円を借り入れ、その代表取締役であったＸ（原告）は連帯保証をした。Ｚは、Ｓ銀行から、手形貸付の方法により１億3,000万円を借り入れ、Ｘは連帯保証するとともに、Ｘ所有に係る本件第１土地及び同土地上の家屋に根抵当権（極度額合計１億3,000万円）を設定した。Ｘは、Ｃ住宅との間で、本件第１土地について、売主をＸ、買主をＣ住宅、代金を２億2,843万8,900円とする不動産売買契約を締結し、同日、Ｃ住宅から、手付金2,200万円を受領した。その後、Ｘは、Ｃ住宅に対し、本件第１土地を引き渡すとともに、Ｃ住宅から、売買代金の残金２億687万2,000円を受領した。Ｘは、Ｓ銀行に対し、本件第１債務の保証債務を弁済した。Ｘは、Ｓ信金に対し、一部の保証債務を弁済した。

Ｘは、Ｈとの間で、Ｘが所有していた本件第２土地を、代金3,500万円で売却するという不動産売買契約を締結し、その際、Ｈから手付金300万円を受領した。Ｘは、Ｈに対し、本件第２土地を引き渡すとともに、Ｈから、売買代金の残金3,200万円を受領した。

Ｘは、Ｓ信金に対し、保証債務を弁済した。

Ｚは、営業を終了し、当会社解散の件、清算人選任の件とする社員総会を開催し、Ｚの解散及び清算人をＸとする決議を行い、登記を行った。

Ｘは、Ｚに対し、Ｘが代位弁済した本件各債務に係る求償権を放棄する旨を記載した債権放棄通知書を内容証明郵便により送付した。

その後、Ｚにつき清算手続が行われ、清算を結了し登記を行った。Ｘは、平成９年分の所得税について、本件第１及び第２土地の譲渡に係る所得（以下「本件譲渡所得」という。）の金額を算出するに当たり、Ｚを主債務者とする保証債務の履行を行ったとして、所得税法64条２項に規定する保証債務の特例（以下「本件特例」という。）を適用し確定申告書を提出した。

84）判例評釈として、岸田貞夫＝脇博之・TKC税研情報14巻１号21頁（2005）参照。

本件は、これに対して税務署長Y（被告）が本件特例は適用できないとして更正処分及び過少申告加算税の賦課決定処分をしたところ、Xが、上記各処分の取消しを求めた事案である。

〔争点〕

所得税法64条２項の適用は、「余儀なくされる」状況下でやむにやまれず資産を譲渡した場合でなければならないか否か。

〔判決の要旨〕

○　さいたま地裁平成16年４月14日判決

「ア　譲渡所得課税は、資産が譲渡によって所有者の手を離れるのを機会にその所有期間中の増加益（キャピタルゲイン）を精算して課税しようとするものである。そして、資産の譲渡による譲渡代金の権利が確定したときは、原則として課税所得が発生するが、資産（事業用の資産を除く。）の譲渡代金の貸倒れ等による損失が生じた場合は、資産の譲渡収入により発生するはずであった担税力が発生しない結果となるから、課税所得のうちに含められた所得の部分については、課税所得がなかったものとして、その課税所得を修正することが適当である。

そして、債務保証を行い、その履行のために資産の譲渡があった場合において、その履行に伴う求償権の全部又は一部が行使できなくなったときは、上記の場合と同様、その求償権に基づく収入があった限度において譲渡収入があったものとして譲渡所得課税を行うこととされている…。要するに、所得税法64条２項の法意は、保証人が主債務者のために財産を譲渡して弁済し、かつ求償権行使が不能となったときは、資産の譲渡代金の回収不能が生じた場合と同様、結論的にその分はキャピタルゲインたる収入がなかったものと扱うという趣旨であると解される。

イ　所得税法64条２項に定める保証債務の特例の適用を受けるためには、実体的要件として、納税者が

㈠　債権者に対して債務者の債務を保証したこと

㈡　上記㈠の保証債務を履行するために資産を譲渡したこと

㈢　上記㈠の保証債務を履行したこと

㈣　上記㈠の履行に伴う求償権の全部又は一部を行使することができないこととなったことが必要であり、かつこれで足りるものであって、それ以上に債権者の請求があったことや主債務の期限到来が要求されているとは解し得ない……。

そして、…本件基礎的事実によれば、…いずれも上記㈠ないし㈢の要件を満たすというべきであり、解散後のZにはXに対する求償債務を弁済すべき資力はなかったと認められるから、㈣の要件も満たすもので、本件については所得

税法64条２項の適用要件が満足されていると認められる。」

〔コメント〕

1　余儀なくされる資産の譲渡

Ｙは、所得税法64条２項の適用のためには、保証債務の履行を「余儀なくされる」状況下でやむにやまれず資産を譲渡した場合でなければならないと主張した。

すなわち、まず、本件では、〈１〉資産の譲渡が債務の弁済期の到来前に行われ、〈２〉債権者であるＳ銀行及びＳ信金が主債務者であるＺに債務の返済を請求した事実はなく、〈３〉保証人であるＸに保証の履行を請求した事実もない等の事情から、本件には所得税法64条２項の適用はないと主張した。

これに対して、本件判決は、民法459条《委託を受けた保証人の求償権》が、保証人は主債務の弁済期の前後を問わず弁済でき、弁済したときは求償権は発生するとしており、しかも、「期限の利益は債務者の利益の為の定めと推定され（民法136条１項）、債務者は期限の利益を原則として放棄することができる（同条２項本文）」という点を指摘する。そして有限会社が解散した場合には、清算の早期結了の要請から、会社は期限未到来の債務についても弁済することができるとされている（旧有限75、旧商125）ことを前提とした上で、「本件でも保証人であるＸが期限前に代位弁済したのは主債務者であるＺと保証人であるＸがともに期限の利益を放棄した結果とみて差し支えない。」とする。すなわち、債務者本人たる有限会社が解散し、清算の早期結了の要請から期限の利益を放棄して、保証人に対し代位弁済を要請し、保証人がこれに応じた場合は、保証人の立場は、主債務の弁済期到来による代位弁済とほぼ同様であって、前者と後者について所得税法64条２項の適用上取扱いを異にすべき合理的理由はないということである。

この点、所得税法64条２項の適用について、主債務について期限が到来しあるいは遅滞に陥っていなければならないとするのは、同条項の条文から導出できない要件であるというのである。

2　求償権の行使不能

保証債務を履行するために資産を譲渡した場合に、その履行に伴う求償権の全部又は一部を行使することができなくなったときは、行使不能額相当の譲渡代金が回収不能であるとして譲渡所得の課税は行われない。この場合の「求償権の行使ができないこととなったとき」の意義について、大阪高裁昭和60年７月５日判決（行集36巻７＝８号1101頁参照）は、「求償権行使の相手方である主債務者が倒産して事業を廃止してしまったり、事業回復の目処が立たず破産もしくは私的整理に委ねざるを得ない場合はもちろんのこと、主債務者の債務超過の状態が相当期間継続し、衰微した事業を再建する見通しがないこと、その他これらに準ずる事情が生じ、求償権の行使すなわち債権の回収の見込みのないことが確実となった場合をいうものと解すべきである。」と判示する。

主債務者が死亡又は失踪するなどの客観的な事実があり、みるべき資産もない場合には、「求償権の行使ができないこととなったとき」に当たるというべきであろうが、主債務者の存在が明らかであってその者が事業を継続しているときは、求償権の行使が不能といえるか、事実認定の上で問題がある。課税実務上は、主債務者が事業を継続している場合には、回収の可能性が事実上推定されるのであるから、保証人が保証債務を履行した場合であっても回収の可能性がある限り、譲渡所得課税は維持されるべきであるとして、所得税法64条２項の適用要件である求償権の行使不能を厳格に解している。

なお、水戸地裁昭和48年11月８日判決（判タ303号235頁）は、次のように説示する。

> 「債権の回収不能による貸倒れが認められるためには、一般に債務者において破産、和議、強制執行等の手続を受け、あるいは、事業閉鎖、死亡、行方不明、刑の執行等により、債務超過の状態が相当の期間継続しながら、他からの融資を受ける見込みもなく、事業の再興が望めない場合のほか、債務者に未だ右のような事由が生じていないときでも、債務者の負債および資産状況、事業の性質、事業上の経営手腕および信用、債権者が採用した取立方法、それに対する債務者の態度を綜合考慮したとき、事実上債権の回収ができないと認められるような場合をも含むと解するのが相当である。」

4　事業を廃止した後に必要経費が生じた場合の計算

事業を廃止してしまった後に費用や損失が生じたとしても、かかる費用や損失を控除することができないことに鑑みて、所得税法は、不動産所得、事業所得又は山林所得を生ずべき事業を廃止した後において、それらの事業に関する費用又は損失で事業を継続していれば必要経費に算入されるべき金額が生じた場合には、その費用又は損失の金額を廃業した日の属する年分（廃業の年にそれらの所得の収入金額がなかった場合には、収入金額があった最近の年分）又はその前年分の事業に係る所得の金額の計算上、必要経費に算入することができることとしている（所法63、所令179）。

なお、事業を廃止した年分の所得税について、確定申告書を提出し又は決定を受けた後に、必要経費に算入される費用又は損失が生じた場合には、その日の翌日から２か月以内に更正の請求をすることができる（所法152）。

裁判例の紹介

事業廃止の意義

金融業を廃止しても寿司屋を経営していた場合には、所得税法63条にいう「事業を廃止」したとはいえないとされた事例

（318第一審東京地裁平成元年10月30日判決・行集40巻10号1531頁）
（319控訴審東京高裁平成5年5月28日判決・行集44巻4＝5号479頁）[85]
（320上告審最高裁平成7年3月7日第三小法廷判決・税資208号615頁）

〔事案の概要〕

(1)　X（原告・控訴人・上告人）は、昭和53年、株式会社Mから、同社がXに対して支払った利息のうち制限超過利息合計2,372万7,357円の支払が無効であるとして同額の不当利得返還請求訴訟を提起された。Xは、昭和54年4月12日、裁判外で、当事者間において、Xが同社に対して800万円の返還義務があることを認め、これを同社がXに対して負担していた1,500万円の借入債務と対当額で相殺する旨の和解が成立した。和解成立当時、Xの金融業に係る資産は株式会社Oに譲渡されていたものであるが、800万円の不当利得金はXが金融業を営んでいた時期に発生したものであり、Xが本来負担すべきものである。

(2)　Xは、上記訴訟の追行につき、弁護士Fに訴訟代理を委任し、着手金20万円、報酬29万円を支払った。

(3)　Xは、和解に関し、Mに交渉を委任し、交渉手数料として170万円を支払った。

(4)　(1)ないし(3)の支出はXの金融業に係る費用又は損失であるところ、Xは個人で営んでいた金融業を廃止し、かつ、昭和53年中に当該金融業に係る事業所得がないので、所得税法63条により、上記支出金額は昭和52年分の所得金額の計算上必要経費に算入されるものであるとして確定申告をした。

これに対して、税務署長Y（被告・被控訴人・被上告人）は、Xが昭和52年以前及びそれ以後も寿司業を営んでおり、昭和53年分以降も寿司業に係る事業所得が生じている点をとらえて、Xは事業所得を生じる事業を廃止していないので所得税法63条の規定の適用はないとして更正処分等を行った。

本件は、Xが所得税法27条、37条の事業所得の計算方法を定める規定によれば、事業所得の必要経費として総収入金額から控除される経費は直接にせよ間接にせよ当該収入を得るために必要な経費であること、すなわち費用収益の対応関係にあることが要求されていること、そうすると、同法63条にいう「当該事業」とは、事業所得を生ずる事業が複数ある場合にはその全部の事業を指すもので

85）判例評釈として、高橋靖・租税23号160頁（1995）参照。

はなく、廃止した個々の事業を指すものであると解すべきであり、そうでなければ、前記各規定と整合しないものなどとして処分の取消しを求めた事例である。

〔争点〕

金融業を廃止ののち、寿司屋を経営していた場合に、所得税法63条の適用はあるか否か。

〔判決の要旨〕

1　東京地裁平成元年10月30日判決

「所得税法63条の規定は、事業を廃止して不動産所得、事業所得又は山林所得が生じなくなると、事業廃止後に生ずる当該事業に係る損失を右各所得の金額の計算上控除する機会がなくなることを考慮して、右損失につき、右各所得に係る総収入金額があつた最後の年分あるいはその前年分の所得の金額の計算上、必要経費に算入できるとしたものであるから、右規定でいう『事業を廃止した』場合とは、事業を廃止した結果、事業収入を生じなくなった場合を指すものと解するのが相当である。

Xに関しては、事業所得が問題となるところ、事業所得とは、農業、漁業、製造業、卸売業、小売業、サービス業その他政令に定めるものから生ずる所得（山林所得又は譲渡所得に該当するものを除く。）をいい（同法27条1項）、事業所得の金額は、複数の事業を営む場合でも、各事業ごとにではなく、事業全体について事業所得に係る総収入金額から必要経費を控除した金額とされている（同条2項）。右によれば、複数の事業を営む納税義務者がその一部の事業を廃止しただけの場合には、なお当該納税義務者に事業所得に係る収入が生じ、その事業所得の金額の計算上、廃止した事業に係る損失を必要経費として控除することが可能であるから、この場合は同法63条の『事業所得を生ずべき事業を廃止した』場合には該当しないといわざるを得ない。しかるところ、Xが昭和52年以前及びそれ以後も寿司業を営み、昭和53年分以降も寿司業による事業所得が生じていることは当事者間に争いがないから、Xについては、同条の適用の余地はなく、事業を廃止した場合の必要経費の特例の適用に関するXの主張は失当である。」

2　控訴審**東京高裁平成5年5月28日判決**及び上告審**最高裁平成7年3月7日第三小法廷判決**も原審判断を維持した。

〔コメント〕

寿司業の収入から金融業の必要経費を控除することが求められるとするのであれば、所得税法37条1項にいう「総収入金額に係る売上原価その他当該総収入金額を得るため直接に要した費用」や「販売費、一般管理費その他これらの所得を生ずべき業務について生じた費用」の解釈に疑問を寄せざるを得ないとするのがXの主張であろう。すなわち、前者は収入との直接対応費用であるところ、ここにいう「総収入金額を得るため」とはどのような総収入金額であってもよいのではなく、「当該」総収入金額であることが要請されているのであるし、後者の期間対応費用においても、「これらの所得を生ずべき業務」ごとに判断することが文理上素直な解釈であるように思われるのである。

もっとも、所得税法63条《事業を廃止した場合の必要経費の特例》は、「居住者が不動産所得、事業所得又は山林所得を生ずべき事業を廃止した後」という条件を乗り越えて初めて適用される規定であることからすれば、事業所得を廃止していないという説明もあり得よう。本件地裁判決はこの立場から判示したものと思われる。

結論的に、同判決の考え方が正しいのであれば、「事業を廃止していない」という理由によって所得税法63条の適用がないのであるから、そもそも、Xが懸念するように、金融業の必要経費を寿司業の総収入金額から控除することへの解釈上の疑義は生じないということになる。

5　その他の特例

所得税法においては、原則として収入計上時期については権利確定主義の考え方によるものと解されている。しかしながら、同法は明文をもって例外的取扱規定を用意しており、これら例外的取扱規定は、「別段の定め」であるため、優先適用されることになる。具体的には、(1)リース譲渡に係る延払基準、(2)工事進行基準及び(3)現金基準である。以下順番に見ていくこととしよう。

(1)　リース譲渡に係る延払基準

居住者が、リース資産の引渡し（以下「リース譲渡」という。）を行った場合において、そのリース譲渡に係る収入金額及び費用の額につき、そのリース譲渡の日の属する年以後の各年において延払基準の方法により経理したときは、その経理した収入金額及び費用の額は、当該各年分の事業所得の金額の計算上、総収入金額及び必要経費に算入する（所法65①）。これは、所得税法36条及び37条の「別段の定め」である。ただし、リース譲渡に係る収入金額及び費用の額につき、同日の属する年の翌年以後のいずれかの年において延払基準の方法により経理しなかった場合は、その経理しなかった年の翌年分以後の年分の事業所得の金額の計算については、この限りでない（所法65①ただし書。すなわち、その経理しなかった年分の事業所得の金額の計算上、総収入金額及び必要経費に算入される。）。

延払基準の方法は、次のとおりである（所令188①）。

イ　リース譲渡の対価の額及びその原価の額に賦払金割合を乗じて計算する方法

① 収入金額……リース譲渡の対価の額×賦払金割合

② 費用の額……（リース譲渡の原価の額＋手数料等の額）×賦払金割合

✍ 賦払金割合とは、リース譲渡に係る対価の額のうちに、当該対価の額に係る賦払金であってその年においてその支払期日が到来するものの合計額の占める割合をいう（所令188①一）。

ロ　リース譲渡の対価の額を元本相当額と利息相当額に区分して計算する方法

① 収入金額……A＋B

A　$(\text{リース譲渡の対価の額}-\text{利息相当額}) \times \dfrac{\text{その年のリース期間の月数}}{\text{リース期間の月数}}$

B　利息相当額が元本相当額のうちその支払期日が到来していないものの金額に応じて生ずるものとした場合にその年におけるリース期間に帰せられる利息相当額（利息法）

② 費用の額……$\left(\begin{matrix}\text{リース譲渡}\\\text{の原価の額}\end{matrix}+\text{手数料の額}\right) \times \dfrac{\text{その年のリース期間の月数}}{\text{リース期間の月数}}$

✍ 利息相当額は、リース譲渡の対価の額からその原価の額を控除した金額の100分の20に相当する金額となる（所令188②）。

(2)　工事の請負に係る工事進行基準

長期大規模工事の請負の契約を締結した場合には、その長期工事を着工した年から工事の目的物の引渡しの日の前年までの各年分の事業所得の金額の計算上、工事進行基準の方法により計算した金額を総収入金額及び必要経費に算入する（所法66①）。これも、所得税法36条及び37条の「別段の定め」である。

✍ 長期大規模工事は、①請負期間が1年以上であること、②請負金額が10億円以上であること、③請負の対価の額の2分の1以上が引渡し期日から1年を経過する日後に支払われるものでないことの要件を満たす必要がある（所法66①、所令192①②）。

また、工事（着工年中にその目的物の引渡しが行われないものに限る。長期大規模工事を除く。）の請負の契約を締結した場合において、その請負（損失が生ずると見込まれるものを除く。）に係る収入金額及び費用の額につき、その工事を着工した年から工事の目的物の引渡しの日の前年までの各年において工事進行基準の方法により経理したときは、各年分の事業所得の金額の計算上、その経理金額が総収入金額及び必要経費に算入される（所法66②）。ただし、着工年の翌年以後のいずれかの年において工事進行基準の方法により経理しなかった場合には、その経理しなかった年の翌年分以後の年分の事業所得の金額の計算上、この特例を適用することができない（所法66②）。

工事進行基準の計算は、次のとおりである（所令192③）。

$$\text{工事の請負対価} \times \frac{\text{本年までの工事原価}}{\text{全体の工事原価}} - \text{前年以前の各年分の収入金額の合計額} = \text{本年分の収入金額}$$

✍ 工事原価の額についても、上記と同様に工事進行割合を乗じて本年分の費用の額を計算する。

(3)　小規模事業者に係る現金基準

青色申告者で不動産所得又は事業所得を生ずべき業務を行う小規模事業者は、その年分の不動産所得の金額又は事業所得の金額の計算上、その年において収入した金額及び支出した金額を総収入金額及び必要経費とすることができる（現金主義：所法67①、所令195）。これも、所得税法36条及び37条の「別段の定め」である。

ここにいう「小規模事業者」とは、その年の前々年分の不動産所得の金額及び事業所得の金額の合計額が300万円以下であることなどの要件を満たす事業者をいう（所令195）。

CHECK！ 雑所得を生ずべき業務と現金主義

令和２年度税制改正において、雑所得を生ずべき業務を行う居住者でその年の前々年分の雑所得を生ずべき業務に係る収入金額が300万円以下であるもののその年分の雑所得を 生ずべき業務に係る雑所得の金額（山林の伐採又は譲渡に係るものを除く。）の計算上総収入金額及び必要経費に算入すべき金額は、その業務につきその年において収入した金額及び支出した費用の額とすることができることとされた（所法67②）。

従来、現金主義の適用については、上述のとおり、不動産所得又は事業所得を生ずべき業務を行う小規模事業者にのみ認められており、雑所得を生ずべき業務については、現金主義による所得計算は認められていなかった。しかしながら、近年、シェアリングエコノミー等の新分野の経済活動の発達に伴って、給与所得者が兼業又は副業を行うことも珍しくなくなってきたが、こうした兼業や副業を行う給与所得者は、事業所得者や不動産所得者と比較して、記帳、所得金額の計算、確定申告の経験の乏しい者が多いことが想定される。そこで、「納税者がより簡便に所得金額の計算を行って確定申告ができるようにするため」に（財務省「平成30年度税制改正の解説」130頁）、雑所得を生ずべき業務についても、現金主義による所得計算ができることとされた。もっとも、現金主義による所得計算は現金の収受を恣意的に翌年にずらすなど所得の帰属年度を操作することにより租税回避が可能となる点を踏まえると、無制限に現金主義の適用を可能とすることは適正課税の確保の観点から適当ではないことから、前々年分のその業務に係る収入金額が300万円以下である小規模な業務を行う者に限って本特例の適用ができることとされている。

⑷　リース取引に係る所得の金額の計算

所得税法は、所定のリース取引に係る所得の金額の計算について、所得税法36条及び37条の別段の定めを設け、実質的に資産の売買といえるようなリース取引については、所要の措置を講じている。

ここで、対象となるリース取引とは、資産の賃貸借（所有権が移転しない土地の賃貸借を除く。）で、次に掲げる要件に該当するものをいう。

①　その賃貸借に係る契約が、賃貸借期間の中途においてその解除をすることができないものであること又はこれに準ずるものであること（いわゆる「ノンキャンセラブル」）

② その賃貸借に係る賃借人が、リース資産からもたらされる経済的な利益を実質的に享受することができ、かつ、リース資産の使用に伴って生ずる費用を実質的に負担すべきこととされているものであること（いわゆる「フルペイアウト」）

✍ リース期間中に賃借人が支払う賃借料の金額の合計額がその資産の取得のために通常要する価額のおおむね90％を超える場合には、上記②にいう「リース資産の使用に伴って生ずる費用を実質的に負担すべきこととされているものであること」に該当するものとされている（所令197の2②）。

居住者が上記のリース取引を行った場合には、リース資産の賃貸人から賃借人への引渡しの時にかかるリース資産の売買があったものとして、当該賃貸人又は賃借人である居住者の各年分の各種所得の金額を計算する（所法67の2①）。他方で、居住者が譲受人から譲渡人に対する賃貸を条件に資産の売買（いわゆるリースバック取引）を行った場合において、その資産の種類、売買及び賃貸に至るまでの事情その他の状況に照らし、これら一連の取引が実質的に金銭の貸借であると認められるときは、その資産の売買はなかったものとし、譲受人から譲渡人に対する金銭の貸付けがあったものとして、譲受人又は譲渡人である居住者の各年分の各種所得の金額を計算する。

(5) 信託に係る所得の金額の計算

受益者等が存在しない信託に受益者等が存在することとなった場合には、その受益者等が、その受託法人（所法6の3①）から、その信託財産に属する資産及び負債をその該当しないこととなった時の直前の帳簿価額を基礎とする一定の金額により引継ぎを受けたものとして、受益者等の各年分の各種所得の金額を計算するものとすることとされている（所法67の3①）。ここで、その引継ぎにより生じた収益の額は、受益者等のその引継ぎを受けた日の属する年分の各種所得の金額の計算上、総収入金額に算入しない（所法67の3②）。また、引継ぎにより生じた損失の額は生じなかったものとみなされる（所令197の3③）。

これにより、信託財産に係る資産のキャピタルゲイン等は受益者等に引き継がれることになるのである。

また、信託（集団投資信託、退職年金等信託又は法人課税信託を除く。）の委託者がその有する資産を信託した場合において、受益者等となる者（法人に限る。）が適正な対価を負担せずに受益者等となる場合には、信託の委託者について、みなし譲渡所得課税が行われる（所法67の3③）。

(6)　贈与等により取得した資産に係る利子所得等の金額の計算

居住者が次に掲げる事由（＝所得税法60条《贈与等により取得した資産の取得費等》1項各号の事由）により利子所得、配当所得、一時所得又は雑所得の基因となる資産を取得した場合におけるその資産に係る利子所得の金額、配当所得の金額、一時所得の金額又は雑所得の金額の計算については、別段の定めがあるものを除き、その者が引き続きその資産を所有していたものとみなして、所得税法の規定を適用することとされている（所法67の4）。この規定は、相続等により取得した預金の利子等や配当等について、いわゆる年金二重課税事件43最高裁平成22年7月6日第三小法廷判決（94頁参照）の射程範囲が及ばないことを明確にする趣旨で設けられたものである（池本・所得税法215頁）。

①　贈与、相続（限定承認に係るものを除く。）又は遺贈（包括遺贈のうち限定承認に係るものを除く。）

②　法人に対する時価の2分の1未満の価額の対価による譲渡

(7)　社会保険診療報酬の所得計算の特例

租税特別措置法26条《社会保険診療報酬の所得計算の特例》に基づき「社会保険診療報酬の所得計算の特例」を適用した場合は、社会保険診療収入にかかる必要経費については、実額計算による必要経費計上の代わりに、次の算式によって計算した概算経費金額によることとされている。

社会保険診療収入　×　概算経費率　＋　加算額　＝　概算経費金額

社会保険診療収入		概算経費率	加算額
	2,500万円以下	72%	なし
2,500万円超	3,000万円以下	70%	50万円
3,000万円超	4,000万円以下	62%	290万円
4,000万円超	5,000万円以下	57%	490万円
5,000万円超		適用できない	

裁判例の紹介

社会保険診療報酬の必要経費

租税特別措置法26条の概算経費選択の意思表示は錯誤であるとされた事例
（321第一審福岡地裁昭和60年９月24日判決・民集44巻４号645頁）[86]
（322控訴審福岡高裁昭和63年６月29日判決・民集44巻４号664頁）[87]
（323上告審最高裁平成２年６月５日第三小法廷判決・民集44巻４号612頁）[88]

〔事案の概要〕

Ｘ（原告・被控訴人・上告人）は社会保険診療報酬の必要経費につき租税特別措置法（以下「措置法」という。）26条１項の規定を適用して確定申告をするかどうかを判断するに当たり、社会保険診療報酬を得るための実額経費を算出し、これと同項に基づいて算出した概算経費とを比較したが、計算過程において自由診療収入分の必要経費を正しく計算した場合よりも多額に、実額経費を正し

86）判例評釈として、堺澤良・ジュリ880号151頁（1987）など参照。

87）判例評釈として、星野英敏・訟月35巻３号203頁（1989）、大淵博義・税通43巻11号187頁（1988）など参照。

88）判例評釈として、上田豊三・平成２年度最高裁判所判例解説〔民事篇〕182頁（1992）、山田二郎・税通45巻12号192頁（1990）、堺澤良・ジュリ978号167頁（1991）、高梨克彦・シュト355号１頁（1991）、佐藤孝一・税通49巻２号227頁（1994）、岩﨑政明・税研106号34頁（2002）、藤原淳一郎・租税百選〔４〕196頁（2005）、興津征雄・租税百選〔７〕206頁（2021）、酒井克彦・税務事例53巻１号24頁、２号44頁（2021）など参照。

く計算した場合よりも少額に算出し、後者を有利であると判断したため、同項の規定を適用して確定申告をした。

その後、確定申告には自由診療収入の計上漏れがあったこともあって、Ｘは修正申告において、実額経費に直して申告をした。税務署長Ｙ（被告・控訴人・被上告人）は、実額経費への変更を認めず更正処分をしたため、Ｘがこれを不服として提訴した。

〔争点〕

所得税の確定申告において措置法26条１項に基づく概算経費により事業所得金額を計算していた場合に、修正申告によって実額経費に変更することが許されるか。

〔判決の要旨〕

1　福岡地裁昭和60年９月24日判決

「確定申告で措置法26条１項の規定の適用を選択した場合、逆に、その後の修正申告で、右選択を変更し、収支計算の方法によることができない、旨の明文の定めがないことや、右規定が本来社会保険診療報酬に対する課税軽減のための特例であって、前記三項の趣旨も、納税者が右特例措置をうけるための要件として、確定申告書に前記のような記載を求めていると解されること等を考慮するならば、右措置法の規定が、その特例措置の内容及び適用のための要件を定めたものである以上に、確定申告後いかなる場合も右選択の変更を認めない趣旨を含む、とするには疑問の余地がある。」

「修正申告は、申告納税制度の本旨に則り、先の申告税額等に不足があることを認め、税額等の増加を申告する意思がある納税者に対し、修正申告書の提出を認めて、更正処分と異なる取扱いをする制度であるから、これまで述べてきたところを総合すると、修正申告の機会に、経費算定方法で経費を増加させる方向への変更を伴っていても、先の申告時に不正があるとか、修正申告段階での計算方法の変更に不当な動機があるとかの事情がない場合、税額等が増加されるという要件を充足する限り、修正申告として是認しても、制度の趣旨に反するものではないと考えることができる。

しかして、…Ｘは、確定申告の際、実際の必要経費総額を自由診療等収入分と社会保険診療報酬分とに区分する計算を誤り、実際の金額より前者を高く、後者を低く算出して、後者につき高い措置法26条１項の規定による経費を選択、計上したものであり、偶々、その後自由診療等収入の計上洩れと雑収入金の削減とにより、差引き税額の増加を内容とする本件修正申告をすることになった際、右経費計算の誤りに気付き、社会保険診療報酬分経費につき、不利な右措置法の規定の適用を改め、実際の収支計算によると共に、自由診療等収入分経費についても、確定申告の誤りを是正しているのであるから、このような場合、右措置法の規定についての選択の変更を特に不相当とすべき理由はない、と認めるのが相当である。」

2　控訴審**福岡高裁昭和63年６月29日判決**も原審判断を維持した。

3　最高裁平成２年６月５日第三小法廷判決

「歯科医師の事業所得金額の計算上その診療総収入から控除されるべき必要経費は、自由診療収入の必要経費と社会保険診療報酬の必要経費との合計額であるところ、本件においては、診療経費総額を自由診療収入分と社会保険診療報酬分に振り分ける計算過程において、診療総収入に対する自由診療収入の割合を出し、これを診療経費総額に乗じて自由診療収入分の必要経費を算出し、これを診療経費総額から差し引いて社会保険診療報酬の実際の必要経費（実額経費）を算出すべきところ、誤って社会保険診療報酬に対する自由診療収入の割合を出し、これを診療経費総額に乗じて自由診療収入分の必要経費を算出し、これを診療経費総額から差し引いて実額経費を算出したため、自由診療収入分の必要経費を正しく計算した場合よりも多額に、実額経費を正しく計算した場合よりも少額に算出してしまい、そのため右実額経費よりも概算経費の方が有利であると判断して概算経費選択の意思表示をしたというのであるから…、右概算経費選択の意思表示は錯誤に基づくものであり、Ｘの事業所得金額の計算上その診療総収入から控除されるべき必要経費の計算には誤りがあったというべきである。」

「国税通則法19条１項１号によれば、確定申告に係る税額に不足額があるときは修正申告をすることができるところ、本件においては、確定申告に係る自由診療収入の必要経費の計算の誤りを正せば、必然的に事業所得金額が増加し、確定申告に係る税額に不足額が生ずることになるため、修正申告をすることができる場合に当たることになる。そして、右修正申告をするに当たり、修正申告の要件を充たす限りにおいては（すなわち、確定申告に係る税額を増加させる限りにおいては）、確定申告における必要経費の計算の誤りを是正する一環として、錯誤に基づく概算経費選択の意思表示を撤回し、所得税法37条１項等に基づき実額経費を社会保険診療報酬の必要経費として計上することができる〔。〕」

〔コメント〕

所得税法上の事業所得の金額の計算をするに当たって、医師等に対する措置法26条１項による計算をしていた者が更正の請求によって実額経費計算に「変更」することを否定した判例として、**379**最高裁昭和62年11月10日第三小法廷判決（859頁）がある。

しかし、本件最高裁判決は、上記最高裁昭和62年判決の射程範囲は本件に及ばないとしている。最高裁昭和62年判決が更正の請求の要件を満たしていないという点で、「変更」が認められなかったのと同じロジックで、本件は修正申告の要件が満たされれば修正申告ができるという点で「変更」が認められるのであって、手続法上の要件に是正を認めるか否かの判断の基礎を置くという意味では、根底に流れている考え方は同じなのではなかろうか。

最高裁昭和62年判決は、「同条項〔筆者注：措置法26条１項〕の規定を適用して概算による経費控除の方法によって所得を計算するか、あるいは同条項の規定を適用せずに実額計算の方法によるかは、専ら確定申告時における納税者の自由な選択に委ねられているということができるのであって、納税者が措置法の右規定の適用を選択して確定申告をした場合には、たとえ実際に要した経費の額が右概算による控除額を超えるため、右規定を選択しなかった場合に比して納付すべき税額が多額になったとしても、納税者としては、そのことを理由に通則法23条１項１号に基づく更正の請求をすることはできないと解すべきである。けだし、通則法23条１項１号は、更正の請求が認められる事由として、『申告書に記載した課税標準等若しくは税額等の計算が国税に関する法律の規定に従っていなかったこと又は当該計算に誤りがあったこと』を定めているが、…仮に実際に要した経費の額が右概算による控除額を超えているとしても、そのことは、右にいう『国税に関する法律の規定に従っていなかったこと』又は『当該計算に誤りがあったこと』のいずれにも該当しないというべきだからである。」と説示している。

裁判例の紹介

租税特別措置法26条該当性

麻薬関連医療業務に係る報酬額が、租税特別措置法26条にいう「社会保険診療につき支払を受けるべき金額」に当たらないとされた事例

（324第一審東京地裁令和２年１月30日判決・判例集未登載）

〔事案の概要〕

横浜市内に保険医療機関である本件クリニックを個人で開設する医師であるＸ（原告）は、平成23年分から平成25年分まで（以下「本件各年分」という。）の所得税及び復興特別所得税（以下「所得税等」という。）の確定申告をするに当たり、その事業所得の金額の計算上、他の保険医療機関（以下「本件各病院」という。）で実施された手術について業務委託契約に基づき行った麻酔関連医療業務（以下「本件業務」という。）に係る報酬（以下「本件各報酬」という。）

の金額が租税特別措置法（平成25年法律第５号による改正前のもの。以下「措置法」という。）26条１項にいう「社会保険診療につき支払を受けるべき金額」に該当することを前提に、同項所定の概算経費率を乗じて計算した金額（以下「本件概算経費額」という。）を必要経費に算入した。

これに対し、所轄税務署長（処分行政庁）は、本件各報酬額は上記「社会保険診療につき支払を受けるべき金額」に該当せず、本件概算経費額を必要経費に算入することはできないことなどを理由に、Ｘに対し、本件各年分の所得税等の各更正処分をした。

本件は、Ｘが、国Ｙ（被告）を相手取り、本件所得税各処分の一部（本件概算経費額の必要経費への不算入を理由とする部分）の取消しを求めた事案である。

〔争点〕

本件各報酬額は、措置法26条１項にいう「社会保険診療につき支払を受けるべき金額」に該当するか否か。

〔判決の要旨〕

○　東京地裁令和２年１月30日判決

「措置法26条１項が定める本件特例は、医業又は歯科医業を営む個人が社会保険診療につき支払を受けるべき金額を有する場合において、当該支払を受けるべき金額が5000万円以下であるときに、当該社会保険診療に係る費用として必要経費に算入する金額を、社会保険診療報酬の収入金額に応じ４段階に区分して定められた割合（概算経費率）に相当する金額の合計額とする旨を定めている…。

本件特例の適用対象となる社会保険診療について規定する措置法26条２項１号は、健康保険法のほか、国民健康保険法、国家公務員共済組合法等の各法律の規定に基づく療養の給付等を定めるところ…、これらの各法律においては、いずれも健康保険法の療養の給付等に関する規定を準用するなどしている…。そして、Ｘが本件各病院内の本件手術において行った本件麻酔施術が、健康保険法63条１項３号に定める『処置、手術その他の治療』に当たり、同項所定の療養の給付に該当することは、当事者間に争いがない。

本件で問題とされているのは、本件手術は保険医療機関である本件各病院において実施されたものであるところ、本件手術における本件麻酔施術は、同じく保険医療機関である本件クリニックを個人で開設するＸが行ったものであるため、本件クリニック（Ｘ）が自ら主体として療養の給付を行ったと評価することができるか（すなわち、Ｘは本件麻酔施術に係る社会保険診療につき支払を受けるべき地位にあるのか）否かである。」

「一般に、手術においては、執刀医による執刀のほか、患者に対する各種の処置、病理検査などの各種医学検査、手術中に必要とされる薬剤等の使用など、医師その他の医療従事者による各種の医療関係行為が一体となって行われるものであり、麻酔施術もその一環として行われるものにほかならない。そして、本件各病院は、本件手術の実施に当たり、執刀医、看護師や臨床工学技士など、麻酔を担当する医師を除く全ての医療従事者を提供しているほか、本件手術に必要な設備や器具、薬剤等についても全て用意し提供している…のであるから、本件各病院が自ら主体となって本件手術を実施したものであることは明らかである。そうすると、当該患者の治療等への本件クリニック（X）の関与は、本件各病院が主体となって実施した本件手術において、その各種の医療関係行為の一環として行われた本件麻酔施術につき、麻酔専門医であるXを提供したにとどまるものといえる。

また、本件クリニック（X）が本件手術及び本件麻酔施術に関与することとなったのは、Xが本件各病院との間で本件各業務委託契約を締結し、各病院内の手術における麻酔関連医療業務（本件業務）を受託したことによるものである…ところ、これらの業務は特定の曜日等にXが来院して行うこととされ、そのほかの曜日等には本件各病院の外科医師や外部から派遣された麻酔専門医が麻酔施術を行っていたこと…に鑑みると、麻酔専門医が不在ないし不足している本件各病院において、本件クリニック（X）との間で本件各業務委託契約を締結することによって、麻酔に関する専門的な知識経験を有する医師を安定的に確保し、もって手術の安全性を高めようとしたものと解される。

以上を踏まえると、本件クリニック（X）は、本件各病院との本件各業務委託契約に基づき、本件各病院が実施した本件手術における本件麻酔施術を本件クリニックの医師（X）に行わせていたにすぎないものであって、自ら主体となって本件各病院と共に本件手術を実施したとまで評価することができるものではない。また、本件手術における各種の医療関係行為の一環として行われた本件麻酔施術を、本体たる手術から切り離して、これとは別個の医療サービスの給付を成すものと解するのも相当ではない。そうすると、Xが行った本件麻酔施術は、本件各病院が実施した本件手術に包摂され、本件手術の一部を成すものとして医療サービスの給付（療養の給付）を構成するものというべきである。

したがって、患者の治療等における本件クリニック（X）の関与については、人と物とが結合された組織体である保険医療機関として、自ら主体となって当該患者に対しその傷病の治療等に必要かつ相当と認められる医療サービスの給付を行ったと評価することはできないから、Xが自ら主体として療養の給付を行ったと認めることはできない。」

〔コメント〕

本件は、措置法26条の適用が争点とされたものであるが、本件手術における本件麻酔施術は、同じく保険医療機関である本件クリニックを個人で開設するXが行ったものであるため、本件クリニック（X）が自ら主体として療養の給付を行ったと評価することができるか否かが問題となる。すなわち、これは、クリニックとしてのXと医師としてのXを別人格的なものとみるべきか否かという事実認定の問題に帰着する。

結論的に、本件判決では、Xが自ら主体となって療養の給付を行ったとみることはできないと判断されている。

第4章　損益通算

Ⅰ　損益通算の対象

1　損益通算の意義

損益通算とは、「課税標準」の計算を行うに当たり、各種所得の金額を合算すること（特定の所得に係る損失を、他の所得の所得金額から控除すること。）をいう。所得税法は、10種類の各種所得を一定のルールに従って合算し、課税標準を算定する。すなわち、例えば、課税標準である総所得金額の計算を行うに当たり、不動産所得の金額、事業所得の金額、山林所得の金額又は譲渡所得の金額（分離課税とされるものを除く。）の計算上生じた損失の金額があるときは、一定のルールに従って、これを他の各種所得の所得金額から控除する（所法69①）。これが損益通算である。

ここにいう「課税標準」とは、所得税法上の総所得金額、退職所得金額及び山林所得金額（所法21①、22）と、租税特別措置法に規定されている、上場株式等に係る配当所得の金額、土地等又は建物等の譲渡による所得の金額、株式等に係る譲渡所得等の金額及び先物取引に係る雑所得等の金額をいう。租税特別措置法上のこれらの金額は上記の総所得金額に含めない（措法8の4、31、32、37の10、41の14）。さらに、土地等又は建物等の譲渡による所得金額は、長期と短期に区分される。

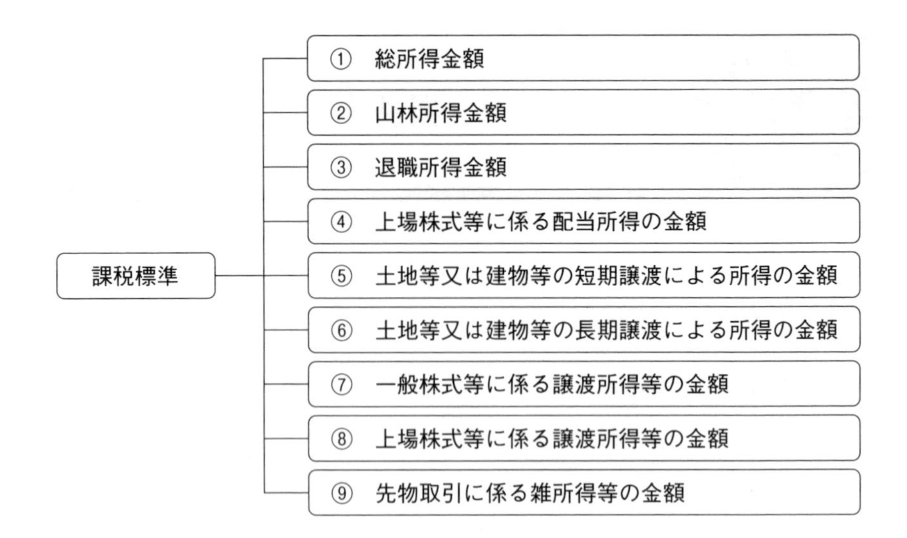

このように所得税の課税標準とは、①総所得金額、②山林所得金額、③退職所得金額、④上場株式等に係る配当所得の金額、⑤土地等又は建物等の短期譲渡による所得の金額、⑥土地等又は建物等の長期譲渡による所得の金額、⑦一般株式等に係る譲渡所得等の金額、⑧上場株式等に係る譲渡所得等の金額及び⑨先物取引に係る雑所得等の金額の９つである。

✍ 従来、株式等に係る譲渡所得等の金額については、上場株式等と非上場株式等における区別は設けられていなかったが、平成28年分以降は、「一般株式等に係る譲渡所得等の金額」と「上場株式等に係る譲渡所得等の金額」に区分され、それぞれ別々に申告分離課税がなされることとなった（措法37の10①、37の11①)。これを受けて、上場株式等と非上場株式等の間における譲渡損益の通算もできないこととされている。

2　損益通算の対象とならない特殊な損失

(1)　損益通算の対象損失

損益通算の対象となる損失は、次のものに限定されている。

① 不動産所得の金額
② 事業所得の金額
③ 山林所得の金額
④ 譲渡所得の金額
　}の計算上生じた損失

すなわち、配当所得、一時所得及び雑所得の金額の計算上生じた損失は損益通算の対象とはならない（そもそも利子所得、給与所得及び退職所得には損失はない。）。

なお、次に掲げる損失はないものとみなされるかあるいは、損失そのものを観念しない。

① 生活用動産の譲渡による所得の計算上生じた損失（所法９①九、②一）
② 強制換価手続等による資産の譲渡による所得の計算上生じた損失（所法９①十、②二）
③ 貸付信託の受益権等の譲渡による所得の計算上生じた損失（措法37の15②）
④ 不動産所得を生ずべき「業務」の用に供され、又はこの所得の基因となる資産（生活に通常必要でない資産を除く。）の損失の金額のうち、その年分の不動産所得の金額を超える部分の金額（所法51④）
⑤ 山林（事業所得の基因となるものを除く。）又は譲渡所得の基因となる資産を個人に対して時価の２分の１未満の対価によって譲渡した場合の山林所得の金額、譲渡所得の金額又は雑所得の金額の計算生じた損失（所法59②）
⑥ 有限責任事業組合の組合事業から生ずる不動産所得、事業所得又は山林所得の損失額のうち、調整出資金額を超える部分の金額（措法27の２）
⑦ 分離課税の長期（短期）譲渡所得の金額の計算上生じた損失（措法31①、32①）。ただし、居住用財産の買換え等の場合の譲渡損失及び特定居住用財産の譲渡損失については、損益通算の対象となる（措法41の５①、41の５の２①）。

⑧　一般株式等の譲渡所得等の金額の計算上生じた損失（措法37の10①）

⑨　上場株式等に係る譲渡所得の金額の計算上生じた損失（措法37の11①）

⑩　不動産所得の損失の金額のうち、不動産所得を生ずべき土地等を取得するために要した負債の利子に相当する部分の金額（措法41の４①）

⑪　不動産所得を生ずべき事業を行う民法組合等（外国におけるこれに類似するものを含む。）の業務執行組合員以外の個人組合員が組合事業から生じた損失（措法41の４の２）

ここで、業務執行組合員とは、組合事業に係る重要な業務の執行の決定に関与し、契約を締結をするための交渉等を自ら執行する個人組合員のことをいう。

⑫　信託の受益者が信託から生ずる不動産所得の損失（措法41の４の２）

⑬　令和３年以後の各年において、国外中古建物から生ずる不動産所得の損失（措法41の４の３）

ここで国外中古建物とは、個人において使用され、又は法人（人格のない社団等を含む。）において事業の用に供された国外にある建物であって、個人が取得をしてこれをその個人の不動産所得を生ずべき業務の用に供したもの（不動産所得の金額の計算上、その建物の償却費として必要経費に算入する金額を計算する際に、耐用年数をいわゆる「簡便法」等により算定しているものに限る。）をいう（措法41の４の３②）。

⑭　先物取引に係る雑所得等の金額の計算上生じた損失（措法41の14①）

CHECK!　国外中古建物と租税回避

平成28年11月、会計検査院は、国外中古建物を用いて所得税負担の軽減を図る事例が散見されることを指摘した。そこでは、減価償却費の計算上、いわゆる簡便法により算定された耐用年数が建物の実際の使用期間に適合していないおそれがあると認められるとし、賃貸料収入を上回る減価償却費を計上することにより、不動産所得の金額が減少して損失が生ずることになり、損益通算を行って所得税額が減少する点を問題視していた。そして、会計検査院の所見として、国外中古建物に係る減価償却費のあり方について、様々な視点から有効性及び公平性を高めるよう検討を行っていくことが肝要であると述べていたところである。

これは国外中古建物の貸付けにより多額の減価償却費を計上することで不動産所得の赤字を発生させ、給与所得等と損益通算することで税額を軽減するスキームである。これを受けて、かつての航空機リースを利用した租税回避スキームへの対応と同様、令和２年度税制改正において、かかる不動産所得の損失の金額を生じなかったものとみなして損益通算を制限する取扱いが設けられたのである。

なお、この適用を受けた国外中古建物を譲渡した場合には、その譲渡による譲渡所得の金額の計算上、その取得費から控除することとされる償却費の額の累積額からは、上記により生じなかったものとみなされた損失の金額に相当する金額の合計額が控除されることとされており（措法41の４の３③）、このような措置がなかった場合と比べて、国外中古建物の譲渡時の譲渡所得に係る所得税額が減少するように手当されている。

(2)　損益通算の対象損失の制限

「生活に通常必要でない資産」については、損益通算が制限されている。

①　生活に通常必要でない資産に係る所得の金額の計算上生じた損失の金額があるときは、当該損失の金額のうち、競走馬（事業用の競走馬を除く。）の譲渡に係る損失の金額がある場合には競走馬の保有に係る雑所得の金額から控除することとし（所令200）、それ以外のもの及び当該控除をしてもなお控除しきれないものは生じなかったものとみなすこととされている（所法69②）。

なお、事業用の競走馬については、その譲渡損失は通常のルールに従い他の所得と損益通算をすることができる。

②　①以外の生活に通常必要でない資産の譲渡により生じた損失のうち、他の資産の譲渡所得の譲渡益から控除しきれない部分については、損益通算できない（所法69②、所令178）。

③　ゴルフ会員権等の譲渡損失については、平成26年４月１日以降に行う譲渡により生ずる損失は、生活に通常必要でない資産に係る損失と同様に扱われる。

④　生活に通常必要でない資産とされる不動産に係る不動産所得の金額の計算上生じた損失についても、損益通算をすることはできない。

裁判例の紹介

サラリーマン・マイカー訴訟

給与所得者の自家用自動車の譲渡による損失の金額をその給与所得の金額から控除することができないとされた事例

（325第一審神戸地裁昭和61年9月24日判決・訟月33巻5号1251頁）[1]
（326控訴審大阪高裁昭和63年9月27日判決・訟月35巻4号754頁）[2]
（327上告審最高裁平成2年3月23日第二小法廷判決・集民159号339頁）[3]

〔事案の概要〕

会計事務所に勤務する給与所得者であるX（原告・控訴人・上告人）は、自家用車（以下「本件自動車」という。）を自損事故により破損させ、修理をすることなくスクラップ業者に3,000円で売却した。Xはかかる売却により、自動車の帳簿価額30万円から売却価額を控除した29万7,000円の譲渡損失を生じたとして、給与所得と損益通算をして確定申告をした。これに対して、税務署長Y（被告・被控訴人・被上告人）は、かかる譲渡損失の金額は給与所得と損益通算をすることはできないとして更正処分を行った。Xはこれを不服として提訴した。

〔争点〕

① 一般的な家庭用資産は、(i)「生活に通常必要な動産」（所法9①九、所令25)、(ii)「生活に通常必要でない資産」（所法62、所令178①三）、(iii)(i)(ii)のいずれにも属さない「一般資産」に該当するとし、その譲渡損失は損益通算ができると解すべきか。
② 給与所得者の有する有形固定資産は、(i)「生活の用に供する資産」、(ii)「収入を得るために用いられる資産」に大別できるところ、本件自動車は(ii)の資産に該当するとし、譲渡損失の金額は損益通算することができると解すべきか。

1）判例評釈として、北野弘久・税理27巻15号91頁（1984）、碓井光明・税務事例19巻3号2頁（1987）、福家俊朗・判評340号27頁（1987）、池本征男・税理30巻9号123頁（1987）など参照。

2）判例評釈として、山田二郎・平成元年度主要民事判例解説〔判タ臨増〕350頁（1990）、北野弘久・時法1325号62頁（1988）、高野幸大・ジュリ943号120頁（1989）、一杉直・訟月35巻4号204頁（1989）、同・税通44巻2号195頁（1989）など参照。

3）判例評釈として、石島弘・民商103巻2号304頁（1990）、佐藤久夫・平成2年度主要民事判例解説〔判タ臨増〕318頁（1991）、石倉文雄・租税百選〔3〕54頁（1992）、玉國文敏・租税百選〔5〕85頁（2011）、酒井・ブラッシュアップ150頁など参照。

〔判決の要旨〕

1　神戸地裁昭和61年9月24日判決

イ「Xは給与所得者であるが本件自動車の使用状況も大崎事務所への通勤の一部ないし全部区間、また勤務先での業務用に本件自動車を利用していたこと、本件自動車を通勤・業務のために使用した走行距離・使用日数はレジヤーのために使用したそれらを大幅に上回っていること、車種も大衆車であることのほか現在における自家用自動車の普及状況等を考慮すれば、本件自動車はXの日常生活に必要なものとして密接に関連しているので、生活に通常必要な動産（法9条1項9号、令25条）に該当するものと解するのが相当である。そして、自動車が令25条各号にあげられた資産に該当しないことは明らかであるから、Xの本件自動車の譲渡による損失の金額は、法9条2項1号に基づかないものとみなされることになる。したがって、損益通算の規定（法69条）の適用の有無につき判断するまでもなく右損失の金額を給与所得金額から控除することはできない〔。〕」

ロ　Xは、上記争点①について、本件自動車は「一般資産」に該当する旨主張した。これに対しては、立法論としてはともかくも、資産の範囲をX主張のように限定的に解釈する合理的な根拠はないとする。すなわち、「法9条1項9号…の改正経過をみても、昭和25年の改正に際しては『生活に通常必要な家具、什器、衣類その他の資産で命令で定めるもの』とされていたのが、昭和40年の全文改正で現行のように『生活の用に供する家具、じゅう器、衣類その他の資産で政令で定めるもの』となったもので、この改正経過に照らしてもX主張のような制限的解釈をする根拠は認められない…。さらに、法9条1項9号と令25条との関係も、X主張のように法9条1項9号を制限的に解釈し、令25条は列挙した貴石・書画等につき生活に通常必要といいうるものであっても一定額以上の高価品は非課税扱いの対象から除外する点に意味のある規定と解するよりは、法9条1項9号が生活の用に供する資産のうち非課税とする資産の具体的範囲につき令25条において定めることを委任したものと解するのが、文理上も法律と政令との機能分担からしても相当である。したがって、現行法上の根拠規定のないX独自の見解に基づき、本件自動車が法9条1項9号にいう非課税の資産に該当しないとの主張は、その余の点について判断するまでもなく理由がない」とする。

ハ　次に、Xは、争点②について、その譲渡損失は所得税法69条1項に基づき損益通算を認めるべき旨主張したが、この点につき、「独自の見解」として排斥した。

2　大阪高裁昭和63年9月27日判決

「本件自動車は給与所得者であるXが保有し、その生活の用に供せられた動産であって、供用範囲はレジャーのほか、通勤及び勤務先における業務にまで及んでいると言うことができる。ところで、右のうち、自動車をレジャーの用に供することが生活に通常必要なものと言うことができないことは多言を要しないところであるが、自動車を勤務先における業務の用に供することは雇用契約の性質上使用者の負担においてなされるべきことであって、雇用契約における定め等特段の事情の認められない本件においては、被用者であるＸにおいて業務の用に供する義務があったと言うことはできず、本件自動車を高砂駅・三宮駅間の通勤の用に供したことについても、その区間の通勤定期券購入代金が使用者によって全額支給されている以上、Ｘにおいて本来そうする必要はなかったものであって、右いずれの場合も生活に通常必要なものとしての自動車の使用ではないと言わざるを得ない。そうすると、本件自動車が生活に通常必要なものとしてその用に供されたと見られるのは、Ｘが通勤のため自宅・高砂駅間において使用した場合のみであり、それは本件自動車の使用全体のうち僅かな割合を占めるにすぎないから、本件自動車はその使用の態様よりみて生活に通常必要でない資産に該当するものと解するのが相当である。

そうだとすれば、仮にＸ主張の譲渡損失が生じたとしても、それは、所得税法… 69条２項にいう生活に通常必要でない資産に係る所得の計算上生じた損失の金額に該当するから、同条１項による他の各種所得の金額との損益通算は認められないことになる。」

争点①については、第一審と同様の判断を下したが、争点②については、「現行の法は給与所得者について事業所得者におけるとは異なる仕組みを採用し、必要経費の実額控除を認めず、その代わりに事業所得者等との租税負担の公平を考慮し概算経費控除の意味で給与所得控除を認めているのである。このことに照らすと法は必要経費の実額控除をなすことに係る『収入を得るために用いられる資産』なるものは認めていないものと言うほかはない。したがって、右Ｘの予備的主張〔筆者注：争点②〕も実定法上の根拠を欠き失当であ〔る。〕」と判示した。

３　上告審**最高裁平成２年３月23日第二小法廷判決**は原審の判断を維持した。

〔コメント〕

１　所得税法概観

所得税法の解釈では、譲渡所得の非課税規定や資産損失規定を巡って様々な論点が提示されている。本件の「生活に通常必要でない資産」や「生活に通常必要な動産」概念の理解はその代表的なものである。

「生活に通常必要でない資産」（所法62、所令178①）に係る譲渡損失は他の所得との損益通算が制限されている（所法69②）。他方、「生活に通常必要な動産」に係る譲渡損失はなかったものとして取り扱うこととされている（所法9②、所令25)。したがって、本件のような給与所得者の有する自家用車が、仮に「生活に通常必要でない資産」に該当するとなると、譲渡損失を給与所得と損益通算できないこととなる一方、「生活に通常必要な動産」に該当する場合、譲渡損失はなかったものとして取り扱われることになるので、自家用車が、「生活に通常必要でない資産」若しくは「生活に通常必要な動産」のいずれに該当したとしても、本件の場合、かかる譲渡損失をもって担税力の減殺をすることはできず、結論としては同様となる。

そこで、個人が所有する一般的な家庭用資産が「生活に通常必要でない資産」にも「生活に通常必要な動産」にも該当しない「一般資産」に該当するため、損益通算が認められるはずだとするのがXの主張である。この点、学説上は、資産を「生活に通常必要でない資産」と「生活に通常必要な動産」に二分されるべきとする二分説と、X主張のような三つに分かれるとする三分説の対立があったが、上告審は原審判断のとおり、二分説を採用したのである。

これに対して、「生活に通常必要でない資産」を譲渡した場合の譲渡益については、特段の非課税規定がないことから、原則どおり課税されるが（所法33①)、譲渡損失については損益通算が認められていない（所法69②)。そもそも生活に通常必要でない資産に係る損失のうち控除し切れない部分は、生活用動産の一種として生活を営むに当たり使用されてきたことによる価値の減価、すなわち家事消費的性質の強いものであって、課税上考慮されない家事上の経費であるとする考え方が根底にあり、かような考え方から家事上の経費として損益通算が許容されていないと考えられる。また、雑損控除の適用もない（所法72①)。

このように「生活に通常必要な動産」に当たるか、「生活に通常必要でない資産」に当たるかによって、課税上の取扱いが異なることになるから、対象となる資産がこれらのいずれに該当するかについてはしばしば問題となる。

もっとも、譲渡損失が生じた場合の取扱いとしては、「生活に通常必要な動産」の譲渡損失はなかったものとみなされ、「生活に通常必要でない資産」の譲渡損失は損益通算が認められないことから、他の資産の譲渡益がない限り、いずれの資産概念に該当したとしても、その損失は考慮されないことになる。このようにみてくると、「生活に通常必要な動産」あるいは「生活に通常必要でない資産」のいずれであっても、譲渡損失の考慮は極端に制限されているといわざるを得ない。もっとも、「生活に通常必要でない資産」の場合には、譲渡所得内における内部通算は可能であるから、「生活に通常必要な動産」よりは担税力の減殺要因の考慮があるともいえるが、可能となる通算範囲は極めて狭い。

「生活に通常必要な動産」や「生活に通常必要でない資産」概念について規定をする所得税法を簡単に概観すると、次の問題が当然のように浮上する。第一に、給与所得者の保有する自家用車が「生活に通常必要でない資産」に当たれば、地震保険料控除（旧損害保険料控除）の適用対象とはならないという点である。しかし、例えば、障害者が使用する「生活に通常必要な動産」については、自動車保険が控除対象とされることになろう。第二に、近時の国税不服審判所裁決が断ずるように自家用車が「生活に通常必要でない資産」であるとすれば、使用していた自家用車を下取りに出して譲渡益が発生すれば、譲渡所得の申告が当然に必要となる。中古資産の減価償却計算をして譲渡益が発生する事例は多いはずである。この点についての申告漏れがありはしないか。第三に、災害時における雑損控除の取扱いとの整合性である。阪神・淡路大震災以降の数次の大災害における雑損控除の取扱いと平仄が合うのであろうか。取扱いの均一性がとれているかという問題である。

2　二分説と三分説

ところで、所得税法施行令178条《生活に通常必要でない資産の災害による損失額の計算等》１項３号の「生活の用に供する動産で同令25条の規定に該当しないもの」の解釈を巡っては鋭い対立がある。一つには、ここにいう「該当しないもの」とは、生活の用に供する動産のうち所得税法施行令25条《譲渡所得について非課税とされる生活用動産の範囲》の適用される「生活に通常必要な動産」以外のすべてのものをいうとする解釈である。すなわち、譲渡所得について非課税とされる「生活に通常必要な動産」以外の全ての生活用動産は「生活に通常必要でない資産」に該当するという考え方である。これに対して、所得税法施行令178条１項３号にいう「生活に通常必要でない資産」とは、所得税法施行令25条に規定する生活の用に供する30万円超の貴石、貴金属、書画、こっとう等のみを意味するという考え方である。

田中治教授は、「もし所令178条１項３号を、譲渡所得について非課税とされる生活用動産を除いたすべての動産、というのであれば、その前２号に掲げられた競走馬、趣味等の目的で所有する不動産と並んで、当該動産の譲渡に伴って生じる損失の損益通算を排除することとの均衡はとりにくい。非課税とされる生活用動産を除いたすべての動産を対象とするのであれば、立法者は、それを直截に明示したはずだともいえよう。」とされ[4)]、所得税法施行令178条１項３号にいう「令25条の規定に該当しないもの」を同令25条の柱書きにいう「次に掲げるもの以外のもの」でないものに限定して解釈すべきであるとするのである。要するに、30万円以上の貴石、貴金属、書画、こっとう等こそが、所得税法施行令178条１項３号にいう「生活に通常必要でない資産」だとするのである。これは少数説である。

これに対して、石倉文雄教授は、所得税法９条１項９号がシャウプ勧告に基づいて昭和25年に創設された当時は、「生活に通常必要な家具、什器、衣類その他の資産で命令で定めるもの」と規定されていたことから、「生活に通常必要な動産」の譲渡所得は非課税とすることで終始一貫していたという点から、少数説の説く

4）田中治＝近藤雅人・税通57巻11号158頁（2002)。

限定的解釈を正当化できないとし、さらに、「現行法令が、一般的な家庭用資産について、生活に通常必要なものと必要でないものとに区分して規定していることは、そのいずれかに分類すべきことを当然の前提としていると解するのが素直な解釈であり、現行規定にない一般資産なる概念を持ち出すことは、立法論としてはともかく、解釈論としては無理があり正当でない」と主張される[5)]。

総合課税を前提に考え、原則として担税力を正しく測定するためには、譲渡損失を通算するのが当然であるとしつつ、他方、そうはいっても趣味や娯楽に用いられる資産の譲渡によって生じた損失までその減殺要因として考慮する必要はないという二つの背反した要請を満たすという点に所得税法69条《損益通算》の意義があるとみれば、所得税法施行令178条１項に掲げられた資産に係る損失は、相当程度限定された、趣味又は娯楽に伴う所得計算上の損失と考えることができる。かような立場に立てば、田中治教授の見解には説得力があるといえよう。

しかしながら、所得税法施行令25条の沿革を確認すると、所得税法は一般資産なるものを少なくとも明文上は規定しておらず、むしろ素直な解釈からすれば、条文にない「一般資産」を観念することは難しいように思えるのである。

本件高裁判決においては、上記の三分説がX側から主張されている。すなわち、本件では、かかる自家用車が「生活に通常必要な動産」あるいは「生活に通常必要でない資産」に該当するのか、あるいはXが主張するそれ以外の「一般資産」に該当するのかが主な争点となった。

本件高裁は、「法・令は、給与所得者が保有し、その生活の用に供する動産については、『生活に通常必要な動産（法９条１項９号、令25条)』と『生活に通常必要でない資産（動産）（法62条１項、令178条１項３号)』の二種に分類する構成をとり、前者については譲渡による所得を非課税とするとともに譲渡による損失もないものとみなし、後者については原則どおり譲渡による所得に課税するとともに、譲渡による損失については特定の損失と所得との間でのみ控除を認めているものと解するのが相当であって、『一般資産』のような第三の資産概念を持ち込む解釈には賛同することができない。」と断じて、二分説を妥当と判示したのである。

3　収入を得るために用いられる資産

本件控訴審において、Xは予備的主張として、給与所得者が保有する有形固定資産については、事業所得者と同様の「収入を得るために用いられる資産」と「生活の用に供する資産」とに分けられ、本件自家用車は前者に該当し、この譲渡損益は給与所得から控除されるべきとした。すなわち、ここでも三つに資産を分けて解釈することができるとするのである。なお、どの範囲の動産がそれに当たるとするのかは別として、給与所得者にも「生活の用に供する」資産以外の資産の存在

5）石倉・前掲３）55頁。

を認めるのが、学界では多数説であるとの指摘もある6)。

本件高裁判決は、所得を収入と経費との差額として捉える考え方は合理的であり、かような意味での必要経費は給与所得者にも存在し得ることは否定できないとしながらも、かかる資産概念は実定法上の根拠を欠くとしてその主張を否定した。

前述において二分説を妥当としたように、ここでも、所得税法が「収入を得るために用いられる資産」という概念を明文において用意しているわけではないことからすれば、X主張のように解釈をするには無理があるといわざるを得ない。

Yはこの点について次のように主張する。すなわち、資産損失の規定を確認すると、所得税法は、有形固定資産を事業用資産、業務用資産及び生活用資産の三種類に区分し事業用資産に関しては同法51条1項を、業務用資産に関しては同条4項及び同法72条《雑損控除》を、生活用資産に関しては同法62条及び72条をそれぞれ適用すべきとして構築しており、給与所得者の所有する有形固定資産が事業用又は業務用のいずれにも該当しないことは、同法51条1項及び4項の規定からも明らかであると主張していたのである。

裁判例の紹介

リゾートホテル事件①

リゾートホテル客室の貸付けに係る損失は、生活に通常必要でない資産に係る所得の計算上生じた損失として損益通算することはできないとされた事例

（328第一審東京地裁平成10年2月24日判決・判タ1004号142頁）7)

〔事案の概要〕

いわゆるコンドミニアム形式のリゾートホテルの一室を購入し、これをホテル経営会社に貸し付けていた会社役員であるX（原告）は、平成3年ないし平成5年分の所得税について、かかる建物の貸付けに係る不動産所得の金額の計算上損失が生じたため、これを他の各種所得の金額から控除して申告をした。これに対して、税務署長Y（被告）は、同建物は、所得税法62条1項、旧所得税法施行令178条1項2号の「生活に通常必要でない資産」に当たるから、所得税法69条2項により、その損失は生じなかったものとみなされるとして、Xのした損益通算を認めず、本件係争各年分の所得税の更正処分及び過少申告加算税賦課決定をした。本件は、Xがこれを不服として、各更正処分の一部取消し

6）佐藤英明「生活用動産の譲渡に関する所得税法の適用」税務事例研究6号58頁（1990）、北野弘久『サラリーマン税金訴訟〔増補版〕』290頁（税務経理協会1990）、三木義一・速報税理6巻8号30頁（1987）。

7）判例評釈として、山田二郎・税務事例32巻6号10頁参照（2000）。

を求めた事案である。

〔争点〕

本件建物が、生活に通常必要でない資産として旧所得税法施行令178条１項２号が規定する「通常自己及び自己と生計を一にする親族が居住の用に供しない家屋で主として趣味、娯楽又は保養の用に供する目的で所有するもの」に該当するか否か。

〔判決の要旨〕

○　東京地裁平成10年２月24日判決

「法〔筆者注：所得税法〕69条２項により、生活に通常必要でない資産に係る所得の計算上生じた損失の金額は、競争馬の譲渡に係る譲渡所得の金額の計算上生じた損失の金額について限定的に損益通算が認められているほかは、損益通算の対象とならないものであるが、これは、生活に通常必要でない資産に係る支出ないし負担は、個人の消費生活上の支出ないし負担としての性格が強く、このような支出ないし負担の結果生じた損失の金額について、損益通算を認めて担税力の減殺要素として取り扱うことは適当でないとの考え方に基づくものと解される。」

「法施行令178条１項２号〔筆者注：旧所得税法施行令178条１項２号〕は、『通常自己及び自己と生計を一にする親族が居住の用に供しない家屋で主として趣味、娯楽又は保養の用に供する目的で所有するものその他主として趣味、娯楽、保養又は鑑賞の目的で所有する不動産』を生活に通常必要でない資産として規定しており、家屋その他の不動産については、その主たる所有目的によって、当該不動産に係る所得の計算上生じた損失が損益通算の対象となるか否かが決せられることとなるところ、Xは、右の主たる所有目的の認定に当たっては、当該所有者の主観的な意思を最優先すべきであるとの趣旨の主張をしている。

しかしながら、個人の主観的な意思は外部からは容易には知り難いものであるから、一般論として、租税法上の要件事実の認定に当たり、客観的事実を軽視し、個人の主観的な意思を重視することは、税負担の公平と租税の適正な賦課徴収を実現する上で問題があり、適当でないというべきである。のみならず、前示のとおり、法69条２項が生活に通常必要でない資産に係る所得の計算上生じた損失について損益通算を認めていないのは、その資産に係る支出ないし負担の経済的性質を理由とするものであるところ、このような支出ないし負担の経済的性質は、本来、個人の主観的な意思によらずに、客観的に判定されるべきものであることからすると、法施行令178条１項２号の要件該当性を判断する上でも、当該不動産の性質及び状況、所有者が当該不動産を取得するに至った経緯、当該不動産より所有者が受け又は受けることができた利益及び所有者が負担した支出ないし負担の性質、内容、程度等の諸般の事情を総合的に考慮し、客観的にその主たる所有目的を認定するのが相当である。」

〔コメント〕

本件においては、旧所得税法施行令178条１項２号にいう生活に通常必要でない資産のうち、「不動産」該当性が争点とされた。平成26年度税制改正において、同規定の「不動産」は「資産」にまで拡張されているものの、本件は解釈論として現在においても参考になると思われる。

所得税法施行令178条１項１号も「射こう的行為の手段となる動産」と規定するように所有目的が要件とされているが、同条項２号は、「主として」と規定している点において、必然的に所有目的の判断の仕方が異なることになるのである。

この点、本件判決は、不動産の性質及び状況、所有者が当該不動産を取得するに至った経緯、当該不動産より所有者が受け又は受けることができた利益及び所有者が負担した支出ないし負担の性質、内容、程度等の諸般の事情を総合的に考慮し、客観的にその主たる所有目的を認定するのが相当であると認定されており、参考となろう。

裁判例の紹介

リゾートホテル事件②

コンドミニアム形式のリゾートホテルの一室を購入して、ホテル経営会社に貸し付けていた者の不動産所得の損失につき、同建物は「生活に通常必要でない資産」に当たるとして損益通算が認められないとされた事例

（329第一審盛岡地裁平成11年12月10日判決・行集26巻６号831頁）[8]
（330控訴審仙台高裁平成13年４月24日判決・税資250号順号8884）[9]

〔事案の概要〕

Ｘ（原告・被控訴人）はＡ株式会社から岩手県所在のホテルＢ××××号室を買い受け、これを同社に賃貸していたが、その賃貸により損失が生じたとして、平成３年ないし５年の当該各損失金額を所得税法69条１項に基づき、同各年度のＸの各種所得の金額から控除（損益通算）して申告した。これに対して税務

8）判例評釈として、品川芳宣・税研16巻１号（1988)、同・ＴＫＣ税研情報９巻５号１頁（2000）参照。
9）判例評釈として、三木義一・ジュリ1254号262頁（2003)、伊藤義一＝川井和子・TKC税研情報12巻16号１頁（2003)、堀口和哉・税務事例33巻11号１頁（2001)、酒井・ブラッシュアップ182頁など参照。

署長Y（被告・控訴人）は、上記物件はXが主として保養の目的（旧所得税法施行令178条1項2号）で所有するものであるから、所得税法62条1項に規定する「生活に通常必要でない資産」に当たり、同法69条2項により損失は生じなかったものとみなされ、損益通算の対象とならないとして更正処分及び過少申告加算税賦課決定処分を行った。本件は、Xがかかる処分を不服として提訴した事例である。

〔争点〕

上記物件は生活に通常必要でない資産に該当するか。さらには、X所有の家屋である本件物件が旧所得税法施行令178条1項2号に規定する「主として保養の目的で所有する不動産」に当たるか否かが中心的な争点である。

〔判決の要旨〕

1　第一審**盛岡地裁平成11年12月10日判決**はXの請求を認容した。

2　仙台高裁平成13年4月24日判決

「同条項〔筆者注：旧所得税法施行令178条1頁2号〕は、このように家屋の所有者の『主たる所有目的』という主観的要件を定めているが、個人の主観的な意思は外部からは容易に知り難いものであるから、その認定に当たって、客観的事実を軽視し、個人の主観的な意思を重視することは税負担の公平と租税の適正な賦課徴収を実現する上で適当でないというべきである。のみならず、所得税法69条2項が生活に通常必要でない資産に係る所得の計算上生じた損失について損益通算を認めていないのは、その資産に係る支出ないし負担の経済的性質を理由とするものであるが、このような支出ないし負担の経済的性質は、本来、個人の主観的な意思によらずに客観的に判定されるべきものであることに鑑みれば、所有者の主観を重視するのは相当でなく、所有者の職業、生活状況、所有者の他の不動産の取得・利用状況、当該不動産の性質及び状況、所有者が当該不動産を取得するに至った経緯、当該不動産より所有者が受け又は受けることができた利益及び所有者の支出ないし負担の性質、内容、程度等の諸般の事情を総合的に考慮して、客観的に所有者の主たる所有目的を認定すべきである。」

「まず第1に、本件物件の立地条件、本件物件より受けることのできた利益（ホテルBのオーナーに対する特典）や本件物件の利用実績からすれば、Xに保養の目的があったと認めざるを得ない。確かにXの利用回数は少ないが、一般的に別荘を所有していても多忙などのためほとんど利用しない所有者も稀ではなく、また、余剰所得があれば、すぐに利用する予定がなくとも、買い時と考えて取得することは十分考えられること、Xの三女が生まれて間がなかったことや、Xの診療所が忙しかったことから、利用が難しい状況であったことを考慮すると、そのことから保養の目的を否定することは相当でない。」
「以上の本件物件の賃料と本件物件の負担、特に管理費の関係からすれば、本件ホテルの客室オーナーが、賃料収入により管理費その他の高額の経費負担を上回る利益が生み出されることを期待し、そのような利益を目当てに当該客室を購入することは、考え難いことといわざるを得ない。」

〔コメント〕

旧所得税法施行令178条1項2号は「通常自己及び自己と生計を一にする親族が居住の用に供しない家屋で主として趣味、娯楽又は保養の用に供する目的で所有するものその他主として趣味、娯楽、保養又は鑑賞の目的で所有する不動産」を「生活に通常必要でない資産」として規定する。この規定を適用するに当たっては、条項の要件である「主たる所有目的」を認定する必要がある。本件高裁は、この点につき、①所有者の職業、家族、生活状況、②所有者の他の不動産の取得・利用状況、③本件物件及び本件ホテルの性質及び状況、④本件物件取得の経緯、⑤本件物件より受け又は受けることができた利益、⑥本件物件についてのXの支出ないし負担を検討している。特に、注目をしたいのは、本件高裁が、「損益通算する目的についても、『生活に通常必要でない不動産』か否かを判断するためその資産の所有目的を客観的に認定しようとする際に、その所有目的如何によって決せられる節税効果を得ることを判断要素とすることは本末転倒というべきであって相当でないから、節税効果に注目して取得したかどうかという点は、Xの本件物件の所有目的を認定する際に考慮に入れることはできないというべきである。」としている点である。節税目的が主たる目的であるという場面は十分にあり得ると思われ、同目的は「趣味、娯楽又は保養の用」のいずれにも該当しないのであるから、その場合に「生活に通常必要でない資産」には該当しないとの構成も十分に可能なのではないかと思われる。

平成26年度税制改正によって、所得税法施行令178条1項2号が改正され、この当時のような別荘等の「不動産」のみならず、「資産」にまで対象が拡張されたものの、この判決の説示するところは今日的にも意味を有しており、現行法上の解釈においても目的判断が要請される点には注意が必要である。

Ⅱ　損益通算の順序

所得税法は、損益通算の対象となる損失の金額の分類ごとに他の所得の金額から控除する順序を決めている（所法69①、所令198）。

①　不動産所得の金額又は事業所得の金額の計算上生じた損失の金額

② 譲渡所得の金額の計算上生じた損失の金額

③ 山林所得の金額の計算上生じた損失の金額

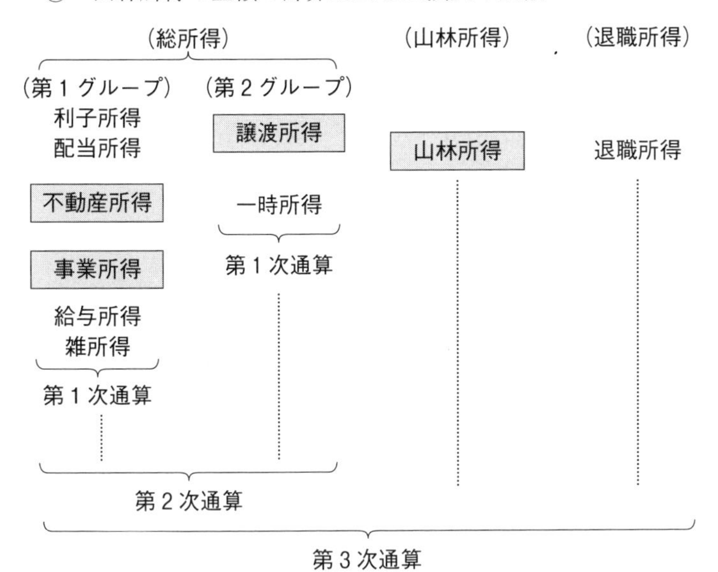

(注) [　] で囲んだ所得は、その損失額を他の所得金額と通算できる。

（出所）池本・所得税法223頁より引用

1　第1グループ：経常所得内での損益通算

〔原則的取扱い〕

不動産所得の金額又は事業所得の金額の計算上生じた損失の金額は、これをまず他の利子所得の金額、配当所得の金額（分離課税の配当所得の金額を除く。）、不動産所得の金額、事業所得の金額、給与所得の金額及び雑所得の金額（これを「経常所得の金額」という。）から控除する（所令198一）。

〔例外的取扱い：変動所得に係る損失・被災事業用資産に係る損失〕

不動産所得の金額又は事業所得の金額の計算上生じた損失の金額の中に、①変動所得の金額の計算上生じた損失の金額、②被災事業用資産の損失の金額、又は③その他の損失の金額の2以上がある場合には、まず、③その他の損失の金額を控除し、次に、②被災事業用資産の損失の金額及び①変動所得の損失の金額を順次控除する（所令199一）。

〔③→②→①〕

なお、ここにいう「被災事業用資産の損失の金額」とは、棚卸資産、事業用の固定資産若しくは繰延資産又は山林について、災害により受けた損失の金額（災害に関連するやむを得ない支出を含み、保険金、損害賠償金その他これらに類するものにより補てんされる部分の金額を除く。）で、変動所得の金額の計算上生じた損失の金額に該当しないものをいう（所法70③、所令203）。

〔例外的取扱い：株式等の譲渡による損失〕

株式等の譲渡による事業所得の金額、譲渡所得の金額及び雑所得の金額については、その所得間での損益通算することができるが（なお、平成28年1月1日以後は、一般株式等の譲渡所得等と上場株式等の譲渡所得等との間での損益通算はできない。措令25の8①、25の9①）、通算をしてもなお損失の金額が生ずるときには、その損失の金額を株式等の譲渡による所得以外の所得から控除することができない（措法37の10①、37の11①）。

〔損益通算〕

株式等の譲渡による損失
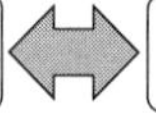
株式等の譲渡による所得

また、株式等の譲渡による所得以外の所得の損失は、株式等の譲渡による事業所得の金額、譲渡所得の金額及び雑所得の金額と通算することができない（措法37の10⑥四、37の11⑥四）。

〔例外的取扱い：先物取引に係る損失〕

先物取引に係る所得以外の所得の損失は、先物取引に係る事業所得の金額及び雑所得の金額と通算することができない（措法41の14②三、措令26の23①）。

〔損益通算〕

先物取引による損失 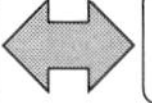 先物取引による所得

第1グループ（経常所得内）の損益通算をしてもなお控除し切れない損失の金額がある場合には、次の第2グループ後の譲渡所得の金額（かかる譲渡所得金額の中に、短期譲渡所得に係る部分と長期譲渡所得に係る部分とがあるときには、まず短期譲渡所得に係る部分の金額から控除する（所令198三）。）及び一時所得の金額から順次控除する。その金額を(b)とする（後掲3参照）。

2　第2グループ：譲渡所得と一時所得内での損益通算

〔原則的取扱い〕

総合課税の対象となる譲渡所得の金額の計算上生じた損失の金額は、これをまず一時所得の金額（特別控除後、2分の1をする前の金額）から控除する（所令198二）。譲渡所得には、総合課税の対象となる譲渡所得と分離課税の対象となる譲渡所得とがあるが、損益通算の対象となるのは、総合課税の対象となる譲渡所得の計算上生じた損失の金額に限られる。

〔損益通算〕

総合課税の対象となる譲渡所得 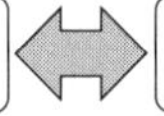 総合課税の対象となる譲渡所得の損失

〔例外的取扱い：分離課税の長期譲渡所得金額の計算上生じた損失〕

分離課税の長期譲渡所得金額の計算上生じた損失の金額は、①他の分離課税の長期（短期）譲渡所得金額から控除し、②控除し切れない損失の金額はないものとみなされて、分離課税の長期（短期）譲渡所得以外の他の所得から控除することはできない（措法31①③二、32①）。

〔損益通算〕

他の分離課税の長期（短期）譲渡所得
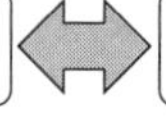
分離課税の長期譲渡所得の損失

〔例外的取扱い：分離課税の短期譲渡所得金額の計算上生じた損失〕

分離課税の短期譲渡所得金額の計算上生じた損失の金額は、①他の分離課税の長期（短期）譲渡所得金額から控除し、②控除し切れない損失の金額はないものとみなされて、分離課税の長期（短期）譲渡所得以外の他の所得から控除することはできない（措法31①、32①④）。

〔損益通算〕

他の分離課税の長期（短期）譲渡所得
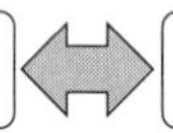
分離課税の短期譲渡所得の損失

なお、分離課税の長期（短期）譲渡所得以外の損失は、分離課税の長期（短期）譲渡所得から控除することはできない（措法31①③二、32①④）。

もっとも、 居住用財産の買換え等の場合の譲渡損失（措法41の5①）や特定居住用財産の譲渡損失（措法41の5の2①）については、一定の要件の下で、他の所得と損益通算を行うことができる。

上記**2**の損益通算をしても控除し切れない損失の金額がある場合には、この損失の金額を経常所得の金額（上記**1**により第1グループの損益通算をした後の金額）から控除する（所令198四）。その後の金額を(a)とする（後掲**3**参照）。

3　総所得金額の計算上損失が生ずる場合の損益通算

上記**1**、**2**の損益通算をしても控除し切れない損失の金額がある場合には、この損失の金額をまず①山林所得の金額から控除し、控除し切れない損失の金額があるときは、②退職所得の金額から控除する（所令198五）。

4　山林所得金額の計算上生じた損失の金額の損益通算

山林所得金額の計算上生じた損失の金額があるときは、この損失の金額をまず上記(b)（経常所得の金額）から控除し、控除し切れない損失の金額があるときは、上記(a)（譲渡所得の金額及び一時所得の金額）から順次控除する。この場合に譲渡所得金額の中に、①短期譲渡所得に係る部分と②長期譲渡所得に係る部分とがあるときには、まず①短期譲渡所得に係る部分の金額から控除する。さらに、控除し切れない損失の金額があるときは、退職所得の金額（上記**3**により損益通算をした後の金額）から控除する（所令198六）。

なお、山林所得金額の計算上生じた損失の金額の中に、被災事業用資産の損失の金額とその他の損失の金額があるときは、まずその他の損失の金額を控除し、次に被災事業用資産の損失の金額を控除する（所令199）。

裁判例の紹介

遡及立法と損益通算①

建物譲渡による損失について損益通算を廃止した租税法規の遡及適用が憲法84条の趣旨に反しないとされた事例

（331第一審福岡地裁平成20年１月29日判決・判時1213号34頁）[10]
（332控訴審福岡高裁平成20年10月21日判決・判時2035号20頁）[11]

〔事案の概要〕

X（原告・被控訴人）は、所轄税務署長に対し、平成16年３月10日に住宅を譲渡したことにより長期譲渡所得の計算上生じた損失の金額を他の各種所得の金額から控除（損益通算）すべきであるとして、平成16年分所得税に係る更正の請求をしたところ、Y（被告・控訴人）から、同年４月１日施行の法律の改正により、同年１月１日以後に行われたXの住宅の譲渡についてはその損失の金額

10) 判例評釈として、品川芳宣・ＴＫＣ税研情報17巻３号70頁（2008)、増田英敏＝河野忠敏・ＴＫＣ税研情報17巻５号１頁（2008)、佐藤謙一・税大ジャーナル９号67頁（2008)、橋本守次・税弘57巻２号46頁（2009)、岸田貞夫・ジュリ1383号200頁（2009)、今本啓介・自研85巻11号140頁（2009)、田中孝男・速報判例解説３号〔法セ増刊〕53頁（2008)、森稔樹・速報判例解説３号〔法セ増刊〕287頁（2008)、中村有希・平成20年度主要民事判例解説〔別冊判タ〕252頁（2009）など参照。

11) 判例評釈として、吉村典久・税研148号17頁（2009)、橋本守次・税弘57巻３号164頁（2009)、酒井・ブラッシュアップ13頁など参照。

を損益通算できなくなったとして、更正すべき理由がない旨の通知処分を受けたため、Xが本件通知処分の取消しを求めた事案である。

〔争点〕

建物譲渡による損失について損益通算を廃止した租税法規の遡及適用は憲法84条の趣旨に反しないか。

〔判決の要旨〕

1　福岡地裁平成20年１月29日判決

遡及適用を行う必要性、合理性は一定程度認められるが、国民の経済生活の法的安定性又は予見可能性を害しないものとはいえないから、これがYに適用される限りにおいて違憲無効であり、本件通知処分は違法である。

2　福岡高裁平成20年10月21日判決

「公布の前に完了した取引や過去の事実から生じる納税義務の内容を納税者の不利益に変更することは、憲法84条の趣旨に反するものとして違憲となることがあり得るというべきであるが、前記不利益変更のすべてが同条の趣旨に反し違憲となるとはいえない。」

「納税者に不利益な租税法規の遡及適用であっても、遡及適用することに合理性があるときは、憲法84条の趣旨に反し違憲となるものではないというべきである。そして、…納税者に不利益な遡及適用に合理性があって、憲法84条の趣旨に反しないものといえるかは、①遡及の程度（法的安定性の侵害の程度）、②遡及適用の必要性、③予測可能性の有無、程度、④遡及適用による実体的不利益の程度、⑤代償的措置の有無、内容等を総合的に勘案して判断されるべきである（財産権の遡及的制約に関する最高裁昭和53年７月12日大法廷判決・民集32巻５号946頁参照）。」

「本件改正法は、①期間税について、暦年途中の法改正によってその暦年における行為に改正法を遡及適用するものであって、既に成立した納税義務の内容を不利益に変更する場合と比較して、遡及の程度は限定されており、予測可能性や法的安定性を大きく侵害するものではなく、②土地建物等の長期譲渡所得における損益通算の廃止は、…土地市場における使用収益に応じた適切な価格形成の実現による土地市場の活性化、土地価格の安定化を政策目的とするものであって、この目的を達成するためには、損益通算目的の駆け込み的な不動産売却を防止する必要があるし、年度途中からの実施は徴税の混乱を招く等のおそれもあるから、遡及適用の必要性は高く、③本件改正の内容について国民が知り得た時期は本件改正が適用される２週間前であり、…ある程度の周知はされており、本件改正が納税者において予測可能性が全くなかったとはいえず、④納税者に与える経済的不利益の程度は少なくないにしても、⑤居住用財産の買換え等について合理的な代償措置が一定程度講じられており、これらの事情を総合的に勘案すると、…憲法84条の趣旨に反するものとはいえないというべきである。」

〔コメント〕

本件高裁は、不利益な租税法規の遡及適用が一律に租税法律主義に反して違憲となるものと解することはできないとする。本件地裁も不利益な租税法規の遡及適用が違憲となるとしているのではなく、あくまでも租税法律主義が要請する法的安定性や予測可能性を害する場合に違憲となるという整理であることからすれば、いずれの判決も、不利益な租税法規の遡及適用が直接に違憲となるとしているわけではないという点は注意が必要であろう。

遡及課税の問題を期間税と随時税とで別個に扱おうとする学説も有力である[12)]。しかしながら、本件地裁は、「遡及適用に当たるかどうかは、新たに制定された法規が既に成立した納税義務の内容を変更するものかどうかではなく、新たに制定された法律が施行前の行為に適用されるものであるかどうかで決せられるべきである。」と判示する。この問題は、租税法律主義が要請する予測可能性をどの時点で担保することを憲法が求めているかという点の議論でもある。

裁判例の紹介

遡及立法と損益通算②

建物譲渡による損失について損益通算を廃止した租税法規の遡及適用が憲法84条の趣旨に反しないとされた事例

（333第一審東京地裁平成20年２月14日判決・判タ1301号210頁）[13)]
（334控訴審東京高裁平成21年３月11日判決・訟月56巻２号176頁）[14)]
（335上告審最高裁平成23年９月30日第二小法廷判決・判時2132号39頁）[15)]

12) 水野・大系12頁。

13) 判例評釈として、三木義一・税理51巻６号71頁（2008）、品川芳宣・TKC 税研情報17巻３号70頁（2008）、同・税研139号92頁（2008）、浅妻章如・税務事例40巻７号１頁（2008）、増田英敏・税弘56巻７号79頁（2008）など参照。

14) 判例評釈として、志賀櫻・租税訴訟３号２頁（2010）参照。

15) 判例評釈として、渡辺充・税理55巻１号122頁、同２号92頁（2012）、品川芳宣・税研162号78頁（2012）、大石和彦・判評642号148頁（2012）、渕圭吾・租税百選〔５〕10頁（2011）、髙橋祐介・民商147巻４＝５号43頁（2013）、田中良弘・自研90巻７号117頁（2014）、浅妻章如・判例セレクト2012〔１〕13頁（2013）など参照。

〔事案の概要〕

平成16年法律第14号による改正前の租税特別措置法（以下「改正前措置法」という。）31条においては、個人がその有する土地等又は建物等でその年１月１日において所有期間が５年を超えるものの譲渡（以下「長期譲渡」という。）をした場合で、長期譲渡所得の金額の計算上生じた損失の金額があるときには、当該金額を他の各種所得の金額から控除する損益通算が認められていた（措法33⑤二、所法69①。以下、この損益通算を「長期譲渡所得に係る損益通算」という。）。

これに対し、上記改正後の租税特別措置法（以下「改正後措置法」という。）31条においては、長期譲渡所得に係る所得税の税率が15％に軽減される一方で、上記特別控除額の控除が廃止され、また、長期譲渡所得の金額の計算上生じた損失の金額がある場合に、所得税法その他所得税に関する法令の規定の適用については、当該損失の金額は生じなかったものとみなすものとされ、長期譲渡所得に係る損益通算を認めないこととされた（同条１項、３項２号。以下、この損益通算の廃止を「本件損益通算廃止」という。）。そして、改正法は平成16年４月１日から施行されたが、上記改正後の同条の規定は同年１月１日以後に行う土地等又は建物等の譲渡について適用するものとされた（改正法附則27条１項。以下、同項の規定のうち本件損益通算廃止に係る部分を「本件改正附則」という。）。

⑴　平成12年以降、政府税制調査会や国土交通省の「今後の土地税制のあり方に関する研究会」等において、操作性の高い投資活動等から生じた損失と事業活動等から生じた所得との損益通算の制限、地価下落等の土地を巡る環境の変化を踏まえた税制及び他の資産との均衡を失しない市場中立的な税体系の構築等について検討の必要性が指摘されていた。そして、平成15年12月15日に公表された政府税制調査会の平成16年度の税制改正に関する答申では、長期譲渡所得に係る損益通算の廃止については盛り込まれていなかったが、他方、同月17日に取りまとめられた与党の平成16年度税制改正大綱では、平成16年分以降の所得税につき上記損益通算を廃止する旨の方針が決定され、翌日の新聞で上記大綱の要旨が報道され、そのうちの一紙は当該廃止に係る定めが平成16年分以後の所得税について適用される旨報じた。そして、平成16年１月16日には上記大綱の方針に沿った政府の平成16年度税制改正の要綱が閣議決定され、これに基づいて本件損益通算廃止を改正事項に含む法案として立案された所得税法等の一部を改正する法律案が、同年２月３日に国会に提出された後、同年３月26日に成立して同月31日に改正法として公布され、同年４月１日から施行された。

なお、平成16年分以降の所得税につき長期譲渡所得に係る損益通算を廃止する旨の方針を含む上記大綱の内容について上記の新聞報道がされた直後から、資産運用コンサルタント、不動産会社、税理士事務所等が開設するホームページ上に、値下がり不動産の平成15年中の売却を勧める記事が掲載されるなどした。

(2)　X（原告・控訴人・上告人）ら及びAは、昭和55年ないし同57年以来共有する土地及び建物を譲渡する旨の売買契約を平成15年12月26日に締結し、これを同16年2月26日に買主に引き渡して、その代金を受領した。

Xら及びAは、平成17年3月、平成16年分の所得税の確定申告書を所轄税務署長に提出したが、その後、上記譲渡によって長期譲渡所得の金額の計算上生じた損失の金額については他の各種所得との損益通算が認められるべきであり、これに基づいて税額の計算をすると還付がされることになるとして、更正の請求をした。これに対し、所轄税務署長は、同年5月、更正をすべき理由がない旨の通知処分をし、Xら及びAからの異議申立て及び審査請求はいずれも棄却された。Xら及びAが国Y（被告・被控訴人・被上告人）を相手取り提訴した後、Aは本件訴訟の第一審係属中に死亡し、Xらがその訴訟を承継した。

〔争点〕

建物譲渡による損失について損益通算を廃止した租税法規の遡及適用は憲法84条の趣旨に反しないか。

〔判決の要旨〕

1　第一審**東京地裁平成20年2月14日判決**及び控訴審**東京高裁平成21年3月11日判決**は、憲法84条に反しないと判示した。

2　最高裁平成23年9月30日第二小法廷判決

「(1)　所得税の納税義務は暦年の終了時に成立するものであり（国税通則法15条2項1号）、措置法31条の改正等を内容とする改正法が施行された平成16年4月1日の時点においては同年分の所得税の納税義務はいまだ成立していないから、本件損益通算廃止に係る上記改正後の同条の規定を同年1月1日から同年3月31日までの間にされた長期譲渡に適用しても、所得税の納税義務自体が事後的に変更されることにはならない。しかしながら、長期譲渡は既存の租税法規の内容を前提としてされるのが通常と考えられ、また、所得税が1暦年に累積する個々の所得を基礎として課税されるものであることに鑑みると、改正法施行前にされた上記長期譲渡について暦年途中の改正法施行により変更された上記規定を適用することは、これにより、所得税の課税関係における納税者の租税法規上の地位が変更され、課税関係における法的安定に影響が及び得るものというべきである。

(2)　憲法84条は、課税要件及び租税の賦課徴収の手続が法律で明確に定められるべきことを規定するものであるが、これにより課税関係における法的安定が保たれるべき趣旨を含むものと解するのが相当である（最高裁平成12年（行ツ）第62号、同年（行ヒ）第66号同18年３月１日大法廷判決・民集60巻２号587頁参照）。そして、法律で一旦定められた財産権の内容が事後の法律により変更されることによって法的安定に影響が及び得る場合、当該変更の憲法適合性については、当該財産権の性質、その内容を変更する程度及びこれを変更することによって保護される公益の性質などの諸事情を総合的に勘案し、その変更が当該財産権に対する合理的な制約として容認されるべきものであるかどうかによって判断すべきものであるところ（最高裁昭和48年（行ツ）第24号同53年７月12日大法廷判決・民集32巻５号946頁参照）、上記⑴のような暦年途中の租税法規の変更及びその暦年当初からの適用によって納税者の租税法規上の地位が変更され、課税関係における法的安定に影響が及び得る場合においても、これと同様に解すべきものである。なぜなら、このように暦年途中に租税法規が変更されその暦年当初から遡って適用された場合、これを通じて経済活動等に与える影響は、当該変更の具体的な対象、内容、程度等によって様々に異なり得るものであるところ、これは最終的には国民の財産上の利害に帰着するものであって、このような変更後の租税法規の暦年当初からの適用の合理性は上記の諸事情を総合的に勘案して判断されるべきものであるという点において、財産権の内容を事後の法律により変更する場合と同様というべきだからである。

　したがって、暦年途中で施行された改正法による本件損益通算廃止に係る改正後措置法の規定の暦年当初からの適用を定めた本件改正附則が憲法84条の趣旨に反するか否かについては、上記の諸事情を総合的に勘案した上で、このような暦年途中の租税法規の変更及びその暦年当初からの適用による課税関係における法的安定への影響が納税者の租税法規上の地位に対する合理的な制約として容認されるべきものであるかどうかという観点から判断するのが相当と解すべきである。

⑶　そこで、以下、本件における上記諸事情についてみることとする。

　まず、改正法による本件に係る措置法の改正内容は前記…のとおりであるところ、上記改正は、長期譲渡所得の金額の計算において所得が生じた場合には分離課税がされる一方で、損失が生じた場合には損益通算がされることによる不均衡を解消し、適正な租税負担の要請に応え得るようにするとともに、長期譲渡所得に係る所得税の税率の引下げ等とあいまって、使用収益に応じた適切な価格による土地取引を促進し、土地市場を活性化させて、我が国の経済に深刻な影響を及ぼしていた長期間にわたる不動産価格の下落（資産デフレ）の進行に歯止めをかけることを立法目的として立案され、これらを一体として早急に実施することが予定されたものであったと解される。また、本件改正附則において本件損益通算廃止に係る改正後措置法の規定を平成16年の暦年当初から適用することとされたのは、その適用の始期を改正法施行後とした場合、本件損益通算廃止の方針を報道や法案の審議過程等を通じて知った納税者によって、損益通算による租税負担の軽減を目的として改正法施行前に土地等又は建物等を安価で売却する駆け込み売却が多数行われ、上記立法目的を阻害するおそれがあったため、本件損益通算廃止に係る定めを平成16年の暦年当初から適用する方針を改正案に盛り込むことによって、上記の駆け込み売却の防止を図るものであったと解される。実際にも、平成16年分以降の所得税に係る本件損益通算廃止の方針を決定した与党の平成16年度税制改正大綱の内容が新聞で報道された直後から、資産運用コンサルタント、不動産会社、税理士事務所等によって平成15年中の不動産の売却の勧奨が行われるなどしていたことをも考慮すると、具体的に上記のおそれが認められる状況にあったというべきである。そうすると、長期間にわたる不動産価格の下落により既に我が国の経済に深刻な影響が生じていた状況の下において、本件改正附則が本件損益通算廃止に係る改正後措置法の規定を暦年当初から適用することとしたことは、公益上の要請に基づくものであったということができる。

そして、このような要請に基づく法改正により事後的に変更されるのは、上記(1)によると、納税者の納税義務それ自体ではなく、特定の譲渡に係る損失により暦年終了時に損益通算をして租税負担の軽減を図ることを納税者が期待し得る地位にとどまるものである。納税者にこの地位に基づく上記期待に沿った結果が実際に生ずるか否かは、当該譲渡後の暦年終了時までの所得等のいかんによるものであって、当該譲渡が暦年当初に近い時期のものであるほどその地位は不確定な性格を帯びるものといわざるを得ない。また、租税法規は、財政・経済・社会政策等の国政全般からの総合的な政策判断及び極めて専門技術的な判断を踏まえた立法府の裁量的判断に基づき定立されるものであり、納税者の上記地位もこのような政策的、技術的な判断を踏まえた裁量的判断に基づき設けられた性格を有するところ、本件損益通算廃止を内容とする改正法の法案が立案された当時には、長期譲渡所得の金額の計算において損失が生じた場合にのみ損益通算を認めることは不均衡であり、これを解消することが適正な租税負担の要請に応えることになるとされるなど、上記地位について政策的見地からの否定的評価がされるに至っていたものといえる。

以上のとおり、本件損益通算廃止に係る改正後措置法の規定の暦年当初からの適用が具体的な公益上の要請に基づくものである一方で、これによる変更の対象となるのは上記のような性格等を有する地位にとどまるところ、本件改正附則は、平成16年4月1日に施行された改正法による本件損益通算廃止に係る改正後措置法の規定を同年1月1日から同年3月31日までの間に行われた長期譲渡について適用するというものであって、暦年の初日から改正法の施行日の前日までの期間をその適用対象に含めることにより暦年の全体を通じた公平が図られる面があり、また、その期間も暦年当初の3か月間に限られている。納税者においては、これによって損益通算による租税負担の軽減に係る期待に沿った結果を得ることができなくなるものの、それ以上に一旦成立した納税義務を加重されるなどの不利益を受けるものではない。

(4)　これらの諸事情を総合的に勘案すると、本件改正附則が、本件損益通算廃止に係る改正後措置法の規定を平成16年1月1日以後にされた長期譲渡に適用するものとしたことは、課税関係における法的安定に影響を及ぼし得るものではあるが、上記のような納税者の租税法規上の地位に対する合理的な制約として容認されるべきものと解するのが相当である。したがって、本件改正附則が、憲法84条の趣旨に反するものということはできない。また、以上に述べたところは、法律の定めるところによる納税の義務を定めた憲法30条との関係についても等しくいえることであって、本件改正附則が、同条の趣旨に反するものということもできない。」

〔コメント〕

租税法規については、刑罰法規とは異なり、憲法上遡及適用を禁じる旨の明文の規定がないほか（憲法39条前段参照）、適時適切な景気調整等の役割も期待されていることから、例えば、前述の331福岡地裁平成20年1月29日判決（695頁参照）は、「租税法規不遡及の原則は絶対的なものではなく、租税の性質、遡及適用の必要性や合理性、国民に与える不利益の程度やこれに対する救済措置の内容、当該法改正についての国民への周知状況等を総合勘案し、遡及立法をしても国民の経済生活の法的安定性又は予見可能性を害しない場合には、例外的に租税法規不遡及の原則に違反せず、個々の国民に不利益を及ぼす遡及適用を行うことも、憲法上許容されると解するのが相当である。」と説示し、国民に不利益を及ぼす遡及立法が許されるとすると、法的安定性や予測可能性という租税法律主義の機能が害されるとしながらも、これらの機能を害しない場合にのみ例外的に憲法上許容されることもある旨述べる。

これに対して、本件東京地裁は、「遡及処罰を禁止している憲法39条とは異なり、同法84条、30条は、租税法規を遡及して適用することを明示的に禁止するものではないから、納税者に不利益な租税法規の遡及適用が一律に租税法律主義に反して違憲となるものと解することはできない」とし、租税法規の合憲性判断において二重の基準性を採用し、合憲性の推定から出発する判断を下した大嶋訴訟131最高裁昭和60年3月27日大法廷判決（292頁参照）を引用する。ここでは、不利益な租税法規の遡及適用が一律に租税法律主義に反して違憲となるものと解することはできないとする。前述の福岡地裁平成20年1月29日判決も不利益な租税法規の遡及適用が一律に違憲となるとしているのではなく、あくまでも租税法律主義が要請する法的安定性や予測可能性を害する場合に違憲となるという整理であることからすれば、いずれの判決も、不利益な租税法規の遡及適用が直接に違憲となるという判断であるわけではないとしているようである。

Ⅲ　損失の繰越控除

所得税法は、純損失の金額が生じたときと、雑損失の金額が生じたときに、一定の要件の下で繰越控除を認めている。

純損失の金額とは、その年分の不動産所得の金額、事業所得の金額、山林所得の金額又は譲渡所得の金額の計算上生じた損失の金額がある場合において、その損失の金額につき損益通算の規定を適用してもなお控除し切れない損失の金額をいう（所法2①二十五）。なお、分離課税の長期（短期）譲渡所得、一般株式等に係る譲渡所得等、上場株式等に係る譲渡所得等及び先物取引に係る雑所得等の金額の計算上生じた損失はなかったものとみなされるので、これらの損失の金額は純損失の金額に含まれない（措法31①、32①、37の10①、37の11①、41の14①）。

これに対して、雑損失の金額とは、その年において雑損控除を行ってもなお控除し切れない部分の金額をいう（所法2①二十六）。

以下、純損失の繰越控除と雑損失の繰越控除のそれぞれについて、確認することとしよう。

1　純損失の繰越控除

法は、純損失の繰越控除について、青色申告者とそれ以外の者（以下「白色申告者」という。）とで取扱いを異にしている。

(1)　青色申告者の純損失の繰越控除

青色申告者の各種所得の金額の計算において純損失の金額が生じた場合には、その純損失の金額（純損失の繰戻還付の適用を受ける金額及び居住用財産の買換え等の場合の譲渡損失又は特定居住用財産の譲渡損失に係る特定純損失の金額を除く。）をその年の翌年以後３年内の各年分の総所得金額、退職所得の金額又は山林所得の金額から控除することができる（所法70①、措法41の５⑧、41の５の２⑧）。

青色申告者の純損失の繰越控除の適用を受けるためには、純損失の金額が生じた年分の所得税につき確定申告書を提出し、かつ、その後の年において連続して確定申告書を提出する必要がある（所法70④）。

(2)　白色申告者の純損失の繰越控除

白色申告者の各種所得金額の計算において純損失の金額が生じた場合には、純損失の金額のうち、被災事業用資産の損失の金額及び変動所得の金額の計算上生じた損失の金額に限り、その年の翌年以後３年内の各年分の総所得金額、退職所得の金額又は山林所得の金額から控除することができる（所法70②）。白色申告者の純損失の繰越控除の適用を受けるためには、純損失の金額が生じた年分の所得税について、確定申告書を提出し、かつ、その後の年において連続して確定申告書を提出する必要がある（所法70④）。

2　雑損失の繰越控除

青色申告者、白色申告者の別にかかわらず、各種所得金額の計算において、雑損失の金額が生じた場合には、その年の翌年以後３年内の各年分の総所得金額、分離課税の配当所得の金額、分離課税の長期（短期）譲渡所得の金額、一般株式等に係る譲渡所得等の金額、上場株式等に係る譲渡所得等の金額、先物取引に係る雑所得等の金額、退職所得の金額又は山林所得の金額から控除することができる（所法71①、措法８の４③三、31③三、32④、37の10⑥五、37の11⑥、41の14②四）。この雑損失の繰越控除の適用を受けるためには、雑損失の金額が生じた年分の所得税につき確定申告書を提出し、かつ、その後の年において連続して確定申告書を提出する必要がある（所法71②）。

3　その他の損失の繰越控除

純損失の金額を一般株式等に係る譲渡所得等の金額、上場株式等に係る譲渡所得等の金額、申告分離課税を選択した上場株式等に係る配当所得の金額又は先物取引に係る雑所得の金額から控除することはできない。もっとも、一般株式等に係る譲渡損失、上場株式等に係る譲渡損失及び先物取引の差金等決済に係る損失については、それぞれ、一般株式等に係る譲渡所得等、上場株式等に係る譲渡所得等、先物取引に係る雑所得等の中で繰越控除の特例があるほか、上場株式等に係る譲渡損失については、申告分離課税を選択した上場株式等に係る配当所得からの繰越控除の特例がある（措法37の12の2⑥、37の13の2④、41の15）。

4　繰越控除の順序

上記**1**又は**2**により繰り越された純損失の金額又は雑損失の金額は、次の順序により控除する。

例えば、平成30年から令和2年までの3年間に生じた純損失の金額や雑損失の金額のうち、令和2年までに控除し切れなかった金額は、令和3年分の所得の損益通算後の段階で、繰越控除として総所得金額の計算上控除することができる。

①〔古い年分優先〕　前年以前3年内の2以上の年に生じた損失の金額があるときは、古い年分の損失の金額から順次控除する（所令201一、204①一）。

②〔純損失優先〕　同一年に生じた損失のうちに純損失の金額と雑損失の金額があるときは、先に純損失の金額を控除し、次に雑損失の金額を控除する（所令204②）。

③　繰り越された純損失の金額（居住用財産の買換え等の場合の譲渡損失及び特定居住用財産の譲渡損失に係る特定純損失の金額を除く。）は、その年分の所得から次の順序で控除する（所令201二、三、措法41の5⑧、41の5の2⑧）。

(i)　純損失の金額のうち、(イ)総所得金額の計算上生じた損失は、その年分の総所得金額から控除し、(ロ)山林所得の金額の計算上生じた損失は、その年分の山林所得金額から控除する。

(ii)　(i)の控除によっても控除し切れない総所得金額の計算上生じた損失又は山林所得の金額の計算上生じた損失がある場合には、(イ)総所得金額の計算上生じた損失はその年分の山林所得の金額及び退職所得の金額の順に控除し、(ロ)山林所得の金額の計算上生じた損失はその年分の総所得金額及び退職所得の金額の順に控除する。

(iii)　その年分の各種所得の金額の計算上生じた損失がある場合には、損益通算をした後に純損失の金額を控除する。

④　繰り越された雑損失の金額は、その年分の総所得金額、分離課税の短期譲渡所得金額、分離課税の長期譲渡所得金額、分離課税の配当所得の金額、一般株式等に係る譲渡所得等の金額、上場株式等に係る譲渡所得等の金額、先物取引に係る雑所得等の金額、山林所得の金額及び退職所得の金額の順に控除する（所令204①二、措法8の4③三、31③三、32④、37の10⑥五、41の14②四）。

Ⅳ　純損失の繰戻還付

青色申告者に限っては、純損失を繰り越す（令和2年分の損失を令和3年分の所得と通算する。）だけでなく、繰り戻す（令和2年分の損失を令和元年分の所得と通算する。）ことができる。青色申告者は、その年において生じた純損失の金額がある場合には、青色申告書の提出と同時に、所轄税務署長に対し、次の①に掲げる金額から②に掲げる金額を控除した金額に相当する所得税の還付を請求することができる（所法140①）。なお、この場合、居住用財産の買換え等や特定居住用財産がある場合には、純損失の繰戻還付請求額からこれらの譲渡損失や譲渡損失に係る特定純損失の金額を除くこととされている（措法41の5⑨、41の5の2⑨）。

①　その年の前年分の課税総所得金額、課税退職所得金額及び課税山林所得金額につき税率を適用して計算した所得税額

②　その年の前年分の課税総所得金額、課税退職所得金額及び課税山林所得金額から、当該純損失の金額の全部又は一部を控除した金額につき税率を乗じて計算した所得税額

ただし、上記により計算された所得税の額が純損失を生じた年の前年分の課税総所得金額、課税退職所得金額及び課税山林所得金額に係る所得税の額（附帯税の額を除く。以下「Aの額」という。）を超えるときは、還付請求額はAの額を限度とする（所法140②）。

上記の還付請求は、その年の前年分の所得税につき青色申告書を提出している場合であって、その年分の青色申告書をその提出期限までに提出した場合（やむを得ない事情があると認められる場合には、その提出期限後に青色申告書を提出した場合を含む。）に限り適用される（所法140④）。

裁判例の紹介

繰戻還付と法の不知

青色申告書の提出と同時に繰戻還付請求がなされなかったことは「法の不知」にすぎず、通達が定める「やむを得ない事情」には当たらないとして、納税者の請求が認められなかった事例

（336第一審仙台地裁昭和51年９月29日判決・訟月22巻11号2646頁）

〔事案の概要〕

青色申告をしている貸金業者であるX（原告）は、昭和47年３月15日に同46年分において１億404万8,587円の欠損を生じた旨確定申告し、その後同48年７月３日に対しかかる同46年分の欠損を理由に同45年分所得税金2,858万6,270円の純損失の繰戻しによる還付請求（本件還付請求）をした。この還付請求に対し、税務署長Y（被告）は、この還付請求は同46年分青色申告書の提出と同時になされたものでないとして「本件還付請求は理由がない。」旨の処分をした。本件は、これに対してXが処分の取消しを求めた事例である。

〔争点〕

制度の不知により、確定申告の提出と同時に繰戻還付請求が提出されず、かかる請求書の提出が遅れた場合に繰戻還付請求は認められるか否か。

〔判決の要旨〕

○　仙台地裁昭和51年９月29日判決

「所得税法140条の還付請求に関して『還付請求書が青色申告書と同時に提出されなかった場合でも同時に提出されなかったことについて税務署長においてやむを得ない事情があると認めるときは、これを同時に提出されたものとして法140条１項の規定を適用してさしつかえない』との基本通達〔筆者注：所基通140・141－３〕があるけれども、一般に通達は上級行政庁の下級行政庁に対する命令又は示達の一形式にすぎたいもので、それ自体、法規としての性質をもつものでないから、たとえ下級行政庁が通達に反する事務処理をしたとしても、それは下級行政庁が上級行政庁の命令ないし示達に違反する事務処理をなしたという意味において不当なものとして行政機関内部において是正されるのは格別、右事務処理が法律に違反するものでない以上、これを直ちに違法なものということはできないものであるのみならず、右の基本通達は、それが期間計算主義に対する例外的措置として認められた還付請求に対する所得税法140条１項の規定する青色申告書と還付請求書の同時提出の要件を更に緩和するものであることに鑑みると、右通達にいう『やむを得ない事情』とは青色申告者の責に帰することのできない特別の事情により同申告書が青色申告書の提出と同時に還付請求をなし得なかったと合理的に認められる例外的な場合をいうものであって、いわゆる法の不知を含まないものと解すべきである…。しかるに、本件においてＸの主張するところは結局において所得税法140条の規定の存在を知らなかったというものであって単なる法の不知にすぎないものであるし、… Ｘは昭和46年分の所得税の確定申告時期において純損失の繰戻し制度を知り得べき状態にあったことが認められる点からみても本件基本通達にいういわゆる『やむを得ない事情』に該当しないことが明らかであり、右はＸにおいて本件還付請求（昭和48年７月３日付請求）以前に同年４月26日付で同様の還付請求をなしていたか否かによって差異を生ずるものではないから、本件処分に基本通達の解釈適用を誤った違法があるとするＸの主張も失当といわなければならない。」

「してみれば、本件還付請求を認容しなかったＹの本件処分を違法とするＸの本訴請求は理由がない〔。〕」

〔コメント〕

所得税法140条《純損失の繰戻しによる還付の請求》４項の宥恕規定とは、前年の申告書の提出が期限後となったことについて「やむを得ない事情」があると認める場合には、前年の申告書の提出が期限後であっても純損失の繰越還付請求を認めるという趣旨であって、かかる還付請求書自体の提出が遅延したことを宥恕するものでは決してない。しかしながら、所得税基本通達140・141－3《繰戻しによる還付請求書が青色申告書と同時に提出されなかった場合》は、「還付請求書が青色申告書と同時に提出されなかった場合でも、同時に提出されなかったことについて税務署長においてやむを得ない事情があると認めるときは、これを同時に提出されたものとして法第140条第1項又は第141条第1項の規定を適用して差し支えない。」と通達する。

本件判決は、上記の通達の宥恕的取扱いを是認している。そして、その上で、この通達にいう「やむを得ない事情」とは青色申告者の責に帰することのできない特別の事情により同申告書が青色申告書の提出と同時に還付請求をなし得なかったと合理的に認められる例外的な場合をいうものとした上で、法の不知は含まれないというのである。

第５章　所得控除

Ⅰ　所得控除のグランド・ルール

1　所得控除の意義と種類

所得税法及び租税特別措置法では、総所得金額、分離課税の配当所得の金額、分離課税の長期（短期）譲渡所得金額、一般株式等に係る譲渡所得等の金額、上場株式等に係る譲渡所得等の金額、先物取引に係る雑所得等の金額、退職所得金額又は山林所得金額から「所得控除」の額を差し引いて課税総所得金額等を計算することとされている（所法21①三、措法８の４③三、31③三、32④、37の10⑥五、37の11⑥、41の14②四）。

「所得控除」には、雑損控除、医療費控除、社会保険料控除、小規模企業共済等掛金控除、生命保険料控除、地震保険料控除、寄附金控除、障害者控除、寡婦控除、ひとり親控除、勤労学生控除、配偶者控除、配偶者特別控除、扶養控除及び基礎控除があり、これらの所得控除が設けられた趣旨については、おおむね次のように分類できる。

①　憲法の要請する生存権保障を担保するためのもの

基礎控除（所法86）、配偶者控除（所法83）、配偶者特別控除（所法83の２）、扶養控除（所法84）など、いわゆる人的控除のうち、生計内親族の最低限度の生活を維持するのに必要な部分については、担税力を有しないという考慮から控除を認めるものである。

②　通常の者に比較して担税力に影響をさせる生活上の追加的経費を必要とする者に対する考慮のためのもの

追加的生活費を必要とする納税者の個別事情を考慮するものとして、障害者控除（所法79）、寡婦控除（所法80）、ひとり親控除（所法81）及び勤労学生控除（所法82）がある。

③　担税力を弱めるような特別の事情への配慮によるもの

雑損控除（所法72）や医療費控除（所法73）など、担税力を弱めるような特別の事情があった場合に、考慮をするものである。

④　保険制度や年金制度など社会政策的目的に配慮したもの

社会保険料控除（所法74）、小規模企業共済等掛金控除（所法75）、生命保険料控除（所法76）、地震保険料控除（所法77）など一定の政策目的を税制面から助成する目的の控除である。

⑤　公益的政策のための租税特別措置としてのもの

寄附金控除（所法78）は、個人の寄附を奨励するための租税特別措置である。

2　所得控除の順序

所得控除のうち雑損控除は、他の所得控除と区分して最初に所得金額から差し引き、それ以外の所得控除については特に順序が設けられていない（所法87①）。雑損控除の金額は、その年分の所得金額から控除し切れない部分の金額について翌年以後３年間の所得金額から控除できる「雑損失の繰越控除」の制度が設けられているため、まず雑損控除から差し引くこととされている（所法71①）。

また、所得控除の金額は、原則として、総所得金額、分離課税の短期譲渡所得金額（特別控除前）、分離課税の長期譲渡所得金額（特別控除前）、分離課税の配当所得の金額、一般株式等に係る譲渡所得等の金額、上場株式等に係る譲渡所得等の金額、先物取引に係る雑所得等の金額、山林所得金額、退職所得金額から順次控除する（所法87②、措法８の４③三、31③三、32④、37の10⑥五、37の11⑥、41の14②四）。

✍　これらは、基本的には適用税率の高いものから順次控除するものであるが、課税実務上、分離課税の長期譲渡所得金額、分離課税の配当所得等の金額、一般株式等に係る譲渡所得等の金額、上場株式等に係る譲渡所得等の金額、先物取引に係る雑所得等の金額から差し引く所得控除の金額は、上記と異なる順序によることができるとされている（措通31・32共－４）。

CHECK！ 相次ぐ所得控除の改正と基本スタンス

近年、所得控除が相次いで改正されている。

例えば、平成28年度税制改正では、セルフメディケーション推進のため、医療費控除の特例として、いわゆるスイッチOTC医薬品控除が創設された。

平成29年度税制改正においては、配偶者控除及び配偶者特別控除の見直しがなされたが、これは、女性の社会進出を阻害する一因といわれてきた、いわゆる「103万円の壁」問題への対応である。

平成30年度税制改正では基礎控除が改正され、38万円だった控除額が48万円に引き上げられたが、他方で、高額所得者についてまで租税負担の軽減効果を及ぼす必要性は乏しいとして、合計所得金額2,400万円を境に、控除額が逓減、消失する所得控除方式となった（逓減・消失型控除。なお、同年改正では、基礎控除の改正と相まって、給与所得控除や公的年金等控除も改正されているが、これらについては、第２章の給与所得控除（289頁）及び公的年金等控除（483頁）を参照）。

また、令和元年度税制改正においては、源泉徴収における源泉控除対象配偶者に係る控除の適用の見直しがなされている。これは、夫婦で重複して配偶者に係る控除を適用することが可能となっていた状況に応じた措置である。

そして、令和２年度税制改正では、未婚のひとり親に対する税制上の措置として、ひとり親控除が新設される一方、寡婦の要件について見直しが図られ、従来の寡婦（寡夫）控除は、寡婦控除へと改組された。また、同年度改正では、国外扶養親族に係る扶養控除等の見直しもなされている。これは、国際化の進展に伴い外国人労働者や国際結婚が増え、国外に居住している親族を扶養控除の対象とする納税者が増加してきている中、国外で一定以上の所得を稼得している親族でも扶養控除の対象とされている問題が指摘されており、控除対象となる扶養親族の範囲を見直すことで対応が図られたものである。

このように、近年の所得控除の改正は、働き方改革や女性の社会進出、自助努力の推進、国際化、外国人労働者の増加といった昨今の社会の変容が色濃く反映されているものであるが、高額所得者については租税負担の軽減効果を及ぼさないことも基本スタンスになっているといえよう。累進構造を採用する我が国の所得税体系においては、高額所得者ほど所得控除の恩恵が大きくなるわけであるが、所得再分配機能の観点からこれに一定の制限をかけているのが近年の所得控除の改正であると整理することもできよう。

Ⅱ 各種所得控除

1　雑損控除

(1) 雑損控除の内容

雑損控除とは、納税者又はその者と生計を一にする配偶者その他の親族（その年分の総所得金額等の合計額が48万円以下の者に限られる。）の有する資産について、災害、盗難又は横領による損害を受けた場合や災害等に関連してやむを得ない支出をした場合に、その損失の金額（災害等に関連したやむを得ない支出を含み、保険金、損害賠償金その他これらに類するものにより補てんされる部分の金額を除く。）のうち次表による金額を、納税者のその年分の総所得金額、退職所得金額又は山林所得金額等から控除するものである（所法72①、所令205①、206②）。

なお、雑損控除の適用を受けるためには、確定申告書に所定の事項を記載するほか、災害等に関連してやむを得ない支出をした金額について領収書を添付するか申告書を提出する際に提示しなければならない（所法120③、所令262①一）。

〔図表〕雑損控除の金額

区　分	控　除　額
その年の損失の金額のうちに、災害関連支出の金額がない場合又は5万円以下の場合	損失の金額－総所得金額等の合計額×$\frac{1}{10}$
その年の損失の金額のうちに、5万円を超える災害関連支出の金額がある場合	損失の金額－次のいずれか低い金額 ①　損失の金額－（災害関連支出の金額－5万円） ②　総所得金額等の合計額×$\frac{1}{10}$
その年の損失の金額が全て災害関連支出の金額である場合	損失の金額－次のいずれか低い金額 ①　5万円 ②　総所得金額等の合計額×$\frac{1}{10}$

（出所）池本・所得税法234頁より引用

✍ 総所得金額等の合計額とは、総所得金額、分離課税の配当所得等の金額、分離課税の長期譲渡所得金額（特別控除前）、分離課税の短期譲渡所得金額（特別控除前）、一般株式等に係る譲渡所得等の金額、上場株式等に係る譲渡所得等の金額、先物取引に係る雑所得等の金額、退職所得金額及び山林所得金額の合計額をいう（所法72①、措法8の4③三、31③三、32④、37の10⑥五、37の11⑥、41の14②四）。

なお、①源泉分離課税とされる利子所得、②確定申告をしないことを選択した配当所得、③源泉分離課税とされる金融類似商品の収益、④源泉徴収口座を通じて行った上場株式等の譲渡による所得で、確定申告をしないことを選択したものについては、課税実務上、総所得金額等の合計額に含まれないこととされている（措通3－1、8の2－2、8の3－1、37の11の5－1、41の9－4、41の10・41の12共－1）。

✍ 損失の金額とは以下の計算による。

損害金額（災害等に関連したやむを得ない支出を含む。）－保険金などで補てんされる金額

(2) 雑損控除の対象となる資産

雑損控除の対象となる資産からは、棚卸資産、山林、事業用固定資産（繰延資産を含む。以下同じ。）及び生活に通常必要でない資産が除かれる（所法72①、62①、所令178、25、205①）。

✍ 棚卸資産、山林又は事業用固定資産の災害等による損失については、事業所得や山林所得の金額の計算上必要経費に算入され（所法37、51①③）、その被災損失は繰越控除が認められており（所法70②）、生活に通常必要のない資産の災害等による損失は、その年分及びその翌年分の譲渡所得の金額から控除し、原則として他の所得の金額との通算は認められていない（所法62、69）。

✍ 事業以外の業務用資産の災害等による損失については、課税実務上、その所得の金額の計算上の必要経費に算入することもできるし、雑損控除を適用することもできるとされている（所基通72－1）。

(3) 雑損控除の対象となる損失

雑損控除の対象となる損失の発生原因は、災害、盗難及び横領に限られている（所法72①）。ここでいう災害とは、①震災、風水害、火災、②冷害、雪害、干害、落雷、噴火その他の自然現象の異変による災害、③鉱害、火薬類の爆発

その他の人為による異常な災害、④害虫、害獣その他生物による異常な災害である（所法2①二十七、所令9）。

なお、人為による異常な災害に、税務職員による誤指導が含まれるか否かについては議論のあるところである。ちなみに、平成13年6月22日付け徴管2－35ほか「人為による異常な災害又は事故による延滞税の免除について（法令解釈通達）」は、国税通則法63条《納税の猶予等の場合の延滞税の免除》6項の取扱いについてではあるが、以下のとおり、「人為による異常な災害」に誤指導が含まれる旨通達している。

すなわち、そこでは、「国税通則法第63条第6項の規定による延滞税の免除については、税務職員の誤った申告指導（納税者が信頼したものに限る。）その他の申告又は納付について生じた人為による障害（以下『人為による納税の障害』という。）が同法施行令第26条の2第2号に規定する『人為による異常な災害又は事故』に該当する」として、「人為による異常な災害又は事故により延滞税の免除を行う場合において、次の人為による納税の障害の態様に応じ、それぞれの要件に該当するときは、その人為による納税の障害により申告又は納付をすることができなかった国税に係る延滞税につき、それぞれの期間に対応する部分の金額を限度として、免除する。」と通達する。

また、雑損控除の対象となる損失は、資産（以下「住宅家財等」という。）そのものの損失のほか、納税者が災害等に関連してやむを得ない支出をした場合には、その支出の金額が含まれる（所法72①）。

この場合の「災害等に関連するやむを得ない支出」とは、次に掲げる支出であるが（所令206①）、これを災害関連支出といい、居住者が支出したものに限られる（所令72①）。

①　災害により住宅家財等が滅失し、損壊し又はその価値が減少した場合のその住宅家財等の損壊又は除去等の支出

②　災害により住宅家財等が損壊し又はその価値が減少した場合、その他その住宅家財等を使用することが困難になった場合に、災害がやんだ日の翌

日から1年を経過した日（大規模な災害の場合その他やむを得ない事情がある場合には、3年を経過した日）の前日までに支出する土砂等の障害物等の除去費用（1号費用）、住宅家財等の原状回復費用（2号費用）及び並びに当該住宅家財等の損壊又は価値の減少を防止するための費用（3号費用）

③　災害により住宅家財等につき現に被害が生じ、又はまさに被害が生ずるおそれがあると見込まれる場合に、被害の拡大又は発生を防止するため緊急に必要な措置を講ずるための支出

④　盗難又は横領による損失が生じた住宅家財等の原状回復の支出

なお、雑損控除の対象となる住宅家財等の損失の測定は、損失を受けた時の直前時価による（所令206③）。

裁判例の紹介

雑損控除

詐欺や恐喝による損失は雑損控除の対象とならないとされた事例

（337第一審名古屋地裁昭和63年10月31日判決・判タ705号160頁）
（338控訴審名古屋高裁平成元年10月31日判決・税資174号521頁）
（339上告審最高裁平成2年10月18日第一小法廷判決・税資181号96頁）

〔事案の概要〕

詐欺的投資商法の被害者が、売却代金を投資に供するため自己所有土地の売却を投資商法を営む会社のセールスマンに委託し、セールスマンが委託の趣旨どおりに実行したが、投資した金の回収ができなかった。かかる損失につき、X（原告・控訴人・上告人）が雑損控除を適用して申告をしたところ、税務署長Y（被告・被控訴人・被上告人）がこれを否認する更正処分を行ったため、Xがかかる処分の取消しを求めて提訴した。

Xは、本件売却による譲渡代金はOによって横領された（大部分は訴外会社へ純金契約の代金として入金され、残金も着服、横領された。）ことを理由に、かかる損失は雑損控除の対象となると主張するのに対し、Yは、この損失は詐欺等による被害には該当するとしても、横領による損害には該当しないから、雑損控除すべき場合に当たらない旨主張をした。

〔争点〕

所得税法72条の適用如何。

〔判決の要旨〕

1　名古屋地裁昭和63年10月31日判決

「所得税法72条は、その資産について災害又は盗難若しくは横領による損失が生じた場合、その一定額を所得から控除することを認めているが、課税行政の明確性、公平の観点からみて、右控除の事由は限定的に規定されており、かつ、同条に定める『横領』の概念も刑法上の『横領罪』と同一のものと解するのが相当である。Xは、この点につき、横領は所有者らとの間に信頼関係に基づく委託行為が介在し、刑法上も詐欺、恐喝と区別する理由に乏しいと主張する…が、損害発生をもたらす実行行為自体は、横領においては所有者の意思に関わりなく行われるのに反し、詐欺、恐喝などにおいては、瑕疵が存するとはいえ一応所有者の意思に基づいて財物の移転等が行われる点に差異が認められるので、両者を区別することに全く理由がないわけではなく（もっとも、上記所得税法72条が災害、盗難及び横領の三事由のみに限定して雑損控除を認めることの立法論的な当否については、議論の余地があろうと思われるが、これは同条の解釈とは別問題である。）、何よりも類推ないし拡張解釈によってもたらされる課税行政の混乱を考慮すると、Xの右主張は、到底、採用することができない。

そこで、本件についてOの前記行為が横領罪を構成するか否かにつき検討するに、横領罪も領得罪としての本質を有する以上、その成立のためには行為者において『不法領得の意思』が必要であるというべきところ、この意思とは、他人の物の占有者が委託の任務に背いて、その物につき権限がないのに所有者でなければできないような処分をする意思をいうものであると解される（最高裁昭和23年（れ）第1412号同24年３月８日判決刑集３巻３号276頁参照）ので、したがって、委託の趣旨に反する認識を欠く場合には、たとえ当該処分行為が客観的にみて不当ないし違法であり、委託者に損害を与える結果となったとしても、横領罪を構成しないことは明らかであり、このことは、右委託の意思が行為者の欺罔行為によって形成されたものであるとしても、同様である。

これを本件についてみるに、上記認定のとおり、Xは、本件土地を売却し、その譲渡代金をもって純金契約の代金に充当することをOに委託して登記済証を預託したものであり、現にXは、純金契約の基本的内容を理解した上で、本件売却の前後にわたり、同契約を反復して締結してきたものであるから、Oは、まさに右委託の趣旨そのものを実現したにすぎないことが明らかである。

もちろん、純金契約は、前記認定のとおりの問題を包含するので、その法律的効力は無効ないし取消しの対象となるものということができ、そのような契約を締結することを内容とする委託の意思表示も同様の瑕疵を帯びるというべきであるが、横領罪の成否は右委託の意思表示の法律上の効力によって左右されるものではなく、それが事実上存在し、かつ、行為者の行為がその趣旨に反しなかった以上、他の犯罪が成立することはあっても、横領罪は成立しないといわざるを得ない。

そうすると、Ｘが純金契約の代金として訴外会社に入金した金員は、Ｏの横領による損失には該当せず、Ｘの所得計算上、雑損として控除することができないものというべきであり、残代金もＸに交付されたと認められる（もっとも、純金契約の代金に充当された後の残代金が横領されたか否かは、所得税法72条１項に規定する控除額の計算方法に照らし、本訴の結論に影響しないものと解される。）ことは前記認定のとおりであるから、ＹによるＸの所得金額の認定は適法であって、これらがＯによって横領されたことを前提とするＸの主張は採用できない。」

２　名古屋高裁平成元年10月31日判決

「譲渡代金を有利な投資に使用するとのＸの委託の趣旨に反したＯの行為は横領罪にあたる…旨の主張については、… Ｘにおいて、従前Ｏとの間で締結したことのある純金契約と同一の新規の純金契約の代金に充てて投資をする意思を有し、このことをＯに委託したものと認められるから、Ｏの行為はＸの委託の趣旨を実行したものに他ならず、Ｘの委託の趣旨に背いたものではないからＯの所為は横領罪に該当するものではなく、右主張も理由がない。」

３　上告審**最高裁平成２年10月18日第一小法廷判決**は原審判断を維持した。

〔コメント〕

本件地域判決は、所得税法72条１項にいう「横領」を刑法上の横領と位置付け、本件において、横領罪は成立していないことなどから、雑損控除の適用を否認したＹの行政処分を妥当と判断している。

そもそも、所得税法72条１項にいう「災害又は盗難若しくは横領」がいかなる意義を有するのかについては、議論があり得るところであろう。なぜなら、「横領」が刑法上の概念であるとすれば、「盗難」も刑法上の概念であると理解することが整合的な解釈であると思われるものの、そもそも、「盗難」という概念が刑法にあるわけではないことを考えると（刑法上の概念になぞらえれば、10年以下の懲役又は50万円以下の罰金に処せられる窃盗罪（刑235）にいう「窃盗」ということになろう。強盗罪が有体物のみを対象とはしていないことからすれば、強盗罪にいう「強盗」が含まれるか否かについては検討を要する（タクシー運転手の首を絞めて運賃の支払を免れた場合（大審院昭和６年５月８日判決・大審院刑事判例集10巻205頁）、身寄りのない老人の債権者を殺害して事実上支払請求をできなくした場合（最高裁昭和32年９月13日第二小法廷判決・刑集11巻９号2263頁）。）、果たして、「横領」という概念自体が刑法上の概念と同じものとの前提が崩れるのではないかとの疑義を呼ぶからである。

本件地域判決を前提として考えると、刑法上の横領であるとしても、刑法第2編「罪」第38章「横領の罪」（刑252～255）にいう広義の横領罪をいうのか、あるいは刑法252条1項に規定される単純横領罪のみを指すのかは議論のあるところであろうが、特段の制限がないのであるから、前者を指すと理解すべきであろう。

なお、単純横領罪（刑252）とは、①自己の占有する他人の物を横領した者、②自己の物であっても、公務所から保管を命ぜられた場合において、これを横領した者について、5年以下の懲役に処するというものである。これに、業務上自己の占有する他人の物を横領した者は、10年以下の懲役に処するとされている業務上横領罪（刑253）と、遺失物、漂流物その他占有を離れた他人の物を横領した者は、1年以下の懲役又は10万円以下の罰金若しくは科料に処するとされている遺失物等横領罪（刑254）を含めて、広義の横領罪という。

裁判例の紹介

アスベストの防曝被害

自宅建物の取壊しに伴い支払ったアスベスト除去工事費用及びアスベスト分析検査試験費は雑損控除の対象とはならないとされた事例

（340 第一審大阪地裁平成23年5月27日判決・訟月58巻10号3639頁）[1]
（341 控訴審大阪高裁平成23年11月17日判決・訟月58巻10号3621頁）[2]
（342 上告審最高裁平成25年1月22日第三小法廷決定・税資263号順号12131）

〔事案の概要〕

本件は、X（原告・控訴人・上告人）が、H県N市所在の自宅建物（以下「本件建物」という。）の取壊しに伴い支払ったアスベスト除去工事費用及びアスベスト分析検査試験費（以下、併せて「本件除去費用等」という。）を、所得税法72条の雑損控除の対象として、平成18年分所得税の確定申告（以下「本件確定申告」という。）をしたのに対し、所轄税務署長が、本件除去費用等は雑損控除の対象とはならないとしてXの平成18年分所得税の更正処分（以下「本件更正処分」という。）及び過少申告加算税の賦課決定処分（以下、本件更正処分と併

1）判例評釈として、宮本十至子・速報判例解説12号〔法セ増刊〕217頁（2013）、酒井克彦・税務事例46巻3号1頁、同4号9頁（2014）など参照。

2）判例評釈として、廣木準一・ジュリ1451号120頁（2013）、佐藤孝一・税務事例45巻10号1頁（2013）、和泉彰宏・税務事例48巻12号49頁（2016）など参照。

せて「本件更正処分等」という。）を行ったため、Xが国Y（被告・被控訴人・被上告人）を相手取り、本件更正処分等の各取消しを求めた事案である。

〔争点〕

所得税法72条の適用如何。

〔判決の要旨〕

1　大阪地裁平成23年5月27日判決

「⑴　人為による異常な災害

ア　雑損控除制度について定める所得税法72条は、控除し得る損失の発生原因として、『災害又は盗難若しくは横領』という事由を掲げているところ、これらはいずれも納税者の意思に基づかないことが客観的に明らかな事由であるものと解される（旧所得税法11条の3の雑損控除につき、最判昭和36年10月13日・民集15巻9号2332頁参照。また、地方税法15条1項1号の徴収猶予の要件である『震災、風水害、火災その他の災害』及び『盗難』に関し、最判平成22年7月6日・判タ1331号68頁参照）。また、所得税法2条1項27号は、同法における『災害』の意義は、震災、風水害、火災その他政令で定める災害をいう旨規定し、所得税法施行令9条は、所得税法2条1項27号に規定する政令で定める災害は、〈1〉冷害、雪害、干害、落雷、噴火その他の自然現象の異変による災害及び〈2〉鉱害、火薬類の爆発その他の人為による異常な災害並びに〈3〉害虫、害獣その他の生物による異常な災害とする旨規定するところ、所得税法2条1項27号及び所得税法施行令9条所定の『災害』も、所得税法72条の『災害』と同様、納税者の意思に基づかないことが客観的に明らかな事由であると解されるのであり、さらに、『災害』という用語の社会一般に用いられている通常の意味（吉国一郎ほか編『法令用語辞典』第9次改訂版298頁…によれば、一般には、地震、台風、大火など、不意に突発した外からの強暴な力によって、人が死傷又は罹病したり、土地、建物その他の工作物、物品、施設等が損壊し、亡失しその他相当の被害を受けた場合の原因と結果とを合わせて災害というとされている。）に加え、所得税法施行令9条が所得税法2条1項27号に規定する政令で定める災害として例示する内容を考慮すれば、『(人為による異常な) 災害』というためには、納税者の意思に基づかないことが客観的に明らかな、納税者が関与しない外部的要因を原因とするものであることが必要というべきである。

イ　また、人為による異常な災害というためには、『異常』であること、すなわち、社会通念上通常ないといえることが必要である。そうすると、『異常な』災害というためには、納税者の意思に基づかないことが客観的に明らかな、納税者が関与しない外部的要因を原因とするものであるかどうかという…点のほか、納税者による当該事象の予測及び回避の可能性、当該事象による被害の規模及び程度、当該事象の突発性偶発性（劇的な経過）の有無などの事情を総合考慮し、社会通念上通常ないといえる『異常な』災害性を具備していると評価できることが必要というべきである。

ウ　加えて、人為による異常な災害というためには『人為による』ものでなければならないところ、この人為性とは、人の行為が原因となっていることを意味するものと解される。

以上を総合すれば、『人為による異常な災害』により損失が生じたというためには、少なくとも、納税者の意思に基づかないことが客観的に明らかな、納税者の関与しない外部的要因（他人の行為）による、社会通念上通常ないことを原因として損失が発生したことが必要であるということができる。」

「まず、〈1〉建築施工業者が本件建築部材を使用して本件建物を建築したことに関しては、本件建築部材は、昭和50年又は昭和51年当時、労働安全衛生法等の各法令において規制の対象とはされておらず、これを建築部材として使用することは何ら違法ではなかったことが認められる…。この点に加え、Xが、建築施工業者に対し、本件建築部材又はアスベストを含有する建材の使用を拒否したといったような特段の事情もうかがわれないことからすると、本件建物の建築工事において本件建築部材を使用することは、建築請負契約の内容に含まれていたか、少なくとも、包括的に建築施工業者の選択に委ねられていたと解するのが相当である。そうすると、建築施工業者が本件建築部材を使用して本件建物を建築したこと（その結果本件建物にアスベストが含まれていたこと）は、建築請負契約又はXの包括的委託（承諾）に基づくものであって、Xの意思に基づかないことが客観的に明らかな、Xの関与しない外部的要因を原因とするものということはできない。」

「次に、〈2〉本件建物の建築後アスベスト（石綿等）に関する規制が行われたことに関しては、建築部材など一般に用いられていたアスベスト（石綿等）について、人体に与える有害性が判明したことに伴い、解体建物周辺への飛散や解体労働者の曝露を防止するべく、公共の福祉の観点から法的な規制が行われたものであり、そのような公共のために必要な規制がされたことについては、本件建物の建築後に規制が行われた経緯等を考慮しても、社会通念上通常ないことには該当せず、これを異常な災害であると認めることはできない。」

「以上のとおり、本件建物にアスベストが含まれていたこと（本件建物の建築施工業者が本件建築部材を使用して本件建物を建築したこと及び本件建物の建築後アスベスト（石綿等）に関する規制が行われたこと）が、所得税法施行令9条にいう『人為による異常な災害』に該当するということはできず、本件におけるXの損失が『人為による異常な災害』により生じたものということができない以上、雑損控除の適用に関するXの主張は採用することができない。」

「以上によれば、その余の点について判断するまでもなく、本件除去費用等が所得税法72条の雑損控除の対象とはならない旨の東税務署長の判断は正当であ〔る。〕」

2　控訴審**大阪高裁平成23年11月17日判決**はおおむね原審判断を維持し、上告審**最高裁平成25年1月22日第三小法廷決定**は上告不受理とした。

〔コメント〕

本件において、Xは、❶耐震強度偽装事件について雑損控除の対象とすることが認められていたことや、❷国税通則法63条6項の規定による延滞税の免除に関し、税務職員の誤った申告指導その他の申告又は納付について生じた人為による障害が、同法施行令26条の2第2号に規定する「人為による異常な災害又は事故」に該当する旨の法令解釈通達が発出されていることを指摘していた。

しかしながら、❶については、建築士が違法に耐震強度を偽装したことが原因となって建物所有者に損失が生じたことを「人為による異常な災害」による損失が生じた場合に該当すると判断したものであって、納税者の意思に基づかないことが客観的に明らかな事案であったこと、❷については、税務職員の誤った申告指導等については、「人為による異常な事故」の一態様として理解するのが文理上も自然であり、「災害」の解釈に直接参考になるものではないというべきであるとして、いずれのXの主張も採用されなかった。

そもそも、雑損控除制度は、昭和25年のシャウプ勧告を契機として整備されたものであるが、災害等による異常損害によって低下した担税力に即応した公平な課税を実現しようとする趣旨に基づく制度であると同時に、従来の「災害その他の事由に因り納税資力を喪失して、納税困難と認められるとき」（当時の所得税法52条1項）というあいまいな規定を改め、明確な規定を設けることによって、公平な所得控除の適用を担保することをも目的としたものと解するべきであって3)、納税者の意思が及ばないものが災害の対象とされている（D教授鑑定意見書）。そのように考えると、契約上の納税者の意思が介入して事後に発生した損害に対して雑損控除の適用をすることは難しいといわざるを得ない。

(4)　災害減免法との関係

災害被害者に対する租税の減免、徴収猶予等に関する法律（昭和22年12月13日法律第175号）（以下「災害減免法」という。）は、震災、風水害、落雷、火災その他これらに類する災害（以下「災害」という。）による被害者の納付すべき国税の軽減若しくは免除、その課税標準の計算若しくは徴収の猶予又は災害を受けた物品について納付すべき国税の徴収若しくは還付に関する特例であるが、

3）佐藤英明「雑損控除制度―その性格づけ」日税研論集47号40頁（2001）。

災害により被害を受けた場合には、この法律の適用を受けることもでき、雑損控除の適用を受けるか又は災害減免法の適用を受けるかは選択することができる。災害減免法の適用が受けられるのは、次の場合に限られる（災免法2、同法施行令1）。

① 住宅又は家財について、その価額の2分の1以上の損害を受けていること

② その年分の総所得金額等の合計額が1,000万円以下であること

この場合の所得税額の軽減額は、次表のとおりである。

〔災害減免法による所得税額の軽減額〕

その年の総所得金額等の合計額	軽減額
500万円以下	全額免除
500万円超750万円以下	2分の1軽減
750万円超1,000万円以下	4分の1軽減

(注) 別に東日本大震災の特例もある。

裁判例の紹介

親が支払った賠償金の雑損控除該当性

加害者である子が与えた損害に係る親が支払った損害賠償金が雑損控除の対象とならないとされた事例

（343 第一審大分地裁昭和56年6月17日判決・行集32巻6号927頁）
（344 控訴審福岡高裁昭和57年2月24日判決・行集33巻1＝2号178頁）[4]
（345 上告審最高裁昭和57年11月11日第一小法廷判決・税資128号240頁）

〔事案の概要〕

X（原告・控訴人・上告人）の次男訴外Eは、訴外F方において同人にノミで傷害を負わせた。Xは、訴外Fに対し、昭和48年1月13日から同年12月24日までの間に13回にわたり合計金110万円、昭和49年1月31日から同年9月30日までの間に9回にわたり合計金45万円を支払った。かかる金員につき、Xは雑損控除の適用により確定申告を行ったが、税務署長Y（被告・被控訴人・被上告人）は、同控除の適用を否認して更正処分等を行った。

4）判例評釈として、岩﨑政明・ジュリ804号121頁（1983）参照。

Xは、かかる金員は損害賠償義務を負わないXが訴外F及びその夫訴外Kらから脅迫され喝取されたものであって、所得税法72条所定の盗難による損失に該当するか、又はこれに準ずるものとして雑損控除の対象とされなければならないとして、昭和48年分及び昭和49年分の所得税の各更正処分の取消しを求めるとともに、両年分のXの所得税につき前記金員を雑損控除の対象として算出した税額を超える租税債権が存在しないことの確認を求めて提訴した。

〔争点〕

本件金員は雑損控除の対象となるか否か。

〔判決の要旨〕

1　大分地裁昭和56年６月17日判決

「所得税法第72条に規定する災害又は盗難若しくは横領による損失とは、納税者の意思に基づかない損失をいうものと解するのが相当であるところ、… Xが訴外Fに対して支払った前記金員は、訴外Eが訴外Fに傷害を負わせたことにつき、右訴外Eには損害賠償の資力がないところから、Xがその意思に基づき損害賠償として右訴外Fに支払ったものであることが認められ、右認定を覆えすに足りる証拠はなく、右の事実に照らすと、Xがなした右出捐は、所得税法第72条にいう損失に該当しないというべきである。

そうするとXが訴外Fに支払った前記金員は雑損控除の対象とならないとしてYがなした前記各更正処分はいずれも適法というべきである。」

2　福岡高裁昭和57年２月24日判決

「XがEの父親としての道義的責任を痛感して、見舞金や治療費等としてFに支払ったものであることが認められる。Xは、前記金員をF夫婦に喝取又は横領された旨主張〔するが〕…到底信用することができず、他に右主張の如き事実を認めるに足る証拠はない。」

3　上告審**最高裁昭和57年11月11日第一小法廷判決**は原審判断を維持した。

〔コメント〕

本件地域判決は、雑損控除を「納税者の意思に基づかない損失」を控除するものと捉えた上で、本件事実認定の下では、Xの子供である訴外Eが他人に負わせた傷害に基因する損害であって、同控除の対象とはならないと判断したものである。雑損控除の対象となる損失の範囲については、これまでの判決の多くも、本件地裁判決と同様、納税者の意思に基づくものであるか否かで判断してきている。

例えば、東京高裁昭和34年12月26日判決（行集10巻12号2495頁）は、「控訴人は、…控訴人のなした株式会社K相互銀行に対する弁済は、債務者O株式会社に対して求償権を行使しても、取立不能であるから『法』第11条の3 …〔筆者注：現行所得税法72条〕にいう『盗難に因り資産について損失を受けた場合』に準じ損失として総所得額から控除さるべきものであると主張する。しかしながら、『法』第11号の3のいう損失とは、すべて納税義務者の意思に基かない災害又は盗難による損失であることは規定上明らかである。而してかかる損失を受けた者を他の納税義務者と同一の条件の下に所得税を負担させることは衡平の理念より見て適当でないので、かかる損失を蒙った者に限り、その税の負担を軽減せしめるのが、同条の趣旨である。従って本件において控訴人がO株式会社に対して有する求償権の取立不能が雑損控除に該当しないことは、いう迄もない。」と判示して、控訴を棄却した。

これを受けて上告審最高裁昭和36年10月13日第二小法廷判決（民集15巻9号2332頁）は、「論旨は、右300万円は、所得税法11条の3 …〔筆者注：現行所得税法72条〕により雑損控除として、譲渡所得の計算上収入金額から差し引くべき旨を主張するのである。しかし、法11条の3により控除される雑損とは、納税義務者の意思に基かない、いわば災難による損失を指すことは、同条の規定上からも明らかであり、訴外O株式会社に対する上告人の求償権が所論のとおり取立不能であっても、もともと抵当権の設定が上告人の意思に基くものであり、上記300万円を雑損として控除できないことは原判示のとおりである。論旨は理由がない。」との判断を下している。この事件は、最高裁が「雑損とは、納税義務者の意思に基かない、いわば災難による損失を指す」と説示したところから、いわゆる「災難事件」とも呼ばれている。

また、名古屋高裁昭和42年9月14日判決（訟月13巻11号1200頁）は、不動産の買主が売主に没収された手数料が雑損控除の対象とならないという点について、原審を支持する。すなわち、原審名古屋地裁昭和41年4月23日判決（訟月12巻8号1204頁）は、「所得税法第11条の4の雑損とは、すべて納税義務者の意思に基かない災害または盗難による損失のみを意味することはその規定上明かである。従って、手附金流れの如く、原告の意思に基づく損失の場合は雑損にあたらないというべきである。」とする[5]。

このように、多くの判決が採用する考え方は、「納税者の意思に基づかない損失」

5）なお、同高裁は、「原告は手附金の損失が必要経費にも雑損にもあたらないとすると、手附金を収受した者も当然所得として課税される関係上、国は同一金額に対して二重に課税することになるから不当であると主張するが、原告には手附金として支出した金200万円に相当する所得があるのであるから、これが必要経費或は雑損として控除されない以上、右所得に対して課税されるのは当然であり、右手附金を取得した前記訴外会社が更にこれを所得として課税されることがあるとしても現行税法上何等違法ではない。」と続ける。

を雑損控除の適用対象から除外するというものである。かような考え方は、雑損控除が所得控除として認められている理由を、自己責任の及ばないところでの担税力の減殺を考慮すると解釈する立場からすれば、受け容れやすい傾向であるといえよう。

さらには、かかる「納税者の意思」がかなり広めに理解されることもある。例えば、納税者の意思が及ばないという点を予見可能性や回避可能性で判断する国税不服審判所事例がある。国税不服審判所昭和54年９月４日裁決（裁決事例集19号54頁）は、「人為による損害であっても、社会生活上通常予見し得る単なる不法行為によって発生したというだけでは足りず、予見及び回避不可能で、かつ、その発生が劇的な経過を経て発生した損害であることを要するものと解される。」としている。なお、このように、納税者の意思に基づくか否かというメルクマールによって、所得税法72条１項に「詐欺」が含まれない点を説明することも可能である。

本件地裁判決は、これらの判決等の傾向と同様の判断を示したものといえよう。

裁判例の紹介

カジノチップ事件

マカオのカジノで使用するチップをバッグとともに盗まれた者の雑損控除が認められないとされた事例

（346第一審京都地裁平成８年１月19日判決・行集47巻11＝12号1125頁）
（347控訴審大阪高裁平成８年11月８日判決・行集47巻11＝12号1117頁）[6]

〔事案の概要〕

X（原告・被控訴人）は、マカオより香港に入るための通関手続を済ませ、靴の修理屋で靴の修理を頼んでいる際、ボストンバッグの中に入れてあったカジノチップを盗難された。本件チップは、マカオの賭博場のものであり、同賭博場で賭博の用に供されるものであるが、賭博場以外においても換金性を有し、一般的に現金代わりに通用するものでもあった。Xが雑損控除として申告したところ、Y（被告・控訴人）はこれを否認して更正処分を行ったため、Xが提訴した。

〔争点〕

カジノチップが「生活に通常必要でない資産」に該当するか否か。

6）判例評釈として、山田二郎・平成元年度主要民事判例解説〔判タ臨増〕350頁（1990）、水野忠恒・租税26号120頁（1998）、酒井・ブラッシュアップ184頁など参照。

〔判決の要旨〕

1　京都地裁平成８年１月19日判決

「令〔筆者注：所得税法施行令〕178条１項１号所定の『射こう的行為の手段となる動産』に該当するかどうかは、生活に通常必要でない資産であるかどうかに照らして判断すべきものであるが、この見地からすると、右『射こう的行為の手段となる動産』とは、専ら射こう的行為の手段となる動産であることが必要であり、そして、右『射こう的行為の手段となる動産』に該当するかどうかの判断にあたっては、対象となる資産の性質、右資産を保有するに至った目的及びその保有・使用状況等を総合的に考慮すべきものと解するのが相当である。」とした上で、「本件チップの性質、流通状況、Ｘの保有の意図・目的、使用状況等を総合考慮すると、本件チップは、専ら賭博の用のみに供されるものとは認められず、したがって、令178条１項１号所定の『射こう的行為の手段となる動産』に該当すると認めることはできないものといわなければならない。」としてＸの主張を容認した。

2　大阪高裁平成８年11月８日判決

「本件チップはマカオの賭博場のものであり、同賭博場で賭博の点数取りのために用いられる札であるから、『射こう的行為の手段となる動産』であることは明らかである。すなわち、右法令にいわゆる『射こう的行為の手段となる動産』に該当するか否かは当該動産の性質から客観的に判断すべきものであって、その動産の帰属者がそれを保有するにいたった目的やその保有・使用状況等の主観的要素を加えて判定すべきものではないというべきところ、本件チップの客観的性質からすれば、それが賭博の手段となる動産であることは明らかである。」として、Ｙの主張を容認した。

〔コメント〕

「生活に通常必要でない資産」を損益通算の対象から除外する理由は、①射こう的行為や「趣味、娯楽、保養、（鑑賞）」に不当な利益を与えないようにすること、②その損失は、所得の処分にすぎないこと、③その利益の捕捉が困難で、損益通算を認めれば、損失のみを容認する結果となるおそれがあることに求められる[7)]。そこで、①の点については、専ら主観的観点からの判断によるということになるのかどうかが問題とされる。しかしながら、主観的観点からではなく、客観的観点からの観察によるべきとするのが本件高裁判決の立場である。例えば、東京地裁平成10年２月24日判決（判タ1004号142頁）は、所得税法施行令178条１項２号

7）柿谷昭男「所得税法の一部改正について」税弘12巻６号28頁（1964）も参照。

の主たる所有目的の認定に当たっては、当該所有者の主観的な意思を最優先すべきであるとの趣旨の主張をしている原告の主張に対して、「個人の主観的な意思は外部からは容易には知り難いものであるから、一般論として、租税法上の要件事実の認定に当たり、客観的事実を軽視し、個人の主観的な意思を重視することは、税負担の公平と租税の適正な賦課徴収を実現する上で問題があり、適当でないというべきである。…法施行令178条1項2号の要件該当性を判断する上でも、当該不動産の性質及び状況、所有者が当該不動産を取得するに至った経緯、当該不動産より所有者が受け又は受けることができた利益及び所有者が負担した支出ないし負担の性質、内容、程度等の諸般の事情を総合的に考慮し、客観的にその主たる所有目的を認定するのが相当である。」と判示している。

2　医療費控除

(1)　医療費控除の内容

医療費控除は、納税者又はその納税者と生計を一にする配偶者その他の親族の医療費を支払った場合に、その年中の医療費の金額（保険金、損害賠償金その他これらに類するものにより補てんされる部分の金額を除く。）のうち一定の金額を納税者のその年分の総所得金額、退職所得金額又は山林所得金額等から控除する所得控除である（所法73①）。医療費控除は、生計を一にする配偶者その他の親族の所得金額の多寡を問わない。また、生計を一にする親族であるかどうかは、課税実務上、医療費を支出すべき事由が生じた時又は現実に医療費を支払った時の現況により判定することとされている（所基通73－1）。

医療費控除の適用を受けるためには、確定申告書に所定の事項を記載するほか、医療費の額などを記載した明細書又は医療保険者等の医療費通知書を確定申告書の提出の際に添付しなければならない（所法120③④）。なお、令和4年1月1日以後に令和3年分以後の所得税に係る確定申告書を提出する場合には、医療保険者等の医療費の額を通知する一定の書類の添付に代えて、社会保険診療報酬支払基金又は国民健康保険団体連合会の医療費の額を通知する一定の書類の添付ができる（令和2年所法等改正附則7）。

ここに、医療費控除の対象となる医薬品とは、医薬品、医療機器等の品質、有効性及び安全性の確保等に関する法律（いわゆる「薬機法」）2条《医薬品の定義》1項に規定する医薬品をいうのであるが、同項に規定する医薬品に該当するものであっても、疾病の予防又は健康増進のために供されるものの購入の対価は、医療費に該当しないとして扱われている。

〔医療費控除の金額〕

（その年中に支払った医療費の額 − 保険金などで補てんされる金額）−（10万円又は総所得金額等の合計額 × 5%のうちいずれか低い額）
＝医療費控除額（最高200万円）

✍ その年中に支払った医療費は、その年中に現実に支払った金額に限られ、未払の額は現実に支払うまでは医療費控除の対象とならない（所基通73－2）。

✍ 保険金などで補てんされる金額には、①社会保険などから支給を受ける療養費、出産育児一時金、配偶者出産育児金、高額療養費等、②医療費の補てんを目的として支払を受ける損害賠償金、医療保険金、入院費給付金等がある（所基通73－8）。

(2) 医療費控除の対象となる医療費

医療費控除の対象となる医療費は、次に掲げるものの対価のうち、その病状に応じて一般的に支出される水準を著しく超えない部分の金額である（所法73②、所令207、所規40の3）。

① 医師又は歯科医師による診療又は治療
② 治療又は療養に必要な医薬品の購入
③ 病院、診療所、指定介護老人福祉施設、指定地域密着型介護老人福祉施設、助産所に収容されるための人的役務の提供
④ あん摩マッサージ指圧師、はり師、きゅう師、柔道整復師などによる施術
⑤ 保健師、看護師、准看護師による療養上の世話
⑥ 助産師による分べんの介助
⑦ 介護福祉師による喀痰吸引等又は認定特定行為業務従事者による特定行為

また、次のような費用で、医師等による診療や治療などを受けるために直接必要なものは、医療費控除の対象となる医療費に含まれる（所基通73－３、昭和62.12.24付け直所３－12、平成12.6.8付け課所４－９、４－11）。

① 通院費や医師等の送迎費、入院の部屋代や食事代等の費用、医療用器具等の購入、賃借若しくは使用の費用で通常必要なもの

② 義手、義足、松葉づえ、補聴器、義歯等の購入の費用

③ ６か月以上寝たきり状態でおむつの使用が必要であると医師が認めた場合のおむつ代（「おむつ使用証明書」が必要である。）

④ 介護保険制度の下で提供された一定のサービスの対価のうち、指定介護老人福祉施設におけるサービス（介護費及び食事）として支払った額の２分の１相当額又は一定の居宅サービスの自己負担額

なお、(i)医師等に対する謝礼、(ii)健康診断（健康診断により重大な疾病が発見され、かつ、引き続きその疾病の治療をした場合を除く。）や美容整形の費用、(iii)疾病予防や健康増進などのための医薬品や健康食品の購入費、(iv)親族に支払う療養上の世話の費用、(v)治療を受けるために直接必要としない近視、遠視のためのメガネや補聴器等の購入費、(vi)通院のための自家用車のガソリン代、分べんのため実家に帰るための交通費などは、医療費控除の対象となる医療費に含まれない（所基通73－４～73－６参照）。

特定保健指導を受ける者のうち、特定健康診査の結果が高血圧症等と同等の状態である者に対して行われる特定保健指導に係る費用の自己負担分は、医療費控除の対象となる（所規40の３②）。

(3) 特定一般用医薬品等購入費を支払った場合の医療費控除の特例（セルフメディケーション税制）

居住者が平成29年１月１日から令和８年12月31日までの間に自己又は自己と生計を一にする配偶者その他の親族に係る特定一般用医薬品等（いわゆる「スイッチOTC医薬品」）の購入費を支払った場合において、健康の保持増進及び

疾病の予防への取組みとして一定の取組みを行っているときは、医療費控除との選択により、その年中に支払った特定一般用医薬品等購入費の金額（保険金等により補てんされる部分の金額を除く。）のうち、下記の計算式による金額を、その年分の総所得金額等から控除する（措法41の17、措令26の27）。これは、セルフメディケーション税制とも呼ばれ、個人の健康管理に係る自発的な取組みを促す観点から、セルフメディケーションを推進するための特別措置である。

「セルフメディケーション」とは、世界保健機関において、自分自身の健康に責任を持ち、軽度な身体の不調は自分で手当てすることと定義されている。また、スイッチOTC医薬品とは、元来、医療用医薬品（処方薬）として使われていた有効成分が、有効性や安全性に問題がないと判断され、薬局で店頭販売できる市販薬に転換（スイッチ）されたものをいう（「OTC」は「Over The Counter」の略であり、町の薬局のカウンター越しで売られる薬を意味している。）。なお、一定の取組みとは、①特定健康診査（いわゆるメタボ健診）、②予防接種、③定期健康診断（事業主健診）、④健康診査、⑤がん検診をいう。

（その年中に支払った特定一般用医薬品等購入費の額 － 保険金などで補てんされる金額）－１万2,000円＝ 医療費控除額（最高８万8,000円）

裁判例の紹介

藤沢メガネ訴訟

近視等の屈折異常に係る検眼と眼鏡の装用は医療費控除の対象とならないとされた事例

（348 第一審横浜地裁平成元年６月28日判決・行集40巻７号814頁）[8]
（349 控訴審東京高裁平成２年６月28日判決・民集41巻６＝７号1248頁）[9]

8）判例評釈として、岩﨑政明・ジュリ967号（1990）、北野弘久・社会保障百選〔２〕113号78頁（1991）など参照。

9）判例評釈として、奥谷健・租税百選〔５〕93頁（2011）、酒井・ブラッシュアップ186頁など参照。

（350上告審最高裁平成３年４月２日第三小法廷判決・税資183号16頁）

〔事案の概要〕

X（原告・控訴人・上告人）が医療費控除に含まれるとした、昭和58年中に購入した近視及び乱視矯正用の眼鏡及びコンタクトレンズ等の代金について、Y（被告・被控訴人・被上告人）は同控除を認めず更正処分を行った。Xはこれを不服として提訴した。

〔争点〕

近視及び乱視矯正用の眼鏡及びコンタクトレンズ等の代金は医療費控除の対象となるか。

〔判決の要旨〕

1　横浜地裁平成元年６月28日判決

「近視等の屈折異常は当面眼鏡等の装用によってこれを矯正する以外に是正の方法がなく、眼の機能それ自体を医学的方法で正常な状態に回復させるという意味での治療は考えられないのであって、医師の検眼を受ける場合でも、医師の医学的審査により隠れた疾病が発見されるのは格別、近視等のために眼鏡等を装用することを前提とした検眼としては、単に屈折異常の程度を計測して眼鏡等による矯正の必要度を判断するのに過ぎず、医師がこれを行う場合であっても眼鏡店における検眼と基本的に異なるものではないと認められるから、検眼それ自体としては医師がその専門的知識、技能及び経験をもって行うべき診療ないし治療とは断定しがたいところである。」

「単に疾病といっても日常の些細なものや基準の取り方によっては異常と言えないようなものから生命の危険を伴うような重篤なものまであり、また、治療にしても、専門知識のない者が行う簡単な日常的行為から専門の医師が行う高度な行為まで考えることができるのであって、その概念の周縁は広範であるところ、その中でどの範囲のものを疾病とし治療として医療費控除の対象とするかは医療費控除制度の趣旨のみならずこれが税務行政に及ぼすところの負担の程度や徴税実務上の問題の存否等を考え併せながら策定され、解釈されるべき事柄であって、必ずしも医学上の概念と解釈にのみ依拠し、これと一致させて考える必要はないというべきである〔。〕」

「所得控除の対象となる費目の選択と設定はすぐれて政策的なものであるから、右対象の選択、設定の際に医療費性についての社会一般の受け止め方や医療としての技術性、専門性のみならずわが国で多くの者が眼鏡店における検眼により眼鏡等を装用し、しかもこれが医療行為として規制されずに容認されていたという事情を斟酌して法及び施行令の制定をすることに何らの不都合もなく、右立法の趣旨を踏まえて法解釈をすることもまた当然のことである〔。〕」

2　控訴審**東京高裁平成2年6月28日判決**及び上告審**最高裁平成3年4月2日第三小法廷判決**も第一審判断を維持している。

〔コメント〕

本件横浜地裁は、厳格に医療上の判断のみならず課税実務との兼合いなども考察しながら、医療費控除該当性は判断されるべきであるとする。すると、他方で、所得税基本通達73－3《控除の対象となる医療費の範囲》が「自己の日常最低限の用を足すために供される義手、義足、松葉づえ、補聴器、義歯等の購入のための費用」などとして、医療費控除の対象に義手などを入れていることとの平仄も問題視されてよかろう。これに対して同地裁は、「わが国で4000万人もの人間が眼鏡等を装用しているという…事実に照らしてみるなら、右控除の対象として眼鏡等を含ませる場合には右条項のまず最初にこれを例示するのが自然であると考えられるし、…（めがねが）医師と関係なく眼鏡店で検眼の上眼鏡等を作製購入することが一般的であった実情のもとでは、…単に近視等の屈折異常の矯正のために眼鏡等の装用がされる場合にこれが右基本通達に規定する『医師等の診療等を受けるために直接必要』なものとはいいがたい」とする。

要するに、対象の選択、設定の際に医療費性についての社会一般の受け止め方や医療としての技術性、専門性のみならずわが国で多くの者が眼鏡店における検眼により眼鏡等を装用し、しかもこれが医療行為として規制されずに容認されていたという事情を斟酌して制定された法の趣旨を尊重して判断を展開すべきとするが、それが法条に示された課税要件にないところまで求める判断であるとすると、課税要件法定主義に反することになりはしないかという疑問も惹起される。

本件横浜地裁は、通達によって医療費控除の範囲が拡大されているという懸念を提示している。すなわち、同地裁は、「医療費控除の制度はシャウプ勧告を受けた税制改正によって創設され、当初は医療費性が明確でかつ控除の対象とすることに問題のない医師等に対する診療等の対価に医療費の範囲が限定された（施行令207条）が、その後の社会保険制度の充実や医療技術の進歩に伴って右規定による医療費よりもこれに付随ないし関連する費用の負担の方が重くなっている状況となったことから、基本通達73－3をもって右医療費の範囲を拡大して医療費控除制度の趣旨を税務の執行面に反映させることとしたものと解される。

もっとも、医療費控除の範囲の拡大を法73条2項で委任されている施行令をもって行わずに行政庁の基本通達をもってしていることからすると、右基本通達の定めは飽くまでも施行令207条の定めを前提とし、施行令の定める医療費の範囲を基本通達により明らかにする方法で、いわば施行令の解釈として、医療費として控除される範囲を運用の実際において実質的に拡大したものというべきである。したがって、基本通達の定める医療費の範囲が施行令207条の規定による制約の範囲内に止まるべきであるのは当然であって、基本通達の定める医療費の範囲が施行令に定められている『医師等による診療等』を受けるために直接必要な費用に限定されるのはいうまでもなく、医療用具についても、医師等が自ら行う治療等のために使用することが予定されているものに限られ、医師等による診療等にかかわりなく購入された義手、補聴器等の医療用具の購入費用はこれに該当しないというべきである。

もとより、このように所得税の課税に当たって一定の所得控除を認めることは所得税の公平な負担という観点から必要な事柄ではあるが、他面そのことによって税務行政に多大な負担を生じることを考えるなら、所得控除の対象となる費目の設定はすぐれて政策的なものであり、加えて控除対象を明確にする必要性も無視できないことに鑑みると、法及び施行令が無限定に全ての医療費を医療費控除の対象とする方法を取らずに前記のとおり医療費の対象を限定列挙していることはやむを得ないところである。」とする。

裁判例の紹介

インフルエンザワクチンの医療費控除該当性

インフルエンザワクチン接種は、治療又は療養に必要な医薬品の購入の対価ということはできないとして、医療費控除の対象とはならないとされた事例

（351第一審静岡地裁平成23年2月25日判決・税資261号順号11628）

〔事案の概要〕

本件は、X（原告）が、平成19年分の所得税について、Xの母（訴外乙）の入居する介護保険法8条11項所定の特定施設（いわゆる介護付き有料老人ホーム。以下「特定施設」という。）の利用料等の支払額の一部を、所得税法73条2項に定める医療費として総所得金額から控除して申告したところ、処分行政庁から、上記の控除は認められないとして本件更正処分等を受けたことから、これを不服として、国Y（被告）を相手取りかかる処分の取消しを求めた事案である。

⑴　Xの母である訴外乙は、平成19年1月21日、株式会社Aとの間で、本件施設入居契約及び特定施設入居者生活介護等標準利用契約を締結した。

⑵　Xは、処分行政庁に対し、自己の平成19年分の所得税について修正申告を行った。

この修正申告において、医療費控除として77万558円が計上されており、その内訳として、Xが支払ったとされる本件施設の利用料（以下「本件利用料」という。）の一部63万9,600円並びに訴外乙の医療費として、Cへの支払額合計2万210円及びDへの支払額合計2万8,930円（以下、本件利用料と併せ「本件利用料等」という。）が含まれていた。

〔争点〕

本件における具体的な争点は、Xが本件利用料等について医療費控除を受けることができるかであり、より具体的には次の点が争われている。

① Xが本件利用料等を支払ったか否か、及びXが支払っていない場合、医療費控除を受けられるか否か。

② 本件利用料が所得税法施行令207条《医療費の範囲》5号所定の「療養上の世話」の対価に該当するか。

〔判決の要旨〕

○　静岡地裁平成23年2月25日判決

「所得税法73条1項は、居住者が、各年において、自己又は自己と生計を一にする親族に係る医療費を支払った場合において、一定額の医療費の金額を、その居住者のその年分の総所得金額等から控除すると定めている。

そして、居住者とは個人をいうものであるところ（法2条1項3号）、…規定内容に照らせば、居住者がその親族とは別個の主体であることは明らかである。したがって、居住者本人が、自己と生計を一にする親族に係る医療費を支払った場合でない限り、医療費控除を受けることはできないのであり、居住者の親族が支払った医療費を当該居住者の総所得金額から控除することはできない。そして、この理は、居住者の親族が非課税所得である遺族年金を受給していたため、所得税を納めていなかったとしても同様である。

…本件貯金口座の名義人及び開設者は訴外乙であり、その預入れに係る金員を出捐した者も概ね訴外乙であった。また、一方で、本件貯金口座に係る貯金について、X自身の目的や使途に供されたこともないというのであるから、Xが本件貯金口座の貯金者であると認めることはできない。

…そうすると、本件貯金口座から払い込まれた本件利用料等…について、Xが支払ったと認めることはできず、本件利用料等が医療費に当たるか否かにかかわらず、本件利用料等の金額をXの所得から控除することはできない。」

「インフルエンザワクチン代としての支払は、X自身によるものと認められるところ、令207条が定める医療費の範囲には、治療又は療養に必要な医薬品の購入の対価が含まれるのであり（令207条2号）、インフルエンザ予防のためのインフルエンザワクチンの代金は、直ちに治療又は療養に必要な医薬品の購入の対価ということはできないというべきである。また、令207条が定めるその余の医療費の範囲にも含まれない。

したがって、認定事実エ〔筆者注：インフルエンザワクチン〕の支払について医療費控除の対象とすることはできない。」

〔コメント〕

本件では、医療費控除の適用が医療費の「支払をした居住者」に限られるか否かが争点とされたが、本件施設に係る本件利用料の支払がなされていた銀行口座が訴外乙のものであったことから、Xによる「支払」の事実が否認された。また、インフルエンザワクチンに係る支払はX本人によるものではあったものの、「インフルエンザ予防のためのインフルエンザワクチンの代金は、直ちに治療又は療養に必要な医薬品の購入の対価ということはできない」と判断されている。ワクチン接種はあくまでもインフルエンザ「予防」のための支払であって、所得税法73条及びこれを受けた同法施行令207条にいう医療費には当たらないというのである。

実際問題として医者が行う診療又は治療等の医療行為内部には、予防的な施しも包含されているものと思われるが、医療行為とは別に、本件のように独立した形での予防的な支払となるとこれが否認されるという点には不安も残る。この点は、いわば食事療法による医療費控除が否認されることが多い中にあって、実際に入院している場合の病院食は医療費控除の対象となる医療費に混在していることが多い点と同根の問題であろう。

裁決例の紹介

自然医食品購入費用の医療費控除該当性

自然医食品購入費用が医療費控除の対象とならないとされた事例

（352国税不服審判所平成14年11月26日裁決・裁決事例集64号172頁）

〔事案の概要〕

X（請求人）は、自然医食療法は、所得税法73条の医療費控除の対象を現代西洋医学を中心に規定した立法者の意思の予定外のものであるから、憲法13条の規定の精神を踏まえ、自然医食品等を薬事法（現「薬機法」）上の医薬品とみなすべきであるとし、本件自然医食品等購入費は医療費控除の対象となる旨の主張をした。

〔争点〕

自然医食品購入費用は医療費控除の対象となるか否か。

〔裁決の要旨〕

○　国税不服審判所平成14年11月26日裁決

「X主張の本件自然医食品等購入費が、医師等による診療等の対価に当たるかどうかは、それを食する者の主観や価値観によって解釈されるものではなく、客観的かつ社会通念に照らして判断されるべきものであり、本件自然医食品等購入費は、…医療費控除の対象とはならないことは明らかである。」

〔コメント〕

国税不服審判所は、医薬品該当性の判断基準を旧薬事法にあるとした上で、本件自然医薬品は、医薬品に該当しないと判断した。

このような判断はこの事例に限らず、いくつか散見される。例えば、福島地裁平成11年6月22日判決（税資243号703頁）の事例においては、浄血自然医食療法なる自然医学理論に基づいて行われる難病根治の診療が問題とされていた。すなわち、そこでは、玄米、菜食、健康強化食品、薬草・野草茶を用いた独自の診療や、医師から処方を受けた「食餌箋」に記載された「チャイハナ」及び「春寿仙」の購入対価の医療費該当性が争われた。同判決では、プーアル、ウーロン、サフランを原材料として混合した健康茶である「チャイハナ」、田七人参、杜仲茶、霊芝を原材料とした加工食品である「春寿仙」、ドクダミ、ヨモギ等を原材料とした薬草茶である「薬草茶」、ハト麦、小麦、大豆を主原料とした穀物加工食品のパンダンM及びエゾウコギを主原料とした清涼飲料水のアルガトン等の医食品である「医食品」は、いずれも旧薬事法2条1項に規定される医薬品には該当しないと判断されているのである。

本件についてみると、Xが、自然医食療法は、所得税法73条の医療費控除の対象を現代西洋医学を中心に規定した立法者の意思の予定外のものとする点には一理あるようにも思われる。日本薬局方は現代西洋医学を中心としているという見方ができるようにも思われるからである。日本薬局方に掲載された医薬品のみを「医薬品、医療機器等の品質、有効性及び安全性の確保等に関する法律」上の医薬品に限定しているところ、課税実務が同法に依拠するということは（所基通73－5）、相対的にみて東洋医学を基礎とする医薬品は医療費控除の対象として判断されにくいということを意味することにはならないであろうか。

本件裁決では、「自然医食品等は、薬事法第2条第1項に規定する医薬品に当たらないことは明らかであるから、Xが、F医師の処方による『処方せん』により自然医食品等を購入しこれを服用したとしても、本件自然医食品等購入費を所得税法施行令第207条第2号に規定する『治療又は療養に必要な医薬品』に当たると解することは到底できないというべきである。」と判断されている。

ここでは、自然医食品が旧薬事法上の医薬品ではないという点によって医療費控除該当性が判断されている。なるほど、「食品」が食品衛生法により定義されているのに対して、「医薬品」は医薬品、医療機器等の品質、有効性及び安全性の確保等に関する法律により定義され、それぞれの取扱いが規制されていると考えれば、法律上、食品と医薬品は別個のものとして整理されている。そうであれば、自然食品あるいは健康食品とされた時点で同法が規定する医薬品に該当しなくなり、ひいては医療費控除の対象から排除されることになる。

裁決例の紹介

食事代の医療費控除該当性

医療費控除の対象に食事代が含まれるか否かが争われた事例
（353国税不服審判所昭和63年２月18日裁決・裁決事例集35号83頁）

〔事案の概要〕
省略。

〔争点〕
医療費控除の対象に食事代が含まれるか否か。

〔裁決の要旨〕
○　国税不服審判所昭和63年２月18日裁決
「所得税基本通達73－３の⑴において、入院若しくは入所の対価として支払う食事代等の費用を同条同項に規定する医療費に該当するとしているのは、入院若しくは入所の対価に含まれている食事代等の費用は、医師等による診療等を受けるための直接的な関連費用であるためであり、入院若しくは入所の対価に含まれない食事代等の費用までも医療費控除の対象とする趣旨のものではない〔。〕」

〔コメント〕
本件における国税不服審判所の判断は、X（請求人）が、「本件食事代は、糖尿病の治療のため入院していたAが、通院治療に切り替わった後も入院中と同じ食事を摂るため、医師の指導を受けてB社に依頼した病人食に係る費用であり、糖尿病は食事療法が中心であり、かつ、所得税基本通達73－３により入院中の食事代が医療費控除の対象とされている以上、本件食事代も医療費控除の対象とすべきである。」と主張したことに対するものであるが、入院若しくは入所の対価を構成しているかどうかという点のみが判断を分けている。

3　社会保険料控除

(1)　社会保険料控除の内容

社会保険料控除とは、納税者又はその納税者と生計を一にする配偶者その他の親族の負担すべき社会保険料を支払った場合又は給与から差し引かれた場合に、その金額を納税者のその年分の総所得金額、退職所得金額又は山林所得金額等から控除する所得控除である（所法74①）。

ここにいう社会保険料とは、①健康保険料、②国民健康保険料又は国民健康保険税、③介護保険料、④雇用保険（労働保険）料、⑤国民年金保険料又は国民年金基金掛金、⑥高齢者の医療の確保に関する法律の規定による保険料、⑦農業者年金保険料、⑧厚生年金保険料、⑨船員保険料、⑩国家公務員共済組合掛金、⑪地方公務員等共済組合掛金、⑫私立学校教職員共済法掛金、⑬恩給法の規定による国庫納金、⑭労働者災害補償保険の特別加入者保険料、⑮特定の地方公共団体の互助会掛金、⑯存続厚生年金掛金、⑰公庫等の復帰希望職員掛金、⑱日本鉄道建設公団の復帰希望職員掛金、⑲政府管掌健康保険等の承認法人等への掛金、⑳条約相手国の社会保険制度の保険料をいい、外国で勤務する居住者の受ける給与のうち、所得税を課されない在勤手当から控除されるものを除くものをいう（所法74②、所令208）。

(2)　社会保険料控除の金額

社会保険料等の額は、その年中に支払った金額の全額が控除の対象となるが、前納保険料については、課税実務上、前納期間が１年以内の場合を除き、次の算式により計算した金額がその年分の社会保険料控除の額とされる（所基通74・75－１、74・75－２）。ここにいうワン・イヤー・ルールの法的根拠については議論のあるところである。次にみる小規模企業共済等掛金控除においても同様である。

社会保険料を前納した場合の社会保険料控除額

$$= \text{前納した社会保険料の総額（前納により割り引かれた場合には、割引後の金額）} \times \frac{\text{前納した社会保険料に係るその年中に到来する納付期日の回数}}{\text{前納した社会保険料に係る納付期日の総回数}}$$

また、課税実務上、使用者が使用人の負担すべき社会保険料を負担した場合には、その金額は社会保険料控除の対象とならないが、その金額が現物給与として課税された場合は、その部分に限って社会保険料の金額に含まれるものとされている（所基通74・75－４）。

国民年金保険料及び国民年金基金の掛金について社会保険料控除の適用を受けるためには、確定申告書に所定の事項を記載するほか、支払金額を証明する書類を添付するか申告書を提出する際に提示しなければならない（所法74②五、120③、所令262①三）。ただし、給与所得に係る年末調整の際に控除された国民年金保険料等については、証明書等の添付等を要しない（所令262①）。

４　小規模企業共済等掛金控除

(1)　小規模企業共済等掛金控除の内容

小規模企業共済等掛金控除とは、納税者が小規模企業共済等掛金を支払った場合に、その金額を納税者のその年分の総所得金額、退職所得金額又は山林所得金額等から控除する所得控除である（所法75①）。

ここにいう小規模企業共済等掛金とは、小規模企業共済法２条《定義》２項に規定する共済契約に基づく掛金、確定拠出年金法に規定する個人型年金加入者掛金及び条例により地方公共団体が実施する心身障害者扶養共済制度に係る契約に基づく掛金をいう（所法75②、所令20②）。

(2)　小規模企業共済等掛金控除の金額

小規模企業共済等掛金額は、その年中に支払った金額の全額が控除の対象となるほか、前納掛金額については、課税実務上、前納期間が１年以内の場合を除き、次の算式により計算した金額がその年分の小規模企業共済等掛金控除の額とされる（所基通74・75－１、74・75－２）。

掛金額を前納した場合の小規模企業共済等掛金控除額	＝	前納した掛金額の総額（前納により割り引かれた場合には、割引後の金額） ――――――――――――― 前納した掛金に係るその年中に到来する納付期日の回数	×	前納した掛金に係る納付期日の総回数

なお、小規模企業共済等掛金控除の適用を受けるためには、確定申告書に所定の事項を記載するほか、支払金額を証明する書類を添付するか申告書を提出する際に提示しなければならない（所法120③、所令262①四）。ただし、給与所得に係る年末調整の際に控除された小規模企業共済等掛金については、証明書の添付等を要しない（所令262①）。

5　生命保険料控除

⑴　生命保険料控除の内容

生命保険料控除は、納税者が生命保険契約等に係る保険料又は掛金を支払った場合に、①平成24年１月１日以後に締結した介護医療保険契約等に係る保険料又は掛金（以下「保険料等」という。）、②一定の個人年金保険契約等に係る保険料等（傷害特約や疾病特約等が付されている契約にあっては、その特約部分に係る保険料等を除く。以下「個人年金保険料」という。）と、③それ以外の保険料等（以下「一般の生命保険料」という。）とに区分し、納税者のその年分の総所得金額、退職所得金額又は山林所得金額等から控除するものである（所法76①～④）。

なお、生命保険料控除の適用を受けるためには、確定申告書に所定の事項を記載するほか、その年中に支払った保険料等のうち、①平成23年12月31日までに締結した旧生命保険契約等に基づき支払った保険料が9,000円を超えるもの、及び②個人年金保険契約等及び平成24年１月１日以後に締結した介護医療保険契約、一般の生命保険契約に基づいて支払った保険料については、その額を証明する書類を添付するか申告書を提出する際に提示しなければならない（所法120③、所令262①五）。ただし、給与所得に係る年末調整の際に控除された保険料等については、証明書の添付等を要しない（所令262①）。

生命保険料控除額の計算は次のとおりとなる（所法76①〜④）。

イ　平成24年１月１日以後に締結した新生命保険契約等

介護医療保険料控除、一般の生命保険料（新生命保険料）控除及び個人年金保険料（新個人年金保険料）控除の金額

〔図表〕

年間の支払保険料等	控　除　額
20,000円以下	支払保険料等の全額
20,000円超　40,000円以下	支払保険料等×$\frac{1}{2}$＋10,000円
40,000円超　80,000円以下	支払保険料等×$\frac{1}{4}$＋20,000円
80,000円超	一律40,000円

（適用限度額はそれぞれ４万円）

ロ　平成23年12月31日以前に締結した旧生命保険契約等

旧生命保険料及び旧個人年金保険料控除の金額

〔図表〕

年間の支払保険料等	控　除　額
25,000円以下	支払保険料等の全額
25,000円超　50,000円以下	支払保険料等×$\frac{1}{2}$＋12,500円
50,000円超　100,000円以下	支払保険料等×$\frac{1}{4}$＋25,000円
100,000円超	一律50,000円

（適用限度額はそれぞれ５万円）

㈲　その年において生命保険契約等に基づく剰余金の分配若しくは割戻金の割戻しを受け、又は生命保険契約等に基づき分配を受ける剰余金若しくは割戻しを受ける割戻金をもって生命保険料の払込みに充てた場合には、その剰余金又は

割戻金の額を控除した残額が一般の生命保険料、個人年金保険料又は介護医療保険料の支払額とされる（所法76①～③）。

(2) 生命保険料控除の対象となるもの

イ　一般の生命保険料（新生命保険契約等及び旧生命保険契約等）

生命保険料控除の対象となる一般の生命保険料は、生命保険会社又は外国生命保険会社等と締結した生命保険契約のうち、生存又は死亡を基因として一定額の保険金等が支払われるものなど一定の生命保険契約等のうち、保険金、年金、共済金又は一時金（これらに類する給付を含む。）の受取人の全てを納税者本人又はその配偶者その他の親族とするものに基づいて支払った保険料等をいう。ただし、①保険期間又は共済期間が５年に満たない生命保険契約等のうち、被保険者が保険期間等の満了の日に生存している場合や保険期間中に災害、特定の感染症その他これらに類する特別の事由で死亡した場合にだけ保険金等を支払うこととされている貯蓄型の保険契約等、②外国生命保険会社等と国外で締結した生命保険契約等、③海外旅行期間内に発生した疾病又は身体の傷害等に基因して保険金等が支払われる保険契約、④傷害保険契約や信用保険契約、⑤勤労者財産形成貯蓄保険契約等に基づく保険料等は除かれる（所法76⑤⑥、所令208の３、208の４、209～210の２、措法４の４②）。

なお、一般の生命保険料については、それが平成24年１月１日以後に締結された新生命保険契約等に係るものと、平成23年12月31日以前に締結された旧生命保険契約に係るものとでその取扱いは異なる（前頁図表参照）。

ロ　介護医療保険料

生命保険料控除の対象となる介護医療保険料は、平成24年１月１日以後に締結した次に掲げる契約又は他の保険契約に附帯して締結した新契約のうち、これらの新契約に基づく保険金等の受取人の全てをその保険料等の払込みをする者又はその配偶者その他の親族とするものをいう（所法76②⑦、所令208の６、208の７）。

①　生命保険会社、外国生命保険会社等、損害保険会社又は外国損害保険会

社等と締結した身体の傷害又は疾病により保険金等が支払われる保険契約のうち、病院又は診療所に入院して医療費を支払ったことに基因して保険金等が支払われるもの

② 身体の傷害又は疾病により保険金等が支払われる旧簡易生命保険契約又は生命共済契約のうち、病院又は診療所に入院して医療費を支払ったことに基因して保険金等が支払われるもの

ハ　個人年金保険料

生命保険料控除の対象となる個人年金保険料は、次の要件を満たす契約に基づいて支払った保険料等をいう（所法76⑧⑨、所令211、212、措法４の４②）。

① 年金の受取人を、保険料等の払込みをする者又はその配偶者が生存している場合にはこれらの者のいずれかとするもの

② 保険料等の払込み方法が、年金支払開始日前10年以上の期間にわたって定期的に行われるもの

③ 年金の支払が、(i)年金の受取人の年齢が60歳に達した日以後の日で、その契約で定める日以後10年以上の期間にわたって定期的に行うもの、(ii)年金の受取人が生存している期間にわたって定期的に行うもの、(iii)被保険者の重度の障害を原因として年金の支払を開始し、かつ、年金支払開始日以後10年以上の期間にわたって定期的に行うもののうち、いずれかであるもの

④ 年金以外の金銭の支払が、被保険者が死亡し又は重度の障害に該当することとなった場合に限られていること

⑤ 上記④の金銭の支払が、その契約の締結日以後の期間又は支払保険料の総額に応じて逓増的に定められていること

⑥ 年金の支払が、その期間を通じて年１回以上定期的に行われているものであり、かつ、年金の一部を一括して支払われる旨の定めがないこと

⑦ 剰余金の分配が、年金支払開始日前に行われるものでないもの又はその年金の払込保険料の範囲内の額とされるものであること

6　地震保険料控除

(1)　地震保険料控除の内容

地震保険料控除とは、納税者が、①納税者本人又は納税者と生計を一にする配偶者その他の親族の所有する家屋で常時その居住の用に供するもの（以下「居住用家屋」という。)、又は②これらの者の所有する生活に通常必要な動産を保険又は共済の目的とし、かつ、地震等損害によりこれらの資産について生じた損害をてん補する保険又は共済金が支払われる損害保険契約等に係る地震保険料を支払った場合に、その地震保険料の合計額（最高５万円）を納税者のその年分の総所得金額、退職所得金額又は山林所得金額等から控除する所得控除である（所法77①)。ここにいう地震等損害とは、地震若しくは噴火又はこれらによる津波を直接又は間接の原因とする火災、損壊、埋没又は流出による損害をいう。

なお、地震保険料控除の適用を受けるためには、確定申告書に所定の事項を記載するほか、その年中に支払った保険料などを証明する書類を添付するか申告書を提出する際に提示しなければならない（所法120③、所令262①五)。ただし、給与所得に係る年末調整の際に控除された保険料等については、証明書の添付等は必要でない（所令262①)。

(2)　地震保険料控除の対象となるもの

地震保険料控除の対象となる保険金等は、損害保険会社又は外国損害保険会社等と締結した損害保険契約のうち、一定の偶然の事故によって生ずることのある損害をてん補するもの（身体の傷害又は疾病により保険金が支払われる一定の保険契約は除く。また、外国損害保険会社等については国内で締結したものに限る。）などの損害保険契約等に基づいて支払った地震等損害部分の保険料等をいう（所法77②、所令214)。

7　寄附金控除

(1)　寄附金控除の内容

寄附金控除とは、納税者が特定寄附金を支出した場合に、納税者のその年分の総所得金額、退職所得金額又は山林所得金額等から次の金額を控除する所得控除である（所法78①）。

〔寄附金控除の金額〕

特定寄附金の額又は総所得金額等の合計額の40％相当額のいずれか低い金額　－　2,000円　＝　寄附金控除額

なお、寄附金控除の適用を受けるためには、確定申告書に所定の事項を記載するほか、特定寄附金を受領した旨及びその額を証明する書類等（政治活動に関する寄附については、選挙管理委員会等の確認印のある「寄附金（税額）控除のための書類」）を添付するか申告書を提出する際に提示しなければならない（所法120③、所令262①六、所規47の２③三）。

なお、政党や政治資金団体、認定NPO法人及び公益法人等に対する寄附については、寄附金控除の適用を受けるか、政党等寄附金特別控除（税額控除）の適用を受けるか、有利な方を選択することができる（措法41の18①②、41の18の２①②、41の18の３①）。

裁判例の紹介

寄附金控除と平等取扱原則

寄附金控除の限度額を定めている所得税法の規定は、法人税法37条の規定との対比の上で、憲法14条１項又は84条に違反するものではないとされた事例
（354第一審東京地裁平成３年２月26日判決・行集42巻２号278頁）[10)]

10）判例評釈として、中里実・ジュリ983号75頁（1991）、青柳達朗・税通46巻12号207頁（1991）、乙部哲郎・判評392号189頁（1991）、吉村典久・ジュリ993号207頁（1992）、長屋文裕・平成３年度主要民事判例解説〔判タ臨増〕260頁（1992）など参照。

（355控訴審東京高裁平成4年3月30日判決・行集43巻3号559頁）[11]
（356上告審最高裁平成5年2月18日第一小法廷判決・判タ812号168頁）[12]

〔事案の概要〕
X（原告・控訴人・上告人）らは、長野県M村に対し、「M青年の家」建設資金及び日中友好基金創設に充てる資金として寄附（以下「本件寄附」という。）をした。
そこで、Xらは、昭和61年分の所得税について、寄附金控除を適用した確定申告をした。ところが、税務署長Y（被告・被控訴人・被上告人）は、寄附金控除の額を減額する更正及び過少申告加算税を賦課する旨の決定をした。そこで、Xらは、国税不服審判所長に対し審査請求をしたが、棄却された。
Xらは、寄附金控除の限度額を定めている所得税法78条の規定は、法定限度額を設けていない法人税法37条の規定と対比すると、法人と個人を著しく不合理に差別するものであって憲法14条に違反し、また、合理性を欠く規定である点で憲法84条に違反し、その限度で無効であるから、本件寄附の寄附金は全額が控除されるべきであるとして提訴した。

〔争点〕
所得税法78条が、法人税法37条との対比で、憲法14条、84条に違反する無効な規定か否か。

〔判決の要旨〕
1　東京地裁平成3年2月26日判決
「租税は、国家の財政需要を充足するという本来の機能に加え、所得の再分配、資源の適正配分、景気の調節等の諸機能をも有しており、租税法規の立法においては、財政、経済、社会政策等の国政全般からの総合的な政策判断を必要とするばかりでなく、極めて専門技術的な判断をも必要とすることが明らかである。したがって、具体的な租税法規の立法については、これを、国家財政、社会経済、国民所得、国民生活等の実態についての正確な資料を基礎とする立法府の政策的、技術的な判断にゆだねるほかなく、裁判所は、基本的には、その裁量的判断を尊重せざるを得ないものというべきである。そうすると、国又は地方公共団体に対する寄付について、寄付の主体が個人である場合と法人である場合とで税法上異なった取扱いをすることを定めた所得税法78条と法人税法37条との関係についても、そのような異なった取扱いをする立法に正当な理由がある場合には、

11）判例評釈として、島村芳見・税務事例24巻11号4頁（1992）参照。
12）判例評釈として、小磯武男・平成5年度主要民事判例解説〔判タ臨増〕280頁（1994）、岩﨑政明・租税22号153頁（1994）、岡村忠生・民商113巻4＝5号789頁（1996）など参照。

その区別の態様が右の立法理由との関連で著しく不合理なものであることが明らかであるといった特段の事情が認められる場合でない限り、その合理性を否定することはできず、これを憲法14条等の規定に違反するものということはできないものというべきである。」

「ところで、…社会的に必要な公益的寄付の奨励措置として、国及び地方公共団体に対する個人の寄付金について所得税からの控除制度を設けることには、次のようないくつかの問題点があることが認められる。

（一）　この種の寄付金は、いわば個人の所得の処分としてされるものであるから、純粋の税制上の立場からすると、これを課税所得から控除するという理論的根拠に乏しい。

（二）　この種の寄付金を多額に支出できる者は、実際上高額の所得者に限られるから、一部の高額所得者に有利な制度となるおそれがある。

（三）　個人の寄付のその支出先団体に対する影響力は、概して法人におけるよりも大きくなりがちであり、種々の弊害も予想される。」

「法人税法の適用対象となる営利法人の場合は、その活動が法人の設立目的にそうものに限定され、その意思決定機関の決定を経て行われる意思決定にも株主、出資者に対する責任が要請されること等からして、その行う寄付の是非や金額の多寡の決定についても自ずから制約が内在すると考えられるのに対して、所得税法の適用対象となる自然人たる個人の場合は、その活動の範囲が限定されず、その意思決定も各個人の意思によるところが大であるため、そのような個人の行う寄付については、寄付金を支出するか否か、また支出する寄付金の額をいくらにするかの決定について、法人の場合のような内在的制約が働かないということも、一般論としては十分に首肯できるところである。」

「右のような諸事情を勘案すると、国又は地方公共団体に対する寄付について、その主体が個人である場合と法人である場合とで異なった取扱いをすることには、それなりの正当な理由があるものと考えられ、しかも所得税法78条の規定と法人税法37条の規定との対比で、右両者の取扱いの区別の態様が右の立法理由との関連で著しく不合理なものであることが明らかであるといった特段の事情も認められないものというべきである。そうすると、所得税法78条の規定が憲法14条1項あるいは憲法84条に違反する無効なものとすることはできないものというほかない。」

2　控訴審**東京高裁平成4年3月30日判決**及び上告審**最高裁平成5年2月18日第一法小法廷判決**は、第一審の判断を維持した。

〔コメント〕

所得税法上の寄附金の場合には、一定の要件の下で所得控除の対象となるという点で法人税法上の寄附金の扱いに比して有利であるともいえよう。しかしながら、国会において制定された租税法が憲法に反するとするためには、立法裁量への配慮も必要と解されており、本件地裁判決はこの点を考慮したものと思われる。

いわゆる大嶋訴訟131最高裁昭和60年3月27日大法廷判決（292頁参照）は、「租税は、国家が、その課税権に基づき、特別の給付に対する反対給付としてでなく、その経費に充てるための資金を調達する目的をもって、一定の要件に該当するすべての者に課する金銭給付であるが、およそ民主主義国家にあっては、国家の維持及び活動に必要な経費は、主権者たる国民が共同の費用として代表者を通じて定めるところにより自ら負担すべきものであり、我が国の憲法も、かかる見地の下に、国民がその総意を反映する租税立法に基づいて納税の義務を負うことを定め（30条）、新たに租税を課し又は現行の租税を変更するには、法律又は法律の定める条件によることを必要としている（84条）。それゆえ、課税要件及び租税の賦課徴収の手続は、法律で明確に定めることが必要であるが、憲法自体は、その内容について特に定めることをせず、これを法律の定めるところにゆだねているのである。思うに、租税は、今日では、国家の財政需要を充足するという本来の機能に加え、所得の再分配、資源の適正配分、景気の調整等の諸機能をも有しており、国民の租税負担を定めるについて、財政・経済・社会政策等の国政全般からの総合的な政策判断を必要とするばかりでなく、課税要件等を定めるについて、極めて専門技術的な判断を必要とすることも明らかである。したがって、租税法の定立については、国家財政、社会経済、国民所得、国民生活等の実態についての正確な資料を基礎とする立法府の政策的、技術的な判断にゆだねるほかはなく、裁判所は、基本的にはその裁量的判断を尊重せざるを得ないものというべきである。そうであるとすれば、租税法の分野における所得の性質の違い等を理由とする取扱いの区別は、その立法目的が正当なものであり、かつ、当該立法において具体的に採用された区別の態様が右目的との関連で著しく不合理であることが明らかでない限り、その合理性を否定することができず、これを憲法14条1項の規定に違反するものということはできないものと解するのが相当である。」とする。

本件地裁判決は、上記の考え方に立ち、寄附金控除に合理性があるとして憲法違反には当たらないとしたのである。

(2)　寄附金控除の対象となる特定寄附金

特定寄附金とは、学校の入学に関してするものを除き、次に掲げる寄附金をいう（所法78②③、所令217、措法41の18①、41の18の2①、41の18の3①、41の19）。

①　国又は地方公共団体に対する寄附金（寄附をした者がその寄附によって設けられた設備を専属的に利用することその他特別の利益がその寄附をした者に

及ぶと認められる場合を除く。）

② 公益社団法人、公益財団法人、その他公益を目的とする事業を行う法人又は団体に対する寄附金で、広く一般に公募され、教育や科学の振興、文化の向上、社会福祉への貢献その他公益の増進に寄与するための支出で緊急を要するものに充てられることが確実なものとして財務大臣が指定したもの（指定寄附金）

③ 教育又は科学の振興、文化の向上、社会福祉への貢献その他公益の増進に著しく寄与するものとして定められた特定公益増進法人に対する寄附金で、その法人の主たる目的である業務に関連するもの

④ その目的が教育又は科学の振興、文化の向上、社会福祉への貢献その他公益の増進に著しく寄与すると認められる一定の公益信託（特定公益信託）の信託財産とするために支出した金銭

⑤ 政治活動に関する寄附金のうち、政党、政治資金団体、国会議員が主宰する又は主たる構成員であるその他の政治団体、国会議員、都道府県議会の議員、知事又は指定都市の市会議員若しくは市長の職（以下「公職」という。）の後援団体、特定の公職の候補者又はその候補者となろうとする者の後援団体に対する寄附で政治資金規正法の規定により報告されたもの、公職の候補者に対し政治活動に関してされる寄附で公職選挙法の規定により報告されるもの（政治資金規制法の規定に違反することとなるもの及び寄附した者に特別の利益が及ぶと認められるものを除く。）

⑥ 特定非営利活動法人（NPO 法人）のうち、一定の要件を満たすものとして、都道府県知事又は指定都市の長の認定を受けた認定 NPO 法人若しくは仮認定を受けた仮認定 NPO 法人、又は国税庁長官の認定を受けた旧認定 NPO 法人

⑦ 公益社団法人及び公益財団法人、学校法人等、社会福祉法人、更生保護法人、国立大学法人、公立大学法人、独立行政法人国立高等専門学校機構又は独立行政法人日本学生支援機構に対する寄附金（学生等に対する修学

の支援のための事業に充てられることが確実であるもの）で、その運営組織及び事業活動が適正であること並びに市民から支援を受けていることにつき、一定の要件を満たすものに対する寄附金

⑧　平成20年４月１日以後に特定新規中小会社により発行される株式（特定新規株式）を払込みにより取得し、その年12月31日において有している場合の出資額（令和２年分までは1,000万円、令和３年分からは800万円を限度）

✍　学校の入学に関してする寄附とは、課税実務上、納税者本人又はその子女等の入学を希望する学校に対する寄附で、その納入がない限り入学を許されないこととされるもの、その他その入学と相当の因果関係があるものをいうのであるが、入学願書受付の開始日から入学が予定される年の年末までの期間内に納入したものは、原則として相当の因果関係があるものとされる（所基通78－２）。入学決定後に募集の開始があったもので、新入生以外の者と同一の条件で募集される部分は、入学に関してする寄附とはならない。また、入学辞退等により結果的に入学しないこととなった場合は入学に関してする寄附に該当し、当該学校と特殊の関係にある団体等に対して支出するものもこれに該当するとされる（所基通78－３）。

✍　東日本大震災関連の寄附金控除を支出した場合の特例が別に規定されている。

✍　新型コロナウイルス感染症拡大に伴い、政府の営業自粛要請を踏まえて文化芸術・スポーツに係る一定のイベント等を中止等した主催者に対して、観客等が入場料等の払戻請求権を放棄した場合には、当該放棄した金額（上限20万円）について寄附金控除を適用する措置が講じられている（コロナ特例法５）。

CHECK！　ふるさと納税

所得税における寄附金控除と、個人住民税における税額控除を併せた制度としていわゆる「ふるさと納税」がある。所得に応じた一定の制限はあるものの、ふるさと納税として地方公共団体に寄附した金額の全額（ただし2,000円を超える部分に限る。）について、所得税ないしは個人住民税が減額されることに加え、いわゆる返礼品として寄附先の地方公共団体から物品等を貰うことができるとあって、近年非常に注目を集めている制度である。もっとも、同制度に対しては、地方公共団体の課税自主権の侵害として反対する声も根強い。

ふるさと納税の適用を受ける場合には原則として確定申告が必要であるが、確定申告の不要な給与所得者等が、確定申告を行わなくてもふるさと納税の寄附金控除を受けることのできる仕組みとして、「ふるさと納税ワンストップ特例制度」がある。特例の申請にはふるさと納税先の自治体数が５団体以内で、ふるさと納税を行う際に各ふるさと納税先の自治体に特例の適用に関する申請書を提出する必要がある。

具体的な控除額の計算は以下の図のとおりである。

制度の概要

➤都道府県・市区町村に対してふるさと納税（寄附）をすると、ふるさと納税（寄附）額のうち2,000円を超える部分について、一定の上限まで、原則として所得税・個人住民税から全額が控除される。
（例：年収700万円の給与所得者（夫婦子なし）が、30,000円のふるさと納税をすると、2,000円を除く28,000円が控除される。）

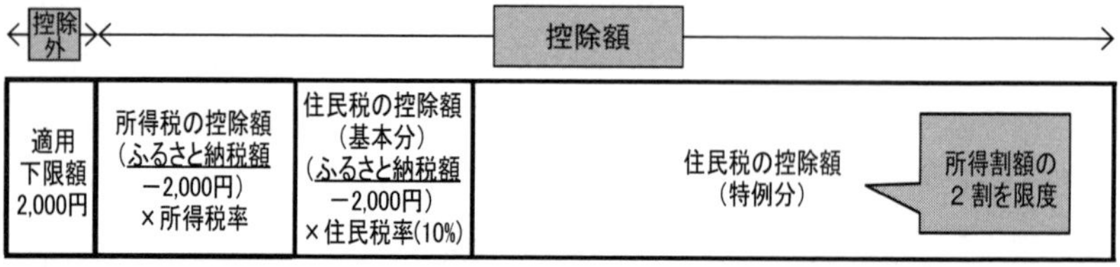

控除外 ←→ 控除額

適用下限額2,000円	所得税の控除額（ふるさと納税額－2,000円）×所得税率	住民税の控除額（基本分）（ふるさと納税額－2,000円）×住民税率(10%)	住民税の控除額（特例分）　所得割額の2割を限度

➤控除を受けるためには、ふるさと納税をした翌年に、確定申告を行うことが必要（原則）。確定申告が不要な給与所得者等について、ふるさと納税先が5団体以内の場合に限り、ふるさと納税先団体に申請することにより確定申告不要で控除を受けられる手続の特例（ふるさと納税ワンストップ特例制度）を創設。
（平成27年4月1日以後に行われるふるさと納税について適用）

➤自分の生まれ故郷や応援したい地方団体など、どの地方団体に対する寄附でも対象となる。

（出所）総務省 HP より

裁判例の紹介

学校法人設立のための寄附金に係る寄附金控除該当性

学校法人の設立のため設立主体である宗教法人に対してなされた寄附金は所得税法上の寄附金控除に該当しないとされた事例

（357第一審大阪地裁昭和60年10月25日判決・税資147号154頁）
（358控訴審大阪高裁昭和61年8月28日判決・税資153号576頁）
（359上告審最高裁昭和62年2月12日第一小法廷判決・税資157号456頁）

〔事案の概要〕

本件は、税務署長Y（被告・被控訴人・被上告人）がX（原告・控訴人・上告人）の寄附金控除を否認したところ、Xらがこれを不服として提訴した事例である。

Xらは、本件寄附は学校法人の設立のためになされたものであるから、所得税法78条2項3号、同法施行令215条1項3号に準じて寄附金控除の対象とすべきである旨次のように主張した。

A基督教会幼稚園は、宗教法人A基督教会が設置者となって、私立学校法3条に基づき設置されたが、同幼稚園を学校法人とする計画を建てた。まず幼稚園の名称をE幼稚園とすることとし、府庁に許可を得た。

学校法人E学園を設立するために、Xは、再三府庁企画部教育課に赴いた。しかし、当時、宗教法人A基督教会は、E幼稚園関係での負債が多く、学校法人の設立は困難な状況である旨の説明を受けた。Xとしては、E幼稚園の理事者として、どうしても学校法人E学園を成立し、E幼稚園の経営を同法人に移管しなければならず、そのためには、個人資産を寄附し、もって、負債額を縮小するほかなかったため、本件寄附に踏み切った。なお、E幼稚園の負債については、昭和55年3月末日現在で長期借入金が1億1,290万円あり、府の教育課では、かかる負債状況では学校法人の設立は許可できないとのことであった。そこで、Xらは、学校法人E学園を設立するために本件の寄附をなした。

ただ、寄附に当たり、学校法人E学園の設立の認可がおりていないために、E幼稚園の設置主体である、宗教法人A基督教会に寄附する形となった。

学校法人E学園の設立が認可されたので、同年12月2日、E幼稚園の設立者を宗教法人A基督教会から学校法人E学園に変更した。よって、本件寄附は、学校法人E学園の設立のためになされたものであり同寄附があったればこそ、同学校法人が認可せられた。したがって、同寄附は、教育の振興という公益の増進の目的でなされた寄附であり、所得税法施行令215条3項に準じ、特定の寄附金として、控除の対象と認められるべきである。

〔争点〕

学校法人の設立のため設立主体である宗教法人に対してなされた寄附金は所得税法上の寄附金控除の対象となるか否か。

〔判決の要旨〕

1　大阪地裁昭和60年10月25日判決

「所得税法78条2項3号は、同法の別表第1第1号に掲げる法人その他特別の法律により設立された法人のうち、教育又は科学の振興、文化の向上、社会福祉への貢献その他公益の増進に著しく寄与するものとして同法施行令215条で定めるもの（試験研究法人等）に対する当該法人の主たる目的である業務に関連する寄付金について、寄付金控除をする旨定めているが、A教会が右試験研究法人等に該当しないことは明らかである。」

「仮に本件寄付が実質上右学校法人の設立のためになされたとの前提に立っても…所得税法78条2項3号は2号の場合と異なり、設立後の試験研究法人等に対する寄付金に限る趣旨であることが明らかであり、これを拡張して解釈するときは、当該金員が真実当該法人設立のために支出されたか否かの判定が困難となり、ひいては不誠実な納税者による制度濫用の危険を招来することになるから、本件寄付を右学校法人に対する寄付として寄付金控除の対象とすることもできないというべきである。」

2　控訴審**大阪高裁昭和61年８月28日判決**及び上告審**最高裁昭和62年２月12日第一小法廷判決**は第一審判断を維持した。

〔コメント〕

所得税法78条《寄附金控除》２項３号は、「別表第一に掲げる法人その他特別の法律により設立された法人のうち、教育又は科学の振興、文化の向上、社会福祉への貢献その他公益の増進に著しく寄与するものとして政令で定めるものに対する当該法人の主たる目的である業務に関連する寄附金」と規定する。本件における寄附金控除は、この条項の適用が争点となったものである。条文の文理上、「設立された法人」と規定しており、同条項２号にいう「公益社団法人、公益財団法人その他公益を目的とする事業を行う法人又は団体に対する寄附金（当該法人の設立のためにされる寄附金その他の当該法人の設立前においてされる寄附金で政令で定めるものを含む。）のうち、次に掲げる要件を満たすと認められるものとして政令で定めるところにより財務大臣が指定したもの」が「設立のため」と規定しているのとは異なるものである。これは明らかに、法が「設立前の寄附金」については、同条項２号に限り、同条項３号については「設立後の寄附金」しか認めないことを前提とした規定振りであると思われる。また、同条項３号は、括弧書きにおいて、「（前２号に規定する寄附金に該当するものを除く。）」と規定しているとおり、適用範囲を分けていることも明白である。

8　障害者控除

障害者控除とは、納税者が障害者である場合又はその同一生計配偶者や扶養親族が障害者である場合に、納税者のその年分の総所得金額、退職所得金額又は山林所得金額等から障害者１人につき27万円（特別障害者の場合は１人につき40万円、同居特別障害者は１人につき75万円）を控除する所得控除である（所法79①～③）。

ここにいう障害者又は特別障害者とは次に掲げる者をいう（所法２①二十八、二十九、所令10）。

①　精神上の障害により事理を弁識する能力を欠く状況にある者➡特別障害者

② 児童相談所、知的障害者更生相談所、精神保健福祉センター又は精神保健指定医から知的障害者と判定された者➡障害者

ただし、重度の知的障害者➡特別障害者

③ 精神障害者保健福祉手帳の交付を受けている者➡障害者

ただし、障害等級が１級と記載されている者➡特別障害者

④ 身体障害者手帳に身体の障害があると記載されている者➡障害者

ただし、障害の程度が１級又は２級と記載されている者➡特別障害者

⑤ 戦傷病者手帳の交付を受けている者➡障害者

ただし、障害の程度が恩給法に規定する特別項症から第３項症までの者➡特別障害者

⑥ 原子爆弾被爆者で厚生労働大臣の認定を受けている者➡特別障害者

⑦ 常に就床を要し、複雑な介護を要する者➡特別障害者

⑧ 精神又は身体に障害がある年齢65歳以上の者で、その障害の程度が上記①、②又は④に該当する者に準ずるものとして市町村長や福祉事務所長の認定を受けている者➡障害者

ただし、障害の程度が上記①、②又は④の特別障害者に準ずるものとして認定を受けている者➡特別障害者

なお、同居特別障害者とは、同一生計配偶者又は扶養親族が特別障害者で、かつ、納税者又はその配偶者若しくは生計を一にする親族のいずれかとの同居を常況にしている者をいう（所法79③）。また、同一生計配偶者とは、納税者の配偶者でその納税者と生計を一にするもの（青色事業専従者として給与の支払を受けるもの及び事業専従者を除く。）のうち、合計所得金額が48万円以下である者をいう（所法２①三十三）。

✍ 納税者本人、同一生計配偶者又は扶養親族が同居特別障害者若しくはその他の特別障害者又は特別障害者以外の障害者であるかどうかの判定は、その年の12月31日（年の中途で死亡し又は出国する場合には、その死亡又は出国の時）の現況による（所法85①～③）。ただし、その当時、控除対象配偶者又は扶養親族が死亡しているときは、その死亡の時の現況による（所法85②③）。

裁決例の紹介

障害者認定の遡及

過去に遡及して障害年金を受けた場合に、障害者控除を遡及して受けることができないとされた事例

（360国税不服審判所平成31年3月19日裁決・裁決事例集未登載）

〔事案の概要〕

1　概観

本件は、X（請求人）の配偶者が平成28年中に平成17年1月まで遡及して障害基礎年金の支給決定を受けたことから、Xが平成25年分及び平成26年分の所得税等について障害者控除の適用があるとして更正の請求をしたところ、原処分庁が、当該各年において当該配偶者が障害者に該当することを確認できないとして更正をすべき理由がない旨の通知処分をしたのに対し、Xが原処分の全部の取消しを求めた事案である。

2　基礎事実及び審査請求に至る経緯

当審判所の調査及び審理の結果によれば、以下の事実が認められる。

イ　Xの配偶者（以下「本件配偶者」という。）は、平成25年から平成27年までの各年の12月31日において、Xの控除対象配偶者に該当する者であった。

ロ　Xは、平成25年分及び平成26年分（以下「本件各年分」という。）の所得税及び復興特別所得税（以下「所得税等」という。）について、それぞれ別表の「確定申告」欄のとおり記載した確定申告書を提出した。

ハ　本件配偶者は、平成27年8月5日付けで、Pから、精神保健福祉法45条に規定する精神障害者保健福祉手帳の交付を受けた（以下、この精神障害者保健福祉手帳を「本件福祉手帳」という。）。

ニ　本件配偶者は、平成28年6月2日付けで、厚生労働大臣から、障害基礎年金の受給権を取得した年月を平成16年12月とする国民年金・厚生年金保険年金証書とともに、国民年金法30条に基づき障害基礎年金の支給開始を平成17年1月、障害の等級を示した国民年金決定通知書の交付を受けた（以下、国民年金・厚生年金保険年金証書と国民年金決定通知書を併せて「本件年金決定通知書等」という。）。

ホ　Xは、平成30年3月9日、本件各年分の所得税等について、本件配偶者が障害者に該当するから、所得税法79条2項の規定による障害者控除の適用があるとして、更正の請求書に本件年金決定通知書等の写しを添付し、各更正の請求をした。

ヘ　原処分庁は、上記ホの各更正の請求に対し、平成30年６月７日付けで、本件配偶者が平成25年12月31日及び平成26年12月31日の現況において、所得税法２条１項28号に規定する障害者に該当することを確認できないとして、本件各年分の更正をすべき理由のない旨の各通知書処分（以下「本件各通知処分」という。）をした。

ト　Xは、本件各通知処分を不服として、平成30年８月２日に審査請求をした。

〔争点〕

本件配偶者は、Xの本件各年分の所得税等について障害者控除の対象となる障害者に該当するか否か。

〔裁決の要旨〕

○　国税不服審判所平成31年３月19日裁決

「イ　所得税法施行令第10条第１項第２号は、精神保健福祉法第45条第２項に規定する精神障害者保健福祉手帳の交付を受けている者を所得税法第２条第１項第28号に規定する障害者に該当する者として掲げているところ…、本件配偶者は、平成27年８月５日付でPから本件福祉手帳の交付を受けていることから、平成27年12月31日の現況において、所得税法施行令第10条第１項第２号に掲げる者として、所得税法第２条第１項第28号に規定する障害者に該当する。そして、本件配偶者はXの控除対象配偶者であるから、本件福祉手帳の交付を受けた平成27年分の所得税等については、所得税法第79条第２項に規定する障害者控除が適用される。

他方、本件各年分において、本件配偶者が精神障害者保健福祉手帳の交付を受けていた事実は認められない。そして、所得税法施行令第10条第１項第１号及び同条第２項第１号に規定する『精神上の障害により事理を弁識する能力を欠く常況にある者』は特別障害者として障害者控除の対象となるところ、本件配偶者が平成27年８月５日付で交付を受けた本件福祉手帳において、その障害等級が…とされ、その精神障害の状態が…｛精神保健及び精神障害者福祉に関する法律施行令第６条第３項…｝とされていることからすると、平成27年の前年又は前々年である本件各年分において、本件配偶者が、さらに重度の精神障害の状態である『精神上の障害により事理を弁識する能力を欠く常況にある者』であったとは認められない。また、上記のほか、所得税法施行令第10条第１項に規定するその他の各号のいずれにも該当しない。

以上によれば、本件配偶者は、平成25年12月31日及び平成26年12月31日の現況において、所得税法第２条第１項第28号に規定する障害者に該当するとは認められず、したがって、本件配偶者は、Xの本件各年分の所得税等について障害者控除の対象となる障害者に該当しない。」

〔コメント〕

所得税法2条《定義》1項28号が委任する所得税法施行令10条《障害者及び特別障害者の範囲》1項1号は、「精神上の障害により事理を弁識する能力を欠く常況にある者…」が「障害者」に該当する旨規定しているが、これに該当しない限り、本件の場合、同令1項2号の適用のみが論点となる。

そうであるとすると、本件福祉手帳の交付が要件とされることとなり、以下に、手帳の交付を受けている者と同様の状況であったことが判明したとしても、障害者控除の適用対象とはならないことになる。

また、障害者控除の適用に係る障害者の判定の時期については、所得税法85条《扶養親族等の判定の時期等》2項によると、「その年の12月31日の現況による」こととされているので、結局は、12月31日現在において、本件福祉手帳が交付されていることが必要となる。

本件裁決では、形式的な適用要件によった判断が下されており、厳格な解釈以外のルートは認められていない。

9　寡婦控除

寡婦控除とは、納税者が寡婦である場合に、納税者のその年分の総所得金額、退職所得金額又は山林所得金額等から27万円を控除するものである（所法80①）。ここにいう寡婦とは、次に掲げる者でひとり親に該当しないものをいう。

① 夫と離婚した後婚姻をしていない者のうち、次に掲げる要件を満たすもの

(i) 扶養親族を有すること

(ii) 合計所得金額が500万円以下であること

(iii) その者と事実上婚姻関係と同様の事情にあると認められる者がいないものとして一定の要件を満たすもの

② 夫と死別した後婚姻をしていない者又は夫の生死の明らかでない者のうち、上記①(ii)及び(iii)の要件を満たすもの

✍ 合計所得金額とは、総所得金額、分離課税の配当所得等の金額、分離課税の長期譲渡所得金額（特別控除前）、分離課税の短期譲渡所得等の金額（特別控除前）、一般株式等に係る譲渡所得等の金額、上場株式等に係る譲渡所得等の金額、先物取引に係る雑所得等の金額、退職所得金額及び山林所得金額の合計額をいう。ただし、純損失や雑損失の繰越控除、居住用財産の買換え等の場合の譲渡

損失の繰越控除、特定居住用財産の譲渡損失の繰越控除、上場株式等に係る譲渡損失の繰越控除、特定中小会社が発行した株式に係る譲渡損失の繰越控除又は先物取引の差金等決済に係る損失の繰越控除の適用を受けている場合には、その適用前の金額による（所法２①三十、三十一、措法８の４③一、31③一、32④、37の10⑥一、37の11⑥、37の12の２⑩、37の13の２⑥、41の５⑫一、41の５の２⑫一、41の14②一、41の15④）。

なお、課税実務上、非課税所得の金額のほか、①源泉分離課税とされる利子所得及び配当所得、②確定申告をしないことを選択した配当所得、③源泉分離課税とされる金融類似商品の収益及び割引債の償還差益、④源泉徴収口座を通じて行った上場株式等の譲渡による所得で、確定申告をしないことを選択したものについては、合計所得金額に含まれないものとされている（所基通２－41、措通３－１、８の２－２、８の３－１、37の11の５－１、41の10・41の12共－１）。

✍ 寡婦であるかどうかの判定は、その年の12月31日（年の中途で死亡し又は出国する場合には、その死亡又は出国の時）の現況による（所法85①）。なお、ひとり親の判定においても同じ。

10 ひとり親控除

ひとり親控除とは、納税者がひとり親である場合に、その者のその年分の総所得金額、退職所得金額又は山林所得金額から35万円を控除するものである（所法81）。従来、非婚のシングルマザーが寡婦控除の対象となっていないことについては議論があったところ[13]、令和２年度税制改正において新しい所得控除として、ひとり親控除が創設された。すなわち、子どもの生まれた環境や家庭の経済事情にかかわらず、全てのひとり親家庭に対して公平な税制を実現するために、「婚姻歴の有無による不公平」と「男性のひとり親と女性のひとり親との間の不公平」を同時に解消する観点からの措置である。

ひとり親とは、現に婚姻をしていない者又は配偶者の生死の明らかでない者で一定のもののうち、次に掲げる要件を満たすものをいう。

① その者と生計を一にする子（他の者と同一生計配偶者又は扶養親族とされている者を除き、総所得金額の合計額が48万円以下であるものに限る。）を有す

13) 酒井克彦「寡婦控除あるいは寡夫控除を巡る諸問題（下）」税弘60巻４号70頁（2011）。

ること

②　合計所得金額が500万円以下であること

③　その者と事実上婚姻関係と同様の事情にあると認められる者がいないこと

上記③については、以下の要件が設けられている（所規１の４）。

(i)　その者が住民票に世帯主と記載されている者である場合……その者と同一の世帯の住民票に世帯主との続柄が世帯主の未届の夫又は未届の妻その他これらと同一の内容である旨の記載がされた者がいないこと

(ii)　その者が住民票に世帯主と記載されている者でない場合……その者の住民票に世帯主との続柄として未届の夫又は未届の妻その他これら同一の内容である旨の記載がされていないこと

11　勤労学生控除

勤労学生控除とは、納税者が勤労学生である場合に、納税者のその年分の総所得金額、退職所得金額又は山林所得金額等から27万円を控除する所得控除である（所法82①）。ここにいう勤労学生とは、自己の勤労に基づいて得た事業所得、給与所得、退職所得又は雑所得（以下「給与所得等」という。）を有する次に掲げる者のうち、合計所得金額が75万円以下で、かつ、合計所得金額のうち給与所得等以外の所得の金額が10万円以下である者をいう（所法２①三十二、所令11の３）。

①　学校教育法に規定する小学校、中学校、高等学校、中等教育学校、大学、高等専門学校、特別支援学校の学生、生徒又は児童

②　国、地方公共団体、学校法人、医療事業を行う農業協同組合連合会、医療法人などの設置した専修学校又は各種学校の生徒で、職業に必要な技術の教授をするなど一定の要件に該当する課程を履修するもの

③　職業訓練法人の行う認定職業訓練を受けた者で、一定の要件に該当する課程を履修するもの

なお、専修学校、各種学校又はいわゆる職業訓練学校の生徒が勤労学生控除の適用を受けようとする場合には、専修学校の長等から交付を受けた一定の証明書等を確定申告書に添付するか申告書を提出する際に提示しなければならない（所法120③三、所令262③、所規47の２⑥）。ただし、給与所得に係る年末調整の際に控除された勤労学生控除の額については、この限りでない（所令262③）。

✍ 勤労学生であるかどうかの判定は、その年の12月31日（年の中途で死亡し又は出国する場合には、その死亡又は出国の時）の現況による（所法85①）。

12　配偶者控除

(1)　配偶者控除の内容

配偶者控除とは、納税者が控除対象配偶者を有する場合に、納税者のその年分の総所得金額、退職所得金額又は山林所得金額等から以下に掲げる表の区分に応じた金額を控除する所得控除である（所法83①）。ここにいう控除対象配偶者とは、同一生計配偶者（同一生計配偶者については、障害者控除（754頁）を参照）のうち、合計所得金額が1,000万円以下である納税者の配偶者をいい（所法２①三十三の二）、控除対象配偶者のうち、年齢70歳以上の者を老人控除対象配偶者という（所法２①三十三の三）。

納税者の合計所得金額	一般の控除対象配偶者	老人控除対象配偶者
900万円以下	380,000円	480,000円
900万円超　950万円以下	260,000円	320,000円
950万円超　1,000万円以下	130,000円	160,000円

なお、生計を一にする親族のうちに２人以上の納税者があり、配偶者が１人の納税者の同一生計配偶者に該当し、同時に他の納税者の扶養親族にも該当する場合には、その配偶者はこれらのうちいずれか一にのみ該当するものとみなされる。いずれに該当するかは、原則として納税者の提出する申請書、申告書に記載されたところによるが、いずれに該当するか定められてないときは、その夫又は妻である納税者の同一生計配偶者とされる（所法85④、所令218）。

また、内縁配偶者は配偶者控除の対象となる控除対象配偶者には該当しないとして取り扱われている。

(2)　控除対象配偶者等の判定の時期

老人控除対象配偶者又はその他の控除対象配偶者に該当するかどうかの判定は、その年12月31日（その納税者が年の中途で死亡し又は出国した場合には、その死亡又は出国の時）の現況による。ただし、その判定に係る者がその当時既に死亡している場合は、その死亡の時の現況による（所法85③）。このことは、①配偶者特別控除の適用に関する生計を一にする配偶者、②扶養控除の適用に関する特定扶養親族、老人扶養親族その他の控除対象扶養親族又はその他の扶養親族に該当するかどうかの判定においても同様である（所法85③）。

また、年の中途において納税者の配偶者が死亡し、その年中にその納税者が再婚した場合には、その死亡した配偶者又は再婚した配偶者のうちいずれか1人に限り、配偶者控除の適用が認められ、他の配偶者は他の納税者の扶養親族にはならない（所法85⑥、所令220①②）。ただし、死亡した配偶者が死亡前に他の納税者の扶養親族として申告されている場合には、その死亡した配偶者は他の納税者の扶養親族に該当するものとし、再婚した配偶者はその納税者の控除対象配偶者又は他の納税者の扶養親族に該当するものとされる（所令220③）。

裁判例の紹介

所得税法上の「配偶者」の意義

内縁の配偶者は所得税法上の扶養親族である配偶者に当たらないとされた事例
（361第一審大阪地裁昭和36年9月19日判決・行集12巻9号1801頁）[14]

〔事案の概要〕

X（原告）はその雇人である訴外Nが昭和34年10月8日結婚し（翌昭和35年

14）判例評釈として、中川一郎・シュト7号17頁（1962）、矢野勝久・租税百選88頁（1968）。

4月12日に婚姻届出）、扶養家族を得たことを原因とする年末調整として、源泉徴収所得税の過納分3,510円の還付承認を所轄税務署長に求めたが拒絶されたので、国税局長Y（被告）に対して審査の請求をし、その後、提訴に及んだ。

〔争点〕

結婚により夫婦として共同生活をしているものの婚姻届をしていないいわゆる内縁の配偶者につき、所得税法上扶養控除（現行法上は配偶者控除）が認められるか否か。

〔判決の要旨〕

○　大阪地裁昭和36年9月19日判決

「扶養控除の制度は納税義務者の個人的事情を斟酌して、できるだけ税負担をその負担能力に合致させようという趣旨にでているものと解せられる。納税義務者が所得を同じくする場合には、扶養家族のない者とこれのある者、又は扶養家族の少ない者と多い者とでは、それぞれの担税力に差異があるからである。従ってこの制度では、納税義務者の現実生活における扶養の実体を把握することが重要である。ところで、いわゆる内縁は男女が相協力して夫婦としての生活を営む結合である点においては、婚姻関係と異るものではなく、内縁の当事者は夫婦として互に、同居、協力、扶助の義務を有するものと解すべきである（最高裁昭和33年4月11日判決参照）。このように考えると、法律上の配偶者も内縁の配偶者も、ともに現実生活において扶養義務に基き扶養される者であるという点では差異はないから、内縁の配偶者のある納税義務者にも扶養控除を認めることに合理性はある。扶養控除の対象を婚姻した配偶者に限定したとしても、婚姻の届出をすることによりその利益を受けることができる。しかし、そのことの故を以て、内縁の配偶者につき扶養控除を否定すべきではない。婚姻の届出は、当事者双方によりなされるべく、扶養控除を欲する納税義務者が単独でなし得るところでない。内縁の存在は古来の慣習その他種々の複雑なる事情に基くものであって民法が法律婚主義を採用している以上は免れ難いところである。されば、学説判例も立法（各種の社会立法、給与法等）も、この現実を肯定し、内縁関係にも婚姻関係と同様の保護を与えるべく、努力が続けられているのである。そして、税法上内縁の配偶者を法律上の配偶者と同一に取扱うことは、決して民法が法律婚主義を採用した趣旨に反するものではない。そこで、内縁の配偶者のある納税義務者に扶養控除を認めることが、他の納税義務者との関係で、又は徴税事務との関係でなんらかの不都合を生じないかを考えてみる。所得税額は法律の定める税率によって各納税義務者毎に計算されるのであるから、内縁の配偶者のある納税義務者に扶養控除を認めたとしても、他の納税義務者に不利益をもたらすいわれはない。問題は徴税事務に重大な支障を来たしはしないかの点である。もし徴税機関が内縁関係（いかなる男女間の関係を指すかは学説、判例又は健康保険法等の各条項により、容易に判明するところである。）の発生日時を確定しなければならないとすると、その認定は非常に困難である。この点が問題の大部分である。しかし所得税法第8条第7項〔筆者注：現行所得税法85条3項〕により扶養親族であるかどうかは毎年の12月31日の現況によるのであるから、徴税機関が右発生日時を確定する必要はない。そうすると、あとは申告書に記載ある場合に12月31日現在において、納税義務者と生計を一にする者が、内縁の配偶者であるかどうかを認定しさえすればよいことになり、これはさほど困難ではなく、婚姻届のなされている配偶者の場合に比して特段の差を認めることができない。

以上のとおり、内縁の配偶者のある納税義務者に扶養控除を認めることに合理性があり、一方そうすることによって、なんらかの不都合を生ずるおそれもないから、内縁の配偶者に扶養親族と同じ取扱いを認めるべしとするXの主張は一応もっともである。」

「扶養控除を受けることができるのは配偶者その他の親族を扶養している場合であるといえる。そしておよそわが法体系上、ある法律分野における法律用語は他の分野においても同一意味を有するのが原則であるから、ある法律で単に『配偶者』及び『親族』と規定している場合には民法上の配偶者（すなわち婚姻届をした配偶者）及び親族を指称するものと解すべきである。又民法以外の法律分野において、法律上の配偶者のみならず、いわゆる内縁の配偶者をも問題とする場合には、配偶者（届出をしないが事実上婚姻関係と同様の事情にある者を含む）等の表現により、その旨を規定しているのが通常である（たとえば、健康保険法第1条第2項、日雇労働者健康保険法第3条第2項、国民年金法第5条第3項、厚生年金保険法第3条第2項、国家公務員災害補償法第16条第1項、一般職の職員の給与に関する法律第11条第2項第1号、国家公務員共済組合法第2条第1項、市町村職員共済組合法第16条、優生保護法第3条第1項、国税徴収法第75条第1項等）。右の如き表現によっていない恩給法第72条の遺族中には内縁の配偶者は包含せられないものと解せられ、そのように取扱われてきた。してみれば、所得税法第8条第1項では単に『配偶者』と規定しているに過ぎなく、内縁の配偶者を含ましめることがうかがえるような特別の表現が用いられていないから、同法では内縁の配偶者を扶養親族に含めしめていないと解せざるをえない。」

「扶養控除の制度の趣旨からすれば、法律上の配偶者と内縁のそれとを区別すべきいわれないように思われる。しかしながら、現行所得税法の解釈上では内縁の配偶者を扶養控除の対象としているものということができない。従って、本件所得税額の決定については、Nの内縁の妻を所得税法第8条にいう配偶者として扶養控除をすべきではない。」

〔コメント〕

上記のように本件判決は内縁関係を事実上の婚姻関係と包摂し得る理論的余地を説示しながらも、結果的には、文理解釈を重視する立場を採用している。

この点、課税実務は、所得税基本通達2－46《配偶者》において、「法に規定する配偶者とは、民法の規定による配偶者をいうのであるから、いわゆる内縁関係にある者は、たとえその者について家族手当等が支給されている場合であっても、これに該当しない。」と通達している。本件判決と同様の立場を採用しているといえよう。

配偶者とは、「夫婦の一方からみた他方をいう」とされている（高橋ほか・小辞典1066頁）。ここで、若干の注意を要するのは、民法が「配偶者」についての規定を用意しているわけではないという点である。すなわち、民法が示すのは、あくまでも婚姻の成立要件であり、民法からの借用概念とはいっても、借用先の「配偶者」概念が必ずしも明確ではないということである。本件判決では、民法上の配偶者とは婚姻関係が適法に成立した場合の配偶者をいうとしているが、この点について疑問の余地はないのであろうか。民法上の婚姻成立要件を具備した配偶者と内縁の配偶者はいずれも民法上の配偶者ではないのかという疑問もある。

民法が適法とする婚姻関係ではなくとも、民法は準婚理論を採用して実質的な内縁配偶者に対しても、貞操義務（民770①一）、同居・協力・扶助義務（民752）、婚姻費用の分担義務（民760）、日常家事債務の連帯責任（民761）、帰属不明財産の共有推定（民762）などを適用せしめており、判例・学説においても保護の対象としていることを考えると、民法自体が射程としているのは、必ずしも届出婚主義に基づく婚姻関係のみではないということに気がつく。すると、婚姻関係の成立＝配偶者の認識という定式に対しては疑問の余地もある。準婚姻関係の成立をも配偶者の認識の基礎とすることが本当に理論上排除されるのであろうか。

前述のとおり、所得税法にいう「配偶者」という概念についての定義はなく、また所得税法上の文脈から「配偶者」概念を理解するための材料が乏しく条文から意義や範囲を画することができないとすれば、当該概念が借用概念であるとすれば、そもそもの法分野において使用されている意味内容を理解し、かかる理解に整合的に所得税法上の概念を理解すべきであると考える。これは借用概念についての現在の通説といわれる統一説の考え方であるといえよう。しかしながら、既述のとおり、民法に「配偶者」という用語の定義が用意されているわけではない。すると、「配偶者」という概念を理解するには民法の妥当な解釈によらざるを得ない。民法上は、形式的には婚姻関係が適法に成立した場合の配偶者を配偶者と理解した上で、実質的には法律上の配偶者と類似の法的保護を内縁の妻にも与えているというダブルスタンダードを採っている。

所得税法上の「配偶者」を解釈するに当たって、民法のダブルスタンダードのうち、実質的なスタンダードから借用するという考え方を採用することはできないのであろうか。ましてや、多くの法律が実質的な見地から、内縁の妻のような事実上の婚姻関係者をも配偶者に取り込んでいることを考えるとなおさらである[15]。例えば、健康保険法では、「被扶養者」に含まれる「配偶者」に事実上婚姻関係と同様の事情にある者を含むこととしており（健康保険法3⑦)、そこには内縁の妻も包摂されることになるのである。

もっとも、本件判決は、この点について、文理解釈に従い、どのように条文が規定しているかに関心を寄せた判断を下している。本件判決が示す多くの厚生関係法律（当時のもの）においては、例えば、健康保険法3条《定義》7項1号は、同法律における「配偶者」を、「届出をしていないが、事実上婚姻関係と同様の事情にある者を含む。」としており、3号では、「被保険者の配偶者で届出をしていないが事実上婚姻関係と同様の事情にあるものの父母及び子であって、その被保険者と同一の世帯に属し、主としてその被保険者により生計を維持するもの」と規定するように、事実上の婚姻関係における配偶者が包摂されるように明文をもって規定が示されているのである[16]。

なお、厚生関係法律に限らず、国税徴収法においても、配偶者概念に事実上の婚姻関係にある者を含めることとされているが、これも、明文規定があってのことであり、単に解釈によって配偶者概念を拡張しているわけではない。すなわち、国税徴収法75条《一般の差押禁止財産》1項は、差押禁止財産として、「滞納者及びその者と生計を一にする配偶者（届出をしていないが、事実上婚姻関係にある者を含む。）その他の親族（以下『生計を一にする親族』という。）の生活に欠くことができない衣服、寝具、家具、台所用具、畳及び建具」と規定しているのである（1号)。

なお、このような考え方は、岡山地裁昭和39年1月28日判決（行集15巻1号101頁）[17]においても採用されている。同地裁も本件判決と同様に配偶者概念について述べた上で、さらに、「内縁配偶者との間にできた認知していない子についても、親族とはしないで（…の配偶者で届出をしていないが事実上婚姻関係と同様の事情にあるものの子…）（国家公務員共済組合法第2条第1項第2号ハ、公共企業体職員等共済組合法第24条第3号、健康保険法第1条第2項第3号）等と規定している。しかして所得税法の前記定義規定のなかには、内縁配偶者やその間に生じたがまだ認知していない子について、右のような表現はとられていないのであるから、同法においては、内縁配偶者やまだ認知していない子は扶養控除すべき親族に含めてはいないものといわなければならない。」とする[18]。

15) この点が、本件においてもXから主張されたところである。
16) 特別法による内縁の保護については、二宮周平『事実婚の現代的課題』21頁以下（日本評論社1990)。
17) 判例評釈として、吉良実・シュト39号7頁（1965)、疋島伸行・税通33巻14号184頁（1978）など参照。
18) さらに、岡山地裁は、「もちろん、所得税の扶養控除制度、わが国の内縁関係の本質等これに対して、最高裁平成９年９月９日第三小法廷判決（訟月44巻６号1009頁）は、このような文理解釈による判断ではなく、民法上の配偶者とはすなわち届出をしている配偶者をいうということのみを前提として、民法にいう配偶者に当たらない内縁配偶者は同控除の適用対象とはならない旨判示している。

13　配偶者特別控除

配偶者特別控除とは、納税者が生計を一にする配偶者（他の納税者の扶養親族とされる者、青色事業専従者として給与の支払を受ける者及び白色事業専従者を除く。）で控除対象配偶者に該当しない者を有する場合に、納税者のその年分の総所得金額、退職所得金額又は山林所得金額等からその配偶者の所得金額に基づいて次の「早見表」で求めた金額を控除する所得控除である（所法83の２①）。ただし、納税者の合計所得金額が1,000万円を超える場合には適用がない（所法83の２②）。

なお、納税者の配偶者が「給与所得者の扶養控除等申告書」若しくは「従たる給与についての扶養控除等申告書」又は「公的年金等の受給者の扶養控除等申告書」に記載された源泉控除対象配偶者がある者として給与等又は公的年金等に係る源泉徴収の規定の適用を受けている場合（その配偶者が年末調整の適用を受けた者である場合又は確定申告書の提出若しくは決定を受けた者である場合を除く。）には、その納税者は、確定申告において配偶者特別控除の適用を受けることができない（所法83の２②）。

を考えると立法論としては議論の存するところであろうけれども現行法上においては、右のように解するほかはない。」と説示する。

【令和２年分以降の早見表】

		納税者の合計所得金額		
		900万円以下	900万円超 950万円以下	950万円超 1,000万円以下
配偶者の合計所得金額	38万円超　95万円以下	38万円	26万円	13万円
	95万円超　100万円以下	36万円	24万円	12万円
	100万円超　105万円以下	31万円	21万円	11万円
	105万円超　110万円以下	26万円	18万円	9万円
	110万円超　115万円以下	21万円	14万円	7万円
	115万円超　120万円以下	16万円	11万円	6万円
	120万円超　125万円以下	11万円	8万円	4万円
	125万円超　130万円以下	6万円	4万円	2万円
	130万円超　133万円以下	3万円	2万円	1万円

【参考①：平成30年～令和元年分の早見表】

		納税者の合計所得金額		
		900万円以下	900万円超 950万円以下	950万円超 1,000万円以下
配偶者の合計所得金額	38万円超　85万円以下	38万円	26万円	13万円
	85万円超　90万円以下	36万円	24万円	12万円
	90万円超　95万円以下	31万円	21万円	11万円
	95万円超　100万円以下	26万円	18万円	9万円
	100万円超　105万円以下	21万円	14万円	7万円
	105万円超　110万円以下	16万円	11万円	6万円
	110万円超　115万円以下	11万円	8万円	4万円
	115万円超　120万円以下	6万円	4万円	2万円
	120万円超　123万円以下	3万円	2万円	1万円

【参考②：平成29年度改正前の早見表】

配偶者の合計所得金額	控　除　額
380,001円～399,999円	38万円
400,000円～449,999円	36万円
450,000円～499,999円	31万円
500,000円～549,999円	26万円
550,000円～599,999円	21万円
600,000円～649,999円	16万円
650,000円～699,999円	11万円
700,000円～749,999円	6万円
750,000円～759,999円	3万円

CHECK！　配偶者控除と配偶者特別控除―103万円の壁

配偶者特別控除は、所得の稼得に貢献した配偶者に配慮するという趣旨から、昭和62年度税制改正で導入されたものである。導入前は、パートで働く主婦の収入が103万円を超える場合、納税者の所得税の計算上配偶者控除が適用されなくなり、かえって世帯全体の税引き後の手取額が減少してしまうというようなことが起きた（いわゆる「103万円の壁」）。そこで、その対応として配偶者特別控除が創設されたのである。このため控除額は、配偶者の収入金額に応じて減少する「逓減・消失控除」という方式がとられている。これにより、配偶者のパート収入が103万円（給与所得控除額65万円を差し引くと給与所得の金額は38万円となる。）以下であるときは、夫の所得金額の計算上配偶者控除が適用できるが、パート収入が103万円を超えると、配偶者控除が適用されなくなる代わりに、配偶者特別控除が適用され、配偶者の収入に応じて控除額が逓減・消失することとなる（パート収入が141万円で配偶者特別控除も0になるというわけである。）。

このように、配偶者特別控除の導入によって、少なくとも税制上は「103万円の壁」問題は解決済みであって、税制に基因するとされてきた「103万円の壁」問題は誤解であったといい得る（そもそも、103万円を超えても、配偶者特別控除額が一気に0となるわけではなく、あくまでも収入に応じて逓減していくものであることからすれば、正しくは「103万円からの下り階段」と表現した方が正しい。）。

しかしながら、それでも多くの女性配偶者が就業調整をする現状が続いた原因の一つとして、「103万円」という水準が、もはや所得税の問題にとどまらず、他の領域におけるベンチマークにもなっていたことを挙げることができる。すなわち、「配偶者収入が103万円を超えないこと」というハードルが、例えば、企業の配偶者手当制度等の支給基準や託児所の利用料金設定、賃貸物件入居の際の基準など、行政領域・民間領域を問わず、様々な場面で援用されていたことから、所得税法において問題が解決されたところで、事実上の「103万円の壁」は解消しなかったということである。

これに対して、「生産年齢人口が減少を続け人手不足と感じている企業が多い中、給与収入を一定の範囲内に抑えるために就業時間を抑える傾向は、最低賃金が引き上げられていくにつれ、更に強まるのではないか」という懸念を喫緊の課題とし（財務省「平成29年度税制改正の解説」89頁）、女性を含め、働きたい人が就業調整を意識せずに働くことができる環境づくりに寄与する観点から、平成29年度税制改正において、配偶者特別控除の見直しがなされたのである。

これにより、上記早見表（参考①：平成30年～令和元年分の早見表）のとおり、配偶者特別控除について、所得控除額38万円の対象となる配偶者の合計所得金額の上限を85万円（給与所得のみの場合、給与収入150万円）に引き上げるとともに、従前の制度と同様、世帯の手取り収入が逆転しないような逓減・消失型の仕組みが導入されたのである。したがって、従来の「103万円からの下り階段」は「150万円からの下り階段」まで引き上げられたことになる。

✍ 令和元年分と令和２年分とで比較すると、算定の基礎となる配偶者の合計所得金額が10万円引き上げられているが、これは、配偶者特別控除が改正された翌年の平成30年度税制改正において、基礎控除が38万円から48万円に10万円引き上げられたことによるものである。

【参考】「103万円」から「150万円」への引上げイメージ

①納税者本人の受ける控除額

所得控除額38万円の対象となる配偶者の給与収入の上限を、150万円に引き上げます（現行の配偶者控除の対象となる配偶者の給与収入の上限は103万円）。

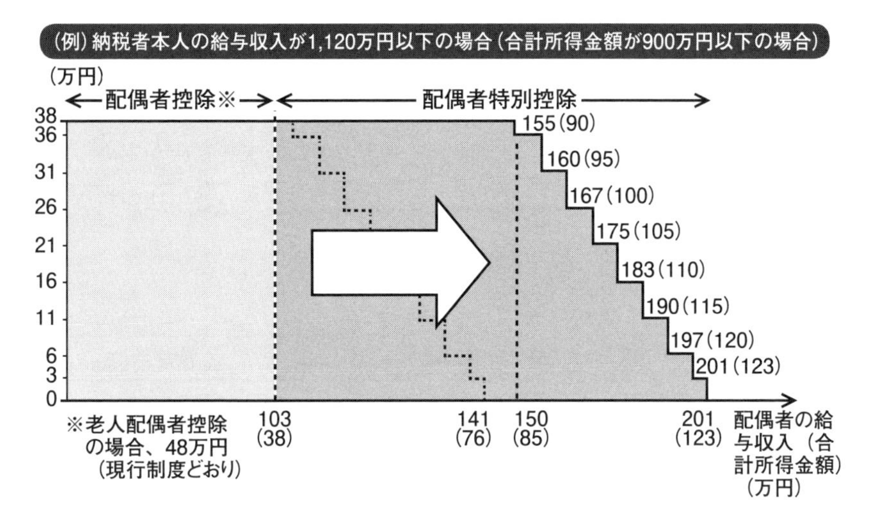

（出所）財務省『平成29年度税制改正』（平成29年４月発行）３頁より引用

14　扶養控除

扶養控除とは、納税者が控除対象扶養親族を有する場合に、納税者のその年分の総所得金額、退職所得金額又は山林所得金額等から、次表に掲げる区分に応じた金額を控除する所得控除である（所法84、措法41の16①②）。

この場合の①控除対象扶養親族とは、扶養親族のうち年齢16歳以上の者をいい（所法２①三十四の二）、②扶養親族とは、納税者と生計を一にする配偶者以外の親族、児童福祉法の規定により養育を委託された里子及び老人福祉法の規定により養護を委託された老人（青色事業専従者として給与の支払を受ける者及び白色事業専従者を除く。）で、合計所得金額が48万円以下であるものをいう（所法２①三十四）。また、控除対象扶養親族のうち、年齢19歳以上23歳未満の者を特定扶養親族といい（所法２①三十四の三）、年齢70歳以上の者を老人扶養親族という（所法2①三十四の四）。

なお、生計を一にする親族のうちに2人以上の納税者があり、いずれの扶養親族にも該当する場合には、その者はこれらのうちいずれか一にのみ該当するものとみなされる。いずれに該当するかは、原則として納税者の提出する申請書、申告書に記載されたところによるが、いずれに該当するか定められてないときは、①既に特定の納税者が申告書等の記載によってその扶養親族としている場合にはそれにより、②上記①によっても、いずれの扶養親族か定められない場合は、納税者の合計所得金額又はその見積額が最も多い者の扶養親族とされる（所法85⑤、所令219）。

〔図表〕扶養控除額

区　分		控除額
一般の控除対象扶養親族 （年齢16歳以上19歳未満・23歳以上70歳未満）		380,000円
特定扶養親族（年齢19歳以上23歳未満）		630,000円
老人扶養親族（70歳以上）	同居老親等以外	480,000円
	同居老親等	580,000円

㈱　同居老親等とは、老人扶養親族のうち、納税者又はその配偶者の直系尊属でこれらの者と同居を常況としている者をいう（措法41の16①）。

なお、国外に居住する親族については、次に掲げる要件を満たすものが控除対象扶養親族に該当する（令和5年分より適用。令和2年所法等改正附則3）。

①　年齢16歳以上30歳未満の者及び年齢70歳以上の者

②　年齢30歳以上70歳未満の者であって、(i)留学により国内に住所及び居所を有しなくなった者、(ii)障害者、(iii)その納税者からその年において生活費又は教育費に充てるための支払を38万円以上受けている者

また、国外居住親族に係る扶養控除、配偶者控除、配偶者特別控除又は障害者控除の適用を受ける納税者は、親族関係書類及び送金関係書類を確定申告書に添付するか、申告書を提出する際に提示しなければならないこととされてい

る。また、年齢30歳以上70歳未満の国外に居住する親族（障害者である親族を除く。）に係る扶養控除の適用を受ける納税者は、その該当する旨を明らかにする書類を確定申告書に添付しなければならない（所法120③、所令262③④）。ただし、給与等又は公的年金等の源泉徴収において、これらの書類を添付等した場合には、確定申告書に添付等を要しない。

CHECK！　国外居住親族に係る扶養控除の適正化

平成30年に出入国管理及び難民認定法（いわゆる「入管法」）が改正されるなど、外国人労働者の受け入れの素地が広がりつつある。また、外国人を配偶者とする国際結婚の増加等により、国外に居住している親族を扶養控除の対象とする納税者が増えつつある。ここで、問題となってきたのが、国外居住親族に係る扶養控除についての適正化に関する懸念である（会計検査院「平成25年度決算検査報告（平成26年11月７日）」においても指摘されている。）。

すなわち、国内に居住している扶養親族については市町村等と国税当局との連携により扶養控除の要件を満たしているかの確認が税務署において行える一方で、国外に居住している扶養親族については事実確認や実態把握が容易であるとはいえず、多数の親族を扶養控除の対象としているのに適用要件を満たしているか十分な確認ができていないまま扶養控除が適用されているなどの状況が指摘されてきた。

そこで、平成27年度税制改正において、親族関係書類及び送金関係書類の添付等の義務化が図られた。しかしながら、その後においても、非居住者である親族の所得要件の判定が国内源泉所得ベースで行われていることから、例えば国外で多額の所得を得ている者であっても、扶養親族にして扶養控除の適用を受けることができてしまうという問題が指摘されており、令和２年度税制改正において、扶養控除の対象となる国外扶養親族の範囲について見直しがなされた。

これにより、上記のとおり年齢に応じた要件が設けられたわけであるが、非居住者である親族の所得要件の判定が国内源泉所得ベースで行われていることを踏まえ、年齢が30歳から69歳までの非居住者は所得の稼得能力があると考えられることから、基本的には扶養控除の対象外とされた。他方で、所得の稼得能力があると考えにくい学生や障害者は、引き続き扶養控除の対象とできることとし、さらに、年間で受け取った送金額が38万円以上である者についても、真に所得が低い可能性を否定しきれず、また、送金する納税者本人側における担税力減殺の可能性も否定できないことから、扶養控除の対象とできることとされた。

15　基礎控除

基礎控除とは、納税者のその年分の総所得金額、退職所得金額又は山林所得金額等から次表に掲げる区分に応じた金額を控除するものである（所法86）。

<table>
<tr><th>納税者の合計所得金額</th><th>令和２年分から</th><th>令和元年分まで</th></tr>
<tr><td>2,400万円以下</td><td>480,000円</td><td rowspan="4">380,000円</td></tr>
<tr><td>2,400万円超　2,450万円以下</td><td>320,000円</td></tr>
<tr><td>2,450万円超　2,500万円以下</td><td>160,000円</td></tr>
<tr><td>2,500万円超</td><td>0</td></tr>
</table>

基礎控除の額は、その配偶者に係る配偶者控除、配偶者特別控除、扶養親族に係る扶養控除と合わせて基礎的な人的控除と呼ばれており、最低生活費の保障の意味を持つものといわれている。

CHECK！　**相次ぐ所得控除の改正と基本スタンス**（712頁）でも触れたとおり、基礎控除は平成30年度税制改正において、従来の一律38万円の控除から、48万円をベースにした逓減・消失型控除へと改正されている。同年改正においてなされた給与所得控除・公的年金等控除のその見直しと関連して、その一部を基礎控除に振り替えるなどの対応がなされたものである（給与所得控除の見直しについては、289頁、公的年金等控除の見直しについては、483頁を参照）。

CHECK! **政府税制調査会答申**

近年の所得控除改正の背景を理解するための資料として、平成27年11月付け政府税制調査会答申の内容を確認しておこう。

平成27年11月政府税制調査会答申
「経済社会の構造変化を踏まえた税制のあり方に関する論点整理」（抄）

Ⅱ　個人所得課税の改革にあたっての基本的な考え方

1　結婚して子どもを産み育てようとする若年層・低所得層に配慮する観点からの所得控除方式の見直し

⑴　若年層・低所得層を取り巻く負担の現状と経済社会の構造変化

個人所得課税については、消費税の創設（平成元年施行）を含む昭和62・63年の抜本的税制改革において負担軽減を実施した。さらに、平成６年の税制改革において、中高所得層を中心に所得水準の上昇に伴う負担累増感を緩和する観点から、税率構造について大幅な累進緩和が行われた。

この見直しは、当時、

・　我が国における所得分布の状況が諸外国に比してはるかに平準化していたこと
・　年功序列の下で収入が勤続年数に応じて増加していくサラリーマンが一般的であったこと

を踏まえて行われたものであったが、結果として所得再分配機能が低下したことは否めない。その後、最高税率の引上げや給与所得控除の見直しなどが行われたものの、現在の累進構造は、平成６年以前と比べると緩やかなものとなっている。

社会保険料については、被用者は報酬比例方式で一定所得水準での頭打ちがあるとともに、自営業主等は定額となっている。この結果、社会保険料の負担構造は所得が高いほど負担率が低くなる、いわゆる逆進性を有している。また、個人所得課税における課税所得の計算上、社会保険料は所得控除されるため、社会保険料負担の増加は税負担を軽減する効果があるが、その効果は適用税率が高いほど大きい。このような負担構造の下、平成６年以降、高齢化の進展や社会保障関連施策の充実に伴い社会保険料負担が順次引き上げられてきている。

これらの結果、平成６年の税制改革から現在までの約20年間において、個人所得課税・社会保険料を合わせた実効負担率は、低所得層において増加する一方、高所得層において低下している。また、昭和62・63年の抜本的税制改革以来の四半世紀の間で見ると、低所得層における負担の増加と中堅所得５層以上の負担減が生じている。

一方、平成６年の税制改革以降の約20年間において、若年層・低所得層を取り巻く経済社会の状況は大きく変化した。若年層における非正規雇用の増加等により所得格差が拡大し、所得再分配機能の重要性が高まっていることに加え、「片働き世帯」に代わって「共働き世帯」が主流となり、子どものいない世帯が増加するなど、人々の働き方や家族のあり方を巡る状況も大きく変化している。

(2)　所得控除方式の見直しにあたっての考え方

若年層・低所得層を取り巻く変化は、労働市場の変容や社会保険料負担の増加など、複数の政策分野にまたがって生じている。若年層を中心とする低所得層の働く意欲を阻害せず、安心して結婚し子どもを産み育てることができる生活基盤の確保を後押しするためには、社会保障制度、労働政策等の関連する制度や政策との連携を含めた総合的な対応を検討することが必要である。

その一環として、個人所得課税については、所得再分配機能の回復を図り、経済力に応じた公平な負担を実現するための見直しを行う必要がある。また、「一次レポート」は、「結婚して夫婦共に働きつつ子どもを産み育てるといった世帯」に対する配慮の重要性を踏まえつつ、働き方の選択に対して中立的な税制を構築する観点から、配偶者控除の見直しを軸とする5つの選択肢を提示した。生活を支えるために夫婦共に働く世帯の増加を踏まえ、これらの選択肢についてさらに検討を深める必要がある。今回、経済社会の構造変化の「実像」を把握してきた中で、所得格差の拡大が家族を形成できる人とできない人の分断を生んでいるとの指摘もあった。今後の検討にあたっては、家族の形成を社会全体で支えるという視点も重要となっている。その際、「ひとり親世帯」や単身の低所得者も存在することから、世帯の多様性を踏まえた丁寧な議論が必要である。

個人所得課税の所得再分配機能の回復を図るためには、税率構造の見直しと課税ベースの見直しの双方が考えられる。しかし、国・地方を合わせた個人所得課税の最高税率は既に55%に達している。最高税率の見直し等による限界税率の引上げについては、人の移動がグローバル化していることや、労働供給の阻害要因となるおそれがあることに留意が必要である。所得控除方式を採用している諸控除を見直し、税負担の累進性を高めることを通じて、低所得層の負担軽減を図っていくことを中心に検討すべきである。

所得控除方式による諸控除のうち「人的控除」は、納税者の家族構成などの事情に応じ、一定水準までの所得には課税しないこととするための機能を果たしている。同時に、所得控除なしで税率を適用する場合と比べると、実効税率（所得に対する税額の割合）の低下幅が低所得者ほど大きくなるなど、税負担の累進性を確保する機能も有している。他方で、適用される限界税率が高い高額所得者ほど軽減される税額が大きくなることから、所得再分配機能を高める観点から、所得控除方式に代わる制度のあり方についても検討を行う必要がある。

諸外国の個人所得課税においても、我が国と同様に、納税者の家族構成などの事情を踏まえつつ、一定水準までの所得には課税しないという考え方が採られているが、それを実現するための方式は一様ではない。例えば、①課税所得の一部にゼロ税率を適用することにより税負担を求めないこととする方式、②一定の所得金額に最低税率を乗じた金額を税額から控除することにより税負担を軽減する方式といった例が見られる。また、③所得控除方式の下においても、控除額に一定の上限を設け、所得の増加に応じて控除額を逓減・消失させる方式を採用している例も存在する。これらの方式の下では、ゼロ税率及び税額控除の場合には、所得水準にかかわらず一定の税負担の軽減がなされ、逓減・消失型の所得控除の場合には、高所得層の税負担軽減額が制限されるため、我が国の所得控除方式と比べ、より累進的な税負担の構造を実現することが可能となる。

今後、これらの諸外国の例も参考にしつつ、所得控除方式を採っている諸控除のあり方について、それぞれの控除の性格や経済社会の構造変化も踏まえ、見直しの要否や、見直し後の新たな制度の基礎となる考え方を含めて幅広く検討していく必要がある。

2　働き方の多様化や家族のセーフティネット機能の低下を踏まえた「人的控除」の重要性

⑴　「所得計算上の控除」と「人的控除」の役割

我が国の個人所得課税においては、所得はその源泉や性質に応じて10種類の所得区分に分けられ、原則として、それぞれ必要経費や所得の種類に応じた「所得計算上の控除」を差し引いた上で合計し、この合計金額から、「人的控除」等の所得控除を行って、課税所得を計算する仕組みとなっている。「所得計算上の控除」は、所得の稼得に要する必要経費の概算控除としての性格を有するとともに、所得の種類ごとに負担調整を行う機能を有している。

我が国においては、シャウプ勧告を受けた昭和25年の税制改正において、納税者の個人的事情に適合した課税を実現する等の観点から、基礎控除、扶養控除といった「人的控除」の拡充が図られたが、当時の財政状況等を踏まえて小幅なものに止まった。その後、年功賃金・終身雇用を核とする日本型雇用システムの下で、給与所得者が増加し納税者の大半を占めるに至る中で、個人所得課税の負担軽減を行う際には、「所得計算上の控除」に著しく依存した見直しが行われてきた。一方で、「人的控除」は、累次の税制改正において拡充されてきたものの、所得水準の伸びほどには拡充されてこなかった。その結果、我が国の個人所得課税においては、税負担の調整に際して「人的控除」の果たしている役割が比較的小さなものに止まっている。

⑵　働き方の多様化等と「人的控除」の重要性

他方、我が国における働き方については、非正規雇用の増加に伴う若年就労の不安定化等に止まらず、正規雇用の多様化、退職金も含めた賃金形態の多様化、転職機会の増加等、様々な面で多様化している。請負契約等に基づいて働き、使用従属性の高さという点でむしろ雇用者に近い自営業主の割合が高まっていることも指摘されており、給与所得と事業所得を明確に分ける意義が薄れてきている。

また、非正規雇用の増加により所得格差が拡大しており、家族を形成し、また、お互いの生活を支える上で十分な経済力がない場合が増えているとの指摘もあるなど、家族のセーフティネット機能が低下している。

これらの変化を踏まえると、個人所得課税における税負担の調整のあり方としては、所得の種類ごとに様々な負担調整を行うのではなく、家族構成などの人的な事情に応じた負担調整を行う「人的控除」の重要性が高まっていると考えられる。税負担の調整における「人的控除」の役割を高めるとともに、そのあり方を所得再分配機能の回復や家族のセーフティネット機能の再構築といった視点から見直していく必要がある。今後、このような観点から、「所得計算上の控除」と「人的控除」のあり方を全体として検討していくべきである。その際、様々な経済社会の構造変化を踏まえ、それぞれの控除の役割を見直すとともに、できる限り簡素な制度を構築するという視点も重要である。

3　老後の生活に備えるための自助努力を支援する公平な制度の構築

⑴　老後の生活への備えを巡る環境変化

高齢化の進展に伴い貯蓄率が低下する中、我が国の経済の成長基盤を維持するためには、個人金融資産を効率的に活用する必要性が増している。また、公的年金の給付水準について中長期的な調整が行われていく見込みとなっている中、会社や家族のセーフティネット機能も低下しており、生涯を通じて個人が低所得に陥るリスクが高まっている。公的年金を補完することが期待されてきた企業年金についても、実施する企業が減少し、特に中小企業においては、企業年金を実施できない企業が多いのが実情である。このため、厚生年金被保険者の6割以上が企業年金に加入できていない。また、働き方が多様化する中で、自営業主の中にも使用従属性の高さという意味では雇用者に近い者の割合も増加している。このような中で、現役時の働き方や勤め先の違いが老後所得の格差に影響しているとの指摘もある。企業年金制度自体の見直しに加えて、就労形態や勤務先企業にかかわらず、公平に自助努力を支援する必要性が増している。

⑵　働き方・ライフコースに影響されない公平な制度の構築

老後の生活に備えるための個人の自助努力に関連する現行の税制上の仕組み

としては、勤労者財産形成年金貯蓄やいわゆるNISAなどの金融所得に対する非課税制度のほか、企業年金・個人年金等に関連する諸制度が存在する。これらの制度は、就労形態や対象となる金融商品に応じて利用できる制度が細分化されており、個人の働き方やライフコースによって、受けられる税制上の支援の大きさが異なっている。このため、金融所得や企業年金・個人年金等に関連する税制上の諸制度について、個人の働き方やライフコースに影響されない公平な制度の構築を念頭に、幅広く検討していく必要がある。

その際には、拠出・運用・給付の各段階を通じた体系的な課税のあり方について、公平な税負担の確保や、高齢化の進展、貯蓄率の低下等の構造変化を踏まえた検討が必要である。また、給与・退職一時金・年金給付の間の税負担のバランスについて、働き方やライフコースの多様化を踏まえた検討が必要である。

金融所得に対しては、他の所得と分離して比例的な税率で課税するとともに損益通算の範囲を拡大する金融所得課税の一体化の取組が進められてきた。今後とも、グローバルに移動する資本から生じる所得に対して累進的な税負担を求めることは難しいことも踏まえ、金融所得課税の一体化を引き続き進めていく必要がある。その際、勤労所得との間での負担の公平感にも留意することが求められる。

4　地域の公的社会サービスを支える個人所得課税のあり方

人口減少や高齢化が地域ごとに様々な様相で進行し、また、働き方が多様化し家族のセーフティネット機能が低下するという社会状況の変化がある中、若年層・低所得層が意欲を持って働き、安心して結婚し子どもを産み育てることができる社会を構築するためには、その基盤として、地方公共団体が地域の実情に即した住民サービスを維持・充実させ、地域における社会的なセーフティネットとしての役割を果たすことが必要不可欠である。

このため、地方税である個人住民税を考える場合、若年層・低所得層の税負担への配慮等の観点から個人所得課税改革の中で税制のあり方を検討するのみでなく、地方公共団体が住民サービスを提供することが社会的セーフティネットにおいて重要な位置を占めていることを踏まえたその財源の適切な確保という観点が極めて重要である。この観点から考えると、税源の偏在性が小さく税収が安定的な、地方自治を支える基幹税としての個人住民税の果たす役割は今後とも重要である。

個人所得課税の再分配機能の回復を図り、税負担の調整のあり方を再構築する観点から控除のあり方を全体として検討するにあたっては、所得税における控除のあり方と併せて、個人住民税における控除のあり方も検討課題となる。その際には、個人住民税が比例税率であることから各種方式の選択による税負担調整の効果に制約があることに加え、上に述べたような個人住民税の果たすべき役割を踏まえた検討を行う必要がある。また、検討にあたっては、マクロでの財源確保と併せて、個人住民税の税収の地域間の格差を拡大しないようにするといった視点も重要である。

個人住民税は、地域社会の会費を住民がその能力に応じ広く負担を分任するという独自の性格（地域社会の会費的性格）を有しており、このような性格から、幅広い納税義務者から一定額の税負担を求める均等割が存在し、また、比例税率である所得割においても低めの課税最低限が設定されている。税負担の調整のあり方の再構築の観点から個人所得課税における控除のあり方を検討する場合、課税最低限等については、個人住民税においては地域社会の会費的性格から広く住民が負担すべきであることを踏まえ、納税義務者数の減少を招かないように留意すべきである。

さらに、様々な社会保障や福祉の制度の適用基準等に、個人住民税制度における課税・非課税の別や、その合計所得金額、基礎控除後の総所得金額等などが広く用いられていること、また、個人住民税制度における非課税限度額の基準が生活保護基準額を勘案して設定されていることなど、社会保障制度と個人住民税制度が実質的にリンクしていることにも留意が必要である。今後、個人住民税制度における基準等の見直しを具体的に検討するにあたっては、マイナンバー制度の導入により所得把握の精度向上が見込まれることも踏まえつつ、社会保障制度との整合性も念頭に置いた対応が必要となると考えられる。

5　個人所得課税改革の意義―社会的なセーフティネットの再構築と経済の成長基盤の強化

この「基本的な考え方」が目指す個人所得課税の改革は、若年層を中心とする低所得層の働く意欲を阻害せず、安心して結婚し共に働きつつ子どもを産み育てることができる生活基盤を確保するため、経済力に応じ必要な負担を求めようとするものである。また、働き方が多様化する中で、個人がどのような働き方を選択しても有利不利が生ずることなく、意欲的に働き、家族を形成し、老後の生活に備え、最大限に能力と個性を発揮できる社会環境を整備するものである。

このような改革は、若年層・低所得層のみならず、経済力のある層を含め、国民が安心して暮らせる社会的なセーフティネットを再構築し、経済の成長基盤を強化していくとの意義がある。具体的には、

① 現在の我が国社会においては、経済と労働市場を巡る環境変化により、会社や家族のセーフティネット機能が低下し、今は順調な人生を送っている経済力のある層についても、失業や病気等をきっかけとして低所得に陥るリスクが大きくなっている。所得再分配機能を高めることは、経済力がある者も含む社会全体のセーフティネットを充実させ、社会の安定性の維持につながる。

② 若年層・低所得層の活力を維持していくことは、将来の社会保障制度の持

続可能性を高める上でも不可欠である。壮年層にとっては、自らが高齢者となったときに社会保障をはじめとする公的サービスを支えていくのは現在の若年層である。その活力を維持することは、壮年層にとっても将来に備えるセーフティネットとして重要である。

③　若年層を中心とする低所得層の働く意欲を阻害しないことは、経済の活力を維持することにつながる。また、個人が等しく機会を得て最大限に能力と個性を発揮できる社会環境を整備することは、経済全体の生産性の向上にもつながる。さらに、若い世代に経済的な余裕がないことが、子どもを産み育てることをためらわせる要因ともなっていることも踏まえれば、個人所得課税の改革は、社会全体にとって、経済の成長基盤を強化し、人口減少問題に対応していく上で重要である。

④　所得再分配機能を高めることは、所得の格差が子どもへの教育投資に影響を与えること等を通じて、世代を超えて格差が継承・固定化することを防ぎ、人的資本の蓄積の向上を通じて潜在成長力を高め経済の成長基盤の強化につながるものと考えられる。

今後、個人所得課税の改革について、このような意義を念頭に置き、「骨太方針2015」で示された税収中立の考え方を基本として、総合的かつ一体的に税負担構造の見直しを行うとの観点から、検討を深めていくことが必要である。

Ⅲ　資産課税の改革にあたっての基本的な考え方

1　資産課税を巡る経済社会の構造変化

この四半世紀を見ると、経済のストック化の中で、家計資産における金融資産の額が著しく増加しており、特に、高齢者世帯ほど資産蓄積が多く、家計資産の格差も高齢者世帯において顕著となっている。その一方で、現役世代にとっては、世帯収入の減少により、所得の一部を貯蓄し、資産を形成していくという道が細くなっていることがうかがえる。

また、高齢化の進展により、相続人自身も高齢者となるいわゆる「老老相続」が増加している。「老老相続」では、相続時点で既に相続人自身の資産形成が相当進んでおり、相続財産が相続人の生活基盤を形成するという意味合いは従来に比して一層薄れてきている。

さらに、今日では公的な社会保障制度が充実し、老後の扶養を社会的に支えているが、このことが高齢者の資産の維持・形成に寄与することとなっている。このため、相続によって次世代の一部に引き継がれる資産には、「老後扶養の社会化」を通じて蓄積されたものという側面もある。

次の四半世紀の人口動態の変化を見ると、死亡者数は増加を続けることから、今後、相続による大規模な世代間の資産移転が発生することが見込まれる。他方、出生率の低下により相続人の数は年々減少してきており、今後もそうした傾向が続くものと見込まれるため、相続人の取得する一人あたり財産額はさらに増加していくと考えられる。これらを踏まえると、相続を機会に高齢世代内の資産格差が次の世代に引き継がれる可能性が一層増してきている。

また、地域別の人口について、この15年間でみると、三大都市圏では増加する一方、地方圏では減少しており、次の10年間ではほぼ全ての都道府県で減少し、高齢化もさらに進展する見込みである。

地価については、10年前は全ての都道府県で下落していたが、足下の三大都市圏平均では、住宅地、商業地ともに上昇を継続し、地方圏平均では、住宅地、商業地ともに下落率が縮小している。今後、人口減少の進展等に伴う地価の変動が見込まれる。

第６章　税額計算・税額控除

Ⅰ　通常の税額計算

１　税額計算の仕組み

居住者に課される所得税の額は、総所得金額、山林所得金額及び退職所得金額等から、所得控除額を差し引いて課税総所得金額、課税山林所得金額及び課税退職所得金額を算出した上で、これらの課税所得金額等に超過累進税率又は比例税率を適用して「算出税額」が計算される。

そして、更にその算出税額から「税額控除」を控除してその年分の所得税額を求めるのである。

総所得金額、山林所得金額、退職所得金額	－	所得控除額	＝	課税総所得金額、課税山林所得金額、課税退職所得金額
分離課税の配当所得の金額、分離課税の短期譲渡所得の金額、分離課税の長期譲渡所得の金額、一般株式等に係る譲渡所得等の金額、上場株式等に係る譲渡所得等の金額、先物取引に係る雑所得等の金額				分離課税の課税配当所得の金額、分離課税の課税短期譲渡所得の金額、分離課税の課税長期譲渡所得の金額、一般株式等に係る課税譲渡所得等の金額、上場株式等に係る課税譲渡所得等の金額、先物取引に係る課税雑所得等の金額

課税総所得金額等　×　税率　＝　算出税額

算出税額　－　税額控除　＝　その年分の所得税額

2　課税総所得金額と課税退職所得金額に対する税額

課税総所得金額及び課税退職所得金額に対する税額は、それぞれ次の「所得税の速算表」により計算する（所法89①）。

〔所得税の速算表〕

課税される所得金額	税　率	控　除　額
1,000円　～ 1,950,000円以下	5％	0円
1,950,000円超～ 3,300,000円以下	10％	97,500円
3,300,000円超～ 6,950,000円以下	20％	427,000円
6,950,000円超～ 9,000,000円以下	23％	636,000円
9,000,000円超～18,000,000円以下	33％	1,536,000円
18,000,000円超～40,000,000円以下	40％	2,796,000円
40,000,000円超	45％	4,796,000円

(注)　課税される所得金額に1,000円未満の端数があるときは、これを切り捨てる。

3　課税山林所得金額に対する税額

山林所得の金額に対する税額は、課税山林所得金額の５分の１に相当する税額について総所得金額に対する税額と同一の方法で計算した金額を５倍して算出する５分５乗方式が採用されている（所法89①）。

4　変動所得・臨時所得の平均課税

変動所得や臨時所得については平均課税の適用がある。

変動所得とは、事業所得や雑所得のうち、漁獲やのりの採取による所得、はまち、まだい、ひらめ、かき、うなぎ、ほたて貝、真珠、真珠貝の養殖による所得、印税や原稿料、作曲料などによる所得をいう（所令７の２）。

また、臨時所得とは、事業所得や不動産所得、雑所得のうち、次の所得やこれらに類する所得をいう（所令８）。

①　土地や家屋などの不動産、借地権や耕作権など不動産の上に存する権利、船舶、航空機、採石権、鉱業権、漁業権、特許権、実用新案権などを３年

以上の期間他人に使用させることにより、一時に受ける権利金や頭金などで、その金額がその契約による使用料の２年分以上であるものの所得（借地権や地役権を設定して土地を長期間使用させたり、借地権のある土地を長期間使用させることにより受ける権利金や頭金などの所得には、臨時所得ではなく譲渡所得になるものがある。譲渡所得になるものは、建物や構築物を所有するための借地権の設定や特定の地役権の設定などにより、一時に受ける権利金や頭金などがその土地の価額の２分の１を超えるなどの場合の、その権利金や頭金などである。）

② 公共事業の施行などに伴い事業を休業や転業、廃業することにより、３年以上の期間分の事業所得などの補償として受ける補償金の所得

③ 鉱害その他の災害により事業などに使用している資産について損害を受けたことにより、３年以上の期間分の事業所得などの補償として受ける補償金の所得

④ 職業野球の選手などが、３年以上の期間特定の者と専属契約を結ぶことにより、一時に受ける契約金で、その金額がその契約による報酬の２年分以上であるものの所得

その年分の総所得金額のうち、変動所得及び臨時所得の金額があり、かつ、これらの所得の合計金額が総所得金額の100分の20以上である場合には、納税者の選択により、変動所得及び臨時所得の平均課税の方法で課税総所得金額に対する税額を計算することができる（所法90①）。ただし、その年の変動所得の金額が前年分及び前々年分の変動所得の金額の合計額の２分の１に相当する金額以下のときは、臨時所得の金額だけが平均課税の対象とされる（所法90①）。

平均課税の方法による課税総所得金額に対する税額は、次の〈算式１〉によって「調整所得金額」と「特別所得金額」を計算した上で、〈算式２〉「調整所得金額に対する税額」と〈算式３〉「特別所得金額に対する税額」の合計額となる（所法90①②）。

〈算式1〉「調整所得金額」と「特別所得金額」の計算

区　分	調整所得金額	特別所得金額
課税総所得金額が平均課税対象金額を超える場合	課税総所得金額－平均課税対象金額×$\frac{4}{5}$	課税総所得金額－調整所得金額
課税総所得金額が平均課税対象金額以下の場合	課税総所得金額×$\frac{1}{5}$	課税総所得金額－調整所得金額

(注)　平均課税対象金額とは、変動所得の金額（前年又は前々年に変動所得の金額がある場合には、その年の変動所得の金額が前年分及び前々年分の変動所得の金額の合計額の2分の1に相当する金額を超える場合のその超える部分の金額）と臨時所得の金額との合計額をいう（所法90③）。

〈算式2〉

調整所得金額　×　税率（所得税の速算表）　＝　調整所得金額に対する税額

〈算式3〉

特別所得金額×平均税率

＝　特別所得金額に対する税額平均税率

＝　$\frac{\text{調整所得金額に対する税額}}{\text{調整所得金額}}$　（小数点2位まで算出し、3位以下切捨て）

なお、変動所得や臨時所得について、平均課税を適用して税額を計算する場合には、確定申告書、修正申告書又は更正の請求書に平均課税の適用を受ける旨の記載があり、かつ、その計算に関する明細を記載した書類の添付をしなければならない（所法90④）。

5　復興特別所得税

平成25年から令和19年までの各年分の所得については、復興特別所得税を納める義務がある（復興財源確保法8、13）。税額は、次の算式により計算する。

〔復興特別所得税額の計算〕

基準所得税額　×　2.1%　＝　復興特別所得税額

なお、基準所得税額は、次表のとおりである（復興財源確保法10）。

区　分		基準所得税額
居住者	非永住者以外の居住者	全ての所得に対する所得税額
	非永住者	国内源泉所得及び国外源泉所得で国内払いのもの又は国内に送金されたものに対する所得税額
非居住者		国内源泉所得に対する所得税額

Ⅱ　上場株式等の配当所得等の金額に対する税額計算

1　上場株式等の配当等に係る課税の特例

居住者等（居住者又は恒久的施設を有する非居住者をいう。以下同じ。）が、平成28年1月1日以後に支払を受ける所得税法23条《利子所得》1項に規定する利子等（一般利子等（措法3①)、国外一般公社債等の利子等（措法3の3①）などを除く。）又は所得税法24条《配当所得》1項に規定する配当等（私募公社債等運用投資信託等の収益の分配に係る配当等（措法8の2①)、国外私募公社債等運用投資信託等の配当等（措法8の3①）などを除く。）で次に掲げるもの（以下「上場株式等の配当等」という。）を有する場合には、その上場株式等の配当等に係る利子所得及び配当所得については、他の所得と区分し、上場株式等に係る配当所得等の金額に対し、上場株式等に係る課税配当所得等の金額の15.315％の所得税が課される（復興特別所得税0.315％を含む。ほかに住民税5％)。

① 内国法人から支払がされる配当等の支払に係る基準日において、その内国法人の発行済株式（投資法人においては投資口）又は出資の総数又は総額の3％以上に相当する数又は金額の株式（投資口を含む。）又は出資を有する者（いわゆる「大口株主等」）がその内国法人から支払を受ける配当等以

外のもの（措法８の４①一）

② 投資信託でその設定に係る受益権の募集が一定の公募により行われたもの（特定株式投資信託を除く。）の収益の分配に係る配当等（措法８の４①二）

③ 特定投資法人の投資口の配当等（措法８の４①三）

④ 特定受益証券発行信託の締結時において委託者が取得する受益権の募集が一定の公募により行われたものの収益の分配（措法８の４①四）

⑤ 特定目的信託（その信託契約の締結時において原委託者が有する社債的受益権の募集が一定の公募により行われたものに限る。）の社債的受益権の剰余金の配当

⑥ 租税特別措置法３条《国外で発行された公社債等の利子所得の分離課税等》１項１号に規定する特定公社債の利子

なお、申告分離課税を選択した場合、配当控除の適用を受けることはできない（所法92①、措法８の４①）。

2　確定申告不要制度

次に掲げる配当所得については、確定申告を要しないこととされている（措法８の５①、９の２⑤）。ただし、配当所得から負債の利子を控除したり、配当控除の適用を受ける場合（総合課税の選択）などは、確定申告をして源泉徴収税額の還付を受けることもできる。

① 国、地方公共団体又は内国法人から支払を受ける上場株式等の配当等……金額の制限なし

② 上記以外の配当等（大口株主が受ける上場株式の配当等及び非上場株式の配当等）…… １回に支払を受けるべき金額が次の算式で計算した金額以下であるもの（少額配当）

10万円 × 配当計算期間の月数 / 12

✎ 配当計算期間とは、前回の配当等の基準日の翌日から今回の配当等の基準日ま

での期間をいう。

3　源泉徴収選択口座内配当等に係る所得金額の計算及び源泉徴収等の特例

「特定上場株式配当等勘定」に受け入れられた配当等（源泉徴収選択口座内配当等）に係る所得金額については、その源泉徴収選択口座内配当に係る利子所得の金額及び配当所得の金額と、源泉徴収選択口座内配当以外の配当等に係るそれらの所得の金額を区分して計算する（措法37の11の６①④）。

源泉徴収選択口座が開設されている金融商品取引業者等は、その配当等の交付に際して源泉徴収選択口座内の上場株式等の譲渡損失又は信用取引による決済損失の金額があるときは、当該損失額を控除（損益通算）した残額を配当等の金額とみなして源泉徴収税額を計算する（措法37の11の６⑥）。

4　投資信託の収益分配金に対する課税

投資信託の運用収益は、通常利子、配当、証券の売却益など各種の収益が混在しており、公社債投資信託の収益の分配金は、貯蓄の果実である預貯金の利子と類似するところから、利子所得に分類され（所法23①）、また、株式投資信託の収益の分配金は、株式投資に係る収益の分配が含まれる可能性があることから、配当所得に分類される（所法24①）。

5　非課税口座内の少額上場株式等に係る配当所得等の非課税

金融商品取引業者等の営業所に非課税口座を開設している居住者等が支払を受けるべき非課税口座内上場株式等の配当等で、次に掲げるものについては、非課税とされる（措法９の８一～四）。

①　非課税管理勘定に係る非課税口座内上場株式等の配当等で、非課税管理勘定を設けた日から同日の属する年の１月１日以後５年を経過する日（令和５年）までの間に支払を受けるべきもの（NISA）

② 累積投資勘定に係る非課税口座内上場株式等の配当等で、累積投資勘定を設けた日から同日の属する年の１月１日以後20年を経過する日（令和24年）までの間に支払を受けるべきもの（つみたてNISA）

③ 特定累積投資勘定に係る非課税口座内上場株式等の配当等で、特定累積投資勘定を設けた日から同日の属する年の１月１日以後５年を経過する日（令和６年～10年）までの間に支払を受けるべきもの（つみたてNISA）

④ 特定非課税管理勘定に係る非課税口座内上場株式等の配当等で、特定非課税管理勘定を設けた日から同日の属する年の１月１日以後５年を経過する日（令和６年～10年）までの間に支払を受けるべきもの（NISA）

✍ 未成年者口座内の少額上場株式等に係る配当等についても非課税とされる（措法９の９①。ジュニアNISA）。

✍ NISA、つみたてNISA、ジュニアNISAについては、802頁参照。

Ⅲ 分離課税の長期（短期）譲渡所得の金額に対する税額計算

1　長期譲渡所得と短期譲渡所得に対する比例税率

土地等又は建物等の譲渡による所得は、租税特別措置法により分離課税とされており、譲渡した年の１月１日において所有期間が５年を超えているかどうかによって、長期譲渡所得と短期譲渡所得に区分され、次のような課税方法がとられている。ここで、所有期間とは、個人がその譲渡をした土地等又は建物等を取得（建設を含む。）した日の翌日から引き続き所有していた期間をいうが、贈与又は相続等による取得の場合には、贈与者又は被相続人等の取得時期によって判定する（措法31②、措令20③）。

ここにいう、土地等とは土地又は土地の上に存する権利をいい、建物等とは建物及びその附属設備若しくは構築物をいう（措法31①）。

(1)　分離課税の長期譲渡所得に対する課税

長期所有の土地等又は建物等に係る譲渡所得に対しては、譲渡益から所得控除不足額（総所得金額及び短期譲渡所得の金額から控除し切れなかった所得控除額）を差し引いた残額（課税長期譲渡所得の金額）に対して、原則として15.315%（復興特別所得税0.315％を含む。ほかに住民税５％）の税率による所得税を課することとしている（措法31①）。

(2)　居住用財産を譲渡した場合の長期譲渡所得の課税の特例

譲渡した年の１月１日において所有期間が10年を超える土地等で居住用財産に該当するものを譲渡した場合には、①課税長期譲渡所得金額6,000万円以下の部分は10.21%（復興特別所得税0.21％を含む。ほかに住民税４％)、②課税長期譲渡所得金額6,000万円を超える部分は15.315%（復興特別所得税0.315％を含む。ほかに住民税５％）の税率による所得税が課される（措法31の３①)。

ここにいう居住用財産とは、①現に居住の用に供している家屋（国内にあるものに限られる。）やその敷地等、②居住の用に供していた家屋で居住の用に供さなくなった日から３年を経過する日の属する年の12月31日までに譲渡される建物やその敷地等、③居住の用に供していた建物が火災により消滅した場合において、その建物を引き続き所有していたならば、その年の１月１日現在での所有期間が10年を超えることとなるその建物の敷地等をいう（措法31の３②)。

(3)　長期譲渡所得の概算取得費控除

長期譲渡所得の金額の計算に当たって収入金額から控除する取得費は、譲渡資産の取得の日が昭和27年12月31日以前である場合には、実際の取得価額に取得の日以後に支出した設備費及び改良費の合計額によるか、又は昭和28年１月１日における相続税評価額とその日以後に支出した設備費及び改良費の合計額によるものとされているが（所法61②③、所令172)、これによらず、その収入金額の５％相当額を取得費とする特例が設けられている（措法31の４①)。この概算取得費の特例は、昭和28年１月１日以後に取得した土地等又は建物等の長期譲渡所得のほか、分離課税の短期譲渡所得や土地等又は建物等以外の資産の譲渡による所得の計算においても適用できるなど、課税実務上幅広い取扱いがなされている（所基通38－16、48－８、措通31の４－１、37の10・37の11共－13）。

(4) 分離課税の短期譲渡所得に対する課税

短期所有の土地等又は建物等に係る譲渡所得に対しては、課税短期譲渡所得の金額の30.63％（復興特別所得税0.63％を含む。ほかに住民税９％）の税率による所得税を課することとされている（措法32①）。

ただし、国や地方公共団体等に対する譲渡あるいは収用交換等による譲渡にあっては、課税短期譲渡所得の金額の15.315％（復興特別所得税0.315％を含む。ほかに住民税５％）の税率による所得税が課されることになる（措法32③）。

なお、短期譲渡所得の課税の特例が適用される資産には、土地等又は建物等のほか、その有する資産が主として土地等である法人の発行する株式又は出資（土地譲渡類似株式等）も含まれる（措法32②、措令21③）。

(5) 特別控除の特例

譲渡所得の特別控除額は、原則として長期譲渡所得及び短期譲渡所得の区分にかかわりなく50万円とされているが（所法33④）、次に掲げる譲渡に該当する場合には、特例として、分離課税の長期（短期）譲渡所得の金額の計算上、それぞれに掲げる特別控除額を適用することができる（措法33の４①、34①、34の２①、34の３①、35①、35の２①、35の３①）。

① 収用などによる土地等の譲渡……5,000万円

② 居住用家屋及びその敷地の譲渡……3,000万円

③ 特定土地区画整理事業等のための土地等の譲渡……2,000万円

④ 特定住宅地造成事業等のための土地等の譲渡……1,500万円

⑤ 特定の土地等の譲渡（長期）……1,000万円

⑥ 農地保有の合理化等のための農地等の譲渡……800万円

⑦ 低未利用土地等の譲渡（長期）……100万円

なお、その年中の土地等又は建物等の譲渡について、上記の特別控除額のうち２以上の適用を受けることにより特別控除額の合計額が5,000万円を超える

ときは、5,000万円が上限とされる（措法36①）。

2　交換・買換え等の特例

また、一定の要件に該当する資産の交換や買換えについて課税の繰延べ措置も講じられている。交換や買換えの課税特例は、将来、その取得資産を譲渡等した場合には、譲渡所得の金額の計算に当たって、取得資産の実際の取得価額を取得費とするのではなく、譲渡資産の取得価額を引き継いで取得費とすることにより課税の繰延べを図る制度である。

この交換・買換え等の特例には、次のようなものがある。

①　固定資産の交換の特例（所法58①）

②　収用等に伴い代替資産を取得した場合の課税の特例（措法33～33の３）

③　特定の居住用財産の買換え及び交換の場合の長期譲渡所得の課税の特例（措法36の２、36の５）

④　特定の事業用資産の買換えの場合の譲渡所得の課税の特例（措法37）（詳細は下記**5**（799頁）参照）

⑤　特定の事業用資産を交換した場合の譲渡所得の課税の特例（措法37の４）（詳細は下記**5**（799頁）参照）

⑥　既成市街地等内にある土地等の中高層耐火建築物等の建設のための買換え及び交換の場合の譲渡所得の課税の特例（措法37の５）

⑦　特定の交換分合により土地等を取得した場合の課税の特例（措法37の６）

⑧　特定普通財産とその隣接する土地等の交換の場合の譲渡所得の課税の特例（措法37の８）

3　収用などの場合の課税の特例

既述のとおり、収用などによる土地等の譲渡に関しては、課税の特例が設けられている。

①土地等が土地収用法、都市計画法、道路法などの法律の規定によるもので

あり、いわば強制的ないし半ば強制的に近い状態で買い取られたものであることを考慮する必要があること、また、②公共事業の円滑な遂行にも配意する必要があること、さらに、③公権力に基づいて譲渡所得が実現された場合に、その補償金によって代替資産を取得し、従前と同様の生活を再現するにすぎないなどのことから、納税者の選択により、(i)代替資産を取得した場合の課税の繰延べと、(ii)5,000万円の特別控除のいずれか一方の特例を受けることができることとされている。

裁判例の紹介

形式的にされた建築許可申請の特例上の効果

土地所有者が建築物建築の具体的意思を欠き、租税特別措置法33条の4第1項1号の適用を受けるため、形式的にされた建築許可申請であるとして、同号の適用がないとされた事例

（362第一審名古屋地裁平成19年5月17日判決・民集64巻3号820頁）[1]
（363控訴審名古屋高裁平成20年12月18日判決・民集64巻3号890頁）[2]
（364上告審最高裁平成22年4月13日第三小法廷判決・民集64巻3号791頁）[3]
（365差戻控訴審名古屋高裁平成23年1月27日判決・税資261号順号11600）
（366差戻上告審最高裁平成24年6月27日第二小法廷決定・税資262号順号11981）

〔事案の概要〕

本件は、X（原告・控訴人・被上告人）らが、その所有する土地を被上告補助参加人（以下「参加人」という。）に売却した対価について租税特別措置法33条の4第1項1号所定の長期譲渡所得の特別控除額の特例（以下「本件特例」という。）が適用されるものとして所得税の申告をしたところ、所轄税務署長から、

1）判例評釈として、田島秀則・税務事例39巻10号1頁（2007）参照。
2）判例評釈として、一杉直・税務事例42巻4号1頁（2010）参照。
3）判例評釈として、鎌野真敬・平成22年度最高裁判所判例解説〔民事篇〕〔上〕305頁（2014）、同・ジュリ1416号81頁（2011）、岩﨑政明・税務事例43巻7号1頁（2011）、手塚貴大・ジュリ1407号138頁（2010）、佐伯祐二・民商144巻4＝5号62頁（2011）、西田幸介・平成22年度重要判例解説〔ジュリ臨増〕51頁（2011）、田尾亮介・自研88巻10号124頁（2012）、宮塚久・租税訴訟5号141頁（2012）、豊田孝二・速報判例解説9号〔法セ増刊〕209頁（2011）など参照。

本件特例の適用は認められないとして各更正及び過少申告加算税の各賦課決定を受けたためで、Xらが、国Y（被告・被控訴人・上告人）に対して、その一部取消しを求めた事案である。

都市計画法（以下「都計法」という。）によれば、次のように定められている。

① 都市計画施設の区域内において建築物の建築をしようとする者は、政令で定める軽易な行為等を除き、都道府県知事の許可を受けなければならない（都計法53①）。

② 都道府県知事は、上記①の許可の申請があった場合において、当該建築が都市計画施設に関する都市計画に適合し、又は当該建築物が所定の要件に該当し、かつ、容易に移転し、若しくは除却することができるものであると認めるときは、その許可をしなければならない（都計法54）。

③ 都道府県知事は、都市計画施設の区域内の土地でその指定したものの区域（以下「事業予定地」という。）内において行われる建築物の建築については、上記②にかかわらず、上記①の許可をしないことができる（都計法55①本文）。

④ 都道府県知事（土地の買取りの申出の相手方として公告された者があるときは、その者）は、事業予定地内の土地の所有者から、上記③により建築物の建築が許可されないときはその土地の利用に著しい支障を来すこととなることを理由として、当該土地を買い取るべき旨の申出があった場合においては、特別の事情がない限り、当該土地を時価で買い取るものとする（都計法56①）。

なお、上記各規定により都道府県知事が行うこととされている許可、買取り等については、都計法等の規定により、地方自治法252条の19第1項の指定都市においては、当該指定都市の長が行うものとされている。

租税特別措置法33条の4第1項1号は、個人の有する資産で同法33条1項各号又は33条の2第1項各号に規定するものがこれらの規定に該当することとなった場合において、その者がその年中にその該当することとなった資産のいずれについても同法33条又は33条の2の規定の適用を受けないときは、これらの全部の資産の収用等又は交換処分等による譲渡については、同法31条1項に規定する長期譲渡所得の特別控除額の上限は、同条4項所定の100万円ではなく、5,000万円とする旨規定しており（これが本件特例である。）、同法33条1項3号の3は、土地等が都計法56条1項の規定に基づいて買い取られ、対価を取得する場合等を掲げている。

〔争点〕

土地所有者が建築物建築の具体的意思を欠き、形式的にされた建築許可申請に租税特別措置法33条の4第1項1号の適用があるか否か。

〔判決の要旨〕

1 名古屋地裁平成19年5月17日判決

名古屋地裁は、「本件特例は、…資産の譲渡が強制的に行われる場合に、当該所有者の生活を維持することを目的として設けられたものであることにかんがみると、…実質的に強制的な譲渡と同視することができない実態にある本件各土地の参加人への譲渡について、本件特例を適用することはできないというべきである。」としてXらの主張を排斥した。

2 名古屋高裁平成20年12月18日判決

名古屋高裁は、Xらはいずれも本件各土地の売却の対価（以下「本件対価」という。）について本件特例の適用を受けることができると判断して、Xらの請求を認容した。その理由は要旨次のとおりである。

(1) 都計法56条1項の文理上、事業予定地内の土地の所有者が当該土地の買取りの申出を行うためには、現実に都計法53条1項の建築許可の申請を行うこと及び同申請に対し不許可決定がされることは要件とされていない。また、都計法56条1項は、土地買取りの申出を認めることにより、土地利用制限に対する補償を行って実質的に地権者の財産権を保護するとともに、併せて都道府県知事等による土地の先行取得を実現しようとする趣旨に出たものと解することができる。

(2) 本件特例は、地権者がその土地を都道府県知事等に買い取ってもらう場合の譲渡所得について税法上の特典を与えることによって、都計法の上記立法目的を間接的に実現しようとする政策的意図に出たものということができる。そうすると、本件特例の適用を受けるためには、具体的な建築意思までは必要ではなく、建築物の建築が許可されないことを理由に買取りを求めるとの意思が明確であれば足りるものと解される。

(3) Xらは、事業予定地に指定された本件各土地につき、都計法56条1項の規定による買取り申出をして、参加人にこれを譲渡したものであり、本件特例の適用を否定すべき事情はない。

3 最高裁平成22年4月13日第三小法廷判決

「(1) 都計法53条1項の許可又は不許可は、都市計画施設の区域内において『建築物の建築をしようとする者』からの申請に対する応答としてされるものであり、都計法56条1項の規定は、建築物の建築をしようとする土地の所有者が意図していた具体的な建築物の建築が都計法55条1項本文の規定により許可されない場合には、上記所有者は、その土地の利用に著しい支障を来すこととなることから、都道府県知事等に対し、当該土地の買取りを申し出ることを認めたものと解される。したがって、都計法56条1項の規定による土地の買取りの申出をするには、当該土地の所有者に具体的に建築物を建築する意思があったことを要するものというべきである。

また、措置法33条１項３号の３が都計法56条１項の規定による土地の買取りを掲げているのは、土地の所有者が意図していた具体的な建築物の建築が事業予定地内であるがために許可されないことによりその土地の利用に著しい支障を来すこととなる場合に、いわばその代償としてされる当該土地の買取りについては、強制的な収用等の場合と同様に、これに伴い生じた譲渡所得につき課税の特例を認めるのが相当であると考えられたことによるものと解される。

そうすると、土地の所有者が、具体的に建築物を建築する意思を欠き、単に本件特例の適用を受けられるようにするため形式的に都計法55条１項本文の規定による不許可の決定を受けることを企図して建築許可の申請をしたにすぎない場合には、たとい同申請に基づき不許可の決定がされ、外形的には都計法56条１項の規定による土地の買取りの形式が採られていたとしても、これをもって措置法33条１項３号の３所定の『都市計画法第56条第１項の規定に基づいて買い取られ、対価を取得する場合』に当たるということはできない。したがって、上記のような場合、当該所有者は当該対価について本件特例の適用を受けることができないものと解するのが相当である。

(2)　前記事実関係によれば、Ｘらは、いずれも、本件各土地につき、具体的な利用計画を有しておらず、Ｘらが市長に対して提出した各建築許可申請書に添付された建築図面も、参加人の担当職員が適宜選択して添付したものであったというのであるから、Ｘらに具体的に建築物を建築する意思がなかったことは明らかである。Ｘらは、当初から参加人に本件各土地を買い取ってもらうことを意図していたものの、本件特例の適用を受けられるようにするため、形式的に建築許可申請等の手続をとったものにすぎない。参加人による本件各土地の買取りは、外形的には都計法56条１項の規定による土地の買取りの形式が採られているものの、Ｘらには、その意図していた具体的な建築物の建築が許可されないことにより当該土地の利用に著しい支障を来すこととなるという実態も存しない。したがって、本件対価について本件特例の適用はないというべきである。」

「以上と異なる原審の判断には、判決に影響を及ぼすことが明らかな法令の違反がある。論旨は理由があり、原判決は破棄を免れない。」

4　差戻控訴審**名古屋高裁平成23年１月27日判決**は、原判決を一部補正したものの判断を維持し、差戻上告審**最高裁平成24年６月27日第二小法廷決定**は上告不受理とした。

〔コメント〕

本件最高裁は、租税特別措置法33条１項３号の３が都市計画法56条１項の規定による土地の買取りを掲げているのは、単に形式的・外形的な土地の買取りを要件とするものではなく、申請者に具体的な建築物の建築についての意思の存在を要する点に意味を見出している点にあるとの立場で判断を行っている。

このように長期譲渡所得の特別控除額の特例の要件を単なる形式的・外形的なものではなくその実質的内容まで踏み込んだ判決は珍しく注目される。

4　居住用財産の譲渡所得の課税の特例

個人が居住の用に供している家屋又はその敷地の用に供している土地等（以下「居住用財産」という。）を譲渡した場合には、次のような特例が設けられている。

① 居住用財産の軽減税率の特例（措法31の３）

② 居住用財産の譲渡所得の特別控除の特例（措法35）

③ 特定の居住用財産の買換え（交換）の特例（措法36の２、36の５）

④ 居住用財産の買換え等の場合の譲渡損失の損益通算及び繰越控除（措法41の５）

⑤ 特定居住用財産の譲渡損失の損益通算及び繰越控除（措法41の５の２）

これは、❶居住用財産の譲渡による所得が一般の資産の譲渡による所得よりも担税力が弱いこと、❷より良い住環境を税制面からバックアップすることなどを考慮したものである。

なお、課税実務上、「その居住の用に供している家屋」とは、その者が生活の拠点として利用している家屋（一時的な利用を目的とする家屋を除く。）をいい、これに該当するかどうかは、その者及び配偶者等（社会通念に照らしその者と同居することが通常であると認められる配偶者その他の者をいう。）の日常生活の状況、その家屋への入居目的、その家屋の構造及び設備の状況その他の事情を総合勘案して判定することとされている（措通31－３の２）。

CHECK！　空き家・空き地問題と税制

少子高齢化による人口減少の中、近年、我が国では空き家が増加傾向にある。空き家の放置は、近隣地域の防災、防犯、衛生、景観等に深刻な影響を及ぼす可能性も高く、社会問題となっており、政府も各種の措置を講じているところである。

空き家問題に関し、税制面では、固定資産税について住宅用地の特例の対象外とする一方で、空き家の譲渡を促進するような措置も設けられている。すなわち、平成28年度税制改正において、一定の空き家に係る譲渡について、所得税における譲渡所得の金額の計算上最大3,000万円の特別控除を受けることができる仕組みが設けられた（措法35③）。この所得税法上の優遇措置は、令和元年度税制改正において制度の拡張と期間の延長がなされている（令和５年12月31日まで）。

また、空き地等については、新たな利用意向を示す者への譲渡を促進するため、令和２年度税制改正で、低未利用土地等を譲渡した場合の長期譲渡所得の特別控除が設けられた（措法35の３）。これは、低未利用土地等で一定のものを、令和２年７月１日から令和４年12月31日までの間に譲渡した場合、かかる長期譲渡所得の金額から最大100万円を控除するものである。これにより、土地の有効活用を通じた投資の促進、地域活性化、更なる所有者不明土地の発生の予防を図ることが期待されている。

5　特定の事業用資産の買換え（交換）の場合の譲渡所得の特例

特定の事業用資産の買換え（交換）の場合には、その譲渡資産のうち、その譲渡価額の100分の20に相当する部分の譲渡があったものとし、また、その譲渡資産の譲渡による収入金額が買換資産の取得価額を超えるときは、その譲渡資産のうち、譲渡による収入金額から買換資産の取得価額の100分の80に相当する金額を控除した金額に相当する部分の譲渡があったものとされる（措法37①、37の４、措令25④⑤）。

①　譲渡による収入金額　≦　買換資産の取得価額

長期（短期）譲渡所得金額の計算

（譲渡による収入金額）×20％－
{（譲渡資産の取得費）＋（譲渡費用）}×20％

②　譲渡による収入金額　＞　買換資産の取得価額

長期（短期）譲渡所得金額の計算

{(譲渡による収入金額Ａ) － (買換資産の取得価額Ｂ×80%)} －
{(譲渡資産の取得費) ＋ (譲渡費用)} × $\dfrac{A - B \times 80\%}{A}$

この特例が適用されるのは事業の用に供している特定の地域内にある土地等又は建物等（その年１月１日において所有期間が５年以下のものを除く。）を譲渡し、一定期間内に特定の地域内にある土地等又は建物等を買換え又は交換により取得し、買換資産をその取得の日から１年以内にその者の事業の用に供した場合に限られる。

Ⅳ　有価証券の譲渡所得等の金額に対する税額計算

1　一般株式等に係る譲渡所得等の申告分離課税

居住者又は国内に恒久的施設を有する非居住者（以下「居住者等」という。）が一般株式等を譲渡した場合には、その株式等に係る譲渡所得等について、他の所得と区分して、一般株式等に係る譲渡所得等の金額に対して所得税15.315％（復興特別所得税0.315％を含む。ほかに住民税５％）の税率による申告分離課税とされる（措法37の10①）。一般株式等の譲渡により損失が生じたときの損失は、一般株式等に係る譲渡所得等以外の所得からは控除できない。

この申告分離課税の対象となる一般株式等とは、次のものをいう（措法37の10②）。なお、外国法人からのものも含み、ゴルフ会員権に類似する株式等の譲渡を含まないこととされている。

①　株式（株主又は投資主となる権利、株式の割当てを受ける権利、新株予約権及び新株予約権の割当てを受ける権利を含む。）

②　特別の法律により設立された法人の出資者の持分、合名会社、合資会社又は合同会社の社員の持分、協同組合等の組合員又は会員の持分その他法人の出資者の持分（③に掲げるものを除く。）

③　協同組織金融機関の優先出資（優先出資者となる権利及び優先出資の割当

てを受ける権利を含む。）及び資産流動化法に規定する優先出資（優先出資社員となる権利及び新優先出資引受権付特定社債に付する新優先出資の引受権を含む。）

④　投資信託の受益権

⑤　特定受益証券発行信託の受益権

⑥　社債的受益権

⑦　公社債

2　上場株式等を譲渡した場合の課税の特例

(1)　上場株式等の譲渡損失の損益通算及び繰越控除

居住者等が上場株式等を譲渡した場合には、他の所得と区分し、その年中の上場株式等に係る課税譲渡所得等の金額に対し、所得税15.315％（復興特別所得税0.315％を含む。ほかに住民税５％）の税率による申告分離課税とされる（措法37の11①）。

上場株式等に係る譲渡所得等の金額は、１年間のその取引に係る損益を総合して所得金額を計算し、損失が生じた場合には、その損失を上場株式等に係る譲渡所得等以外の他の所得の金額と相殺（損益通算）することはできないが、上場株式等を譲渡した場合の損失のうち、その年の株式等の譲渡益と相殺し切れない部分の金額（以下「上場株式等の譲渡損失の金額」という。）は、上場株式等の配当所得等の金額（申告分離課税を選択したものに限る。）から差し引くことができる（措法37の12の２①②）。また、その年の上場株式等の譲渡損失の金額は、翌年以後３年間にわたり、その後の株式等の譲渡益及び申告分離課税を選択した配当所得の金額から差し引くことができる（措法37の12の２⑥）。

なお、上場株式等とは、次に掲げるものをいう（措法37の11②、措令25の９②）。

①　金融商品取引所に上場されている株式等及び店頭売買登録銘柄株式並びに店頭転換社債型新株予約権付社債その他これらに類する株式等

②　公募証券投資信託（特定株式投資信託を除く。）の受益権

③ 特定投資法人の投資口

④ 特定受益証券発行信託の受益権（公募のもの）

⑤ 特定目的信託の社債的受益権（公募のもの）

⑥ 特定公社債

⑵ 非課税口座内の少額上場株式等に係る譲渡所得等の非課税（NISA）

居住者等が非課税口座に非課税管理勘定を設けた日から同日の属する年の1月1日以後5年を経過する日（令和5年12月31日）までの間に、その非課税口座内上場株式等を金融商品取引業者等への売委託等により譲渡した場合には、その譲渡所得等について所得税が課されず、その譲渡による損失はないものとみなされる（措法37の14①②。いわゆる「NISA」）。また、その非課税口座に累積投資勘定を設けた日から同日の属する年の1月1日以後20年（令和24年12月31日）を経過する日までの間に、その累積投資勘定に係る公募等株式投資信託の受益権を譲渡した場合には、その譲渡所得等について所得税が課されず、また、その譲渡による損失はないものとみなされ（措法37の14①②。いわゆる「つみたてNISA」）、配当等についても課税されない（なお、未成年者口座内の少額上場株式等に係る配当所得についても非課税とされる（措法9の9①。いわゆる「ジュニアNISA」））。

令和2年度税制改正では、成長資金の供給を促しつつ、家計の安定的な資産形成を促進する観点から、NISA制度について、少額からの積立・分散投資をさらに促進する方向で制度の見直しを行いつつ、制度期限の延長がなされた。すなわち、特定非課税累積投資契約に係る非課税措置（新NISA）が創設され、つみたてNISAと選択して適用できることとされた（措法37の14①②⑤）。

制度概要としては、一般NISAについて、令和6年以降、2階建ての新たな制度に組み替えられ、原則として、1階部分で非課税の積立投資を行っている場合に別枠（2階部分）での非課税投資を行える仕組みにした上で、新たに5年間の勘定設定可能期間を設けることとされている。

〔図表〕NISA制度の見直しについて

	新NISA　（いずれかを選択）	つみたてNISA
年間の投資上限額	2階102万円 1階 20万円 （原則として、1階での投資を行った者が2階での投資を行うことができる）	40万円
非課税期間	2階5年間 1階5年間 （1階部分は終了後に「つみたてNISA」に移行可能）	20年間
口座開設可能期間	令和6年（2024年）～令和10年（2028年） （5年間）	平成30年（2018年）～令和24年（2042年） （2023年まで20年間の積立確保）
投資対象商品	2階　上場株式・公募株式投資信託等（注） 1階　つみたてNISAと同様 （例外として、何らかの投資経験がある者が2階で上場株式のみに投資を行う場合には1階での投資を必要としない）	積立・分散投資に適した一定の公募等株式投資信託 （商品性について内閣総理大臣が告示で定める要件を満たしたものに限る）
投資方法	2階　制限なし 1階　つみたてNISAと同様	契約に基づき、定期かつ継続的な方法で投資
制度イメージ	（単位：万円） 1年目 2年目 3年目 4年目 5年目 102 / 20（5年間） ※つみたてNISAへのロールオーバー可 ※一般NISAからのロールオーバー可	（単位：万円） 1年目 2年目 3年目 4年目 … 17年目 18年目 19年目 20年目 40（20年間（注）） （注）同時に開設可能な最大年数

（備考）「ジュニアNISA」は延長せずに、法の規定どおり2023年末で終了。
（注）高レバレッジ投資信託など、一定の商品・取引について投資対象から除外。

（出所）財務省「令和2年度税制改正」195頁より

3　特定中小会社株式に係る課税の特例

ベンチャー企業への投資を促進するために、いわゆるエンジェル税制が用意されている。その対象は、特定中小会社の発行する一定の株式（特定株式）である（措法37の13）。なお、ここで特定中小会社とは、中小企業の新たな事業活動の促進に関する法律7条《診断及び指導》に規定する特定新規中小企業者に当たる株式会社や、設立以後10年を経過していない内国法人である中小企業者のうち一定の株式会社などが該当する。また、特定株式とは、特定中小会社により発行される株式等で一定のものをいう。

⑴　特定中小会社が発行した株式の取得費控除の特例

特定株式を払込み（株式の発行に際してするものに限る。）により取得した居住者等のその年分の一般株式等又は上場株式等に係る譲渡所得等の金額の計算については、その計算上その年中に払込みにより取得をした特定株式（その年の12月31日において有するものに限る。）の取得に要した金額の合計額（この特例の適用前の株式等に係る譲渡所得等の金額を限度とする。）を控除することができる（措法37の13①、措令25の12②、措規18の15）。

⑵　特定中小会社が発行した株式に係る譲渡損失の繰越控除等

特定中小会社が発行する株式を払込み（その株式の発行に際してするものに限る。）により取得をした居住者等について、その取得の日からその株式の上場等の日の前日までの間に、その払込みにより取得した株式が株式としての価値を失ったことによる損失が生じた場合とされる清算結了等の一定の事実が発生したときは、その損失の金額とされる一定の金額は、その年分の一般株式等又は上場株式等の譲渡に係る所得の金額の計算上、その株式の譲渡をしたことにより生じた損失の金額とみなされ、その損失の金額とされる一定の金額は、その年分の一般株式等又は上場株式等に係る譲渡所得等の金額の計算上控除される（措法37の13の２①④⑧）。また、かかる株式等に係る譲渡所得の金額の計算上控除し切れない金額については、所定の要件の下、その年翌年以後３年内の各年分の一般株式等又は上場株式等に係る譲渡所得等の金額からの繰越控除が認められている（措法37の13の２⑦）。

4　株式交換等に係る譲渡所得等の特例

⑴　株式交換の場合

居住者が、その有する株式（出資を含む。以下「旧株」という。）を株式交換により旧株の発行法人（株式交換完全親法人）に対して譲渡し、株式交換完全親法人の株式の交付を受けた場合又は旧株を発行した法人の行った特定無対価株式交換により旧株を有しないこととなった場合には、その株式交換完全親法人の株式以外の資産の交付がされなかったときに限り、その旧株の譲渡又は贈与はなかったものとみなされる（課税の繰延べ：所法57の4①）。ここでいう株式交換完全親法人の株式には、株式交換完全親法人の発行済株式の全部を直接若しくは間接に保有する関係（完全支配関係）がある法人の株式も含まれる（所令169の7）。したがって、金銭等の交付がある場合には、譲渡所得等の課税が行われるわけである。

なお、剰余金の配当として交付された金銭等や反対株主の買取請求権に基づいて交付された金銭等は、株式交換完全親法人の株式以外の資産とみなされない（所法57の4①）。

✍ 株式交換完全親法人とは、株式交換により他の法人の株式を取得したことによって当該法人の発行済株式の全部を有することになった法人をいう（法法2十二の六の三）。

(2) 株式移転の場合

居住者が、その有する旧株を株式移転により旧株の発行法人（株式移転完全親法人）に対して譲渡し、株式移転完全親法人の株式の交付を受けた場合には、株式交換の場合と同様に、その株式移転完全親法人の株式以外の資産の交付がされなかったときに限り、その旧株の譲渡はなかったものとみなされる（課税の繰延べ：所法57の4②）。ただし、反対株主の買取請求権に基づく金銭等の交付は、株式移転完全親法人の株式以外の資産の交付とみなされない（所法57の4②）。

✍ 株式移転完全親法人とは、株式移転により他の法人の発行済株式の全部を取得した当該株式移転により設立された法人をいう（法法2十二の六の六）。

5　特定管理株式等が価値を失った場合の株式等に係る譲渡所得等の課税の特例

居住者等の有する特定管理株式等、特定保有株式又は特定口座内公社債が、株式又は公社債としての価値を失ったことによる損失が生じた場合として一定の事実が発生したときは、それら株式等の譲渡があったものとして、かかる株式等の取得価額を上場株式等に係る譲渡損失の金額とみなして、損益通算や繰越控除の対象とされる（措法37の11の２①、措令25の９の２①②）。

なお、特定管理株式とは、居住者等の開設する特定口座に係る特定口座内保管上場株式等が上場株式等に該当しないこととなった内国法人が発行した株式又は公社債につき、その上場株式等に該当しないこととなった日以後引き続き特定口座を開設する金融商品取引業者等に開設される特定管理口座に係る振替口座簿に記載若しくは記録がされ、又は特定管理口座に保管の委託がされている内国法人が発行した株式又は公社債をいう。

Ⅴ　先物取引に係る雑所得等の金額に対する税額計算

1　先物取引に係る雑所得等の課税の特例

居住者等が商品先物取引等、金融商品先物取引等（店頭デリバティブ取引にあっては先物取引業者等を相手として行う取引に限る。）又はカバードワラントの取得をし、かつ、その取引の決済又は行使若しくは譲渡等（以下「差金等決済」という。）をした場合には、その差金等決済に係る先物取引による事業所得、譲渡所得及び雑所得（以下「先物取引に係る雑所得等」という。）について、他の所得と区分して、先物取引に係る雑所得等の金額に対して所得税15.315%（復興特別所得0.315%を含む。ほかに住民税５%）の税率による申告分離課税とされる（措法41の14①）。

適用対象となる先物取引の差金等決済は、次のとおりである。

①　商品先物取引等の決済……市場デリバティブ取引及び店頭デリバティブ

取引のうち、いわゆる現物先物取引、現金決済型先物取引、指数先物取引、オプション取引

② 金融商品先物取引等の決済……市場デリバティブ取引及び店頭デリバティブ取引のうち、いわゆる先物取引、指標先渡取引、オプション取引、指標オプション取引

③ カバードワラントの差金等決済……上場株式、TOPIX及び日経平均株価等を対象として、権利行使日に権利行使価格で買い付ける権利（コールオプション）又は売り付ける権利（プットオプション）を証券化した金融商品

2　先物取引の差金等決済に係る損失の繰越控除

先物取引に係る雑所得等の金額の計算上生じた損失は、先物取引に係る雑所得等以外の他の所得の金額と相殺（損益通算）することはできないのであるが（措法41の14①②二）、先物取引の差金等決済をしたことにより生じた損失の金額のうち、その差金等決済をした日の属する年分の先物取引に係る雑所得等の金額の計算上控除しても控除し切れない部分の金額は、翌年以後３年間にわたり、その後の先物取引に係る雑所得等の金額から差し引くことができる（措法41の15①②）。

なお、繰越控除の適用を受けるためには、損失が生じた年分の所得税について確定申告書を提出し、その後も連続して確定申告をする必要がある（措法41の15③⑦）。

Ⅵ　税額控除

税額控除には、①我が国の法人税と所得税との二重課税を調整するための配当控除や、②国外所得について納付する外国所得税と、我が国の所得税の二重課税の調整のための外国税額控除、③租税特別措置法に持家促進の一環としての住宅借入金等特別控除など各種の特別控除が設けられている。

1　配当控除

配当控除とは、納税者が内国法人から受ける剰余金の配当（株式又は出資に係るものに限るものとし、資本剰余金の減少に伴うものを除く。）、利益の配当（資産流動化法115条《中間配当》に規定する金銭の分配を含む。）、剰余金の分配（出資に係るものに限る。）、証券投資信託の収益の分配に係る配当所得（外国法人から受けるものを除く。）等を有する場合に、その者の算出税額から次の金額を控除するものである（所法92①、措法９③④）。

Ａ＝剰余金の配当・利益の配当、剰余金の分配及び特定株式投資信託（ETF）の収益の分配に係る配当所得

Ｂ＝特定証券投資信託の収益の分配に係る配当所得

配当控除額の計算の基礎となる配当所得の金額は、負債利子の控除後の金額である（所法24②）。

①　課税総所得金額等の合計額が1,000万円以下の場合

Ａ×10％＋Ｂ×５％

②　課税総所得金額等の合計額が1,000万円を超え、かつ、課税総所得金額等の合計額から特定証券投資信託の収益の分配に係る配当所得の金額を控除した金額が1,000万円以下の場合

Ａ×10％＋（Ｂのうち課税総所得金額等の合計額から1,000万円を控除した金額に相当する金額(b)）×2.5％＋（Ｂ－ｂ）×５％

③　課税総所得金額等の合計額から特定証券投資信託の収益の分配に係る配当所得の金額を控除した金額が1,000万円を超える場合（④に該当する場合を除く。）

$$\left\{\begin{array}{l}\text{Aのうち｛課税総所得}\\ \text{金額}-(1{,}000\text{万円}+\\ \text{B)｝に該当する金額(a)}\end{array}\right\}\times 5\% + (A - a)\times 10\% + B \times 2.5\%$$

④　課税総所得金額等の合計額から、(i)剰余金の配当等に係る配当所得の金額と、(ii)特定証券投資信託の収益の分配に係る配当所得の金額の合計額を控除した金額が1,000万円を超える場合

$$A \times 5\% + B \times 2.5\%$$

裁決例の紹介

配当控除額の計算

配当控除額の計算の基準となる課税総所得金額には、課税長期譲渡所得の金額を含めるべきとされた事例

（367国税不服審判所昭和53年７月19日裁決・裁決事例集16号12頁）

〔事案の概要〕

X（請求人）は、英国に国籍を有する居住者で公認会計士であるが、昭和49年分及び昭和50年分所得税の確定申告書（昭和50年分については、分離課税に係る長期譲渡所得（以下「分離長期譲渡所得」という。）の金額等を別葉とした２通の確定申告書）に次のとおり記載して、A税務署長にそれぞれ法定期限までに申告した。

昭和49年分　総所得金額	5,689,608円
内訳　配当所得の金額	57,500円
不動産所得の金額	140,000円
事実所得の金額	5,492,108円
昭和50年分　総所得金額	6,272,801円
内訳　配当所得の金額	215,800円
事業所得の金額	6,057,001円
還付金の額に相当する税額	393,202円
昭和50年分　分離長期譲渡所得の金額	18,665,000円
納付すべき税額	3,733,000円

Ａ税務署長は、これに対し、Ｂ国税局の職員の調査に基づき昭和52年６月29日付けでそれぞれ次のとおり更正処分及び過少申告加算税の賦課決定処分をした。

昭和49年分　更正処分

総所得金額	6,030,008円
内訳　配当所得の金額	57,500円
不動産所得の金額	140,000円
事業所得の金額	5,492,108円
雑所得の金額	340,400円
賦課決定処分　過少申告加算税の額	5,000円

昭和50年分　更正処分

総所得金額	6,272,801円
内訳　配当所得の金額	215,800円
事業所得の金額	6,057,001円
分離長期譲渡所得の金額	18,665,000円
納付すべき税額	3,404,500円
賦課決定処分　過少申告加算税の額	3,200円

Ｘは、これらの処分を不服として、昭和52年８月27日に審査請求をしたところ、これらの審査請求を併合審理することとされた。

なお、Ｘの主張は次のとおりである。

「Ｙは、Ｘの昭和50年分の総所得金額及び分離長期譲渡所得の金額の合計額が10,000,000円を超えるのでＸが所得税法上の老年者に該当しないとして、Ｘが控除した老年者控除額200,000円の控除を認めず、また、Ｘが控除した配当控除額21,580円のうち10,790円に相当する金額の控除を認めていないが、Ｘの総所得金額はＸの所得税の確定申告書に記載したとおり6,272,801円であるから、同申告書記載のとおり老年者控除額及び配当控除額の控除を認めるべきである。

すなわち、昭和50年分の所得税の確定申告書（一般用）の『⑵所得から差引かれる金額』の『老年者控除』の欄において老年者控除の適用がある者は、明治44年１月１日以前に生れた人で、『10（所得金額の合計額）＋退職所得金額』が10,000,000円以下の人と表示されていて、分離長期譲渡所得の金額は老年者控除の適用の是否を判定する上での所得金額には含まれないこととされているところ、Ｘは、当該表示に従ったまでである。配当控除の適用についてもまた同様である。

なお、Ｘは分離長期譲渡所得の金額等について別葉の所得税の確定申告書（分離課税用）によったが、同申告書には『（分離課税の所得がある人は、ほかの所得についてもこの申告書を使って申告します。）』との表示はあってもこれは強制規定ではなく、他に２通の所得税の確定申告書の使用を禁じた法律上の規定はないから、Xが一般用と分離課税用の２通の所得税の確定申告書によって申告を行ったとしても違法ではない。」

「仮に、老年者控除の適用の是否の判定等に当り分離長期譲渡所得の金額を、総所得金額に加算しなければならないとしても、分離長期譲渡所得は５年を超えて保有した土地・建物等の譲渡による所得であり、その譲渡益はその発生した各年分に配分すべきものであるから、これを５年以上の各年分に分割すれば、Xの昭和50年分の総所得金額及び分離長期譲渡所得の金額の合計額は10,000,000円以下となり、Xが控除した老年者控除額及び配当控除額は適正である。」

〔争点〕

配当控除額の計算の基準となる課税総所得金額には、課税長期譲渡所得の金額を含めるべきか否か。

〔裁決の要旨〕

○　国税不服審判所昭和53年７月19日裁決

「Xは、所得税の確定申告書（一般用）の表示に従えば、分離長期譲渡所得の金額は老年者に該当することの当否の判定及び配当控除の金額の計算に当ってその基準となるべき合計所得金額及び課税総所得金額に含まれないから、Xには老年者控除の適用が認められ、かつ、配当控除は配当所得の金額に100分の10を乗じて計算した金額の控除が認められるべきであり、このために当該年分の所得税の確定申告書を分離長期譲渡所得に関しては分離課税用の確定申告書により、分離長期譲渡所得以外の所得に関しては一般用の確定申告書によりそれぞれ提出しても違法ではないと主張し、仮に、分離長期譲渡所得の金額が老年者に該当することの当否の判定及び配当控除の金額の計算に当ってその基準となるべき合計所得金額及び課税総所得金額に含まれるとしても、その譲渡益を当該譲渡資産の保有等に係る各年分に配分した上で昭和50年分の合計所得金額及び課税総所得金額を計算すればそれは10,000,000円以下となるから、Xには老年者控除の適用が認められ、かつ、配当控除は配当所得の金額に100分の10を乗じて計算した金額の控除が認められるべきであると主張するので審理するに次のとおりである。」

「ところで、納税者が分離長期譲渡所得の金額を有する場分において、その者が老年者に該当することの当否の判定に当っては、租税特別措置法第31条第３項第１号の規定により、所得税法第２条第１項第30号の規定の適用については、同項の規定中総所得金額、退職所得金額及び山林所得金額の合計額とあるうち『山林所得金額』とあるのは、『山林所得金額並びに租税特別措置法第31条第１項に規定する長期譲渡所得の金額』とすることとされているから、その者の合計所得金額が10,000,000円以下であるかどうかは分離長期譲渡所得の金額を含めて判定することは明らかである。
　また、納税者が分離長期譲渡所得の金額を有する場分において、配当控除の金額を計算するに当っては、租税特別措置法第31条第3項第3号の規定により、所得税法第92条の規定の適用については、同条第1項中『課税総所得金額』とあるのは『課税総所得金額及び租税特別措置法第31条第1項に規定する課税長期譲渡所得金額の合計額』とすることとされているから、配当控除の金額の計算に当ってその者の課税総所得金額が10,000,000円以下であるか又は10,000,000円を超えるかどうかは、課税長期譲渡所得金額を含めて判定することは明らかである。」
「なお、分離長期譲渡所得の金額の計算に当り、その譲渡益を当該譲渡資産の保有等に係る各年分に配分して計算するとか、老年者に該当することの当否の判定及び配当控除の金額の計算に当り、その基準となるべき合計所得金額及び課税総所得金額に関して、分離長期譲渡所得に係る譲渡益を当該譲渡資産の保有等に係る各年分に配分して計算する旨を定めた法令上の規定はない。」

〔コメント〕
　Xは、当時の所得税の「確定申告書（一般用）」の表示に従えば、合計所得金額及び課税総所得金額に分離長期譲渡所得の金額が含まれないから、老年者控除を受けることができるし、かかる控除を受ければ、課税総所得金額は1,000万円以下となる旨主張した。文理解釈からすれば、配当控除額の計算の基準となる課税総所得金額に、課税長期譲渡所得の金額が含まれることとなるが、申告書の表示等を主張の素材としたものである。確定申告書の表示は法定されたものではなく、所得税法や租税特別措置法の解釈を課税庁が行っているものを表形式に表したものであるから、申告書の表示内容を素材として、所得金額の計算を主張すること自体に説得力があるといえるかという疑問はあろう（ある意味では、通達の表現の適否を論じるような面がある主張であったといえよう。）。

2　外国税額控除

　外国税額控除とは、居住者が外国にその源泉がある所得について、その所在地国の法令によって所得税に相当する外国の税を課せられた場合に、その者の算出税額から、次の①又は②のうちいずれか少ない金額を控除するものである（所法95①、所令222①）。

①　各年において納付の確定した外国所得税の額

② 各年分の所得に対する日本の所得税の額 × (当該年分の国外所得総額 / 当該年分の全世界所得総額) ＝ 控除限度額

3　住宅借入金等特別控除

(1)　住宅借入金等特別控除の概要

住宅借入金等特別控除とは、個人が住宅の新築や購入をし又は増改築をして、6か月以内に入居し引き続き居住の用に供した場合で一定の要件に該当するときにおいて、居住の用に供した年から一定期間、住宅借入金等の年末残高の一定率の金額を所得税額から控除するというものである（措法41①～④）。いわゆる「住宅ローン控除」とも呼ばれるものである。この控除は、次表のとおり、令和3年12月31日まで継続される。

〔住宅借入金等特別控除の控除期間及び控除額の計算方法〕

居住の用に供した年	控除期間	各年の控除額の計算（控除限度額）	
平成19年1月1日から平成19年12月31日まで	15年	1～10年目 年末残高等×0.6% （15万円）	11～15年目 年末残高等×0.4% （10万円）
平成20年1月1日から平成20年12月31日まで	15年	1～10年目 年末残高等×0.6% （12万円）	11～15年目 年末残高等×0.4% （8万円）
平成23年1月1日から平成23年12月31日まで	10年	1～10年目 年末残高等×1% （40万円）	
平成24年1月1日から平成24年12月31日まで	10年	1～10年目 年末残高等×1% （30万円）	
平成25年1月1日から平成25年12月31日まで	10年	1～10年目 年末残高等×1% （20万円）	

平成26年1月1日から 令和元年9月30日まで	10年	1～10年目 年末残高等×1% (40万円) (注)　住宅の取得等が特定取得以外の場合は20万円	
令和元年10月1日から 令和2年12月31日まで	13年	[住宅の取得等が特別特定取得に該当する場合] 【1～10年目】 年末残高等×1% (40万円) 【11～13年目】 次のいずれか少ない額が控除限度額 ①　年末残高等〔上限4,000万円〕×1% ②　(住宅取得等対価の額－消費税額)〔上限4,000万円〕×2%÷3 (注)「住宅取得等対価の額」は、補助金及び住宅取得等資金の贈与の額を控除しないこととした金額をいう。	
	10年	[上記以外の場合] 1～10年目 年末残高等×1% (40万円) (注)　住宅の取得等が特定取得以外の場合は20万円	
令和3年1月1日から 令和3年12月31日まで	10年	1～10年目 年末残高等×1% (40万円) (注)　住宅の取得等が特定取得以外の場合は20万円	

(注1)「特定取得」とは、住宅の取得等に係る対価の額又は費用の額に含まれる消費税額等（消費税額及び地方消費税額の合計額）が8%又は10%の税率により課されるべき消費税額等である場合における住宅の取得等をいう。また、「特別特定取得」とは、住宅の取得等の対価の額又は費用の額に含まれる消費税額等が、10%の税率により課されるべき消費税額等である場合におけるそ

の住宅の取得等をいう。

（注２）　住宅の取得等が特別特定取得に該当する場合においては、通常10年である控除期間が13年に延長される特例が措置されているところ、新型コロナウイルス感染症等の影響により、控除の対象となる住宅の取得等をした後、その住宅への入居が入居の期限（令和２年12月31日）までにできなかった場合でも、①所定の期日までに住宅の取得等に係る契約を締結していること、かつ②令和３年12月31日までに住宅に入居していることの要件を満たすときには、かかる特例の適用を受けることができることとされている（新型コロナ税特法６、新型コロナ税特令４）。なお、次にみる認定住宅新築等特別控除においても同様の措置が講じられている。

（出所）国税庁 HP より筆者一部修正

また、住宅ローンを利用して認定長期優良住宅又は認定低炭素住宅の新築等をし、令和３年12月31日までに居住の用に供した場合で、一定の要件に該当するときは、次表のとおり認定住宅の新築に係る住宅借入金等特別控除を適用することができる（措法41⑩）。

なお、この認定住宅新築等特別控除の適用を受ける場合には、上記住宅借入金等特別控除の適用はできない（選択適用）。ここでいう認定長期優良住宅とは、耐久性、耐震性が高い住宅（いわゆる「200年住宅」と呼ばれている。）で、長期優良住宅の普及の促進に関する法律の認定基準を満たすものをいい、認定低炭素住宅とは、二酸化炭素の排出の抑制に資する省エネ性能に優れた住宅で、都市の低炭素化の促進に関する法律の認定基準を満たすものをいう。

〔認定住宅新築等特別控除の特例の控除期間及び控除額の計算方法〕

居住の用に供した年	控除期間	各年の控除額の計算（控除限度額）
平成23年１月１日から 平成23年12月31日まで	10年	１～10年目 年末残高等×1.2% （60万円）
平成24年１月１日から 平成24年12月31日まで	10年	１～10年目 年末残高等×1% （40万円）
平成25年１月１日から 平成25年12月31日まで	10年	１～10年目 年末残高等×1% （30万円）

<table>
<tr><td>平成26年１月１日から
令和元年９月30日まで</td><td>10年</td><td>１～10年目
年末残高等×1％
(50万円)
㈴　住宅の取得等が特定取得以外の場合は30万円</td></tr>
<tr><td rowspan="2">令和元年10月１日から
令和２年12月31日まで</td><td>13年</td><td>［住宅の取得等が特別特定取得に該当する場合］
【１～10年目】
年末残高等×1％
(50万円)
【11～13年目】
次のいずれか少ない額が控除限度額
①　年末残高等〔上限5,000万円〕×１％
②　(住宅取得等対価の額－消費税額)〔上限5,000万円〕×２％÷３
㈴「住宅取得等対価の額」は、補助金及び住宅取得等資金の贈与の額を控除しないこととした金額をいう。</td></tr>
<tr><td>10年</td><td>［上記以外の場合］
１～10年目
年末残高等×1％
(50万円)
㈴　住宅の取得等が特定取得以外の場合は30万円</td></tr>
<tr><td>令和３年１月１日から
令和３年12月31日まで</td><td>10年</td><td>１～10年目
年末残高等×1％
(50万円)
㈴　住宅の取得等が特定取得以外の場合は30万円</td></tr>
</table>

㈴　認定低炭素住宅は、平成24年12月４日からの適用である。

（出所）国税庁 HP より筆者一部修正

なお、控除を受ける年分の合計所得金額が3,000万円を超える場合には、住宅借入金等特別控除の適用がない（措法41①）。

⑵　特定の増改築等に係る住宅借入金等特別控除

自己の居住の用に供する家屋について、バリアフリー改修工事、省エネ改修工事又は多世帯同居改修工事を含む特定の増改築等を行い、令和３年12月31日までの間に居住の用に供した場合は、住宅の増改築等に係る住宅借入金等を有する場合の住宅ローン控除との選択により、増改築等に充てるために借り入れた住宅借入金等の年末残高（1,000万円以下の部分）の一定割合が所得税額から控除される（措法41の3の2①⑤⑧）。ただし、合計所得金額が3,000万円を超える年は適用されない。

裁判例の紹介

住宅借入金等特別控除にいう「改築」の意義

租税特別措置法41条にいう「改築」の意義は通常の語義により解すべきものとされた事例

（368第一審静岡地裁平成13年4月27日判決・税資250号順号8892）
（369控訴審東京高裁平成14年2月28日判決・訟月48巻12号3016頁）[4)]

〔事案の概要〕

X（原告・控訴人）は、静岡市に宅地及び同地上に鉄骨造亜鉛メッキ鋼板葺2階建店舗兼居宅を所有し、居住していたが、道路拡張のため、上記土地のうち一部が買収され、旧建物をそのまま使用できなくなった。そこで、Xは、旧建物を取り壊し、その残地に鉄骨造アルミニューム板葺3階建店舗居宅を建築し（本件建築）、居住の用に供した。

Xは、平成10年3月13日、本件建築は「改築」に該当するので住宅借入金等特別控除（以下「本件特別控除」という。）の適用があるものとして納付すべき税額を計算して、Y（被告・被控訴人）に対し平成9年分の所得税について確定申告をしたところ、Yは上記控除の適用はないものと判断して、同年5月13日付けでXに対し本件各処分をした。Xは、これを不服として提訴した。

本件建築が租税特別措置法（以下「措置法」という。）41条にいう「改築」に該当しないとすれば、本件特別控除の適用はない。

〔争点〕

本件建築は措置法41条にいう「改築」に該当するか。

〔判決の要旨〕

1　静岡地裁平成13年4月27日判決

「租税に関する法規もまた憲法を頂点とする法秩序の一環をなすものであるか

4）判例評釈として、岩﨑政明・ジュリ1252号193頁（2003）、石島弘・税研148号86頁（2009）、酒井・ブラッシュアップ60頁など参照。

ら、他の法規との間での整合性を保ちながら、その独自の立法目的を達成することを原則として制定されているものである。加えて、租税法は国民の納税義務を定める法であり、その意味で国民の財産権への侵害を根拠づけるいわゆる侵害規範であるから、将来の予測を可能ならしめ、法律関係の安定をはかる必要がある。また、納税義務は各種の経済活動又は経済現象に着目し、立法政策に基づいて発生するものであるが、それらの経済活動又は経済現象は、既に他の法規によって規律されているものでもある。

したがって、現行の租税に関する法規が、他の法規において既に明確な意味内容を与えられた形で用いられている用語と同一の用語を使用している場合においては、その用語は、特に租税に関する法規が明文で他の法規と異なる意義をもって使用されていることを明らかにしている場合に該らない限り、又は、租税法規の体系上他の法規と異なる意義をもって使用されていると解すべき実質的な理由がある場合に該らない限り、他の法規で使用されているものと同一の意義を有すると解するのが相当である。

措置法施行令26条14項では、『法第41条第3項に規定する政令で定める工事は、次に掲げる工事で当該工事に該当するものであることにつき大蔵省令で定めるところにより証明がされたものとする。』としており、同条同項1号で増築、改築、建築基準法2条14号に規定する大規模の修繕または同条15号に規定する大規模の模様替である旨規定している。

更に、措置法施行規則18条の21第12項は、『施行令第26条第14項に規定する大蔵省令で定めるところにより証明がされた工事は、次の各号に掲げる工事の区分に応じ、当該各号に定める書類を確定申告書に添付することにより証明がされた工事とする』とし、同項1号で『施行令第26条第14項第1号に掲げる工事』については、『当該工事にかかる建築基準法第6条第3項の規定による確認の通知書の写し若しくは同法第7条第3項の規定による検査済証の写し又は当該工事が建設大臣が大蔵大臣と協議して定める同号に掲げる工事に該当する旨を証する書類』と規定している。

このうち、上記建設大臣が大蔵大臣と協議して定める書類としては、昭和63年5月24日付建設省告示第1274号…により、建築士の当該申請にかかる工事が措置法施行令26条14項1号に規定する増築、改築、大規模の修繕若しくは大規模の模様替に該当する旨を証する書類と定められている。このように、措置法施行令、措置法施行規則は建築基準法を意識し、同法を念頭に置いていることが認められる。」

「措置法41条の本件特別控除の対象に『増改築等』が加えられた昭和63年当時、建築基準法上の『改築』とは、『建築物の全部若しくは一部を除去し、またはこれらの部分が災害によって滅失した後引き続いてこれと用途、規模、構造の著しく異ならない建築物を造ることをいい、増築、大規模修繕等に該当しないもの』と解されていたものであり、既に明確な意味内容を有していたことが認められ、他方、措置法上明文をもって他の法規と異なる意義をもって使用されていることを明らかにする特段の定めは存在せず、また、本件全証拠をもってしても、租税法規の体系上他の法規と異なる意義をもって使用されていると解すべき実質的な理由も認められないことから、措置法41条にいう『改築』の意義については建築基準法上の『改築』と同一の意義に解すべきである。」

「旧建物と本件建物との間には…差異があり、旧建物が鉄骨造亜鉛メッキ鋼板葺２階建であるのに対し、本件建物は鉄骨造アルミニューム板葺３階建であり、各階の床面積や部屋数等においても旧建物と本件建物は著しく異なっているのであるから、本件建築については措置法41条にいう『改築』には該当しないというべきである。」

2　東京高裁平成14年２月28日判決

「Ｙは、措置法施行令が、措置法41条に規定する『政令で定める工事』は『増築、改築、建築基準法第２条第14号に規定する大規模の修繕又は同条第15号に規定する大規模の模様替』である旨を規定し、その条文自体に建築基準法を引用していること及び措置法施行規則が、本件特別控除の適用を受ける場合の添付書類として、建築基準法６条３項の規定による確認の通知書の写し若しくは同法７条３項の規定による検査済証の写しを挙げていることからすれば、措置法41条の『改築』は、建築基準法の『改築』からの借用概念であり、これと同義に解すべきであると主張する。しかし、措置法施行令中の建築基準法の引用は『大規模の修繕』及び『大規模の模様替』についてのものであり、『改築』について同法を引用しているわけではない。したがって、Ｙ指摘の引用がされていることをもって、直ちに措置法41条の『改築』が建築基準法の『改築』と同義であると解釈することはできない。むしろ、措置法施行令が『大規模の修繕』及び『大規模の模様替』について建築基準法を引用しながら、『改築』について建築基準法を引用していないのは、『改築』については建築基準法と同義に解するものでないことを前提としているともいい得るのである。また、本件特別控除の適用を受けるためには、納税者が床面積等において所定の条件を満たす建築をすることが必要なのである。したがって、措置法施行規則が本件特別控除の適用を受ける場合の添付書類として建築基準法上の確認通知書及び検査済証を挙げていることは、当該建築がこうした条件を満たしていることを確認するためであるとも考えられるのである。そうすると、これらの書類が添付書類とされていることをもって、措置法41条の『改築』が建築基準法の『改築』と同義であると断ずることもできないといわなければならない。

また、Ｙは、税法以外の法分野で用いられている法律用語が税法の規定中に用いられている場合には、法的安定性の見地から、両者は同一の意味内容を有していると解すべきであり、租税に関する法規が、一般私法において使用されていると同一の用語を使用している場合には、通常、一般私法上使用されている概念と同一の意義を有する概念として使用されているものと解するのが相当であると主張する。しかし、『改築』という用語は、建築基準法にのみ使用されている用語ではなく、たとえば借地借家法においても使用されている用語である。したがって、Ｙの主張を前提としても、措置法41条の『改築』が建築基準法の『改築』と同義であるという結論を導き出すことはできない。むしろ、Ｙの主張するところを前提とすると、措置法41条の『改築』は、公法である建築基準法の『改築』ではなく、一般私法の一つである借地借家法の『改築』と同義に解すべきであるということになる。

以上によれば、措置法、措置法施行令及び措置法施行規則の法文上、措置法41条に定める『改築』の意義が明確であるとはいい難く、少なくとも、措置法41条の『改築』が建築基準法の『改築』と同義であることが法文上明確であるといえないことは明らかである。」

「措置法41条の『改築』を建築基準法の『改築』と同義に解すべき実質的な理由があるか否かについて検討する。

建築基準法上の『改築』は、『建築物の全部若しくは一部を除去し、またはこれらの部分が災害によって滅失した後、引き続いてこれと用途、規模、構造の著しく異ならない建築物を造ることをいい、増築、大規模修繕等に該当しないものをいう』と解されている。これは、通常の言葉の意味における『改築』と比較して、『改築』という言葉を限定された意味に解釈するものである。

建築基準法は、国民の生命、健康、財産の保護や公共の福祉の増進を目的とする法律であり（同法１条）、その目的を達成するため、一般的に建築の際に建築確認を必要としている（同法６条１項）。そして、その例外として、小規模な改築については建築確認が必要ないものとしている（同条２項）。これは、そのような改築が、防火、安全、衛生等の面において、新たな危険性を生ぜしめるものではないからであると解される。小規模な改築であっても、用途、規模、構造等が異なる結果、それが新たな危険性を生ぜしめるものであれば、建物の安全性その他の点について調査確認するために建築確認が必要となる。建築基準法上の『改築』が、前記のように限定された意味に解釈されるのはそのためである。

それでは、このように限定された建築基準法の『改築』の概念を、措置法が借用し、用途、規模、構造が著しく異なるかどうかで『改築』かどうかを判断する実質的な理由があるであろうか。

まず、用途については、措置法は、当該建物の床面積の２分の１以上に相当する部分が居住の用に供されるものであることを要件としているだけで、他の要件は定めていない。これは、措置法が、建物の主たる用途が住宅であることだけを本件特別控除適用の要件とし、他の部分の用途については問題としていないことを意味する。

次に、規模については、措置法は、床面積の上限及び下限を規定しているだけで、従前の建物との関係については何ら規定していない。これは措置法が従前の建物と建て替え後の建物の床面積の違いを問題にしていないことを意味する。

また、構造についても、措置法は、従前の建物との関係については何らの規定も設けていない。優良な住宅ストックの確保という措置法の目的からすると、建て替え後の建物がより強固な構造である場合に、措置法上、新築であるとして、より不利益な扱いを受けることは合理的ではない。

このようにみてくると、用途、規模、構造が著しく異なるかどうかで、措置法の適用の有無を区別する実質的な理由あるいは合理的な理由はなく、建築基準法の『改築』の概念を借用する実質的な根拠はないといわなければならない。むしろ、構造について先に検討したところからすると、建築基準法の概念を借用することは、優良な住宅ストックの確保という措置法の本来の目的に反する結果をもたらすとさえいえるのである。」

「以上に検討してきたところからすると、措置法41条の『改築』が建築基準法の『改築』と同義であることが法文上明確であるとはいえず、また、建築基準法の『改築』の概念を措置法41条が借用する実質的な理由もないということができる。

ところで、税法中に用いられた用語が法文上明確に定義されておらず、他の特定の法律からの借用概念であるともいえない場合には、その用語は、特段の事情がない限り、言葉の通常の用法に従って解釈されるべきである。なぜなら、言葉の通常の用法に反する解釈は、納税者が税法の適用の有無を判断して、正確な税務申告をすることを困難にさせる。そして、さらには、納税者に誤った税務申告をさせることになり、その結果、過少申告加算税を課せられるなどの不利益を納税者に課すことになるからである。

言葉の通常の意味からすると『改築』とは、『既存の建物の全部または一部を取り壊して新たに建物を建てること』であり、『改築』と異なる概念としての『新築』とは新たに建物を建てることで『改築』を含まないものであるということができる。

この解釈が、持家取得の促進と良質な住宅ストックの形成を図るとともに、住宅投資の活発化を通じた景気刺激策として、所得税額から一定額を控除するという本件特別控除の趣旨・目的に反する結果をもたらすとは考え難い。

Yは、『改築』を社会通念上の用法に従って解釈することになると、一義的に『改築』に該当するかどうかを解釈することが不可能になり、税務実務に大きな支障が生じ、かつ税負担の公平に反する結果をもたらすことになりかねないと主張する。確かに、既存の建物を取り壊した後、しばらく経ってから新しい建物を建築した場合に、それが『改築』であるのか『新築』であるのかの判断が困難になることは予想されるところである。そして、Yのいう『改築』概念でもそのようなことが起こりうる。しかし、それは社会通念上相当な期間を定めて『改築』か『新築』かを区別し、統一的に運用すればよいことである。そして、他に『改築』及び『新築』の意味を上記のように解釈した場合に、Y主張のような問題が生じるとは考えられない。」
「前記事実経過によれば、…これが、『改築』すなわち『既存の建物の全部または一部を取り壊して新たに建物を建てたこと』に該当することは明らかである。」

〔コメント〕

1　第一審判断における縮小解釈問題

本件静岡地裁と本件東京高裁では、その結論を異にしている。すなわち、地裁は、「措置法上明文をもって他の法規と異なる意義をもって使用していることを明らかにする特段の定めは存在せず、また、本件全証拠をもってしても、租税法規の体系上他の法規と異なる意義をもって使用されていると解すべき実質的な理由も認められない」として、措置法41条にいう「改築」の意義については建築基準法上の「改築」と同一の意義に解すべきと判示する。これに対して、高裁においては、「法文から用語の意味を明確に解釈できない場合には、立法の目的及び経緯、法を適用した結果の公平性、相当性等の実質的な事情を検討のうえ、用語の意味を解釈するのが相当」であるとした上で、「改築」が建築基準法の「改築」に当たらないとしている。

これらは、租税法が他の法律分野におけると同じ概念を用いている場合に、当該法律分野におけると同じ意義に解するべきかどうかといういわゆる借用概念論を前提とした議論である[5)]。本件地裁判決は「改築」という概念を借用概念の統一説の立場から判示し、本件高裁判決よりも狭く解釈している。

そこで、地裁判決のような統一説による判断はいわば縮小解釈となっており、かような解釈は許容されるべきではないという議論が惹起される。けだし、課税減免規定の縮小解釈は、通常の課税要件の拡張解釈と同じ意味を有するとみることもできるからである[6)]。

5）借用概念論については、酒井・ステップアップ第2章④～⑨も参照。

6）想定し得る見解として、「租税法規のうち課税減免規定については、ときに、これを例外規定ないし特例として捉えたうえで、解釈の厳格性を狭義性と同視し解釈の狭義性の要請を殊更に強調するかのような見解（たとえば最判昭53・7・18訟月24巻12号2696頁参照）もみられるが、それが縮小解釈を意味するのであれば問題である。課税減免規定の縮小解釈は、通常の課税要件規定の拡張解釈と同じく、納税義務の拡大ないし創設を帰結することになるからである。そもそも、解釈の厳格性と狭義性とは論理的には別次元の問題である。厳格な解釈の要請によれば、租税法規については、納税者の有利・不利にかかわらず、文理解釈によって明らかにされる通常の意味（これは広義または狭義であり得る）を拡張したり縮小したりすることは許されない」という主張があろう。このような論点を提示するものとして、谷口勢津夫「言行不一致」佐藤英明編『租税法演

2　本件地裁判断を覆す本件高裁判断の構成

本件東京高裁は、本件静岡地裁の採用する建築基準法上の概念と合致させて理解すべきとするいわゆる統一説による解釈を次の二つの観点から否定している。

第一に、本件静岡地裁のいう統一説による解釈を展開するためには、それ以前に、措置法にいう「改築」と建築基準法における「改築」とが同義であることが必要であるとする。

この点、本件東京高裁は、「優良な住宅ストックの確保という措置法の目的からすると、建て替え後の建物がより強固な構造である場合に、措置法上、新築であるとして、より不利益な扱いを受けることは合理的ではない。」とした上で、「むしろ、構造について先に検討したところからすると、建築基準法の概念を借用することは、優良な住宅ストックの確保という措置法の本来の目的に反する結果をもたらすとさえいえる」とする。

しかしながら、建築基準法が、用途、規模、構造等が異なる結果、それが新たな危険性を生ぜしめるものであれば、建物の安全性その他の点について調査確認をする必要があるとしていることと、そのような建物は優良な住宅ストックの確保という措置法の目的から「改築」として捉えないとしていることとは異なる方向性を有しているわけではないのではなかろうか。

本件東京高裁の考え方を敷衍すれば、仮に「建て替え後の建物がより強固な構造である場合」に建築確認がなく建築できないとすると、建築基準法の目的である「国民の生命、健康及び財産の保護」に反することになるから、建築確認をすることが、同法の本来の目的に反するということになるのであろうか。

「建て替え後の建物がより強固な構造である場合」に本来的な意味からすれば建築確認の必要はないにもかかわらず建築確認を要することと7)、同様の場合でも「改築」に当たらないと同控除が適用できなくなることとは同種の性質を有するといえるのではなかろうか。

措置法41条は、本来的に優良な住宅ストックの確保という目的を有しており、そのための要件を定めていることに変わりはないのであって、これは一種の政策上の決め事であるから、ときには「建て替え後の建物がより強固な構造」であったとしても控除が適用できないという事態が生じることもあり得るが、そのことをもって建築基準法にいう「改築」と同義に解釈をすることを否定する直接的な根拠とはなり得ないのではないかという反論が考えられる。

第二に、本件静岡地裁のいう統一説は本来の統一説の理解から乖離していると指摘する。借用概念論を厳格に理解すると借用概念とは「私法」における概念を租税法に適用させる際の議論であるという点に重きを置き、そうであるとすれば、

習ノート21〔第３版〕』346頁（弘文堂2013）。

7）建築確認の留保の適法性については、最高裁昭和60年７月16日第三小法廷判決（民集39巻５号989頁）参照。

住宅建築に係る法分野における私法としては借地借家法が妥当するであるとする。

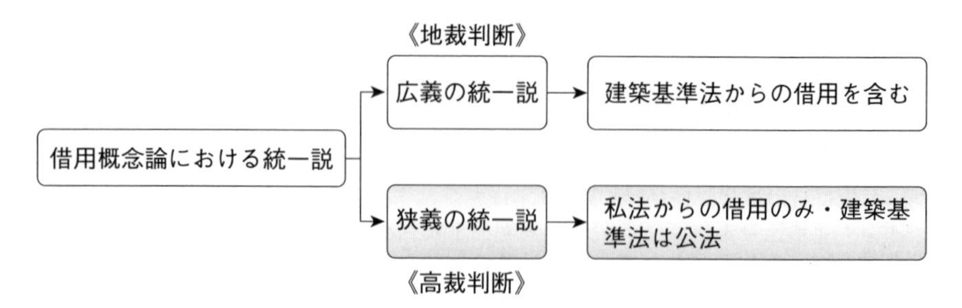

この点につき、金子宏教授は、「建築基準法は、建築規制という特定の行政目的達成のための法律であるから、租特41条にいう『改築』の概念は、同法からの借用概念であるとはいえない。」と論じられる8)。

「借用概念」については、私法と同じ意味で捉えるべきあるとする見解は、現在の通説であるといえよう。

金子教授は、「他の法分野におけると同じ意義に解釈するのが、租税法律主義＝法的安定性の要請に合致している。すなわち、私法との関連で見ると、納税義務は、各種の経済活動ないし経済現象から生じてくるのであるが、それらの活動ないし現象は、第一次的には私法によって規律されているから、租税法がそれらを課税要件規定の中にとりこむにあたって、私法上におけると同じ概念を用いている場合には、別意に解すべきことが租税法規の明文またはその趣旨から明らかな場合は別として、それを私法上におけると同じ意義に解するのが、法的安定性の見地からは好ましい。その意味で、借用概念は、原則として、本来の法分野におけると同じ意義に解釈すべきであろう。」とされている9)。

「借用概念」を、私法上の概念との関係に限定していると理解すれば、直接に公法たる建築基準法上の概念を住宅借入金等特別控除の概念の解釈に持ち込むことは、借用概念論の射程外なのかもしれない。他方、同理論の根拠を法的安定性に見出すとすれば、住宅建設行政上の概念理解をその一環である住宅借入金等特別控除の概念理解の上での基礎とすることが法的安定性の要請に合致することにならないかという反論も展開され得る。

住宅借入金等特別控除というものが「住宅対策の一環」をなしていること、建築基準法を所管する国土交通省（旧建設省）の税制改正要望が同制度の改正に大きく影響を及ぼしていることについては多言を要しないであろう。また、「大規模の修繕」、「大規模の模様替」、「床」、「建築基準法施行令第3章及び第5章の4の規定に適合させるための修繕又は模様替」、「高床式住宅」、「確認済証」などの概

8）金子・租税法126頁。
9）金子・租税法127頁。

念が、建築基準法の規定を引いていることは事実であるし（現行措令26㉘一、二、四、措規18の21⑩、⑮）、取扱いにおいても多くの局面で建築基準法を基礎として解釈されている。また、住宅取得等特別控除の対象に一定の増改築等のための借入金等が加えられる旨の改正が行われた際の考え方を示した『国税庁・昭和63年改正税法のすべて』における用語の解説において、措置法の「改築」の意義を建築基準法上のそれと一致させている事実は、少なくとも立法当局者が建築基準法のそれと同義であることを前提としていることを裏付ける根拠の一つとなり得ると解される。したがって、住宅借入金等特別控除に係る概念の解釈上、文言規定から明らかである場合は別として、そうでない限り、原則的には建築基準法を基礎とした解釈を行うとしても妥当性がないとはいえないのではないかという反論も可能であろう。

裁判例の紹介

住宅借入金等特別控除の始期

消費貸借契約の締結日が住宅を居住の用に供した日の属する年の翌年となる場合は、控除期間の始期を当該消費貸借契約の締結日の属する年と解すべきであるとの主張が排斥された事例

（370第一審宇都宮地裁平成８年10月２日判決・税資221号20頁）

〔事案の概要〕

Ｘ（原告）は、昭和63年12月10日に住所地に家屋（以下「本件家屋」という。）を新築し、同月18日にこれを居住の用に供した。Ｘは、本件家屋を取得するに当たり、同年８月31日にＴ共済組合から借入れを行い、更に同年12月26日にＲ労働金庫から、翌64年１月３日にＪ金融公庫から借入れを行った。Ｘは、昭和63年分の所得税につき、Ｔ共済組合、Ｒ労働金庫からの借入金に係る住宅取得等特別控除（現「住宅借入金等特別控除」）の適用を受けたものの、Ｊ金融公庫からの借入金については、消費貸借契約の締結日が居住開始の翌64年であったため、63年末における年末残高がなく、同控除の適用を受けることができなかった。

Ｘは、その後、平成元年分ないし同４年分の４年間にわたってＴ共済組合、Ｒ労働金庫及びＪ金融公庫からの借入金に係る住宅取得等特別控除を受けた。さらに、Ｘは平成５年分について、Ｊ金融公庫からの借入金についての住宅取得等特別控除の申告を行ったところ、既に家屋を居住の用に供した日の属する年から５年が経過しているから、同控除の適用はないとして、税務署長Ｙ（被告）による更正処分を受けた。

〔争点〕
平成5年分の所得税につき、租税特別措置法41条1項の適用があるか否か。

〔判決の要旨〕
○　宇都宮地裁平成8年10月2日判決

「1　税法の解釈、適用については、侵害規範としての性質上、法的安定性が強く要請されるから、原則として文理解釈によるべきであって、みだりに拡張解釈や類推解釈を行うことは許されない。とりわけ、租税特別措置法41条1項所定の住宅取得等特別控除が、持家取得の促進を目的として創設された特別の減税措置であることにかんがみると、右規定の適用に当たっては、一般納税者との間の課税の公平、中立の見地から、厳格な解釈が要請されるというべきである。

2　租税特別措置法41条1項の住宅取得等特別控除は、居住者が居住用家屋を新築し、又は新築若しくは既存の居住用家屋を取得するなどして、昭和61年1月1日から平成元年12月31日までの間にその者の居住の用に供した場合（これらの家屋をその取得等の日から6月以内に居住の用に供した場合に限る。）において、その者が当該住宅の取得等に要する資金に充てるための借入金又は債務の金額を有するときは、当該居住の用に供した日の属する年以後5年間の各年のうち、合計所得金額が3,000万円以下である年について、その適用が認められるものである。

これを本件についてみるのに、Xが本件家屋を居住の用に供した日は、昭和63年12月18日であるから、Xにつき住宅取得等特別控除の適用を認めうるのは、昭和63年分から平成4年分の各年分の所得税についてであって、平成5年分の所得税につき右特別控除の適用の余地がないことは一義的に明らかである。

Xは、消費貸借契約の締結日が住宅を居住の用に供した日の属する年の翌年となる場合は、当該消費貸借契約に関しては、控除期間の始期を当該消費貸借契約の締結日の属する年と解すべきである旨主張するが、前記1の説示に照らし、X独自の見解であって採用することができない。」

〔コメント〕
Xは、居住開始日と消費貸借契約の締結日が同一年にある場合に比し不当に差別的な取扱いを受けることになるとして、租税特別措置法41条1項所定の居住開始年月日の判定においては、「ただし、住宅取得のための借入金で、その消費貸借契約の締結日が居住を開始した日の属する年の翌年となるものがある場合には、当該借入金については、その消費貸借契約の締結日の属する年から起算して5年間、控除を受けることができる。」とのただし書を加えて解釈すべきであると主張した。Xは、このように解釈しない限り、平等の理念に反し違憲となり無効であるとするのである。

このような主張に対し、本件宇都宮地裁は、「税法の解釈、適用については、侵害規範としての性質上、法的安定性が強く要請されるから、原則として文理解釈によるべきであって、みだりに拡張解釈や類推解釈を行うことは許されない。」とした上で、「とりわけ、租税特別措置法41条1項所定の住宅取得等特別控除が、持家取得の促進を目的として創設された特別の減税措置であることにかんがみると、右規定の適用にあたっては、一般納税者との間の課税の公平、中立の立場から、厳格な解釈が要請されるというべきである。」としている。

租税法の解釈において、拡張解釈や類推解釈をみだりに行い得ないことは、それらが侵害規範としての性質から演繹されることは理解しやすい。しかし、住宅借入金等特別控除は、侵害規範ではなく、侵害規範の例外的規定であることからすれば、本件宇都宮地裁が「税法の解釈、適用については、侵害規範としての性質上、法的安定性が強く要請されるから、原則として文理解釈によるべきであって、みだりに拡張解釈や類推解釈を行うことは許されない。」と説示している点については、疑問が惹起されなくもない。

侵害規範であることを前提とする租税法の性質から、住宅借入金等特別控除における解釈の狭義性・厳格性を直接導き出すのは、論理の飛躍がありそうである。住宅借入金等特別控除の解釈において、狭義性・厳格性が要請されるのは、租税法一般の解釈態度からではなく、租税特別措置法規定が租税負担の公平原則に対する例外であり、そのことから、租税特別措置法規定の解釈の狭義性・厳格性は説明されるべきであり、住宅借入金等特別控除の解釈論はその文脈で理解すべきと考えるからである。

ところで、租税特別措置法41条の対象となる借入金に係る消費貸借契約の成立については、諾成契約としての金銭消費貸借を前提としていると解される。したがって、例えば、住宅金融公庫からの借入金など年内に入居し年内に金銭消費貸借契約を締結しても、住宅金融公庫の事務の都合によって資金交付日が入居の翌年になる場合であっても、当該金銭消費貸借契約に係る借入金の年末残高は、適用対象とされている。

しかしながら、租税特別措置法41条は、あくまでも住宅の取得等に係る年末残高に対して控除を行う制度であるから、金銭消費貸借契約が翌年になってしまったような場合には、居住の用に供した年の借入金年末残高がそもそもない。X主張のような拡張解釈によって同控除の適用を認める余地はないと解される。

裁決例の紹介

親族所有の家屋に対する増改築

父親所有の家屋に増改築を行った場合には、増改築後に当該家屋を取得したとしても住宅取得等特別控除の適用はないとされた事例

（371国税不服審判所平成11年9月1日裁決・裁決事例集58号140頁）

〔事案の概要〕

昭和52年に父A名義の所有権保存登記がされている家屋（以下「本件家屋」という。）について、X（請求人）は、平成9年に金融機関から1,420万円を借入れて、その資金を基に増改築を行った。その後、Xは本件家屋につき2分の1部分の所有権を有するに至った。

Xは、本件家屋の増改築について、住宅取得等特別控除（現「住宅借入金等特別控除」）を適用して確定申告をしたが、税務署長Y（原処分庁）は、本件増改築はXが所有していない家屋について行われたものあるため、住宅取得等特別控除は適用できないとして、更正処分を行った。

Xは、「平成9年分住宅取得等特別控除チェック表（増改築用）」（以下「本件チェック表」という。）には、「増改築等をした家屋の所有者は申告者と同一ですか。」とのチェック項目の印字がされている点を取り上げ、「その記載内容は増改築時点での家屋の所有の有無を確認しているものではないから、確定申告時点で家屋を所有していれば、増改築時点で家屋を所有していなくても、住宅取得等特別控除は適用されるべきである。」と主張した。

〔争点〕

父親所有の家屋に増改築を行った場合には、増改築後に当該家屋を取得したとしても住宅取得等特別控除の適用はないとする更正処分の適法性如何。

〔裁決の要旨〕

○　国税不服審判所平成11年9月1日裁決

「措置法第41条第3項は、住宅取得等特別控除の対象となる家屋の増改築等とは『当該居住者が所有している家屋につき行う増築、改築その他の政令で定める工事』であると規定しており、増改築時点で当該家屋を所有していることが住宅取得等特別控除の適用を受けるための要件であると解される。

イ　この点、Xは、確定申告時に所有（共有）名義があれば、住宅取得等特別控除が認められるべきである旨主張する。

しかしながら、措置法第41条は、税制上の優遇措置を設けることにより、住宅の取得等の促進を図る趣旨の規定であり、かかる趣旨からすれば、増改築後に初めて共有持分を取得するに至った場合にも住宅取得等特別控除の適用を認めるべきであるとの議論も成り立ち得るが、それはあくまで、立法上の議論であって、同条第３項の文言上かかる解釈は困難であり、一般に租税法規についてその記載の文言を離れてみだりに拡張解釈をすることは、租税法律主義の見地に照らし相当でないところ、特に措置法にあっては、国の一定の政策を推進するために定められた税負担の軽減の特則又は例外規定であるから、その解釈は厳格に行われるべきものである。

したがって、増改築後に初めて共有持分を取得するに至った場合にも住宅取得等特別控除の適用を認めるべきであるとのＸの見解は、現行法上採り得ないというべきである。

ロ　また、Ｘは、本件チェック表に『増改築等をした家屋の所有者は申告者と同一ですか。』とのチェック項目が印字されていることをもって、確定申告時点で家屋を所有していれば、増改築時点で家屋を所有していなくても住宅取得等特別控除を適用すべきである旨主張している。

しかしながら、本件チェック表は、納税者に住宅取得等特別控除の制度を周知し自ら確認させ、その正しい理解を促すとともに、同制度の適用誤り並びにその手続及び添付書類の不備を防止し、この制度の円滑適正な運用を図るため、納税者の誤りやすい項目を簡潔に記載して各納税者に交付しているにすぎず、本件チェック表の記載内容いかんが措置法の解釈及び適用を左右するものではない。

また、当審判所の調査によっても、本件チェック表の記載内容に誤りはなく、格別これが不相当であるとは認められない。

したがって、この点に関するＸの主張は採用できない。」

〔コメント〕

本件のポイントは、他人所有の家屋についての増改築が住宅借入金等特別控除の適用対象となるかどうかという問題であると見ることができる。

租税特別措置法41条３項は、控除対象となる家屋の増改築等について、「当該居住者が所有している家屋につき行う増築、改築その他の政令で定める工事」と規定しており、居住者が増改築等の段階で既に家屋を所有している必要があると解される。

この点について、「増築の場合には物理的に増床を伴うことから、居住用家屋の新築と類似する。」として、「住宅等の促進という観点からも、せめて一定規模の増築の場合には、もう少し弾力的な取扱いが設けられてもよいのではないか。」との見解もある[10]。しかしながら、増床を伴うことから新築と類似するといって、租税特別措置法が新築の場合と増改築の場合とで、その適用要件を厳格に区別している点を度外視することはできない。新築と類似しているか類似していないかというだけで適用のハードルを下げたり上げたりするというような解釈態度は、裁量の余地をできるだけ排除し、法を安定的に適用すべきであるとする考え方に反するものであり妥当性を有しないと考える。租税負担の平等原則の例外として、厳格な要件に合致した場合にのみ、租税負担を減免するという住宅借入金等特別控除の解釈においては、解釈の狭義性・厳格性が要請されるのであるから、本件においても、租税特別措置法41条3項の規定に忠実に解釈をすべきであろう。

したがって、かかる規定を厳格に解釈する解釈態度からは、Xの「確定申告時点で家屋を所有していれば、増改築時点で家屋を所有していなくても、住宅取得等特別控除は適用されるべきである。」という主張を肯定するような結論は導出し得ない。また、本件チェック表に「増改築等をした家屋の所有者は申告者と同一ですか。」というチェック項目が印字されていたとしても、そのことは租税特別措置法41条の拡張解釈を許容する根拠ともなり得ないであろう。

裁判例の紹介

勤務先からの借入れ

勤務先を介するものではあったが、その借入先はC銀行であって、使用者である勤務先から借り入れたものではない場合の借入金は住宅借入金等特別控除の対象とはならないとされた事例

（372第一審横浜地裁平成15年9月3日判決・税資253号順号9423）[11]

〔事案の概要〕

平成11年10月25日に、A不動産会社から宅地（以下「本件土地」という。）を購入したX（原告）は、本件土地の取得に要する資金に充てるため、勤務先を介してC銀行に対して、2,000万円の住宅融資（以下「本件借入金」という。）の申込みを行い、同年12月に借入金の実行を受けた。さらに、Xは、本件土地上の居住用家屋の新築に要する資金に充てるため、住宅金融公庫に対して1,540万円の融資の申込みを行い、平成12年8月に融資の実行を受けた。

また、Xは、R社との間に平成11年11月に本件土地上に居宅（以下「本件家

10）高橋享二「住宅取得等特別控除の対象となる『増改築等』の意義」税務事例33巻8号24頁（2001）。

11）判例評釈として、山口智子・税務事例36巻3号28頁（2004）参照。

屋」という。）を建築させる旨の工事請負契約を締結し、翌平成12年6月に本件土地上に本件家屋を新築し、これを居住の用に供した。

この際、本件家屋には、本件借入金についての債務を保証した勤務先の当該保証委託契約の求償債権を担保するため、平成14年12月18日付けで抵当権者を勤務先とする抵当権が設定されている。

Xは、当初平成12年分の所得税について、住宅金融公庫からの借入金に係る住宅借入金等特別控除のみ適用を受ける確定申告書を提出していたが、その後、本件借入金に係る住宅借入金等特別控除の適用をすべき更正の請求をした。これに対して税務署長Y（被告）は更正をすべき理由がない旨の通知（本件処分）をした。Xは、本件処分を不服として、本訴に及んだ。

〔争点〕

勤務先を仲介する本件借入金は住宅借入金等特別控除の対象となる借入金に該当するか否か。

〔判決の要旨〕

○　横浜地裁平成15年9月3日判決

「⑴　特措法41条1項の規定の内容

特措法41条1項は、その1号ないし4号において、『住宅借入金等を有する場合の所得税額の特別控除』を受けるための要件について具体的に規定しており、住宅を取得するための借入金等があるからといって、当然に上記所得税額の特別控除を受けることができるものでないことはいうまでもないのであって、上記1号ないし4号の規定する要件を充足する場合にはじめて、上記特別控除を受けることができるのである。

ところで、特措法41条1項1号は、『金融機関…から借り入れた借入金…で政令で定めるもののうち、…とされているもの』と規定しており、住宅の取得等に要する資金に充てるために金融機関から金銭を借り入れた場合において、政令で定める一定の要件を充足するものに限り、所得税額の特別控除を認めている。

そして、特措法41条1項4号は、『その者に係る使用者（その者が29条1項に規定する給与所得者等である場合における同項に規定する使用者をいう。…）から借り入れた借入金…で、…とされているもの』と規定しており、住宅の取得等に要する資金に充てるために使用者から金銭を借り入れた場合においても、一定の要件を充足するものに限り、所得税額の特別控除を認めている。

⑵　本件借入金が特措法41条1項4号の要件を充足するかどうかについての検討

Xは、本件借入金が特措法41条1項4号の要件を充足するものであると主張する。
　しかし、本件借入金は、基礎となる事実…のとおり、勤務先を介するものではあったが、その借入先はＣ銀行であって、使用者である勤務先から借り入れたものではない。
　そして、特措法41条１項４号にいう『使用者から借り入れた借入金』とは、使用者と被用者との間で金銭消費貸借契約が締結され、これに基づいて被用者が使用者から金銭の交付を受ける場合における、そのような借入金を指すものと解されるのである。
　そうであるとすると、本件借入金は、特措法41条１項４号に規定する『使用者から借り入れた借入金』に該当しないことは明らかというべきである。
　したがって、その余の点についてみるまでもなく、本件借入金について特措法41条１項４号の規定に基づく住宅借入金等特別税額控除額を受ける余地はないというほかはない。
(3)　本件借入金が特措法41条１項１号の要件を充足するかどうかについての検討
　本件借入金はＣ銀行からの借入金であるので、念のため、本件借入金が特措法41条１項１号の要件を充足するものでないかどうか検討する。
　特措法41条１項１号の委任を受けた特措法施行令26条７項６号は、住宅借入金等特別税額控除が認められるためには、当該借入金に係る金融機関の債権を担保するため居住用家屋に抵当権の設定がされたこと、又は、当該借入金についての債務の保証に係る求償権を担保するため居住用家屋に抵当権の設定がされたこと、を要件として規定している。
　しかし、本件借入金について、債務の保証に係る求償権を担保するため本件家屋に抵当権の設定がされたのは、基礎となる事実…のとおり、平成14年12月18日になってのことであり、本件処分時には未だ抵当権は設定されていなかったところである。
　したがって、本件借入金が特措法41条１項１号の要件を充足するものではないことも明らかというべきである。」

〔コメント〕
　上記のとおり、本件横浜地裁は、「Ｘは、本件借入金が特措法41条１項４号の要件を充足するものであると主張する。しかし、本件借入金は、…勤務先を介するものではあったが、その借入先はＣ銀行であって、使用者である勤務先から借り入れたものではない。そして、特措法41条１項４号にいう『使用者から借り入れた借入金』とは、使用者と被用者との間で金銭消費貸借契約が締結され、これに基づいて被用者が使用者から金銭の交付を受ける場合における、そのような借入金を指すものと解されるのである。そうであるとすると、本件借入金は、特措法

41条１項４号に規定する『使用者から借り入れた借入金』に該当しないことは明らかというべきである。」と判断した。

また、租税特別措置法41条１項１号の規定に該当するかどうかについては、同法施行令26条７項６号は、住宅借入金等特別控除が認められるためには、当該借入金に係る金融機関の債権を担保するために居住用家屋に抵当権の設定がされたこと、又は、当該借入金についての債務の保証に係る求償権を担保するために居住用家屋に抵当権の設定がされたこと、を要件として規定しているものの、「本件家屋に抵当権の設定がされたのは、…平成14年12月18日になってのことであり、本件処分時には未だ抵当権は設定されていなかったところである。」と認定した。

かように、本件横浜地裁は、本件借入金は租税特別措置法41条１項１号及び４号の要件のいずれをも充足するものではないと判断したのである。

居住用家屋の敷地の用に供する土地等をその新築の日前２年以内に取得した場合における当該土地等の取得に要する資金に充てるための借入金のうち、金融機関等からの借入金が住宅借入金等特別控除の対象となる住宅借入金等は、次のいずれかの抵当権が設定されている必要がある（措令26⑧六）。すなわち、①金融機関等からの借入金に係る債権を担保するための当該家屋を目的とする抵当権、②当該借入金に係る債務を保証する者の当該保証に係る求償権を担保するための当該家屋を目的とする抵当権、③当該借入金に係る債務の不履行により生じた損害をてん補することを約する保険契約を締結した保険者の当該てん補に係る求償権を担保するための当該家屋を目的とする抵当権である。

本件は、本人と銀行との間に金銭消費貸借契約が締結されており、借入金の返済がいわゆる天引きであったとしても、会社は本人との保証委託契約に基づく保証人にすぎないのであるから、当該土地等に係る借入金が銀行からの借入金であることは明らかであり、これを会社からの借入金とする根拠は認められない。

したがって、本件のように上記の①から③のいずれかの抵当権の設定もない場合には、当該土地等に係る借入金は住宅借入金等特別控除の対象とはならないとして、適用要件は厳格に規定されており、そこに拡張解釈の余地はないと解されるのである。

4　政党等寄附金特別控除

いわゆる政党等寄附、すなわち政党又は政治資金団体に対する政治活動に関する寄附（政治資金規正法に違反することとなるもの及びその寄附した者に特別の利益が及ぶと認められるものを除く。）で、総務大臣又は道府県選挙管理委員会に報告されたものは、選択により寄附金控除に代えて、次の金額をその年分の所得税額から控除することができる（措法41の18②）。ただし、その年分の所得税額の25％相当額を限度とする。

$$\left(\begin{array}{l}\text{その年中に支出した政党等}\\\text{に対する寄附金の合計額}\end{array} - 2{,}000\text{円}\right) \times 30\% = \begin{array}{l}\text{政党等寄附金特別控除額}\\\text{（100円未満の端数切捨て）}\end{array}$$

5　認定 NPO 法人等寄附金特別控除

認定特定非営利活動法人（認定 NPO 法人）に対して支出したその認定 NPO 法人が行う特定非営利活動に係る事業に関連する寄附金については、寄附金控除との選択により次の金額をその年分の所得税額から控除することができる（措法41の18の２②）。ただし、その年分の所得税額の25％相当額を限度とする。

$$\left(\begin{array}{l}\text{その年中に支出した}\\\text{認定 NPO 法人に対}\\\text{する寄附金の合計額}\end{array} - 2{,}000\text{円}\right) \times 40\% = \begin{array}{c}\text{認定 NPO 法人等}\\\text{寄附金特別控除}\\\text{（100円未満の端数切捨て）}\end{array}$$

6　公益社団法人等寄附金特別控除

指定寄附金のうち、①公益社団法人及び公益財団法人、②学校法人等、③社会福祉法人、④更生保護法人（その運営組織及び事業活動が適正であること並びに市民から支援を受けていることにつき一定の要件を満たすものに限る。）、⑤国立大学法人・公立大学法人、独立行政法人国立高等専門学校機構又は独立行政法人日本学生支援機構に対する寄付金（学生等に対する修学の支援のための事業に充てられることが確実であるものとして一定のもの）、⑥国立大学法人、大学共同利用機関法人、公立大学法人又は独立行政法人国立高等専門学校機構（学生又は不安定な雇用状態にある研究者に対するこれらの者が行う研究への助成又は研究者としての能力の向上のための事業に充てられることが確実であるものとして一定のもの）に対する寄附金については、寄附金控除との選択により次の金額をその年分の所得税額から控除することができる（措法41の18の３①）。ただし、その年分の所得税額の25％相当額を限度とする。

$$\left(\begin{array}{l}\text{その年中に支出した}\\\text{公益社団等に対する}\\\text{寄附金の合計額}\end{array} - 2{,}000\text{円}\right) \times 40\% = \begin{array}{c}\text{公益社団法人等}\\\text{寄附金特別控除}\\\text{(100円未満の端数切捨て)}\end{array}$$

7　特定増改築をした場合又は認定住宅を取得した場合の特別控除

居住者が令和３年12月31日までに居住の用に供している家屋について増改築等を行った場合、又は認定住宅を新築等して居住の用に供した場合には、「標準的な費用の額」の10％相当額をその年分の所得税額から控除することができる（措法41の19の２①②、41の19の３①～⑤、41の19の４①②）。この制度は、住宅借入金等特別控除等との選択適用である。

控除限度額及び控除率等は以下のとおりである。

①　住宅耐震改修特別控除

工事完了年	改修工事限度額	控除率	最大控除限度額
平成26年４月～令和３年12月	250万円	10％	25万円

②　住宅特定改修特別控除（その年の合計所得金額が3,000万円を超える場合は適用できない）

(i)　高齢者等居住改修工事等（バリアフリー改修工事等）

居　住　年	改修工事限度額	控除率	最大控除限度額
平成25年１月～令和３年12月	200万円	10％	20万円

(ii)　一般断熱改修工事等（省エネ改修工事等）

居　住　年	改修工事限度額	控除率	最大控除限度額
平成26年４月～令和３年12月	250万円（350万円）	10％	25万円（35万円）

㈱　かっこ内の金額は、省エネ改修工事等と併せて太陽光発電設備の設置工事を行う場合である。(iv)(v)に同じ。

(iii)　多世帯同居改修工事等（三世代同居改修工事等）

居　住　年	改修工事限度額	控除率	最大控除限度額
平成28年４月～令和３年12月	250万円	10％	25万円

(iv)　特定耐久性向上改修工事等（住宅耐震改修又は省エネ改修工事等と併せて実施）

居　住　年	改修工事限度額	控除率	最大控除限度額
平成29年４月～令和３年12月	250万円（350万円）	10％	25万円（35万円）

(v)　特定耐久性向上改修工事等（住宅耐震改修又は省エネ改修工事等と併せて実施）

居　住　年	改修工事限度額	控除率	最大控除限度額
平成28年４月～令和３年12月	500万円（600万円）	10％	50万円（60万円）

③　認定住宅新築等特別控除（その年の合計所得金額が3,000万円を超える場合には適用できない。控除不足額は翌年への繰越しができる。）

居　住　年	認　定　住　宅	認定住宅限度額	控除率	最大控除限度額
平成26年４月～令和３年12月	認定長期優良住宅 認定低炭素住宅	650万円	10％	65万円

第7章　申　告

I　申告納税制度の採用

1　申告納税制度の意義

所得税には、申告納税方式による税額の確定を前提とするものと、申告を要せずに税額が確定されるものがある。前者は、納税者の申告による確定手続を要する制度であるが、後者は、確定手続を要しない源泉徴収による所得税である。一般的には、申告納税方式によって納税義務を確定させる方法を申告納税制度というが、源泉徴収方式の仕組みを併せて納税義務の確定の手続を行う制度全般を申告納税制度と呼ぶこともあるため、前者については「狭義の申告納税制度」、後者については「広義の申告納税制度」と呼ぶ。

申告納税制度は、納税者自らが確定申告という手続を経て第一義的に納税者自身によって税額を確定させる仕組みである。自らが自らに税金を課すという意味で自己賦課を前提とした制度であり、これは納税者の法令遵守の精神に基づき主体的あるいは自発的な納税意識を基礎としてしか成り立ち得ないものである。同制度を維持するためには、納税者のコンプライアンスが重要である。この制度の下、納税者は、国民が自己同意（代表者を通じて立案に同意するという意味で「自己同意」という。）した法律に基づいて租税負担を行うという租税法律主義の理念を理解し、その上で、租税負担についての主体的な認識を持つ必要がある。いわば、申告納税制度は、近代民主的思想に合致した参画型社会の基盤となるといっても過言ではあるまい。

もっとも、申告納税制度が納税者の主体的な申告及びそれに伴う納税を前提とする制度であることからすれば、その申告内容については納税者が自ら責任を負い、過誤のない申告がなされることが前提となるとはいっても、申告は人間の行う行為であることから、事実の認識誤りや計算・記帳誤りもあるであろうし、法令に対する不知や誤解、期限の失念といったことも十分に考えられる。そこで、申告納税制度は当初申告という意味での「申告」のほか、自ら過誤の是正を行い得る修正申告という「申告」制度をも申告納税制度に内包することによって、爾後的な是正制度を用意しているのである。

他方で、同じ誤りではあっても、過大な納税となっていることが判明した場合には、「更正の請求」という制度を用意し、その際には税務署長に職権による過誤の是正を求めることができることとしている。ここにいう「更正」とは、税務署長が、申告などに現れた課税標準等又は税額等の計算が国税に関する法律の規定に従っていなかったとき、調査に基づいて当該申告書に係る課税標準等又は税額等を是正することをいう（通法24）。また、納税申告書を提出する義務があると認められる者が当該申告書を提出しなかった場合には、その調査に基づき当該申告書に係る課税標準等又は税額等を税務署長が「決定」することとしているのである（通法25）。

2　納税申告と申告内容の是正

納税申告には、次の三つの種類がある。

①　期限内申告…確定申告期限（翌年3月15日）までにする申告（所法120）

②　期限後申告…申告期限までに申告をしなかった者がその後にする申告

③　修 正 申 告…納税申告書に記載した課税標準等又は税額等が過少である場合に是正する申告

これらは、いずれも申告納税制度の下における主体的に納税者が行う税額確定手続である。ここで注意が必要なのは、前述のとおり修正申告も納税者の「主体的」な申告であるという点である。

Ⅱ　確定申告

1　一般の確定申告

確定申告は、①確定所得申告、②還付申告（還付等を受けるための申告）及び③確定損失申告に分けることができる。また、申告書の提出時期の区分によって一般の確定申告のほかに、準確定申告（死亡又は出国の場合の確定申告）もある。

なお、確定申告期間中に提出済みの申告内容を是正する「訂正申告」は、修正申告や更正の請求とは異なり、申告期間中の申告書の再提出を意味し、課税実務上、最後に提出された申告書が効力を有することとして取り扱われている（所基通120－４）。

(1)　確定所得申告

確定所得申告書は、その年分の総所得金額、分離課税の課税配当所得金額、分離課税の長期（短期）譲渡所得金額（特別控除後）、一般株式等に係る譲渡所得等の金額、上場株式等に係る譲渡所得等の金額、先物取引に係る雑所得等の金額、退職所得の金額及び山林所得の金額の合計額が雑損控除その他の所得控除の額の合計額を超える場合で、これらの課税所得金額に係る算出税額が配当控除額を超えるときに提出を義務付けられている納税申告書である（所法120①、措令４の２⑧、20③、21⑦、25の８⑮、26の23⑤、災免法３⑥）。その申告時期は翌年２月16日から３月15日までとされている。

確定申告を要する者を列記すると、おおむね次のとおりである（所法120①、121、所令262の２）。

イ　給与所得者の場合

給与所得者の多くは、「年末調整」の方法により所得税が精算されるので、確定申告をする必要がない。ただし、次のいずれかに該当する者は、確定申告をしなければならない。

①　年間の給与収入が2,000万円を超える場合

②　給与所得や退職所得以外の所得の合計額が20万円を超える場合

✍ 給与所得や退職所得以外の所得には、①株式等の売買益、②利付債等の償還差益、③外貨預金の為替差益、④生命保険の満期一時金や年金、⑤原稿料、講演料、⑥不動産の賃貸料、⑦貸付金の利子等の所得などがある。

③　複数の会社などから給与を受けている場合

✍「年末調整をされていない給与収入＋給与所得や退職所得以外の所得の合計額」が20万円以下の場合は、申告を要しない。

✍「給与収入の合計－雑損控除、医療費控除、寄附金控除及び基礎控除以外の所得控除の合計額」が150万円以下で、「給与所得や退職所得以外の所得の合計額」が20万円以下の場合は、申告を要しない。

✍ 給与所得者で年末調整により源泉徴収が行われている者について、その他の所得が20万円以下である場合には、確定申告を要しないが、この場合の給与所得以外の所得は非課税ではないので、給与所得者が医療費控除などを適用し所得税の還付を受けるため所得税の確定申告書を提出するときには、これらの給与所得以外の所得も含めて申告する必要がある。また、住民税は、前年中の所得を基準として課税され、給与所得について年末調整が行われるような仕組みがとられていないので、給与所得以外の所得がある場合には、所得税の確定申告書を提出した場合を除き、住民税の申告が必要となる。

④　在日の外国公館に勤務する者など、給与から所得税を源泉徴収されていない場合

⑤　災害減免法の適用を受け、給与について源泉徴収の猶予や還付を受けた場合

ロ　退職所得がある場合

退職所得は、原則として確定申告をする必要がないが、退職金を受け取るときに20％の税率で源泉徴収された場合で、その源泉徴収税額が正規の税額よりも少ないときは申告が必要となる。

(2)　還付申告（還付等を受けるための申告）

確定申告義務のある者又は確定損失申告をすることができる者以外の者であっても、その年分の所得税について、次の場合には、これらの税額の還付を受

けるため、一定の事項を記載した申告書を提出することができる（所法122①）。

① 所得税額の計算上控除し切れない外国税額控除がある場合

② 確定申告により納付すべき税額の計算上控除し切れない源泉徴収税額や予定納税額がある場合

⑶ 確定損失申告

次のいずれかの場合に該当するときは、その年の翌年以後に純損失の繰越控除、雑損失の繰越控除、上場株式等に係る譲渡損失の繰越控除、特定株式に係る譲渡損失の繰越控除、居住用財産の買換え等の場合の譲渡損失の繰越控除、特定居住用財産の譲渡損失の繰越控除、先物取引の差金決済等に係る損失の繰越控除を受けるため、又はその年分の純損失の金額について純損失の繰戻しによる還付を受けるために、確定損失申告書を提出することができる（所法123①、措法37の12の２⑨、37の13の２⑩、41の５⑬、41の５の２⑫、41の15⑤）。

① その年に純損失の金額が生じた場合

② その年に生じた雑損失の金額が、総所得金額、分離課税の配当所得金額、分離課税の長期（短期）譲渡所得金額（特別控除後）、一般株式等に係る譲渡所得等の金額、上場株式等に係る譲渡所得等の金額、先物取引に係る雑所得等の金額、退職所得の金額及び山林所得の金額の合計額を超える場合

③ その年の前年以前３年内の各年に生じた純損失の金額、雑損失の金額、居住用財産の買換え等の場合の通算後譲渡損失の金額、特定居住用財産の通算後譲渡損失の金額（前年以前において控除されたもの及び純損失の繰戻しによる還付を受ける金額の計算の基礎となるものを除く。）の合計額が、これらの金額を控除しないで計算した場合のその年分の総所得金額、分離課税の配当所得金額、分離課税の長期（短期）譲渡所得金額（特別控除後）、一般株式等に係る譲渡所得等の金額、上場株式等に係る譲渡所得等の金額（雑損失の場合に限る。）、先物取引に係る雑所得等の金額（雑損失の場合に限る。）、退職所得の金額及び山林所得の金額の合計額を超える場合

④　その年及びその前年以前3年内の各年に生じた上場株式等に係る譲渡損失の金額が、その年分の上場株式等に係る譲渡所得等の金額を超える場合

⑤　その年及びその前年以前3年内の各年に生じた特定株式に係る譲渡損失の金額が、その年分の一般株式等に係る譲渡所得等の金額及び上場株式等に係る譲渡所得等の金額を超える場合

⑥　その年及びその前年以前3年内の各年に生じた先物取引の差金等決済に係る損失の金額が、その年分の先物取引に係る雑所得等の金額を超える場合

✍　繰越控除や繰戻還付については、703頁以下を参照されたい。

2　準確定申告

(1)　死亡の場合の確定申告

確定所得申告書を提出すべき者がその年の中途で死亡した場合、相続人は、その相続の開始があったことを知った日の翌日から4か月を経過した日の前日（相続人が出国する場合にはその出国の日、以下同じ。）までに、被相続人の1月1日から死亡の日までの所得金額に係る確定所得申告書を被相続人の納税地の所轄税務署長に提出しなければならない（所法125①）。

裁判例の紹介

限定承認と法定納期限

相続人が相続の開始があったことを知った日から4か月を経過した後に限定承認の申述受理の審判があった場合であっても、その法定納期限は、相続人が相続開始を知った日の翌日から4か月を経過した日の前日であるとされた事例

（373第一審東京地裁平成14年9月6日判決・訟月50巻8号2483頁）
（374控訴審東京高裁平成15年3月10日判決・訟月50巻8号2474頁）[1)]

1）判例評釈として、増田英敏・ジュリ1308号228頁（2006）、谷口豊・平成16年度主要民事判例解説〔判タ臨増〕242頁（2005）、東亜由美・租税百選〔4〕35頁（2005）、水野

〔事案の概要〕

平成12年11月８日に死亡したＡの法定相続人（子）であるＸら（原告・控訴人）及び訴訟承継前一審原告Ｂ（妻。以下「Ｂ」という。）は、平成13年２月28日に仙台家庭裁判所に相続の限定承認の申述をしたところ、同年３月27日にこれを受理する旨の審判が告知されたので、同年９月７日、上記限定承認に係る亡Ａのみなし譲渡所得について所得税の修正申告をし、これを納付した。これに対し、Ｓ税務署長は、上記相続人らに対し、上記所得税に係る平成13年３月９日から同年９月７日までの期間の延滞税を納付するよう通知した。これに不服の上記相続人らは上記納税義務の一部の不存在確認を求める本訴を提起したが、Ｂは平成14年１月１日に死亡し、Ｘらが平等の割合でその訴訟上の地位を承継した。

本件は、上記所得税の法定納期限は、限定承認の申述が受理されてから４か月を経過した日の前日である同年７月27日であって、同年３月９日から同年７月27日までの延滞税の納税義務を負わないとして、Ｘらが、国Ｙ（被告・被控訴人）に対し、上記期間に係る延滞税の納税義務不存在の確認を求めたのに対し、Ｙが、相続の限定承認に係るみなし譲渡所得に対する所得税の法定納期限は相続開始を知った日の翌日から４か月を経過した日の前日である同年３月８日であるから、Ｘらは上記納税義務を負うと主張して争われた事案である。

〔争点〕

所得税法59条１項に規定するみなし譲渡所得に対する所得税の法定納期限はいつと解すべきであるか。

〔判決の要旨〕

1　東京地裁平成14年９月６日判決

「限定承認に係る相続による資産の移転があった場合に、所得税法59条１項の規定により、被相続人の譲渡所得の金額の計算について資産の譲渡があったとみなされる時点である、同項の『その事由が生じた時』とは、いつの時点を指すものと解すべきかについて、検討する。

同項の文言をみるに、同項の『その事由』とは、同項柱書冒頭の『次に掲げる事由』を指すところ、この事由として、同項１号は『相続（限定承認に係るものに限る。）』を掲げている。そして、同項が『次に掲げる事由により（略）資産の移転があった場合には』と規定していることからすると、『次に掲げる事由』とは、資産の移転の原因となり得る事由、すなわち、『相続』を指すものであり、限定承認を指すものではないと解される。そうすると、所得税法の文言からすれば、同項の『その事由』とは、『相続』を指すものと解するのが相当で

恵子・税研148号58頁（2009）、水野忠恒・租税百選〔５〕76頁（2011）など参照。

ある。

また、同項は、その規定の位置及び文言から明らかであるように、譲渡所得の総収入金額の計算に関する特例規定であって、所得のないところに課税譲渡所得の存在を擬制したものではなく、同項に規定するみなし譲渡所得はあくまでも譲渡所得の一種というべきものである。そして、そもそも譲渡所得に対する課税は、資産の値上がりによりその資産の所有者に帰属する増加益を所得として、その資産が所有者の支配を離れて他に移転するのを機会に、これを精算して課税する趣旨のものである（最高裁昭和47年（行ツ）第４号同50年５月27日第三小法廷判決・民集29巻５号641頁参照）ところ、限定承認に係る相続についてみると、その資産の移転は相続開始時に生じるものである（民法896条）から、限定承認に係る相続に基因する譲渡所得（みなし譲渡所得）に対する課税は、相続の開始の時を捉えて行われるものであると解される。そうすると、実質的にみても、譲渡所得の金額の計算について資産の譲渡があったとみなされる時点である所得税法59条１項の『その事由が生じた時』とは、相続開始時を指すものと解するのが相当である。

以上に述べた同項の文言及び譲渡所得に対する課税の趣旨からすれば、同項の『その事由が生じた時』とは、相続開始時を指すものというべきである。

これに対し、Ｘらは、限定承認に係る相続については、同項の『その事由が生じた時』とは、限定承認の効力発生時、すなわち、限定承認の申述受理の審判の告知の時を指すと主張する。

しかしながら、そのように解すると、相続開始後限定承認の効力発生前に当該資産が値上がりした場合には、その増加益も被相続人の譲渡所得として課税されることになり、被相続人がその死後に生じた増加益についても課税される結果となって不合理であるばかりか、資産の所有者に帰属する増加益を精算して課税するという上記の譲渡所得に対する課税の趣旨に反することにもなり、妥当でない。

したがって、この点のＸらの主張は採用できない。」

「前記…のように解すると、限定承認に係る相続により譲渡所得の基因となる資産の移転があった場合には、所得税法59条１項により、被相続人の譲渡所得の金額の計算については、相続開始時に資産の譲渡があったものとみなされることになる。そうすると、みなし譲渡所得の金額は、同法125条１項の『居住者が年の中途において死亡した場合』における、準確定申告書の記載事項である『その年分の総所得金額』（所得税法120条１項１号）に含まれるというべきであるから、同法125条１項の準確定申告書に記載されるべきものであると解される。

また、同項の準確定申告書に記載する『その他の事項』として、所得税法施行令263条、所得税法施行規則49条が、『二　相続人が限定承認をした場合には、その旨』と規定していることからも、所得税法及びその関係規定は、限定承認の事実と併せて、それに基因するみなし譲渡所得の金額が、同法125条の準確定申告書に記載されることを予定しているものというべきである。
このように同法59条1項のみなし譲渡所得の金額が、同法125条の準確定申告書に記載されるべきものであるとすると、その法定申告期限及びそれに対する所得税の法定納期限は、相続人が相続の開始があったことを知った日の翌日から4月を経過した日の前日であると解するのが相当である（所得税法125条、129条）。」
「これに対し、Xらは、本件のように、限定承認の申述受理の審判の告知が相続開始時から4月を経過した後にされることもあるところ、みなし譲渡所得の金額については、限定承認の効力が生じない限り、納税申告できないのであるから、みなし譲渡所得に対する所得税の法定納期限を、相続人が相続の開始があったことを知った日の翌日から4月を経過した日の前日とすることは、納税者に酷な結果を導くことになり、不合理であると主張する。
しかしながら、国税通則法60条に規定する延滞税は、法律に特別の規定がある場合を除き、法定納期限までに本税が納付されないという事実が生じれば、納税者に正当な理由があるか否かにかかわらず、一律に課せられる性質のものであることに加え、限定承認の申述の期間は、相続人が自己のために相続の開始があったことを知った時から3か月以内と定められている（民法924条、915条1項）から、相続人が、相続の開始があったことを知った日の翌日から4月を経過した日の前日までに、限定承認の申述受理の審判の告知を受けた上でみなし譲渡所得の金額を申告することが常に不可能というわけではないことからすれば、限定承認の申述受理の審判の告知が相続開始時から4月を経過した後にされた場合に、その後申告されたみなし譲渡所得に対する所得税について延滞税が課せられるとしても、やむを得ないものというべきであり、これをもって不合理であるとまではいえない。」
「以上によれば、所得税法59条1項に規定するみなし譲渡所得に対する所得税の法定納期限は、同法125条及び129条に基づき、相続人がその相続の開始を知った日の翌日から4月を経過した日の前日であると解するのが相当である。」

2 控訴審**東京高裁平成15年3月10日判決**も原審判断をおおむね維持した。

〔コメント〕
相続により資産が移転した場合には、通常は、譲渡所得の課税が行われず、相続人に課税の繰延べが認められているが（所法60①）、限定承認に係る相続によって資産の移転があった場合には、時価による譲渡があったものとみなされ、被相続人に対して譲渡所得課税が行われる（所法59①）。

(2) 出国の場合の確定申告

確定所得申告書を提出すべき者がその年の中途で出国する場合には、その出国の日までに、その年の1月1日から出国の日までの所得金額について、確定所得申告書を提出しなければならない（所法127①）。

なお、国外転出時課税制度については441頁参照。

裁判例の紹介

連年申告要件

先物取引に係る損失の繰越控除の要件である「その後において連続して確定申告書を提出している場合」の意義が争われた事例

（375第一審長野地裁平成29年9月29日判決・訟月64巻12号1804頁）
（376控訴審東京高裁平成30年3月8日判決・訟月64巻12号1794頁）[2)]

〔事案の概要〕

1　概観

本件は、いわゆるFX取引等を行っていたX（原告・控訴人）が、過去年度に生じた先物取引の差金等決済に係る損失の金額を今年度分の先物取引に係る雑所得の金額の計算上控除すべきであるとする更正の請求書を提出したところ、所轄税務署長が更正をすべき理由がない旨の通知処分をしたため、Xが、国Y（被告・被控訴人）を相手取り、上記処分の取消しを求めた事例である。

2　具体的事実

イ　Xは、平成23年ないし平成25年において、租税特別措置法（以下「措置法」という。）41条の14《先物取引に係る雑所得等の課税の特例》1項2号に規定する金融商品先物取引等を行っていた。Xは、平成24年3月12日、B税務署長に対し、平成23年分の所得税について、総所得金額（給与所得の金額）を1,661万6,019円、先物取引に係る雑所得の損失を1,502万6,659円（本件繰越損失額）、翌年以後に繰り越される先物取引に係る損失の金額を2,227万2,064円及び還付される税金を3万2,960円と記載した平成23年分の所得税の確定申告書及び添付書類（以下「平成23年分確定申告書等」という。）を提出した。

ロ　Xは、平成26年3月10日、B税務署長に対し、平成25年分の所得税等につ

2）判例評釈として、橋本彩・ジュリ1551号123頁（2020）参照。

いて、総所得金額（給与所得の金額）を1,702万3,824円、先物取引に係る雑所得の金額を484万9,722円、前年分までに引ききれなかった先物取引の差金等決済に係る所得の損失の額を1,502万6,659円（本件繰越損失額）、本年分の先物取引に係る所得から差し引く損失額を484万9,722円、翌年以後に繰り越される先物取引に係る損失の金額を1,017万6,937円及び納める税金を０円と記載した確定申告書及び添付書類（平成25年分確定申告書等）を提出した。

ハ　Ｘは、平成25年分確定申告書等の調査を担当したＢ税務署職員から、平成25年分確定申告書等の提出時において、平成24年分の所得税の確定申告書が提出されておらず、連続して確定申告書が提出されていないため、平成25年分の所得税等について、平成25年分の先物取引に係る雑所得の金額から本件繰越損失額を控除することはできないとの指摘を受けた。

ニ　そこで、Ｘは、平成25年分について、平成26年12月17日、Ｂ税務署長に対し、総所得金額（給与所得の金額）を1,702万3,824円、先物取引に係る雑所得の金額を484万9,722円及び納める税金を74万2,600円と記載した修正申告書（本件修正申告書）を提出した。

ホ　Ｘは、平成27年４月20日、Ｂ税務署長に対し、平成24年分の所得税について、総所得金額（給与所得の金額）を1,656万4,712円、先物取引に係る雑所得の金額を184万2,585円、本年分の先物取引に係る所得から差し引く損失額を184万2,585円、翌年以後に繰り越される先物取引に係る損失の金額を1,502万6,659円（本件繰越損失額）及び納める税金を０円と記載した確定申告書及び添付書類（平成24年分期限後申告書等）を提出した。

これと同時に、Ｘは、Ｂ税務署長に対し、平成24年分期限後申告書等の提出により、平成23年分から連続して確定申告書が提出されたこととなるため、平成25年分の所得税等について、平成25年分の先物取引に係る雑所得の金額から本件繰越損失額を控除できるとして、総所得金額（給与所得の金額）を1,702万3,824円、先物取引に係る雑所得の金額を484万9,722円、同雑所得について課税される所得金額を０円及び納める税金を０円とすべき旨の更正の請求書（本件更正の請求書）を提出した（以下「本件更正の請求」という。）。

ヘ　Ｂ税務署長は、平成27年６月30日、本件更正の請求について、更正をすべき理由があるとは認められないとして、本件通知処分をした。

〔争点〕

Ｘの申告が、措置法41条の15《先物取引の差金等決済に係る損失の繰越控除》３項に規定する「その後において連続して確定申告書を提出している場合」に該当するか否か。

〔判決の要旨〕

1　長野地裁平成29年9月29日判決

「(1)ア　措置法41条の14第1項は、原則として、先物取引に係る雑所得等の金額の計算上損失の金額が生じても、その損失の金額は生じなかったものとみなす旨規定しているが、同法41条の15第1項は、その例外として、同条3項の手続的要件を満たした場合、すなわち、居住者等が、〈1〉先物取引の差金等決済に係る損失の金額が生じた年分の所得税につきその先物取引の差金等決済に係る損失の金額の計算に関する明細書等の一定の書類の添付がある確定申告書を提出し、かつ、〈2〉その後において連続して確定申告書を提出している場合であって、〈3〉本件特例の繰越控除を受けようとする年分の確定申告書に繰越控除を受ける金額の計算に関する明細書等の一定の書類の添付がある場合に限り、先物取引の差金等決済に係る損失の金額に相当する金額は、本件特例の繰越控除を受けようとする年分の確定申告書に係る年分の先物取引に係る雑所得等の金額を限度として、その先物取引に係る雑所得等の金額の計算上控除できる旨規定している。本件特例は、個人投資家の資産運用の場の選択に当たり、税負担の公平・中立性を確保することにより、公正な価格形成及び価格変動のリスクヘッジの場としての機能を十分に発揮できる流動性に富んだ先物市場を形成することが必要であるとの観点から、平成15年度税制改正の一環として創設されたものである。

ところで、措置法41条の15第1項は、『その年の前年以前3年内の各年において生じた先物取引の差金等決済に係る損失の金額（この項の規定の適用を受けて前年以前において控除されたものを除く。)』と規定して、本件特例の適用を受ける年分において控除する先物取引の差金等決済に係る損失の金額から、当該年分の前の年分において既に控除された損失の金額を除くこととしており、同条項を受けて規定された施行令26条の26第1項1号が、本件特例における控除については、控除する先物取引の差金等決済に係る損失の金額が前年以前3年内の2以上の年に生じたものである場合には、これらの年のうち最も古い年に生じた先物取引の差金等決済に係る損失の金額から順次控除する旨規定していること、措置法41条の15第3項が確定申告書の連年申告の要件（『その後において連続して確定申告書を提出している場合』）を設けていることからすれば、先物取引の差金等決済に係る損失の金額が生じた年分の確定申告書の提出後に、順次その後の年分の確定申告書が提出され、当該先物取引の差金等決済に係る損失の金額も順次控除することを予定しているものということができる。

そして、所得税は、納付すべき税額が納税者のする申告により確定することを原則とする申告納税制度（通則法16条1項1号）を採用する国税であって、申告の時点において、他の所得と区分して課税される先物取引に係る雑所得等の金額も確定している必要がある。しかして、本件特例の適用を受けるとした場合に当該年分において、その繰越控除の計算をし、先物取引に係る雑所得等の金額を確定させるためには、過去３年内の各年に係る『控除する先物取引の差金等決済に係る損失の金額』が確定している必要がある。そのため、先物取引の差金等決済に係る損失の金額が生じた年分の確定申告書を提出した後も確定申告書の連年申告要件を設け、当該繰越控除の適用を受けようとする旨の年分の確定申告書において必要な事項（施行令26条の26第４項）を記載して翌年以後において本件特例の適用を受ける旨を明らかにし、翌年以後において先物取引に係る雑所得等の金額の計算上控除することができる先物取引の差金等決済に係る損失の金額が確定している場合に限って、その適用を認めるものと解される。さらに、本件特例には、確定申告書の提出がなかった場合等においても、その提出等がなかったことについてやむを得ない事情等があり、後にその確定申告書等の提出等があったときには、本件特例の適用を認めるとする、いわゆる宥恕規定は設けられていないこと、確定申告書の連年申告の要件について、例えば、本件のように平成25年分の確定申告書を提出した後に、平成24年分の期限後申告がされたような場合でも、結果として連年申告の要件を充足すると解すると、期限後申告が通則法25条の規定する決定があるまでは、これを行うことができることから（通則法18条）、先物取引に係る課税雑所得等の金額及びこれに対して課される所得税の額が、それまでの間は確定しないこととなり、所得税の早期確定及び公平な賦課徴収の要請に反することになる。

以上説示した点を考慮すれば、本件特例の適用を受けるためには、本件特例の適用を受ける年分の確定申告書を提出するまでに、確定申告書の連年申告を含め、本件特例の手続的要件を充足し、当該年分の先物取引に係る雑所得等の金額から控除されるべき、その年の前年以前３年内の各年において生じた先物取引の差金等決済に係る損失の金額が確定している必要があると解するのが相当である。施行令26条の26第４項２号及び５号が、本件特例の適用を受ける年分の確定申告書に、その年の前年以前３年内の各年において生じた先物取引の差金等決済に係る損失の金額及び本件特例により翌年以後において先物取引の差金等決済に係る雑所得等の金額の計算上控除することができる先物取引の差金等決済に係る損失の金額の記載を義務付けているのも、かかる解釈を前提として規定されたものと解される。」

「これを本件についてみると、Ｘが平成26年３月10日に本件特例の適用を受けようとする平成25年分確定申告書等を提出した時点において、平成23年分確定申告書等は提出されていたものの、平成24年分の確定申告書等は提出されていなかったのであるから、『その後において連続して確定申告書を提出している場合』には該当しない。」

2　東京高裁平成30年３月８日判決

「Ｘは、措置法41条の15第５項は損失申告書を提出することができる旨を規定しており、その目的は、その年の翌年以後において措置法41条の15第１項の規定を受けようとするためであり、確定損失申告は期限後申告も認められており、期限後申告は失念していた場合など納税者の落ち度を救済するためにも存在する制度であるから、平成25年分確定申告書等が先に提出されていることにより救済が認められないのは不自然である旨主張する。

しかし、『その後において連続して確定申告書を提出「している」場合』と定めている措置法41条の15第３項の規定の文理からしても、また、同条１項は、先物取引の差金等決済に係る損失の金額が生じた年分の確定申告書の提出後に、順次その後の年分の確定申告書が提出され、当該先物取引の差金等決済に係る損失の金額を順次控除することを予定しており、本件特例の適用を受けるとした場合に、当該年分において繰越控除の計算をし、先物取引に係る雑所得等の金額を確定させるためには、過去３年内の各年に係る控除する先物取引の差金等決済に係る損失の金額が確定している必要があるため、同条３項が、先物取引の差金等決済に係る損失の金額が生じた年分の確定申告書を提出した後も確定申告書の連年提出要件を設けていると解されることからしても、本件特例の適用を受けるためには、本件特例の適用を受ける年分の確定申告書を提出するまでに確定申告書の連年提出の要件が充足されていることが必要というべきである。

措置法41条の15第５項が損失申告書を提出することができる旨を規定していること、確定損失申告の期限後申告も認められていることは、上記の解釈を左右するものとはいえない。」

「Ｘは、本件においては、平成24年分の確定申告を期限後申告で行っても、平成25年分の確定申告の内容は当初申告と全く同じであるから、所得税の早期確定及び公平な賦課徴収の要請に反することとはならない旨主張する。

しかし、本件特例は、飽くまで例外的、政策的な租税負担軽減の措置を認めるものであるから、確定申告書の連年提出の要件を充足しないまま、平成25年分確定申告書等を提出したとしても本件特例の適用を受けることはできないのであり、平成25年分確定申告書等に本件繰越損失額や当該年分の先物取引に係る所得から差し引く損失額等の記載があったとしても、これによって先物取引に係る課税所得等の金額及びこれに対して課される所得税の額が確定するものとはいえない。」

〔コメント〕

１　本件の意義

本件は、平成25年分確定申告書提出時に平成24年分確定申告書が提出されていない場合には、租税特別措置法41条の15第３項の損失の金額が生じた年以後「連続して確定申告書を提出している場合」に該当しないとされた事例として、先例となり得る意義を有するといえる。

まず、Xは、国税通則法23条《更正の請求》1項1号は、例えば、租税特別措置法41条の15第1項の規定による先物取引の差金等決済に係る損失の繰越控除（本件特例）の適用について記載せずに法定申告期限内に確定申告をした場合、その後の更正の請求によって本件特例の適用を認めることはできないとする趣旨のものであると捉えている。そして、その理解の上で、Xは、平成24年分の所得税の確定申告書及び添付書類（同年分期限後申告書等）を提出する前に、同25年分の所得税及び復興特別所得税（所得税等）の確定申告書及び添付書類（同年分確定申告書等）の中で本件特例の適用について記載していることから、本件は、更正の請求の対象から除外されるものではない旨主張したのである。これに対して、本件地裁判決は、平成25年分確定申告書等の中で本件特例の適用について記載していたとしても、そのことが、本件特例の適用をすることなくされた同年分の所得税等の修正申告書に記載した課税標準等若しくは税額等の計算が国税に関する法律の規定に従っていなかったこと又は当該計算に誤りがあったことにつながるものではないとして、Xの主張を排斥している。

2　本件地裁判決のロジック

①　租税特別措置法は、損失の金額が生じた年分の確定申告書の提出後に、順次その後の年分の確定申告書が提出され、当該先物取引の差金等決済に係る損失の金額も順次控除することを予定している。

②　所得税は、申告により確定することを原則とする申告納税制度を採用する国税であって、申告の時点において、他の所得と区分して課税される先物取引に係る雑所得等の金額も確定している必要がある。

③　先物取引に係る雑所得等の金額を確定させるためには、過去3年内の各年に係る「控除する先物取引の差金等決済に係る損失の金額」が確定している必要がある。

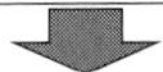

④　❶確定申告書において翌年以後に本件特例の適用を受ける旨を明らかにし、❷翌年以後において先物取引の差金損失金額が確定している場合に限って、その適用を認めるものと解される。

加えて、次の二つの観点からも結論を補強している。

⑤　宥恕規定は設けられていない。 ⑥　所得税の早期確定及び公平な賦課徴収の要請がある。

3　本件地裁判決のロジックに対する疑問

本件地裁は上記のようなロジックで規範を定立したのであるが、そもそも、①の考え方を導き出すためには、次のように二つの条文の規定を素材としている。

❶　租税特別措置法41条の15第１項は、控除する差金等決済の損失金額から、前の年分において既に控除された損失の金額を除くこととしており、施行令26条の26第１項１号が、控除する先物取引の差金等決済に係る損失の金額が前年以前３年内の２以上の年に生じたものである場合には、これらの年のうち最も古い年に生じた先物取引の差金等決済に係る損失の金額から順次控除する旨規定していること

❷　租税特別措置法41条の15第３項が確定申告書の連年申告の要件（「その後において連続して確定申告書を提出している場合」）を設けていること

①　租税特別措置法は、損失の金額が生じた年分の確定申告書の提出後に、順次その後の年分の確定申告書が提出され、当該先物取引の差金等決済に係る損失の金額も順次控除することを予定している。

このように、❶「最も古い年に生じた先物取引の差金等決済に係る損失の金額から順次控除する旨規定していること」を本件地裁判決は掲げているが、租税特別措置法41条の15第１項は、「その年の前年以前三年内の各年において生じた先物取引の差金等決済に係る損失の金額（この項の規定の適用を受けて前年以前において控除されたものを除く。）を有する場合」に、当該先物取引の差金等決済に係る損失の金額に相当する金額を当該年分の当該先物取引に係る雑所得等の金額の計算上控除すると規定しているだけであって、「順次控除する旨規定」してなどいないように思われる。

また、❷同条３項が「連年申告の要件」を規定しているとしているが、同項は「連続して確定申告書を提出」することを規定しているだけで、「連年」と規定しているわけではないのである。

このように考えると、①の「租税特別措置法は、損失の金額が生じた年分の確定申告書の提出後に、順次その後の年分の確定申告書が提出され、当該先物取引の差金等決済に係る損失の金額も順次控除することを予定している。」とする結論を導出する理論構成は、実体法の文理解釈から導出できるものではないように思われる（あたかも、文理解釈のように論じているが、その実、文理を丁寧に追った解釈姿勢は採用していないように思えてならない。）。

また、租税特別措置法41条の15第３項は、当初の確定申告（同条１項に規定する確定申告）もその後の確定申告も期限内でなければならないとの条件は付していないのであるから、⑤宥恕規定こそ設けられていないとしても、期限後申告が否定されているわけではなく、その意味からすれば、確定申告書を提出することができる期限後申告の期間であれば、損失の繰越控除を受けることも可能であると解され、⑥の所得税の早期確定及び公平な賦課徴収の要請という説示も必ずしも説得的であるとはいえそうにない。

4　租税特別措置法41条の15第３項にいう「その後」「連続して」の意義

ところで、租税特別措置法41条の15第３項は、「先物取引の差金等決済に係る損失の金額が生じた年分の所得税につき当該先物取引の差金等決済に係る損失の金額の計算に関する明細書その他の財務省令で定める書類の添付がある確定申告書を提出し、かつ、その後において連続して確定申告書を提出している場合であって、第１項の確定申告書に同項の規定による控除を受ける金額の計算に関する明細書その他の財務省令で定める書類の添付がある場合に限り、適用する。」と規定しており、二つの「場合」を、同条１項の適用上の要件としている。

① ❶差金等決済に係る損失の金額の計算に関する明細書その他の財務省令で定める書類の添付がある確定申告書を提出し、かつ、❷その後において連続して確定申告書を提出している場合

② 第１項の確定申告書に同項の規定による控除を受ける金額の計算に関する明細書その他の財務省令で定める書類の添付がある場合

①の❷にいう「その後において連続して確定申告書を提出している場合」が要件とされている点に注意を向けたい。すなわち、ここにいう「その後」とは、❶の確定申告書の提出の後という意味であろうから、❶の確定申告書の後に、❷の確定申告書が提出されることを法は予定していると思われる。

このことを本件に当てはめれば、❶の確定申告書（平成23年分）が、平成24年３月12日に提出され、❷の確定申告書については、平成24年分が平成27年４月20日の提出、平成25年分が平成26年３月10日の提出であったことからすれば、「その後において〔順番は違えども〕連続して確定申告書を提出している場合」には該当することになりそうである。

すなわち、順番としては不自然ではあるものの、「平成23年分➡平成25年分➡平成24年分」と連続して確定申告書が提出されているのである。「その後において連続して確定申告書を提出している場合」とは、❶の確定申告書（平成23年分）の「その後」に❷の確定申告書（平成24年分、25年分）が提出されていればよいのであって、❷の確定申告の順番について、法が何か要件を課しているのであろうか。平成24年分の確定申告書の「その後」に平成25年分の確定申告書が提出されてい

なければならないとする根拠は奈辺にあるのであろうか。

もっとも、「連続して」とは、例えば、平成23年分と平成25年分の確定申告書は出ているものの、同24年分は提出されていないといったような場合を除外するための規定と解釈する余地はあろうか。そうであるとすると、この解釈問題は「連続して…提出している場合」という表現をいかに理解するかに帰着しよう。本件に当てはめてみれば、平成25年分➡平成24年分と提出されていても、「連続して…提出している場合」と解釈することができず、平成24年分➡平成25年分という「順番で」という意味をも包含した表現が「連続して」という意味であるとするのであれば、本件地裁判決の考え方が妥当であったということになろう。

ちなみに、平成23年度税制改正大綱は、次のように示している。

> 「納税者が申告税額の減額を求めることができる『更正の請求』については、法定外の手続により非公式に課税庁に対して税額の減額変更を求める『嘆願』という実務慣行を解消するとともに、納税者の救済と課税の適正化とのバランス、制度の簡素化を図る観点から、更正の請求を行うことができる期間（現行１年）を５年に延長し、併せて、課税庁が増額更正できる期間（現行３年のもの）を５年に延長します。
>
> これにより、基本的に、納税者による修正申告・更正の請求、課税庁による増額更正・減額更正の期間を全て一致させることとします。
>
> また、当初申告時に選択した場合に限り適用が可能な『当初申告要件が設けられている措置』については、事後的な適用を認めても問題がないものも含まれていることを踏まえ、更正の請求を認める範囲を拡大します。」

この大綱を受けて、各種の選択可能な「当初申告要件が設けられている措置」の見直しが図られた。

すなわち、平成23年12月の税制改正では、納税環境整備の一環として、更正の請求制度について見直しが行われ、具体的には、更正の請求の期間延長と範囲の拡大が講じられている。具体的には、次の①及び②のいずれにも該当しない措置については、措置の目的・効果や課税の公平の観点から、事後的な適用を認めても問題ないと整理され、当初申告要件の緩和（期限内申告要件の廃止）が行われた。この結果、事後的な更正の請求による適用範囲が拡大された[3)]。

①　インセンティブ措置

②　利用するかしないかで、有利にも不利にもなる操作可能な措置

本件で検討されている租税特別措置法41条の15は、上記①にも②にも該当しない措置であって、事後的な更正の請求が緩和されるべき領域である。もちろん、本件においては、当初申告要件が付されているわけではないからこの点が争点となっているものではないが、かような大綱の考え方を前提とすれば、更正の請求

3）武田昌輔編『コンメンタール所得税法〔3〕』4608頁（第一法規加除式）。

が認められてもよいのではないかという意見も聞こえそうである。

しかしながら、上記の大綱の問題関心はあくまでも立法措置に寄与する考え方であって、いったん実定法が規定されれば、当然ながら、そのような立法措置に働きかける考え方があったとしても、文理解釈が軽視されるべきでないことは当然である。

すると、やはり文理解釈に戻らざるを得ないのであるが、租税特別措置法41条の15第３項は、この点、「連続した確定申告書の提出がなされている場合」と規定するのではなく、「連続して確定申告書を提出している場合」と規定しているのである。このように考えると、「連続して」には「年分の順番通りに」という意味が含意されているとみるとする本件地裁判決及び高裁判決の考え方に接近するように思われる。

Ⅲ　申告内容の是正

1　修正申告

修正申告は、納税者が期限内申告又は期限後申告をすることにより第一義的に納税義務が確定した場合に、その後、納税者自らが申告内容を増額変更するもの、又は税務署長の更正又は決定により納税義務が確定した後に、納税者自らが申告内容を増額変更するものである。

修正申告書は、納税申告書を提出した者及び更正又は決定を受けた者（これらの相続人など権利義務を包括して承継した者を含む。）が、次の場合に限って、税務署長の更正があるまでの間に提出できる任意的な申告書である（通法19①②）。

①　納付すべき税額に不足があるとき

②　純損失等の金額が過大であるとき

③　還付金の額に相当する税額が過大であるとき

④　納付すべき税額がないとしていた場合に納付する税額があるとき

なお、法定申告期限から５年（偽りその他不正の行為によりその全部又は一部の税額を免れた場合は７年）を経過したときは、修正申告書を提出することはできない。

✍ 類似するものに義務付け修正申告書があるが、これは、一般の修正申告とは異なり、特定の事業用資産の買換資産等を一定期間内に事業の用に供せず、又は当該買換資産等の取得価額が見積額に達しなかった場合の修正申告書など、租税特別措置法により提出が義務付けられたものである（措法28の3⑦、31の2⑦、33の5①、36の3①、37の2①、37の5②、37の8①）。

2　更正の請求

申告内容の誤りが判明した場合で、その税額が過大であるとき又は還付金が過少であるときは、更正の請求をすることができる（通法23①②）。更正の請求があった場合には、税務署長はその更正の請求に係る課税標準等又は税額等を調査し、その調査に基づいて減額更正をし、又は更正をすべき理由がない旨の通知をする（通法23④）。一般に、税務署長は更正の請求に対して、応答義務があると解されている。

更正の請求には、通常の更正の請求と後発的な事由による更正の請求とがある。

(1)　通常の更正の請求

通常の更正の請求ができるのは、納税申告書を提出した者について、納税申告書に記載した課税標準等又は税額等の計算が「国税に関する法律の規定に従っていなかったこと」又は「当該計算に誤りがあったこと」により次に該当する場合に限られ、この更正の請求は、法定申告期限から5年以内にしなければならない（通法23①）。

① 当該申告書の提出により納付すべき税額（更正があった場合には更正後の税額）が過大であるとき

② 納税申告書に記載した純損失等の金額（更正があった場合には更正後の金額）が過少であるとき又はその金額の記載がなかったとき

③ 納税申告書に記載した還付金の額に相当する税額（更正があった場合には更正後の税額）が過少であるとき又はその金額の記載がなかったとき

(2) 後発的な事由による更正の請求

更正の請求は、上述のとおり5年以内に行わなければならないが、事後的な事由により、更正の請求期限後に是正を必要とすることが考えられる。国税通則法は、一定の場合に、「後発的な事由による更正の請求」として、申告時点では申告に誤りがなかったが、申告時に予知し得なかった事態その他やむを得ない事由がその後に生じた場合、すなわち、当初の申告に原始的・内在的な瑕疵はなかったが、その後の事情の変更により、納税申告書に記載した課税標準等又は税額等が過大になったときに、減額更正を求める制度を設けている。更正の請求ができるのは、納税申告書を提出した者又は決定を受けた者について、法定申告期限後に次の理由が生じたことにより上記の①から③までに該当することとなった場合である（通法23②、通令6）。

① 申告、更正又は決定に係る課税標準等又は税額等の計算の基礎となった事実に関する訴えについての判決（判決と同一の効力を有する和解等を含む。）により、その事実がその計算の基礎としたところと異なることが確定したとき……その確定した日の翌日から起算して2か月以内に更正の請求

② 申告、更正又は決定に係る課税標準等又は税額等の計算に当たって、その申告をし又は決定を受けた者に帰属するものとされていた所得その他の課税物件が他の者に帰属するものとする他の者に係る更正又は決定があったとき……その更正又は決定があった日の翌日から起算して2か月以内に更正の請求

③ 次の理由が生じた日の翌日から起算して2か月以内に更正の請求

(i) 申告、更正又は決定に係る課税標準等又は税額等の計算の基礎となった事実のうちに含まれていた行為の効力に係る官公署の許可その他の処分が取り消されたこと

(ii) 申告、更正又は決定に係る課税標準等又は税額等の計算の基礎となった事実に係る契約が、解除権の行使によって解除され若しくは当該契約の成立後生じたやむを得ない事情によって解除され又は取り消されたこ

と

(iii)　帳簿書類の押収その他やむを得ない事情により、課税標準等又は税額等の計算の基礎となるべき帳簿書類その他の記録に基づいて国税の課税標準等又は税額等を計算することができなかった場合において、その後、当該事情が消滅したこと

(iv)　租税条約に基づき我が国と相手方当事国との権限ある当局間の協議により、先の課税標準等又は税額等に関し、その内容と異なる合意が行われたこと

(v)　申告、更正又は決定に係る課税標準等又は税額等の計算の基礎となった事実に係る国税庁長官の法令の解釈が変更され、その解釈が公表されたことにより、その課税標準等又は税額等が異なることとなる取扱いを受けることを知ったこと

さて、通常の更正の請求と後発的な事由による更正の請求との関係をどのように理解すべきであろうか。この点を理解するためには、国税通則法23条1項と2項との関係を考える必要がある。

この点につき、法人税法上の事案ではあるが、いわゆるクラヴィス事件大阪地裁平成30年1月15日判決（民集74巻4号1081頁）は、「通則法23条2項は、納税申告書を提出した者又は同法25条（決定）の規定による決定を受けた者は、同法23条2項各号のいずれかに該当する場合（納税申告書を提出した者については、当該各号に定める期間の満了する日が同条1項に規定する期間の満了する日後に到来する場合に限る。）には、同項の規定にかかわらず、当該各号に定める期間において、その該当することを理由として同項の規定による更正の請求をすることができる旨を規定し、同条2項1号は、『その申告、更正又は決定に係る課税標準等又は税額等の計算の基礎となった事実に関する訴えについての判決（判決と同一の効力を有する和解その他の行為を含む。）により、その事実が当該計算の基礎としたところと異なることが確定したとき　その確定した日の翌日から起算して2月以内』を掲げている。このように同項が、納税申告書を提

出した者において同項による更正の請求をすることができる期間につき、同項各号に定める期間の満了する日が同条1項による更正の請求をすることができる期間の満了する日後に到来する場合に限定している趣旨は、同条2項各号所定の事由が生じたとしても、それが同条1項所定の期間内であれば、同項による更正の請求をすることができることにあるものと解される。そうすると、同条2項は、納税申告書を提出した者に関しては、同項各号に定める納税申告書提出後又は法定申告期限後の後発的事由が生じた場合に、同条1項による更正の請求の期間制限について特例を設ける趣旨であると解されるから、納税申告書を提出した者が同条2項による更正の請求をする場合にも、同条1項各号のいずれかの事由に該当することが必要となるというべきである。」と判示された。

すなわち、国税通則法23条2項が同法1項の例外であるから、2項の適用要件としては1項の要件を充足している必要があるとする考え方が示されている。

裁判例の紹介

租税特別措置法上の特例の適用と更正の請求

租税特別措置法26条の社会保険診療報酬に係る所得計算の特例を適用した申告に係る更正の請求が認められないとされた事例

（377第一審福島地裁昭和58年12月12日判決・訟月30巻6号1087頁）
（378控訴審仙台高裁昭和59年11月12日判決・訟月31巻7号1686頁）[4)]
（379上告審最高裁昭和62年11月10日第三小法廷判決・集民152号155頁）[5)]

〔事案の概要〕

X（原告・控訴人・被上告人）は、耳鼻咽喉科医を業とする者であるが、昭和

4）判例評釈として、岩﨑政明・税務事例17巻5号2頁（1985）、高梨克彦・シュト282号1頁（1985）など参照。

5）判例評釈として、増井和男・ジュリ902号82頁（1988）、大淵博義・税通43巻3号253頁（1988）、三木義一・民商99巻2号227頁（1988）、木村弘之亮・ジュリ927号107頁（1989）、堺澤良・ＴＫＣ税研情報4巻2号48頁（1995）など参照。

54年分の社会保険診療報酬に係る事業所得の計算に当たり、租税特別措置法26条1項の規定を適用した上、総所得金額を4,230万987円、税額を1,829万5,000円とする確定申告をした。

その後、Xは、昭和55年7月9日、社会保険診療報酬につき取引実績を基礎とする収支計算の方法によって計算すると、総所得金額は3,683万319円、税額は1,501万2,400円になるとして、税務署長Y（被告・被控訴人・上告人）に対し更正の請求をした。

これに対し、Yは、確定申告に際して選択した租税特別措置法26条《社会保険診療報酬の所得計算の特例》1項の計算方法を後日他の計算方法に変更することは許されず、更正の請求ができる場合に当たらないとして、Xに対し、更正をすべき理由がない旨の通知処分（以下「本件処分」という。）をした。

Xは、本訴を提起し、本件更正の請求は国税通則法24条1項1号により許される場合に当たり、更正をすべき理由がないとした本件処分は違法であるとして、その取消しを求めた。

〔争点〕

租税特別措置法26条の社会保険診療報酬に係る所得計算の特例を適用した申告につき、実額による所得計算をする旨の更正の請求は認められるか否か。

〔判決の要旨〕

1　第一審**福島地裁昭和58年12月12日判決**は、本件処分に違法はないとしてXの請求を棄却した。

2　仙台高裁昭和59年11月12日判決

租税特別措置法26条1項の規定に基づき必要経費を計算して確定申告をしたところ、これが現実の必要経費より過少で、そのため同法の規定に基づいて算出した税額が所得税法の原則たる収支計算の方法により算出した税額より過大となった場合には、国税通則法23条1項1号所定の「当該計算に誤りがあった」ものとして更正の請求が許されるべきであると判断して、第一審判決を取り消し、Xの請求を認容した。

3　最高裁昭和62年11月10日第三小法廷判決

「措置法26条1項は、医師の社会保険診療に係る必要経費の計算について、実際に要した個々の経費の積上げに基づく実額計算の方法によることなく、一定の標準率に基づく概算による経費控除の方法を認めたものであり、納税者にとっては、実際に要した経費の額が右概算による控除額に満たない場合には、その分だけ税負担軽減の恩恵を受けることになり有利であるが、反対に実際に要した経費の額が右概算による控除額を超える場合には、税負担の面から見る限り右規定の方法によることは不利であることになる（ただし、税負担の面以外では、記帳事務からの解放などの利点があることはいうまでもない。）。もっとも、措置法の右規定は、確定申告書に同条項の規定により事業所得の金額を計算した旨の記載がない場合には、適用しないとされているから（同法26条３項)、同条項の規定を適用して概算による経費控除の方法によって所得を計算するか、あるいは同条項の規定を適用せずに実額計算の方法によるかは、専ら確定申告時における納税者の自由な選択に委ねられているということができるのであって、納税者が措置法の右規定の適用を選択して確定申告をした場合には、たとえ実際に要した経費の額が右概算による控除額を超えるため、右規定を選択しなかった場合に比して納付すべき税額が多額になったとしても、納税者としては、そのことを理由に通則法23条１項１号に基づく更正の請求をすることはできないと解すべきである。けだし、通則法23条１項１号は、更正の請求が認められる事由として、『申告書に記載した課税標準等若しくは税額等の計算が国税に関する法律の規定に従っていなかったこと又は当該計算に誤りがあったこと』を定めているが、措置法26条１項の規定により事業所得の金額を計算した旨を記載して確定申告をしている場合には、所得税法の規定にかかわらず、同項所定の率により算定された金額をもって所得計算上控除されるべき必要経費とされるのであり、同規定が適用される限りは、もはや実際に要した経費の額がどうであるかを問題とする余地はないのであって、納税者が措置法の右規定に従って計算に誤りなく申告している以上、仮に実際に要した経費の額が右概算による控除額を超えているとしても、そのことは、右にいう『国税に関する法律の規定に従っていなかったこと』又は『当該計算に誤りがあったこと』のいずれにも該当しないというべきだからである。このように解しても、納税者としては、法が予定しているとおり法定の申告期限までに収支決算を終了してさえいれば、措置法26条１項所定の概算による経費控除の方法と実額計算の方法とのいずれを選択するのが税負担の面で有利であるかは容易に判明することであるから、必ずしも納税者に酷であるということはできないし、かえって右のように所得計算の方法について納税者の選択が認められている場合において、その選択の誤りを理由とする更正の請求を認めることは、いわば納税者の意思によって税の確定が左右されることにもなり妥当でないというべきである。

　したがって、右と異なる見解に立って本件処分を違法とした原審の判断は、通則法23条１項１号の規定の解釈適用を誤ったものというべきであり、右の違法は判決の結論に影響を及ぼすことが明らかであるから、この点を指摘する論旨は理由があり、原判決は破棄を免れない。そして、以上によれば、本件処分に違法はないとした第一審判決は正当であって、Xの控訴は棄却されるべきものである。」

〔コメント〕

本件地裁は更正の請求を認めなかったのに対し、本件高裁は逆転して更正の請求を認めた。そして、本件最高裁は、国税通則法23条《更正の請求》１項１号が、更正の請求が認められる事由として、「国税に関する法律の規定に従っていなかったこと」等を定めているところ、租税特別措置法26条１項の規定により事業所得の金額を計算した旨を記載して確定申告をしている場合には、ここにいう「国税に関する法律の規定に従っていなかったこと」等に該当しないとして、更正の請求の適用を排除している。結論が、二転三転した事例である。

なお、租税特別措置法26条の概算経費選択の意思表示は錯誤により無効であるとの納税者の主張が認められた事例として、323最高裁平成２年６月５日第三小法廷判決（668頁）も参照されたい。

裁判例の紹介

馴れ合い判決

馴れ合い判決は国税通則法23条２項１号にいう「判決」に当たるか否かが争われた事例

（380第一審横浜地裁平成９年11月19日判決・訟月45巻４号789頁）
（381控訴審東京高裁平成10年７月15日判決・訟月45巻４号774頁）[6]

〔事案の概要〕

Ｘ（原告・控訴人）は平成３年１月９日に死亡したＩの７名の共同相続人の一人であるが、同年６月21日、相続税の申告をした後、別件訴訟において東京地裁の下した判決（以下「別件判決」という。）により、Ｉの元金２億1,000万円の借入金の存在が明らかになったため、申告に係る課税価格及び納付すべき税額が過大になったとして、平成５年６月３日に、国税通則法23条２項１号に基づき更正の請求をした。これに対して、税務署長Ｙ（被告・被控訴人）は、別件判決は同号の「判決」に該当しないとして、更正すべき理由がない旨の通知処分をした。本件は、Ｘが、かかる通知処分の取消しを求めた事案である。なお、別件判決は、Ｘが、Ｋに対し、亡ＩのＫに対する貸付金債権の借入金（以下「本件借入金」という。）について、連帯保証したとして、ＫのＸに対する支払を求める訴え（以下「本件訴え」という。）につき、平成５年４月26日、Ｘに対し、元金の合計２億1,000万円及び約定利息及び損害金の支払を命ずる全部認容の判断をしていた。

6）判例評釈として、松澤智・ジュリ1167号134頁（1999）、酒井・レクチャー80頁など参照。

〔争点〕

別件判決が、国税通則法23条２項１号の「申告に係る税額等の計算の基礎となった事実に関する訴えについての判決」に当たるかどうか。

〔判決の要旨〕

1　横浜地裁平成９年11月19日判決

「通則法23条２項１号は、その申告、更正又は決定に係る課税標準等又は税額等の計算の基礎となった事実に関する訴えについての判決（判決と同一の効力を有する和解その他の行為を含む。）により、その事実が当該計算の基礎としたところと異なることが確定したときは、納税者は、同条１項の規定にかかわらず、法定申告期限から１年を経過した後にも、更正の請求ができると規定する。右規定は、納税者において、申告時には予想し得なかったような事態が後発的に生じたため、課税標準等又は税額等の計算の基礎に変更をきたし、税額の減額をすべき場合に、法定申告期限から１年を経過していることを理由に更正の請求を認めないとすると、帰責事由のない納税者に酷な結果となることから、例外的に更正の請求を認め、納税者の保護を拡充しようとしたものである。右の趣旨からすれば、申告後に、課税標準等又は税額等の計算の基礎となる事実について判決がされた場合であっても、右判決が当事者がもっぱら税金を免れる目的で馴れ合いによって得たものであるなど、客観的・合理的根拠を欠くものであるときは、同条２項１号の『判決』には当たらないと解すべきである。」

「通則法23条２項は、…納税者において申告時に予想し得なかった事態が後発的に生じ、課税標準等又は税額等の基礎に変更をきたした場合に、同条１項の期間が経過していることを理由に更正の請求を認めないとすると、帰責事由のない納税者に酷な結果となることから、その救済を図った規定である。したがって、形式的には、同条２項の事由に該当するようにみえる場合であっても、納税者において、申告時に、課税標準等又は税額等の基礎に変更を生じる事由を予想し得、同条１項の期間内に更正の請求をすることにより、税額の減額等の措置を受けることが可能であった場合には、同条２項は適用されないものと解すべきである。」

「Xは、貸主がKであることを知っていたのであるから、Xにおいて、Kに尋ねるなどして、本件借入金の総額を知り、相続税の申告に際し、これを控除すべき債務として申告することは十分可能であったというべきである…したがって、本件借入金の支払を命ずる判決により、Xが申告時に予想し得なかった事由が生じたということはできず、本件判決〔筆者注：別件判決のこと〕は通則法23条２項の『判決』には当たらない。」

2　東京高裁平成10年７月15日判決

「前記のとおりＸがＫの提起した別件訴訟に対し、請求原因事実をすべて認める旨記載した答弁書を提出しただけで、口頭弁論期日に欠席して何らの攻撃防御方法も尽くさず、しかも、その答弁書はＫの関係者が作成したものであったことなどのいかにも不自然な経緯を勘案すると、別件判決は、Ｘが専ら相続税の軽減を図る目的で、Ｋとのいわゆる馴れ合いによる訴訟によって取得したものであると認めざるを得ず、その確定判決として有する効力のいかんにかかわらず、その実質において客観的、合理的根拠を欠くものとして通則法23条２項１号にいう『判決』には該当しないというべきである。」

〔コメント〕

このように本件では、更正の請求における後発的事由たる「判決」については、国税通則法23条２項１号には何らの明文の規定はないにもかかわらず、いわゆる馴れ合い判決を排除するという縮小解釈が展開されている。この縮小解釈は、文理解釈のみでは法の趣旨に反する結論が導出されてしまう場合に、条項の趣旨に応じた解釈の修正を加えるという目的論的解釈の一手法であり、かかる解釈手法は文理解釈優先主義を踏みにじるものでは決してない。むしろ、文理解釈から導出される結論を趣旨の面から確認をし補充する解釈手法であるから、法の趣旨の範囲内における縮小解釈は問題とされるべきではない。

本件において東京地裁及び東京高裁は、後発的事由に基づく更正の請求を「申告時には予想し得なかったような事態が後発的に生じたため、課税標準等又は税額等の計算の基礎に変更をきたし、税額の減額をすべき場合に」認められる救済制度であると位置付けていることから、かかる趣旨に反する規定の適用を排除しようとしたものと解される。

裁判例の紹介

納税者の錯誤による更正の請求

配当所得につき総合課税から申告分離課税に変更する更正の請求が否定された事例

（382 第一審東京地裁平成29年12月６日判決・税資267号順号13096）[7]
（383 控訴審東京高裁平成30年５月17日判決・税資268号順号13153）[8]

7）判例評釈として、川田剛・税務事例50巻２号20頁（2018）など参照。
8）判例評釈として、田島秀則・ジュリ1543号130頁（2020）、同・税務事例52巻３号29頁（2020）など参照。

〔事案の概要〕

X（原告・控訴人）は、平成22年分ないし平成24年分の所得税の確定申告において、Xがそれらの年分において収受したM配当金（国外金融商品取扱業者が取り扱う外国金融市場において売買される上場株式等に係る配当金）及び各国内払配当金（国内における支払取扱者を通じて支払われる国内払配当金）につき、それぞれ以下の処理をして所得税の計算をして確定申告書を提出した。

すなわち、M配当金に係る配当所得は総合課税により、各国内払配当金に係る配当所得は、租税特別措置法（以下「措置法」という。）８条の４《上場株式等に係る配当所得等の課税の特例》１項による申告分離課税の特例（以下「本件特例」という。）の適用を受ける確定申告を行った。その後、Xは、M配当金について、本件特例の適用を受けるべく更正の請求を行った。

所轄税務署長は、当該各確定申告において本件特例の適用選択が可能なM配当金に係る配当所得の金額を総所得金額に含めて所得税額を計算したのが措置法８条の４第２項に該当し、更正の請求の申立てを行っても、同条１項による申告分離課税の特例ができないとして、本件特例の適用により他の所得と分離して計算していた各国内払配当金に係る配当所得の金額を全て減算し、これを総合課税の配当所得の金額に加算する更正処分及び過少申告加算税の賦課決定を行った。

これを受けて、Xは、国Y（被告・被控訴人）を相手取り、これらの処分の取消しを求めて提訴した。

なお、措置法８条の４は、居住者が、上場株式等を有する場合には、当該上場株式等の配当等に係る利子所得及び配当所得については、他の所得と区分して申告分離課税の適用を受けることができることを規定し、同条２項はその際の適用要件として、居住者がその年中に支払を受けるべき特定上場株式等の配当等に係る配当所得につき「前項の規定〔筆者注：申告分離課税〕の適用を受けようとする旨の記載のある確定申告書を提出した場合に限り適用する」と規定している。もっとも、これらの規定は、平成25年度税制改正によって改正されたものであり、当時の規定では、措置法８条の４第１項に「確定申告書を提出したとき」という文言が示されていただけであった。同改正によって、措置法８条の４第１項に「確定申告書を提出したとき」が削除された上、同条２項に「確定申告書を提出した場合に限り適用する」という当初申告要件を示す文言が新設されたのである。当時の措置法８条の４第２項は、居住者がその年中に支払を受けるべき上場株式等の配当等に係る配当所得について所得税法22条及び89条の規定の適用を受けた場合には、その者がその同一の年中に支払を受けるべき他の上場株式等の配当等に係る配当所得については、措置法８条の４第１項の規定は適用しない旨が定められていた。

〔争点〕

①　各国内払配当金に係る配当所得に係る本件特例の適用の可否

②　M配当金に係る配当所得の適用対象を、総合課税から申告分離課税に変更することが更正の請求の対象になるか否か

③　本件各更正の請求によって本件各国内払配当金、本件M配当金及びQ配当金に係る配当所得につき本件特例の適用を受けることの可否

〔判決の要旨〕

1　東京地裁平成29年12月６日判決

⑴　争点①について

「ア　措置法８条の４第２項は、居住者がその年中に支払を受けるべき上場株式等の配当等に係る配当所得について総合課税の適用を受けた場合には、その者がその同一の年中に支払を受けるべき他の上場株式等の配当等に係る配当所得については、本件特例を適用しない旨を定めるところ、…その制度上、上場株式等の配当等に係る配当所得のうち、一部については上場株式等に係る譲渡損失との損益通算をしつつ、他の部分について配当控除の適用を受けるといったことは相当でないというべきであり、同項の趣旨には、上場株式等の配当等に係る配当所得について、申告分離課税の適用により上場株式等に係る譲渡損失との損益通算をする場合にはその年中に受ける全ての上場株式等の配当等に係る配当所得についてしなければならないこととし、その一部でも総合課税の適用を受けた場合には、当該年中の上場株式等の配当等に係る配当所得全体について総合課税の適用を受けることとして、上記のような事態が生ずることを回避するということがあると解される。

そうすると、確定申告において、上場株式等の配当等に係る配当所得につき、現に総合課税の適用を受けたものがある以上は、措置法８条の４第２項にいう総合課税の適用を受けた場合に該当するというべきである。

この点につきXは、同項に該当するのは納税者が自らの選択意思により総合課税の適用を選択した場合に限られるとし、要するに、誤信や誤解のない意思によってこれを選択したことが必要であるとの主張をするが、同項の文言からは、現に総合課税の適用を受けていることをもって足り、納税者の内心の意思内容等が要件として加えられてはいないと解するのが自然であるし、申告書からは看取できない納税者の誤信や誤解の有無という主観的事情により本件特例の適用が左右されるとすれば、確定申告による租税債務の確実かつ迅速な確定という要請を害することになるというべきであるから、当該Xの主張は採用できない。

イ　本件では、…本件各当初申告書等の所得の内訳書において、上場株式等の配当等に該当する本件M配当金につき『所得の種類』欄に記載された『配当』又は『配当所得』の文字が丸で囲まれておらず、かつ、本件M配当金に係る収入金額が総合課税の収入金額に計上されているから、これにつき総合課税の適

用を受けていることは明らかであり、本件各当初申告等において、上場株式等の配当等に係る配当所得について現に総合課税の適用を受けているものといえ、措置法８条の４第２項に該当するといえる。なお、Ｘは『所得の種類』欄の『配当』又は『配当所得』の文字を丸で囲まなかったのみでは、総合課税の適用を外形的に表示したことにはならない旨の主張をするが、上記に述べたところに加え、後記…で説示するとおり、本件各当初申告書等の記載自体に錯誤があるとは認められないことからすれば、本件各当初申告等において本件Ｍ配当金に係る配当所得が総合課税の適用を受けていることは客観的に明らかというべきであり、Ｘの主張は失当である。

ウ　よって、Ｘは本件各当初申告等において、上場株式等の配当等である本件Ｍ配当金に係る配当所得について総合課税の適用を受けており、措置法８条の４第２項に該当するから、本件当初申告等によって他の上場株式等の配当等に当たる本件各国内払配当金に係る配当所得につき本件特例の適用を受けることはできない。」

(2)　争点②について

「上場株式等の配当等に係る配当所得については総合課税の適用と申告分離課税の適用とを選択することができるところ、措置法８条の４第２項が、その年中に支払を受けるべき上場株式等の配当等に係る配当所得について総合課税の適用を受けた場合に、同一の年中に支払を受けるべき他の上場株式等の配当等に係る配当所得については、本件特例を適用しない旨を定めていることからすれば、同項の適用場面となる前提として、同一の年中に支払を受けるべき上場株式等の配当等に係る配当所得の一部のみが総合課税の適用対象として確定申告がされる場合があることが想定されていると解されるから、そのような確定申告書の記載をもって法律の規定に反するものであるとはいえない。そうすると、本件各確定申告書等において、上場株式等の配当等である本件各国内払配当金に係る配当所得につき申告分離課税の適用対象として記載しつつ、本件Ｍ配当金に係る配当所得については総合課税の適用対象として記載したとしても、そのこと自体、何ら国税に関する法律の規定に反するものではないというべきであり、また計算を誤ったものであるということもできない。…したがって、本件各確定申告書等において本件Ｍ配当金に係る配当所得を総合課税の適用を受けるものとしたことについて、課税標準等若しくは税額等の計算が国税に関する法律の規定に従っておらず、又は当該計算に誤りがあったということはできないから、国税通則法23条１項１号には該当せず、本件Ｍ配当金に係る配当所得を総合課税の適用対象から申告分離課税の適用対象に変更するために更正の請求をすることはできない。」

⑶　争点③について

「措置法8条の4第1項は、本件特例の適用要件として、当該上場株式等の配当等に係る配当所得につき同項の適用を受けようとする旨の記載のある確定申告書を提出したときと定めているところ、確定申告書とは、所得税法第2編第5章第2節第1款及び第2款の規定による申告書（当該申告書に係る期限後申告書を含む。）をいい（措置法2条1項10号、所得税法2条1項37号）、これと別に定義されている更正の請求に係る更正請求書（措置法2条1項16号、国税通則法23条3項）が確定申告書に当たらないことは文理上明らかというべきであり、また、本件特例については、確定申告書にその適用を受けようとする旨の記載がなかった場合であってもその適用を可能とするような救済規定も設けられていない。…したがって、本件各更正請求書において本件M配当金…に係る配当所得を新たに申告分離課税の適用を受けるものとして記載したとしても、措置法8条の4第1項の本件特例の適用を受けようとする旨の記載のある確定申告書を提出したときには該当しないから、本件各更正の請求によって本件各国内払配当金、本件M配当金…に係る配当所得につき本件特例の適用を受けることはできないというべきである。」

2　東京高裁平成30年5月17日判決

東京高裁は原審判断を維持したが、以下の諸点についても説示されている。

⑴　争点①について

「Xは、同項の規定は、納税者がある『上場株式等の配当等』に係る配当所得につき申告分離課税の適用を受ける場合の租税利益と総合課税の適用を受ける場合の租税利益とを比較衡量した上で総合課税の適用を選択した場合に限って適用されるとも主張するが、そうなると納税者の選択に至る主観的事情によって本件特例の適用が左右されることになって租税債務の確実かつ迅速な確定という要請を害することになるのは前記と同様であるから相当とはいえず、Xの上記主張は採用することができない。」

⑵　争点②について

「Xは、本件M配当金に係る配当所得につき、申告分離課税の適用を選択する意思があったにもかかわらず誤って総合課税の適用を選択する記載をしたのではなく、総合課税の適用対象とする意思でその適用を選択する記載を本件各確定申告書等にしたものと認められ、そうすると、本件M配当金に係る配当所得を総合課税の適用対象とするというXの意思と本件各確定申告書等の記載との間に不一致は存在しないのであるから、Xが本件M配当金に係る配当所得につき申告分離課税を選択する意思であったことが本件各確定申告書等の記載から見て取れる状況にはなかったというべきである。たとえ、Xが措置法8条の4第1項にいう上場株式等の解釈を誤り、その結果として本件各確定申告書等に上記記載をしたのだとしても、当該申告書等に記載された本件M配当金に係る税額等の計算は、国税に関する法律の規定に反する方法ではなく、当該申告書等の記載と整合し、かつ適法な、総合課税の適用により所得税を計算する方法に従って行われているのであるから、当該計算に誤りがあったということはできない。また、Xは、本件各更正の請求は事後的に申告分離課税の適用を選択し直すというものではないから更正の請求をすることができると主張するが、本件各確定申告書等の上記記載からは本件M配当金に係る配当所得を総合課税の適用対象とするというXの意思が適法に表示されていると認められるから、これを更正の請求によって申告分離課税に訂正することは、たとえ法令解釈の誤りをその理由に挙げたとしても、本件各更正の請求において表示されているXの意思としては、総合課税から申告分離課税に適用を選択し直すというものに他ならない。」

(3)　争点③について

「Xは、平成25年度税制改正によって、措置法8条の4第1項の『確定申告書を提出したとき』という文言が削除された上、同条2項に『確定申告書を提出した場合に限り適用する』という当初申告要件を示す文言が新設されたことからすると、上記の『確定申告書を提出したとき』という文言は当初申告要件を意味するものではないとも主張するが、更正請求書と確定申告書とは異なる概念であって前者が後者に当たらないことは前記（原判決…）のとおりであって、そうすると、上記改正後の措置法8条の4第2項は上記税制改正を機にその趣旨を明確化したものと解するのが相当であるから、Xの上記主張は採用することができない。」

〔コメント〕

上記のとおり、本件東京地裁及び東京高裁では、当初総合課税により確定申告した配当所得につき、租税特別措置法8条の4に規定する申告分離課税に変更することは更正の請求の対象とならない旨判示された。

確定申告書の提出要件が明定されているところ、更正請求書の提出をもってそれと解することは文理上困難であるといえよう。本件訴訟中に平成25年度税制改正によって当初申告要件が緩和されたところではあるが、同改正は本件には適用できないといわざるを得まい。

なお、本件東京地裁は、「措置法8条の4第2項が、その年中に支払を受けるべき上場株式等の配当等に係る配当所得について総合課税の適用を受けた場合に、同一の年中に支払を受けるべき他の上場株式等の配当等に係る配当所得については、本件特例を適用しない旨を定めていることからすれば、同項の適用場面となる前提として、同一の年中に支払を受けるべき上場株式等の配当等に係る配当所得の一部のみが総合課税の適用対象として確定申告がされる場合があることが想定されていると解されるから、そのような確定申告書の記載をもって法律の規定に反するものであるとはいえない。」から、「上場株式等の配当等である本件各国内払配当金に係る配当所得につき申告分離課税の適用対象として記載しつつ、本件M配当金に係る配当所得については総合課税の適用対象として記載したとしても、そのこと自体、何ら国税に関する法律の規定に反するものではない」とする点は論理的に相当の無理があったというべきであろう。

(3)　更正の請求の特例

更正の請求には、国税通則法に定めるもののほか、所得税法等においても、次のとおり更正の請求の特例が設けられている。

イ　各種所得の金額に異動が生じた場合の更正の請求

確定申告書を提出し又は決定を受けた者は、次に掲げる事由により、その申告又は決定に係る課税標準等又は税額等が過大になる場合や還付金の額が過少になる場合、その事実が生じた日の翌日から起算して２か月以内に更正の請求ができる（所法152、所令274）。

①　事業を廃止した後において、その事業に係る所得の金額の計算上必要経費に算入される費用又は損失が生じたこと（所法63）

②　各種所得の金額（事業所得の金額を除く。）の計算の基礎となった収入金額若しくは総収入金額（不動産所得又は山林所得を生ずべき事業から生じたものを除く。）の全部又は一部が回収不能となったこと、その他特定の事由によりその収入金額若しくは総収入金額の全部又は一部を返還すべきこととなったこと（所法64①）

③　保証債務を履行するために資産を譲渡した場合において、その履行に伴う求償権の全部又は一部の行使が不能となったこと（不動産所得の金額、事業所得の金額又は山林所得の金額の計算上必要経費に算入される金額を除く。所法64②）

✍ 保証債務の履行のために資産を譲渡し、その譲渡所得について確定申告をしている場合には、保証債務の履行に伴う求償権が行使不能となった日から２か月以内に更正の請求をしなければ譲渡所得の課税を免れることはできない。このため、保証債務の履行のために資産を譲渡し、その求償権が行使不能であるとして更正の請求をする事例においては、求償権の行使不能となった時期が極めて重要となる。

④　各種所得の金額（事業所得の金額並びに事業から生じた不動産所得又は山林所得を除く。）の計算の基礎となった事実のうちに含まれていた無効な行為により生じた経済的成果がその行為の無効であることを基因として失われたこと、又は取り消すことのできる行為が取り消されたこと（所令274）

ロ　前年分の所得税額等の更正等に伴う更正の請求

修正申告書を提出し又は更正若しくは決定を受けた者は、その修正申告書の提出又は更正若しくは決定に伴い、その翌年以後の年分の申告又は決定に係る課税標準等又は税額等が過大になる場合や還付金の額が過少となる場合、その修正申告書の提出又は更正若しくは決定を受けた日の翌日から起算して２か月以内に更正の請求ができる（所法153）。

ハ　国外転出をした者が帰国をした場合等の更正の請求の特例

国外転出をする場合の譲渡所得等の特例の創設に伴い、次の場合について更正の請求ができることとされている。

①　国外転出をした者が帰国をした場合等（所法153の２）

②　非居住者である受贈者等が帰国した場合等（所法153の３）

③　相続により取得した有価証券等の取得費の額に変更があった場合等（所法153の４）

④　国外転出をした者が外国所得税を納付する場合（所法153の５）

ニ　租税特別措置法の規定による更正の請求

租税特別措置法には、収用等があった翌年以後に代替資産を取得する見込みで課税の特例を受けた後、収用等に伴う対価補償金等で取得した代替資産の取得価額が見積額と異なる場合など、多くの更正の請求の特例が設けられている（措法28の３⑩、33の５④、36の３②、37の２②、37の５②、37の８①）。

Ⅳ　予定納税

予定納税とは、国庫収入の平準化や分割納付による納税者の便宜などの観点から、前年分の実績を基準として当年分の税額を機械的に算定し、その一部を予納するという制度である（所法104、107）。これは所得税の納税義務が、暦年終了の時に成立し、確定申告によって確定することを建前とする所得税法上の例外的な政策的措置である。

Ⅴ　青色申告制度

所得税法及び租税特別措置法は、一定の帳簿書類を備え付けて申告をする者（青色申告者）に対して、各種の特典を設けている。これを青色申告制度というが、同制度は、事業所得、不動産所得及び山林所得を生ずべき業務を行う居住者が税務署長の承認を受けて行う申告である。青色申告者は、帳簿書類を備え付けて一定の水準の記帳を継続的に行うとともに、これを保存することが義務付けられる一方、青色申告者以外の納税者に比し、特典として有利な所得計算や取扱いが認められる。

1　青色申告の承認制度

青色申告の承認を受けようとする者は、青色申告書を提出しようとする年の3月15日まで（その年の1月16日以後新たに業務を開始した場合には、その業務を開始した日から2か月以内）に、当該業務に係る所得の種類その他財務省令で定める事項を記載した申請書を所轄税務署長に提出しなければならない（所法144）。税務署長は、青色申告承認申請書が提出された場合において、承認するか却下するかの処分を行うときには、その申請をした者に対して書面によりその旨を通知する（所法146）。

次のような場合、税務署長はその申請を却下することができる（所法145）。

① 帳簿書類の備付け、記録又は保存が財務省令で定めるところに従って行われていないこと

② 帳簿書類に取引の全部又は一部を隠蔽又は仮装して記載していることその他不実の記載又は記録があると認められる相当の理由があること

③ 青色申告の承認の取消しの通知を受け、又は青色申告の取りやめの届出書を提出した日以後1年以内に申請書を提出したこと

青色申告承認申請書の提出があった場合において、その年分以後につき青色申告書を提出しようとする年の12月31日（その年の11月1日以後新たに業務を開始した場合には、その年の翌年の2月15日）までに、その申請の承認又は却下の処分がなかったときは、その日において承認があったものとみなされる（所法147）。

なお、青色申告の取りやめの届出があった場合には、その年分以後の年分の所得税について青色申告承認の効力を失い（所法151①）、青色申告者が事業所得、不動産所得及び山林所得に係る業務の全部を譲渡若しくは廃止した場合には、その譲渡又は廃止した日の属する年の翌年分以後の年分の所得税についても、同様に承認の効力を失うこととなる（所法151②）。

裁判例の紹介

事業の代替りと青色申告承認の承継の可否

青色申告の承認は、納税者に青色の申告書で申告することのできる法的地位を賦与する設権的行政処分であり、青色申告をなし得る法的地位は一身専属的なものであるとされた事例

（384第一審福岡地裁昭和56年7月20日判決・訟月27巻12号2351頁）[9]
（385控訴審福岡高裁昭和60年3月29日判決・訟月31巻11号2906頁）[10]

9）判例評釈として、斎藤明・ジュリ786号115頁（1983)、富岡幸雄・税通39巻15号150頁（1984）など参照。

10）判例評釈として、横山茂晴・税務事例17巻11号2頁（1985）参照。

（386上告審最高裁昭和62年10月30日第三小法廷判決・集民152号93頁）[11]
（387差戻控訴審福岡高裁昭和63年５月31日判決・税資164号927頁）

〔事案の概要〕

Ｘ（原告・被控訴人・被上告人）の実兄であり、かつ、養父であったＴは、戦前から酒類販売業の免許を受け、Ｓ商店の商号で酒類販売業を営んでいた。Ｔは、かなりの酒好きであり、アルコール幻覚症等により、酒に酔うと家族や従業員にしばしば暴力を振るう状態であった。このようなことから、税務署を退職しＳ商店の営業に従事していたＸは、事実上中心となって酒類販売業の業務を運営するようになった。酒類販売業における酒類販売免許は、Ｔの死亡まで同人名義であり、Ｔは死亡までかかる名義を変更することに拒否していた。Ｔは、青色申告の承認を受けており、Ｓ商店の営業による事業所得については、昭和29年分から同45年分までＴ名義により青色申告がされてきた。Ｘは、同46年分につきＴ宛てに送付されてきた青色申告書用紙を使用し、青色申告承認を受けることなく自己の名義で青色申告書による確定申告をした。所轄税務署の所得税課調査官は、同年分のＸ名義の青色申告書による確定申告を受理し、非違の有無を調査した上、修正申告を慫慂し、Ｘがその慫慂のとおり修正申告を行ったものの、青色申告の承認があるかどうかについて何の指摘もしなかった。税務署長Ｙ（被告・控訴人・上告人）は、昭和47年分から同50年分までの所得税についても、Ｘに青色申告用紙を送付し、Ｘの青色申告書による確定申告を受理するとともにその申告に係る所得税額を収納してきた。なお、Ｔ名義で青色申告を継続してきた間、青色申告の承認を取り消されるようなことはなく、昭和46年以降もＳ商店の帳簿書類の整備保存態勢に変化はなかった。Ｘは、昭和51年３月、Ｙから青色申告の承認申請がなかったことを指摘されるや直ちにその申請をし、同年分以降についてその承認を受けた。Ｙは、昭和51年３月、突然本件各申告の青色申告としての効力を否定し、Ｘに対し、白色申告としての本件各処分をして、不足納税額を徴収した。Ｘはこれを不服として提訴した。

〔争点〕

青色申告をなし得る法的地位は一身専属的なものであるか否か。

11）判例評釈として、水野忠恒・ジュリ903号46頁（1988）、同・租税百選〔７〕36頁（2021）、碓井光明・昭和62年度重要判例解説〔ジュリ臨増〕50頁（1988）、宇賀克也・ジュリ918号119頁（1988）、乙部哲郎・判評356号202頁（1988）、同・行政百選Ⅰ〔４〕52頁（1999）、阿部泰隆・法セ34巻２号112頁（1989）、高橋利文・昭和63年度主要民事判例解説〔判タ臨増〕324頁（1989）、金子芳雄・租税百選〔３〕26頁（1992）、玉國文敏・行政百選Ⅰ〔６〕58頁（2012）、首藤重幸・戦後重要租税判例の再検証35頁（2003）、吉村典久・租税百選〔５〕36頁（2011）、堺澤良・税務事例20巻12号４頁（1988）、谷口勢津夫・シュト322号１頁（1989）、酒井・ブラッシュアップ28頁など参照。

〔判決の要旨〕

1　第一審**福岡地裁昭和56年7月20日判決**は、Xの主張を認め、青色申告を有効なものと判示した。

2　**福岡高裁昭和60年3月29日判決**

福岡高裁は、青色申告制度が課税所得額の基礎資料となる帳簿書類を一定の形式に従って保存整備させ、その内容に隠蔽、過誤などの不実記載がないことを担保させることによって、納税者の自主的かつ公正な申告による課税の実現を確保しようとする制度であることから考えると、右のような制度の趣旨を潜脱しない限度においては、青色申告書の提出について税務署長の承認を受けていなくても、青色申告としての効力を認めてもよい例外的な場合があるとした上、本件の事実関係の下においては、Yが青色申告書を提出することについてその承認申請をしなかったとしても、必ずしも青色申告制度の趣旨に背馳するとは考えられず、Yが青色申告書による確定申告を受理し、これにつきその承認があるかどうかの確認を怠り、単にXが承認申請をしていなかったことだけで青色申告の効力を否認するのは信義則に違反し許されないとし、Xの昭和48年分及び同49年分の各所得税の確定申告について、これを白色申告とみなして行った本件各更正処分は違法である、と判断した。

3　**最高裁昭和62年10月30日第三小法廷判決**

「所得税法第2編第5章第3節に規定する青色申告の制度は、納税者が自ら所得金額及び税額を計算し自主的に申告して納税する申告納税制度のもとにおいて、適正課税を実現するために不可欠な帳簿の正確な記帳を推進する目的で設けられたものであって、同法143条所定の所得を生ずべき業務を行う納税者で、適式に帳簿書類を備え付けてこれに取引を忠実に記載し、かつ、これを保存する者について、当該納税者の申請に基づき、その者が特別の申告書（青色申告書）により申告することを税務署長が承認するものとし、その承認を受けた年分以後青色申告書を提出した納税者に対しては、推計課税を認めないなどの課税手続上の特典及び事業専従者給与や各種引当金・準備金の必要経費算入、純損失の繰越控除など所得ないし税額計算上の種々の特典を与えるものである。青色申告の承認は、所得税法144条の規定に基づき所定の申請書を提出した居住者（同法2条3号）に与えられる（同法146条、147条）。そして、青色申告の承認の効力は、その承認を受けた居住者が一定の業務を継続する限りにおいて存続する一身専属的なものとされている（同法151条2項）。

以上のような青色申告の制度をみれば、青色申告の承認は、課税手続上及び実体上種々の特典（租税優遇措置）を伴う特別の青色申告書により申告することのできる法的地位ないし資格を納税者に付与する設権的処分の性質を有することが明らかである。そのうえ、所得税法は、税務署長が青色申告の承認申請を却下するについては申請者につき一定の事実がある場合に限られるものとし（145条）、かつ、みなし承認の規定を設け（147条）、同法所定の要件を具備する納税者が青色申告の承認申請書を提出するならば、遅滞なく青色申告の承認を受けられる仕組みを設けている。このような制度のもとにおいては、たとえ納税者が青色申告の承認を受けていたXの営む事業にその生前から従事し、右事業を継承した場合であっても、青色申告の承認申請書を提出せず、税務署長の承認を受けていないときは、納税者が青色申告書を提出したからといって、その申告に青色申告としての効力を認める余地はないものといわなければならない。これと異なり、青色申告書の提出について税務署長の承認を受けていなくても青色申告としての効力を認めてもよい例外的な場合がある、とした原審の判断は、青色申告の制度に関する法令の解釈適用を誤ったものというほかない。

原審の確定した事実関係によれば、Xは、その昭和48年分及び同49年分の各所得税について青色申告の承認を受けていないというのであるから、Yの右両年分の所得税の確定申告については、青色申告としての効力を認める余地はなく、これを白色申告として取り扱うべきものである。」

4　差戻控訴審**福岡高裁昭和63年5月31日判決**は、青色申告の承認の効力は一身専属的なものであって、本件申告に青色申告としての効力を認める余地はなく、白色申告として取り扱うべきものであるとし、また本件に信義則に反するという特別の事情があるということはできないと判示した。

〔コメント〕

本件福岡地裁は、「特段の事情がある場合には、青色申告書を提出することについて新たにX名義の承認申請をしなかったとしても必ずしも右青色申告制度の趣旨に背馳するとは考えられないから、Yが青色申告書による確定申告をいったん受理した以上、単にXが自己名義による新たな青色申告書の提出についての承認申請をしていなかったことだけで右青色申告の効力を否認するのは信義則に違反し許されないというべきである。」として、Xの主張を採用している。

同地裁は、この判断をする前段において、「所得税法143条によれば、事業所得等を生ずべき業務を行う居住者が青色申告書による確定申告をするには、税務署長の承認を受けることが必要とされており、税務署長の承認のなされていない以上、一般的には、青色申告書の提出による確定申告がなされても当然には青色申告としての効力を認めることができないことはいうまでもない。しかしながら、青色申告制度が課税所得額の基礎資料となる帳簿書類を一定の形式に従って保存整備させ、その内容に隠蔽、過誤などの不実記載がないことを担保させることによって、納税者の自主的かつ公正な申告による課税の実現を確保しようとする制度であることから考えると、右のような制度の趣旨を潜脱しない限度においては、仮に、青色申告書の提出について税務署長の承認がなされていなかったとしても、青色申告としての効力を認めてもよい例外的な場合がある」としているのである。

この事例は、租税法律関係において、信義則の適用があり得るか否かが争点とされた事例としてつとに有名であるから、続けてこの点を確認しよう。

裁判例の紹介

信義則の適用

課税処分に信義則に反するという特別の事情があるものということはできないとされた事例

（388第一審福岡地裁昭和56年7月20日判決・訟月27巻12号2351頁）
（389控訴審福岡高裁昭和60年3月29日判決・訟月31巻11号2906頁）
（390上告審最高裁昭和62年10月30日第三小法廷判決・集民152号93頁）
（391差戻控訴審福岡高裁昭和63年5月31日判決・税資164号927頁）

〔事案の概要〕

事例384～387参照（873頁）

〔争点〕

Xに対する課税処分は信義則に反するか否か。

〔判決の要旨〕

1　福岡地裁昭和56年7月20日判決

「所得税法143条によれば、事業所得を生ずべき業務を行う居住者が青色申告書による確定申告をするには、税務署長の承認を受けることが必要とされており、税務署長の承認のなされていない以上、一般的には、青色申告書の提出による確定申告がなされても当然には青色申告としての効力を認めることができないことはいうまでもない。しかしながら、青色申告制度が課税所得額の基礎資料となる帳簿書類を一定の形式に従って保存整備させ、その内容に隠蔽、過誤などの不実記載がないことを担保させることによって、納税者の自主的かつ公正な申告による課税の実現を確保しようとする制度であることから考えると、右のような制度の趣旨を逸脱しない限度においては、仮に、青色申告書の提出について税務署長の承認がなされていなかったとしても、青色申告としての効力を認めてもよい例外的な場合があるというべきである。」

「本件についてこれを見るに、…Xが同人の昭和46年分の所得について青色申告書の提出による所得税の確定申告をしたところ、Ｙはこれを受理しただけでなく、昭和47年分から同50年分までの所得税についても同人に青色申告用紙を送付し、これに従った同人の確定申告をいずれも受理するとともに青色申告により計算された所得税額を収納してきたこと、…昭和46年以降も事業所得の形式上の名義がＴからＸに変わるだけでその経営実態や態勢には何らの変化がなかったことがそれぞれ認められる。したがって、こうした特段の事情がある場合には、青色申告書を提出することについて新たにＸ名義の承認申請をしなかったとしても必ずしも右青色申告制度の趣旨に背馳するとは考えられないから、Ｙが青色申告書による確定申告をいったん受理した以上、単にＸが自己名義による新たな青色申告書の提出についての承認申請をしていなかったことだけで右青色申告の効力を否認するのは信義則に違反し許されないというべきである。」

2　福岡高裁昭和60年３月29日判決

「付言するに一般に税法における信義則の適用が問題とされる事案にあっては、信義則が適用され処分が違法とされた結果、納税者に与えられる非課税等の利益は、如何なる処理をしても適法となる余地のない違法なものが多い。しかるに、本件においては、Ｘは、青色申告の承認申請を怠りその承認がなかったものの、…実質所得者の点については相当ではなかったものの、昭和46、47年分については青色申告による確定申告を受理されて納税し、昭和50年分以降はＹに右更正処分によって青色申告の承認申請のなかったことを指摘されるや直ちにその申請をして昭和51年分以降についてその承認を受け同年分以降青色申告による確定申告、納税をしていることからも明らかなように青色申告の申請、承認のなかったことを除いては、昭和48、49年分の青色申告による確定申告は相当であってＸが不当に課税上の利益を得るというものではない。したがって、本件について前記の諸事情があることによって信義則を適用して、前記各更正処分を違法として差支えないものと解するのが相当である。」

3　最高裁昭和62年10月30日第三小法廷判決

「青色申告の制度をみれば、青色申告の承認は、課税手続上及び実体上種々の特典（租税優遇措置）を伴う特別の青色申告書により申告することのできる法的地位ないし資格を納税者に付与する設権的処分の性質を有することが明らかである。そのうえ、所得税法は、税務署長が青色申告の承認申請を却下するについては申請者につき一定の事実がある場合に限られるものとし（145条）、かつ、みなし承認の規定を設け（147条）、同法所定の要件を具備する納税者が青色申告の承認申請書を提出するならば、遅滞なく青色申告の承認を受けられる仕組みを設けている。このような制度のもとにおいては、たとえ納税者が青色申告の承認を受けていた被相続人の営む事業にその生前から従事し、右事業を継承した場合であっても、青色申告の承認申請書を提出せず、税務署長の承認を受けていないときは、納税者が青色申告書を提出したからといって、その申告に青色申告としての効力を認める余地はないものといわなければならない。」

「租税法規に適合する課税処分について、法の一般原理である信義則の法理の適用により、右課税処分を違法なものとして取り消すことができる場合があるとしても、法律による行政の原理なかんずく租税法律主義の原則が貫かれるべき租税法律関係においては、右法理の適用については慎重でなければならず、租税法規の適用における納税者間の平等、公平という要請を犠牲にしてもなお当該課税処分に係る課税を免れしめて納税者を保護しなければ正義に反するといえるような特別の事情が存する場合に初めて右法理の適用の是非を考えるべきものである。そして、右特別の事情が存するかどうかの判断に当たっては、少なくとも、税務官庁が納税者に対して信頼の対象となる公的見解を表示したことにより、納税者がその表示を信頼しその信頼に基づいて行動したところ、後に右表示に反する課税処分が行われ、そのために納税者が経済的不利益を受けることになったものであるかどうか、また、納税者が税務官庁の右表示を信頼しその信頼に基づいて行動したことについて納税者の責めに帰すべき事由がないかどうかという点の考慮は不可欠のものであるといわなければならない。」

4　差戻控訴審福岡高裁昭和63年5月31日判決

差戻控訴審福岡高裁は、最高裁判決にいう信義則の適用考慮要件を説示した。さらに次のように続く。

「納税申告は、納税者が所轄税務署長に納税申告書を提出することによって完了する行為であり（国税通則法17条ないし22条参照）、税務署長による申告書の受理及び申告税額の収納は、当該申告書の申告内容を是認することを何ら意味するものでなく（同法24条参照）、また、納税者が青色申告書により納税申告したからといって、これをもって青色申告の承認申請をしたものと解しうるものでないことはいうまでもなく、税務署長が納税者の青色申告書による確定申告につきその承認があるかどうかの確認を怠り、翌年分以降青色申告の用紙を当該納税者に送付したとしても、それをもって当該納税者が税務署長により青色申告書の提出を承認されたものと受け取りうべきものでないことも明らかであり、さらに、このことは、納税者が青色申告書による納税申告をした際の承認手続を経ていないことにつきなんらの摘示をしないままであったのに対し、税務署所得税課所属調査官が納税申告につき、調査をし修正申告の勧告をしたとしても同様であって、…本件各処分がＹのＸに対して与えた公的見解の表示に反する処分であるということはできないものといわなければならない。

また、青色申告制度は、申告納税制度のもとで、…青色申告の承認を受けたものに対し、課税手続上及び実体上種々の特典（租税優遇措置）を与えるものであって、右特別の租税優遇措置を受けられないため、本来の納税義務を負担したことをもって、重大な経済的不利益ということはできず、…本件各処分かＹがＸに対し著しい経済的不利益を与えたということはできないものといわなければならない。

さらに、…Ｘは元税務職員で、青色申告の承認が必要なことは十分知っていたし、Ｓ商店の営業所得が自己に帰属すると主張できる立場にもなかったが、Ｔ死亡後の相続税対策の一環として、営業資産の従前よりの自己への帰属を装うために自己名義の承認手続をしないままＴ名義の青色申告に引き継ぐかたちで本件確定申告を継続したとの推認もあながちできないではなく…、ＸがＹの行為を信頼しその信頼に基づいて行動したとは到底いいがたく、その行動はＸ自身の責めに帰すべき事由によるものといわなければならない。

以上のとおり、本件各処分にＸ主張の信義則に反するという特別の事情があるものということはでき〔ない。〕」

〔コメント〕

1　租税法律関係における信義則の適用

租税法律関係において信義誠実の原則（以下「信義則」という。）の適用の可否が重大な問題となるのは、かかる原則の適用が租税法律主義の原則と抵触する結果となると認められる場合においてのみであり、そのような場合以外には、信義則の適用は広く是認されてきたところである。

例えば、信義則（禁反言）の問題ではないが、国税滞納処分につき民法177条《不動産に関する物権の変動の対抗要件》の適用の可否が争点とされた事例において最高裁昭和31年4月24日第三小法廷判決（民集10巻4号417頁）は、「国税滞納処分においては、国は、その有する租税債権につき、自ら執行機関として、強制執行の方法により、その満足を得ようとするものであって、滞納者の財産を差し押えた国の地位は、あたかも、民事訴訟法上の強制執行における差押債権者の地位に類するものであり、租税債権がたまたま公法上のものであることは、この関係において、国が一般私法上の債権者より不利益の取扱を受ける理由となるものではない。

それ故、滞納処分による差押の関係においても、民法177条の適用があるものと解するのが相当である。

そこで、本件において、国が登記の欠缺を主張するにつき正当の利益を有する第三者に当るかどうかが問題となるが、ここに第三者が登記の欠缺を主張するにつき正当な利益を有しない場合とは、当該第三者に不動産登記法4条、5条により登記の欠缺を主張することの許されない事由がある場合、その他これに類するような、登記の欠缺を主張することが信義に反すると認められる事由がある場合に限るものと解すべきである。」とし、原審事実認定の下では、信義則に反すると認められる事由がなかったと判断している。

本件最高裁判決の示す信義則適用考慮要件に影響を及ぼしたと思われるいわゆる文化学院事件東京地裁昭和40年5月26日判決（行集16巻6号1033頁）は、「事実上の行政作用を信頼して行動したことにつきなんら責められるべき点のない誠実、善良な市民が行政庁の信頼を裏切る行為によって、まったく犠牲に供されてもよいとする理由はない」として、「法の根底をなす正義の理念より当然出ずる法原則」である信義則の適用は公法分野においてもあり得るとしている。

同地裁は、「自己の過去の言動に反する主張をすることにより、その過去の言動を信頼した相手方の利益を害することの許されないことは、それを禁反言の法理と呼ぶか信義誠実の原則と呼ぶかはともかく、法の根底をなす正義の理念より当然生ずる法原則（以下禁反言の原則という。）であって、国家、公共団体もまた、基本的には、国民個人と同様に法の支配に服すべきものとする建前をとるわが憲法の下においては、いわゆる公法の分野においても、この原則の適用を否定すべき理由はないものといわねばならない。（すでに公法の分野において確立された法理と目されている次の法理、すなわち相手方に利益を付与する行政処分については、その処分が違法であっても、処分庁が後にこれを自ら取り消すことには制限があるとする法理の如きは、この原則の一適用を示すものと解される。）それのみならず、国家、公共団体の行政は、いわゆる権力作用によってのみ行なわれるものではなく、実際上、法の根拠を欠くとはいえ、法の禁止しているものとは認められない数多くの、事実上の行政作用（たとえば、行政法規の解釈、適用等に関する通達、その他本件で問題となっている非課税決定通知なども、かような事実上の行政作用に属する。）によって行なわれるものであり、ことに、国民の社会生活が公法法規により規制される度合が増大し、しかも、この種の法規がますます専門技術化するに応じて、かような事実上の行政作用の果す役割りはますます重要なものとなり、その反面、国民は、善良な市民として適法に社会生活を営むためには、かような事実上の行政作用に依存しこれを信頼して行動せざるを得ないこととなる。ことに、租税法規が著しく複雑かつ専門化した現代において、国民が善良な市民として混乱なく社会経済生活を営むためには、租税法規の解釈適用等に関する通達等の事実上の行政作用を信頼し、これを前提として経済的行動をとらざるを得ず、租税行政当局もまた、適正円滑に税務行政を遂行するためには、かような事実上の行政作用を利用せざるを得ない。かような、事態にかんがみれば、事実上の行政作用を信頼して行動したことにつきなんら責められるべき点のない誠実、善良な市民が行政庁の信頼を裏切る行為によって、まったく犠牲に供されてもよいとする理由はないものといわねばならない。

もっとも、租税の賦課については、行政庁は法律の根拠なく租税を賦課することが許されないばかりでなく、法律上の根拠なく特定の者に対し租税を減免することも許されず、被告においても、この点から、かような、行政庁に処分権の認められていない法分野については、禁反言の原則を導入する余地はないと主張する。

しかし、禁反言の原則は、もともと、制定法上、形式的には適法とされる行為であるにかかわらず、個別的、具体的事情の下で、これを行なうことが法の根底をなす正義の理念に反するところから、これを行なうことを許さないとするものであって、前述のような事実上の行政作用の果している役割りにかんがみれば、個々の場合に租税の減免が法律上の根拠に基づいてのみ行なわるべきであるとする原則を形式的に貫くことよりも、事実上の行政作用を信頼したことにつきなんら責めらるべき点のない誠実、善良な市民の信頼利益を保護することが、公益上、いっそう強く要請される場合のあることは否定できないところであるから、租税の減免が法律上の根拠に基づいてのみ行なわるべきであるということは、税法の分野に禁反言の原則を導入するについて、その要件及び適用の範囲を決定する場合に考慮を払うべき要素の一つとはなっても、この原則の導入を根本的に拒否する理由とはなり得ないものと解すべきである。」とし、「禁反言の原則は、いわゆる公法分野についても、その適用を否定すべき根本的理由はないと解すべきであるが、このことは、右の原則が私法分野におけると同じ要件の下に、同じ範囲、程度において適用されると解すべきことの理由となるものではなく、公法分野とくに税法の分野においては、前述のように、積極、消極両面の行政作用につき厳格な法律の遵守が要請されていることにかんがみれば、かような法分野について禁反言の原則がいかなる要件の下に、いかなる範囲において適用されるかについては慎重な判断を要することはもちろんである。すなわち、この原則の適用の要件の問題としては、とくに、行政庁の誤った言動をするに至ったことにつき相手方国民の側に責めらるべき事情があったかどうか、行政庁のその行動がいかなる手続、方式で相手方に表明されたか（一般的のものか特定の個人に対する具体的なものか、口頭によるものか書面によるものか、その行動を決定するに至った手続等）相手方がそれを信頼することが無理でないと認められるような事情にあったかどうか、その信頼を裏切られることによって相手方の被る不利益の程度等の諸点が、右原則の適用の範囲の問題としては、とくに、相手方の信頼利益が将来に向っても保護さるべきかどうかの点が吟味されなければならない。」と説示している。

2　信義則適用の要件論

本件最高裁判断をみると、少なくとも、次の各要件が充足されてはじめて信義則の適用が考慮されるべきであるとしている（通説もこれを承認する（金子・租税法124頁））。

①　税務官庁が納税者に対して信頼の対象となる「公的見解」を表示したこと
②　納税者がその表示を信頼しその信頼に基づいて行動したこと
③　後にかかる表示に反する課税処分が行われたこと
④　当該課税処分のために納税者が経済的不利益を受けることになったこと
⑤　納税者が税務官庁の右表示を信頼し「その信頼に基づいて行動」したことについて納税者の責めに帰すべき事由がなかったこと

このような要件は、上記の文化学院事件東京地裁判決や学説の流れをくむものであるが、これらの判断基準について、本件最高裁は全ての充足を求めているものか（絶対的判断条件）、あるいは、信頼保護の要請と合法性原則との平等取扱いとの相克の中での比較衡量における判断要素として解するべきものか（相対的判断条件）が必ずしも明確ではないが、その後の多くの裁判例では、これらを絶対的判断条件として捉える傾向にあるように思われる。本件最高裁判決が「少なくとも」という表現を使っている点を重視すれば、同判決は、これらの検討考慮要素は最低限の列挙であるとしているのであろう。

これらの要件のうち、①の信頼の対象となる「公的見解」を表示したことや、⑤の納税者が税務官庁の右表示を信頼し「その信頼に基づいて行動」したことには重要な論点が伏在している。とりわけ、⑤の「信頼に基づく行動」には、申告行為を含まないとするのが通説であるが、なぜ、申告行為が含まれないのかについては必ずしも法律的な説明が十分に議論されてはいないように思われる。筆者は、この点を信義則が自己決定権の侵害に対する保護法制として機能している点との関係で整理することが可能なのではないかとの試論を有している（酒井・租税法と私法43頁以下参照）。

情報格差や交渉力格差がある商品販売者側と消費者側における契約関係において説明義務違反の不法行為が認定されるケースでは、誤情報の伝達による消費者側の自己決定権が侵害され—契約締結時にもたらされる誤った情報により契約締結に係る自己決定が侵害され—、そのことが信義則違反となるという構成をとる。租税法律関係における税務当局から納税者側への情報提供に誤りがあった場合にも同様に、納税者の自己決定権が侵害されると考えることができるかどうかという点から眺めると、およそ租税債務の確定は自己決定などによって左右されるものではなく、課税要件の充足によっていわば機械的に税額が確定されるのであるから、そこには自己決定権の侵害などは生じ得ないといえよう。しかしながら、申告行為以外の何らかの「行動」については、自己決定権侵害の余地があることからすれば、信義則適用によって保護される領域が自己決定権行使の及ぶ範囲で画されるということはあり得るのではないかという試論である。

もっとも、かような立論が肯認されると、選択的適用が許容されている部面では（青色申告制度の適用、課税事業者の選択、棚卸資産の評価方法、減価償却計算方法など）自己決定権が及ぶと解されることから、申告行為のうち選択的適用が許容されている部面でのかかる「選択」は⑤の「行為」に含めて議論すべきということにもなる。

租税法律関係ではいかなる平等が重視されるべきかという見地から、信義則の適用の問題を考えることが要請されるべきであろう。個別具体的な状況に応じて同法理の適用は変わり得るのかという点も論点視されるが、本件最高裁が上記考慮事項を摘示している点からすれば、個別具体的な検討を要請しているとみるべきであろう。本件の納税者が元税務職員であったという点が税務署長側の主張に展開されたようにである。

この点、札幌地裁昭和52年11月4日判決（訟月23巻11号1978頁）は、「禁反言の原則ないし信義誠実の原則（以下『禁反言の原則』という）は、正義の一体現としてあらゆる法分野にわたって認められるものであり、これを特に租税法の分野においてのみ適用がないとする根拠はない。しかし国民に対する課税の平等や負担の公平ということも同じく正義の理念のあらわれであって、かかる要請を尊重すべきことは勿論である。従って、租税法の分野における禁反言の原則の適用の要件は、あの正義と、この正義と、二つのものの間の重要度の衡量の結果において定められる。そして右衡量を行なうにあたっては、納税義務者が信頼した行政庁側の行動（即ち誤まった内容を明らかにするととは勿論、その行動がいかなる手続や方式により為されたものであるか等）について検討するのをはじめ、行政庁側の行動を納税者が信頼したことが正当な理由を持つか否か（本件のような税務相談の場合、相談にあたり回答の前提となる具体的な事情を相談者がどこまで明らかにしたかを含む）信頼して行為しあるいは行為しなかったことによる不利益の内容、そしてその不利益を回復する場合における他の納税者との均衡の程度等、諸般の事情を検討したうえ総合的に判断されることが必要である。」とする。

そこでは、例えば、納税者がその誤指導を信じたことにつき、納税者の責めに帰すべき事由がないことを斟酌する必要があるということになるが、その判定に当たっては、①行政庁側の公的見解表明の状況、②誤指導の内容及びその程度、③納税者の租税知識の程度等を総合する必要があると思われるのである。これは、説明義務違反における不法行為構成をとる際の適合性原則の考え方と親和性を有するものであるともいえよう。

なお、加算税における「正当な理由」と信義則との関係についても議論のあるところであるが、本件最高裁判決のような厳格な基準は合法性の強く支配する更正・決定処分にこそ適用され、加算税賦課決定についてはより緩やかな判断が要請されると考えるべきであろう。

2　青色申告の特典

青色申告の特典には、手続上の特典と実体上の特典とがある。

(1)　手続上の特典

イ　帳簿書類の調査と理由附記

青色申告者は一定の帳簿書類を備え付けるとともに、その保存の義務が課されていることから、税務署長がその所得金額を更正するときは、その納税者の帳簿書類を調査し、その調査によりこれらの金額の計算に誤りがあることが判明した場合に限って更正することができる（所法155①）。

裁判例の紹介

理由の附記を欠く更正処分の効力

課税庁の行った処分に係る理由の附記が不十分であるとされた事例
（392第一審東京地裁昭和34年２月４日判決・民集17巻４号629頁）
（393控訴審東京高裁昭和35年10月27日判決・民集17巻４号632頁）
（394上告審最高裁昭和38年５月31日第二小法廷判決・民集17巻４号617頁）[12)]

〔事案の概要〕

青色申告者であるＸ（原告・被控訴人・上告人）は、昭和31年度分の所得につき青色申告書により所得金額を30万9,422円と確定申告したところ、Ｋ税務署長は、昭和32年７月29日付けをもって右所得金額を44万4,695円と更正処分をした。その通知書には更正の理由として、「売買差益率検討の結果、記帳額低調につき、調査差益率により基本金額修正、所得金額更正す」と記載されていた。また、国税局長Ｙ（被告・控訴人・被上告人）がした本件審査決定の通知書には棄却の理由として、「あなたの審査請求の趣旨、経営の状況その他の勘案して審査しますと、Ｋ税務署長の行った再調査決定処分には誤りがないと認められますので、審査の請求には理由がありません」と記載されていた。その後のＫ税務署長の再調査決定通知書には「再調査請求の理由として掲げられている売買差益率については実際の調査差益率により店舗の実態を反映したものであり、標準差益率によった更正ではなく、当初更正額は正当である」との理由が附記されていた。

Ｘは、Ｋ税務署長の更正通知書記載の理由及びＹの審査決定通知書記載の理由は、ともに抽象的で、その趣旨が不明であるから、右各通知書には理由の記載を欠いているに等しく、したがって、Ｋ税務署長の更正及びＹの審査決定はともに違法である、として各処分の取消しを求めた。なお、Ｘは、本件各処分の金額の点についても不服があったようであるが、本訴においては上記した理由不備の点のみを違法事由として主張している。

12）判例評釈として、中川一郎・シュト16号22頁（1963）、北野弘久・税法151号17頁（1963）、同・税理27巻５号51頁（1984）、浦谷清・民商50巻１号132頁（1964）、渡辺吉隆・ひろば16巻８号25頁（1963）、同・曹時15巻７号90頁（1963）、高柳信一・租税百選〔２〕156頁（1983）、下川環・行政百選Ⅰ〔６〕256頁（2012）、堺澤良・戦後重要租税判例の再検証20頁（2003）など参照。

〔争点〕

「再調査請求の理由として掲げられている売買差益率については実際の調査差益率により店舗の実態を反映したものであり、標準差益率によった更正ではなく、当初更正額は正当である」との理由は、附記理由として適法なものか否か。

〔判決の要旨〕

1　東京地裁昭和34年2月4日判決

東京地裁は、理由の記載の程度は、少なくとも帳簿書類のどの点に誤りがあるかを指摘し、誤りと認定した根拠として帳簿書類よりも更に確実な証拠を摘示して、納税者に理解できる程度に具体的に記載することを要するものと解すべきであるとしてXの主張を認容した。

2　東京高裁昭和35年10月27日判決

東京高裁は、更正通知書等に記載された理由は、「更正処分の公正と正確を期する上からもできるだけ具体的に詳細且明確に表示されることが望ましいことであるとしても右理由の表示方法につき特別の規定はないのであるから申告者において修正理由を理解し得ることを目途とすべく、本件修正の理由として上記の程度の記載がある以上本件更正処分に理由の附記を欠く（又は理由の不備によりその附記を欠くに等しい）違法があるものということはできない。」と判示して、第一審判断を取り消した。

3　最高裁昭和38年5月31日第二小法廷判決

「一般に、法が行政処分に理由を附記すべきものとしているのは、処分庁の判断の慎重・合理性を担保してその恣意を抑制するとともに、処分の理由を相手方に知らせて不服の申立に便宜を与える趣旨に出たものであるから、その記載を欠くにおいては処分自体の取消を免かれないものといわなければならない。ところで、どの程度の記載をなすべきかは、処分の性質と理由附記を命じた各法律の規定の趣旨・目的に照らしてこれを決定すべきであるが、所得税法（昭和37年法律67号による改正前のもの、以下同じ。）45条〔筆者注：現行155条〕1項の規定は、申告にかかる所得の計算が法定の帳簿組織による正当な記載に基づくものである以上、その帳簿の記載を無視して更正されることがない旨を納税者に保証したものであるから、同条2項が附記すべきものとしている理由には、特に帳簿書類の記載以上に信憑力のある資料を摘示して処分の具体的根拠を明らかにすることを必要すると解するのが相当である。しかるに、本件の更正処分通知書に附記されていた前示理由は、ただ、帳簿に基づく売買差益率を検討してみたところ、帳簿額低調につき実際に調査した売買差益率によって確定申告の所得金額309,422円を444,695円と更正したというにとどまり、いかなる勘定科目に幾何の脱漏あり、その金額はいかなる根拠に基づくものか、また調査差益率なるものがいかにして算定され、それによることがどうして正当なのか、右の記載自体から納税者がこれを知るに由ないものであるから、それをもって所得税法45条２項にいう理由附記の要件を満たしているものとは認め得ない。

また、所得税法49条６項〔筆者注：現行所得税法155条２項〕が審査決定に理由を附記すべきものとしているのは、特に請求人の不服の事由に対する判断を明確ならしめる趣旨にでたものであるから、不服の事由に対応してその結論に到達した過程を明らかにしなければならない（昭和36年(オ)第409号、同37年12月26日第二小法廷判決参照)。もっとも、審査の請求を棄却する場合には、その決定通知書の記載が当初の更正処分通知書または再調査棄却決定通知書の理由と相俟って原処分を正当として維持する理由を明らかにしておれば足りるというべきである。ところが、本件審査決定通知書に附記された理由をみるに、前示のごとき記載だけでは、所得税法49条６項の理由附記として不十分であるのみならず、本件更正処分通知書に附記された理由が処分の具体的根拠を明確にしていないことは前段説示のとおりであり、K税務署長のした再調査棄却決定通知書に附記された前示理由によっても更正を相当とする具体的根拠が明確にされているものとは認められないから、結局、本件審査決定の理由もまた、違法といわなければならない。

されば、本件更正処分通知書並びに審査決定通知書の理由附記が所得税法45条２項または同法49条６項の要求する理由の附記として欠くるところがないとした原判決の判断は、右各法条の解釈適用を誤ったものであって、論旨は理由あるものというべく、右の違法は判決に影響を及ぼすこと明らかであるから、その余の論旨について判断を加えるまでもなく、原判決は破棄を免がれない。」

〔コメント〕

処分の理由附記を必要とする実質的な理由は、本件最高裁判決が論じるように、①処分庁の判断の慎重・合理性を担保してその恣意を抑制するとともに、②処分の理由を相手方に知らせて不服の申立てに便宜を与える趣旨に出たものであると解されている。したがって、少なくとも、ここにいうこの二つの要請を担保する範囲において理由附記が具体的になされていなければならないものと解されている。

この観点から、本件における決定通知書の記載をみると、処分の理由につき、具体的根拠を明確にしていないと判断されたのである。すなわち、実際に調査した売買差益率による計算結果を示したにとどまり、「いかなる勘定科目に幾何の脱漏あり、その金額はいかなる根拠に基づくものか、また調査差益率なるものがいかにして算定され、それによることがどうして正当なのか」が明らかにされていないという点から理由附記の要件を満たしているものとは認め得ないとされたのである。

　また、法人税法上の事件であるが、更正処分の通知書に次のように理由として「売上計上洩190,500円」と記載しただけで、旧法人税法32条の規定にいう理由附記の要件を充足したといえるかどうかが争われた事案として、最高裁昭和38年12月27日第二小法廷判決（民集17巻12号1871頁）[13] がある。同最高裁は、「当裁判所が、昭和38年5月31日言い渡した判決（昭和36年(オ)第84号）は、青色申告の更正の理由附記について、特に帳簿書類の記載以上に信憑力のある資料を摘示して処分の具体的根拠を明らかにすることを必要とする旨を判示しており、そして、その理由として、青色申告の制度は、納税義務者に対し一定の帳簿書類の備付、記帳を義務付けており、その帳簿を無視して更正されることがないことを納税者に保障したものと解すべき旨を判示しているのである。およそ、納税義務者の申告に対し更正をするについては、申告を正当でないとする何らかの理由がなければならないが、青色申告でない場合には、納税義務者は上述のような記帳義務を負わず、従って申告の計算の基礎が明らかでない場合もあるべく、更正も政府の推計によるよりほかはなく、その理由を明記し難い場合もあるであろう。しかし、青色申告の場合において、若しその帳簿の全体について真実を疑うに足りる不実の記載等があって、青色申告の承認を取り消す場合は格別、そのようなことのない以上、更正は、帳簿との関連において、いかなる理由によって更正するかを明記することを要するものと解するのが相当である。かく解しなければ、法律が特に青色申告の制度を設け、その更正について理由を附記せしめることにしている趣旨は、全く没却されることになるであろう。そして、かかる理由を附記せしめることは、単に相手方納税義務者に更正の理由を示すために止まらず、漫然たる更正のないよう更正の妥当公正を担保する趣旨をも含むものと解すべく、従って、更正の理由附記は、その理由を納税義務者が推知できると否とにかかわりのない問題といわなければならない。…本件更正の理由として『売上計上洩190,500円』との記載だけでは、いかなる理由によって計上洩を認めたかが明らかでなく、理由として極めて不備であって、右の記載をもって法律の要求する理由を附記したものと解することはできない。原判決が、前記程度の理由の記載をもって本件更正に違法はないとしたのは、法律の解釈を誤ったものといわなければならない。」としている。

ロ　推計課税の禁止

　推計課税は、税務署長が納税者の所得金額を収支計算による実額で算定でき

---

13) 第一審は前橋地裁昭和34年8月10日判決（民集17巻12号1886頁）、控訴審は東京高裁昭和37年5月26日判決（民集17巻12号1890頁）である。

ないような事情があるときに、間接的な資料から所得金額を算定し更正又は決定するものであるから、誠実な記帳に基づく青色申告者については推計による更正は許されない（推計による決定は認められる。所法156）。

(2)　所得金額の計算・税額の計算における特典

所得金額の計算・税額の計算における青色申告者の特典としては、次のようなものがある。

①　各種引当金の繰入額の必要経費算入（所法52、54）

②　事業専従者給与の必要経費算入（所法57）

③　小規模事業者の収入及び費用の帰属時期の特例（所法67）

④　純損失の繰越控除（所法70）

⑤　純損失の繰戻還付請求（所法140、706頁参照）

⑥　棚卸資産の評価方法についての低価法の選択（所令99①二）

⑦　耐用年数の短縮（所令130）

⑧　減価償却の特例（所令133）

⑨　青色申告特別控除（措法25の２）

⑩　租税特別措置法上の特別税額控除

⑪　租税特別措置法上の減価償却の特例

3　青色申告の承認の取消し

青色申告制度は申告納税制度の基盤となる記帳制度を支えるものである。そこには、誠実で信頼性のある記帳を宣明した納税者に対するある種の見返りとして、所得税法あるいは租税特別措置法上の各種の特典を与えるものであるといってもよい。したがって、青色申告者の帳簿に信頼が置けないような事実が生じた場合には、税務署長は青色申告の承認を取り消すことができることとしている（所法150①）。青色申告の承認の取消理由には、次のようなものがある。

①　帳簿書類の備付け、記録又は保存が財務省令で定めるところに従って行

われていないこと（所法150①一）

② 帳簿書類について税務署長の指示に従わなかったこと（所法150①二）

③ 帳簿書類に取引の全部又は一部を隠蔽又は仮装して記載し、その他その記載事項の全体についてその真実性を疑うに足りる相当の理由があること（所法150①三）

そして、これらに該当する事実がある場合には、税務署長は、その事実が生じた年にまで遡って青色申告の承認を取り消すことができ、取消年分以後の所得税については青色申告書以外の申告書（いわゆる白色申告書）によるものとみなされるのである（所法150①）。税務署長が青色申告の承認を取り消す場合には、書面でその旨を納税者に通知しなければならないし、その通知書には取消しの理由を附記しなければならない（所法150②）。

裁判例の紹介

青色申告承認の取消し

青色申告承認の取消処分が肯定された事例

（395 第一審浦和地裁昭和58年1月21日判決・行集34巻1号32頁）
（396 控訴審東京高裁昭和59年11月20日判決・行集35巻11号1821頁）[14]

〔事案の概要〕

T税務署員A国税調査官が昭和48年8月1日X（原告・控訴人）宅に至り、Xに対しXの昭和47年度分所得の調査に来たことを告げ、青色申告者が大蔵省令により備付け、記録、保存すべき帳簿書類の提示を求めたところ、Xは帳簿書類については、実弟Bに全て任せB宅にあるので同人方に行き調査して欲しい旨答えた。そこで、A係官は直ちにH市所在のX経営の工場に赴きBに対し、Xとの応待状況を告げて帳簿書類の提示を求めたところ、Bは、準備ができていないとしてその提示をしなかった。

税務署員A及び同署員C事務官は同年8月3日事前の通知をせずにX方に至り、Xに対し再度帳簿書類の提示を求めたが、XがB宅で見せてもらうよう述べたので、Aらは、前記の工場へ赴きBに対し帳簿書類の提示を求めたが、Bが、

14）判例評釈として、岩﨑政明・ジュリ865号121頁（1986）参照。

帳簿は自宅に置いてあり、8月10日には調査に応ずる旨述べた。

税務署員A、CのほかD国税調査官がX及びBと約束した同年8月10日Xに連絡した上B宅に至り、Bに対し所定の帳簿書類の提示を求めたが、調査の具体的理由の告知を求めて帳簿書類を提示しなかった。

税務署員Aが同年9月7日事前の通知をせずにX方に至り、Xに対し面接したが、Xは帳簿書類を提示しなかった。

税務署員Aが同年9月8日事前の通知をせずにX方に至り、Xに対し所定の帳簿書類の提示を求めたが、Xはこれに応じなかった。

税務署員A、Cが同年9月18日事前の通知をせずにX方に至り、Xに対し所定帳簿書類の提示を求め、Xと同道の上B宅に至り、Bに対し同様の趣旨を述べたが、Bは帳簿書類を提示しなかった。

このような経過の後、税務署長Y（被告・被控訴人）は、青色申告承認の取消処分を行った。これに対して、Xは、税務署員に対し所定の帳簿書類の提示を拒否した事実がないから、その事実の存在を前提とする本件青色承認取消処分は違法である旨主張した。

〔争点〕

青色申告承認の取消処分の違法性如何。

〔判決の要旨〕

1　浦和地裁昭和58年1月21日判決

浦和地裁は、税務調査において、青色申告者が帳簿書類の提出を拒んだときは、所得税法150条1項1号所定の青色申告承認の取消事由に該当するとして、Xの請求を棄却した。

2　東京高裁昭和59年11月20日判決

「青色申告の承認を受けている者が、税務署の当該職員から、法〔筆者：所得税法〕234条の質問検査権に基づき、法148条1項により備付け等を義務付けられている帳簿書類の提示を求められたのに対し、正当の理由なくこれを拒否し提示しなかった場合には、青色申告承認の取消事由として法150条1項1号が定める、帳簿書類の備付け、記録又は保存が大蔵省令で定めるところに従って行われていない場合に該当すると解するのが相当である。けだし、法148条1項所定の帳簿書類の備付け等が行われていないことは、一方において青色申告承認申請の却下事由とされ（法145条1号）、他方において青色申告承認の取消事由とされており（法150条1項1号）、また、青色申告者に対する更正処分は原則としてその者の所定の帳簿書類の調査を通じてのみし得ることとされ（法155条1項）、青色申告者に対するいわゆる推計課税は禁止されている（法156条）が、このような法の趣旨に照らし、事理に即して考えると、青色申告制度は、単に所定の帳簿書類の備付け等が、青色申告者の側においてひとり行われているということだけでなく、他方、そのような帳簿書類の状況が当該職員の質問検査権に基づく調査により確認できる状態にあることを不可欠・当然の前提要件としていることが明らかであり、したがって、法148条1項所定の帳簿書類の備付け等の意味内容は、当該職員がその提示閲覧を求めた場合にはこれに応じ、当該職員において右帳簿書類を確認し得るような状態に置くべきことを当然に含むものと解されるからである。青色申告者が帳簿書類に対する当該職員の調査を拒否することにより、その備付け等が正しく行われているか否かを当該職員において確認し得ない場合にも、その者に青色申告承認による特典を享受させることは、叙上の制度の予想せざるところというべく、その制度の本旨に反し、極めて不合理である。

このように解することは、帳簿書類の調査拒否の事実をもって、その備付け、記録又は保存がされていない場合と別個の青色承認の取消事由としようとするものではなく、青色申告制度の本旨・法意にそう法條の合理的解釈として、所定の帳簿書類の備付け等は、当該職員からの提示・閲覧の要求に応じ得るものでなければならないとするのであるから、これをもって、立法的解釈ないしは租税法律主義違反とする非難…は当たらない。」

「Xは、T税務署の当該職員のXに対する帳簿書類の提示要求は、具体的かつ正当な調査理由の告知がなかったから、これに応じる義務はなかった旨主張するが、税務署の当該職員が納税者に対し質問検査権を行使するに当たり、調査の理由ないし必要性を個別的、具体的に告知しなければならない法律上の義務は存しないし、Xの帳簿書類の提示拒否が正当の理由なく行われたものであることについては前叙のとおりであるから、右主張は理由がない。」

〔コメント〕

納税者が税務調査等において、正当な理由なく帳簿等を提示しないというケースは枚挙に暇がない。このような場合に問題となるのが、青色申告承認の取消処分と推計課税による更正処分の妥当性である。消費税法を念頭に置くと、更に消費税法30条《仕入れに係る消費税額の控除》1項の仕入税額控除の適用の可否という問題もある。

青色申告承認の取消事由のうち、帳簿の不提示が所得税法150条1項1号該当なのか、あるいは2号該当なのかがしばしば問題となる。すなわち、所得税法は、青色申告の承認の取消事由として、①帳簿書類の備付け・記録・保存義務違反（1号)、②帳簿書類に関する税務署長の指示に対する違反（2号)、③帳簿への不実記載（3号）の3点を掲げているが、青色申告者が税務調査に際して帳簿書類の提示を拒否した場合については、上記①の取消事由に当たるものと解されている。すなわち、1号該当として理解することが妥当であろう。本件高裁判決はその立場から論じているのである。

Ⅵ 租税回避行為への対応

1　同族会社等の行為又は計算の否認

所得税法157条《同族会社等の行為又は計算の否認》では、同族会社等の行為又は計算でこれを容認した場合にはその株主等の所得税の負担を不当に減少させる結果となると認められるものがあるときは、税務署長はその行為又は計算にかかわらず、その認めるところにより所得税の額を計算することができる旨定めている。同族会社については、少数の株主等によって支配され首脳の一存で業務執行がなされることが多いことから、租税回避行為が行われやすいのである。そこで、これを防止し、租税負担の公平を維持する観点から、同族会社等の行為等を容認した場合に株主等の所得税の負担を不当に軽減させる結果となると認められるときは、その行為を否認し、正常な行為等に引き直して株主等の所得税について更正又は決定を行う権限を税務署長に認めているのである。

裁判例の紹介

不動産管理会社方式

不動産賃貸業を営む個人が同族会社である不動産管理会社に低額の賃貸料で不動産を貸し付け、この不動産を不動産管理会社が第三者に通常の賃貸料で転貸することにより、不動産賃貸業を営む者の所得税の負担を不当に軽減したとしてされた更正処分の適否が争われた事例

（397第一審千葉地裁平成8年9月20日判決・税資220号778頁）[15]
（398控訴審東京高裁平成10年6月23日判決・税資232号755頁）[16]
（399上告審最高裁平成11年1月29日第三小法廷判決・税資240号342頁）

15）判例評釈として、中嶋明伸・税通52巻12号238頁（1977）参照。
16）判例評釈として、吉村政穂・ジュリ1196号144頁（2001）、同・租税29号167頁（2001）など参照。

〔事案の概要〕

X（原告・控訴人・上告人）は、その所有に係る本件A建物を、U商事に次の約束で賃貸した。Xは本件A建物をU商事に賃貸し、U商事はこれを貸借して第三者に転貸する。賃料は、U商事が第三者から受け取る転貸料の範囲内の金額とし、U商事の事業年度ごとに協議の上定める。本件A建物の管理、修理等はU商事が一切これを行い、その費用もすべてU商事が負担する。

これに対し、税務署長Y（被告・被控訴人・被上告人）は、所得税法157条1項の適用を行い、Xの昭和62年分、昭和63年分及び平成元年分の所得税確定申告（青色申告）に対する更正処分、過少申告加算税賦課決定処分等を行った。

Xは、本件A建物をU商事に賃貸しており、その賃貸料（以下「本件A賃貸料」という。）として、昭和62年に723万5,650円を、昭和63年に603万8,600円を、平成元年に741万7,124円を、それぞれ受領した。U商事は、本件A建物を第三者に転貸し、昭和62年に1,508万1,000円の、昭和63年に1,557万3,500円の、平成元年に1,639円3,500円の転貸料（更新料、礼金等の臨時的収入を含む。）（以下「本件A転貸料」という。）を得た。

Yは、「Xは、本件A建物をU商事に賃貸してU商事から本件A賃貸料を受け取っており、U商事は本件A建物を第三者に転貸して本件A転貸料を受け取っていたが、U商事がXの同族会社であることからすれば、実質的には、本件A転貸料はXの収入であり、Xはこの中からU商事に管理料を支払っていたものと同一に評価することができる。そして、その管理料は、本件A転貸料から本件A賃貸料を差し引いた差額である。

ところが、右の差額（すなわち管理料額）は、昭和62年分が784万5,350円、昭和63年分が953万4,900円、平成元年分が897万6,375円であって、本件A転貸料額の半分以下であり、あまりに高額である。その反面、Xの取得した本件A賃貸料は、あまりに低額となっており、通常の経済人の行為としては極めて不合理・不自然である。」と主張した。

〔争点〕

所得税法157条1項の規定の適用如何。

〔判決の要旨〕

1　千葉地裁平成8年9月20日判決

「Xは、本件A建物をU商事に賃貸し、U商事から本件A賃貸料を受け取っていたが、本件A賃貸料額は、昭和62年分が784万5350円、昭和63年分が953万4900円、平成元年分が897万6375円であって、これらは、たとえ、本件A建物の管理や修理等が契約上U商事の義務とされており、その費用もすべてU商事が負担することとされていることを考慮しても、同表記載の本件A転貸料額に比し、あまりに低額であって、右は通常の経済人の行為としては不合理であるといわざるをえない。」

「ところで、所得税法157条１項は、『税務署長は、同族会社の行為又は計算で、これを容認した場合にはその株主若しくは社員である居住者又はこれと政令で定める特殊の関係のある居住者の所得税の負担を不当に減少させる結果となると認められるものがあるときは、その居住者の所得税に係る更正又は決定に際し、その行為又は計算にかかわらず、税務署長の認めるところにより、その居住者の各年分の所得税法120条１項１号若しくは３号から８号まで《確定所得申告書の記載事項》に掲げる金額を計算することができる。』旨を規定している。

そして、右『所得税の負担を不当に減少させる結果となる』か否かは、経済的にみて当該行為又は計算が通常の経済人の行為として不合理又は不自然であるといえるか否かにより判断すべきものである。」

「そうとすれば、Ｙが本件Ａ賃貸料額を否認したことは適法であったというべきであり、そして、この場合には、本件Ａ建物の賃貸料額をＸの所得税の計算上その適正賃貸料額に置き換えて、これによって不動産所得の金額を計算するのが相当である。」

2　東京高裁平成10年６月23日判決

「Ｘらは、所得税法157条１項１号は、同族会社の行為又は計算で、これを容認した場合にはその株主等の所得税の負担を不当に減少させる結果となると認められるものがあるときに、その行為又は計算を否認することができる旨を規定するから、否認の対象となる行為・計算は株主等の個人の行為・計算ではなく同族会社の行為・計算であるところ、同族会社であるとはいっても、Ｕ商事は会社であり、会社が他人から安い賃料で建物を賃借し、これを高い賃料で転貸することは、経済人たる会社として合理的かつ自然な行為であって、これを否認されるいわれはないと主張する。

しかし、同条の規定及び趣旨からすると、同条の適用に当たっては、株主等と同族会社との間の取引行為を全体として把握し、その両者間の取引が客観的にみて、個人の税負担の不当な減少の結果を招来すると認められるかどうかという観点から判断するのが妥当であって、同族会社のみの行為・計算に着目して判断するのは相当でない。Ｘらの主張は、その前提において採用できないというべきである。

右のような立場からすると、本件ＸらのＵ商事に対する賃貸料額は不合理・不自然といわざるを得ない。」

「次に、Ｘらは、個人からの賃貸料額が転貸料額に比べて低額であることのみをもって所得税法157条１項の要件を満たすとするのは不当であり、ＸらのＵ商事からの配当所得及び給与所得等をも考慮して判断すべきであると主張する。

たしかに、ＸらのＵ商事に対する賃貸料額が低額な反面、Ｕ商事にはそれだけの所得が発生し、これに対しＵ商事は法人税を負担するのであり、また、Ｘ

らも、U商事の収入を原資としてU商事から配当及び給与の支払を受けており、これらをも所得として申告しているものであるところ、所得税法157条1項は税負担の公平を期するために、同族会社との関係において不当に所得税額を減少させる結果となる行為・計算を否認しようとするものであるから、前記のように、株主等と同族会社等との間の取引行為を全体として把握し、その両者間の取引（行為・計算）が客観的にみて個人の税負担の不当な減少を結果するものと認められるかどうかを判断するのが相当である。そうとすると、Xらの指摘することがら全体を考慮するのが妥当と考えられる。

そして、本件においては、Xら主張の配当所得及び給与所得の点を考慮しても、賃貸料額が転貸料額に比べて余りに低額であって、XらとU商事の間の取引全体としてみても、所得税額を不当に減少させる結果となると認めることができ、Yが所得税法157条1項に該当すると認定したことには誤りがあるとはいえない。」

3　上告審**最高裁平成11年1月29日第三小法廷判決**は、Xの上告を棄却し、原審判断を維持した。

〔コメント〕

本件は、所得税法157条1項にいう同族会社等の行為計算の否認規定の適用の妥当性が争われた事案である。

不動産貸付業を営むXが同族会社に支払った管理料と、同規模同程度の不動産貸付業者が同族関係にない不動産管理会社に支払った管理料（標準的な管理料）とを比較して、Xが同族会社に支払った管理料は著しく過大であるとし、標準的な管理料に引き直してXの所得税の計算をしたYの更正処分を適法としている。

不動産所得を有する個人は、高額の不動産管理料を同族会社に支払い、この管理料を不動産所得の金額の計算上必要経費に算入することにより、通常の管理料を支払う場合に比較して不動産所得に係る所得税の減少を図ることができるのであるが、他方、その個人が同族会社の代表者として役員報酬や配当を受け取ると、給与所得や配当所得に係る所得税が生じるし、同族会社自身も法人税を納めることになる。そこで、不動産管理会社を利用した節税行為に対して所得税法157条の規定を発動する場合には、同法にいう「所得税の負担を不当に減少させる結果」とは、①不動産所得に係る所得税の負担を不当に減少させる結果が生じていればよいのか、それとも、②同族会社の法人税の負担や、当該会社から支払われる役員報酬等に係る所得税の負担を加味したところで、トータルとしての税負担が不当に減少していなければならないかという問題が生ずる。

本件高裁判決では、同族会社から支払われる給与所得や配当所得に係る所得税の負担をも加味したところで、「所得税の負担を不当に減少させる結果」であるかどうかを判断基準としている。この点について、例えば、東京地裁平成元年4月17日判決（訟月35巻10号2004頁）は、不動産所得に係る所得税の負担を不当に減少させている場合には所得税法157条1項の規定の適用ができるとしており、本件とは結論が分かれている。

裁判例の紹介

パチンコ平和事件

納税者が法人に無利息貸付けを行っていた場合に、同族会社等の行為計算の否認規定の適用が肯定された事例

（400第一審東京地裁平成9年4月25日判決・訟月44巻11号1952頁）[17)]
（401控訴審東京高裁平成11年5月31日判決・訟月51巻8号2135頁）[18)]
（402上告審最高裁平成16年7月20日第三小法廷判決・訟月51巻8号2126頁）[19)]

〔事実の概要〕

X（原告・控訴人・上告人）はパチンコ機器製造業を営むH社の代表取締役であり、また、有価証券の保有、運用等を事業目的としたN社の取締役でもあった。XはN社に対して、同社がH社の株式をXから購入する資金3,455億円を無期限・無利息で貸し付けた。これに対して税務署長Y_2（被告・被控訴人・被上告人）は、この無利息貸付けについて所得税法157条を適用し、利息相当分の雑所得があるものとして所得税の更正処分を行った。Xはこれを不服として異議申立てをしたが棄却されたため、審査請求をした。その後、N社所有のH社株式の市場価額が下落していたため、N社の解散に伴いXには1,400億円の貸倒損が発生した。Xは所得税法64条《資産の譲渡代金が回収不能となった場合等の所得計算の特例》の規定により、Yの認定した利息はなかったものとみなされるとして、所得税法152条《更正の請求の特則》により更正の請求を行った。

---

17) 判例評釈として、品川芳宣・税研74号53頁（1997）、品川芳宣ほか・ＴＫＣ税研情報6巻6号1頁（1997）、高野幸大・判評474号187頁（1998）、木村弘之亮・租税27号156頁（1999）、髙橋祐介・税法538号147頁（1997）など参照。

18) 判例評釈として、品川芳宣・税研86号66頁（1999）、品川芳宣＝一杉直・ＴＫＣ税研情報9巻1号1頁（2000）、大淵博義・税務事例32巻5号22頁、6号1頁、7号1頁（2000）、岸田貞夫＝中江博行『新裁判実務大系18租税争訟』367頁（青林書院2005）など参照。

19) 判例評釈として、山田二郎・ジュリ1292号185頁（2005）、高野幸大・税務事例36巻10号1頁（2004）、同・民商132巻1号107頁（2005）、阿部泰隆・租税百選〔4〕190頁（2005）など参照。

しかしながら、この更正の請求は却下されたため、Xは異議申立てを行ったところ、審査請求とみなされ併合して審理が行われた。裁決により主張が排斥されたため、Xは、国税不服審判所長Y_1（被告・被控訴人・被上告人）及びY_2（被告・被控訴人・被上告人）を相手取り提訴した。

〔争点〕

第一審及び控訴審においては、①本件無利息貸付けが本件否認規定の適用対象となり得るか否か、また、②認定利息の利率は市中金利相当かなどが争点とされ、さらに、上告審では、③国税通則法56条《還付》１項にいう正当な理由の有無が争点とされた。

ここでは、下級審で争点とされた①を取り上げることとする。

〔判決の要旨〕

1　東京地裁平成９年４月25日判決

「本件規定の対象となる同族会社の行為又は計算は、典型的には株主等の収入を減少させ、又は経費を増加させる性質を有するものということができる。そして、株主等に関する右の収入の減少又は経費の増加が同族会社以外の会社との間における通常の経済活動としては不合理又は不自然で、少数の株主等によって支配される同族会社でなければ通常は行われないものであり、このような行為又は計算の結果として同族会社の株主等特定の個人の所得税が発生せず、又は減少する結果となる場合には、特段の事情がない限り、右の所得税の不発生又は減少自体が一般的に不当と評価されるものと解すべきである。すなわち、右のように経済活動として不合理、不自然であり、独立かつ対等で相互に特殊な関係にない当事者間で通常行われるであろう取引と乖離した同族会社の行為又は計算により、株主等の所得税が減少するときは、不当と評価されることになるが、所得税の減少の程度が軽微であったり、株主等の経済的利益の不発生又は減少により同族会社の経済的利益を増加させることが、社会通念上相当と解される場合においては、不当と評価するまでもないと解すべきである。また、右不当性の判断は、行為又は計算の態様から客観的に判断されるものであって、当該行為又は計算に係る株主等が租税回避等の目的あるいは不当性に関する認識を有していることを要件とするものではない。」

「本件規定は、同族会社の行為又は計算の実体法的効力を否定するものではないから、同族会社の行為又は計算によって株主等に収入が発生せず、又は経費が発生していること等を前提にして、株主等の所得税の計算という場面において、通常の取引で認められる収入の発生又は経費の不発生等を擬制するものである。」

「本件規定による否認の対象は同族会社の行為又は計算であるが、これによって株主等の所得税の負担を減少させる結果となるものであって、否認の目的が株主等の所得税を正常な行為又は計算に引き直すことにあることからすれば、否認されるべき同族会社の行為又は計算とは、同族会社を当事者とする株主等の所得計算上のそれであることは明らかである。すなわち、大正12年法律第8号所得税法中改正法律によって、所得税法73条ノ3に『前条ノ法人ト其ノ株主又ハ社員及其親族、使用人其ノ他特殊ノ関係アリト認ムル者トノ間ニ於ケル行為ニ付所得税逋脱ノ目的アリト認ムル場合』において政府が当該行為を否認し得るとする規定が設けられ、それが漸次その適用範囲を拡大して本件規定となったという沿革、及び既に説示したような本件規定の趣旨に照らせば、本件規定にいう同族会社の行為又は計算とは、同族会社と株主等との間の取引行為を全体として指し、その両者間の取引行為が客観的にみて経済的合理性を有しているか否かという見地からその適用の有無及び効果を判断すべきものというべきである。これに対し、Xは、本件規定の適用対象を株主等と同族会社との間の取引行為全体とすることは本件規定の文言からかけ離れた解釈であると主張するが、株主等の単独行為（同族会社に対する債権の免除等）であれば格別、株主等と同族会社との間の取引行為すら本件規定の対象とならないのであれば、本件規定の適用場面は想定しがたく、本件規定の趣旨である税負担の公平がおよそ達成し得なくなるし、本件規定の文言上も前記説示のように解し得るものというべきであるから、Xの右主張を採用することはできない。

そして、本件規定は、同族会社の行為又は計算の結果としての所得税の減少について不当性を必要としているのであって、私人たる株主等の行為の合理性でないことはXの指摘するとおりと解されるが、右の不当性は、同族会社の行為又は計算の不当性でもなければ、株主等の租税回避の不当性でもないのである。確かに、本件規定は、その制定の沿革からすれば、同族会社という法形式を利用して実質的な租税負担を軽減しようとする居住者に対処することを目的とした規定であるということはできる。しかし、『所得税の負担を不当に減少させる結果となる』という本件規定の文言から、本件規定の適用対象が客観的な租税回避行為に限られるとまで解すべき理由はない。また、我が国の税法は諸外国の立法例にみられるような租税回避行為に対処する旨の包括的規定を持たず、ただ一般に租税回避が生じやすいものと認められる行為類型に対処するために所得税法33条1項かっこ書等の個別的な否認規定を置くこととしたのであり、その中で同族会社等の行為又は計算による前記のような課税上の弊害に対処すべく、やや適用範囲の広い否認規定として本件規定が位置づけられているにすぎないのである。よって、本件規定を初めとする各個別的否認規定の適用対象は、講学上の租税回避行為であることが通常であるとはいえても、これに限られると解する必要はないものというべきである。」

「右に説示した点を株主等から同族会社に対する無利息貸付けについて検討するに、ある個人と独立かつ対等で相互に特殊関係のない法人との間で、当該個人が当該法人に金銭を貸し付ける旨の消費貸借契約がされた場合において、右取引行為が無利息で行われることは、原則として通常人として経済的合理性を欠くものといわざるを得ない。そして、当該個人には、かかる不自然、不合理な取引行為によって、独立当事者間で通常行われるであろう利息付き消費貸借契約によれば当然収受できたであろう受取利息相当額の収入が発生しないことになるから、結果的に、当該個人の所得税負担が減少することとなる。そして、右の消費貸借が株主等の所得税を減少させる結果となるときは、同族会社が当該融資金を第三者に対する再融資の用に供する場合でなくとも、不当に株主等の所得税を減少させる結果となるものというべきである。

したがって、株主等が同族会社に無利息で金銭を貸し付けた場合には、その金額、期間等の融資条件が同族会社に対する経営責任若しくは経営努力又は社会通念上許容される好意的援助と評価できる範囲に止まり、あるいは当該法人が倒産すれば当該株主等が多額の貸し倒れや信用の失墜により多額の損失を被るから、無利息貸付けに合理性があると推認できる等の特段の事情がない限り、当該無利息消費貸借は本件規定の適用対象になるものというべきである。」

「本件消費貸借は、XがN社に対し、3,455億円を超える多額の金員を無利息、無担保かつ無期限に貸し付けたというものであるから、独立かつ対等で相互に特殊関係のない当事者間では通常行われることのない不合理、不自然な経済的活動であり、これによってXの得べかりし利息相当分の収入の発生が抑制されることになるから、Xの所得税の負担を不当に減少させるN社の行為又は計算に該当するものということができる。

そして、N社には本件株式に係る配当収入及び受取預金利息に係る収入があっただけであることは既に摘示したとおりであり、…本件消費貸借当時、N社は本件譲渡に係る代金を弁済する資力も本件貸付金の利息を支払う資力もなく、元本の返済の方法、期限はN社の返済能力の程度に応じて後日定める予定であったというのである。これによれば、N社は将来の返済能力を獲得することを予定しており、また、営利法人であることを考慮すれば、その資産の大半である本件株式を何らかの形で運用することが通常予想されるのであるから、N社が行う本件株式取得のための資金として融資を行った本件消費貸借には、前記特段の事情を認めることはできない。」

2　控訴審**東京高裁平成11年5月31日判決**においても原審判断は維持されたものの、国税通則法56条にいう「正当な理由」があるとして、加算税についてのXの主張は採用された。なお、上告審**最高裁平成16年7月20日第三小法廷判決**においても「正当な理由」の有無が争点とされたが、Xの主張は排斥されている。

〔コメント〕

本件では、Xが行った無期限・無利息貸付けに対して、同族会社等の行為計算の否認規定が適用されるか否かが論点となっている。もっとも、Xが行った無利息貸付行為とみれば、これはXによる行為ともいえるが、他方で、かかる行為は同族会社の方からみれば、同族会社が受けた無利息による借入行為であるともいえるのである。かように見方によって、Xの行為とも同族会社の行為ともいえるところに本件における認定の難しさが介在するといえよう。このように、例えば、Xが単独で行う債務免除などのようなXの単独行為ではなく、あくまでもXと同族会社との間の取引行為であるとみれば、果たして、両者の取引をも含めて、同族会社等の行為計算の否認規定は適用されるのかどうかという点が論点となるともいえよう。

本件において、Xは次のような主張を展開した。

① 所得税法は外部からの経済的価値の流入として把握される所得を課税対象とすることを原則とし、本件規定も所得の発生を擬制するものではないから、本件規定は、同族会社の当該行為又は計算の原因又は結果となる同族会社又は株主等の行為によって外部から経済的価値の流入が認められ、株主等が本来取得すべき所得に代わる経済的成果を実現させたことを前提としたものである。

② 行為又は計算は同族会社のそれであるから、不当性の判断対象となるのも同族会社の行為又は計算であって、所得税を免れる株主等の行為又は計算ではない。

③ 本件規定が掲げる「不当」性は、株主等の所得税を減少させることについてのものであって、私人である株主等の行為に経済合理性を当てはめて判断すべきものではないから、結局、本件規定は、株主等に本来収入が生じると認められる場合に、同族会社がその行為又は計算によって、本来発生すべき株主等の所得に対する所得税の負担を殊更に減少させるために行う、客観的に租税回避行為と認められる行為のみを否認するものである。

これに対して、本件東京地裁は次のように判断をしている。

①については、「株主等の所得税の計算という場面において、通常の取引で認められる収入の発生又は経費の不発生等を擬制するものである。」として、外部からの経済的価値の流入がない場面、すなわち収入がない場合において、それを擬制する規定であるとして、所得税法157条を位置付けている。

②については、「否認されるべき同族会社の行為又は計算とは、同族会社を当事者株主等の所得計算上のそれであることは明らかである。」とする。

③については、文理解釈を重視し、「『所得税の負担を不当に減少させる結果となる』という本件規定の文言から、本件規定の適用対象が客観的な租税回避行為に限られるとまで解すべき理由はない。」として、租税回避行為と認められるか否かを所得税法157条の適用要件とする見解を排斥している。

一方、被相続人が死亡直前に同族会社に対する債権を放棄した点につき、相続税法64条の同族会社等の行為計算の否認規定の適用が争われた事例として、浦和地裁昭和56年２月25日判決（行集32巻２号280頁）[20]がある。そこでは、かかる債務免除が法律上単独行為であることに争いがなかったのであったが、同地裁は、「同条〔筆者注：相続税法64条〕は、一定の要件のもとにおいて税務署長に同族会社の行為又は計算を否認できる旨を定めた規定であるが、同条１項にいう『同族会社の行為』とは、その文理上、自己あるいは第三者に対する関係において法律的効果を伴うところのその同族会社が行なう行為を指すものと解するのが当然である。そうだとすると、同族会社以外の者が行なう単独行為は、その第三者が同族会社との間に行なう契約や合同行為とは異って、同族会社の法律行為が介在する余地のないものである以上、『同族会社の行為』とは相容れない概念であるといわざるをえない。」として、同族会社以外の者の行う単独行為は同族会社等の行為計算の否認規定の適用対象という理解が示されている。

この浦和地裁の事件では、Ｙは、同族会社等の行為計算の否認規定が創設された沿革をみれば、「同族会社の行為」を「同族会社とかかわりのある行為」と解すべきであるとして、債務免除が同条項の対象となると主張している。なるほど沿革をみると、そのような解釈を引き出せないこともないように思われる。大正12年法律第８号所得税法中改正法律によって、所得税法73条ノ３は「前条ノ法人〔筆者注：現行の同族会社にほぼ相当〕ト其ノ株主又ハ社員及其ノ親族、使用人其ノ他特殊ノ関係アリト認ムル者トノ間ニ於ケル行為ニ付所得税逋脱ノ目的アリト認ムル場合ニ於テハ政府ハ其ノ行為ニ拘ラス其ノ認ムル所ニ依リ所得金額ヲ計算スルコトヲ得」とし、このように「同族会社と特殊関係者との間における行為」としているという点がそのような見解の根拠となるのかもしれない。

しかしながら、同条項が設けられた当時、関係者が同族会社やこれに準ずる法人を利用する目的で設立し、これによって租税負担の軽減を図る事例が多かったところから、そのような同族会社自身による租税回避行為を防止しようとする趣旨であったといわれる。したがって、この規定にいう「同族会社と特殊関係者との間における行為」とは、同族会社と特殊関係者とが行う行為、すなわち、両者間の契約又は合同行為を指すものであるということはできそうであるが、そうであるからといって、ここに同族会社以外の者による債務免除のような単独行為が含まれると解すべき理由はないといわざるを得ない[21]。

---

20) なお、控訴審東京高裁昭和58年８月16日判決（税資133号462頁）においては、相続税法64条の適用について判断が示されていない。

21) さらに、上記浦和地裁判決は、「その後、大正15年法律第８号所得税法中改正法律によって右規定が削られ、新たに所得税法73条ノ２に『同族会社ノ行為又ハ計算ニシテ其ノ所得又ハ株主社員若ハ之ト親族、使用人等特殊ノ関係アル者ノ所得ニ付所得税逋脱ノ目ところで、本件東京地裁判決は、所得税法157条1項にいう「同族会社の」行為計算を、同族会社が行う行為に限定されるとするのではなく、「同族会社とかかわりのある行為」と解すべきであるとしているのであろうか。そのようには判示していない。

同判決は、「株主等と同族会社との間の取引行為」と認定しており、単独行為性を否定している。そして単なる「かかわりのある行為」とするのではなく、明確に「取引行為」と認定しているようである。上記浦和地裁昭和56年2月25日判決におけるY主張のように、「同族会社とのかかわりのある行為」という解釈はあくまでも同族会社の行為計算の否認規定の趣旨を逸脱したみだりな拡張解釈であるとしても、会社の役員あるいはこれを支配する株主等の行為で、同族会社の行為と同視することができる場合を同規定の射程範囲に読み込むことを可能であるとしたのが本件判決の重要な意義であると思われる。少なくとも、本件東京地裁判決から得られる同規定の適用に関する解釈論としては、単独行為のように同族会社の行為と明らかに同視し得ないものが適用対象から排除されるのみならず、「株主等と同族会社との間の取引行為」と認められないものも排除されると解することになろう。

その点は、終戦後相続税法に同族会社等の行為又は計算の否認規定が導入されたことによって、大正12年の創設当時目的とされた同族会社の租税回避行為防止のほかに、同族会社と特別の関係がある個人の相続税等の回避行為を防止する機能をも有するに至ったわけであるが、その際、かかる導入を契機として、否認の範囲を直接同族会社関係者の行為にまで拡張することも可能ではあったが、そのような特別な立法がされず、従来の条項と同一の表現を借用している以上、従来のそれを拡張することは、租税法律主義の原則にも反することになるというべきである。

2　タックス・ヘイブン対策税制

タックス・ヘイブン対策税制は、居住者又は内国法人が租税回避地（いわゆるタックス・ヘイブン（tax haven））にペーパー・カンパニーを設立し、これを

的アリト認メラルルモノアル場合ニ於テハ其ノ行為又ハ計算ニ拘ラズ政府ハ其ノ認ムル所ニ依リ此等ノ者ノ所得金額ヲ計算スルコトヲ得』と規定され、同族会社の行為について、従来あった相手方の制限が撤廃されるとともに、否認の対象として新たに同族会社の『計算』が加えられ、その後この規定における『同族会社ノ行為又ハ計算』と同文ないし同旨の表現が現行税法に至るまで引き継がれている」と論じるが、これは、あくまでも同族会社が行う行為の枠内においてであって、文理上これと相容れない第三者の単独行為までが同範囲に含まれるとは解されないというべきであろう。

利用して我が国における租税負担を不当に軽減するような租税回避行為に対応するために、用意されている税制である（措法40の40）。

このような制度が必要なのは、我が国の居住者や内国法人が株主となっている外国子会社の所得に対しては我が国の課税権が及ばず、その外国子会社が配当さえ行わなければ株主である我が国の居住者や内国法人には課税が及ばないため、課税が繰り延べられ、この子会社に留保された所得を用いてさらに外国への再投資等を行うことによって、いつまでたっても我が国の課税が及ばないとか、場合によっては永遠に課税を免れることができてしまうことから、このようなことを封じ込めるところにある。

そこで、タックス・ヘイブン対策税制では、このような租税回避行為に対すべく、本店所在地における租税負担が我が国の法人税負担に比べて著しく低い外国子会社等の留保所得を、一定の条件の下に株式の直接・間接の所有割合に応じて我が国の株主の所得とみなして合算課税をすることとしている（措法40の４①）。

裁判例の紹介

外国子会社合算税制

租税特別措置法40条の４第１項所定の適用対象留保金額の算定の基礎となる未処分所得の金額の計算について、同法施行令39条の15第１項１号に掲げる金額の算出をシンガポールにおける会計基準によって計算されるべきとした事例

（403第一審東京地裁平成29年１月31日判決・訟月64巻２号168頁）[22]
（404控訴審東京高裁平成29年９月６日判決・訟月64巻２号238頁）
（405上告審最高裁平成30年６月15日第二小法廷決定・税資268号順号13157）

〔事案の概要〕

１　概観

本件は、Ｘ（原告・控訴人・上告人）が、所轄税務署長から、いわゆる外国

22）判例評釈として、本田光宏・ジュリ1526号138頁（2018）参照。

子会社合算税制（タックス・ヘイブン対策税制）について定める租税特別措置法（平成18年法律第10号による改正前のもの。以下「措置法」という。）40条の4第1項の適用により、Xが株式を保有するシンガポール共和国に本店が所在する外国法人が同項所定の特定外国子会社等に該当し、同項所定の課税対象留保金額に相当する金額がXの雑所得に係る収入金額とみなされるとして、Xの平成17年分の所得税の決定処分（以下「本件決定処分」という。）及び無申告加算税の賦課決定処分（以下「本件賦課決定処分」といい、本件決定処分と併せて「本件決定処分等」という。）を受けたことから、本件決定処分等は、上記課税対象留保金額の算定の基礎となる同条2項2号所定の未処分所得の金額の計算に誤りがあり、違法であると主張して、国Y（被告・被控訴人・被上告人）を相手取り、本件決定処分等の取消しを求めた事案である。

2　具体的事実

(1)　K社について

ア　K社は、1998年（平成10年）7月24日、XとC1により設立されたシンガポールを本店所在地とする外国法人である。

イ　Xは、1999年（平成11年）3月24日から2009年（平成21年）8月11日までの間、K社の総発行済株式数50万株のうち49万9,999株（約99.9%）を保有していた。

ウ　K社は、1999年（平成11年）4月頃から、同年に取得した油そう船（以下「本件油そう船」という。）を裸用船として第三者に貸し付けていたが、2004年（平成16年）12月20日に本件油そう船を581万2,300米国ドルで売却した。

エ　K社は、シンガポールの法令に基づき、平成11年9月期から平成17年9月期までの各決算に係る財務諸表を作成し、公認会計士の監査及び株主全員（X及びC1）の承認を受けた。この財務諸表の中には、K社が作成した損益計算書（以下「K社損益計算書」という。）が含まれている。

K社損益計算書によれば、K社は、平成11年9月期から平成16年9月期までは、税引後損益に欠損が生じていたが、平成17年9月期は、本件油そう船の売却による特別利益250万9,737シンガポールドル（以下「S$」という。）が計上されたことにより、税引後損益に利益が生じた。

(2)　シンガポールの法人税に係る税制の概要

シンガポールは、法人税について、納税者が税務当局に課税所得の算定に必要な資料（監査証明付きの決算書等を添付した法人税申告書等）を提出し、税務当局がその提出された資料に基づいて当該納税者の税額を賦課決定するという賦課課税制度を採用している。

(3)　所轄税務署長は、K社が、平成13年9月期から平成17年9月期までにおいて、措置法40条の４第１項に規定する特定外国子会社等に該当し、平成17年９月期において課税対象留保金額を有するため、課税対象留保金額に相当する金額をＸの雑所得に係る収入金額とみなして総収入金額に算入する必要があるとして、本件決定処分等をした。

Ｘは、平成23年４月26日、所轄税務署長に対し、本件決定処分等を不服として異議申立てをした。Ｘは、同異議申立てにおいて、Ｋ社の平成11年９月期から平成17年９月期までの損益については本邦法令の規定に基づく計算が認められるべきであり、平成17年９月期の損益は46万1,195Ｓ＄の赤字となるから、本件決定処分等は取り消されるべきである旨を主張し、同年５月12日、所轄税務署長に対し、「日本法令によるＫ MARITIME 損益計算書」と題する書類（以下「Ｘ作成損益計算書」という。）を提出した。

〔争点〕

本件の争点は、本件決定処分等の適法性であり、具体的には、措置法40条の４第１項所定の適用対象留保金額の算定の基礎となる同条２項２号所定の未処分所得の金額の計算について、措置法施行令25条の20《適用対象金額の計算》１項に規定する同施行令39条の15《適用対象金額の計算》１項１号に掲げる金額の算出をＫ社損益計算書に基づいて行うべきか、Ｘ作成損益計算書に基づいて行うべきか否かが争われた。すなわち、措置法40条の４第１項所定の適用対象留保金額の算定の基礎となる同条２項２号所定の未処分所得の金額の計算について、措置法施行令25条の20第１項に規定する同施行令39条の15第１項１号に掲げる金額の算出をＫ社損益計算書に基づいて行うべきか、Ｘ作成損益計算書に基づいて行うべきか否かが争点である。具体的には、本件油そう船に係る減価償却費の金額の計算をＫ社損益計算書に記載された金額（同社の決算において経理された金額）を基礎として行うべきか、Ｘ作成損益計算書に記載された金額を基礎として行うべきか否かである。

〔判決の要旨〕

１　東京地裁平成29年１月31日判決

「措置法40条の４第２項２号は、同条１項に規定する未処分所得の金額という用語の意義について、特定外国子会社等の各事業年度の決算に基づく所得の金額につき、法人税法及び措置法による各事業年度の所得の金額の計算に準ずるものとして政令で定める基準により計算した金額を基礎として政令で定めるところにより当該各事業年度開始の日前７年以内に開始した各事業年度において生じた欠損の金額に係る調整を加えた金額をいう旨を定めている。

そして、措置法施行令25条の20第１項は、措置法40条の４第２項２号に規定する政令で定める基準により計算した金額は、同条１項に規定する特定外国子会社等の各事業年度の決算に基づく所得の金額に係る措置法施行令39条の15第

1項1号に掲げる金額及び同項2号に掲げる金額の合計額から当該所得の金額に係る同項3号に掲げる金額を控除した残額とする旨を定め、同項1号には、当該各事業年度の決算に基づく所得の金額につき、本邦法令の規定の例に準じて計算した場合に算出される所得の金額又は欠損の金額が掲げられている。

この措置法施行令の規定は、特定外国子会社等の本店所在地国の法人所得税に係る税制が様々であるため、その本店所在地国の法令の規定に基づいて計算される所得の金額にもおのずから差異が生ずるものであるところ、措置法40条の4第1項所定の外国子会社合算税制においては、特定外国子会社等の課税対象留保金額をその株主である居住者の所得に合算して課税する仕組みが採られていることから、その合算の対象となる課税対象留保金額の基礎となる特定外国子会社等の未処分所得の金額は、原則として、各国の税制によって左右されることなく本邦法令の規定の例に準じて統一的に計算することが望ましいと考えられたことによるものと解される。そして、措置法施行令39条の15第1項1号において同号所定の所得の金額を本邦法令の規定の例に準じて計算するものとされているのは、本邦法令の規定の中には、確定した決算における経理を要件として適用することとされている規定（法人税法31条、42条）や青色申告書を提出する法人であることを要件として適用することとされている規定（措置法43条、45条の2等）があるなど、一定の要件を付しているものがあるが、我が国と会計制度の異なる特定外国子会社等の決算についてそのような形式的な要件を要求すると不都合が生ずる可能性があることから、そのような形式的な要件を満たさない場合においても本邦法令の規定の適用を認める趣旨に出たものであると解される。

(3)　他方で、措置法施行令25条の20第2項は、措置法40条の4第1項各号に掲げる居住者は、措置法施行令25条の20第1項の規定にかかわらず、特定外国子会社等の各事業年度の決算に基づく所得の金額につき、当該特定外国子会社等の本店所在地国の法令の規定により計算した所得の金額に当該所得の金額に係る同施行令39条の15第2項1号から13号までに掲げる金額の合計額を加算した金額から当該所得の金額に係る同項14号から16号までに掲げる金額の合計額を控除した残額をもって措置法40条の4第2項2号に規定する政令で定める基準により計算した金額とすることができる旨を定めている。

この措置法施行令の規定は、特定外国子会社等の所得の金額の計算が本店所在地国の法令に基づいて既にされている場合において、常に本邦法令の規定の例に準ずる統一的な計算を強制すると、納税者が二重に税務計算をすることを余儀なくされ、過重な事務負担となるおそれもあることから、納税者の便宜のため、例外的に、当該特定外国子会社等の本店所在地国の法令の規定により計算した所得の金額を基礎として未処分所得の金額の計算をすることを許容したものであると解される（ただし、本邦法令の規定の例に準じて計算した場合との著しいかい離が生じないように種々の計算の調整が行われることになる。）。」

「3　措置法施行令39条の15第1項1号所定の本邦法令の規定の例に準ずる計算の方法について
(1)　本邦法令の規定の例に準ずる計算の方法の在り方について
…措置法40条の4第2項2号所定の未処分所得の金額は、『特定外国子会社等の各事業年度の決算に基づく所得の金額』につき、法人税法及び措置法による各事業年度の所得の金額の計算に準ずるものとして政令で定める基準により計算した金額を基礎として所定の調整を加えた金額をいうものとされているところ、上記政令で定める基準により計算した金額について定める措置法施行令25条の20第1項や本邦法令の規定の例に準じて計算した場合に算出される所得の金額について定める同施行令39条の15第1項1号は、いずれも上記『特定外国子会社等の各事業年度の決算に基づく所得の金額』について所定の計算をすることにより特定外国子会社等の未処分所得の金額を算出するものとしている。

そして、決算とは財務諸表を作成する手続をいうところ、財務諸表の作成は法人の財政状態及び経営成績を利害関係者に対して適正に開示させることを目的として定められた会計制度に従って行われるものであるから、特定外国子会社等がその本店所在地国における会計制度に従って決算を行っている場合には、当該決算が措置法40条の4第2項2号に規定する『特定外国子会社等の各事業年度の決算』に当たると認めることができる。

このように、未処分所得の金額が『特定外国子会社等の各事業年度の決算に基づく所得の金額』について計算すべきものとされているのは、特定外国子会社等の本店所在地国の法人所得税に係る税制が様々であるため、確定した決算における経理を要件とする規定等を厳格に適用することが困難であるとしても…、法人である以上は利害関係者に対して財政状態及び経営成績を明らかにするために何らかの形で決算が行われることになるから、当該決算に基づく所得の金額を基礎として未処分所得の金額の計算を行うものとすることにより、納税者による恣意的な未処分所得の金額の計算を抑制しようとする趣旨に出たものと解される。

このような趣旨に鑑みると、措置法40条の4第2項2号所定の未処分所得の金額について、措置法施行令25条の20第1項に規定する同施行令39条の15第1項1号に掲げる金額の算出をするときは、特定外国子会社等の各事業年度の決算に基づく所得の金額を基礎として本邦法令の規定の例に準じて計算をすることにより所得の金額を算出すべきであり、また、当該決算に基づく所得の金額は、当該決算において経理された費用等の金額に基づいて算出されているものであるから、本邦法令の規定の例に準ずる計算をするに当たっては、当該決算において経理された費用等の金額を基礎として計算をすべきであり、当該費用等の金額を事後に任意の金額に修正して計算をすることは許されないものと解するのが相当である。

そして、このように解することは、居住者の所得への合算の対象となる課税対象留保金額の基礎となる特定外国子会社等の未処分所得の金額について、各国の税制によって左右されることなく本邦法令の規定の例に準じて統一的に計算することが望ましいとの考えに基づいて設けられた措置法施行令25条の20第1項の趣旨…にも合致するものというべきである。

(2)　措置法施行令39条の15第1項1号に基づく減価償却費の金額の計算方法について

ア　法人税法31条1項は、内国法人の各事業年度終了の時において有する減価償却資産につきその償却費として同法22条3項（各事業年度の損金の額に算入する金額）の規定により当該事業年度の所得の金額の計算上損金の額に算入する金額は、その内国法人が当該事業年度においてその償却費として損金経理をした金額（損金経理額）のうち、その内国法人が当該資産について選定した償却の方法（償却の方法を選定しなかった場合には、償却の方法のうち政令で定める方法）に基づき政令で定めるところにより計算した金額（償却限度額）に達するまでの金額とする旨を定めている。

このように、法人税法31条1項が減価償却費を損金の額に算入するための要件として損金経理がされていること（確定した決算において費用として経理されていること（法人税法2条25号））を定めているのは、減価償却費の経理のような法人の内部取引（内部計算事項）については、第三者の介在する外部取引とは異なり、法人の利益の算定において選択的又は恣意的な経理がされるおそれがあることから、法人の財政状態及び経営成績を利害関係者に対して適正に開示させることを目的として定められた会計制度に従って作成された財務諸表において費用として経理され、法人の最高の意思決定機関である総会における承認又は構成員全員の同意がされていることを要するものとし、もって選択的又は恣意的な経理を抑制し適正な課税の実現を図ろうとする趣旨に出たものであると解される。

イ　しかるところ、…措置法施行令39条の15第1項1号が同号所定の所得の金額を本邦法令の規定の例に準じて計算するものとしているのは、本邦法令の規定の中には、確定した決算における経理を要件として適用することとされている規定（法人税法31条、42条）や青色申告書を提出する法人であることを要件として適用することとされている規定（措置法43条、45条の2等）があるなど、一定の要件を付しているものがあるが、我が国と会計制度の異なる特定外国子会社等の決算についてそのような形式的な要件を要求すると不都合が生ずる可能性があることから、そのような形式的な要件を満たさない場合においても本邦法令の規定の適用を認める趣旨に出たものであると解される。そのため、特定外国子会社等の各事業年度の決算が本邦法令の規定における確定した決算に該当しない場合であっても、当該特定外国子会社等の決算において経理された減価償却費は法人税法31条1項の規定の例に準じて損金の額に算入され得ることになる。

もっとも、…措置法40条の4第2項2号並びに措置法施行令25条の20第1項及び39条の15第1項1号は、納税者による恣意的な未処分所得の金額の計算を抑制するため、未処分所得の金額は措置法40条の4第2項2号に規定する『特定外国子会社等の各事業年度の決算に基づく所得の金額』について計算すべきものとしているのであるから、措置法施行令39条の15第1項1号に掲げる金額は、特定外国子会社等の各事業年度の決算に基づく所得の金額を基礎として、本邦法令の規定の例に準じて計算をすることにより所得の金額を算出すべきであり、本邦法令の規定の例に準ずる計算をするに当たっては、当該決算において経理された費用等の金額を基礎として計算をすべきであって、当該費用等の金額を事後に任意の金額に修正して計算をすることは許されないものと解される。

また、措置法施行令39条の15第1項1号が同号所定の所得の金額を本邦法令の規定の例に準じて計算するものとしているのは、飽くまで、我が国と会計制度の異なる特定外国子会社等の決算について損金経理等のような形式的な要件を要求すると不都合が生ずる可能性があることから、そのような形式的な要件を満たさない場合においても本邦法令の規定の適用を認める趣旨に出たものにとどまり、…法人税法31条1項が減価償却費を損金の額に算入するために損金経理を要するものとした趣旨、すなわち、選択的又は恣意的な経理を抑制し適正な課税の実現を図るという趣旨までをも不要とするものではないというべきである。そして、特定外国子会社等が既にその決算において減価償却費について経理をしているにもかかわらず、当該減価償却費の金額を事後に任意の金額に修正することを認めた場合には、上記のような同項が減価償却費を損金の額に算入するために損金経理を要するものとした趣旨を損なうこととなり、内国法人に本邦法令の規定をそのまま適用した場合と著しいかい離を生ずることとなるものであるから、措置法施行令39条の15第1項1号も、そのような修正をした損益計算書に基づいて同号所定の所得の金額の計算を行うことを許容しているものとは解されない。

以上に説示したところに鑑みると、措置法施行令39条の15第1項1号に掲げる金額を算出するために法人税法31条の規定の例に準じて減価償却費の金額の計算をする場合、特定外国子会社等が既にその決算において減価償却費について経理をしているときは、当該決算に当該特定外国子会社等の本店所在地国の法令の重大な違反があるためその経理に係る減価償却費の金額を基礎として未処分所得の金額の計算をすることが著しく不当であると認められる特段の事情のない限り、当該決算において経理された減価償却費の金額を基礎として同条1項所定の償却限度額の限度で損金の額に算入されるものと解するのが相当であり、当該決算において減価償却費として経理された金額を事後に任意の金額に修正して措置法施行令39条の15第1項1号に掲げる金額を算出することは許されないというべきである。そのため、上記のときにおいて減価償却費として損金の額に算入される金額は、特定外国子会社等がその決算において減価償却費として経理した金額と償却限度額のいずれか低い方の金額であり、減価償却費として経理した金額が償却限度額を超える場合には、その超える金額（以下『償却超過額』という。）は、これが生じた事業年度の翌年の事業年度において償却限度額に達するまでの金額が損金の額に算入されることになる（法人税法31条４項）。」

「したがって、本件において、措置法40条の４第２項２号所定の未処分所得の金額について措置法施行令25条の20第１項に規定する同施行令39条の15第１項１号に掲げる金額の算出をするときは、Ｋ社の決算において経理された減価償却費の金額を記載したＫ社損益計算書に基づいて計算を行うべきであり、その際、本件油そう船に係る減価償却費の金額の計算は、Ｋ社損益計算書に記載された減価償却費の金額（同社の決算において経理された金額）を基礎として法人税法31条１項所定の償却限度額の限度で損金の額に算入されるものというべきである。すなわち、減価償却費として損金の額に算入される金額は、Ｋ社損益計算書に記載された減価償却費の金額（同社の決算において経理された金額）と償却限度額のいずれか低い方の金額であり、減価償却費として経理した金額が償却限度額を超える場合には、その償却超過額は、これが生じた事業年度の翌年の事業年度において償却限度額に達するまでの金額が損金の額に算入されることになる。

2　控訴審**東京高裁平成29年９月６日判決**は原審判断を維持し、上告審最高裁**平成30年６月15日第二小法廷決定**は上告棄却、上告不受理とした。

〔コメント〕

本件では、租税特別措置法施行令39条の15第１項１号が、上記所得の金額につき、本邦法令の規定の例に「準じて」計算することの意義が争われた。

本件東京高裁は、この点を、「定外国子会社等の未処分所得の金額の計算において、措置法40条の４第２項２号並びに同号を受けた措置法施行令25条の20第１項及び39条の15第１項１号が『特定外国子会社等の各事業年度の決算に基づく所得の金額』について所定の計算をすることとしているのは、特定外国子会社等の本店所在地国と本邦との間で、会計制度や法人所得税に係る税制に相違があり、本邦と同様の要件を厳格に適用することが困難であるとしても、法人である以上は利害関係者に対して財政状態及び経営成績を明らかにするために決算が行われるから、その趣旨を踏まえつつ、納税者による恣意的な未処分所得の金額の計算を抑制すべく、特定外国子会社等がその本店所在地国における会計制度に従って行った決算に基づく所得の金額を基礎とすることが原則であることを定めたもの」であるとした。そして、租税特別措置法施行令39条の15第１項１号が、上記所得の金額につき、本邦法令の規定の例に準じて計算するものとしているのは、本邦と異なる会計制度に基づく特定外国子会社等の決算について損金経理のような形式的な要件を要求すると不都合が生ずる可能性があるため、そのような形式的な要件を満たさない場合においても本邦法令の規定の適用を認める趣旨に出たものであるから、特定外国子会社等の決算の修正が許容される範囲は、あくまで、本邦と特定外国子会社等の本店所在地国との会計制度の差異の調整にとどまるべきであるとして、準じて計算される範囲が単なる会計制度の差異の調整に限定されるという解釈を展開している。

〔事項索引〕

〔き〕

〔く〕

〔け〕

〔こ〕

〔さ〕

〔し〕

〔す〕

〔せ〕

〔そ〕

〔た〕

〔ち〕

〔つ〕

〔ひ〕

〔ふ〕

〔へ〕

〔ほ〕

〔ま〕

〔み〕

〔む〕

〔め〕

〔も〕

〔や〕

〔ゆ〕

〔よ〕

〔り〕

〔る〕

〔れ〕

〔ろ〕

〔わ〕

〔アルファベット・数字〕

〔裁判例・裁決例索引〕

裁判所名等	月　　日	出　　典	掲載頁
大審院	昭和６年５月８日	大審院刑事判例集10巻205頁	718
大審院	昭和７年２月29日	民集11巻697頁	520
大審院	昭和11年１月17日	民集15巻101頁	518
最高裁（大）	昭和25年10月11日	刑集４巻10号2037頁	296
東京地裁	昭和27年８月２日	行集３巻８号1669頁	237
長野地裁	昭和27年10月21日	行集３巻10号1967頁	61
徳島地裁	昭和31年２月８日	民集14巻11号2365頁	333
最高裁（三小）	昭和31年４月24日	民集10巻４号417頁	880
高松高裁	昭和31年10月20日	民集14巻11号2370頁	333
鳥取地裁	昭和32年７月25日	行集８巻７号1247頁	65
最高裁（二小）	昭和32年９月13日	刑集11巻９号2263頁	718
東京地裁	昭和34年２月４日	民集17巻４号629頁	885
東京地裁	昭和34年２月11日	民集14巻12号2434頁	143
広島高裁松江支部	昭和34年３月20日	行集10巻３号427頁	65
東京高裁	昭和34年10月27日	民集14巻12号2437頁	143
岐阜地裁	昭和34年11月30日	行集10巻11号2206頁	63
大阪地裁	昭和34年12月26日	民集16巻８号1756頁	228
東京高裁	昭和34年12月26日	行集10巻12号2495頁	724
名古屋高裁	昭和35年４月15日	税資33号548頁	63
最高裁（二小）	昭和35年９月30日	民集14巻11号2330頁	334
最高裁（二小）	昭和35年10月７日	民集14巻12号2420頁	143
東京高裁	昭和35年10月27日	民集17巻４号632頁	885
大阪高裁	昭和35年12月15日	民集16巻８号1762頁	228
大阪地裁	昭和36年９月19日	行集12巻９号1801頁	762
最高裁（二小）	昭和36年10月13日	民集15巻９号2332頁	725
最高裁（大）	昭和37年２月28日	刑集16巻２号212頁	13
最高裁（二小）	昭和37年３月16日	集民59号393頁	63
最高裁（二小）	昭和37年８月10日	民集16巻８号1749頁	228
千葉地裁	昭和37年12月25日	行集13巻12号2277頁	130
熊本地裁	昭和38年２月１日	行集14巻２号257頁	543
最高裁（二小）	昭和38年５月31日	民集17巻４号617頁	885
最高裁（二小）	昭和38年12月27日	民集17巻12号1871頁	888
岡山地裁	昭和39年１月28日	行集15巻１号101頁	766
浦和地裁	昭和39年１月29日	行集15巻１号105頁	342
名古屋地裁	昭和39年３月31日	税資49号266頁	561

裁判所名等	月　　日	出　　典	掲載頁
最高裁（大）	昭和39年5月27日	民集18巻4号676頁	296
東京地裁	昭和39年5月28日	民集24巻11号1628頁	373
最高裁（一小）	昭和39年10月15日	民集18巻8号1671頁	23
名古屋高裁	昭和39年11月9日	判タ170号256頁	561
最高裁（大）	昭和39年11月18日	民集18巻9号1868頁	76
東京高裁	昭和39年12月9日	行集15巻12号2307頁	130
東京地裁	昭和40年4月30日	税資41号532頁	126
東京地裁	昭和40年5月26日	行集16巻6号1033頁	881
最高裁（二小）	昭和40年9月8日	刑集19巻6号630頁	519, 561
東京高裁	昭和40年9月10日	税資41号1004頁	342
最高裁（二小）	昭和40年9月24日	民集19巻6号1688頁	520
名古屋高裁	昭和41年1月27日	行集17巻1号23頁	76, 529
東京高裁	昭和41年3月15日	民集24巻11号1638頁	373
名古屋地裁	昭和41年4月23日	訟月12巻8号1204頁	725
東京高裁	昭和41年5月17日	税資44号634頁	126
東京地裁	昭和41年6月30日	民集28巻2号200頁	514, 520
福岡高裁	昭和41年7月30日	訟月12巻10号1457頁	543
福岡地裁	昭和42年3月17日	民集25巻8号1131頁	74, 525
名古屋高裁	昭和42年9月14日	訟月13巻11号1200頁	725
福岡高裁	昭和42年11月30日	民集25巻8号1153頁	74, 525
東京高裁	昭和42年12月26日	民集28巻2号214頁	514, 520
東京地裁	昭和43年4月25日	行集19巻4号763頁	218
最高裁（一小）	昭和43年10月31日	集民92号797頁	342
東京地裁	昭和45年4月7日	判時600号116頁	475
名古屋地裁	昭和45年4月11日	民集29巻5号649頁	370
仙台地裁	昭和45年7月15日	民集32巻1号64頁	522
最高裁（二小）	昭和45年10月23日	民集24巻11号1617頁	373
最高裁（二小）	昭和46年7月23日	民集25巻5号805頁	372
名古屋高裁	昭和46年10月28日	民集29巻5号655頁	370
最高裁（三小）	昭和46年11月9日	民集25巻8号1120頁	74, 525
東京高裁	昭和46年12月17日	判タ276号365頁	475
東京高裁	昭和46年12月21日	民集24巻11号1638頁	373
最高裁（三小）	昭和47年1月25日	民集26巻1号1頁	610
静岡地裁	昭和47年6月30日	訟月18巻10号1560頁	596
東京高裁	昭和47年9月14日	訟月19巻3号73頁	218
最高裁（三小）	昭和47年12月26日	民集26巻10号2083頁	543
高松地裁	昭和48年6月28日	行集24巻6＝7号511頁	591
水戸地裁	昭和48年11月8日	判タ303号235頁	659
最高裁（二小）	昭和49年3月8日	民集28巻2号186頁	514, 520
京都地裁	昭和49年5月30日	民集39巻2号272頁	292

裁判所名等	月　　日	出　　典	掲載頁
横浜地裁	昭和50年４月１日	民集35巻３号681頁	188
大阪地裁	昭和50年４月22日	税資81号277頁	490
高松高裁	昭和50年４月24日	行集26巻４号594頁	591
最高裁（三小）	昭和50年５月27日	民集29巻５号641頁	370
大阪地裁	昭和50年９月18日	訟月21巻11号2359頁	558
仙台高裁	昭和50年９月29日	民集32巻１号70頁	522
仙台地裁	昭和51年９月29日	訟月22巻11号2646頁	707
東京地裁	昭和51年10月６日	民集37巻７号971頁	302
東京高裁	昭和51年10月18日	民集35巻３号686頁	188
大阪高裁	昭和51年10月29日	訟月22巻12号2880頁	558
最高裁（二小）	昭和52年２月10日	訟月24巻10号2108頁	311
大阪地裁	昭和52年２月25日	行集28巻１＝２号177頁	304
東京地裁	昭和52年３月24日	訟月23巻４号794頁	559
最高裁（二小）	昭和52年５月２日	訟月22巻12号2880頁	558
東京地裁	昭和52年８月10日	訟月23巻11号1961頁	408
最高裁（二小）	昭和53年２月24日	民集32巻１号43頁	522
東京高裁	昭和53年３月28日	民集37巻７号981頁	302
国税不服審判所	昭和53年７月19日	裁決事例集16号12頁	809
最高裁（三小）	昭和53年８月29日	訟月24巻11号2430頁	218
東京高裁	昭和53年10月31日	訟月25巻２号535頁	559
大阪高裁	昭和53年12月25日	行集29巻12号2107頁	304
名古屋地裁	昭和54年１月29日	行集30巻１号80頁	549
最高裁（二小）	昭和54年６月18日	税資105号725頁	559
東京高裁	昭和54年６月26日	行集30巻６号1167頁	408
国税不服審判所	昭和54年９月４日	裁決事例集19号54頁	726
大阪高裁	昭和54年11月７日	民集39巻２号310頁	292
浦和地裁	昭和56年２月25日	行集32巻２号280頁	902
名古屋高裁	昭和56年２月27日	訟月27巻５号1015頁	549
最高裁（二小）	昭和56年４月24日	民集35巻３号672頁	188
大分地裁	昭和56年６月17日	行集32巻６号927頁	723
福岡地裁	昭和56年７月20日	訟月27巻12号2351頁	873，877
福岡高裁	昭和57年２月24日	行集33巻１＝２号178頁	723
大阪地裁	昭和57年７月16日	行集33巻７号1558頁	649
最高裁（一小）	昭和57年11月11日	税資128号240頁	723
浦和地裁	昭和58年１月21日	行集34巻１号32頁	890
最高裁（二小）	昭和58年９月９日	民集37巻７号962頁	302
大阪高裁	昭和58年11月30日	行集34巻11号2120頁	649
最高裁（三小）	昭和58年12月６日	訟月30巻６号1065頁	305
福島地裁	昭和58年12月12日	訟月30巻６号1087頁	859
水戸地裁	昭和58年12月13日	税資134号387頁	642

裁判所名等	月　日	出　典	掲載頁
熊本地裁	昭和59年２月27日	税資135号157頁	21
大阪高裁	昭和59年５月31日	判タ534号115頁	305
仙台高裁	昭和59年11月12日	訟月31巻７号1686頁	859
東京高裁	昭和59年11月20日	行集35巻11号1821頁	890
静岡地裁	昭和60年３月14日	行集36巻３号307頁	426
最高裁（大）	昭和60年３月27日	民集39巻２号247頁	292
福岡高裁	昭和60年３月29日	訟月31巻11号2906頁	873, 877
最高裁（一小）	昭和60年４月18日	訟月31巻12号3147頁	549
東京地裁	昭和60年５月30日	行集36巻５号702頁	411
東京地裁	昭和60年５月30日	民集46巻５号504頁	416
大阪高裁	昭和60年７月５日	行集36巻７＝８号1101頁	658
大阪地裁	昭和60年７月30日	訟月32巻５号1094頁	434
福岡地裁	昭和60年９月24日	民集44巻４号645頁	668
大阪地裁	昭和60年10月25日	税資147号154頁	752
最高裁（三小）	昭和62年10月30日	集民152号93頁	877
最高裁（二小）	昭和60年12月20日	税資147号760頁	649
東京高裁	昭和61年２月26日	行集37巻１＝２号177頁	411
国税不服審判所	昭和61年３月31日	裁決事例集31号42頁	330
東京高裁	昭和61年３月31日	行集37巻３号557頁	416
大阪高裁	昭和61年６月26日	税資152号540頁	434
大阪高裁	昭和61年８月28日	税資153号576頁	752
神戸地裁	昭和61年９月24日	訟月33巻５号1251頁	88, 680
最高裁（一小）	昭和62年２月12日	税資157号456頁	752
福岡地裁	昭和62年７月21日	訟月34巻１号187頁	193
東京高裁	昭和62年９月９日	行集38巻８＝９号987頁	426
東京地裁	昭和62年９月16日	税資159号555頁	191
最高裁（三小）	昭和62年10月30日	集民152号93頁	874, 877
最高裁（三小）	昭和62年11月10日	集民152号155頁	859
東京高裁	昭和63年１月26日	税資163号143頁	191
国税不服審判所	昭和63年２月18日	裁決事例集35号83頁	738
東京地裁	昭和63年５月16日	判時1281号87頁	68
福岡高裁	昭和63年５月31日	税資164号927頁	874, 877
福岡高裁	昭和63年６月29日	民集44巻４号664頁	668
最高裁（三小）	昭和63年７月19日	判時1290号56頁	426
大阪高裁	昭和63年９月27日	高民41巻３号117頁	88, 680
名古屋地裁	昭和63年10月31日	判タ705号160頁	716
福岡高裁	昭和63年11月22日	税資166号505頁	193
最高裁（一小）	平成元年６月22日	税資170号769頁	191
横浜地裁	平成元年６月28日	行集40巻７号814頁	731
名古屋地裁	平成元年７月28日	税資173号417頁	114

裁判所名等	月　日	出　典	掲載頁
東京高裁	平成７年９月５日	税資213号553頁	652
京都地裁	平成８年１月19日	行集47巻11=12号1125頁	726
新潟地裁	平成８年１月30日	行集47巻１＝２号67頁	437
高松高裁	平成８年３月26日	行集47巻３号325頁	553, 585
千葉地裁	平成８年９月20日	税資220号778頁	893
宇都宮地裁	平成８年10月２日	税資221号20頁	825
最高裁（一小）	平成８年10月17日	税資221号85頁	350
福岡高裁那覇支部	平成８年10月31日	行集47巻10号1067頁	554
大阪高裁	平成８年11月８日	行集47巻11=12号1117頁	726
東京地裁	平成８年11月29日	判時1602号56頁	57
神戸地裁	平成９年２月17日	税資222号456頁	641
東京地裁	平成９年４月25日	訟月44巻11号1952頁	897
最高裁（三小）	平成９年９月９日	訟月44巻６号1009頁	767
横浜地裁	平成９年11月19日	訟月45巻４号789頁	862
最高裁（一小）	平成９年12月18日	税資229号1047頁	652
大阪高裁	平成10年１月30日	税資230号337頁	641
東京地裁	平成10年２月24日	判タ1004号142頁	686, 727
東京高裁	平成10年４月28日	税資231号866頁	57
東京地裁	平成10年５月13日	訟月47巻１号199頁	360
東京高裁	平成10年６月23日	税資232号755頁	893
札幌地裁	平成10年６月29日	税資232号937頁	551
東京高裁	平成10年７月15日	訟月45巻４号774頁	862
最高裁（三小）	平成10年11月10日	集民190号145頁	554
最高裁（三小）	平成11年１月29日	税資240号342頁	893
最高裁（三小）	平成11年１月29日	税資240号407頁	57
盛岡地裁	平成11年４月16日	訟月46巻９号3713頁	30
札幌高裁	平成11年４月21日	税資242号218頁	551
福岡高裁	平成11年４月27日	訟月46巻12号4319頁	26
東京高裁	平成11年５月31日	訟月51巻８号2135頁	897
那覇地裁	平成11年６月２日	税資243号153頁	215
東京高裁	平成11年６月21日	訟月47巻１号184頁	361
福島地裁	平成11年６月22日	税資243号703頁	737
国税不服審判所	平成11年９月１日	裁決事例集58号140頁	828
最高裁（三小）	平成11年10月26日	税資245号130頁	551
仙台高裁	平成11年10月27日	訟月46巻９号3700頁	31
盛岡地裁	平成11年12月10日	行集26巻６号831頁	688
名古屋高裁	平成12年４月27日	税資247号555頁	193
最高裁（一小）	平成12年７月17日	税資248号343頁	641
福岡高裁那覇支部	平成12年10月10日	税資249号６頁	215
東京地裁	平成12年12月21日	税資249号1238頁	420

裁判所名等	月　　日	出　　典	掲載頁
東京地裁	平成18年２月24日	判タ835号191頁	319
東京地裁	平成18年４月18日	税資256号順号10368	378
最高裁（一小）	平成18年４月20日	訟月53巻９号2692頁	439
東京地裁	平成18年７月14日	民集62巻９号2458頁	596
東京高裁	平成18年８月17日	訟月54巻２号523頁	136
東京高裁	平成18年９月14日	判時1969号47頁	319
東京高裁	平成18年９月14日	訟月53巻９号2723頁	439
最高裁（三小）	平成18年10月３日	税資256号順号10522	171
長崎地裁	平成18年11月７日	民集64巻５号1304頁	93
東京高裁	平成19年３月27日	税資257号順号10670	378
さいたま地裁	平成19年５月16日	訟月54巻10号2537頁	47
名古屋地裁	平成19年５月17日	民集64巻３号820頁	794
東京地裁	平成19年６月７日	税資257号順号10724	376
最高裁（二小）	平成19年８月23日	税資257号順号10766	136
東京地裁	平成19年９月14日	判タ1277号173頁	5
東京地裁	平成19年９月27日	税資257号順号10791	181
東京高裁	平成19年10月10日	訟月54巻10号2516頁	47
福岡高裁	平成19年10月25日	民集64巻５号1316頁	94
山形地裁	平成20年１月15日	訟月58巻２号416頁	495
福岡地裁	平成20年１月29日	判時1213号34頁	695
東京地裁	平成20年２月14日	判タ1301号210頁	697
大阪地裁	平成20年２月15日	訟月56巻１号21頁	240
東京高裁	平成20年２月28日	判タ1278号163頁	5
仙台高裁	平成20年８月28日	訟月58巻２号409頁	495
福岡高裁	平成20年10月21日	判時2035号20頁	695
大阪高裁	平成20年11月19日	訟月56巻１号１頁	240
東京地裁	平成20年11月28日	税資258号順号11089	168
名古屋高裁	平成20年12月18日	民集64巻３号890頁	794
東京高裁	平成21年３月11日	訟月56巻２号176頁	697
東京高裁	平成21年５月20日	税資259号順号11203	168
東京高裁	平成21年５月20日	裁判所 HP	596
最高裁（三小）	平成21年５月26日	税資259号順号11210	241
東京高裁	平成21年７月15日	裁判所 HP	596
名古屋地裁	平成21年９月30日	判時2100号28頁	108
東京地裁	平成21年11月12日	判タ1324号134頁	158
東京地裁	平成22年２月12日	税資260号順号11378	7
東京地裁	平成22年３月５日	税資260号順号11392	611
福岡地裁	平成22年３月15日	税資260号順号11396	465
最高裁（三小）	平成22年３月30日	税資260号順号11413	168
最高裁（三小）	平成22年３月30日	集民233号327頁	495

裁判所名等	月　　日	出　　典	掲載頁
広島高裁岡山支部	平成26年1月30日	訟月62巻7号1287頁	271，499
東京高裁	平成26年4月9日	訟月60巻11号2448頁	605
大阪高裁	平成26年5月9日	刑集69巻2号491頁	451
東京高裁	平成26年5月19日	税資264号順号12473	355
最高裁（二小）	平成27年1月16日	税資265号順号12588	103
最高裁（三小）	平成27年3月10日	刑集69巻2号434頁	451
最高裁（三小）	平成27年3月31日	税資265号順号12644	355
大阪地裁	平成27年4月14日	訟月62巻3号485頁	151
東京地裁	平成27年5月14日	民集71巻10号2279頁	454
最高裁（三小）	平成27年7月7日	税資265号順号12690	255
最高裁（二小）	平成27年7月17日	民集69巻5号1253頁	42
最高裁（一小）	平成27年8月26日	判例集未登載	606
東京地裁	平成27年9月30日	税資265号順号12728	252
東京地裁	平成27年10月8日	税資265号順号12735	255
最高裁（一小）	平成27年10月8日	集民251号1頁	271，500
大阪地裁	平成27年12月18日	訟月63巻4号1183頁	388
鳥取地裁	平成27年12月18日	税資265号順号12775	632
大阪高裁	平成28年1月12日	税資266号順号12779	151
東京地裁	平成28年1月21日	訟月62巻10号1693頁	255
東京高裁	平成28年2月17日	税資266号順号12800	181
東京高裁	平成28年4月14日	税資266号順号12842	252
東京高裁	平成28年4月21日	民集71巻10号2356頁	455
東京地裁	平成28年5月19日	税資266号順号12856	8
東京高裁	平成28年5月25日	税資266順号12857	255
東京地裁	平成28年5月27日	税資266号順号12859	448
大阪高裁	平成28年10月6日	訟月63巻4号1205頁	388
横浜地裁	平成28年11月9日	訟月63巻5号1470頁	196
東京高裁	平成28年11月17日	税資266号順号12934	448
最高裁（三小）	平成28年11月29日	税資266号順号12939	255
東京地裁	平成28年11月29日	訟月64巻9号1387頁	593
東京高裁	平成28年12月1日	税資266号順号12942	8
最高裁（三小）	平成29年1月10日	税資267号順号12950	252
東京地裁	平成29年1月13日	税資267号順号12954	530
東京地裁	平成29年1月31日	訟月64巻2号168頁	904
広島高裁	平成29年2月8日	民集72巻4号353頁	271，500
最高裁（一小）	平成29年3月9日	税資267号順号12990	151
大阪地裁	平成29年3月15日	訟月64巻2号260頁	576
東京地裁	平成29年3月17日	税資267号順号12998	182
広島高裁松江支部	平成29年3月27日	税資267号順号13002	632
最高裁（三小）	平成29年4月18日	税資267号順号13012	448

あ　と　が　き

租税法の理解をするに当たっては実際に生起された事案をその学習の素材とすることが有用であるが、膨大な裁判例の中から学習や実務のために有益と思われる裁判例を抽出し体系的理解の中に織り込んでいく作業は煩瑣なものである。そこで、このような裁判例を用いて理解を深めることの重要性を認識する視点に立ってこのシリーズは企画されたものである。

本書の中に出てくる裁判例は、所得税法の学習にとって重要なもので、これを知らなかったというわけにはいかないものばかりである。実務や学習のインデックスとしても活用していただければ幸いである。

令和３年７月

酒　井　克　彦

《著者紹介》

酒井　克彦（さかい　かつひこ）

1963年2月東京都生まれ。

中央大学大学院法学研究科博士課程修了。法学博士（中央大学）。

中央大学法科大学院教授。租税法担当。（社）アコード租税総合研究所（At-I）所長。（社）ファルクラム代表理事。

著書に、『レクチャー租税法解釈入門』（弘文堂2015）、『租税正義と国税通則法総則』（信山社2018〔共編〕）、『スタートアップ租税法〔第4版〕』（2021）、『ステップアップ租税法と私法』（2019）、『クローズアップ事業承継税制』（2019〔編著〕）、『クローズアップ保険税務』（2017〔編著〕）、『クローズアップ課税要件事実論〔第4版改訂増補版〕』（2017）、『クローズアップ租税行政法〔第2版〕』（2016）、『所得税法の論点研究』（2011）、『ブラッシュアップ租税法』（2011）、『フォローアップ租税法』（2010）（以上、財経詳報社）、『通達のチェックポイント—相続税裁判事例精選20—』（2019〔編著〕）、『同—所得税裁判事例精選20—』（2018〔編著〕）、『同—法人税裁判事例精選20—』（2017〔編著〕）、『アクセス税務通達の読み方』（2016）（以上、第一法規）、『プログレッシブ税務会計論Ⅰ〔第2版〕』（2018）、『同Ⅱ〔第2版〕』（2018）、『同Ⅲ』（2019）、『同Ⅳ』（2020）（以上、中央経済社）、『「正当な理由」をめぐる認定判断と税務解釈』（2015）、『「相当性」をめぐる認定判断と税務解釈』（2013）（以上、清文社）、『キャッチアップ企業法務・税務コンプライアンス』（2020〔編著〕）、『キャッチアップデジタル情報社会の税務』（2020〔編著〕）、『キャッチアップ保険の税務』（2019〔編著〕）、『キャッチアップ外国人労働者の税務』（2019〔編著〕）、『キャッチアップ改正相続法の税務』（2019〔編著〕）、『キャッチアップ仮想通貨の最新税務』（2018〔編著〕）、『新しい加算税の実務』（2016〔編著〕）、『附帯税の理論と実務』（2010）（以上、ぎょうせい）、『裁判例からみる保険税務』（2021〔編著〕）、『裁判例からみる相続税法〔4訂版〕』（2021〔共著〕）、『裁判例からみる税務調査』（2020）、『裁判例からみる法人税法〔3訂版〕』（2019）、『行政事件訴訟法と租税争訟』（2010）（以上、大蔵財務協会）、などがある。その他、論文多数。

二訂版　裁判例からみる所得税法

令和３年８月24日　初版印刷
令和３年９月１日　初版発行

著者　酒井克彦

（一財）大蔵財務協会　理事長
発行者　木村幸俊

発行所　一般財団法人　大蔵財務協会
〔郵便番号　130-8585〕
東京都墨田区東駒形１丁目14番１号
（販売部）TEL 03(3829)4141・FAX 03(3829)4001
（出版編集部）TEL 03(3829)4142・FAX 03(3829)4005
URL　http://www.zaikyo.or.jp

乱丁・落丁はお取替えいたします。
ISBN 978-4-7547-2939-4

印刷・恵友社